DICCIONARIO TEOLOGICO MANUAL DEL ANTIGUO TESTAMENTO

BIBLIOTECA BIBLICA CRISTIANDAD

La dirige

A. DE LA FUENTE ADÁNEZ

Títulos publicados:

COMENTARIO BIBLICO «SAN JERONIMO». 5 tomos.

I. *Antiguo Testamento* I. 886 págs.
II. *Antiguo Testamento* II. 766 págs.
III. *Nuevo Testamento* I. 638 págs.
IV. *Nuevo Testamento* II. 605 págs.
V. *Estudios sistemáticos.* 956 págs.

G. E. WRIGHT: *Arqueología Bíblica.* 402 págs. y 220 ilustraciones.

R. DE VAUX: *Historia Antigua de Israel.* 2 tomos. 454 y 366 págs.

W. EICHRODT: *Teología del Antiguo Testamento.* 2 tomos.

I. *Dios y pueblo.* 478 págs.
II. *Dios y mundo.—Dios y hombre.* 558 págs.

M. NOTH: *El mundo del Antiguo Testamento. Introducción a las ciencias auxiliares de la Biblia.* 400 págs.

J. JEREMIAS: *Jerusalén en tiempos de Jesús. Estudio económico y social del mundo del Nuevo Testamento.* 410 págs.

J. LEIPOLDT/W. GRUNDMANN: *El mundo del Nuevo Testamento.* 3 tomos.

I. *Estudio histórico-cultural.* 750 págs.
II. *Textos y documentos de la época.* 447 págs.
III. *El mundo del NT en el arte.* 80 págs. 323 ilustraciones.

P. BONNARD: *Evangelio según san Mateo.* 632 págs.

Diccionario Teológico del Antiguo Testamento, dirigido por los profesores G. J. BOTTERWECK y H. RINGGREN.

Tomo I: *ʾāb - gālāh.* 1.100 col. + 16 págs.

Diccionario Teológico manual del Antiguo Testamento, dirigido por los profesores E. JENNI y C. WESTERMANN. 2 tomos.

Tomo I: *ʾāb - mātey.* 1.272 col. + 34 págs.

DICCIONARIO TEOLOGICO MANUAL DEL ANTIGUO TESTAMENTO

Editado por

ERNST JENNI

con la colaboración de

CLAUS WESTERMANN

Tomo I

אָב *'āb* — מָתַי *mātay*

EDICIONES CRISTIANDAD

Huesca, 30-32

MADRID

Publicado por
Chr. Kaiser Verlag, Munich 1971

Con el título
THEOLOGISCHES HANDWÖRTERBUCH
ZUM ALTEN TESTAMENT

*

Traducción española de
J. ANTONIO MUGICA

Depósito legal: M. 32.890.—1978 ISBN: 84-7057-241-5

Printed in Spain
Artes Gráficas Benzal - Virtudes, 7 - Madrid-3

CONTENIDO

INTRODUCCION

I. FINALIDAD DEL DICCIONARIO

El hebraísta dispone desde hace ya tiempo de un buen número de diccionarios relativamente buenos. Mencionemos entre los más usados: GB, KBL, Zorell y los primeros volúmenes ya publicados del HAL (se indican sus títulos completos en el apartado de siglas). Pero no cabe duda de que estos diccionarios —construidos a modo de listas de posibles traducciones de cada palabra hebrea a una lengua moderna (con introducciones etimológicas a veces muy bien elaboradas, pero útiles sólo para el especialista), sin presentación ni discusión de los problemas por motivos de espacio— no pueden dar la orientación sobre el uso y vida de las palabras del AT que sería deseable dado el nivel actual de esta ciencia. A esto se añade que, junto a las tendencias filológicas tradicionales, la semántica y los métodos histórico-formal e histórico-tradicional han adquirido una gran importancia en los últimos años. Sus resultados y planteamientos no pueden recibir un tratamiento adecuado en el marco tradicional de los diccionarios corrientes. En el caso de las voces teológicamente importantes resulta especialmente difícil dar cuenta del trabajo realizado por la ciencia veterotestamentaria internacional en el campo de la lexicología. Responde, pues, a una necesidad la elaboración de un diccionario especializado que, como se formuló en la orientación dada a los colaboradores al comunicarles, en 1966, su plan, «presente, como complemento de los diccionarios hebreos existentes, sobre una base lingüística científica y teniendo en cuenta los métodos semánticos, histórico-formal e histórico-tradicional, los vocablos de importancia teológica del AT, estudiando, en la forma más concisa y exhaustiva posible y con la correspondiente bibliografía, su utilización, historia y significado para la teología neotestamentaria».

Somos conscientes de que el resultado que, tras cinco años de trabajo, presentamos ahora al público en su primera mitad no corresponde en todo al ideal deseado. Será útil decir ya desde el comienzo qué es lo que este diccionario no se ha propuesto como finalidad:

a) Aunque, como se verá por el índice previsto para el segundo volumen, se ha incluido una gran parte del vocabulario del AT, este diccionario, sólo en razón de la selección misma de voces tratadas, no puede sustituir, sino únicamente completar los diccionarios en uso. Incluso en las raíces y vocablos tratados no se han agotado, ni con mucho, los abundantes datos lexicológicos, gramaticales, crítico-textuales y bibliográficos que ofrecen los volúmenes ya publicados del HAL.

b) A pesar de la total apertura de esta obra a los nuevos desarrollos de la lingüística (cf., por ejemplo, la amplia presentación de la Encyclopédie de la Pléiade, *Le langage,* editada por A. Martinet [1968] o la introducción más especializada de O. Reichmann, *Deutsche Wortforschung* [1969]) y de la exégesis (cf., por ejemplo, K. Koch, *Was ist Formgeschichte?* [²1967]), no puede ser finalidad de un trabajo de este tipo en colaboración llevar unitariamente hasta las últimas consecuencias una determinada teoría y método y aportar así algo trascendentalmente nuevo. Ni la mayoría de los exegetas del AT son especialistas ni existe tampoco por el momento un método lingüístico o exegético al que se podría obligar a todos los colaboradores con sus diversas procedencias. El especialista podrá traducir por su cuenta a su precisa terminología mucho de lo que aquí encuentre expresado de un modo más libre («significado base», «campo semántico», etc.). Para algunos se habrá dado excesiva importancia a la historia de las formas o a otro método determinado; otros pensarán que se ha prestado demasiada poca atención a esos mismos puntos. Pero tampoco en esto podía ni quería el editor reducir todo a un común denominador.

c) Aun cuando el empleo teológico de las palabras ocupa un puesto central en el diccionario, éste no pretende ser una presentación de la teología del AT organizada por vocablos. Aun prescindiendo de que no se podía obligar a los colaboradores del diccionario a una determinada escuela o dirección teológica y de que el editor ha intervenido lo menos posible en cuestiones de este tipo, no se puede construir una teología sobre la base de la pura lexicología (cf. J. Barr, *The Semantics of Biblical Language* [1961]). Este diccionario toma como punto de partida las palabras y su utilización, lo cual puede conducir realmente a conceptos teológicos precisos; pero no parte de conceptos e ideas teológicos en cuanto tales («omnipotencia», «pecado», «monoteísmo», etc.), que podrían quizá estructurarse en un sistema. Aun cuando al tratar precisamente de entidades abstractas se confunden fácilmente las fronteras entre el significado de una palabra y el contenido designado por ella (cf. las observaciones de H. H. Schmid, *Gerechtigkeit als Weltordnung* [1968] 4ss, sobre la lengua hebrea y el concepto israelita de la realidad), y aunque hay buenas razones para completar la semántica con la onomasiología, nuestro diccionario será un auténtico diccionario, sin que pretenda sustituir a los léxicos teológicos que ofrecen información sobre el «pecado en el AT», «la idea del hombre en el AT», «la concepción israelita de la alianza», etc., y mucho menos a las teologías del AT, para las que esta obra constituye sólo un instrumento subsidiario.

d) Este diccionario especializado se dirige ante todo a teólogos y sacerdotes con un conocimiento mínimo de hebreo y de la exégesis veterotestamentaria. Pero también los que no son hebraístas podrán tener acceso a él, ya que se ha facilitado su uso, en la medida de lo posible, traduciendo las palabras y textos hebreos, transcribiendo su escritura hebrea y por medio de índices. Hemos intentado reunir concisamente en él los resultados de especialistas en publicaciones dispersas haciéndolos asequibles a un público más vasto. Esperamos que este trabajo sea de utilidad para la comprensión del AT y para su proclamación. Pero, al mismo tiempo, queremos señalar los límites que en él nos hemos impuesto: no pretende ahorrar al sacerdote la labor de interpretación de los textos, ni siquiera la de traducirlos al lenguaje actual, y desde este punto de vista será también un mero instrumento subsidiario de la exégesis.

II. ESTRUCTURA DEL DICCIONARIO

Al seleccionar los vocablos «teológicamente importantes» no se puede evitar totalmente el peligro de apreciaciones subjetivas. Esto depende también de que la «utilización teológica de las palabras» no se puede distinguir con toda precisión de su «uso general o profano». En general se ha aplicado un concepto lo más amplio posible de la «utilización teológica», es decir, se han tomado en consideración no sólo los pasajes con verbos que tienen a Dios por sujeto o por objeto, o los sustantivos que sirven para designar a Dios, sino, en cuanto ha sido posible, todos los casos en los que se expresa algo que sucede entre Dios y el pueblo o entre Dios y el hombre. Pero precisamente aquí no se puede evitar que unos echen de menos lo que para otros ha sido tratado con demasiada extensión.

Para documentar la distancia que separa este diccionario de los diccionarios de conceptos diremos que, junto a la gran masa de sustantivos y verbos, se han tratado también en artículos específicos otras partes de la oración, como pronombres (→ *ʾanī,* «yo»; → *kōl,* «todo»), adverbios (→ *ʾūlay,* «quizá»; → *ʾayyē,* «dónde»; → *mātay,* «cuándo»), preposiciones (→ *ʿim,* «con») e incluso interjecciones (→ *ʾahāh,* «¡ah!»; → *hōy,* «¡oh!»; → *hinnē,* «he aquí»).

No se ha tratado, en cambio, en artículos especiales toda una serie de palabras que se podría esperar en un diccionario de este tipo. Esto vale tanto en el caso de algunos sustantivos frecuentes *(har,* «monte»; *máyyim,* «agua») o de verbos *(yšb,* «sentarse, habitar»; *ktb,* «escribir») como en el de muchos objetos, concretamente objetos del culto, para los que se puede remitir a los diccionarios bíblicos. El diccionario no ha sido planeado como una obra de consulta arqueológica o de historia de las religiones; si así fuera, el punto de gravedad (igual que en el caso de los diccionarios teológicos de objetos o de conceptos) se habría desplazado de la función semántica de las palabras a la descripción de lo designado por ellas y a su historia. Quien busque información arqueológica o de historia de las religiones sobre el santuario del arca, el sacrificio o el sacerdocio, no la encontrará aquí bajo el pretexto de una investigación lexicológica de *ʾarōn,* «caja»; *zbḥ,* «degollar, sacrificar», o *kōhēn,* «sacerdote». Este tipo de vocablos, con pocas excepciones, ha sido omitido, así como *ʾēzōb,* «hisopo»; *ʾēfōd,* «efod»; *ʾarīʾēl,* «animal sacrificial»; *bāmā,* «alto cultual», etc. De otro modo se sobrepasaría con mucho los límites de un diccionario teológico.

Lo mismo ha de decirse de los nombres propios, que, a excepción de las designaciones divinas Yahvé y Shadday y de los nombres de Israel y Sión, no han sido tratados en artículos especiales. Es verdad que Abrahán y sus tradiciones, David y sus tradiciones, Jerusalén, Canaán y Babilonia son vocablos de gran importancia teológica, pero no tienen cabida en un diccionario de orientación semántica.

Hay que hacer notar que muchos vocablos no tratados en artículo propio han sido estudiados en unión con otras palabras, sea como sinónimos, como opuestos o como elementos que por una razón o por otra caen dentro del campo semántico del vocablo tratado. Así, por ejemplo, es posible subordinar el vocablo *har,* «monte», en sus connotaciones teológicas, al vocablo → *ṣiyyon,* «Sión»; lo mismo ocurre con *mayyim,* «agua», y *yām,* «mar», con respecto a → *t^ehōm,* «aguas subterráneas primordiales», en sus connotaciones míticas, o con *yšb,* «sentarse, habitar», con respecto a *škn,* «habitar», etc. En algunos vocablos frecuentes se ha indicado, por tanto, en el índice alfabético de voces, el artículo donde se estudia el vocablo en cuestión en unión con otro. En múltiples casos, el índice que aparecerá al final del segundo volumen facilitará notablemente la localización de las diversas voces.

En lo que respecta al orden de las palabras tratadas, hubiera sido posible seguir diversos criterios. No dejaba de ser tentador seguir un criterio de contenido estructurando el vocabulario según este principio. Pero razones teóricas y sobre todo prácticas nos movieron a quedarnos con el criterio alfabético y ofrecer las referencias de contenido necesarias en el curso del artículo por medio de flechas. De este modo, como es natural en una lengua semítica, las palabras de idéntica raíz han sido tratadas en un mismo artículo, lo que no quiere decir naturalmente que se haya sacrificado su autonomía semántica a un falso «fantasma radical» (cf. J. Barr, *op. cit.,* 104ss) y que su significado haya sido subordinado a la etimología. Es verdad que estas posibles distorsiones no quedan excluidas automáticamente con un mero orden alfabético de las palabras; pero tampoco el tratamiento por separado de las formas nominales y verbales de la misma raíz, como ocurre en los diccionarios corrientes, está libre de toda crítica, ya que en ellos *ṣædæq* y *ṣ^edāqā,* por ejemplo, tienen entradas diversas, pero no *ṣiddēq* y *hiṣdīq.* También en este punto han sido determinantes consideraciones prácticas de presentación frente a principios puramente teóricos. Su consecuencia obvia ha sido que en la disposición de los artículos individuales se ha permitido cierta libertad y elasticidad de organización (cf., por ejemplo, el caso de → *'bh,* donde se ha debido tratar por separado el vocablo *'æbyōn,* y el de → *'mn,* donde los derivados más importantes han sido tratados por separado en los apartados 3 y 4 del mismo artículo).

Otro problema subjetivo de criterio lo constituye la amplitud que debía asignarse a cada artículo. Como era de esperar, la división original entre artículos cortos, normales, largos y extralargos quedó un tanto trastocada en la realización práctica. Sin duda unos temas debían ser tratados con mayor brevedad, otros con mayor amplitud, pero las diferencias no debían ir más allá de lo que se puede esperar en una obra de colaboración. Por lo general, gracias a la disciplina de los colaboradores, se ha evitado el peligro, tan conocido de todo editor, de que las colaboraciones se convirtieran en verdaderos tratados.

III. ESTRUCTURA DE LOS ARTICULOS

En cuanto resumen de los resultados de las investigaciones lexicológicas, cada artículo debía ofrecer, a diferencia de los diccionarios corrientes, proposiciones a ser posible en frases completas con un estilo conciso y denso. En vez de subtítulos y notas se han utilizado la numeración de párrafos y la división en letra normal y pequeña; para ideas secundarias, citas e indicaciones bibliográficas se ha hecho uso frecuente del paréntesis.

El título del artículo aparece con una única palabra hebrea, por lo general la raíz (verbal), o un sustantivo primario; en casos especiales, el vocablo más importante del grupo tratado (por ejemplo, → *torá);* a la palabra hebrea se añade la traducción directa en castellano. Dado que el título del artículo sirve también de título a la columna, se procuró que fuese muy breve. Sirve sólo para la finalidad práctica de identificar el artículo y no pretende anticipar su contenido. En las raíces → *'ḥr* y → *'mn,* que carecen de modo *qal,* pero que poseen numerosos derivados, todos con los mismos derechos y con significados diversos, se han elegido traducciones aproximativas del significado de la raíz («después», «firme, seguro»).

Cada artículo contiene regularmente cinco partes fijas; la tercera y la cuarta son las más extensas. La numeración de las partes principales está indicada por cifras romanas en el caso de los artículos largos y por números arábigos en los demás: la jerarquía de la numeración de apartados es la siguiente: I.II. ... 1.2. ... a) b) ... (1) (2) ... No hay que temer una confusión en los casos de los números arábigos en negrita, que señalan tanto los subapartados de las cinco partes principales de los artículos largos marcadas con números romanos como las cinco partes principales de los artículos normales.

Sobre las partes principales, que permanecen siempre idénticas, digamos lo siguiente:

1. *Raíz y derivados.* La primera parte principal informa sobre lo más importante relativo a la raíz. Sigue luego la enumeración de los derivados que han de ser tratados en el artículo, las más de las veces con indicaciones sobre el modo de derivación (función del modo verbal, tipo de formación nominal, etc.), si de ello se pueden sacar conclusiones para el significado (cf. O. Michel: «Archiv für Begriffsgeschichte» 12 [1968] 32ss). Una de las funciones de esta primera parte es servir de índice que presenta el grupo de palabras que va a ser tratado. En esta función indicadora, y no en una supravaloración de la etimología en orden a determinar el significado de los vocablos en el AT, se basa el que se hayan colocado al principio del artículo, y no al final, como lo recomienda expresamente la lexicografía moderna, las indicaciones sobre la existencia de la raíz en otras lenguas semíticas, consideraciones sobre el «significado base» común a todo el grupo y todo tipo de observaciones sobre la etimología. En muchos casos se indican también los límites del método etimológico, tan querido del teólogo, y se previene contra posibles especulaciones. Por otra parte es también de interés para el especialista del AT saber algo, aunque sea brevemente, sobre la extensión de un determinado grupo de palabras en las otras lenguas semíticas o eventual-

mente sobre su sustitución por otras raíces en determinados campos. Es evidente que a este respecto, a diferencia de un diccionario etimológico (que no existe aún en nuestro campo), no se ha pretendido ser exhaustivos en las indicaciones. Por lo general se han tenido más en cuenta las lenguas semíticas más antiguas o contemporáneas del AT: acádico, ugarítico, fenicio-púnico y arameo antiguo.

2. *Estadística.* En la segunda parte principal, asimismo relativamente corta, se ofrecen los datos estadísticos sobre la frecuencia de los vocablos en el AT y en sus diversos libros, en algunos casos en la forma de un cuadro sinóptico. A veces se ha ido más allá del mero inventario y se ponen de relieve peculiaridades en la distribución de frecuencias. En la lingüística moderna está ganándose lentamente un puesto la estadística de la lengua. Aunque aquí también, al igual que en toda estadística, exista el peligro de abuso, nos ha parecido acertado tratar de echar las bases para una estadística de palabras en el AT, ya que, a diferencia de lo que ocurre en el NT (R. Morgenthaler, *Statistik des ntl. Wortschatzes* [1958]), existe en nuestro campo poco material disponible.

Como en toda estadística, también en nuestro caso el primer mandamiento es indicar exactamente lo que se cuenta. Los cálculos aquí ofrecidos se basan en el texto masorético no enmendado de BH^3 y contabilizan cada una de las presencias de una determinada palabra en sus diversas formas gramaticales como una unidad. Según esto, el infinitivo absoluto que acompaña al verbo conjugado en las construcciones enfáticas ha sido computado como caso independiente. No se cuentan, pues, los contextos o los versículos que contienen el vocablo (en algunos casos varias veces), sino cada presencia individual de la palabra. Aun cuando para el valor de las conclusiones que se han de sacar de los números no tienen mayor importancia práctica los pequeños errores o «redondeos», se ha puesto sumo cuidado en la exactitud de la estadística. Así, se han contado regularmente, libro por libro del AT, las dos concordancias, independientes una de otra y construidas según criterios distintos, la de Mandelkern (incluyendo el apéndice de S. Herner) y la de Lisowski, y se las ha cotejado con el original en caso de divergencias para comprobar los resultados. Allí donde se ha debido elegir entre diversas explicaciones gramaticales e identificaciones de palabras, se ha indicado brevemente, en cuanto era necesario, la alternativa preferida, ya que una estadística puede ser comprobada sólo cuando los datos están bien delimitados. Las correcciones que han resultado en este proceso con respecto a la concordancia de Lisowski, no pretenden ser de ningún modo una crítica de la gran aportación que representa esta obra. Cuando en otros libros aparecen indicaciones estadísticas divergentes de las nuestras, la razón está muchas veces en el modo diferente de contar, que naturalmente tiene los mismos derechos que el nuestro, con tal que sea reconocible y haya sido llevado a cabo coherentemente.

El valor de las indicaciones estadísticas sería considerablemente mayor para la historia de la lengua si éstas pudieran ser ordenadas no mecánicamente según los libros del AT, sino teniendo en cuenta la época de composición de los diversos complejos literarios. Pero, dado que el análisis literario y la datación de muchos textos son discutidos o imposibles, no se ha podido seguir este criterio, y si se ha hecho sólo ha sido en casos excepcionales. También el tratamiento separado de, por ejemplo, el Deuteroisaías (y ¿el Tritoisaías?) habría complicado notablemente el proceso. En casos particulares se pueden conseguir estas sutilezas, caso por caso, sin excesivo trabajo.

Para poder medir la frecuencia relativa de una palabra en un determinado libro bíblico, sea o no estadísticamente relevante, se necesita un cuadro comparativo de su presencia en cada uno de los libros de la Escritura. Sirva de ayuda el siguiente cuadro de la proporción de los libros del AT expresada en tantos por mil:

Gn	68	Is	55	Sal	64
Ex	55	Jr	71	Job	27
Lv	39	Ez	61	Prov	23
Nm	54	Os	8	Rut	4
Dt	47	Jl	3	Cant	4
Pentateuco	263	Am	7	Ecl	10
		Abd	1	Lam	5
Jos	33	Jon	2	Est	10
Jue	32	Miq	5	Dn	20
1 Sm	43	Nah	2	Esd	12
2 Sm	36	Hab	2	Neh	17
1 Re	43	Sof	3	1 Cr	35
2 Re	40	Ag	2	2 Cr	44
Jos-2 Re	227	Zac	10	Ketubim	275
		Mal	3		
Gn-2 Re	490	Profetas	235	AT	1000

(arameo 16: Dn 12 de 20, Esd 4 de 12)

3. *El significado y su historia.* En la tercera parte de cada artículo se presenta la utilización general de la palabra o grupo de palabras en el Antiguo Testamento. El cuadro se limita a los libros del canon hebreo; ocasionalmente, pero no de modo regular, se incluyen también las partes del Eclo conservadas en hebreo. No se ha tenido en cuenta el hebreo posbíblico y la literatura intertestamentaria conservada sólo en traducción griega; a veces se tocan brevemente algunos puntos más importantes sobre estos temas al final del artículo.

En la presentación se ha dejado a los autores una gran libertad. La división puede estar basada en consideraciones semánticas (significado principal, extensiones de sentido, sentidos traslaticios, etc.), gramaticales y sintácticas (singular o plural, diversas construcciones de los verbos, etc.) o también históricas; por lo general se han tenido en cuenta las indicaciones que no se encuentran en los diccionarios por falta de espacio sobre series de palabras, campos semánticos, opuestos, delimitaciones con respecto a palabras semánticamente emparentadas, razones de los cambios de sentido, significados que faltan en el AT, etc. Se han evitado, en cambio, en la medida de lo posible, los excursos histórico-culturales o exegéticos que se salen del marco de la investigación lexicológica. Se ha creído suficiente a este respecto indicar la bibliografía pertinente (manuales, comentarios, monografías).

Dado que no parecía absolutamente conveniente un apartado bibliográfico fijo, las referencias de este tipo se han ido haciendo a lo largo del artículo según iban apareciendo los temas; en algunos casos se ha utilizado la forma de una breve reseña histórica de la investigación. En el caso de opiniones discutidas, se ha hecho al menos una breve mención de la posición contraria. Aunque concisos, los artículos deben orientar objetivamente sobre el estado actual de la discusión.

4. *El empleo teológico de las palabras*. Sobre el trasfondo de la tercera parte principal, más genérica, se presenta finalmente el empleo teológico más específico. Sólo en casos excepcionales se puede delimitar con precisión entre «significado profano» y «teológico», pero existe una cierta graduación —no igualmente clara en todos los vocablos— de empleos de las palabras en contextos más o menos relevantes teológicamente, que a menudo puede ser aclarada por medio de un estudio histórico-formal o histórico-tradicional. No se debe de ningún modo crear la ilusión de que se pueden trazar claramente las fronteras en todos los casos: por lo general, la tercera parte principal ofrece una visión general (omitiendo los empleos específicamente teológicos), para tratar luego en la cuarta parte los problemas concretos de carácter teológico. Existe también la posibilidad de unir los apartados 3 y 4 (por ejemplo, → *tm'*); a veces se han asignado vocablos diversos a dos grupos de palabras, cada uno a un apartado (cf. el caso de → *'bh* y el de → *'ḥr*).

Tampoco dentro de la cuarta parte general se ha regulado un orden más preciso. Se podrán encontrar en ella consideraciones semánticas, históricas y teológicas según el juicio del autor.

Del material extrabíblico se han utilizado, como es natural, sólo los textos acádicos y semíticos noroccidentales más antiguos o contemporáneos del AT; con frecuencia también material egipcio. Por motivos de espacio, y teniendo en cuenta las posibilidades existentes, se ha renunciado a estudiar sistemáticamente el empleo de palabras equivalentes desde Mesopotamia hasta Egipto, así como a aducir datos de historia de las religiones.

5. *Epoca posterior al AT*. La parte conclusiva indica muy brevemente en qué medida ha pasado el empleo teológico de una palabra al judaísmo tardío y al NT o al cristianismo primitivo. A este respecto, nos limitamos ordinariamente a una serie de referencias bibliográficas. Por lo que se refiere a las principales equivalencias griegas de las palabras hebreas en los LXX y en el NT, solemos remitir a los correspondientes artículos del ThW. Por lo demás, tampoco en este punto, como en los demás campos limítrofes, se han podido ofrecer indicaciones exhaustivas. No se trataba de hacer una *summa* bíblico-teológica que abarcase todos los campos, sino sólo de ofrecer una escueta indicación que orientase al teólogo hacia el campo vecino.

IV. LA TRANSCRIPCION DEL HEBREO

A excepción de los títulos de los artículos y de poquísimos pasajes en que había que señalar alguna sutileza masorética, se ha renunciado en este diccionario, por razones técnicas, a la escritura hebrea —con pesar de muchos hebraístas, que echarán de menos la escritura familiar y tendrán dificultad en habituarse a la transcripción—. Una mirada a la producción científica actual dejará ver que está creciendo el empleo de la transcripción; si se aplica adecuadamente, puede satisfacer todas las exigencias justificadas mejor que el compromiso técnico de emplear únicamente las letras hebreas no vocalizadas.

Consonantes

א	ʾ	ט	ṭ	פּ	p
בּ	b	י	y	צ	ṣ
גּ	g	כּ	k	ק	q
דּ	d	ל	l	ר	r
ה	h	מ	m	שׂ	ś
ו	w	נ	n	שׁ	š
ז	z	ס	s	תּ	t
ח	ḥ	ע	ʿ		

Vocales

	breve	larga		
◌ָ		ā	◌ָ	o (en sílaba cerrada no acentuada)
◌ַ	a		וֹ	ō
◌ֵ		ē	וּ	ū
◌ֶ	æ	ǣ	◌ְ	e
◌ִ	i	ī	◌ֲ	a
◌ֹ		ō	◌ֳ	o
◌ֻ	u	ū	◌ֱ	e

El sistema de transcripción utilizado en esta obra es una ayuda práctica para representar el hebreo masorético según la pronunciación tradicional de nuestras universidades. No es una transliteración exacta que pretenda reflejar todas las particularidades de la ortografía tiberiense; no tiene tampoco una finalidad puramente fonemática, ni quiere descubrir, tras las tradiciones gramaticales corrientes, formas más propias desde un punto de vista de la historia de la lengua. Las siguientes aclaraciones se dirigen al no especialista; las decisiones prácticas, necesarias al editar el diccionario, en las que había que tener en cuenta las posibilidades técnicas de impresión, no pretenden ser absolutamente normativas.

En cuanto a las consonantes (para detalles, cf. las gramáticas), valgan las aclaraciones siguientes: tanto ʾ como ʿ suelen ser pronunciadas convencionalmente como una aspiración que impide la unión de dos sonidos vocálicos consecutivos (cf. el alemán *geʾehrt); z* es una sibilante sonora (cf. la *z* francesa); *ḥ* corresponde aproximadamente a nuestra *j; ṣ* a la *z* alemana *(ts); š* a la *sh* inglesa o *sch* alemana. En el caso del llamado *begadkefat (b, g, d, k, p* y *t),* la diferencia entre oclusivas y fricativas se ha mantenido en la grafía sólo en el caso de *p/f (p* al comienzo de palabra y después de consonante; *f* después de vocal). La extendida pronunciación de *b* como *v* (francesa) después de vocal y de *k* aproximadamente como nuestra *j*, también después de vocal, puede mantenerse fácilmente sin necesidad de distinguir gráficamente los dos sonidos.

Los signos consonánticos *h*, *w* y *y*, empleados para designar vocales largas (es decir, como *matres lectionis)*, se han utilizado en la transcripción sólo para representar textos no puntuados (inscripciones no bíblicas, textos de Qumrán, *k*[e]*tib*, etc.) y para la alfabetización; *h* ha sido utilizada también en los verbos *tertiae infirmae* (III *w/y)* en la forma paradigmática (tercera persona singular masculina del perfecto); esta forma paradigmática ha sido representada siempre, excepto en los verbos de segundo radical largo (inf. constr. *bōʾ, bīn, gūr,* etc.), como raíz consonántica no vocalizada (por ejemplo, *ʾbd, ʾbh, ʾbl,* que deben ser pronunciados *ʾābad, ʾābā, ʾābal,* con acento en la segunda sílaba; en algunos casos, con *ē* en vez de *a* en la segunda sílaba: *ḥpṣ* = *ḥāfēṣ,* así como también *ṭhr, yrʾ, kbd, lbš* en este primer tomo). La única posibilidad de confusión con la *h* consonántica como tercer radical es *gbh* (= *gābah);* pero en este caso se ha indicado en el texto la pronunciación correcta (col. 394). En las palabras vocalizadas no se ha tenido en cuenta la *h* vocálica; así, por ejemplo, en la final del femenino *-ā (malkā,* «reina», y no *malkāh,* «su reina de ella», etc.). El *alef quiescens* ha recibido un tratamiento algo diverso: cuando es pura vocal no ha sido transcrito (en palabras como *lō,* «no»; *hū,* «él»; *rōš,* «cabeza»; arameo *malkā,* «el rey»); en cambio, en los casos en que el *alef quiescens* y el sonoro aparecen dentro del mismo paradigma gramatical o en un grupo de palabras estrechamente emparentadas ha sido transcrito para facilitar la identificación de la raíz (por ejemplo, los derivados *nōrāʾ,* «terrible», y *yirʾā,* «temor», de la raíz *yrʾ).*

En cuanto a las vocales, el seré (ֵ) y el hólem (ֹ) han sido tratados como vocales largas *(ē* y *ō),* de acuerdo con la tradición gramatical.

El acento recae, por lo general, en la sílaba final; cuando se cumple esta regla, no ha sido expresado gráficamente. Las formas paradigmáticas con acento en la penúltima sílaba, especialmente las segoladas (sustantivos con *æ* final no acentuada), llevan un acento gráfico agudo; este acento no ha sido expresado gráficamente en las formas flexionadas con sílaba final no acentuada (por ejemplo, *lā́mmā,* «¿por qué?»; *ʾā́wæn,* «desgracia»; *ḥḗræm,* «exterminio»; *ʾṓzæn,* «oreja»; frente a *dābār,* «palabra»; *ʾ*[æ]*mæt,* «fidelidad», que tienen acento en la última o *kātabtā,* «tú escribiste», pronunciado *kātábtā).* En los segolados muy frecuentes y fácilmente reconocibles del tipo *mǽlæk,* «rey»; *dǽræk,* «camino»; *ḥǽsæd,* «bondad», etc., no se ha señalado, para no complicar las cosas, la duración de la vocal radical (duración que, por otra parte, no es cierta); cuando se usan tipos de imprenta pequeños se ha renunciado, por razones técnicas, al acento gráfico.

Los nombres propios llevan mayúscula inicial (excepto los que comienzan con ʾ o con ʿ).

En cuanto a la transcripción de las lenguas semíticas afines, véanse las gramáticas y diccionarios correspondientes; la transcripción del acádico sigue las normas de GAG y AHw, la del ugarítico se adapta a las de UT (nótese que en esta lengua *a, i* y *u* no representan vocales, sino el *alef* en sus diversas vocalizaciones).

V. LA EDICION DEL PRIMER TOMO

El director de la obra expresa su sentido agradecimiento al profesor D. C. Westermann, de Heidelberg, por su ayuda en el reclutamiento de una gran parte de los cuarenta colaboradores de este tomo; a él se debió también el primer impulso para la realización de esta obra y él fue quien estableció los contactos necesarios con la casa editora. Las relaciones personales de los directores explican por qué la mayor parte de las colaboraciones de este primer tomo proceden de Heidelberg y Suiza; con todo, esas colaboraciones abarcan nada menos que diez países.

El director tradujo los manuscritos de autores de lengua extranjera. Todos los artículos fueron sometidos a una reelaboración por parte del mismo director, con el fin de conseguir cierta uniformidad en la presentación. Se ha hecho uso frecuente del derecho estipulado a cambios de contenido (en los casos más importantes después de una consulta con el autor); estos cambios consistieron en añadiduras más que en cortes. Cierto número de estos cambios (los que tenían alguna importancia o afectaban al diccionario en su conjunto —adición de palabras emparentadas, etc.— y no constituían una crítica a la aportación del autor) han sido marcados con un asterisco, que indica una añadidura del director (los asteriscos que siguen inmediatamente a los números o letras indicadores de apartados afectan a todo el apartado en cuestión; los que siguen a un párrafo se refieren únicamente a ese párrafo). El director tuvo que intervenir más a fondo en las dos primeras partes principales de los artículos. Sólo el director es responsable de la comprobación de los datos estadísticos. Los autores sólo corrigieron las pruebas en el caso de artículos largos; las erratas y descuidos, más frecuentes que lo que sería de desear, deben ser imputados, por tanto, al director.

Merecen especial agradecimiento el Prof. Thomas Willi (ahora en Eichberg, St. Gallen), el Prof. Gerhard Wehmeier (en Dharwar, Mysore St., India) y Matthias Suter, que desde fines de 1968 se fueron relevando en el puesto de ayudantes del director y se tomaron el pesado trabajo de comprobar citas, bíblicas y bibliográficas, y de leer y corregir las pruebas.

ERNST JENNI

Basilea, abril de 1971.

ABREVIATURAS Y SIGLAS

Libros bíblicos

Gn Ex Lv Nm Dt Jos Jue Rut 1 Sm 2 Sm 1 Re 2 Re 1 Cr 2 Cr
Esd Neh Tob Jdt Est 1 Mac 2 Mac Job Sal Prov Ecl Cant Sab Eclo
Is Jr Lam Bar Ez Dn Os Jl Am Abd Jon Miq Nah Hab Sof Ag
Zac Mal Mt Mc Lc Jn Hch Rom 1 Cor 2 Cor Gál Ef Flp Col 1 Tes
2 Tes 1 Tim 2 Tim Tit Flm Heb Sant 1 Pe 2 Pe 1 Jn 2 Jn 3 Jn Jds Ap.

Comentarios a libros bíblicos

Gn	G. von Rad, ATD 2-4 (1949-52); C. Westermann, BK I (1966ss).
Ex	M. Noth, ATD 5 (1959).
Lv	M. Noth, ATD 6 (1962); K. Elliger, HAT 4 (1966).
Nm	M. Noth, ATD 7 (1966).
Dt	G. von Rad, ATD 8 (1964).
Jos	M. Noth, ATD 7 (^{2}1953).
1 Re	M. Noth, BK IX/1 (1968).
Is	O. Kaiser, ATD 17 (1960); H. Wildberger, BK X (1965ss).
DtIs	C. Westermann, ATD 19 (1966); K. Elliger, BK XI (1970ss).
Jr	W. Rudolph, HAT 12 (^{3}1968) (la numeración de las páginas varía con respecto a ^{2}1958).
Ez	G. Fohrer-K. Galling, HAT 13 (1955); W. Eichrodt, ATD 22 (1959-1966); W. Zimmerli, BK XIII (1969).
Os	H. W. Wolff, BK XIV/1 (1961); W. Rudolph, KAT XIII/1 (1966).
Jl/Am	H. W. Wolff, BK XIV/2 (1966).
Sal	H.-J. Kraus, BK XV (1960).
Job	G. Fohrer, KAT XVI (1963); F. Horst, BK XVI/1 (1968).
Prov	B. Gemser, HAT 16 (^{2}1963); H. Ringgren, ATD 16/1 (1962).
Rut/Cant	W. Rudolph, KAT XVII/1.2 (1962); G. Gerleman, BK XVIII (1965); E. Würthwein, HAT 18 (^{2}1969).
Ecl	W. Zimmerli, ATD 16/1 (1962); H. W. Hertzberg, KAT XVII/4 (1963); K. Galling, HAT 18 (^{2}1969).
Lam	H.-J. Kraus, BK XX (^{2}1960); W. Rudolph, KAT XVII/3 (1962); O. Plöger, HAT 18 (^{2}1969).
Est	H. Bardtke, KAT XVII/5 (1963); G. Gerleman, BK XXI (1970ss).
Dn	A. Bentzen, HAT 19 (^{2}1952); O. Plöger, KAT XVIII (1965).
Esd/Neh	W. Rudolph, HAT 20 (1949).
1/2 Cr	W. Rudolph, HAT 21 (1955).

Textos de Qumrán

Sobre el sistema actual para designar los diversos libros, cf. D. Barthélemy y J. T. Milik, *Qumran Cave I* = DJD I (1955) 46s; Ch. Burchard, *Bibliographie zu den Handschriften vom Toten Meer* (1957) 114-118; O. Eissfeldt, *Einleitung in das AT* (^{3}1964) 875; G. Fohrer(-E. Sellin), *Einleitung in das AT* (^{10}1965) 544-547. Los textos no bíblicos más importantes (cf. *Die Texte aus Qumran.* Habräisch und deutsch, ed. E. Lohse [1964]) son:

CD	Documento de Damasco.
1QH	Hodayot, Salmos.
1QM	Documento de la Guerra.
1QpHab	Comentario a Habacuc.
1QS	Regla de la Secta.
1QSb	Bendiciones.
4QFl	Florilegio.

Textos de Ugarit

En la designación de los textos se ha seguido el sistema de C. H. Gordon, *Ugaritic Textbook* (1965). Las siglas son de Eissfeldt (cf. J. Aistleitner, *Wörterbuch der ugaritischen Sprache* [[3]1967] 348-356: concordancia y primera publicación). Para compararlos con la edición de A. Herdner, *Corpus des tablettes en cunéiformes alphabétiques* (1963) (= CTA), que se va imponiendo cada vez más en los últimos años, cf. los cuadros comparativos de Herdner, *op. cit.*, XIX-XXXIV, o también H. Gese y otros, *Die Religionen Altsyriens...* (1970) 231s.

Significado de las siglas:

AB	Ciclo de Anat y Baal.
Aqht	Texto de Aqhat.
D	Texto de Aqhat.
K, Krt	Texto de Keret.
MF	Fragmentos mitológicos.
NK	Poema de Nikkal.
SS	Texto de Šaḥr y Šalim.

Signos

→	cf. (referencia a otra entrada).
* (delante de una forma)	Forma deducida, no documentada.
* (delante o después de párrafos)	Elaborado por el director (cf. XXV).
>	Ha dado lugar a.
<	Proviene de.

Siglas de las principales obras citadas

AANLR	«Atti della Accademia Nazionale dei Lincei. Rendiconti».
AbB	F. R. Kraus, *Altbabylonische Briefe in Umschrift und Übersetzung*, fasc. 1ss (1964ss).
ABR	«Australian Biblical Review».
AcOr	«Acta Orientalia».
AfO	«Archiv für Orientforschung».
Aḥ; Ah	Novela aramea de Aḥiqar (cf. Cowley).
AHw	W. von Soden, *Akkadisches Handwörterbuch* (1959ss).
AION	«Annali dell'Istituto Universitario Orientale di Napoli».
AIPHOS	«Annuaire de l'Institut de Philologie et d'Histoire Orientales et Slaves».
AJSL	«American Journal of Semitic Languages and Literatures».
ALBO	«Analecta Lovaniensia Biblica et Orientalia».
Alt, KS I-III	A. Alt, *Kleine Schriften*, vol. 1 ([3]1963); vol. 2 ([3]1964); vol. 3 (1959).
ALUOS	«Annual of the Leeds University Oriental Society».
ANEP	*The Ancient Near East in Pictures Relating to the Old Testament*, ed. J. B. Pritchard (1954).
ANET	*Ancient Near Eastern Texts Relating to the Old Testament*, ed. J. B. Pritchard ([2]1955).
AO	«Der Alte Orient».
AOB	*Altorientalische Bilder zum Alten Testament*, ed. H. Gressmann ([2]1927).
AOT	*Altorientalische Texte zum Alten Testament*, ed. H. Gressmann ([2]1926).
ARM	*Archives Royales de Mari*.
ArOr	«Archiv Orientální».
ARW	«Archiv für Religionswissenschaft».

Ass.Mos.	Assumptio Mosis.
ASTI	«Annual of the Swedish Theological Institute».
AT	Antiguo Testamento.
ATD	*Das Alte Testament Deutsch,* ed. (V. Herntrich y) A. Weiser.
AThR	«Anglican Theological Review».
BA	«The Biblical Archaeologist».
Barr, CPT	J. Barr, *Comparative Philology and the Text of the Old Testament* (1968).
Barth	J. Barth, *Die Nominalbildung in den semitischen Sprachen* (^{2}1894).
BASOR	«Bulletin of the American Schools of Oriental Research».
BBB	«Bonner Biblische Beiträge».
Begrich, GesStud	J. Begrich, *Gesammelte Studien zum Alten Testament* (1964).
Ben Jehuda	Elieser ben Jehuda, *Thesaurus totius Hebraitatis et veteris et recentioris* I-XVI (1908-59).
BeO	«Bibbia e Oriente».
Bergstr.I-II	G. Bergsträsser, *Hebräische Grammatik,* vol. I (1918); vol. II (1929).
Bergstr.Einf.	G. Bergsträsser, *Einführung in die semitischen Sprachen* (1928).
Bertholet	A. Bertholet, *Kulturgeschichte Israels* (1919).
BEThL	«Bibliotheca Ephemeridum Theologicarum Lovaniensium».
BFChrTh	«Beiträge zur Förderung christlicher Theologie».
BH^{3}	*Biblia Hebraica,* ed. R. Kittel, A. Alt, O. Eissfeldt (^{3}1937 = ^{7}1951).
BHH I-III	*Biblisch-Historisches Handwörterbuch,* ed. B. Reicke y L. Rost, vols. I-III (1962-66).
BHS	*Biblia Hebraica Stuttgartensia,* ed. K. Elliger y W. Rudolph (1968ss).
Bibl	«Biblica».
BiOr	«Biblioteca Orientalis».
BJRL	«Bulletin of the John Rylands Library».
BK	*Biblischer Kommentar. Altes Testament,* ed. M. Noth y H. W. Wolff.
BL	H. Bauer y P. Leander, *Historische Grammatik der hebräischen Sprache* I (1922).
BLA	H. Bauer y P. Leander, *Grammatik des Biblisch-Aramäischen* (1927).
Blass-Debrunner	F. Blass y A. Debrunner, *Grammatik des neutestamentlichen Griechisch* (^{12}1965).
BLex^{2}	*Bibel-Lexikon,* ed. H. Haag (^{2}1968).
BM	G. Beer y R. Meyer, *Hebräische Grammatik,* vol. I (^{2}1952); vol. II (^{2}1955); vol. III (^{2}1960) (cf. Meyer).
BMAP	E. G. Kraeling, *The Brooklyn Museum Aramaic Papyri* (1953).
Böhl	F. M. Th. de Liagre Böhl, *Opera Minora* (1953).
Bousset-Gressmann	W. Bousset y H. Gressmann, *Die Religion des Judentums im späthellenistischen Zeitalter* (^{3}1926).
Bresciani-Kamil	Cf. Hermop.
BRL	K. Galling, *Biblisches Reallexikon:* HAT 1 (1937).
Brønno	E. Brønno, *Studien über hebräische Morphologie und Vokalismus* (1943).
BrSynt	C. Brockelmann, *Hebräische Syntax* (1956).
BSOAS	«Bulletin of the School of Oriental and African Studies».
Buccellati	G. Buccellati, *The Amorites of the Ur III Period* (1966).
Burchardt I-II	M. Burchardt, *Die altkanaanäischen Fremdworte und Eigennamen im Ägyptischen,* vols. I-II (1909-10).
BWA(N)T	«Beiträge zur Wissenschaft vom Altem (und Neuen) Testament».
BWL	W. G. Lambert, *Babylonian Wisdom Literature* (1960).
BZ	«Biblische Zeitschrift».
BZAW	«Beiheft zur Zeitschrift für die alttestamentliche Wissenschaft».
BZNW	«Beiheft zur Zeitschrift für die neutestamentliche Wissenschaft».

CAD	*The Assyrian Dictionary of the Oriental Institute of the University of Chicago* (1956ss).
Calice	F. Calice, *Grundlagen der ägyptisch-semitischen Wortvergleichung* (1936).
CBQ	«Catholic Biblical Quarterly».
CIS	*Corpus Inscriptionum Semiticarum* (1881ss).
Conti Rossini	K. Conti Rossini, *Chrestomathia Arabica Meridionalis Epigraphica* (1931).
Cooke	G. A. Cooke, *A Text-Book of North-Semitic Inscriptions* (1903).
Cowley	A. Cowley, *Aramaic Papyri of the Fifth Century B. C.* (1923).
CRAIBL	«Comptes Rendus de l'Académie des Inscriptions et Belles-Lettres».
CV	«Communio Viatorum».
DAFA	R. Blachère, M. Chouémi y C. Denizeau, *Dictionnaire arabe-français-anglais (langue classique et moderne)* (1963ss).
Dahood, Proverbs	M. Dahood, *Proverbs and Northwest Semitic Philology* (1963).
Dahood, UHPh	M. Dahood, *Ugaritic-Hebrew Philology* (1965).
Dalman	G. Dalman, *Aramäisch-Neuhebräisches Handwörterbuch* ([3]1938).
Dalman, AuS I-VII	G. Dalman, *Arbeit und Sitte in Palästina,* vols. 1-7 (1928-42).
Delitzsch	F. Delitzsch, *Die Lese- und Schreibfehler im Alten Testament* (1920).
Dhorme	E. Dhorme, *L'emploi métaphorique des noms de parties du corps en hébreu et en akkadien* (1923).
Dillmann	A. Dillmann, *Lexicon Linguae Aethiopicae* (1865).
Diringer	D. Diringer, *Le iscrizioni antico-ebraiche Palestinesi* (1934).
DISO	Ch. F. Jean y J. Hoftijzer, *Dictionnaire des inscriptions sémitiques de l'ouest* (1965).
DJD	*Discoveries in the Judaean Desert,* vols. 1ss (1955ss).
Driver, CML	G. R. Driver, *Canaanite Myths and Legends* (1956).
Driver, AD	G. R. Driver, *Aramaic Documents of the Fifth Century B. C.* (1957).
Driver-Miles I-II	G. R. Driver y J. C. Miles, *Babylonian Laws,* vols. I-II (1952-55).
Drower-Macuch	E. S. Drower y R. Macuch, *A Mandaic Dictionary* (1963).
Duden, Etymologie	K. Duden, *Etymologie. Herkunftswörterbuch der deutschen Sprache. Bearbeitet von der Dudenredaktion unter Leitung von P. Grebe. Der Grosse Duden,* vol. 7 (1963).
E	Fuente elohista.
EA	Tabletas de El-Amarna, según la edición de J. A. Knudtzon, *Die El-Amarna-Tafel* (1915). Ampliada en A. F. Rainey, *El Amarna Tablets* (1970) 359-379.
Eichrodt I-III	W. Eichrodt, *Theologie des Alten Testaments,* 1 ([8]1968); 2/3 ([5]1964).
Eissfeldt, KS	O. Eissfeldt, *Kleine Schriften,* vols. 1ss (1962ss).
EKL	*Evangelisches Kirchenlexikon,* ed. H. Brunotte y O. Weber, 3 vols. ([2]1962).
Ellenbogen	M. Ellenbogen, *Foreign Words in the Old Testament* (1962).
ELKZ	«Evangelisch-Lutherische Kirchenzeitung».
Erman-Grapow	A. Erman y H. Grapow, *Wörterbuch der ägyptischen Sprache,* vols. 1-7 (1926-63).
ET	«Expository Times».
EThL	«Ephemerides Theologicae Lovanienses».
EvTh	«Evangelische Theologie».
FF	«Forschungen und Fortschritte».
FGH	F. Jacoby (ed.), *Die Fragmente der griechischen Historiker* (1923ss).

Fitzmyer, Gen.Ap.	J. A. Fitzmyer, *The Genesis Apocryphon of Qumran Cave I. A Commentary* (Biblica et Orientalia 18) (1966).
Fitzmyer, Sef.	J. A. Fitzmyer, *The Aramaic Inscriptions of Sefîre* (Biblica et Orientalia 19) (1967).
Fohrer, Jes. I-III	G. Fohrer, *Das Buch Jesaja* (Zürcher Bibelkommentare) vols. 1-3 (1960-64).
Fraenkel	S. Fraenkel, *Die aramäischen Fremdwörter im Arabischen* (1886).
Friedrich	J. Friedrich, *Phönizisch-punische Grammatik* (1951).
FS Albright 1961	*The Bible and the Ancient Near East. Essays in Honor of W. F. Albright* (1961).
FS Alleman 1960	*Biblical Studies in Memory of H. C. Alleman* (1960).
FS Alt 1953	*Geschichte und Altes Testament* (1953).
FS Baetke 1964	*Festschrift W. Baetke. Dargebracht zu seinem 80. Geburtstag am 28. März 1964,* ed. K. Rudolph, R. Heller y E. Walter (1966).
FS Bardtke 1968	*Bibel und Qumran* (1968).
FS Basset 1928	*Mémorial H. Basset* (1928).
FS Baudissin 1918	*Abhandlungen zur semitischen Religionskunde und Sprachwissenschaf* (1918).
FS Baumgärtel 1959	*Festschrift F. Baumgärtel zum 70. Geburtstag* (1959).
FS Baumgartner 1967	*Hebräische Wortforschung. Festschrift zum 80. Geburtstag von W. Baumgartner:* SVT 16 (1967).
FS Beer 1933	*Festschrift für G. Beer zum 70. Geburtstag* (1933).
FS Bertholet 1950	*Festschrift für A. Bertholet* (1950).
FS Browne 1922	*Oriental Studies* (1922).
FS Christian 1956	*Vorderasiatische Studien. Festschrift für V. Christian* (1956).
FS Davies 1970	*Proclamation and Presence. Old Testament Essays in Honour of G. H. Davies* (1970).
FS Delekat 1957	*Libertas Christiana. F. Delekat zum 65. Geburtstag* (1957).
FS Driver 1963	*Hebrew and Semitic Studies presented to G. R. Driver* (1963).
FS Dussaud 1939	*Mélanges Syriens offerts à R. Dussaud* (1939).
FS Eichrodt 1970	*Wort-Gebot-Glaube. W. Eichrodt zum 80. Geburtstag* (1970).
FS Eilers 1967	*Festschrift für W. Eilers* (1967).
FS Eissfeldt 1947	*Festschrift O. Eissfeldt zum 60. Geburtstag* (1947).
FS Eissfeldt 1958	*Von Ugarit nach Qumran. Beiträge... O. Eissfeldt zum 1. September 1957 dargebracht* (1958).
FS Friedrich 1959	*Festschrift für J. Friedrich* (1959).
FS Galling 1970	*Archäologie und Altes Testament. Festschrift für K. Galling* (1970).
FS Gaster 1936	*M. Gaster Anniversary Volume* (1936).
FS Grapow 1955	*Ägyptologische Studien H. Grapow* (1955).
FS Haupt 1926	*Oriental Studies, published in Commemoration... of P. Haupt* (1926).
FS Heim 1954	*Theologie als Glaubenswagnis* (1954).
FS Hermann 1957	*Solange es heute heisst. Festschrift für Rudolph Hermann* (1957).
FS Herrmann 1960	*Hommage à L. Herrmann* (Collection Latomus, 44) (1960).
FS Hertzberg 1965	*Gottes Wort und Gottes Land* (1965).
FS Herwegen 1938	*Heilige Überlieferung. I. Herwegen zum silbernen Abtsjubiläum dargebracht* (1938).
FS Irwin 1956	*A Stubborn Faith. Papers... presented to Honor W. A. Irwin,* ed. E. C. Hobbs (1956).
FS Jacob 1932	*Festschrift G. Jacob* (1932).
FS Junker 1961	*Lex tua veritas. Festschrift für H. Junker* (1961).
FS Kahle 1968	*In memoriam P. Kahle:* BZAW 103 (1968).

FS Kittel 1913	*Alttestamentliche Studien, R. Kittel dargebracht:* BWAT 13 (1913).
FS Kohut 1897	*Semitic Studies in Memory of A. Kohut* (1897).
FS Kopp 1954	*Charisteria I. Kopp octogenario oblata* (1954).
FS Koschaker 1939	*Symbolae P. Koschaker dedicatae. Studia et documenta ad iura Orientis Antiqui pertinentia* 2 (1939).
FS Landsberger 1965	*Studies in Honor of B. Landsberger on his seventyfifth Birthday* (1965).
FS Lévy 1955	*Mélanges I. Lévy* (1955).
FS Meiser 1951	*Viva Vox Evangelii, Festschrift Bischof Meiser* (1951).
FS Mowinckel 1955	*Interpretationes ad Vetus Testamentum pertinentes S. Mowinckel septuagenario missae* (1955).
FS Neuman 1962	*Studies and Essays in Honor of A. A. Neuman* (1962).
FS Nötscher 1950	*Alttestamentliche Studien. F. Nötscher zum 60. Geburtstag gewidmet* (1950).
FS Pedersen 1953	*Studia Orientalia J. Pedersen dicata* (1953).
FS Procksch 1934	*Festschrift O. Procksch* (1934).
FS von Rad 1961	*Studien zur Theologie der alttestamentlichen Überlieferungen* (1961).
FS Rinaldi 1967	*Studi sull'Oriente e la Bibbia, offerti al P. G. Rinaldi* (1967).
FS Robert 1957	*Mélanges bibliques. Rédigés en l'honneur de A. Robert* (1957).
FS Robinson 1950	*Studies in Old Testament Prophecy. Presented to Th. H. Robinson* (1950).
FS Rost 1967	*Das ferne und das nahe Wort. Festschrift L. Rost zur Vollendung seines 70. Lebensjahres am 30. November 1966 gewidmet:* BZAW 105 (1967).
FS Rudolph 1961	*Verbannung und Heimkehr* (1961).
FS Sachau 1915	*Festschrift W. Sachau zum siebzigsten Geburtstage gewidmet* (1915).
FS Schmaus 1967	*Wahrheit und Verkündigung. M. Schmaus zum 70. Geburtstag* (1967).
FS Schmidt 1961	*Festschrift Eberhardt Schmidt,* ed. P. Brockelmann... (1961).
FS Sellin 1927	*Beiträge zur Religionsgeschichte und Archäologie Palästinas* (1927).
FS Söhngen 1962	*Einsicht und Glaube. G. Söhngen zum 70. Geburtstag* (1962).
FS Thomas 1968	*Words and Meanings. Essays presented to D. W. Thomas* (1968).
FS Thomsen 1912	*Festschrift V. Thomsen zur Vollendung des 70. Lebensjahres* (1912).
FS Vischer 1960	*Hommage à W. Vischer* (1960).
FS Vogel 1962	*Vom Herrengeheimnis der Wahrheit* (1962).
FS Vriezen 1966	*Studia biblica et semitica. Th. C. Vriezen ... dedicata* (1966).
FS Wedemeyer 1956	*Sino-Japonica. Festschrift A. Wedemeyer zum 80. Geburtstag* (1956).
FS Weiser 1963	*Tradition and Situation. A. Weiser zum 70. Geburtstag* (1963).
FS Wellhausen 1914	*Studien... J. Wellhausen gewidmet:* BZAW 27 (1914).
G	Septuaginta (también LXX).
G^A etc.	Cod. Alexandrinus, etc.
GAG	W. von Soden, *Grundriss der akkadischen Grammatik* (1952). *Ergänzungsheft zum GAG* (1969).
GB	W. Gesenius y F. Buhl, *Hebräisches und aramäisches Handwörterbuch über das Alte Testament* (^{17}1915).
GenAp	Genesis Apocriphon.
Gesenius, Thesaurus	W. Gesenius, *Thesaurus... Linguae Hebraicae et Chaldaicae,* vols. I-III (1835-58).
GK	W. Gesenius y E. Kautzsch, *Hebräische Grammatik* (^{28}1909).
Grapow	H. Grapow, *Wie die alten Ägypter sich anredeten, wie sie sich grüssten und wie sie miteinander sprachen* (^{2}1960).
Gray, Legacy	J. Gray, *The Legacy of Canaan* (^{2}1965).
Gröndahl	F. Gröndahl, *Die Personennamen der Texte aus Ugarit* (1967).

GThT	«Gereformeerd Theologisch Tijdschrift».
Gulkowitsch	L. Gulkowitsch, *Die Bildung von Abstraktbegriffen in der hebräischen Sprachgeschichte* (1931).
Gunkel, Gen	H. Gunkel, *Genesis* (Handkommentar zum AT I/1) (^{7}1966).
Gunkel-Begrich	H. Gunkel y J. Begrich, *Einleitung in die Psalmen* (1933).
GVG	C. Brocklemann, *Grundriss der vergleichenden Grammatik der semitischen Sprachen,* vols. 1-2 (1908-13).
H	Ley de Santidad (Lv 17-26).
HAL	W. Baumgartner, *Hebräisches und aramäisches Lexikon zum Alten Testament,* t. 1 (= KBL 3.ª ed.).
Harris	Z. S. Harris, *A Grammar of the Phoenician Language* (1936).
HAT	*Handbuch zum Alten Testament,* ed. O. Eissfeldt.
Haussig I	H. W. Haussig (ed.), *Wörterbuch der Mythologie.* Parte 1.ª (1961).
HdO	*Handbuch der Orientalistik,* ed. B. Spuler.
Herdner, CT(C)A	A. Herdner, *Corpus des tablettes en cunéiformes alphabétiques découvertes à Ras Shamra-Ugarit de 1929 à 1939* (Mission de Ras Shamra X) (1963).
Hermop.	Papiros de Hermópolis según la edición de E. Bresciani y M. Kamil, «Atti della Accademia Nazionale dei Lincei. Memorie, Ser. VIII, vol. 12» (1966).
HSAT	*Die Heilige Schrift des Alten Testaments,* ed. E. Kautzsch y A. Bertholet (^{4}1922-23).
HThR	«Harvard Theological Review».
HUCA	«Hebrew Union College Annual».
Huffmon	H. B. Huffmon, *Amorite Personal Names in the Mari Texts* (1965).
IDB I-IV	*The Interpreter's Dictionary of the Bible* (1962).
IEJ	«Israel Exploration Journal».
J	Fuente Yahvista.
Jacob	E. Jacob, *Théologie de l'Ancien Testament* (1955).
Jahnow	H. Jahnow, *Das hebräische Leichenlied im Rahmen der Völkerdichtung* (1923).
JAOS	«Journal of the American Oriental Society».
Jastrow	M. Jastrow, *A Dictionary of the Targumim, the Talmud Babli and Yerushalmi, and the Midrashic Literature* (^{2}1950).
JBL	«Journal of Biblical Literature».
JCS	«Journal of Cuneiform Studies».
JE	*The Jewish Encyclopedia,* ed. J. Singer, vols. 1-12 (1901-1906).
Jenni, HP	E. Jenni, *Das hebräische Piʿel* (1968).
JEOL	«Jaarbericht van het Vooraziatisch-Egyptisch Gezelschap (Genootschap). Ex Oriente Lux».
JJSt	«Journal of Jewish Studies».
JNES	«Journal of Near Eastern Studies».
Joüon	P. Joüon, *Grammaire de l'hébreu biblique* (1923).
JQR	«Jewish Quarterly Review».
JSS	«Journal of Semitic Studies».
JThSt	«Journal of Theological Studies».
K	K^{e}tib.
KAI	H. Donner y W. Röllig, *Kanaanäische und aramäische Inschriften,* vol. I Textos (^{2}1966); vol. II Comentario (^{2}1968); vol. III Glosario, etc. (^{2}1969).
KAT	*Kommentar zum Alten Testament,* ed. W. Rudolph, K. Elliger y F. Hesse.
KBL	L. Koehler y W. Baumgartner, *Lexicon in Veteris Testamenti libros* (^{2}1958).
Kil.	Inscripción de Kilamuwa.

Kluge	F. Kluge y W. Mitzka, *Etymologisches Wörterbuch der deutschen Sprache* ([11]1963).
Köhler, Theol.	L. Köhler, *Theologie des Alten Testaments* ([4]1966).
König	E. König, *Hebräisches und aramäisches Wörterbuch zum Alten Testament* ([6-7]1936).
König, Syntax	E. König, *Historisch-kritisches Lehrgebäude der hebräischen Sprache mit steter Beziehung auf Qimchi und die anderen Auctoritäten.* Bd. II/2: *Historisch-comparative Syntax der hebräischen Sprache* (1897).
KS	Kleine Schriften.
KuD	«Kerygma und Dogma».
Kuhn, Konk.	K. G. Kuhn, *Konkordanz zu den Qumrantexten* (1960).
L	Fuente laica (fuente del Pentateuco).
Lambert, BWL	W. G. Lambert, *Babylonian Wisdom Literature* (1960).
Lande	I. Lande, *Formelhafte Wendungen der Umgangsprache im Alten Testament* (1949).
Lane I-VIII	E. W. Lane, *Al-Qamūsu, an Arabic-English Lexicon,* vols. 1-8 (1863-93).
Leander	P. Leander, *Laut- und Formenlehre des Ägyptisch-Aramäischen* (1928).
van der Leeuw	G. van der Leeuw, *Phänomenologie der Religion* ([2]1956).
Leslau	W. Leslau, *Ethiopic and South Arabic Contributions to the Hebrew Lexicon* (1958).
Levy	M. A. Levy, *Siegel und Gemmen mit aramäischen, phoenizischen, althebräischen ... Inschriften* (1869).
Levy I-IV	J. Levy, *Wörterbuch über die Talmudim und Midraschim* ([2]1924).
de Liagre Böhl	Cf. *sub* Böhl.
Lidzbarski, NE	M. Lidzbarski, *Kanaanäische Inschriften* (1907).
Lis.	G. Lisowsky, *Konkordanz zum hebräischen Alten Testament* (1958).
Littmann-Höfner	E. Littmann y M. Höfner, *Wörterbuch der Tigre-Sprache* (1962).
LS	C. Brockelmann, *Lexicon Syriacum* ([2]1928).
LXX	Septuaginta (también G).
Mand.	S. Mandelkern, *Veteris Testamenti concordantiae hebraicae atque chaldaicae* ([2]1926).
MAOG	«Mitteilungen der Altorientalischen Gesellschaft».
MDAI	«Mitteilungen des Deutschen Archäologischen Instituts».
Meyer	R. Meyer, *Hebräische Grammatik,* vol. 1 ([3]1966); vol. 2 ([3]1969).
Midr.	Midrás.
MIO	«Mitteilungen des Instituts für Orientforschung».
Montgomery, Dan.	J. A. Montgomery, *A Critical and Exegetical Commentary on the Book of Daniel* (International Critical Commentary) ([2]1950).
Montgomery, Kings	J. A. Montgomery, *A Critical and Exegetical Commentary on the Books of Kings,* ed. H. S. Gehman (International Critical Commentary) (1951).
Moscati, EEA	S. Moscati, *L'epigrafia ebraica antica* (Biblica et Orientalia 15) (1951).
Moscati, Introduction	S. Moscati (ed.), *An Introduction to the Comparative Grammar of the Semitic Languages* (1964).
MT	Texto Masorético (cf. HB[3]).
Muséon	«Le Muséon. Revue d'Études Orientales».
MUSJ	«Mélanges de l'Université St. Joseph».
NAWG	«Nachrichten (von) der Akademie der Wissenschaften in Göttingen».
NE	Cf. Lidzbarski, NE.
NedGerefTTs	«Nederduitse Gereformeerde Teologiese Tydskrif».
NedThT	«Nederlands Theologisch Tijdschrift».

NKZ	«Neue Kirchliche Zeitschrift».
Nöldeke, BS	Th. Nöldeke, *Beiträge zur semitischen Sprachwissenschaft* (1904).
Nöldeke, MG	Th. Nöldeke, *Mandäische Grammatik* (1875).
Nöldeke, NB	Th. Nöldeke, *Neue Breiträge zur semitischen Sprachwissenschaft* (1910).
Noth, IP	M. Noth, *Die israelitischen Personennamen im Rahmen der gemeinsemitischen Namengebung* (1928).
Noth, ÜPt	M. Noth, *Überlieferungsgeschichte des Pentateuch* (1948).
Noth, GI	M. Noth, *Geschichte Israels* (^{6}1966).
Noth, GesStud I-II	M. Noth, *Gesammelte Studien zum Alten Testament,* vol. I (^{3}1966); vol. II (1969).
NTS	«Nieuwe Theologische Studiën».
NTT	«Norsk Teologisk Tidsskrift».
Nyberg	H. S. Nyberg, *Hebreisk Grammatik* (1952).
OLZ	«Orientalistische Literaturzeitung».
OrAnt	«Oriens Antiquus».
OrNS	«Orientalia (Nova Series)».
OTS	«Oudtestamentische Studiën».
OuTWP	«Die Ou Testamentiese Werkgemeenskap in Suid-Afrika Pretoria».
P	Fuente sacerdotal.
Payne Smith	R. Payne Smith, *Thesaurus Syriacus,* vols. 1-2 (1868-97).
Pedersen, Israel I-II, III-IV	J. Pedersen, *Israel, Its Life and Culture,* vols. 1-2 (1926); vols. 3-4 (1934).
PEQ	«Palestine Exploration Quarterly».
PJB	«Palästinajahrbuch».
Poen.	Plautus, Poenulus (cf. también Sznycer).
PRU	*Le Palais Royal d'Ugarit,* vols. 2-6 (1955-70).
Q	Q^{e}re.
RA; RAAO	«Revue d'Assyriologie et d'Archéologie Orientale».
RAC	*Reallexikon für Antike und Christentum* (1950ss).
von Rad I-II	G. von Rad, *Theologie des Alten Testaments,* vol. 1 (^{5}1966); vol. 2 (^{4}1965).
von Rad, Gottesvolk	G. von Rad, *Das Gottesvolk im Deuteronomium* (1929).
von Rad, GesStud	G. von Rad, *Gesammelte Studien zum Alten Testament* (^{3}1965).
RB	«Revue Biblique».
REJ	«Revue des Etudes Juives».
RES	«Répertoire d'Épigraphie Sémitique».
RGG I-VI	*Religion in Geschichte und Gegenwart,* ed. K. Galling, vols. 1-6 (^{3}1957-62).
RHPhR	«Revue d'Histoire et de Philosophie Religieuses».
RHR	«Revue d'Histoire des Religions».
RivBibl	«Rivista Biblica Italiana».
Rost, KC	L. Rost, *Das kleine Credo und andere Studien zum Alten Testament* (1965).
RQ	«Revue de Qumrân».
RS	Ras Shamra (los textos según los números de excavación; cf. también PRU).
RScPhTh	«Revue des Sciences Philosophiques et Théologiques».
RSO	«Rivista degli Studi Orientali».
SAB	«Sitzungsberichte der Deutschen Akademie der Wissenschaften zu Berlin».

SAHG — A. Falkenstein y W. von Soden, *Sumerische und akkadische Hymnen und Gebete* (1953).
Schott — *Das Gilgamesch-Epos. Neu übersetzt und mit Anmerkungen versehen von A. Schott. Durchgesehen und ergänzt von W. von Soden* (1958).
Sef. I-III — Estelas de Sefîre I-III (cf. Fitzmyer, Sef.).
Sellin-Fohrer — *Einleitung in das Alte Testament. Begründet von E. Sellin, völlig neu bearbeitet von G. Fohrer* ([10]1965).
Sem — «Semitica».
Seux — M.-J. Seux, *Epithètes royales akkadiennes et sumériennes* (1967).
Stamm, AN — J. J. Stamm, *Die akkadische Namengebung* ([2]1968).
Stamm, HEN — J. J. Stamm, *Hebräische Ersatznamen, FS Landsberger* (1965) 413-424.
SThU — «Schweizerische Theologische Umschau».
StOr — «Studia Orientalia».
StrB I-VI — (H. L. Strack-) P. Billerbeck, *Kommentar zum Neuen Testament aus Talmud und Midrasch,* vols. 1-6 (1923-61).
StTh — «Studia Theologica».
SVT — «Supplements to Vetus Testamentum».
Sznycer — M. Sznycer, *Les passages puniques en transcription latine dans le «Poenulus» de Plaute* (1967).

Tallqvist — K. Tallqvist, *Akkadische Götterepitheta* (1938).
Targ.Jon. — Targum Jonathan.
TGI[1]; TGI[2] — K. Galling (ed.), *Textbuch zur Geschichte Israels* ([1]1950-[2]1968).
TGUOS — «Transactions of the Glasgow University Oriental Society».
ThBl — «Theologische Blätter».
ThBNT — *Theologisches Begriffslexikon zum Neuen Testament,* ed. L. Coenen, E. Beyreuther, H. Bietenhard (1967ss).
ThLZ — «Theologische Literaturzeitung».
ThQ — «Theologische Quartalschrift».
ThR — «Theologische Rundschau».
ThSt — «Theologische Studien».
ThStKr — «Theologische Studien und Kritiken».
ThStudies — «Theological Studies».
ThT — «Theologisch Tijdschrift».
ThW — G. Kittel y G. Friedrich (ed.), *Theologisches Wörterbuch zum Neuen Testament,* vols. 1ss (1932ss).
ThZ — «Theologische Zeitschrift».
tigr. — Cf. Littmann-Höfner.
Trip. — Tripolitana. (Numeración según G. Levi della Vida, cf. DISO XXVIII).

UF — «Ugarit-Forschungen».
Ugaritica V — J. Nougayrol, E. Laroche, C. Virolleaud, C. F. A. Schaeffer, *Ugaritica* V (1968).
UJE — *The Universal Jewish Encyclopedia,* ed. L. Landman (1948).
UT — C. H. Gordon, *Ugaritic Textbook* (1965).

VAB — «Vorderasiatische Bibliothek».
de Vaux I-II — R. de Vaux, *Les institutions de l'Ancien Testament,* vols. 1-2 (1958-60).
VD — «Verbum Domini».
Vriezen, Theol. — Th. C. Vriezen, *Theologie des Alten Testaments in Grundzügen* (1957).
VT — «Vetus Testamentum».

Wagner — M. Wagner, *Die lexikalischen und grammatikalischen Aramaismen im alttestamentlichen Hebräisch* (1966).

WdO	«Welt des Orients».
Wehr	H. Wehr, *Arabisches Wörterbuch für die Schriftsprache der Gegenwart* ([4]1959-68).
WKAS	M. Ullmann (ed.), *Wörterbuch der klassischen arabischen Sprache* (1957ss).
Wolff, GesStud	H. W. Wolff, *Gesammelte Studien zum Alten Testament* (1964).
WuD	«Wort und Dienst (Jahrbuch der Theologischen Schule Bethel)».
WUS	J. Aistleitner, *Wörterbuch der ugaritischen Sprache,* ed. O. Eissfeldt ([3]1967).
WZ	«Wissenschaftliche Zeitschrift».
WZKM	«Wiener Zeitschrift für die Kunde des Morgenlandes».
XII	Los Doce Profetas menores.
Yadin	Y. Yadin, *The Scroll of the War* (1962).
ZA	«Zeitschrift für Assyriologie».
ZÄS	«Zeitschrift für Ägyptische Sprache und Altertumskunde».
ZAW	«Zeitschrift für alttestamentliche Wissenschaft».
ZDMG	«Zeitschrift der Deutschen Morgenländischen Gesellschaft».
ZDPV	«Zeitschrift des Deutschen Palästina-Vereins».
ZEE	«Zeitschrift für evangelische Ethik».
Zimmerli, GO	W. Zimmerli, *Gottes Offenbarung. Gesammelte Aufsätze zum Alten Testament* (1963).
Zimmern	H. Zimmern, *Akkadische Fremdwörter* ([2]1917).
ZKG	«Zeitschrift für Kirchengeschichte».
ZNW	«Zeitschrift für die Neutestamentliche Wissenschaft».
Zorell	F. Zorell, *Lexicum Hebraicum et Aramaicum Veteris Testamenti* (1968).
ZRGG	«Zeitschrift für Religions- und Geistesgeschichte».
ZS	«Zeitschrift für Semitistik».
ZThK	«Zeitschrift für Theologie und Kirche».

אָב *'āb* Padre

I. La palabra de raíz bilítera **'ab-* (GVG I, 331; BL 450.524) pertenece, lo mismo que otros términos importantes referentes a lazos de parentesco (→*'ēm,* «madre»; →*bēn,* «hijo»; →*'āḥ,* «hermano»), al semítico común. Se trata, como en el caso de *'ēm* y sus correspondencias en numerosas lenguas, de una palabra propia del balbuceo infantil (L. Köhler, ZAW 55 [1937] 169-172; íd., JSS 1 [1956] 12s); es erróneo, por tanto, hacerla derivar de una raíz verbal (por ejemplo, de → *'bh,* «querer»).

En el hebreo del AT no existen derivados de esta palabra base (formas abstractas, adjetivos, diminutivos, formas alocutivas especiales); cf., por el contrario, el acádico *abbūtu,* «paternidad» (AHw 6a; CAD A/I, 50s), usado con frecuencia en sentido traslaticio («modo de proceder paterno»; *abbūta epēšu/ṣabātu/aḫāzu* = presentar una intercesión») incluso en documentos propios del derecho familiar, por ejemplo, en Nuzi sobre el traslado de la autoridad familiar a la esposa tras la muerte del adoptante (P. Koschaker, OLZ 35 [1932] 400).

También en fenicio está documentada la forma abstracta: Inscripción de Karatepe I, línea 12s (= KAI N. 26): «incluso para la paternidad me eligieron *(b'bt p'ln)* todos los reyes por mi rectitud, mi sabiduría y la bondad de mi corazón» (Friedrich 91.130; KAI II, 40; DISO 3); cf. otra interpretación, aunque no cierta, en M. Dahood, Bibl 44 [1963] 70.291; HAL 2a: *'ābōt* debe entenderse como plural mayestático y traducirse en singular, incluso en Is 14,21 y Sal 109,14.

El siríaco *'ḥd 'bwt* (C. Brockelmann, ZA 17 [1903] 251s; LS 1a) parece haber sido tomado del acádico *abbūta aḫāzu,* «presentar una intercesión» (CAD A/I, 178); también aparece como calco del arameo en el hebreo de Qumrán (1QS 2, 9) el giro *'ōḥ^a^zē 'ābūt,* «intercesor» (P. Wernberg-Møller, VT 3 [1953] 196s; íd., *The Manual of Discipline* [1957] 53s; E. Y. Kutscher, «Tarbiz» 33 [1963-64] 125s).

II. Con algo más de 1200 casos documentados, *'āb* ocupa el puesto 11 en la lista de sustantivos más usados en el AT, detrás de *dābār* y delante de *'īr.*

En la siguiente estadística prescindimos de *'ābī* como interjección (1 Sm 24,12; 2 Re 5,13; Job 34,36) y del añadido de la Bombergiana en 2 Cr 10,14; incluimos, por el contrario, *'ābī(w)* en el nombre personal Ḥurán-Abiú (2 Cr 2,12; 4,16); en Lisowsky falta Gn 46,34.

	Singular	Plural	Total
Hebreo:			
Gn	198	10	208
Ex	10	14	24
Lv	22	3	25
Nm	28	57	85
Dt	20	51	71
Jos	17	18	35
Jue	44	10	54
1 Sm	48	5	53
2 Sm	27	1	28
1 Re	64	31	95
2 Re	31	38	69
Is	16	5	21
Jr	15	48	63
Ez	13	14	27
Os	—	1	1
Jl	—	1	1
Am	1	1	2
Miq	1	1	2
Zac	2	5	7
Mal	3	4	7
Sal	5	14	19
Job	6	3	9
Prov	23	3	26
Rut	3	—	3
Lam	1	1	2
Est	3	—	3
Dn	—	8	8
Esd	—	14	14
Neh	1	19	20
1 Cr	60	46	106
2 Cr	58	65	123
Arameo:			
Dn	4	1	5
Esd	—	2	2
AT:			
hebreo	720	491	1211
arameo	4	3	7

III. 1. El *significado base* del término, «padre (de sus hijos según la sangre)», dice ya relación a hijo/hija/niño

o a sus respectivos plurales; nunca se emplea la palabra sin esta referencia explícita, si exceptuamos algunos casos de sentido metafórico (como título honorífico, «autor», etc.). En el AT no se usa este término en una función meramente relativa, como sucede en parte en el árabe de Kunya (por ejemplo, «padre del desierto» = avestruz). Sobre *'abī-'ad* en Is 9,5, cf. *inf.* 3.

Tratándose de un concepto que indica una relación interpersonal dentro del ámbito familiar, el singular aparece en la mayoría de los casos (14/15) seguido de un genitivo o de un sufijo posesivo; en tres casos aparece con artículo (genérico).

«Padre», en cuanto parte genitora masculina, está en relación de complementariedad con «madre», lo cual nos ofrece ya dentro de este campo semántico una segunda oposición, aunque menos destacada que la anterior. Ambos términos aparecen con frecuencia unidos en listas nominales; el orden padre-madre se debe a la prioridad del padre en la familia organizada según el derecho patriarcal (G. Quell, ThW V, 961s).

«Padre» y «madre» aparecen en paralelismo en Sal 109,14; Job 7,14; 31, 18; Prov 1,8; 4,3; 6,20; 19,26; 23,20; 30,11.17; Miq 7,6; cf. además, sin forzar excesivamente las formas, Jr 16,3; 20,14s; Ez 16,3.45, con el orden de los elementos cambiado en parte por exigencias de contenido.

De 52 series nominales (listas en B. Hartmann, *Die nominalen Aufreihungen im AT* [1953] 7; añádanse Lv 20,9b; Jue 14,6; 1 Re 22,53; 2 Re 3, 13; suprímase Jr 6,21), tres presentan el orden madre-padre (Lv 19,3; 20,19; 21,2; sobre las razones, cf. Elliger, HAT 4,256 nota 5).

En algunos de estos lugares, «padre y madre» podría traducirse muy bien por «padres» (Gn 2,24; 28,7; Dt 21, 13; Jue 14,2ss; 1 Sm 22,3; 2 Sm 19, 38; Zac 13,3.3 con *yōl^edāw*, «los que lo han engendrado»; Rut 2,11; Est 2, 7.7; cf. LXX y la *Zürcher Bibel* sobre Est 2,7). Sobre el uso del plural *'ābōt* para designar a «los padres» sólo hay testimonios posteriores al AT; cf. también el acádico *abbū* (AHw 7b, raro), el siríaco *'abāhē* y el árabe dual *'abawāni.*

En su significado base, *'āb* no tiene ningún sinónimo.

En ugarítico existen para designar al padre, junto al frecuente *ab,* los términos *ad, adn* y *ḥtk*. De ellos, *ad* parece ser (en 52 = SS, 32.43 *ad ad* par. *um um* o *mt mt)* un apelativo cariñoso (cf. Driver, CML 123a.135a: «dad[dy]»; UT N. 71; WUS N. 73; también Huffmon 130.156), que en el lenguaje familiar sustituye a la designación normal. Por el contrario, *adn,* «señor, soberano», sustituye a la designación del padre en el lenguaje de respeto (77 [= NK], 33; 125 [= II K], 44.57.60; A. van Selms, *Marriage and Family Life in Ugaritic Literature* [1954] 62.113), pero de ahí no se sigue que → *'ādōn* y «padre» sean equivalentes (contra lo que afirma M. Dahood, CBQ 23 [1961] 463s, refiriéndose a Jr 22,18; 34,5; Prov 27,18; cf., por ejemplo, Gn 31,35: «entonces habló ella con su padre: Señor mío...»). Por lo que respecta a *ḥtk* (participio o *nomen agentis),* no se conoce todavía con certeza cuál es su significado fundamental como verbo (UT N. 911; WUS N. 985; en árabe *ḥataka,* «cortar») (cf. E. Ullendorff, JSS 7 [1962] 341: «circuncidar»; Gray, *Legacy* 71, nota 2). Es poco probable que esta raíz esté presente en Sal 52,7 (A. F. Scharf, VD 38 [1960] 213-222; Dahood, UHPh 58: piel privativo, «no padre», es una interpretación improbable).

A diferencia de *'ēm* (Ex 22,29 madre de novillo y de oveja; Dt 22,6 madre de pájaros), *'āb* no se usa nunca para designar a animales.

2. El empleo de la palabra en *sentido lato* pertenece también al semítico común y se realiza *a)* bien por extensión del término a los antepasados, *b)* bien por inclusión de la paternidad no corporal procedente de la adopción o algo semejante.

a) Como en indogermánico, tampoco en hebreo existe un término especial para designar al «abuelo»; esto depende quizá de la estructura sociológica de la familia: dentro de la gran familia, el *pater familias* tiene autoridad no sólo sobre los hijos, sino también sobre nietos y bisnietos (E. Risch, «Museum Helveticum» 1 [1944] 115-122).

Para designar al abuelo paterno basta en el AT el simple *'āb* (Gn 28,13 Jacob-Abrahán; 2 Sm 9,7 y 16,3 Meribaal-Saúl), mientras que para designar al abuelo materno se emplea la expresión *'ᵃbī 'immᵉkā,* «padre de tu madre» (Gn 28,2 Jacob-Betuel).

En acádico existe la forma *abi abi* o, con grafía sandhi, *abadi* (CAD A/I, 70; AHw 7b), también como nombre personal (sustitutivo) (Stamm, AN 302; íd., HEN 422); cf. también el nombre personal Αβαβουις en Dura (F. Rosenthal, *Die aramaistische Forschung* [1939] 99, nota 1) y el siríaco *'bbwy* (J. B. Segal, BSOAS 16 [1954] 23).

Los LXX usan una vez πάππος, «abuelo» (prólogo a Eclo 7), y otra πρόπαππος, «(bis)abuelo» (Ex 10,6, donde, sin embargo, *'ᵃbōt 'ᵃbōtǣkā,* según el contexto, significa «tus antepasados»).

El hebreo moderno se sirve de *'āb zāqēn,* «patriarca» (cf., por el contrario, Gn 43,27 y 44,20 «padre anciano»).

La extensión del concepto a los antepasados tiene lugar primariamente en el plural *'ābōt,* que, junto al padre, incluye también al abuelo (Gn 48,15.16 Isaac y Abrahán como «padres» de Jacob) y al bisabuelo (2 Re 12,19 Josafat, Jorán y Ocozías como padres de Joás) o un número indefinido de generaciones.

En este significado lato de «antepasados» (cf. *'ᵃbōtām hārīšōnīm* Jr 11,10) la palabra tiene diversos sinónimos, principalmente *rīšōnīm* (Lv 26,45; Dt 19,14, G πατέρες, G^{A} πρότεροι; Is 61, 4; Sal 79,8) y *haqqadmōnī* (1 Sm 24, 14 colectivo, en el caso de que no haya de leerse *-nīm),* así como *'ammīm* en la expresión *'sp* nifal *'æl-'ammǣkā/'ammāw,* «reunirse con los suyos» (Gn 25, 8.17; 35,29; 49,29 [texto enmendado]. 33; Nm 20,24; 27,13; 31,2; Dt 32,50; → *'am).*

El plural del significado base («padres de diversas familias») está también presente en el AT (Jue 21,22: los padres o hermanos de las muchachas raptadas en Siló; Jr 16,3: «sus padres, que los engendraron»; además, otras dos docenas de lugares en que aparece una contraposición general entre las generaciones más viejas y las más jóvenes), pero es mucho menos frecuente que el significado «antepasados», único posible desde un punto de vista biológico cuando a la palabra se añade un sufijo singular («mis padres», etc.).

No es seguro que la forma del femenino plural *-ōt* tenga relación con el hecho de que *'āb,* por naturaleza, es solamente singular (L. Köhler, ZAW 55 [1937] 172). Nöldeke, BS 69, conjeturó que se trataba de una formación construida por analogía con el correlativo *immōt,* «madres» (así también GVG I, 449; BL 515.615; Meyer II, 45; G. Rinaldi, BeO 10 [1968] 24).

Existen testimonios del plural «antepasados» en inscripciones semíticas noroccidentales y en acádico, recogidos en DISO 1 y en CAD A/I, 72 (junto a *abbū* se da también, en regiones que están dentro del campo de influjo del semítico occidental, la forma *abbūtu).*

La expresión enfática «ni tus/sus padres, ni los padres de tus/sus padres» (Ex 10,6 del faraón, Dn 11,24 de Antíoco IV) viene a significar, cuando se encuentra en una frase negativa, toda la serie de los antepasados.

También el singular puede tener el significado de «antepasado» (80 ×), pero entonces designa siempre al antepasado por excelencia (cf. Is 43,27 *'ābīkā hārīšōn),* es decir, al primer antepasado de un clan (recabitas, Jr 35, 6-18), de una tribu (Dan, Jos 19,47; Jue 18,29; Leví, Nm 18,2), de un grupo profesional (Gn 4,21s.22 texto enmendado; aaronitas, 1 Cr 24,19), de una dinastía (David, 1 Re 15,3b.11.24, etc., 14 ×) o de un pueblo (Israel: Abrahán, Jos 24,3; Is 51,2; Jacob, Dt 26,5; Is 58,14; los tres patriarcas, 1 Cr 29,18). Mientras que en el caso de los héroes epónimos se podría hablar, en un sentido legendario, de «padre» (Cam-Canaán, Gn 9,18.22; Quemuel-Arán, Gn 22,21; Jamor-Siquén, Gn 33,19; 34,6; Jos 24,32; Jue 9,28; Arbá-Anaq, Jos 15,13; 21,11; Maquir-Guilead, Jos 17, 1; 1 Cr 2,21.23; 7,14; cf. también, en lenguaje figurado, Jerusalén personificada, Ez 16,3.45), cuando se trata de pueblos sería preferible traducir el término por «padre de la tribu» (hijos de Héber, Gn 10,21; moabitas y amonitas, Gn 19,37s; edomitas, Gn 36,9.43).

En 1 Cr 2,24.42-55; 4,3-21; 7,31; 8, 29; 9,35 (31 ×), la fórmula «x, padre de y» (M. Noth, ZDPV 55 [1932] 100; Rudolph, HAT 21,13s) contiene no sólo nombres de clanes, sino también de lugares.

En Gn 17,4.5 la rara forma constructa *'āb(-)hᵃmōn gōyīm,* «padre de muchos pueblos», está condicionada por el juego de palabras con *'abrāhām.*

b) La extensión del significado a la paternidad adoptiva está facilitada por el hecho de que la relación entre el niño y el padre es por naturaleza menos directa que la relación entre el niño y la madre. El derecho babilónico no hace diferencia entre la legitimación de un hijo nacido de la esclava y la adopción de un niño extraño (Driver-Miles I, 351.384). Sin embargo, a excepción del uso puramente metafórico, raramente se emplea la palabra *'āb* sin referencia a la paternidad natural, pues tampoco la adopción en sentido propio, es decir, fuera de la parentela, aparece con frecuencia en el AT (de Vaux I, 85-87; H. Donner, *Adoption oder Legitimation?:* OrAnt 8 [1969] 87-119). Sobre Yahvé como «padre» del rey davídico, cf. *inf.* IV/3*b.*

En acádico se distingue entre *abum murabbīšu,* «padre adoptivo», y *abum wālidum,* «padre según la carne» (CAD A/I, 68b).

Al igual que en Babilonia (Driver-Miles I, 392-394), también entre los israelitas podían estar los alumnos y aprendices en una relación semejante a la de adopción con respecto a sus instructores. Este uso de los términos de parentesco «hijo» y «padre» para indicar asociación o dirección dentro de un grupo profesional está facilitado por el hecho de que normalmente el hijo adquiría la misma profesión que su padre. *'āb* como fundador o jefe de un gremio profesional aparece quizá en 1 Cr 4,14 (cf. 4,12.23) (I. Mendelsohn, BASOR 80 [1940] 19).

Posiblemente también el líder de un grupo de profetas, que a su vez también era padre «espiritual» del mismo, era llamado *'āb* (L. Dürr, *Heilige Vaterschaft im antiken Orient,* FS Herwegen [1938] 9ss; J. Lindblom, *Prophecy in Ancient Israel* [1962] 69s; J. G. Williams, *The Prophetic «Father»:* JBL 85 [1966] 344-348); por lo menos con referencia a Elías y a Eliseo encontramos la apelación *'ābī,* «padre mío» (2 Re 2,12; 13,14; la emplean también personas no pertenecientes al grupo de los *bᵉnē hannᵉbī'īm:* 2 Re 6, 21; cf. 8,9 «tu hijo»). Aquí, sin embargo, el paso a *'āb* como título honorífico (cf. *inf.* 3) es muy fluido (Lande, 21s; K. Galling, ZThK 53 [1956] 130s; A. Phillips, FS Thomas [1968] 183-194).

En 1 Sm 24,12 y en 2 Re 5,13 *'ābī* debe interpretarse como interjección (GVG II, 644; Joüon, § 105s; contra ThW V, 970 nota 141; de otro modo, debería suponerse en 1 Sm 24,12 un título honorífico o fórmula de alocución al suegro, y en 2 Re 5,13 una fórmula alocutiva fija con sufijo singular en boca de una colectividad, cf. L. Köhler, ZAW 40 [1922] 39).

Se podría también suponer que, de acuerdo con el tratamiento de *bᵉnī,* «hijo mío», dado a los discípulos, especialmente dentro de la literatura sapiencial (→ *bēn),* se usaría también *'āb* para dirigirse al maestro de sabiduría como padre espiritual (cf. sobre Egipto: Dürr, *loc. cit.,* 6ss; H. Brunner, *Altäg. Erziehung* [1957] 10; para Mesopotamia: Lambert, BWL 95.102.106). En el AT, sin embargo, no se puede separar nunca con seguridad este empleo del uso normal del término (cf., todo lo más, Prov 4,1 y 13,1).

3. El *uso figurado* del vocablo (comparación y metáfora) destaca un aspecto particular del concepto: el padre, además de una persona respetada, es también un protector próvido.

Sobre el acádico, cf. CAD A/I, 51s.68a. 71-73.76; AHw 8a. Sobre el fenicio: Inscripción de Kilamuwa (= KAI N. 24) I, 10: «yo, en cambio, era para uno padre, para otro madre y para el tercero hermano»; Inscripción de Karatepe (= KAI N. 26) I, 3: «Baal me convirtió en padre y madre para Danuna» (cf. I, 12, cf. *sup.* I); J. Zobel, *Der bildliche Gebrauch der Verwandtschaftsnamen im Hebr. mit Berücksichtigung der übrigen sem. Sprachen* [1932] 7ss (también para el material rabínico).

Prescindiendo de los casos en que se aplica a Dios (cf. *inf.* IV/3), el uso ocasional figurado de esta palabra aparece en el AT sólo en el libro de Job (autor de la lluvia: Job 38,28; cuidador de los pobres: Job 29,16; 31,18, cf. BrSynt § 97a; relación estrecha: Job 17,14; sobre la «fórmula del hijo»: «tú eres mi padre», cf. Fohrer, KAT XVI, 295).

Los títulos honoríficos usados en diversas regiones y en distintas épocas para designar a personalidades políticas y sacerdotales tienden a ir fijándose en fórmulas hechas: Jue 17,10 y 18,19: «padre y sacerdote» (cf. G. Quell, ThW V, 961s, según Bertholet 256); Is 22, 21 «padre para los habitantes de Jerusalén y de la casa de Judá» (sobre el jefe de palacio, cf. de Vaux I, 199s); y lo mismo el nombre de trono del Mesías en Is 9,5: «padre eterno» (cf. H. Wildberger, ThZ 16 [1960] 317s); fuera de Israel, en Aḥ. 55: «padre de toda Asiria» (Cowley 213.221); Est G 3,13s δεύτερος πατήρ; 8,12; 1 Mac 11,32.

En Gn 45,8, «padre para el faraón», debe suponerse una transposición al hebreo del título egipcio *yt-ntr,* «padre de Dios», hecha para evitar el escándalo de llamar dios al rey (J. Vergote, *Joseph en Égypte* [1959] 114s). Sobre la historia del título egipcio aplicado a visires y sacerdotes, originalmente usado también para el educador del príncipe heredero, cf. A. H. Gardiner, *Ancient Egyptian Onomastica* I (1947) 47*-53*; H. Brunner, ZÄS 86 (1961) 90-100; H. Kees, *ibíd.,* 115-125.

Según Rudolph, HAT 21,200.208, *'ābī* o *'ābīw* en 2 Cr 2,12 y 4,16 no debe considerarse como parte componente de un nombre, sino como título, que debe traducirse «mi/su maestro» (del mismo modo Stamm, HEN 422; cf. también CAD A/I, 73a).

El tratamiento de *'ābī* aplicado a Elías y a Eliseo ya ha sido mencionado anteriormente (2*b*). El acádico *abu* como fórmula alocutiva honorífica está documentado en cartas (cf. CAD A/I, 71).

4. *'āb* aparece en *expresiones compuestas,* como nombre recto, con *báyit,* «casa». *bēt-'āb,* «casa paterna, familia», significa «originalmente la gran familia que vive reunida en una casa común y a cuya cabeza está el *pater familias.* Incluye, además de a la mujer o mujeres del *pater familias,* a los hijos, lo mismo si están solteros que si han formado una nueva familia; a las hijas, lo mismo si están solteras que si han enviudado o abandonado la casa del marido, y, finalmente, a las esposas e hijos casados» (L. Rost, *Die Vorstufen von Kirche und Synagoge im AT* [1938, ²1967] 44).

Mientras en la época preexílica la «casa paterna» sólo tiene importancia desde el punto de vista del derecho familiar y hereditario, tras la catástrofe del 587, que comportó el derrumbamiento de la organización tribal, ocupa el lugar de la *mišpāḥā* (→*'am)* como célula fundamenal de la vida comunitaria. En el escrito sacerdotal (en sus partes secundarias) y en la obra histórica del cronista, la →*'ēdā* (o → *qāhāl)* «comunidad», se divide en *maṭṭōt,* «estirpes», y *bēt-'ābōt,* «casas paternas», sobre las que presiden un *nāśī',* «príncipe de estirpe», y un *rōš,* «jefe», respectivamente (Rost, *loc. cit.,* 56-76.84).

De 83 casos en singular (preexílicos en su mayoría: Gn 18 ×, Jue 12 ×, 1 Sm 13 ×), once responden al uso técnico posexílico (casos en Rost, *loc. cit.,* 56).

El plural *bēt-'ābōt* (68 ×, de ellas 30 × en Nm 1-4, 10 × en 1 Cr 4,7;

a los casos de Rost, *loc. cit.*, 56, añádase 1 Cr 7,40; el texto más antiguo es Ex 12,3) está formado de una manera peculiar a base de pluralizar sólo el segundo elemento de la composición (GK § 124p; Joüon § 136n), de donde se deduce que forma una estrechísima unión de palabras (no aparece claro en ThW V, 960, líneas 40ss). En vez de la cadena constructa del tipo *rāšē bēt-'ᵃbōtām* (p. ej., Ex 6,14), aparece también el abreviado *rāšē 'ābōt* (p. ej., Ex 6,25) sin *bēt-* (43 ×, a los casos en Rost, *loc. cit.*, 56, añádase Esd 8,1; también *nᵉśī'ē hā'ābōt* 1 Re 8,1; 2 Cr 5,2; *śārē hā'ābōt* Esd 8,29; 1 Cr 29,6), sobre todo cuando a dicha expresión sigue no sólo el sufijo de tercera plural, sino determinativos más concretos (esta diferencia aparece regularmente en los pasajes de P, mientras que en la obra histórica del cronista aparece también *rāšē [hā]'ābōt* sin otros determinativos más concretos e incluso *'ābōt* solo, Neh 11,13; 1 Cr 24,31). Cuando va unido a las palabras *'ᵃḥuzzā*, «posesión» (Lv 25,41), *naḥᵃlā*, «herencia» (Nm 36,3.8), y *maṭṭæ*, «estirpe» (Nm 33,54; 36,3.8), debe ser traducido simplemente por «padre» (contra Rost, *loc. cit.*, 56s).

En total aparecen, pues, 201 casos de *'āb* en el sentido de «casa paterna», de los cuales 129 en el sentido técnico tardío.

5. En toda la onomástica semítica antigua aparecen *nombres propios* formados con el término *'āb*.

Bibliografía: acádico: Stamm, AN; Mari y cananeo oriental: Huffmon; ugarítico: Gröndahl; fenicio: Harris; árabe meridional: G. Ryckmans, *Les noms propres sud-sémitiques* (1934); hebreo: Noth, IP; la más antigua recopilación de material, en M. Noth, *Gemeinsemitische Erscheinungen in der isr. Namengebung:* ZDMG 81 (1927) 1-45, con un resumen estadístico en 14-17; para el arameo, cf. A. Caquot, *Sur l'onomastique religieuse de Palmyre:* Syria 39 (1962) 236.240s.

En el AT se dan unos 40 nombres formados con el elemento *'āb*, que aparece en casi todos ellos en primer lugar, normalmente como sujeto, y nunca puede ser interpretado como constructo. Pero antes de enjuiciar este material desde un punto de vista histórico-religioso hay que considerar la diferencia que existe entre el uso teofórico y el uso profano de este término. Mientras las primeras investigaciones de W. W. Baudissin (*Kyrios als Gottesname im Judentum* III [1929] 309-379) y de M. Noth (cf. *sup.*) tenían en cuenta casi exclusivamente el uso teofórico de las palabras de parentesco, como indicadores del dios tribal, Stamm, HEN 413-424, piensa que es probable su uso profano en más de la cuarta parte de los casos, a saber: en los llamados nombres sustitutivos, «nombres según los cuales se ve en el recién nacido la reencarnación sustitutiva de un miembro de la familia ya fallecido» (J. J. Stamm, RGG IV, 1301).

Algunos ejemplos de nombres sustitutivos: *'iyyōb*, «Job» (lamento formado con una partícula interrogativa: «¿dónde está el padre?»), *'ᵃbīšay*, «Abisai» («el padre existe otra vez», según H. Bauer, ZAW 48 [1930] 77); de nombres designativos: *'aḥ'āb*, «Ajab» («hermano del padre»). En casos como *'ᵃbī'ēl*, *'ᵉlī'āb*, *'ᵃbiyyā*, *Yō'āb*, *'ᵃbīmælæk* (cf. *'ᵉlīmælæk*), *'ᵃbīdān* (cf. *Dāniyyēl*) y otros, el significado teofórico del elemento *'ab* es cierto.

La valoración histórico-religiosa de los nombres debe tener en cuenta: *a)* que éstos siguen usándose, por simple inercia conservadora, en situaciones distintas de aquellas en que el nombre fue acuñado (cf. Noth, IP 141 sobre los nombres de confesión, como *Jō'āb:* originalmente venía a indicar la equivalencia entre el antiguo Dios tribal y el nuevo Dios de la alianza, pero siguió usándose incluso en tiempo posexílico), y *b)* que pueden haber surgido nuevas interpretaciones gramaticales, sintácticas y de contenido (metafórico) (H. Bauer, OLZ 33 [1930] 593ss). Especialmente en las etimologías de los nombres que se remontan a un dios considerado como pariente del clan, es «seguro que en la época histórica de Israel el significado de tales nombres quedó modificado como resultado de la identificación de la divinidad tenida por padre, hermano o tío con Yahvé» (Stamm, HEN 418). Según W. Marchel, *Abba, Père* (1963) 13-27ss, la relación de parentesco atribuida a los dioses en los nombres propios era desde el mismo comienzo una mera metáfora.

IV. 1. Partiendo de las designaciones divinas en las narraciones patriarcales y mosaicas, que contienen como segundo elemento el genitivo de un nombre personal («el Dios de Abrahán», etc.), y comparándolas con casos análogos de la religión nabatea, A. Alt ha probado *(Der Gott der Väter* [1929] = KS I, 1-78) que en los primeros tiempos de Israel existía probablemente una religión del tipo del «dios de los padres» (han manifestado su acuerdo W. F. Albright, *Von der Steinzeit zum Christentum* [1949] 248s; von Rad I, 21s; J. Bright, *A History of Israel* [1960] 86-93; V. Maag, SthU 28 [1958] 2-28; H. Ringgren, *Isr. Religion* [1963] 17s; en contra, J. Hoftijzer, *Die Verheissungen an die drei Erzväter* [1956] 85ss; cf. además M. Noth, VT 7 [1957] 430-433). La persona X, de la que el dios recibe el nombre de «dios de X», ocupa el puesto de receptor de la revelación y fundador del correspondiente culto; en la tribu de X la divinidad será adorada en lo sucesivo como «dios del padre» (θεὸς πατρῷος). El hecho de que estas divinidades no estén ligadas a un lugar, sino a un grupo humano, con todos los cambios de destino que un tal grupo lleva consigo, hace que estos «dioses de los padres» se aparten cada vez más del naturalismo y funcionen como seres históricos y sociales (W. Eichrodt, *Religionsgeschichte Israels* [1969] 7-11). Considerando la identificación de los diversos dioses de los padres entre sí y con Yahvé, que tuvo lugar en los inicios de la historia de Israel, dice Alt *(loc. cit.,* 63): «Los dioses de los padres fueron los παιδαγωγοί que condujeron hacia el gran Dios, que más tarde había de desplazarlos completamente».

En los pasajes yahvistas y elohístas del Gn referentes a nuestro tema (26, 24; 28,13; 31,5.29.42.53; 32,10.10; 43, 23; 46,1.3; 49,25; 50,17 siempre con sufijo personal), la palabra *'āb,* en singular, se refiere, según los casos, a cada uno de los patriarcas: en el caso de Isaac a Abrahán (26,24), en el de Jacob a Isaac (p. ej., 46,1) o a Abrahán e Isaac (32,10; doble fórmula con un único *'āb* en 28,13; 31,42; cf. 48,15), en el de los hijos de Jacob a Jacob (50, 17), incluso aunque no aparezca, como en el último caso, el nombre propio correspondiente. En los pasajes en singular de Ex (3,6 junto al «Dios de Abrahán, Isaac y Jacob»; el texto samaritano lo hace plural; 15,2 paralelo a «Dios mío»; 18,4) es dudoso si la expresión «el Dios de mi/tu padre» se refiere exactamente al Dios de los patriarcas o, más bien (lo que objetivamente es de idéntico significado), al Dios que ya antes era venerado en la familia de Moisés (sobre 3,6, cf. Alt, *loc. cit.,* 13, nota 2; distinto Ph. Hyatt, VT 5 [1955] 130-136); los pasajes más tardíos, que se refieren al Dios del antepasado de David (2 Re 20,5 = Is 38, 5; 1 Cr 28,9; 2 Cr 17,4; 21,12; 34,3) designan simplemente la continuidad en la veneración de Dios dentro de la familia o de la dinastía. De modo esporádico aparece la expresión «el Dios de nuestro padre Israel» en 1 Cr 29,10 (cf. 29,18.20).

La formulación plural «el Dios de vuestros/sus padres» aparece en Ex 3, 13.15.16; 4,5 (Alt, *loc. cit.,* 9-13), donde se identifica a Yahvé con el Dios de Abrahán, Isaac y Jacob. Los demás pasajes que mencionan al «Dios de los padres» (Dt 1,11.21; 4,1; 6,3; 12,1; 26,7; 27,3; 29,24; Jos 18,3; Jue 2,12; 2 Re 21,22 y otros 30 × en Dn, Esd y Cr) dependen del uso deuteronómico de la expresión «padres» (cf. *inf.* 2b). Dn 11,37 trata de los dioses (plural) de los padres del príncipe pagano (cf. también Ez 20,24 *gillūlē 'ᵃbōtām,* «ídolos de sus padres»).

2. El plural *'ābōt,* «padres», se encuentra en una serie de expresiones, más o menos hechas, de diferente importancia teológica.

a) Teológicamente neutras son, en primer lugar, las paráfrasis eufemísticas para «morir», como «acostarse con sus padres», estudiadas por B. Alfrink, OTS 2 [1943] 106-118 y 5 [1948] 118-131 (cf. también O. Schilling, *Der Jenseitsgedanke im AT* [1951] 11-15; M. D. Goldman, ABR 1 [1951] 64s; *ibíd.*, 3 [1953] 51; G. R. Driver, FS Neuman [1962] 128-143).

Los verbos usados son *(1) škb,* «acostarse», Gn 47,30; Dt 31,16; 2 Sam 7,12; además 26 × en 1 y 2 Re y 11 × en 2 Cr, en total 40 ×; en 2 Sm 7,12 con la preposición *'æt-,* en los demás casos con *'im-*. La expresión se refiere a la muerte, no a la sepultura; es usada, como lo ha mostrado Alfrink, sólo en casos de muerte natural (en referencia a 9 de los 18 reyes del Norte y a 13 de los 19 reyes de Judá; sobre el problema de Ajab 2 Re 22,40, cf. C. F. Whitley, VT 2 [1952] 148s); *(2) qbr,* «enterrar», Gn 49,29 (con *'æl-),* 1 Re 14, 31 y otras 13 × en 1 y 2 Re y 2 Cr (con *'im-); (3) 'sp,* «reunirse», Jue 2,10 (con *'æl-);* 2 Re 22,20 = 2 Cr 34,28 (con *'al-);* la fórmula usada en Jue 2,10 parece haber surgido por contaminación de la expresión *'sp* nifal *'æl-'ammāw,* «reunirse con su pueblo» (Gn 25,8 y otros nueve pasajes en el Pentateuco; cf. Alfrink, OTS 5 [1948] 118s) con la fórmula *(1); (4) bō',* «entrar», Gn 15,15 (con *'æl-);* Sal 49,20 (con *'ād-); (5) hlk,* «ir», 1 Cr 17,11 (con *'im,* cf. Rudolph, HAT 21,131).

En 1 Re 13,22; Jr 34,5; Neh 2,3.5; 2 Cr 21,19, referentes a la tumba y al entierro, se dan composiciones de diversos sustantivos con *'ābōt;* en Jue 8,32; 16,31; 2 Sm 2,32; 17,23; 21,14, se habla de ser sepultado en la tumba del padre (singular). No se puede atribuir aquí ninguna importancia religiosa a los «padres» en el sentido de un culto a los antepasados (contra G. Hölscher, *Geschichte der isr. und jüd. Religion* [1922] 30s).

b) Hacia el s. VII, el plural «los padres» se convierte en un concepto importante del lenguaje religioso; mantiene la dimensión histórico-religiosa en las afirmaciones sobre el pueblo de Israel, que forma una unidad orgánica en los padres e hijos, tanto en su relación como en su contraposición recíproca.

En conexión con las tradiciones patriarcales, las promesas a los padres desempeñan un papel importante dentro de la teología deuteronómica. En el lenguaje que depende del Dt los padres aparecen repetidamente como receptores de diversos dones salvíficos (cf. sobre el Dt O. Bächli, *Israel und die Völker* [1962] 119-121).

Ya en Oseas aparecen una vez los «padres», aunque no en el contexto de la tradición patriarcal, sino en la imagen poética que describe cómo Yahvé los encontró en el desierto (9,10: «vuestros padres», paralelo a «Israel»).

La fórmula preferida en las alusiones deuteronómicas a la promesa de los padres reza así: «La tierra que Yahvé había jurado a los padres darnos», o expresiones semejantes. He aquí pasajes con *šb'* en nifal, «jurar», dentro de la literatura deuteronómico-deuteronomística: Ex 13,5.11; Nm 11,12; 14,23; Dt 1,8.35; 4,31; 6,10.18.23; 7,8.12.13; 8,1.18; 9,5; 10,11; 11,9.21; 13,18; 19, 8; 26,3.15; 28,11; 29,12; 30,20; 31,7. 20 (añádase 21); Jos 1,6; 5,6; 21,43. 44; Jue 2,1; Jr 11,5; 32,22; Miq 7,20; con *dbr* piel, «prometer»: Dt 19,8; cf. *'mr* Neh 9,23. Sobre el juramento de Yahvé a los patriarcas, cf. G. von Rad, *Das Gottesvolk im Dtn* (1929) 5; N. Lohfink, *Das Hauptgebot* (1963) 86-89 con listas en 307s. Junto a la promesa de la tierra, se mencionan también otros contenidos de esa promesa, así la descendencia numerosa y, fuera del ámbito de la tradición de los padres, la elección, la donación amorosa y la alianza (cf. además Dt 4,37; 5,3, donde se coloca parenéticamente la conclusión de la alianza en la generación actual; 10,15; 30,5.9). En el contexto de estas fórmulas ha de entenderse lo que se dice sobre el «Dios de los padres» en la teología deuteronómica (pasajes cf. *sup.* IV/1). A veces Abrahán, Isaac y Jacob son mencionados por su propio nombre (Dt 1,8; 6,10;

9,5; 29,12; 30,20, además 1 Cr 29,18); Dt 10,22 habla de los padres como de los setenta que emigraron a Egipto.

De los muchos textos posdeuteronómicos que mencionan a los padres como receptores de dones salvíficos entresaquemos aquí las expresiones hechas sobre «la tierra que Yahvé ha dado a los padres», relacionadas con las fórmulas deuteronómicas de juramento (verbo *ntn):* 1 Re 8,34.40.48 (= 2 Cr 6,25. 31.38); 14,15; 2 Re 21,8 = 2 Cr 33,8 texto enmendado; Jr 7,7.14; 16,15; 23, 39; 24,10 (¿auténtico de Jr?); 25,5; 30,3; 35,15; Ez 20,42; 36,28; 47,14; Neh 9,36; con *nḥl* hifil Jr 3,18.

Mencionemos además los grandes resúmenes históricos de Jos 24 (los padres sacados de Egipto, v. 6.17, son contrapuestos a los padres gentiles del otro lado del torrente, v. 2.14.15); Jue 2,17.19.20.22; 3,4; 1 Sm 12,6-8; 1 Re 8,21.53.57.58; 9,9; 2 Re 17,13.15; 21, 15; además, pasajes deuteronomísticos como Jr 7,22.25; 11,4.7.10; 17,22; 34, 13; 44,10 y Sal 78,12, así como otros pasajes dispersos: Is 64,10; Ez 37,25; Mal 2,10; Sal 22,5; 39,13; 1 Cr 29,15. No hemos tenido en cuenta frases negativas como Dt 9,15, etc., antepasados especiales (p. ej., Nm 20,15; 1 Re 21, 3s) y otras menciones de los padres teológicamente irrelevantes (p. ej., Dn 9, 6.8).

Textos como Jos 4,21; Jue 6,13; Sal 44,2; 78,3.5 (cf., aunque no esté presente nuestro vocablo, Ex 10,1s; 12, 26s; Dt 6,20ss) ilustran la transmisión de la historia de salvación de padres a hijos; cf. un paralelo babilónico en el epílogo del *Enūma Elīš* (VII, 147).

Los padres, sin embargo, no son únicamente receptores de la promesa y de las bendiciones; sus pecados pesan en la relación de Dios con los descendientes, de manera que el problema de la solidaridad de los hijos con los padres recibe diversas soluciones; cf. sobre todo esto el trabajo de J. Scharbert, *Solidarität in Segen und Fluch im AT und in seiner Umwelt,* vol. I: *Väterfluch und Vätersegen* (1958).

De la apostasía de los padres, siguiendo a los cuales pecan también sus descendientes, habla en primer lugar Jr, en el que no siempre es fácil distinguir entre textos auténticos y secundarios (Jr 2,5; 3,25; 7,26; 9,13; 11,10; 14, 20; 16,11.12; 23,27; 31,32; 34,14; 44, 9.17.21; 50,7).

De los textos posteriores a Jeremías se deben señalar: Lv 26,39.40; 2 Re 17,14.41; 22,13 (2 Cr 34,21); Is 65,7; Ez 2,3; 20,4.18.24.27.30.36; Am 2,4; Zac 1,2.4.5.6; 8,14; Mal 3,7; Sal 78,8. 57 (cf. 79,8 *ʿawōnōt rīšōnīm,* «pecados de los antepasados»); 95,9; 106,6.7; Lam 5,7; Dn 9,16; Esd 5,12; 9,7; Neh 9,2.16; 2 Cr 29,6.9; 30,7.8. J. Scharbert, *Unsere Sünden und die Sünden unserer Väter:* BZ 2 (1958) 14-26, traza la historia del género literario llamado «confesión de pecado», tanto de los propios como de los de los padres, desde Jeremías (Jr 3,25; 14,20) hasta después del AT (Tob 3,3.5; Jud 7,28; Bar 1,15-3,8; 1QS 1,25s; CD 20,29; 1QH 4,34).

Las afirmaciones de principio sobre la responsabilidad solidaria entre hijos y padres o sobre la derogación de la misma no emplean el plural «padres» con el significado tratado hasta ahora de «antepasados de Israel», sino en el sentido de la contraposición general padres-hijos. Sobre la antigua fórmula de confesión: «Yahvé, que... castiga la culpa de los padres en los hijos, nietos y bisnietos» (Ex 20,5; 34,7; Nm 14, 18; Dt 5,9; Jr 32,18), cf. J. Scharbert, *Formgeschichte und Exegese von Ex 34,6f. und seiner Parallelen:* Bibl 38 (1957) 130-150; L. Rost, *Die Schuld der Väter,* FS Hermann (1957) 229-233; R. Knierim, *Die Hauptbegriffe für Sünde im AT* (1965) 204-207. Sobre la negación de la solidaridad en Dt 24,16; 2 Re 14,6; 2 Cr 25,4, cf. Scharbert, *Solidarität,* 114s.124s.251, y von Rad, ATD 8 (1964) 109. Sobre el proverbio de los padres que comieron agraces y los hijos que sufrieron la dentera (Jr 31,29; Ez 18,2), cf. los Comentarios y Scharbert, *Solidarität,* 218-226.

3. Aunque la «invocación de la divinidad bajo el nombre de padre pertenece a los fenómenos primordiales de la historia de la religión» (G. Schrenk, ThW V, 951ss; G. Mensching, RGG VI, 1232s), el AT es muy reservado en el uso de esta *designación de padre* en relación a Yahvé (G. Quell, ThW V, 964-974; H. J. Kraus, RGG VI, 1233s). Esto vale de manera muy especial *a)* de las afirmaciones, completamente excluidas en el AT, sobre una paternidad física de Dios, *b)* pero también de la idea de adopción *c)* e incluso del uso metafórico de la palabra «padre».

a) Podemos hacernos una idea de las concepciones míticas sobre divinidades que engendran y crean a dioses y hombres, corrientes en el ambiente religioso que rodeaba a Israel, leyendo los textos ugaríticos (sobre Egipto y Babilonia, → *yld),* donde a *El,* cabeza del panteón, se le atribuye, en una serie de fórmulas estereotipadas, el epíteto de «padre».

El aparece como *ab bn il,* «padre de los dioses», en una liturgia de expiación (2, (16).25.33; O. Eissfeldt, *El im ugar. Pantheon* [1951] 62-66). Significado similar parece tener el discutido *mlk ab šnm* (49 [= I AB], I 8; 51 [= II AB], IV, 24; 2 Aqht [= II D], VI 49; 129 [= III AB, C], 5 añadido; *ʿnt* pl. VI [= V AB], V 16; *ʿnt* pl. IX-X [= VI AB], III 24), si en vez de traducir con Driver (CML 109) y otros *ab šnm* por «padre de los años» o con Eissfeldt *(loc. cit.,* 30s) «padre de los mortales», preferimos traducir con M. H. Pope «padre de los excelsos (= de los dioses)» *(El in the Ugaritic Texts:* SVT 2 [1955] 32s; así traduce también Gray, *Legacy* 114.155s; W. Schmidt, *Königtum Gottes in Ugarit und Israel* [²1966] 59 nota 3). Las expresiones *il abh,* «El, vuestro padre» (6, 21 de Anat), e *il abn,* «El, nuestro padre» (75 [= BH], I 9, en un contexto fragmentario; cf. Eissfeldt, *loc. cit.,* 34) aparecen una vez cada una. La fórmula más frecuente es *ṯr il aby/abk/abh,* «toro, El mi/tu/su padre» (49 [= I AB], IV 34; VI 27; 51 [= II AB], IV 47; 129 [= III AB, C], 16.17.19.21; 2 Aqht [= II D], I 24; *ʿnt* [= V AB], V [7].18.43; añadido en *ʿnt* pl. IX-X [= VI AB], III 26 y V 22), o con otro orden de elementos, *ṯr abk/abh il,* «toro, tu/su padre, El» (137 [= III AB, B], 16.33.36; Krt [= I K], 59.77.169; 2001 [= PRU V, 1 = IX Myth.Fr.], 15 reverso 2; en Krt 41 *ṯr abh* falta *il* porque está precedido de *ġlm il);* el sufijo personal se refiere en cada caso al dios o diosa sobrentendido en el contexto o que acaba de ser nombrado (también a Krt). Finalmente, en el poema de Krt encontramos también la expresión *ab adm,* «padre de la humanidad» (Krt 37.43.136.151.278.291).

Para entender el texto de Dt 32,6b «¿no es él tu padre y tu creador, el que te hizo y te constituyó *(kūn* polel)?», puede resultar interesante observar que la fórmula *ṯr il abh,* «toro, El, su (de Baal) padre», está en paralelo en algunos lugares a *il mlk dyknnh,* «El, el rey, que lo formó *(kūn* polel)» (51 [= II AB], IV 47s; añádase I 5s; *ʿnt* [= V AB], V 43s; cf. Schmidt, *loc. cit.,* 23.59). Si relacionamos el v. 6 con Dt 32,18, se puede ver en aquél, al menos en la dicción poética, un eco de representaciones míticas cananeas, que los profetas, en sus diatribas contra los cultos de la vegetación y de la fertilidad, rechazan decididamente: Jr 2,27: «(se perderán)... los que dicen al árbol: ¡tú eres mi padre!; y a la piedra: ¡tú me has engendrado!» (cf. Quell, ThW V, 967; P. Humbert, *Yahvé Dieu Géniteur?:* «Asiatische Studien» 18/19 [1965] 247-251).

Sobre Is 1,2 G ἐγέννησα, cf. J. Hempel, *Gott und Mensch im AT* (²1936) 170, nota 6, y Wildberger, BK X, 8.

b) Las afirmaciones sobre una relación de paternidad y filiación entre Yahvé y el rey davídico pertenecen al campo de la adopción (2 Sm 7,14: «yo seré para él un padre y él será para mí un hijo»; Sal 89,27; 1 Cr 17,13; 22,10; 28,6; cf. también la fórmula de adopción en Sal 2,7: «tú eres mi hijo; hoy te he engendrado yo»). Es evidente el influjo de la ideología real egipcia (S. Morenz, *Äg. Religion* [1960] 35-43. 154s; RGG VI, 118) en el rito de coronación jerosolimitano, pero no es menos evidente la clara diferencia en la concepción de la filiación divina: en Egipto se entiende de un modo físico inmediato y en el AT sólo por adopción y en virtud de un oráculo profético de elección (J. Hempel, *loc. cit.*, 173ss; Alt, KS II, 63s.218; G. von Rad, ThLZ 72 [1947] 214 = Ges. Stud. 222-224; K. H. Bernhardt, *Das Problem der altorientalischen Königsideologie im AT* [1961] 74-76.84-86).

El concepto de hijo referido a la relación del pueblo con Yahvé aparece ya en Ex 4,22 (Noth, ATD 5,22.33s: adiciones secundarias a J o JE); Os 11,1 (en sentido adoptivo y con el acento sobre la idea de amor y educación, cf. Wolff, BK XIV/1, 255-257); Is 1,2 (bondad que se preocupa por la educación de los hijos [plural]; quizá deba entenderse en el contexto de la filiación espiritual propia del ambiente sapiencial, cf. *sup.* III/2b, cf. Wildberger, BK X, 12-14) y 30,9 (→ *bēn;* sobre el Dt, cf. D. J. McCarthy, CBQ 27 [1965] 144-147). Pero la palabra *'āb,* empleada siempre en un claro sentido adoptivo y como indicadora de trato amoroso, aparece por primera vez en Jeremías: 3,4 (que debe considerarse, con Duhm y otros, como una inserción tomada del v. 19, cf. Rudoplh, HAT 12,22); 3,19, donde Jahvé expresa su deseo, frustrado por el comportamiento del pueblo, de reconocer a Israel como a uno de sus hijos (cf. también S. H. Blank, HUCA 32 [1961] 79-82) 31,9: «pues yo me he convertido en padre de Israel».

El motivo de adopción aparece en Sal 27,10 referido al individuo, pero sin que Yahvé sea designado directamente como padre.

c) Quedan muy pocos textos en los que se compara a Yahvé con un padre o en los que se le llama metafóricamente «padre». Siempre que no se trate de simples comparaciones con la vida familiar (Sal 103,13; Prov 3,12) o de ideales comunes a toda el área semítica antigua (Sal 68,6), estas afirmaciones (posexílicas) están generalmente en línea con la designación deuteroisaiana de Yahvé como creador del pueblo (Is 43,6s.15.21; 44,2.21.24; 45,10s).

En la relación padre-hijo, mirada desde el punto de vista del último, el peso recae sobre la posición de autoridad que goza el *pater familias* y sobre la obediencia que se le debe. Así es como Yahvé aparece como padre, aunque sólo indirectamente, en Is 45,10 (cf. v. 11), paralelo a la imagen del artífice soberano que modela sus obras; esta imagen vuelve a aparecer en Is 64, 7 junto con la expresión directa «tú eres nuestro padre» (dos veces en 63, 16). En Mal 1,6a tenemos la expresión «un hijo honra a su padre» en paralelo a «un siervo teme a su señor»; en v. 6b, de la representación de Dios como padre, presupuesta también en 2,10 en virtud de su dignidad de creador, se deduce la exigencia de respetarle; en 2, 10, en cambio, es predominante la idea de la fraternidad entre los hijos del mismo padre (= Dios, cf. Comentarios y Quell, ThW V, 973; distinto Horst, HAT 14,269, que piensa en Jacob) (→ *'aḥ* 4c). Esta concepción del padre no llega a adquirir un carácter universalista, puesto que la creación, dentro de esta tradición, afecta sólo al pueblo de Israel (contra R. Gyllenberg, *Gott der Väter im AT und in der Predigt Jesu:* StOr 1 [1925] 53s).

Mirada desde el punto de vista del padre, el acento de la relación recae sobre los lazos de unión y asistencia prestada. Así, en Is 63,16 (cf. v. 15 «observa...») se invoca al que es padre y redentor desde antiguo *(gō'alēnū,* → *g'l)* y que supera con mucho a los padres de la tierra.

Finalmente, también la entrega amorosa del padre puede constituir, en las comparaciones relativamente raras de Yahvé con un padre, el *tertium comparationis* (lo mismo que en el rico material babilónico, cf. CAD A/I, 69b). Sal 103,13: «como se apiada un padre de sus hijos, así se apiada Dios de los que le temen» (cf. Dt 1,31 sin *'āb)* y Prov 3,12: «porque Yahvé reprende a aquel que ama, como un padre al hijo querido» (así MT; según G hay que corregir *ūkᵉʾāb* en *wᵉyakʾīb;* sobre el contenido, cf. Dt 8,5 sin *ʾāb).*

El motivo del «padre de los huérfanos» en Sal 68,6, aunque no tan acentuado, es muy frecuente en el AT y en el ambiente circundante oriental (cf. Dt 10,18; Sal 10,14.18; 82,3s; 146,9; además Job 29,16; 31,18; Eclo 4,10 y material del antiguo Oriente en Wildberger, BK X, 48); no es necesario atribuirle un origen egipcio (así, Quell, ThW V, 966 nota 118).

La designación de Dios como padre del creyente individual no aparece todavía en el AT (por primera vez, Eclo 50,10 [hebreo] en conexión con Sal 89,27); sobre la literatura judía intertestamentaria, cf. Bousset-Gressmann 377 y sobre todo J. Jeremias, *Abba* (1966) 19-33.

V. Las investigaciones neotestamentarias sobre ἀββᾶ y πατήρ suelen también tratar la prehistoria del concepto en el AT, así como en el judaísmo palestino y helenístico. Cf. G. Kittel, art. ἀββᾶ: ThW I, 4-6; G. Schrenk, art. πατήρ: ThW V, 974-1024; D. Marin, *Abba, Pater:* FS Herrmann (1960) 503-508; W. Marchel, *Abba, Père! La prière du Christ et des Chrétiens* (1963); íd., *Abba, Vater! Die Vaterbotschaft des NT* (1963); J. Jeremias, art. *Vatername Gottes* III, RGG VI, 1234s; íd., *Abba, Studien zur ntl. Theologie und Zeitgeschichte* (1966) 15-67.145-148.

E. Jenni

אבד ʾ*bd* Perecer

1. *ʾbd* pertenece al semítico común (Bergstr. *Einf.*, 190), pero con el significado de «extraviarse, perecer» ha sobrevivido sólo en el semítico noroccidental.

En acádico, *abātu* (disimilación de *d > t,* cf. GAG p. XXV del § 51d; distinto GVG I, 152; Bergstr. I, 109) es transitivo, «destruir»; pero en asirio antiguo aparece también como intransitivo «escaparse» (J. Lewy, Or NS 29 [1960] 22-27; CAD A/I, 45).

De esta raíz, aparte del *qal, piel,* «aniquilar», y *hifil,* «hacer perecer» (en arameo, *qal, hafel* y *hofal),* se han formado en el AT sólo los nombres verbales *ʾᵃbēdā,* «cosa perdida», y *ʾᵃbaddōn,* «ruina» (además los aramaísmos *ʾabdān* y *ʾobdān,* «ruina», cf. Wagner N. 1/1a).

ʿᵃdē ʾōbēd, «para siempre», de Nm 24, 20.24, parece derivarse de una segunda raíz *ʾbd,* «durar», documentada en árabe y, al parecer, también en ugarítico (J. Gray, ZAW 64 [1952] 51.55; UT N. 17; WUS N. 15; distinto M. Dietrich-O. Loretz, WdO III/3 [1966] 221) (cf. D. Künstlinger, OLZ 34 [1931] 609-611); las hipótesis que se han formulado en el mismo sentido con respecto a Prov 11,7 (J. Reider, VT 2 [1952] 124) y Job 30,2 (G. Rinaldi, BeO 5 [1963] 142) son todavía inseguras.

2. Estadística: *qal* 117× (Sal 21×, Jr 16 ×, Dt 13 ×, Job 13 ×), arameo 1 ×; piel 41 × (Est 10 ×); hifil 26 ×, arameo, hafel 1 ×; formas verbales en total, hebreo 184 ×, arameo 7 ×; *ʾᵃbēdā* 4 ×, *ʾᵃbaddōn* 6 ×, *ʾabdān* 1 ×, *ʾobdān* 1 ×. La raíz no aparece en Gn y en Cr/Esd/Neh (cf. 2 Re 11, 1; 21,3 con 2 Cr 22,10; 33,3; y también 2 Re 9,8 con 2 Cr 22,7).

En 1 Sm 12,15; Is 46,12 y Prov 17,5 hay que contar con la posibilidad de una corrección basada en los LXX (cf. BH³).

3. Según la diversidad de sujetos (cosas particulares, entidades colectivas, seres vivos) y de preposiciones *(bᵉ, min),* existen también diversas traducciones posibles del relativamente uniforme significado del qal, «perecer» («perderse, sucumbir, ser arrebatado», etc., cf. HAL 2b). Las lenguas semíticas emparentadas (cf. acádico, árabe, etiópico), con sus significados especiales de «extraviarse, vagar, huir» (Dt 26, 5; 1 Sm 9,3.20; Jr 50,6; Ez 34,4.16; Sal 2,12; 119,176), se acercan quizá al sentido original (cf. Th. Nöldeke, ZDMG 40 [1886] 726).

Debido a su significado negativo y poco específico, este verbo no tiene ningún concepto claramente contrapuesto; como posibles oposiciones se pueden citar: *ʿmd,* «permanecer» (Sal 102,27; cf. 112,9s), *hyh,* «llegar a ser» (Jon 4,10) y *ʾrk* hifil *yāmīm,* «vivir muchos años» (Dt 4,26; 30,18).

Semánticamente, *ʾbd* coincide casi exactamente con el acádico *ḫalāqu* (AHw 310s: «desaparecer, perecer, huir»; también en ugarítico y etiópico); cf. la carta de Amarna EA 288, línea 52 (de Jerusalén): «todos los países del rey están pereciendo *(ḫal-qa-at)»* con la glosa cananea *a-ba-da-at.* Se ha conjeturado también esta raíz *ḥlq* III en Sal 17,14; 73,18; Job 21,17; Lam 4,16 (M. Dahood, Bibl 44 [1963] 548; 45 [1964] 408; 47 [1966] 405; sobre Is 57, 6, W. H. Irwin, CBQ 29 [1967] 31-40), pero debido a su proximidad de significado con respecto a *ḥlq* I (*ḥ*ª*lāqōt* Sal 73, 18 «resbaladero») y II (piel, «destruir», Gn 49,7 y Sal 17,14, cf. G. R. Driver, JThSt 15 [1964] 342), su existencia no se puede probar con certeza.

En piel y hifil, «aniquilar», *ʾbd* pertenece al mismo campo semántico que → *krt* y → *šmd.*

Sobre la diferencia de significado entre el piel, «aniquilar, eliminar», y el hifil «hacer perecer» (el último, referido casi siempre a personas y usado en futuro), cf. E. Jenni, *Faktitiv und Kausativ von ʾbd «zugrunde gehen»,* FS Baumgartner [1967] de 143 a 157.

Sobre *ʾ*ª*baddōn,* «ruina, abismo», cf. → *š*ᵉ*ʾōl.*

4. En más de dos tercios de los pasajes con qal y hifil (piel 1/3), Yahvé es el *autor* directo o indirecto de la ruina. Aquí *ʾbd* no conserva ya su sentido neutral (cf. Sal 102,27; 146,4), sino que significa la ruina infligida por Dios al impío. Pero, debido a su significado tan genérico, es difícil reconocer en este término un empleo fijo en fórmulas hechas; el término no ha llegado a fijarse como término teológico.

En la «fórmula de exterminio», *ʾbd* aparece una sola vez, en Lv 23,30, en vez del usual y más concreto *krt* (Elliger, HAT 4,310.319, nota 24). Tampoco para la «llamada de angustia» (Nm 17,27; cf. Nm 21,29 par. Jr 48,46 y Mt 8,25 par. Lc 8,24) se emplea el verbo *ʾbd* (cf. Is 6,5; Jr 4,13; G. Wanke, ZAW 78 [1966] 216s).

Como campos en los que se ha arraigado el uso de la palabra *ʾbd,* citemos, a modo de ejemplo, los siguientes:

a) las afirmaciones sobre la *correspondencia entre comportamiento y resultado* (cf. H. Gese, *Lehre und Wirklichkeit in der alten Weisheit* [1958] 42ss), propias de la literatura sapiencial (Sal 1,6; 37,20; 49,11; 73,27; 112, 10; Job 4,7.9; 8,13; 11,20; 18,17; 20, 7; Prov 10,28; 11,7.7.10; 19,9; 21,28; 28,28); explícita o implícitamente, Yahvé se encarga de que el malvado, su nombre, su esperanza, etc., acaben mal.

b) las *maldiciones condicionadas* con que terminan las fórmulas de bendición-maldición en la ley de santidad y la ley deuteronómica (Lv 26,38; Dt 28,20.22; sobre su origen cúltico-sacral, cf. Elliger, HAT 4,372), y que aparecen también en la predicación deuteronómica (Dt 4,26; 8,19.20; 11,17; 30,18; Jos 23,13.16; cf. también 1Q 22 I, 10); estas maldiciones están probablemente relacionadas con las fórmulas de maldición de las inscripciones semíticas noroccidentales y de los pactos del Oriente antiguo (bibliografía en D. R. Hillers, *Treaty-Curses and the OT Prophets* [1964]). Cf. en una inscripción funeraria fenicia del s. IX de Chipre: «y que est[a maldición (?)] lleve a [ese hombre] a la perdición *(wyʾbd* hifil)» (KAI N. 30, línea 3; cf. Friedrich 127, distinto DISO 1s); en una inscripción funeraria aramea del s. VII, procedente de Nerab junto a Aleppo: «y que su descendencia perezca *(tʾbd* qal)» (KAI N. 226, línea 10); «Que ŠHR, Šamaš, Nikkal y Nusku extirpen *(yhʾbdw* hafel) tu nombre...» (KAI N. 225, línea 11); sobre *ḫalāqu* (cf. *sup.* 3) en las fórmulas de maldición acádicas, cf. F. C. Fensham, ZAW 74 (1962) 5s; 75 (1963) 159.

c) en las *amenazas de juicio* proféticas emparentadas con *b), ʾbd* aparece raramente en el s. VIII (qal en Is 29,

14; Am 1,8; 2,14; 3,15); piel y hifil con Yahvé como sujeto son usados esporádicamente desde el tiempo de Jeremías (textos más antiguos: Miq 5,9, caso de que sea auténtico; piel: Is 26, 14; Jr 12,17; 15,7; 51,55; Ez 6,3; 28, 16; Sof 2,13; hifil: Jr 1,10; 18,7; 25, 10; 31,28; 49,38; Ez 25,7.16; 30,13; 32,13; Abd 8; Miq 5,9; Sof 2,5).

5. En el AT, los términos *'bd* y *'abaddōn* no se emplean todavía para designar una perdición eterna en el más allá (y lo mismo sucede en Qumrán), aun cuando disponían de expresiones para indicar «eternidad» *(lānæṣaḥ,* Job 4,20; 20,7; cf. también en la inscripción de Mesa *wYśr'l 'bd 'bd 'lm* «e Israel ha perecido para siempre», KAI N. 181, línea 7).

Sobre el NT, cf. A. Oepke, artículo ἀπόλλυμι: ThW I, 393-396; J. Jeremias, art. Ἀβαδδών: ThW I, 4.

E. Jenni

אבה *'bh* Querer

1. La raíz *'bh ('by)* está documentada principalmente, además de en hebreo, en las lenguas semíticas meridionales, pero con formaciones típicas de significados contrapuestos (en árabe clásico y etiópico, «no querer»; en árabe dialectal, «querer»).

Es posible que la raíz esté relacionada con el egipcio *'by,* «desear» (cf., sin embargo, Calice N. 462).

Sobre las presuntas correspondencias acádicas, cf. HAL 3a.

En arameo, la raíz no es común, si prescindimos del hebraísmo targúmico *'abā* (Nöldeke, BS 66, nota 7). Es problemática la expresión *htn'bw* de la inscripción aramea antigua de Barrakib KAI N. 216, línea 14 (hifnafal de *'bh* o *y'b,* KAI II, 233s; cf. G. Garbini, *L'aramaico antico:* AANLR VIII/7 [1956] 274, pero íd.: «Ricerche Linguistiche» 5 [1962] 181, nota 28).

En arameo existe el verbo *y'b,* «anhelar, ansiar», posiblemente emparentado con *'bh ('by)* (DISO 103; LS 293a); ese verbo aparece también una vez en hebreo como aramaísmo (Sal 119,131; Wagner N. 119; Garbini, *loc. cit.,* 180).

La forma hebrea secundaria *t'b,* «anhelar» (Sal 119,40.174), no debe considerarse como aramaísmo, sino como derivación secundaria de *ta'aba,* «exigencia» (Sal 119,20); este último término es, a su vez, una forma sustantiva, con *t-* preformativa, de la raíz *'bh* (A. M. Honeyman, JAOS 64 [1944] 81; Garbini, *loc. cit.,* 180s).

El desarrollo de sentidos contrarios, que se ha dado en árabe (etiópico), debe considerarse como característica propia de las lenguas semíticas meridionales: diversos términos de estas lenguas han desarrollado su significado base neutral en sentido positivo y negativo; así, por ejemplo, «ser decidido» (F. Delitzsch, *Prolegomena eines neuen hebr.-aram. Wörterbuchs zum AT* [1886] 111), «ser obstinado» (W. M. Müller, según GB 3a), «mouvement psychologique de la volonté» (C. Landberg, *Glossaire Datînois* I [1920] 21ss), «se flecti sivit» (Zorell 3a), «carecer de» (Honeyman, *loc. cit.,* 81s). No se puede, pues, recurrir al árabe y al etiópico para explicar el hecho de que en hebreo *'bh* aparezca casi siempre en proposiciones negativas (cf. *inf.* 3a) (contra Nöldeke, BS 66, quien afirma que la partícula negativa sólo es un reforzamiento del sentido negativo original; de la misma opinión es L. Köhler, ZS 4 [1926] 196s; distinto GVG II, 186; BrSynt 53.158; Honeyman, *loc. cit.,* 81)*.

De la misma raíz *'bh* (en el sentido aceptado de «tener un deseo, necesitar» y otros) se suele hacer derivar normalmente el adjetivo *'æbyōn,* «necesitado, pobre» (p. ej., GB 4a; BL 500: propiamente «mendigo» [?]; A. Kuschke, ZAW 57 [1959] 53; Honeyman, *loc. cit.,* 82; P. Humbart, RHPhR 32 [1952] 1ss = *Opuscules d'un hébraïsant* [1958] 187ss; HAL 5a); es, sin embargo, problemático hasta qué punto esta etimología es determinante para establecer el significado de *'æbyōn* (cf. E. Bammel, ThW VI, 889). Ahora, cf. también W. von Soden, *Zur Herkunft von hebr. 'ebyōn «arm»,* MIO 15 (1969) 322-326 (se trataría de un adjetivo «amorreo antiguo» derivado de **'bi,* «ser pobre, necesitado», y que pasa como extranjerismo al ugarítico, al hebreo y al acádico de Mari [*abiyānum* «pobre, indigente»]). Más adelante por tanto, en 3 y 4-5, se hablará de *ʾbh* y *ʾæbyōn* en secciones separadas.

El copto EBIHN es probablemente un semitismo (cf. W. A. Ward, JNES 20 [1961] 31s; distinto T. O. Lambdin, *Egyptian Loan Words in the OT:* JAOS 73 [1953] 145s).

Los términos ugaríticos *abynm* (313 = 122, 6) y *abynt* (2Aqht [= II D] I, 17) no iluminan el problema (cf. WUS N. 18/20; UT N. 23/24).

No es seguro que *ʾ^{a}bōy,* «ay» (Prov 23,29), se derive de *ʾbh* (cf. HAL 4a con bibliografía); lo mismo debe decirse de *ʾābī,* «ojalá» (Job 34,36; cf. 1 Sm 24,12; 2 Re 5,13; → *ʾāb* III/2b; cf. Honeyman, *loc. cit.,* 82; HAL 4a).

2. El verbo *ʾbh* aparece 54 × en la forma qal, preferentemente en la literatura narrativa (2 Sm 10×, Dt 7×, Is 5 ×; Ju, 1 Sm, 1 Cr y Prov 4 × en cada uno).

ʾæbyōn (61 ×) está arraigado principalmente en los textos condicionados por el culto (Sal 23 ×, además 1 Sm 2,8; Is 25,4; Jr 20,13), pero también se encuentra en la literatura profética, legal y sapiencial (Dt 7 ×, Job 6 ×, Is y Am 5 × cada uno).

3. *a)* El verbo *ʾbh* se emplea casi siempre en proposiciones negativas y significa «no querer, rechazar, rehusar»; según eso, se encuentra en el campo semántico de las expresiones *mʾn* piel, «rehusar» (46 ×; una vez en Nm 22,13 con Yahvé como sujeto, sin que se pueda reconocer un uso teológico; paralelo a *ʾbh* en Dt 25,7; 2 Sm 2,21. 23; Is 1,19s; Prov 1,24s); *mnʿ,* «retener, rehusar»; → *nʾṣ,* «despreciar», etc. Las dos únicas frases en las que *ʾbh* aparece en proposiciones afirmativas (Is 1,19 en una frase condicional, paralelo a → *šmʿ,* «obedecer»; Job 39,9, en una pregunta retórica que prácticamente equivale a una negación) no son afirmativas en cuanto al significado real.

Para explicar este fenómeno no se ha de partir de combinaciones etimológicas e histórico-lingüísticas (cf. *sup.* 1), sino que ha de considerarse más bien el campo semántico concreto (cf. E. Jenni, *«Wollen» und «Nichtwollen» im Hebr.,* FS Dupont-Sommer [1971]). El significado positivo «estar dispuesto, querer» se expresa en hebreo por medio del verbo *yʾl* hifil, «decidirse, dignarse a, comenzar» (18 ×), que *nunca* aparece en proposiciones negativas. Como hifil interno causativo («persuadirse a, tomar un propósito» o semejantes), este verbo, que nunca expresa una acción puramente accidental, no puede recibir forma negativa (cf. Jenni, HP 95ss, también 250ss.256); por otra parte, el hifil interno causativo es precisamente muy apropiado para expresar la acción deliberada del sujeto, mejor que un neutral qal *ʾbh,* que significa «estar dispuesto (de hecho, accidentalmente)». Así se complementan mutuamente el positivo *yʾl* hifil y el verbo *ʾbh* qal usado en formas negativas y condicionales (cf. Jue 19,6-10, donde ambos verbos aparecen contrapuestos)*.

b) El verbo presenta toda su fuerza verbal («acceder, estar dispuesto», etcétera) en muy pocas ocasiones: Prov 1,30: «no han aceptado mi consejo»; 1, 25: «no habéis seguido mi exhortación»; Dt 13,9: «no cedas ante él». En estos casos se habla de una decisión específica de la voluntad en contra de una exigencia que viene del exterior, de un oponerse neutral. El objeto nominal es precedido por la partícula *l^{e}* (Dt 13,9; Prov 1,30; cf. Sal 81,12) o bien es formulado en acusativo (Prov 1,25). *ʾbh* se emplea como fórmula en la expresión bipolar «no escuchar y oponerse» (Dt 13,9; 1 Re 20,8; Sal 81, 12; cf. Is 1,19; 42,24). Podría parecer que a veces se emplea el término de forma absoluta; pero no hay tal, pues en realidad se trata de modos de hablar elípticos; cf., por ejemplo, Jue 11,17 (G !); 1 Sam 31,4 = 1 Cr 10,4; 2 Sm 12,17; 1 Re 22,50; Is 30,15; cf. Prov 1,10; 6,35.

c) En la mayoría de los casos, *ʾbh* va acompañado de un verbo de acción, desempeñando así el papel de verbo auxiliar (p. ej., Gn 24,5.8: «si ella no quiere acompañarlo»). Probablemente en conexión con la fórmula anteriormente citada es como se generalizó el giro «no querer escuchar» (Lv 26,21; Dt 23,6; Jos 24,10; Jue 19,25; 20,13; 2 Sm 13,14.16; Is 28,12; 30,9; Ez 3, 7.7; 20,8).

Pero se puede «no querer, rehusar, rechazar» cualquier acción posible (Dt 1,26; Jue 19,10; 1 Sm 22,17; 26,23; 2 Sm 2,21; 6,10; 13,25; 14,29; 23,16.17 = 1 Cr 11, 18.19; 2 Re 8,19 = 2 Cr 21,7; 2 Re 24,4; 1 Cr 19,19); el verbo principal va con frecuencia en infinitivo con *l*[e] (excepciones: Dt 2,30; 10,10; 25,7; 29,19; 1 Sm 15,9; 2 Re 13,23; Is 28,12; 30,9; 42,24; Job 39,9).

d) Cuando el no querer es consecuencia de un endurecimiento u obstinación internos, *'bh* puede tener el aspecto de un uso técnico teológico (Ex 10,27: «Yahvé había endurecido el corazón del faraón, por eso éste no les quería dejar marchar»; cf. Dt 2,30), que puede desembocar eventualmente en la fórmula de los discursos proféticos de juicio y acusación: «¡... no habéis querido!» (Is 30,15; cf. Mt 23,37 con el verbo θέλειν, que en los LXX traduce a *'bh* en la mitad de los casos; cf. G. Schrenk, art. βούλομαι: ThW I, 628-636; íd., art. θέλω: ThW III, de 43 a 63). Se puede también considerar el endurecimiento como algo intrínseco al hombre, casi patológico (2 Sm 13,2.14.16; cf. K. L. Schmidt, ThW V, 1024ss; F. Hesse, RGG VI, 1383).

4. *a) 'æbyōn* pertenece a la categoría de palabras que designan en el AT a las personas socialmente débiles (*dal, miškēn, ʿānī, rāš,* etc., → *ʿnh* II; cf. A. Kuschke, *Arm und reich im AT,* ZAW 57 [1939] 31-57; J. van der Ploeg, *Les pauvres d'Israel et leur piété:* OTS 7 [1950] 236-270; P. Humbert, *Le mot biblique èbyōn:* RHPhR 32 [1952] 1-6 = *Opuscules d'un hébraïsant* [1958] 187-192; F. Hauck, art. πένης: ThW VI, 37-40; F. Hauck y E. Bammel, art. πτωχός: ThW VI, 885-915, con bibliografía). Apenas si se puede distinguir ya el significado específico de la palabra «querer tener» (Kuschke, *loc. cit.,* 53), «le pauvre qui quémande» (Humbert, *loc. cit.,* 188) (cf. Bammel, *loc. cit.,* 889, nota 24). En los textos legales y proféticos, *'æbyōn* es el explotado (Ex 23,6.11; Dt 15,1-11; 24, 14; Am 2,6; 4,1; 5,12; 8,4.6; Jr 2,34; 5,28; 22,16; Ez 16,49; 18,12; 22,29). Los pasajes sapienciales muchas veces tienen en cuenta sólo la miseria material en contraposición a la riqueza (Sal 49,3; 112,9; Prov 31,20; cf. *rāš,* «pobre», → *ʿnh* II).

b) El socialmente débil tiene en todo el antiguo Oriente una relación especial con la divinidad.

Cf. Lambert, BWL 18, nota 1 («the poor of this world, rich in faith», a quienes los dioses prestan especial atención, de tal forma que hasta el mismo Nabopolasar se considera perteneciente a ellos), con una enumeración de las expresiones que designan al «pobre» en acádico. (Textos y bibliografía en AHw s. v. *akû, dunnamû, enšu, katû, lapnu, muškēnu,* etc.). Cf. W. Schwer, RAC I, 689ss; RGG I, 616ss; además el himno a Šammaš (Lambert, BWL 121ss) y Sal 82,3, como reflejo de ideas orientales antiguas.

Desde este trasfondo es comprensible que *'æbyōn* tenga un matiz claramente religioso en el AT. En los géneros enraizados en el culto (en especial en los cantos de lamentación y de acción de gracias), el orante se presenta ante Yahvé como el pobre y el necesitado. Debe confesar su inferioridad ante el Dios poderoso y justo, cf. Job 42,2ss. Pero con tal confesión el pobre hace valer sus derechos a recibir justicia: pertenece a los deberes del poderoso y, por tanto, también de Dios (para lo cual no es necesario recurrir a la idea de alianza), apiadarse de los necesitados (cf. Dt. 14,28s; Is 58,7; Ez 18,7; Sal 72,2.4.12.13; 82,3; 112, 9; Prov 3,27s; 31,20). La riqueza es siempre un don; el hombre en situación normal siempre es pobre y desamparado (cf. Gn 3,21; Ez 16,4ss;

Os 2,10; Sal 104,14s.27ss, etc.); el AT vive de la certeza de que Yahvé tiene un aprecio especial por el pobre. La convicción de que Yahvé es quien reparte la exaltación y la bajeza según su voluntad y exalta al pobre, invirtiendo las categorías humanas, ha encontrado en 1 Sam 2,1ss su expresión clásica.

c) El modo como se emplea *ʾæbyōn* en los textos cúlticos concretos confirma la impresión general. Desaparecen completamente los matices de las diversas expresiones usadas para designar al «pobre, pequeño»; su significado social pasa a segundo plano.

Como síntoma de ese «ser pobre ante Dios» valen: los malos acontecimientos (Sal 40,13), el menosprecio (69,9.11ss), la persecución (35,1ss; 109, 2ss), la enfermedad (109,22ss), el decaimiento ante la muerte (88,4ss), etc. (cf. S. Mowinckel, *The Psalms in Israel's Worship* II [1962] 91s). Los enemigos del pobre no están muy precisamente descritos; por lo general, se trata de cómplices o ejecutores de una voluntad hostil a Yahvé (cf. Mowinckel, *loc. cit.* II, 5ss).

La expresión formularia «yo soy pobre y desvalido» (Sal 40,18; 70,6; 86, 1; 109,22; cf. también Sal 25,16; 69, 30; 88,16; 1 Sm 18,23) describe la situación del orante; es a la vez confesión (de culpa), reconocimiento de la superior potencia de Yahvé y fundamentación de la súplica. Pero Yahvé «salva al débil de quien tiene poder y al pobre de quien lo explota» (Sal 35, 10; cf. parecidos atributos hímnicos en Job 5,15; 1 Sm 2,8; Sal 113,7 y *passim).* El hecho de que casi siempre se empleen dos o más sinónimos para designar al «pobre» (la mayoría de las veces *ʿānī wᵉʾæbyōn,* «desvalido y pobre», Sal 35,10; 37,14; 40,18; 70,6; 74,21; 86,1; 109,16.22; cf. Dt 24,14; Jr 22, 16; Ez 16,49; 18,12; 22,29; Job 24,14; Prov 31,9) puede indicar la formación de un estilo condicionado por el *parallelismus membrorum.* En las acciones de gracias (cf. Sal 107,41) y en los oráculos de salvación proféticos y sacerdotales (cf. Is 14,30; 29,19; 41,17; Sal 132,15) se da testimonio de la salvación del pobre, realizada ya o asegurada.

5. En muchos textos religiosos del período intertestamentario el pobre adquiere una importancia todavía mayor, quizá como consecuencia de una estratificación de la sociedad cada vez más marcada. Especialmente la comunidad de Qumrán sospecha de la propiedad privada y considera la pobreza y la humildad como condiciones previas para la vida espiritual. La postura positiva ante la pobreza continúa en el NT (Sermón de la Montaña, Lucas, Pablo) y los ebionitas no son ni los únicos ni los últimos cristianos que atribuyen una importancia programática a la actitud de humildad ante Dios. Cf. E. Bammel, art. πτωχός: ThW VI, 894ss; RGG s. v. «Armenpflege», «Armut», «Ebioniten»; L. E. Keck, *The Poor among the Saints in Jewish Christianity and Qumran:* ZNW 57 [1964] 54-78; A. Gelin, *Les Pauvres de Yahvé* (1953) (²1967).

E. Gerstenberger

אֶבְיוֹן *ʾæbyōn* Pobre → אבה *ʾbh*

אַבִּיר *ʾabbīr* Fuerte

1. Que *ʾabbīr,* «fuerte, potente», y *ʾābīr* (con un significado fundamentalmente idéntico, cf. *inf.* 4) están relacionados, es evidente; no lo es, sin embargo, que también *ʾēbær* y *ʾæbrā,* «ala, extremidad» (→ *kānāf),* así como el verbo denominativo *ʾbr* hifil, «alzar el vuelo» (Job 39,26), pertenezcan a la misma raíz (así GB 4s.7; distinto HAL 6a.9; cf. AHw 7a).

No es tampoco claro que la raíz exista en las otras lenguas semíticas.

A *ʾēbær,* «ala», corresponden en acádico *abru,* en ugarítico *ʾbr,* «volar» (?) (WUS N. 33; distinto UT N. 39), en siríaco *ʾebrā,* «pluma»; el significado de este grupo de palabras es muy lejano del de *'abbīr* y, por tanto, no será tratado en este artículo.

A *'abbīr* corresponden el ugarítico *ibr,* «toro» (WUS N. 34; UT N. 39; sobre la *i* o la *e* de la primera sílaba como vocales modificadas, cf. W. Vycichl, AfO 17 [1954-1956] 357a; sobre los nombres personales ugaríticos formados con *ibr,* cf. Gröndahl 88.133) y el egipcio *ybr,* «caballo», como cananeísmo (Burchardt II, 2; W. F. Albright, BASOR 62 [1936] 30).

De los vocablos acádicos enumerados en AHw 4b.7a, *abru,* «fuerte, vigoroso (?)»; *abāru,* «lucha cuerpo a cuerpo, fuerza», y *abāru,* «tensar», CAD A/I, 38.63 acepta como válido solamente *abāru,* «fuerza».

Del semítico noroccidental mencionemos: un nombre personal púnico *'brb'l* CIS I [1886]; W. W. Baudissin, *Kyrios* III [1929] 85, «fuerte es Baal»; Harris 73: ¿error en vez de *'drb'l?)* y el arameo antiguo *'brw,* «grandeza, potencia» (DISO 3; KAI N. 214, línea 15.21, cf. II, 219).

El hebreo medio *'br* piel, «hacer fuerte», debe considerarse, según E. Y. Kutscher, FS Baumgartner (1967) 165, como forma secundaria.

Son positivamente improbables las conexiones de la raíz *'br* con el gótico *abrs,* «fuerte», y demás correspondientes nórdicos antiguos y eventualmente también celtas, así como con el sumerio *áb,* «vaca», que, según H. Wagner, «Zeitschrift für vergl. Sprachforschung» 75 (1958) 62-75, serían indicio de una situación cultural prehistórica común.

2. *'abbīr* aparece 17 ×, disperso por todo el AT desde el cántico de Débora hasta los discursos de Elihú en el libro de Job. *'ābīr* aparece 6 ×, siempre como componente de un nombre divino, una vez en el oráculo de José en la bendición de Jacob, otra en Isaías, otra en el Deuteroisaías, otra en el Tritoisaías y dos veces en Sal 132.

3. *'abbīr* se emplea siempre como sustantivo y semánticamente pertenece al campo de «fuerte, violento» (cf. ἰσχυρός y δυνατός en las traducciones de los LXX en Jue 5,22; Lam 1, 15 y Job 24,22). Designa:

a) en referencia a hombres, al «soberano, tirano, héroe, jefe» (1 Sm 21, 8; Is 10,13 K; Job 24,22; 34,20; Lam 1,15; probablemente también Jr 46,15: faraón, distinto los LXX: Apis), y en la expresión *'abbīr* → *lēb* al «valiente» (Sal 76,6 par. «héroe guerrero»; cf. Is 46,12);

b) referido a animales, al «caballo» (Jue 5,22; Jr 8,16 par. *sūs,* «caballo», LXX: ἵππος; Jr 47,3 junto a *rǽkæb,* «carro»; 50,11 como 8,16 junto a *ṣhl,* «relinchar») y al «toro» (Is 34,7; Sal 22,13; 50,13 par. *'attūd,* «macho cabrío»; LXX siempre ταῦρος), mientras que Sal 68,31 juega con el doble significado de «fuerte» y «toro»;

c) camino de alcanzar un significado teológico se halla Sal 78,25 con la expresión *lǽḥæm 'abbīrīm,* «pan de los ángeles» (Maná; LXX: ἄρτος ἀγγέλων; par. *dᵉgan šāmáyim,* «trigo del cielo», en v. 24; cf. Sal 105,40; Sab 16,20; Jn 6,31).

La tesis de K. Budde, ZAW 39 (1921) 38s, de que en muchos pasajes *'ēfōd* es un sustituto tardío de *'abbīr,* «imagen de un toro», no es muy convincente. H. Torczyner, *ibíd.,* 296-300, lo rebate, pero va demasiado lejos al negar que la raíz pueda emplearse para designar al «caballo» y al «toro» (cf. también W. Caspari, *Hebr. abīr als dynamischer Ausdruck:* ZS 6 [1928] 71-75).

Llama la atención la traducción de los LXX en Job 24,22 y 34,20: ἀδύνατος, «impotente» (usada en Job otras 4 × para traducir *'æbyōn,* «pobre», gráficamente similar) y la de Sal 76,6: ἀσύνετος, «irracional» (cf. Is 46,12), ambas en conexión con una intervención divina. ¿Están quizá los LXX haciendo una corrección para expresar que hasta el más fuerte es débil ante Dios?

4. El nombre divino *'ᵃbīr Ya'ᵃqōb* (Gn 49,24; Is 49,26; 60,16; Sal 132, 2.5) o *'ᵃbir Yiśrā'ēl* (Is 1,24; cf. Wildberger, BK X, 63s) «el Fuerte de Jacob/Israel», traducido antiguamente como norma general por «Toro de Jacob/Israel», fue reconocido por A. Alt, *Der Gott der Väter* [1929] = KS I, 1-78 (sobre todo 24ss), como un epíteto del Dios de los padres. En Gn 49,24 está en paralelo con «pastor de Israel»

y «Dios de tu padre» (cf. V. Maag, *Der Hirte Israels:* SThU 28 [1958] 2-28, con una previa presentación de todas las concepciones sobre el Dios de los padres; completamente distinto J. Hoftijzer, *Die Verheissungen an die drei Erzväter* [1956], sobre todo 95s). Por lo general se piensa que la diferencia existente en el tipo nominal (*'ābīr* contra *'abbīr)* sea un resultado secundario de desdoblamiento. Podría ser también, como opina Meyer II, 30 *(qattīl* pasa a veces al constructo *qātīl),* que esté condicionada gramaticalmente (1 Sm 21,8, texto dudoso, cf. G y BH³, no va contra esta opinión). No se ha dado todavía una razón convincente de por qué la expresión aparece en pasajes tan dispersos.

5. Del «Fuerte de Jacob» se vuelve a hablar en el salmo insertado en Eclo 51,12 (hebreo) (cf. A. A. Di Lella, *The Hebrew Text of Sirach* [1966] 101s); en Qumrán y en el NT no existen fórmulas correspondientes.

H. H. Schmid

אבל *'bl* Hacer duelo

1. La raíz *'bl* existe en semítico noroccidental y acádico; pero sólo en semítico noroccidental tiene el significado de «hacer duelo». En el acádico no se ha dado el paso, que pensamos se dio en hebreo, del significado físico *(abālu,* «secarse») al espiritual.

Desde G. R. Driver, FS Gaster (1936) 73-82, se va admitiendo cada vez con más seguridad el sentido de «secarse» también para el hebreo (HAL 7a presenta ocho pasajes contra KBL 6b que presenta tres); no es necesario, sin embargo, desdoblar la raíz en *'bl* I, «hacer duelo», y *'bl* II, «secarse» (J. Scharbert, *Der Schmerz im AT* [1955] 47-58; E. Kutsch, ThSt 78 [1965] 35s), cf. *inf. 3a.*

No es probable que esta raíz esté relacionada con el árabe *'abbana* (como, según Th. Nöldeke, ZDMG 40 [1886] 724, dirían los diccionarios), pues este último término pertenece a un campo semántico bastante distinto (cf. Scharbert, *loc. cit.*, 48, nota 95; Wehr 2a: «festejar, alabar [a un muerto]»).

En algunos nombres de lugar compuestos con el elemento *'ābēl,* «corriente de agua» (HAL 7; la etimología popular lo explica por medio de *'bl,* «hacer duelo», en Gn 50,11), aparece una raíz ulterior *'bl* (forma secundaria de *ybl).* No es fácil determinar con seguridad a qué raíz pertenece el ugarítico *qrt ablm,* la ciudad del dios luna (1 Aqht 163.165; 3 Aqth 8 reverso 30).

No es necesario recurrir a una nueva raíz *'bl,* «cerrar», para explicar Ez 31,15 (cf. *inf. 3a)* (GB 5b: denominativo del acádico *abullu* > arameo *'ᵃbūlā,* «puerta») (HAL 7a).

Son derivados, además del verbo (intransitivo), el adjetivo verbal *'ābēl,* «afligido», y el sutantivo *'ēbæl,* «duelo», así como *tēbēl,* «tierra firme», que debe entenderse como derivado del significado base «secarse» (probablemente es un extranjerismo tomado del acádico: *tābalu,* «tierra firme [seca]», GAG § 56k; cf. Zimmern 43; Driver, *loc. cit.,* 73).

2. Estadística: qal 18 × (sólo textos proféticos y Job 14,22), hitpael 19 × (preferentemente en textos narrativos), hifil 2 ×; *'ābēl* 8 ×; *'ēbæl* 24 ×; *tēbēl* 36 × (sólo en textos poéticos, con frecuencia en paralelo a → *'æræṣ,* «tierra»).

3. *a)* El significado de *'bl* qal no puede traducirse a nuestras lenguas con un solo equivalente, ya que abarca desde «secarse», «echarse a perder», «yacer sin esperanza» y otros, hasta «hacer duelo» (Kutsch, *loc. cit.,* 36, defiende como significado principal «volverse pequeño»).

Son sujetos la tierra/suelo, el campo, los pastos, la viña, Judá (Is 24,4; 33,9; Jr 4,28; 12,4.11; 14,2; 23,10; Os 4,3; Joel 1,10; Am 1,2), el vino (Is 24,7; aquí y en los textos anteriores está insinuado el sentido de «secarse, marchitarse, quedar desierto» o parecidos, a no ser que se los considere metafóricos), también las puertas (Is 3,

26), las almas (Job 14,22) y las personas (Is 19,8; Os 10,5; Joel 1,9; Am 8, 8; 9,5; en todos estos pasajes se debe traducir ciertamente por «hacer duelo»).

Conceptos paralelos son: *'umlal* (plural de *'ml)* «marchitarse, secarse, desaparecer» (Is 19,8; 24,4.7; 33,9; Jr 14,2; Os 4,3; Joel 1,10), *yābēš,* «secarse» (Jr 12,4; 23,10; Joel 1,10; Am 1,2), *nābēl,* «marchitarse, arruinarse» (Is 24,4), *šāmēm,* «quedar desierto» (Jr 12,11; cf. Lam 1,4), *qdr,* «hacerse oscuro, borroso, hacer duelo» (Jr 4,28; 14,2), *'nh,* «gemir» (Is 3,26; 19,8), *'nḥ,* «suspirar, gemir» (Is 24,7). No se sigue de esto que *'bl,* unido a verbos referentes a secarse, etc., pueda emplearse sólo en referencia a la naturaleza y que, unido a verbos referentes a quejarse, etc., sólo pueda aplicarse a personas (cf. Is 19,8, donde aparecen *'bl, 'nh* y *'umlal* con sujetos humanos).

Sobre Job 14,22, cf. Scharbert, *loc. cit.,* 56-58, y Horst, BK XVI, 214.

Los dos pasajes que emplean el hifil (Ez 31,15, Lam 2,8) deben traducirse como «enlutar, hacer guardar duelo» (sobre Ez 31,15, cf. Zimmerli, BK XIII, 747.750.761).

Sobre los verbos de quejarse, gemir, suspirar, etc., cf. → *ṣ'q,* «clamar»; sobre los opuestos, → *nḥm,* «consolar», cf. *śmḥ,* «alegrarse».

La misma indiferenciación entre situación física y espiritual se puede observar también en *'umlal,* «marchitarse, desaparecer» (HAL 61a), y en *šmm,* «quedar desierto, solitario, destruido» (N. Lohfink, VT 12 [1962] 267-275).

b) El contenido semántico del hitpael se puede traducir bastante perfectamente con «hacer duelo». A diferencia del qal, que indica la simple situación, éste significa «comportarse (conscientemente, en 2 Sm 14,2 fingiendo) como un *'ābēl*».

Puede tratarse del duelo por un muerto (Gn 37,34; 1 Sm 6,19; 2 Sm 13,37; 14, 2.2; 19,2; 1 Cr 7,22; 2 Cr 35,24) o por una grave desgracia o culpa de un hombre cercano (1 Sm 15,35; 16,1; Esd 10, 6; Neh 1,4). *'bl* hitpael puede referirse a una cosa (Ez 7,12, el significado es vecino a «enfadarse») o al propio comportamiento injusto (Ex 33,4; Nm 14,39; Neh 8,9, con significado vecino a «arrepentirse»). En Dn 10,2 se refiere a la ascesis preparatoria para recibir una revelación (Montgomery, *Dan.* 406s; cf. el desarrollo del siríaco *'abīlā,* «triste» y «asceta, monje», y como extranjerismo también en mandeo (Nöldeke, MG XXIX y en árabe Fraenkel 270). Ezequiel, en un anuncio de juicio, convoca un tiempo de duelo (Ez 7, 27); por medio de *'bl* hitpael un sentimiento apocalíptico del mundo colorea la existencia presente (Is 66,10; concepción contraria en la alegría escatológica, *śīś).*

'ābēl, «(uno en estado) de luto» presenta empleos similares (en caso de muerte: Gn 37,35; Sal 35,14; Job 29,25; desgracia: Est 4,3; 9,22; tristeza del fin de los tiempos: Is 57,18; 61,2s); en Lam 1,4 el adjetivo predicativo corresponde al modo qal.

'ēbæl, «luto», se refiere también, casi siempre, al luto por algún muerto (Gn 47, 21; 50,10s; Dt 34,8; 2 Sm 11,27; 14,2; 19,3; Jr 6,26; 16,7; Ez 24,17; Am 5,16; 8,10; Ecl 7,2.4; Lam 5,15; en general: Miq 1,8; Job 30,31; Est 4,3; 9,22; transformación de la tristeza del fin de los tiempos en alegría: Is 60,20; 61,3; Jr 31,13).

El luto, expresado en hitpael, se exterioriza en actitudes concretas (lágrimas, vestidos de duelo, lamentaciones, ayunos, etc., cf. Gn 37,34; Ex 33,4; 2 Sm 14,2; 19,2; Dn 10,2; Esd 10,6; Neh 1,4; 8,9; 2 Cr 35,24; cf. BHH III, 2021ss, con bibliografía; E. Kutsch, «*Trauerbräuche*» *und* «*Selbstminderungsritten*» *im AT:* ThSt 78 [1965] 25-42), pero no se puede vincular de modo fijo el significado fundamental de *'bl* a unas prácticas externas de duelo (así KBL 6a y V. Maag, *Text, Wortschatz und Begriffswelt des Buches Amos* [1951] 115-117; G. Rinaldi, Bibl 40 [1959] 267s).

Sobre la delimitación de *qdr,* «estar oscuro, sucio, estar triste» (algo más restringido L. Delekat, VT 14 [1964] 55s), *'gm/'gm,* «estar triste» (Is 19,10; Job 30,25) y *spd,* «lamentarse» (originalmente «darse golpes en el pecho en señal de duelo», cf. Kutsch, *loc. cit.,* 38s), cf. Scharbert, *loc. cit.,* 58-62.

4. La lamentación por los muertos no tiene en Israel ningún significado religioso; más aún, el culto israelítico ha excluido toda forma de culto a los muertos (cf. von Rad I, 288ss; V. Maag, SThU 34 [1964] 17ss); y, por tanto, tampoco *ʾbl* hitpael tiene significado religioso, a no ser en los casos en que se trata de humillarse ante Dios (Ex 33,4; Nm 14,39; Dn 10,2; Esd 10, 6; Neh 1,4; 8,9; cf. Kutsch, *loc. cit.*, 28s.36; → *ʿnh* II). El uso en qal y su correspondiente campo semántico forman parte, por el contrario, de un motivo frecuente en los profetas, que tiene su lugar propio en los anuncios de juicio (Is 3,26; 19,8; Os 4,3; Am 8,8). En Jeremías aparece claro el paso formal, observable también en los demás profetas, de anuncio de juicio a descripción de desgracia (Jr 4,28; 12,4.11; 14, 2; 23,10). En la apocalíptica, finalmente, este motivo del luto está caracterizado por la angustia del fin de los tiempos (Jl 1,9.10; Is 24,4.7; 33,9).

El comienzo del motivo es ya reconocible en Am 1,2 (cf. M. Weiss, ThZ 23 [1967] 1-25). El juicio, con sus efectos en la naturaleza y en el hombre, es consecuencia de la teofanía de Yahvé (reflejos de esta teofanía en Am 9,5; Is 33,9).

Como paralelos al pasaje de Am 1,2, cita Weiss, *loc. cit.*, 19, las palabras del perro en una fábula de la época medio-asiria sobre el zorro (Lambert, BWL 192s.334): «Soy vigoroso y fuerte... soy el león en persona... ante mi terrible voz se marchitan *(abālu* Gtn) montañas y ríos».

5. En el NT se presuponen las costumbres de duelo del AT, pero Jesús niega que tengan algún significado para el hombre (Mt 8,21s). Es importante la afirmación apocalíptica de que el fin de los tiempos será caracterizado por «el duelo» (Mt 24,30s y *passim).* La bienaventuranza de Mt 5,4 recoge Is 61,2. Cf. G. Stählin, art. κοπετός: ThW III, 829ss; R. Bultmann, art. πένθος: ThW VI, 40-43.

F. Stolz

אֶבֶן *ʾæben* Piedra → צוּר *ṣūr*

אָדוֹן *ʾādōn* Señor

I. El vocablo *ʾādōn,* «señor», de origen desconocido, se limita al área cananea. Las demás lenguas semíticas poseen distintas expresiones para designar al «señor»: en acádico se dice *bēlu;* en arameo, *mārēʾ;* en árabe, *rabb;* en etiópico, *ʾegzīʾ.*

En HAL 12b se indican diversas hipótesis sobre la etimología de la palabra, todas ellas inciertas (más alejado todavía F. Zimmermann, VT 12 [1962] 194). Según BL 16.253, *ʾadōnāy* es quizá una palabra extranjera, no semítica, de la que se ha derivado secundariamente el singular *ʾādōn.* Puramente hipotética es también la derivación a partir del ugarítico *ad,* «padre» (→ *ʾāb* III/1); que el significado base de *ʾādōn* sea «padre» (KBL 10b, como cuestión) es algo indemostrable, aunque en lenguaje de respeto se dé al padre el tratamiento de «señor» (en ugarítico, 77 [= NK] 33; Gn 31,35, cf. *inf.* III/3); del mismo modo, según el texto 138 [= 146] 19, el ugarítico *adn* podría también significar «hermano».

En ugarítico existe, junto a *adn,* «señor», también la forma femenina *adt,* «señora» (WUS N. 86). Los nombres propios de EA, Mari, Ugarit, etc., tan importantes para conocer la vocalización y derivación de las formas, están recogidos en Huffmon 156.159 y en Gröndahl 88-90, donde se ofrece también una discusión en torno a los mismos (sin llegar a una conclusión definitiva).

El fenicio-púnico *ʾdn* es muy frecuente (DISO 5; nombres propios: Harris 74); también aquí existe el femenino *ʾdt* (como caso aislado, quizá como cananeísmo, aparece en una inscripción de Palmira, cf. M. Noth, OLZ 40 [1937] 345s). Basándose en eso, O. Eissfeldt sospecha (OLZ 41 [1938] 489) que en Jr 22,18 *hōdō* esconde una palabra femenina paralela de *ʾādōn* escrita erróneamente (distinto Rudolph, HAT 12,142; M. Dahood, CBQ 23 [1961] 462-464).

En el hebreo extrabíblico *ʾdny,* «señor mío», aparece en las cartas de Laquis (KAI N. 192-197 *passim);* cf. también *ʾdny hśr,* «mi señor, el gobernador», en los óstraca de Yavneh-Yam (KAI N. 200, línea 1).

La forma *ʾ^{a}dōnāy,* reservada para designar a Yahvé, se explica generalmente como fórmula alocutiva estereotipada del plural mayestático más sufijo personal y en pausa (emotiva): «mis Señores = mi Señor = el Señor» (estudiado detalladamente en W. W. Baudissin, *Kyrios* II [1929] 27ss), pero de todos modos es muy discutido el análisis de la desinencia *-āy.*

II. En el estudio estadístico presentamos por separado las diversas formas: *ʾādōn* (incluido *ʾ^{a}dōnāy,* «mis señores» de Gn 19,2) como designación divina (incluido Gn 19,18). En Mandelkern falta, como en la edición Bombergiana, 2 Sm 7,22; en Lisowsky falta Ez 14,20.

	ʾādon	*ʾ^{a}dōnāy*	*Total*
Gn	71	9	80
Ex	10	6	16
Lv	—	—	—
Nm	6	1	7
Dt	4	2	6
Jos	3	2	5
Jue	7	4	11
1 Sm	38	—	38
2 Sm	52	7	59
1 Re	34	5	39
2 Re	37	2	39
Is	16	48	64
Jr	6	14	20
Ez	—	222	222
Os	1	—	1
Jl	—	—	—
Am	1	25	26
Abd	—	1	1
Jon	—	—	—
Miq	1	2	3
Nah	—	—	—
Hab	—	1	1
Sof	1	1	2
Ag	—	—	—
Zac	7	2	9
Mal	3	2	5
Sal	13	54	67
Job	1	1	2
Prov	3	—	3
Rut	1	—	1
Cant	—	—	—
Ecl	—	—	—
Lam	—	14	14
Est	—	—	—
Dn	6	11	17
Esd	—	1	1
Neh	3	2	5
1 Cr	5	—	5
2 Cr	4	—	4
Totales:	334	439	773

Las concentraciones de frecuencia de los casos de *ʾādōn* (en Gn, 1/2 Sm, 1/2 Re) está condicionada por el contenido; la de *ʾ^{a}dōnāy* (en Ez y Am) por motimos redaccionales.

El arameo bíblico *mārēʾ* aparece 4 × en Dn.

III. Como concepto indicador de relaciones dentro del orden social *ʾādōn* tiene el *significado base* de «señor, jefe (sobre *personas* subordinadas)»; este significado está condicionado por el concepto opuesto, explícito o implícito, de *ʿǽbæd,* «siervo», y semejantes (cf. en especial Gn 24,9.65; Ex 21,4-8; Dt 23,16; Jue 3,25; 1 Sm 25,10; Is 24,2; Mal 1,6; Sal 132,2; Job 3,19; Prov 30, 10; con *náʿar,* «siervo», Jue 19,11; 1 Sm 20,38 y *passim;* con *ʾāmā* o *šifḥā,* «sierva», 1 Sm 25,25.27s.41 y *passim);* según eso, la palabra se emplea casi exclusivamente seguida de un genitivo o de un sufijo pronominal (perífrasis por medio de *l^e* en Gn 45.8.9; 1 Re 22, 17 = 1 Cr 18,16; Sal 12,5; 105,21; por medio de expresiones verbales especiales en Is 19,4; 26,13; *ʾādōn* se emplea de forma absoluta en la fórmula de lamentación por los muertos de Jr 22,18; 34,5, así como 10 × para designar a Yahvé, cf. *inf.* IV/2.4).

ʾādōn se diferencia, pues, claramente de *báʿal,* «señor en cuanto poseedor de alguna cosa» (también la esposa es considerada como una posesión, cuando *báʿal* significa «marido»).

La afirmación de F. Baethgen, *Beiträge zur sem. Religionsgeschichte* [1888] 41, citada en ThW III, 1052: «El señor es llamado *báʿal* en relación a su esclavo en cuanto que es poseedor de este último; y es llamado *ʾādōn* en cuanto que puede disponer de éste a su antojo», no corresponde totalmente a la realidad, pues nunca se emplea *báʿal* en el AT en relación a un *ʿǽbæd*.

En ugarítico no parece ser tan clara la diferencia entre *adn* y *bʿl;* cf. la fórmula alocutiva *bʿly,* «señor mío», dirigida al rey en el estilo epistolar (WUS N. 544, 3), a imitación de la fórmula acádica; cf. también el paralelismo *bʿlkm/adnkm* en 137 (= III AB, B), 17.33s, y 62 reverso (= I AB VI), 57 «*Nqmd,* rey de Ugarit, *adn* de *Yrgb, bʿl* de *Trmn*».

En Gn 27,29.37 aparece, como sinónimo raro de *'ādōn,* el término *gᵉbīr,* «señor, gobernador» (frente a *ʿabādīm,* «siervos», en v. 37); más usado y frecuente es el femenino *gᵉbīrā,* «señora, gobernadora» (de una *šifḥā,* «sierva», en Gn 16,4.8.9; Is 24,2; Sal 123,2; Prov 30,23; y con *naʿarā,* «muchacha», 2 Re 5,3; → *gbr* 3e).

2. Sólo en una ocasión se usa *'ādōn* para designar a una persona que puede disponer de cosas *impersonales:* 1 Re 16,24 *'adōnē hāhār* (Semer), «el (antiguo) señor del monte (de Samaría)». Cuando se habla de la posición de un señor sobre la casa del faraón (Gn 45, 8) o sobre el país de Egipto (Gn 42, 30.33; 45,9; Is 19,4; Sal 105,21), no se quiere indicar otra cosa sino la soberanía sobre los miembros de esa casa o de ese país.

Mencionemos del ugarítico el pasaje anteriormente citado (III/1), que habla de *adn Yrgb;* en el juramento fenicio de Arslan Tas (s. VII) es preferible la lectura propuesta por W. F. Albright, BASOR 76 (1939) 8 y aceptada en KAI (N. 27) *bʿl pn 'rṣ,* «señor de la faz de la tierra», a la lectura de línea 15 *[']dn 'rṣ,* «señor de la tierra» (Th. H. Gaster, Or NS 11 [1942] 44. 61; HAL 12b).

3. Como ocurre en numerosas lenguas (p. ej., el latín medio «senior» y también el alemán «Herr», originalmente un comparativo de «hehr = [anciano, venrable]», cf. Kluge 305a; el francés *monsieur,* con un empleo fosiliza-

do del pronombre), la palabra no sólo se emplea como fórmula alocutiva en casos de verdadera relación señor-esclavo (muy frecuentemente, p. ej., en la fórmula cortesana *'adōnī hammǽlæk,* «mi señor, el rey»), sino también como fórmula de *cortesía* dirigida a otras personas que se quiere honrar con esta designación (L. Köhler, ZAW 36 [1916] 27; 40 [1922] 39ss; Lande 28ss.81); a este empleo corresponde la autodesignación sumisa por medio de → *ʿǽbæd,* «esclavo». Así, tanto el padre (Gn 31, 35 Raquel a Labán), como el hermano (Gn 32,5s.19; 33,8ss, Jacob-Esaú; Ex 32,22; Nm 12,11, Aarón-Moisés), el tío (2 Sm 13,32s, Yonabad-David) y el cónyuge (Gn 18,12, Sara-Abrahán; Jue 19,26s, la concubina-el levita; Am 4,1, «las vacas de Basán»; Sal 45,12, matrimonio del rey) pueden ser designados como *'ādōn,* e incluso también personas extrañas (p. ej., en boca de las mujeres en Gn 24,18, Rebeca-siervo de Isaac; Jue 4,18, Yael-Sísara; Rut 2,13, Rut-Boás) o personas de rango igual o inferior (1 Re 18,7.13, Abdías-Elías; 20,4.9, Ajab-Benhadad; 2 Re 8,12, Jazael-Eliseo). El paso de «tú/tu» a «mi señor» (p. ej., Nm 32,25.27) sucede tan fácilmente como el cambio de papeles entre «yo/mi» y «tu/su esclavo» (p. ej., 1 Sm 22,15). *'adōnī,* «mi señor» (cf. *monsieur),* se emplea con frecuencia como fórmula hecha en lugar de «nuestro señor» cuando habla un grupo (Gn 23,6; 42,10; 43,20; Nm 32,25.27; 36,2; 2 Sm 4,8; 15,15; 2 Re 2,19).

Sobre la fórmula *bī 'adōnī* y *bī 'adōnāy,* «con permiso, señor» (7 × y 5 ×, respectivamente), cf. L. Köhler, ZAW 36 [1916] 26s; Lande 16-19; HAL 117.

IV. 1. El empleo de *'ādōn/'adōnāy* referido a Yahvé (W. W. Baudissin, *Kyrios* I-IV [1929]; G. Quell, ThW III, 1056ss; Eichrodt I, 128s; O. Eissfeldt, RGG I, 97) está estrechamente relacionado con su uso en el ámbito profano. Israel, o dentro de él cada israelita o grupo de israelitas, considera natural —como lo hacían las diversas comunidades religiosas de su entorno en el trato con sus dioses— dirigirse a Yahvé según el modelo de la relación humana siervo-Señor y hacer afirmaciones respecto a él según este mismo modelo. De igual modo Israel puede ser designado, y de hecho lo es al menos a partir del DtIs, como siervo de Yahvé (ThW V, 66s; → *ʿbd).* La afirmación de que hablaremos en 2) se emplea raramente y no de forma típica; la fórmula alocutiva 3), en cambio, se emplea frecuentemente como fórmula fija; lo mismo se diga del empleo, también formulario, de la palabra como epíteto divino 4), el cual, en virtud de la peculiaridad de ese señor, se va convirtiendo en designación absoluta (el Señor por excelencia, Señor universal, etcétera) y llega finalmente a sustituir al mismo nombre divino 5).

2. Dentro de una *afirmación, ʾādōn* seguido de sufijo personal, «su señor», aparece sólo en el anuncio profético de castigo contra Efraín en Os 12,15: «por eso su Señor va a descargar sobre ellos su delito de sangre»; aquí el vocablo, usado en su sentido pleno, intenta subrayar la paradoja de la desobediencia; semejante es también Neh 3,5: «sus notables se negaron a poner su cuello al servicio de su señor». Cf. también Is 51,22: «tu Señor», en su sentido pleno, paralelo a «el que dirige los asuntos de su pueblo».

Las afirmaciones que contienen la expresión «nuestro Señor» (Sal 135,5; 147,5; Neh 8,10; 10,30) deben ser consideradas, por el contrario, como variantes tardías del uso formulario de *ʾādōn* como epíteto divino o como sustitutivo del nombre divino.

En Mal 1,6 «si yo soy señor, ¿dónde queda mi respeto?, no se trata propiamente de una designación divina, sino de una comparación con un señor (padre, etc.) terreno. En Mal 3,1: «el Señor a quien buscáis», el empleo de *hāʾādōn* está condicionado por la contraposición entre el Señor y el mensajero enviado por delante, aunque en él puede resonar evidentemente, al igual que en Mal 1,6, el ya conocido empleo absoluto de la palabra para designar a Yahvé.

3. Como fórmula alocutiva, *ʾᵃdōnāy,* «mi Señor», está testimoniado desde antiguo. A diferencia de *mǣlæk,* «rey», por ejemplo, nuestro término no servía originalmente para describir la esencia de Dios como Señor soberano o Jefe poderoso, sino que es un simple título honorífico que usa cualquier inferior cuando se dirige a un superior suyo (Eichrodt I, 128; distinto Köhler, *Theol.* 12, quien se fija en Sal 105,21, pasaje para él fundamental, donde el autor determina el sentido de la palabra tomando como criterio el paralelo *mōšēl,* «soberano», que no es idéntico en su significado; cf. también Baudissin, *loc. cit.* II, 246). A este grupo pertenecen, junto a otros pasajes que no vamos a enumerar detalladamente (cf., por ejemplo, la oración de David en 2 Sam 7,18-22.28s, donde *ʾᵃdōnāy Yhwh* aparece 7 ×, aunque en el resto de 1/2 Sm está ausente), las viejas fórmulas textualmente seguras *bī ʾᵃdōnāy,* «con permiso, Señor» (Ex 4,10.13; Jos 7,8; Jue 6,15; 13,8; cf. Jue 6,13 *bī ʾᵃdōnī),* y *ʾᵃhāh ʾᵃdōnāy Yhwh,* «ah, mi Señor Yahvé» (Jos 7,7; Jue 6,22; otras 8 × en Jr y en Ez, → *ʾᵃhāh)* (cf. también el empleo de *ʾᵃdōnī* referido a los ángeles en Jos 5,14; Zac 1,9; 4,4.5.13; 6,4; Dn 10,16.17.19; 12,8).

El plural «Yahvé, Señor nuestro» se limita a Sal 8,2.10; esta expresión se acerca mucho a los predicados divinos que mencionamos en el siguiente apartado.

4. *ʾādōn,* empleado absolutamente, aparece ya desde antiguo como un *epíteto divino* fijo. Pero el significado no sobrepasa, tampoco en este caso, el sentido indicado hasta ahora; así, por ejemplo, en el mandato sobre la peregrinación de Ex 23,17 y 34,23, con el título solemne *hāʾādōn Yhwh (ʾᵉlōhē Yiśrāʾēl),* «el Señor Yahvé (el Dios de Israel)», y en la fórmula usada tantas veces por Isaías, y que se remonta a la

tradición jerosolimitana *hāʾādōn Yhwh ṣᵉbāʾōt* (Is 1,24; 3,1; 10,16.33; 19,4; cf. Wildberger, BK 62s).

En las inscripciones fenicio-púnicas se aplica el epíteto *ʾdn* a numerosas divinidades y se emplea con extraordinaria frecuencia (Baudissin, *loc. cit.* III, 52ss; DISO 5, con listas de las divinidades pertinentes al caso). El paso de título a nombre propio se advierte en ciertos nombres (cf. *ʾšmn ʾdn/ʾdn ʾšmn,* «Esmun es Señor», con *ʾdnplṭ,* «*ʾdn* ha salvado») y, sobre todo, en el dios de la vegetación Adonis de Biblos, que muere y resucita (W. W. Baudissin, *Adonis und Esmun* [1911]; O. Eissfeldt, RGG I, 97s; G. von Lücken, *Kult und Abkunft des Adonis:* FuF 36 [1962] 240-245).

Dado que estos epítetos están muy extendidos en todo el antiguo Oriente (egipcio, *nb;* sumerio, *en;* acádico, *bēlu;* arameo, *mrʾ;* hitita *išḫa-),* no es necesario buscar una derivación especial del título *ʾādōn* aplicado a Yahvé, aunque cabe muy bien pensar que la tradición jerosolimitana, a la que pertenecen sin duda estas fórmulas, esté influida por el uso lingüístico cananeo (cf. también los nombres propios como *ʾᵃdōniyyāhū, ʾᵃdōnīṣædæq, ʾᵃdōnīqām, ʾᵃdōnīrām,* formados con *ʾādōn,* con sus correspondientes ugaríticos y fenicios; cf. *sup.* I; Noth, IP 114ss).

No sabemos cuándo empezó a usarse la expresión *ʾᵃdōnāy Yhwh* al margen de las fórmulas alocutivas, es decir, cuándo se empezó a emplear la expresión «el Señor Yahvé» como nominativo y no como simple fórmula fija de vocativo. Baudissin *(loc. cit.* I, 558ss; II, 81ss) opina que *ʾᵃdōnāy* ha sido introducido secundariamente en todos los pasajes junto o en lugar de *Yhwh;* contra él, Eissfeldt defiende la antigüedad del empleo del término en nominativo (RGG I, 97); según F. Baumgärtel *(Zu den Gottesnamen in den Büchern Jer und Ez:* FS Rudolph [1961] 1-29), fórmulas como *kō ʾāmar ʾᵃdōnāy Yhwh* y *nᵉʾūm ʾᵃdōnāy Yhwh* son originales en Jr y Ez (con J. Herrmann, FS Kittel [1913] 70ss, contra Baudissin); cf. ahora, más detallado, Zimmerli, BK XIII, 1250-1258.1265.

Muchos textos, y precisamente los más antiguos, son discutidos por razones de crítica textual (sobre Am, cf. V. Maag, *Text, Wortschatz und Begriffswelt des Buches Amos* [1951] 118s, y Wolff, BK XIV/2, 122.161; sobre 1 Re 2,26, cf. los Comentarios).

No se puede tampoco decidir en muchos casos concretos por qué determinados autores (o en su caso redactores) tienen preferencia por la expresión *ʾᵃdōnāy Yhwh.* Baumgärtel *(loc. cit.,* 27ss) supone que Ez (217 ×) evita conscientemente la designación divina *Yhwh ṣᵉbāʾōt* (ligada al arca del templo de Sión y normal todavía en Jr) por la situación del exilio, y que la sustituyó por *ʾᵃdōnāy Yhwh* en conexión con el nombre cúltico antiguo.

5. El paso de *ʾᵃdōnāy* de epíteto divino a *designación del ser divino,* usada también de modo absoluto, en el sentido de «Señor por excelencia» o «Señor de todo», está facilitado por las formas de *ʾādōn* seguidas de un genitivo que indica la extensión universal de esa soberanía. Estos empleos superlativos, hiperbólicos, son conocidos también en el repertorio babilónico de títulos divinos (por ejemplo, *bēl bēlē,* «Señor de Señores», cf. Tallqvist 40-57) e incluso reales (por ejemplo, junto a *bēl bēlē,* también *bēl šarrāni,* «señor de los reyes»; *bēl gimri* y *bēl kiššati,* «señor de la totalidad», cf. Seux 55-57.90s); no son, por tanto, sin más, testimonios de una fe monoteísta pura. En el AT hebreo aparecen las expresiones «Dios de dioses y Señor de señores» (Dt 10,17; Sal 136,2s) y *ʾᵃdōn kol-hāʾāræṣ,* «Señor de toda la tierra» (Jos 3,11.13; Miq 4,13; Zac 4,14; 6,5; Sal 97,5; 114,7 texto enmendado, cf. Kraus, BK XV, 778-783; parte de estos pasajes son probablemente preexílicos, cf. Noth, HAT 7,25; H.-M. Lutz, *Jahwe, Jerusalem und die Völker* [1968] 94-96; según Kraus, BK XV, 199, la expresión probablemente «ha sido tomada de las tradiciones cultuales de la antigua ciudad de los jebuseos»).

mārēʾ, el arameo bíblico equivalente a *ʾādōn,* se emplea dos veces en la fórmula alocutiva *mārī,* «Señor mío», dirigida al rey (Dn 4,16.21) y otras dos veces seguido de un genitivo en referencia a Dios: Dn 2, 47 *mare' malkīn,* «Señor de los reyes», y 5,23 *mārē'-š^emayyā,* «Señor del cielo». Sobre los paralelos en las inscripciones arameas (título aplicado a reyes y dioses), cf. Baudissin, *loc. cit.* III, 57-61; DISO 166s (sobre el fenicio *'dn mlkm* y el arameo *mr' mlkn,* «Señor de los reyes», referido a los reyes, cf. K. Galling, *Eschmunazar und der Herr der Könige:* ZDPV 79 [1963] 140-151). El Génesis apócrifo de Qumrán ha aumentado considerablemente el número de veces que se emplea esta expresión (con la escritura *mrh),* cf. Fitzmeyer, *Gen. Ap.* 69.75.88.116.220.

Cuando *'adōnāy,* «el Señor», se emplea fuera de fórmulas alocutivas (unas 70 ×, principalmente en Is, Sal, Lam: 1 Re 3,10.15; 22,6; 2 Re 7,6; 19,23; Is 3,17.18; 4,4; 6,1.8; 7,14.20 y *passim;* Ez 18,25.29; 21,14; 33,17.20; Am 5,16; 7,7.8; 9,1; Miq 1,2; Zac 9,4; Mal 1,12.14; Sal 2,4; 22,31; 37,13; 54,6 y *passim;* Job 28,28; Lam 1,14.15; 2,1 y *passim;* Dn 1,2; 9,3.9; Esd 10,3, donde hay que leer *'adōni* referido a Esdras; Neh 4,8), existe la duda anteriormente mencionada (IV/4) acerca de la autenticidad del texto. El texto tal como está presupone el significado exclusivo de «el Señor κατ' ἐξοχήν». En el empleo de *'adōnāy* como sustitutivo del nombre de Yahvé desde el siglo III antes de Cristo (Bousset y Gressmann, 307ss), que se puede observar también en los textos de Qumrán (M. Delcor, *Les Hymnes de Qumrân* [1962] 195; cf., en fórmula alocutiva, 1QH 2,20 y *passim* con Is 12,1; Sal 86,12; 1QH 7,28 con Ex 15,11; fuera de fórmulas alocutivas, 1QM 12,8 con Sal 99,9; 1QSb 3,1 con Nm 6,26), y que finalmente lleva al *Q^erē perpetuum 'adōnāy* en lugar del Tetragrama (→ *Yhwh),* la palabra pierde completamente su carácter originario de apelativo y se convierte en un claro sustitutivo del nombre con valor descriptivo.

V. Sobre el empleo de *'ādōn* y el correspondiente κύριος en el judaísmo tardío y en el NT, cf. W. Foerster, artículo κύριος: ThW III, 1081-1098; K. H. Rengstorf, art. δεσπότης: ThW II, 43-48; K. G. Kuhn, art. μαραναθά: ThW IV, 470-475; para ulterior bibliografía, cf. las teologías del NT y los estudios sobre títulos cristológicos.

E. Jenni

אַדִּיר *'addīr* Fuerte

1. La *raíz 'dr,* «ser fuerte, poderoso, magnífico», se limita al área cananea (ugarítico: UT N. 92; WUS N. 95; Gröndahl 90; fenicio-púnico: DISO 5s; Harris 74s).

De los modos verbales, el qal, «ser poderoso», y el piel, «hacer poderoso, glorificar», están documentados sólo en fenicio (DISO 5); por el contrario, el participio nifal, «magnífico» (Ex 15,6.11), y el hifil, «manifestarse algo como magnífico» (Is 42,21), sólo aparecen en hebreo.

Entre los *derivados,* el adjetivo *'addīr,* «poderoso, fuerte, magnífico, principal», es el más importante. En ugarítico y en fenicio-púnico se encuentra con relativa frecuencia, incluso en el lenguaje diario (por ejemplo, el ugarítico *aṯt adrt* en la lista 119 [= 107], línea 4.7.9.16.18, según UT N. 92, «upper-class wife», cf. A. van Selms, *Marriage and Family Life in Ugaritic Literature* [1954] 19s.58s; en púnico, KAI N. 65, línea 2 = N. 81, línea 5: «desde los grandes hasta los pequeños entre ellos [los edificios]»; la raíz *gdl,* «ser grande», no existe en fenicio-púnico, mientras que en hebreo parece ser, por su forma nominal y su uso, una palabra arcaica o arcaizante (Gulkowitsch, 95).

Como femenino existe la forma *'addǣræt* (< **'addirt-,* BL 479), usada, por una parte, con el sentido abstracto de «esplendor» (Ez 17,8; Zac 11,3), y por otra, con el significado concreto de «capa» (cf. H. W. Hönig, *Die Bekleidung des Hebräers* [1957] 66ss). Es imposible demostrar que tuviese el significado base de «estar lejos» (GB 12a), del cual se hayan derivado «esplendor» y «capa»; más bien se debería pensar, si es que ʾaddǽræt pertenece a la raíz ʾdr, que el atributo ha pasado a ocupar el puesto de la cosa (lo espléndido» < «el vestido [espléndido]»).

El sustantivo ʾædær, «esplendor» (?), es discutido tanto exegética como textualmente (Zac 11,13; Miq 2,8 texto enmendado ʾaddǽræt, «capa[?]»); cf., sobre el particular, los Comentarios y recientemente G. W. Ahlström, VT 17 [1967] 1-7.

El nombre propio ʾadrammǽlæk (2 Re 19,37 = Is 37,38) tiene su correspondiente en fenicio (ʾdrmlk = «Mlk es poderoso»; Harris 75). En 2 Re 17,31, por el contrario, el nombre divino homónimo debe considerarse como una deformación del acádico *Adadmilki* («Adad es rey») (Eissfeldt, KS III, 335-339; K. Deller, OrNS 34 [1965] 382s).

2. La *extensión* de este grupo de palabras, si se prescinde de ʾaddǽræt en el significado de «capa» (10 ×), se limita casi exclusivamente a textos poéticos: nifal 2 ×, hifil 1 × (textos, cf. *sup.); ʾaddīr* 27 ×; además de Ex 15, 10 (El canto del Mar Rojo), Jue 5,13. 25 (El canto de Débora), 13 × en textos proféticos escritos en métrica y 7 × en el Salterio, aparece en prosa en 1 Sm 4,8 (en boca de los filisteos), Neh 3,5; 10,30; 2 Cr 23,20 (con el significado de «nobles»); ʾaddǽræt, «esplendor» 2 × (textos proféticos, cf. *sup.*). Incluyendo ʾǽdær (2 ×), la palabra aparece 44 ×.

Cf. además Eclo 36,7 (hifil); 43,11; 49,13 (nifal); 40,13; 46,17; 50,16 (ʾaddīr); sobre los textos de Qumrán, cf. Kuhn, *Konk.* 2s.

3. La potencia, fuerza y esplendor es atribuida (lo mismo que en ugarítico y fenicio) tanto a *cosas* impersonales (aguas: Ex 15,10; Sal 93,4s; cf. el ugarítico *gšm adr*, «fuerte lluvia», en 2059 [= PRU V, 59], línea 14; árboles: Is 10,34 texto dudoso, de distinto modo lo lee M. Dahood, Bibl 38 [1957] 65s; Ez 17,8.23; Zac 11,2; barco: Is 33,21b; cf. el fenicio *ʾrst dgn bʾdrt*, «los espléndidos campos de trigo», KAI N. 14, lí-

nea 19) como a *personas* (reyes: Sal 136,18; cf. en fenicio, entre otros, KAI N. 24, línea 5s; soberanos: Jr 30,21; señores del rebaño = pastores: Jr 25, 34.35.36; nobles: Jue 5,13-25; Jr 14,3; Nah 2,6; 3,18; Sal 16,3; Neh 3,5; 10, 30; 2 Cr 23,20; Ez 32,18 texto dudoso; en ugarítico WUS N. 92,2*b; en neopúnico KAI N. 119, línea 4, y N. 126, línea 7: «los poderosos de Leptis y el pueblo entero de L.», que corresponde al latín *ordo et populus*).

Los pasajes citados de Neh y de las inscripciones muestran que el término se usa para una designación personal indiferenciada socialmente, en el sentido de «magnates» o semejante (E. Meyer, *Die Entstehung des Judentums* [1896] 132s). Por eso, en 2 Cr 23,20 sirve como sustitutivo genérico del específico, pero no entendido, *kārī*, «los carios», de 2 Re 11,19.

He aquí algunos términos semánticamente emparentados que aparecen junto a ʾaddīr: *gādōl*, «grande» (Sal 136,18; cf. Is 42,21); *mōšēl*, «soberano» (Jr 30, 21; 2 Cr 23,20); *gibbōr*, «héroe» (Jue 5,13); cf. además Sal 76,5. También es significativo el opuesto *ṣāʿīr*, «pequeño, mínimo, joven» (Jr 14,3: «siervo», cf. S. E. Loewenstamm, «Tarbiz» 36 [1966-67] 110-115), que aparece también en las inscripciones púnicas citadas anteriormente, en 1).

4. Como *gādōl*, «grande» (→ *gdl*), y otros adjetivos que sirven para expresar una actitud admirativa ante los poderosos, también ʾaddīr, sin ningún añadido, se emplea para referirse a Dios y a todo lo divino (W. W. Baudissin, *Kyrios* III [1929] 85s.120).

En ugarítico (Texto 2001 [= PRU V, 1], línea 7 *adrt*, referido probablemente a Astarté) y especialmente en fenicio-púnico, ʾdr y el femenino ʾdrt son epítetos fijos de diversas divinidades: en fenicio, *Bʿl ʾdr*, KAI N. 9b, línea 5 (Biblos, hacia el 500 antes de Cristo); ʾskn ʾdr, KAI N. 58 (Pireo, s. III a. C.); Isis/Astarté, KAI Nr. 48, línea 2 (Menfis, siglos III-II a. C.); en púnico (y neopúnico), Astarté, *Tnt* y *Bʿl ʾdr* (DISO 5s; KAI II, 11.89; J.-G.

Février, «Semitica» 2 [1949] 21-28; A. Berthier y R. Charlier, *Le sanctuaire punique d'El Hofra à Constantine* [1955] 14.237).

Ya que Is 10,34 (cf. *sup.* 3) y 33,21a son textual y exegéticamente muy dudosos, sólo quedan los siguientes textos en que *'addīr* o *'dr* nifal/hifil están usados con valor teológico: Ex 15,6 «tu derecha, Yahvé, fuerte y magnífica»; v. 11: «¿quién es como tú, magnífico en santidad?»; 1 Sm 4,8: «¿quién nos salvará de las manos de ese Dios poderoso?»; Is 42,21: «Yahvé quiso, por su fidelidad, hacer grande y magnífica su ley»; Sal 8,2.10: «Yahvé, Señor nuestro, ¡qué poderoso es tu nombre en toda la tierra!»; 76,5: «eres terrible, magnífico»; 93,4: «más imponente que las aguas inmensas, más que las olas del mar, es imponente el Señor en las alturas».

Estas afirmaciones sobre la diestra de Yahvé, sobre su nombre, su ley y sobre él mismo no dan a entender un empleo formulario del término. Deben señalarse las formas comparativas y superlativas de Ex 15,11 y Sal 93,4. Pero no parece que la palabra tenga aquí un matiz teológico especial (en la traducción española usamos el término «imponente» o «magnífico») y también poco creemos que adquiera ese matiz por el uso de los comparativos y superlativos.

Si tenemos en cuenta el trasfondo cananeo del término, no es de admirar que aparezca con mayor frecuencia, cuando se refiere a Yahvé, en las antiguas tradiciones jerosolimitanas influidas por la cultura cananea (1 Sm 4,8 en la narración del arca; Sal 76,5 en un poema de Sión preexílico, cf. H.-M. Lutz, *Yahwe, Jerusalem und die Völker* [1968] 167s; 93,4 en un salmo real de Yahvé también antiguo, cf. Kraus, BK XV, 648; cf. también el verso trimembre de Ex 15,11 y Sal 93,4 con el paralelismo climático conocido también en Ugarit).

5. Entre las numerosas traducciones de *'addīr* que se encuentran en los LXX se deben destacar especialmente θαυμαστός (6 × en Sal) y μέγας (→ *gdl*).

El predicado divino oriental y helenístico, μέγας «grande» (W. Grundmann, art. μέγας: ThW IV, 535-550), que aparece en el NT en la fórmula de aclaración a Artemis de Efeso (Hch 19, 27s.34s) y que vuelve a sonar también en Tit 2,13: «del gran Dios y Salvador Jesucristo», corresponde dentro de las lenguas semíticas no a *gādōl,* sino al arameo *rab* (acádico *rabû,* fenicio *rbt,* «señora», como título) y al fenicio *'dr.*

E. Jenni

אָדָם *'ādām* Hombre

1. *a) 'ādām,* «hombre, hombres», aparece sólo en cananeo (hebreo y literatura posbíblica, fenicio-púnico y ugarítico) y esporádicamente en semítico meridional (HAL 14a).

En ugarítico *adm,* «hombres», aparece una vez en paralelo a *lim* (= hebreo *le'ōm,* «gente») en *'nt* [= V AB] II, 8, y también la expresión *ab adm,* «padre de la humanidad», en el poema de Krt (→ *'āb* IV/3a).

En fenicio-púnico *'dm* tiene también la forma plural *'dmn* (DISO 4).

En árabe meridional antiguo, *'dm* tiene el significado de «siervo» (Conti Rossini, 100b).

Sobre la forma *'ādām* del hebreo medio, cf. E. Y. Kutscher, FS Baumgartner [1967] 160.

La cuestión sobre el origen de la palabra no ha recibido todavía ninguna respuesta definitiva (cf. los diccionarios y los Comentarios a Gn 2,7; especialmente Th. C. Vriezen, *Onderzoek naar de Paradijsvoorstelling bij de oude semietische Volken* [1937] 63s.129-132.239).

Vriezen *(loc. cit.)* presenta las tentativas que se han hecho para hacer derivar la palabra del sumerio o del asirio-babilónico o para explicar la figura de Adán a partir de los nombres divinos o de figuras míticas (como portadores de la cultura a imitación de Adapa, según de Liagre-Böhl) y llega a la conclusión de que ninguna de ellas ha llevado a resultados convincentes.

Dado que estas tentativas (cf. también GB 10a; KBL 12s) apenas han sido aceptadas o, más bien, han sido rechazadas, no las enumeraremos en este artículo.

También se pregunta Vriezen sobre la relación entre *'ādām* y *'ªdāmā* (cf. Gn 2,7 con un juego de palabras típico del hebreo): ¿nos encontramos aquí ante una simple etimología popular, o se da entre ambos términos una relación lingüística original? Las respuestas que se han dado hasta el momento a esa pregunta son muy diversas; mientras Köhler y otros piensan que *'ādām* se deriva claramente de *'ªdāmā* (*Theol.* 237, nota 57; 240, nota 97), Th. Nöldeke y otros piensan que ambas palabras no tienen lingüísticamente nada en común (ARW 8 [1905] 161). Vriezen llega a la conclusión de que la palabra debe explicarse o bien únicamente a partir del hebreo (aquí entraría en juego el verbo *'dm,* «ser rojo»), o bien desde las diversas posibilidades que se dan en árabe. Para él la etimología más probable es la que ofrece H. Bauer, ZDMG 71 (1917) 413; ZA 37 (1927) 310s, partiendo del árabe *'adam (at),* «piel, superficie», que en árabe meridional y en hebreo, como *pars pro toto,* ha recibido el significado de «hombre», mientras que en árabe ha mantenido su significado antiguo. Según eso, sería posible establecer una relación entre *'ādām* y *'ªdāmā,* «superficie de la tierra», pero una relación distinta de la que presupone el autor de Gn 2-3. Cf. también → *'ªdāmā* (1).

Ese significado árabe de «piel, cuero» ha sido sugerido por G. R. Driver, JThSt 39 (1938) 161 (HAL 14b; cf. Barr, CPT 154) también para Os 11,4 (paralelo a *'ahªbā,* para el cual se postula también el significado de «cuero», → *'hb* I), pero no puede ser aceptado como seguro (cf. Wolff, BK XIV/1, 258; Rudolph, KAT XIII/1, 210).

Junto a *'ādām* aparece raramente en hebreo la palabra *'ænōš,* que se remonta a una raíz semítica común, mientras que en el arameo bíblico *'ænāš* es la palabra normal para designar al «hombre(s)» (< **'unāš;* cf. Wagner N. 19/20; P. Fronzaroli, AANLR VIII/19 [1964] 244.262.275; → *'īš* I).

2\. *a)* La palabra aparece en el AT 554 × (incluyendo Os 6,7; 11,4; 13,2, pero sin contar el nombre personal Adán en Gn 4,25; 5,1.1.3.4.5; 1 Cr 1, 1). La distribución de frecuencia es curiosa. Sólo en Ez aparece 132 × (de ellas 93 textos son fórmulas alocutivas dirigidas por Dios a los profetas: *bæn-'ādām*). Prescindiendo de Ez, el término aparece con mayor frecuencia en dos lugares: sólo en Gn 1-11 46 × (y, por el contrario, en Gn 12-50 no aparece más que una: en Gn 16,12 *pæræ' 'ādām*) y en Ecl 49 ×. Aparte de estos casos se da una cierta acumulación sólo en Prov (45 ×) y Sal (62 ×); por lo demás, la distribución es puramente casual (Jr 30 ×, Is y Job 27 ×, Nm 24 ×, Lv 15 ×, Ex 14 ×; los demás libros, por debajo de 10 ×, y ausente en Abd, Nah, Rut, Cant, Est y Esd).

b) *'ænōš* aparece 42 × (Job 18 ×, Sal 13 ×, Is 8 ×; además, Dt 32,26; Jr 20,10; 2 Cr 14,10) y todas en textos poéticos (2 Cr 14,10, en cuanto parte de una oración, no constituye excepción). A ellas se añade *'ænōš* como nombre propio en Gn 4,26; 5,6-11; 1 Cr 1,1.

El arameo *'ænāš* aparece 25 × (Dn 23 ×, Esd 2 ×; en Dn 4,14 debe leerse la forma *'ænāšā* en lugar del hebreo plural *'ªnāšīm),* bien con sentido general/colectivo o bien individualizado, formando la expresión *bar 'ænāš* (Dn 7, 13; cf. C. Colpe, ThW VIII, 403ss con bibliografía) o el plural *bᵉnē 'ænāšā* (Dn 2,38; 5,21), tanto en textos poéticos como en no poéticos.

3\. *a)* *'ādām* tiene el significado colectivo «el hombre (como género), la humanidad, los hombres» y (a diferencia de → *'īš,* «hombre») se emplea sólo en singular y en estado absoluto y nunca en sufijos. El «hombre individual» es expresado con *bæn-'ādām,* y el plural «los hombres (individuales)» con *bᵉnē/bᵉnōt (hā)'ādām* (cf. L. Köhler, ThZ 1 [1945] 77s; íd., *Teol.,* 114s; → *bēn).* El significado de la palabra se mantiene invariado a lo largo de todo el AT. Puede ser usado en composiciones como «sangre de hombre» (Gn 9,6; según KBL existen unas 40 composiciones de este tipo), también como genitivo que sustituye a un adjetivo: «de forma humana» (2 Sm 7,14; Os 11,4), y en expresiones genéricas que deben traducirse por «alguien» (Lv 1,2 y *passim*), «todos» (Sal 64,10) y en negativo «nadie» (1 Re 8,46; Neh 2,12) (cf. también *inf.* 4*j*).

Como frase hecha señalemos la siguiente: *mē'ādām (wᵉ)ʿad-bᵉhēmā,* «tanto hombres como animales» (Gn 6,7; 7,23; Ex 9,25; 12,12; Nm 3,13; Jr 50, 3; 51,62; Sal 135,8). Otros textos en que aparece en serie con *bᵉhēmā,* «animal, bestia», son: Ex 8,13.14; 9,9.10. 19.22.25; 13,2.15; Lv 7,21; 27,28; Nm 8,17; 18,15; 31,11.26.30.47; Jr 7, 20; 21,6; 27,5; 31,27; 32,43; 33,10.12; 36,29; Ez 14,13.17.19.21; 25,13; 29,8; 36,11; Jon 3,7.8; Sof 1,3; Ag 1,11; Zac 2,8; Sal 36,7; cf. Ecl 3,19.

El correspondiente más frecuente en paralelismo es → *'īš* (III/4c), cf. 2 Re 7,10; Is 2,9; 5,15; 52,14; Sal 49,3; 62, 10; con *'ᵃnāšīm* Is 2,11.17 y *passim.*

b) *'ᵆnōš* va siempre en singular y nunca lleva artículo. Es, al igual que *'ādām,* un concepto estrictamente colectivo, es decir, que significa siempre «hombres» o «los hombres»; una sola vez aparece individualizado: *bæn-'ᵆnōš* (Sal 144,3). L. Köhler afirma que es un término «cuyo empleo va muriendo» (KBL 68a); quizá sea una afirmación exagerada, si tenemos en cuenta que en el tardío libro de Job aparece todavía 18 ×. Sin embargo, puede muy bien decirse que su empleo tiene límites precisos: aparece sólo en textos poéticos, siempre sin artículo y con un campo semántico muy reducido. Tiene, pues, los mismos límites que el vocablo *'ādām* (cf. *sup.* 4*a*): tampoco el vocablo *'ᵆnōš* aparece nunca en textos históricos o en contextos histórico-salvíficos.

En Job y en Sal predominan con mucho los pasajes en que se habla del hombre refiriéndose a su mortalidad, caducidad y limitación: Sal 103,5: «los días del hombre son como la hierba»; semejantes, 73,5; 90,3; 8,5 = 144,3; Job 7,1; 14,19; 25,6; 28,13. El hombre no puede ser justo (puro) ante Dios: Job 4,17; 9,2; 15,14; 25,4; 33, 26. El hombre es *'ᵆnōš* en contraposición a Dios: Job 7,17; 10,4.5; 13,9; 32, 8; 33,12; 36,25. Cercana a esta designación está la del enemigo en algunos pasajes de los salmos: Sal 9,20.21; 10, 18; 56,2; 66,12; cf. 55,14. El punto de contacto lo muestra Sal 9,21: «los gentiles reconocerán que son hombres». Este mismo significado tiene, fuera de Sal y Job, otros seis pasajes del libro de Isaías: Is 13,7.12; 24,6; 33,8; 51,7. 12; además, 2 Cr 14,10. Así, pues, de los 42 pasajes en que el término aparece, 33 forman un único grupo semántico (cf. sobre esto *inf.* 4*e-h*).

Del modo de empleo anteriormente mencionado se alejan los siguientes pasajes: Dt 32,26; Is 8,1; 56,2; Jr 20, 10; Sal 55,14; 104,15; Job 5,7; 28,4. Las pocas excepciones existentes se limitan a frases hechas o expresiones compuestas: *'ašrē 'ᵆnōš,* «dichoso el hombre (Is 56,2; Job 5,17); *lᵉbab 'ᵆnōš,* «corazón humano» (Is 13,7; Sal 104, 15); *ḥæræṭ 'ᵆnōš,* «cincel humano (normal entre los hombres)» (Is 8,1; cf., sin embargo, Wildberger, BK X, 311s); *'ᵆnōš šᵉlōmī,* «mi hombre de confianza» (Jr 20,10; cf. Sal 55,14, *'ᵆnōš kᵉᶜærkī,* «hombre de mi rango»). El que *'ᵆnōš* en estas composiciones haya mantenido su significado neutral parece que se debe al hecho de que, en un nivel lingüístico antiguo, *'ᵆnōš* tenía todavía un empleo más general y extenso. Fuera de estos casos, *'ᵆnōš* conserva su significado neutral sólo en Dt 32,26 y Job 28,4; aquí *mē'ᵆnōš,* «(de) entre los hombres», podría ser una expresión hecha.

Se debe dar este mismo sentido general y neutral (cf. *inf.* 4*j*) a los pasajes en que *'ᵆnōš* aparece como nombre propio (Gn 4,26; 5,6.7.9.10.11; 1 Cr 1, 1; cf. Westermann, BK I, a Gn 4,26).

4. *a)* El AT no habla indiscriminadamente de *'ādām* siempre que se trata del *homo sapiens.* Reserva el vocablo para aquellas ocasiones en que se quiere destacar, de uno u otro modo, el carácter de ser creado o un elemento con-

creto de ese carácter; *ʾādām* no es el hombre que aparece no importa dónde: en la familia, en la política, en el quehacer o en la convivencia ordinarios. Se habla de *ʾādām* en el AT sólo cuando se quiere hacer resaltar ese *más allá* de todas estas relaciones en su aspecto *puramente* humano. La específica acción salvífica de Dios, la historia de Dios con su pueblo, no tiene que ver con el *ʾādām*. Con el hombre como criatura o con un elemento de su carácter criatural tienen que ver no sólo los dos complejos literarios en que aparece con mayor frecuencia el término *ʾādām* (Gn 1-11 y Prov), sino también los grupos de textos que están estrechamente relacionados con éstos en su contenido. No existen complejos literarios o de contenido fijos, ni en los libros históricos ni en los proféticos, que reserven un puesto fijo para *ʾādām*.

b) El vocablo *ʾādām* tiene su lugar propio en la *historia de los orígenes* y, en concreto, en aquellas secciones de Gn 1-11 que tratan del hombre en su devenir primordial: creación del hombre (Gn 1,26-30 y 2,4b-24), expulsión del paraíso (Gn 3), diluvio (Gn 6-9) y dispersión de los hombres (Gn 11,1-10). Aparte de estas narraciones, el vocablo aparece sólo en 4,1 *(hāʾādām)*.25 y 5,1. 1; pero aquí *ʾādām* se ha convertido en nombre propio (o está camino de hacerlo). La frecuente presencia del vocablo en estas narraciones de los orígenes y su limitación a las mismas indican que *ʾādām* designa en el AT al hombre (en sentido colectivo) *antes* y *fuera* de todas las determinaciones, que comienzan con los nombres de las genealogías, y antes de la división de la humanidad en pueblos que empieza en Gn 11 o en las listas de los pueblos. Las narraciones que hablan del hombre en este sentido se dividen en dos grupos fundamentales: tratan de la creación del hombre *c)* y de los límites del ser humano en las narraciones sobre su culpa y castigo *d)*. Contienen las dos afirmaciones fundamentales que el AT hace sobre el hombre: es criatura de Dios, y como criatura posee, en oposición a Dios, una existencia limitada.

c) Las narraciones sobre la *creación del hombre* (cf. E. Lussier, *Adam in Gn 1,1-4,24:* CBQ 18 [1956] 137-139) se hallan en Gn 1,26-30 y 2,4b-24.

El trasfondo histórico-religioso de las narraciones de la creación muestra que la creación del mundo y la creación del hombre presentaban originalmente líneas distintas de tradición. Se ve, por ejemplo, que en las civilizaciones primitivas la creación aparece casi exclusivamente como creación del hombre, mientras que en Egipto la creación es fundamentalmente creación del mundo, es decir, cosmogonía. La cosmogonía predominante en las civilizaciones desarrolladas ha asumido en una fase posterior la creación del hombre; así aparecen las dos unidas en el *Enūma Elīš* y Gn 1. Gn 2, por el contrario, pertenece a la tradición de la creación del hombre. No es, por tanto, exacto hablar de dos narraciones de la creación, una más antigua (Gn 2-3) y otra más reciente (Gn 1); hay que considerar más bien que el paralelo de Gn 2 es solamente Gn 1, 26-30 y no toda la sección Gn 1,1-2,4a. La interpretación histórico-tradicional de Gn 1 deja ver todavía la independencia original de Gn 1,26-30 (Westermann, BK I, 198ss).

Gn 2-3 es una unidad literaria ensamblada por el yahvista, pero detrás de ella se pueden reconocer todavía claramente dos narraciones independientes: una narración de la creación del hombre en 2,4b-24 y la narración de la expulsión del jardín 2,9.16.17.25; 3,1-24. La primera pertenece como tema al grupo de narraciones sobre la creación del hombre, la segunda explica la limitación del hombre. Al ensamblar ambos motivos, el yahvista ha puesto de relieve la interrelación de ambos temas fundamentales.

Ambas presentaciones de la creación del hombre en Gn 1,26-30 y 2,4b-24 tienen lo siguiente en común: 1) el hombre debe su existencia a Dios, 2) desde el comienzo es entendido como hombre en la comunidad, 3) junto con la creación va unida también la provisión de alimentos para el hombre, 4) se le da el dominio sobre los animales y sobre el resto de lo creado. P añade además las afirmaciones especiales de que 5) Dios ha bendecido al hombre y de que 6) lo ha hecho conforme a su imagen (→ *ṣǽlæm*).

1) Ninguna de las dos presentaciones afirma propiamente que Dios creó al primer hombre (a los primeros hombres). La creación del hombre es más bien una afirmación protohistórica, es historia experimentable y documentable del más allá. Se afirma que la humanidad y, por tanto, cada hombre debe su existencia a Dios, ni más ni menos. El hombre creado por Dios se convierte en Adán (nombre) sólo cuando comienza la serie de generaciones (4,1.25; 5, 1); el hombre creado de las narraciones de la creación no es un hombre dentro de una serie determinable. La narración de la creación del hombre viene a decir, más bien, que el hombre se da sólo como criatura de Dios; es imposible abstraer al hombre de su carácter de ser creado. El hombre es lo que es en cuanto criatura de Dios.

2) La creación del hombre para formar comunidad es presentada de forma lapidaria en Gn 1,26-30: «como hombre y mujer los creó». En Gn 2, 4b-24 esta comunidad constituye la finalidad de la narración: el hombre formado por Dios de la tierra (2,7) no es todavía la criatura que Dios quería («no está bien...», 2,18); sólo tras la creación de la mujer se ha conseguido de verdad la creación del hombre. El J ha destacado, pues, de una manera especial este aspecto de la creación del hombre, a saber: que el hombre alcanza su propia identidad en la comunidad (cf. sobre esto, Pedersen, *Israel* I/II, 61s).

3) Según ambas narraciones, el hombre se alimentaba en un principio de vegetales (1,29; 2,8.9.15); la alimentación con carne se da solamente en conexión con el alejamiento de Dios. A este tema pertenecen todos los pasajes, especialmente en los Salmos, que afirman que Dios provee de alimento a sus criaturas.

4) En contraposición con otras presentaciones de la creación del hombre, en especial sumero-babilónicas, el AT en J y en P afirma que el hombre ha sido creado no para servir a los dioses, es decir, para el culto, sino para dominar sobre los animales (1,26b.28b; 2, 19.20) y también sobre el resto de las criaturas (1,28) y para trabajar la tierra (2,15; cf. 2,5b). El quehacer cultural, es decir, el quehacer sobre la tierra, ha sido instituido, por tanto, en y junto con la creación del hombre. Este trabajo cultural no se puede separar del ser humano del hombre.

5) El P habla expresamente de la bendición del hombre en conexión con su creación (1,28). Lo que P afirma de modo conceptual J lo presenta por medio de una narración: la fecundidad, implícita en la bendición, se realiza en la continuidad de generaciones, en la concepción y generación de la descendencia (4,1.2.25). El hombre creado por Dios ha sido creado como un ser que continúa en una serie de generaciones.

6) Existen muchos intentos de explicar la afirmación de que Dios ha creado al hombre a su imagen; cf. sobre esto, Westermann, BK I, 197ss. Ahí la interpretación se basa en un trasfondo histórico-religioso: Dios creó al hombre como su correspondiente, como su correlativo, de tal forma que entre esta criatura y su creador pudiera suceder algo, que la criatura pudiera oír a su creador y responderle. Esta precisión tiene un carácter explicativo; no añade nada a la creación del hombre; aclara, más bien, qué es lo que quiere decir el carácter criatural del hombre (así también, por ejemplo, K. Barth, *Kirchliche Dogmatik* III/1 [1945] 206s). Aunque esta afirmación explícita falta incluso en J, la idea aparece en él mediante la unión de la historia propiamente dicha de la creación (2,4-24) con la narración de la transgresión del mandato y de la expulsión del jardín: Dios ha creado al hombre para que suceda algo entre él y su criatura.

d) Las narraciones sobre el pecado y el castigo forman un segundo grupo. Allí donde hay una narración de la creación del hombre o una afirmación sobre el ser creado del hombre, va siempre acompañada por narraciones y afirmaciones que hablan de la limitación del hombre. Ambas aparecen unidas por un contraste: ¿por qué el hombre, a pesar de ser criatura de Dios, está tan limitado en su existencia? Las respuestas a esta pregunta pueden ser diversas; en el AT —como en otros muchos lugares— se ve la explicación en un pecado del hombre.

La narración de la expulsión del jardín en Gn 3 contiene como línea directiva el simple hecho: Dios coloca a los hombres creados por él en un jardín, en el que los deja alimentarse de todos los frutos; sólo de un árbol les prohíbe comer. Los hombres, sin embargo, comen de los frutos de ese árbol y entonces son expulsados del jardín. Con ello son alejados también de Dios, y esta lejanía de Dios lleva consigo el ser limitados de forma múltiple. Esta línea fundamental ha sido enriquecida con una serie de diversos motivos que se le han insertado y que antes pertenecían a otras narraciones independientes de parecida temática; así, sobre todo, el motivo del árbol de la vida, conocido también fuera de esta narración (por ejemplo, en el poema de *Gilgamés* y en el mito de Adapa); así también cada uno de los oráculos de castigo que explican la limitación del hombre y quizá también la escena de la tentación por obra de la serpiente.

Lo que J quiere decir con estas narraciones se puede resumir brevemente así: 1) No sólo su carácter de criatura, sino también la limitación de la existencia humana está fundada en un acontecimiento original entre Dios y el hombre. 2) La transgresión del mandato divino y su castigo son acontecimientos de los orígenes que deben ser dejados con su carácter de enigmáticos e inexplicables. La culpa y el castigo determinan al hombre en cuanto tal; no hay ningún ser humano que no participe de ellos. 3) Dios da un sí al hombre que ha pecado contra él. Aunque lo aleja de su cercanía y con ello le da un ser limitado por el cansancio, los dolores y la muerte, sin embargo le deja la vida y le permite prolongarla en el tiempo.

Sólo estas tres afirmaciones unidas entre sí pueden darnos lo que la narración quiere decir. Y una interpretación que defienda que de un estado paradisíaco de inocencia se pasó por el «pecado original» a un estado de humanidad caída, no responde ni al texto ni al sentido de la narración. En la narración, el mandato, la transgresión y el castigo son todos ellos de igual modo acontecimiento primordial, que no se puede transferir a ningún período de la historia. El nombre de «pecado original», que introdujo en la interpretación de la narración un matiz un poco diverso (aunque de enormes consecuencias), nació en el judaísmo tardío (4 Esd).

La posibilidad humana de pecar, que pertenece a la historia de los orígenes, recibe en la narración del diluvio en Gn 6-9 un aspecto nuevo. Mientras en Gn 3 (y 4) se contempla la transgresión de un solo hombre, en Gn 6-9 se tiene en cuenta el fenómeno de la humanidad, que consiste en que un grupo, toda una comunidad de hombres, puede fallar y pecar. Aquí aparece también por primera vez la posibilidad de que el creador aniquile su creación. Esta posibilidad está ya presente potencialmente desde el momento en que el mundo, y la humanidad, tiene un creador: el creador, en cuanto tal, tiene la fuerza de destruir de nuevo su obra. Por eso las narraciones del diluvio (o el incendio universal) están tan extendidas por toda la tierra como las narraciones de la creación. Aquí está fundado el esquema tiempo primordial-tiempo final: a la posibilidad de decadencia del género humano corresponde la posibilidad de su aniquilación. En la apocalíptica, por tanto, al igual que en los primeros tiempos, se trata de la humanidad.

Gn 6-9 ofrece los siguientes datos para la comprensión del hombre: 1) La humanidad que se propaga tiene la posibilidad de que con el número crezca la corrupción. 2) El creador tiene la posibilidad de destruir la humanidad por él creada. 3) Con el diluvio y la salvación de un hombre de ese diluvio se añade a la existencia humana la vida salvada o preservada en las grandes catástrofes. 4) La promesa de que no sobrevendrá una catástrofe mundial «mientras haya tierra» fundamenta la historia de la humanidad, que incluye corrupción (parcial) de todo un grupo y catástrofes (parciales). Y con esto, también la salvación y la preservación se convierten en fenómenos de la humanidad.

En la narración de la construcción de la torre de Babel se habla de una extralimitación particularmente peligrosa para la humanidad, consistente en la autosuficiencia del hombre en el ámbito del desarrollo político (ciudad y torre) y técnico (que en cuanto tal es aceptado). Aquí el castigo «gracioso», que permite la continuidad de la vida, consiste en la dispersión y la alienación entre los hombres.

e) Existe una serie de textos en que se recuerda la creación del hombre o se menciona el motivo de la creación, por ejemplo, Dt 4,32: «desde el día en que Dios creó al hombre sobre la tierra», o Ex 4,11; Is 17,7; 45,12; Jr 27,5; Zac 12,1; Sal 8,5ss; 139,13ss; Job 15, 7; 20,4; Prov 8,31 (la sabiduría en la creación: «y me complacía en los hombres»); Dt 32,8 (alusión a la separación de los pueblos).

Están en estrecha relación con el carácter criatural del hombre las afirmaciones en las que se atribuye al hombre un valor o una dignidad en cuanto criatura, valor y dignidad que deben ser custodiados y defendidos. Se defiende la vida del hombre porque es criatura de Dios (Gn 9,5s). Lo mismo se presupone también en las leyes: «el que da muerte a un hombre...» (Lv 24,17.21).

Cuando en Gn 9,6, como fundamento de todo esto, se menciona el hecho de que el hombre ha sido creado a imagen de Dios, se nos está presentando el punto de partida del concepto moderno de la «dignidad del hombre». Esta se apoya en que el hombre es un ser creado y su fuerza radica en la protección que asiste al hombre como criatura de Dios. También frases como la de Hab 1,14: «cuando él (el conquistador) trata a los hombres como a los peces en el mar», implican una concepción de la dignidad del hombre. Esta se manifiesta en el hecho de que «el hombre no vive sólo de pan» (Dt 8,9) o en la lamentación «soy un gusano y no un hombre» (Sal 22,7) y, fuertemente desarrollada, en el Cántico del Siervo en Is 52,14: «porque desfigurado no parecía hombre ni tenía aspecto humano». De forma parecida hablan del ser humano 2 Sm 7,14 y Os 11,4.

Pero el hombre tampoco tiene esta dignidad en sí mismo, sino que se basa en el hecho de que Dios se ocupa de los suyos: «¿Qué es el hombre (*'ænōš*) para que te acuerdes de él, y el hijo de hombre (*bæn-'ādām*) para que te ocupes de él?» (Sal 8,5). Muchos pasajes hablan de esta protección del hombre por parte de Dios; él es el «guardián del hombre» (Job 7,20); con esta protección y este cuidado realiza él «sus milagros para con los hijos de los hombres» (Sal 107,8.15.21.31; además, Sal 36,7.8; 80,18 y *passim).*

f) Lo que el hombre realmente es aparece en el AT en especial en su ser frente a Dios, en su distancia con respecto a él y en su dependencia de él. En los pasajes que presentan este empleo de *'ādām* (unos 60 textos) hay un aspecto de central importancia: la comprensión del hombre en el AT no parte de un ser que existe en sí mismo, apoyado en su propia existencia, y que en un segundo momento entra de un modo u otro en relación con Dios; *'ādām* designa más bien a un ser humano que está relacionado con Dios. El hombre, por tanto, no puede ser entendido en cuanto tal si no se ve su existencia como existencia frente a Dios.

A este carácter criatural del hombre, tal como es presentado en la historia de los orígenes, se debe el que en estos textos se vea la relación entre Dios y el hombre como una oposición. Su estar frente a Dios hace al hombre necesariamente limitado, y si éste desprecia u olvida dicha limitación corre un riesgo que le afecta en su mismo ser humano: «ningún hombre que me haya visto vivirá» (Ex 33,20).

En un oráculo de Is contra la política de alianza con Egipto se llega a una expresión especialmente fuerte y única de lo que estamos diciendo: «pero Egipto es hombre y no dios...» (Is 31,3). En 31,8 vuelve a aparecer el vocablo en sentido parecido: «Asur caerá a espada no-de-hombre, por espada no-de-hombre será devorado». Ezequiel volverá a tomar la frase de Is 31,3 en el discurso del príncipe de Tiro (Ez 28,2.9). Se debe notar que los dos pasajes isaianos son ampliaciones de la forma profética empleada: en estas ampliaciones el profeta supera la forma literaria preestablecida y aporta algo nuevo, específico, en su mensaje. La amonestación contra el pacto con Egipto en Is 31,1-3 se basa propiamente en el anuncio, que suena en v. 3b, de que el «protector» será aniquilado. Isaías amplía esta fundamentación refiriéndose a la limitación de todas las potencias humanas, limitación que pertenece al mismo ser humano. La misma indicación aparece en 31,8: Asur será aniquilada, pero no por espada de hombre (por ejemplo, de Egipto); sólo el No-hombre, el creador, el que en cuanto creador es también señor de la historia, aparece aquí en acción. La frase «Egipto es hombre y no Dios», por tanto, es una afirmación que se basa en el carácter criatural del hombre; es independiente de la específica historia de Dios con Israel.

Al mismo contexto pertenece el estribillo de Is 2,9.11.17; 5,15: «el varón será humillado, el hombre será abajado...» (y semejantes). Wildberger, BK X, 103s, señala con razón que esta frase de la humillación del que está elevado no pertenece propiamente al lenguaje profético: «Isaías cita indudablemente un dicho sapiencial, formulado en imperfecto consecutivo en el v. 9 y usado en forma más original en 2, 17 y en 5,15». El autor remite al mismo paralelismo entre *ʾîš* y *ʾādām* en Prov 12, 14; 19,22; 24,30; 30,2; Sal 49,3: «En estos proverbios la humillación y el doblegamiento aparecen como consecuencia de la arrogancia» (cf. también Jr 10,14; 51, 17). Cuando Is 2,12-17 anuncia el «día» que llegará para los soberbios y arrogantes y en el que sólo Yahvé será elevado y exaltado, haciendo uso para ello de un dicho sapiencial que coloca al hombre y a Dios uno frente a otro, vemos que el lenguaje profético y el sapiencial han sufrido una alteración: la extensión del anuncio de juicio, que propiamente valía para Israel, a todos «los hombres y varones» está condicionada por la oposición Dios-hombre que prohíbe toda extralimitación.

La misma oposición aparece en otros lugares: «Dios no es hombre (*ʾîš*) para que pueda mentir, ni hijo de hombre (*bæn-ʾādām*) para que pueda arrepentirse» (Nm 23,19; cf. 1 Sm 15,29). En estas frases se rechaza la reducción de Dios a la esfera de la humanidad, al igual que en Mal 3,8: «¿Puede un hombre engañar a Dios?». Pero estas frases muestran también que este cuidado por dejar bien marcados los límites entre Dios y el hombre no ha llevado a determinaciones ontológicas. No se hacen afirmaciones abstractas sobre el ser de Dios ni sobre el ser del hombre. La oposición entre Dios y el hombre se mantiene siempre como una oposición en el acontecer, nunca como una oposición en el ser. Por eso faltan completamente afirmaciones que expresan una diversidad entre el modo de ser de Dios y del hombre. La oposición se presenta como muy importante cuando el hombre se halla ante la decisión de elegir en quién debe confiar, es decir, cuando el confiar en Dios se opone decididamente al confiar en el hombre: Jr 17,5; Miq 5,8; Sal 36,8; 118,8; 146,3; «pues la ayuda del hombre no vale nada» (Sal 60,13; 108,13); es preferible caer en manos de Dios que en manos del hombre (2 Sm 24,14 = 1 Cr 21,13); si se confía en Dios, no hay motivo para temer al hombre (Is 51, 12).

La misma oposición se manifiesta en la decidida prohibición de hacer imágenes de Dios: las imágenes de los dioses son obra de manos humanas (2 Re 19, 18 = Is 37,19; Sal 115,4; 135,15; Jr 16,20: «¡cómo puede un hombre hacerse dioses!»; cf. Is 44,11.13).

Al mismo contexto pertenece la fórmula que dirige Dios al profeta Ezequiel: «Tú, hijo de hombre», que aparece más de 90 ×. Cf. sobre esto Zimmerli, BK XIII, 70s: «El acento cae sobre la palabra *ʾādām,* junto al cual se oye de forma implícita el contrapuesto *ʾēl* (Is 31,1; Ez 28,2)». Se trata, pues, de la misma contraposición entre Dios y el hombre que aparece en Is 31,3 y 2,11.17, sólo que aquí es el mismo profeta el que es contrapuesto a Dios como simple y limitada criatura.

g) El hecho de que se considere al *hombre y al animal* como pertenecientes al grupo común de los seres vivientes tiene su fundamento en la creación del hombre. En J la creación de los animales está muy relacionada con la creación del hombre (Gn 2,7.18-24) y en P tanto los animales como el hombre reciben la bendición del creador (Gn 1, 22.28). También en el diluvio hallamos juntos a los animales y a los hombres (Gn 6,3; 7,23). Esta correspondencia entre el hombre y el animal recibe su expresión en la frase hecha: *mēʾādām ʿad bᵉhēmā,* «tanto hombres como animales» (cf. *sup.* 3).

En otros muchos contextos aparecen juntos los hombres y los animales, sin usar la fórmula citada: al tratar de la redención de los primogénitos de hombres y animales (Ex 12,12; 13,2.13.15; Nm 3,13; 8,17; 18,15), del botín de guerra (Nm 31,11.26.35.40.46; Jos 11, 14), de la dedicación al culto de parte de ese botín (Nm 31,28.30.47). Lo mismo que al hablar de la creación, también al tratar de la destrucción se menciona con frecuencia juntos al hombre y al animal; así en las plagas de Egipto (Ex 8,13.14; 9,9.10.19.22.25; 12,12; Sal 135,8); hombres y animales serán destruidos en la caída de Babilonia (Jr 50,3). La destrucción total abarca con frecuencia a hombres y animales (Jr 36, 29: «desolará este país y aniquilará a sus hombres y animales»; también Jr 7,20; 21,6; 27,5s; 50,3; 51,62; Ez 14, 13.17.19.21; 25,13; 29,8; 38,20; Sof 1, 3; Ag 1,11; sólo hombres en Zac 11, 6). A hombres y animales afecta la penitencia impuesta en relación con el anuncio de destrucción que aparece en Jon 3,7.8; también en la acusación de Habacuc contra el conquistador aparecen ambos unidos (Hab 2,8 y 17). Es curioso notar que los anuncios de destrucción de hombres y animales aparecen sólo en las plagas de Egipto y luego en los profetas a partir de Jeremías. También en las promesas que se refieren al tiempo que sucederá al juicio, hombres y animales son mencionados con frecuencia juntos: Ez 36,11: «multiplicaré en vosotros hombres y animales»; también Jr 31,27; Zac 2,8; 8,10 (sólo hombres: Jr 51,14; Ez 36, 10.12.37.38; Miq 2,12).

b) El hombre comparte con el animal su carácter de *ser pasajero;* el Eclesiastés habla expresamente de ello en una ocasión: «pues el destino de los hijos de los hombres es semejante al destino de los animales» (3,19; cf. Sal 49,13). También este carácter de transitoriedad se funda en los acontecimientos originales (Gn 3,19.24), lo mismo que la falibilidad y maldad del hombre (en las narraciones del pecado y castigo), que con frecuencia están unidas con la caducidad.

Se menciona esta caducidad, como simple constatación, en textos como Nm 16,29: «si éstos mueren de muerte natural, según el destino de todos los hombres» (parecido en Ez 31,14; Sal 73,5; 82,7; cf. también Jue 16,7.11.17). El tema de la transitoriedad del hombre tiene su lugar privilegiado en las lamentaciones sobre la transitoriedad, que son ampliaciones de las lamentaciones en primera persona (singular y plural) (Sal 39,6.12: «es un soplo, todo lo que se llama hombre»; 49,13.21; 62, 10; 89,48; 90,3; 144,4; Job 14,1.10; 25,6; 34,15; Is 2,22). Estas lamentaciones sobre la transitoriedad han tenido un desarrollo especial en el libro de Job, sobre todo en 14,1-12. Tampoco aquí se puede decir que el vocablo «hombre» como tal pertenezca a la lamentación; por el contrario, *ʾādām* se encuentra sólo en la ampliación, en la que está inserta la especial lamentación del sufriente, de modo que éste se ve, con su sufrimiento, como partícipe de la transitoriedad común a todos los hombres.

Esta nulidad o caducidad está en estrecha relación con la falibilidad del hombre o con su maldad, lo mismo en Gn 1-11 que en Job 14,1-12 (v. 4: «¿quién sacará pureza de lo impuro? ¡Nadie!»), y corresponden una a otra en Sal 90,7-9 (cf. Nm 5,6: «pecados, como los que el hombre comete»). Esta estrecha correlación explica el hecho curioso de que en las lamentaciones individuales (y en otros lugares) se hable del «hombre» sólo en el contexto de los enemigos, los impíos (Sal 140,2:

«sálvame de los hombres malos, Yahvé»; muchos casos semejantes: Sal 12, 2.9; 57,5; 116,11; 119,134; 124,2; Job 20,29; 27,13; 33,17; 34,30; frecuentemente en los Proverbios, cf. Prov 6,12; 11,7; 12,3; 15,20; 17,18; 19,3; 21,20; 24,30; 28,17; 23,28; es mucho menos frecuente que en los Proverbios se hable de *ʾādām* con referencia al hombre sabio e inteligente, cf. Prov 12,23.27; 16,9; 19,11.22; 28,2; cf. Job 35,8).

i) En el *libro del Eclesiastés* el tema de la transitoriedad o caducidad del hombre se radicaliza de tal forma que no se trata de una simple constatación o lamentación, sino del resultado de una reflexión que se ha ocupado (1,13) de investigar a fondo acerca de la humanidad (2,3). También este libro se remonta a los sucesos originales; la caducidad está en tensión con el carácter criatural del hombre, y ahí es donde tiene su puesto el pecado: 7,29: «mira lo que encontré: Dios hizo al hombre equilibrado, y él se buscó preocupaciones sin cuento», cf. 9,3. Con esta comprensión del hombre como criatura, el Qohelet salva, a pesar de su escepticismo, la unión con la teología (cf. 3,11; 7,29; 8,17).

El aspecto fundamental de su comprensión del hombre es 1) el reconocimiento radical de la nulidad del hombre, de su ser-para-la-muerte. En su caducidad, el hombre se parece a los animales (3,18.19.21). El verdadero ser del hombre aparece más en el duelo que en la alegría (7,2). Ese ser-para-la-muerte recibe mayor fuerza por el hecho de que la muerte tiene un carácter de sorpresa (8,8; 9,12). ¿Cuál es, pues, el sentido de ese ser que corre hacia la muerte? 2) Lo que el hombre consigue en su vida por medio del trabajo y la investigación debe ser abandonado al final (1,3: «¿qué saca el hombre de todas las fatigas que lo fatigan bajo el sol?»; 2,12.18.21.22; 6,1s.10.11.12; 7, 14; 10,14; 2,5). Precisamente en vista de la fatiga, vanidad y caducidad del ser humano, adquiere un sentido el presente, la afirmación de lo simplemente dado (2,24: «el único bien del hombre es comer y beber y disfrutar del producto de su trabajo»; 3,13.22; 5,18: «recibir su parte y alegrarse»; 7, 14; 8,15; 11,8). Esta afirmación de la alegría de vivir o del goce de la vida es acentuado frecuentemente como una afirmación del ser creado por Dios (2, 24; 3,13; 5,18; 7,14; 8,15). Precisamente en esa afirmación del momento, en la alegría de las cosas agradables de la vida, puede el hombre, aun reconociendo la limitación de su ser, afirmar a su creador.

La comprensión del hombre del Eclesiastés tiene su expresión 3) más clara en 8,17: «Después observé todas las obras de Dios: el hombre no puede averiguar lo que se hace bajo el sol. Por más que el hombre se fatigue buscando, no lo averiguará...». El Eclesiastés ha comprendido que el hombre no puede llegar a una comprensión total de Dios y, en correspondencia, a la comprensión de la totalidad de cuanto acontece. Pues el hombre ha de plantearse lo siguiente: la limitación de la existencia humana determina la comprensión de su ser y el conocimiento de Dios. Sólo dentro de estos límites puede un ser humano tener sentido, sólo dentro de estos límites puede tener sentido hablar de Dios.

j) En todos los modos de empleo de la palabra estudiados hasta ahora se podía reconocer una relación al carácter criatural del hombre y a todo lo que éste significa; pero el AT conoce también un *empleo neutral* de la palabra en el que no aparece esa relación; en ese empleo la palabra tiene un sentido tan extenso y poco preciso como en nuestras lenguas modernas.

En un grupo de dichos de los Proverbios se habla del ser y del actuar del hombre en forma muy general. Son dichos que recogen observaciones sobre el hombre; así, Prov 20,27: «el respiro del hombre es una lámpara de Yahvé» (parecido 27,19.20), u observaciones y experiencias de la convivencia humana, que afectan en la mayoría de los casos al hombre; así, 18,16: «los regalos abren caminos al hombre», además 16,1; 19,22; 20,24.25; 24,9; 29,23.25; cf Is 29,21; Sal 58,2; Job 5,7.

También en otros lugares se encuentran afirmaciones generales y neutrales sobre el hombre, así Sal 17,4: «el salario que el hombre recibe»; 1 Sm 16,7; 2 Sm 23,3; Is 44,15; 58,5; Jr 47,2; Sal 104,23; Ecl 8, 1; Lam 3,36.39. Se puede emplear este modo genérico de hablar para expresar la múltiple acción de Dios con respecto a los hombres: Job 34,11: «él paga al hombre según su conducta»; Ez 20,11.13.21: «prescripciones y mandatos que el hombre debe cumplir, si quiere permanecer con vida» (cf. Neh 9,29); Am 4,13: «descubre al hombre sus pensamientos». Este pequeño grupo de textos se encuentra muy lejos del resto de los pasajes que emplean nuestro término; parece como si se elaborara aquí una ética general, separada del marco cúltico e histórico-salvífico.

En este grupo de pasajes, *ᵓādām* es una simple designación genérica, en la que se prescinde de que el hombre sea una criatura y de las múltiples determinaciones que nacen de ese carácter de ser creado; así, por ejemplo, en Dt 20,19: «los árboles del campo no son hombres»; cf. también Ez 19,3.6; 36, 13.14.

A este empleo como simple designación genérica pertenecen también los pasajes de Ez que comparan al hombre con lo que se aparece al profeta (Ez 1, 5: «que parecían figuras humanas»; además, 1,8.10.26; 10,8.14.21; 41,19; cf. Is 44,13; Dn 10,16.18). En este sentido genérico se emplea también el vocablo en compuestos como «mano de hombre» (Dt 4,28 y *passim),* «voz de hombre» (Dn 8,16), «excrementos de hombre» (Ez 4,12.15), «huesos de hombre» (1 Re 13,2; 2 Re 23,14.20; Ez 39,15), «cadáver de un hombre» (Nm 9,6.7; 19,11.13.14.16; Jr 9,21; 33,5; Ez 44,25), «cuerpo de hombre» (Ex 30,32).

En el sentido de este empleo general de la palabra como simple designación genérica deben entenderse muchos pasajes en los que *ᵓādām* significa «cualquiera», o en negativo «nadie, ninguno»; lo mismo, «muchos hombres», «todos los hombres», o «con, bajo, ante los hombres», en las enumeraciones (como Miq 5,4; Jon 4,11; 1 Cr 5,21) o en expresiones como «dichoso *(ᵓašrē)* aquel que...» (Is 56,2; Sal 32,2; 84,6. 13; Prov 3,13; 8,34; 28,14). En todos estos textos, *ᵓādām* es usado poco más o menos como sinónimo de → *ᵓīš* (cf. *sup.* 3).

k) Resumiendo: el hebreo *ᵓādām* corresponde sólo en parte a la palabra «hombre» de las lenguas modernas. Con la palabra *ᵓādām* no se indica al hombre como ejemplar, al hombre individual, sino al género humano, a la humanidad, que existe como totalidad y a la que pertenece el hombre particular. La humanidad está determinada por su origen, por su carácter criatural (4*b-e*). La mayoría de los empleos de la palabra están relacionados directa o indirectamente con ese carácter del hombre: el hombre existe frente a Dios (4*f*), como ser vivo (4*g*), con limitaciones que le vienen de su carácter criatural (4*h-i*). Puede emplearse también el vocablo para designar genéricamente al hombre, igual que en nuestras lenguas (4*j*).

5. Sobre el empleo neotestamentario del término y la correspondiente comprensión del hombre, cf., entre otros, J. Jeremias, art. ἄνθρωπος: ThW I, 365-467; N. A. Dahl, art. *Mensch* III: RGG IV, 863-867 (con bibliografía); W. Schmitals, art. *Mensch:* BHH II, 1189-1191 (con blibliografía). La gran importancia histórico-salvífica que se da en el NT, en especial en Pablo, a la figura de Adán no está en línea con el uso general del vocablo en el AT (cf. Jeremias, art. Ἀδάμ: ThW I, 141-143; J. de Fraine, *Adam und seine Nachkommen* [1962] 129-141).

C. Westermann

אֲדָמָה *ᵓadāmā* Tierra, suelo

1. *ᵓadāmā* pertenece probablemnete a la raíz semítica común *ᵓdm,* «ser rojo» (en arameo sustituido por *śmq)* y, con el significado de «tierra, campo, suelo (rojo)», aparece en hebreo, en neopú-

nico (inscripción de Mactar, KAI N. 145, línea 3: «para su pueblo que vive en la tierra»; DISO 5) y en arameo (arameo-judaico y siríaco *ʾadamtā;* quizá también en arameo antiguo en KAI N. 222A, línea 10 *ʾdm[h],* «tierra de cultivo», cf. KAI II, 239.246; distinto Fitzmyer, Sef 36).

Sobre la etimología, cf. Dalman, AuS I, 333; II, 26ss; Rost, KC 77; Galling, BRL 151; R. Gradwohl, *Die Farben im AT* [1963] 5s; HAL 14s. La opinión de Hertzberg (BHH I, 464), que supone que *ʾādōm* con el sentido de «color de la tierra» se deriva de *ʾadāmā,* es menos probable que la opinión contraria. BL 466 sugiere la posibilidad de derivar el significado de color, *ʾādōm* como «color de la carne», a partir de **ʾadam,* «piel» (árabe *ʾadamat),* con lo cual habría que atribuir a *ʾadāmā* el significado primario de «superficie». (Cf. además → *ʾādām* I).

Atribuir a *ʾādām* en algunos pasajes el sentido de «tierra» (M. Dahood, CBQ 25 [1963] 123s; íd., *Proverbs and Northwest Semitic Philology* [1963] 57s; lo mismo, en parte, HAL 14b) es una hipótesis digna de consideración, pero que debe ser rechazada (en Gn 16,12, «asno salvaje de la estepa» en lugar de «potro salvaje», pero estepa se opone a «tierra cultivada»; Is 29,19 y Jr 32,20 traducidos así resultan innecesariamente trivializados; en Prov 30, 14 se exagera el paralelismo con *ʾæræṣ;* en Job 11,12; 36,28; Zac 9,1; 13,5, textos exegéticamente difíciles, resulta necesario recurrir a una serie de hipótesis ulteriores)*.

2. Los 225 casos en que aparece el vocablo, de los cuales sólo uno está en plural (Sal 49,12, «terrenos»), están distribuidos por todo el AT, pero con una frecuencia especial en Gn (43 ×, de las cuales 27 × en la historia de los orígenes y 12 × en Gn 47), Dt (37 ×), Ez (38 ×) y Jr (18 ×).

Los demás casos aparecen en: Is 16 ×, Am 10 ×, Ex 9 ×, 1 Re 8 ×, Sal y 2 Cr 6 ×, Nm y 2 Sm 5 ×, 2 Re y Neh 4 ×, 1 Sm, Zac y Dn 3 ×, Lv, Jos, Jl, Sof, Job y Prov 2 ×, Os, Jon, Ag, Mal y 1 Cr 1 ×.

En esta estadística se considera la *ʾadāmā* de 1 Re 7,46 = 2 Cr 4,17, siguiendo a Noth, BK IX, 164, como apelativo «tierra» y no como nombre de lugar (cf. *ʾadāmā,* Jos 19,36; *ʾādām,* Jos 3,16; *ʾadmā,* Gn 10,19; 14,2-8; Dt 29,22; Os 11,8; cf. HAL 14b.15b), y lo mismo en Dt 32,43 (HAL 15b según Tur-Sinai: «rojo de sangre», *i. e.,* granate).

3. Sobre el empleo de la palabra en el AT, cf. L. Rost, *Die Bezeichnung für Land und Volk im AT;* FS Procksch [1934] 125-148 = KC 76-101; A. Schwarzenbach, *Die Geographische Terminologie im Hebr. des AT* [1954] 133-136.174.187.200.

a) *ʾadāmā* designa en su significado base la tierra cultivable, la tierra rojiza (cf. *sup.* 1) (cf. von Rad I, 34.163), en contraposición a estepa y desierto *(midbār, ʿarābā, yešīmōn, šemāmā;* cf. B. Baentsch, *Die Wüste in den atl. Schriften* [1883]; A. Haldar, *The Notion of the Desert in Sumero-Accadian and West-Semitic Religions* [1950]; Schwarzenbach, *loc. cit.,* 93-112; IDB I, 828s).

Caín se convierte en nómada porque la *ʾadāmā* lo ha rechazado (Gn 4,11. 14). Este es el lugar que se puede cultivar (→ *ʿbd:* Gn 2,5; 3,23; 4,12; 2 Sm 9,10; Is 30,24; Jr 27,11; Prov 12,11; 28,19; cf. 1 Cr 27,26). *ʿōbēd hāʾadāmā* es el labrador (Gn 4,2; Zac 13,5; cf. *ʾīš hāʾadāmā,* Gn 9,20). Al campo semántico de este vocablo pertenecen los verbos referidos a la siembra *(zrʿ:* Gn 47, 23; Is 30,23) y la germinación *(ṣmḥ:* Gn 2,9; Job 5,6; cf. Gn 19,25).

La vida es posible sólo cuando se riega la *ʾadāmā* (Gn 2,6); se debe abandonar su cultivo cuando falta la lluvia (Jr 14,4, texto dudoso). La lluvia y el rocío caen sobre la *ʾadāmā* (2 Sm 17, 12; 1 Re 17,14; 18,1) y con relación a ésta se habla de abono (Jr 8,2; 16,4; 25,33; Sal 83,11), de frutos (Gn 4,3; Dt 7,13; 28,4.11.18.42.51; 30,9; Jr 7, 20; Sal 105,35; Mal 3,11), primicias (Ex 23,19; 34,26; Dt 26,2.10; Neh 10, 36), productos (Dt 11,17; Is 30,23; cf. 1,7) y décimos (Neh 10,38).

b) En sentido material, *ʾadāmā* designa el «terreno cultivable»; su sinónimo más frecuente es → *ʿāfār* (cf. Schwarzenbach, *loc. cit.,* 123-133).

Uno puede echar *ʾadāmā* sobre su cabeza (1 Sm 4,12; 2 Sm 1,2; 15,32; Neh 9,1), tomar consigo una «carga» de ella (1 Re 5,17), arrojar utensilios en ella (1 Re 7, 46 = 2 Cr 4,17, cf. *sup.* 2). Con ella se forman utensilios (Is 45,9) y puede construirse un altar (Ex 20,24); de ella están hechas las bestias del campo y las aves (Gn 2,19). Hay que hacer notar el modo de hablar algo diverso cuando se hace referencia al hombre: el *ʾādām* ha sido tomado de la *ʾadāmā* (Gn 3,19,23) o ha sido formado del polvo de la *ʾadāmā* (Gn 2,7).

c) En un sentido más amplio, *ʾadāmā* se emplea en general para designar el suelo sobre el que se está (Ex 3,5; 8,17), que puede resquebrajarse (Nm 16,30s), que lleva los reptiles sobre sí (Gn 1,25; 6,20; 7,8; 9,2; Lv 20,25; Ez 38,20; Os 2,20).

d) En un sentido todavía más universal, *ʾadāmā* significa simplemente «tierra», generalmente en el sentido de «tierra habitada» (cf. «razas de la tierra», Gn 12,3; 28,14; Am 3,2), de la cual uno puede ser extirpado, etc. (*šmd* hifil: Dt 6,15; 1 Re 13,34; Am 9,8).

Las construcciones derivadas de este empleo recuerdan el significado indicado en *c)* «tierra, suelo» o también «superficie de la tierra»: *ʿal hāʾadāmā,* «sobre la tierra», Gn 8,13; *ʿal pᵉnē hāʾadāmā,* «sobre la tierra», Gn 6,1.7; 7,4.23; 8,8; Ex 32, 12; 33,16; Nm 12,3; Dt 6,5; 7,6; 14,2; 1 Sm 20,15; 2 Sm 14,7; 1 Re 13,34; Is 23,17; Jr 25,26; 28,16; Ez 38,20; Am 9, 8; Sof 1,2s.

4. Sobre el empleo teológico de este vocablo hay que señalar, además de algunas formas especiales como *ʾadamat (haq)qōdæš,* «tierra santa» (Ex 3,5; Zac 2,16), *ʾadmat Yhwh,* «tierra de Yahvé» (Is 14,2) y de la maldición divina de la *ʾadāmā* (Gn 3,17; cf. 5,29; 8,21), que da razón de la fatiga del cultivo de la tierra (Gn 3,17ss; 5,29), especialmente la fórmula fundamentalmente deuteronómico-deuteronomística de la *ʾadāmā* que Yahvé prometió a los padres y dará, o ha dado, a Israel (Ex 20,12; Nm 11,12; 32,11; Dt 4,10.40; 5,16; 7,13; 11,9.21; 12.1.19; 21,1; 25, 15; 26,15; 28,11; 30,20; 31,20 [cf. 30, 18; 31,13; 32,47]; 1 Re 8,34.40 = 2 Cr 6,25.31; 1 Re 9,7; 14,15; 2 Re 21,8; 2 Cr 7,20; 33,8). A ella corresponde la otra fórmula de la maldición de ser extirpado de la *ʾadāmā* (Dt 28, 21.63; Jos 23,13.15; 1 Re 9,7; 13,34 y otros). De la *ʾadāmā* marcharán al exilio Israel y Judá (2 Re 17,23; 25, 21 = Jr 52,27) y a ella volverán (Is 14, 1s; Jr 16,15; 23,8; Ez 28,25; cf. Am 9, 15 y *passim).*

No se puede determinar una diferencia de contenido entre el uso de *ʾadāmā* y el de su correspondiente →*ʾæræṣ* (4c).

J. Plöger, *Literarkritische, formgeschichtliche und stilkritische Untersuchungen zum Dtn* (1967) 121-129, ha probado que la observación de G. Minette de Tillese, VT 12 (1962) 53, nota 1, según la cual el Deuteronomista y las secciones «vosotros» del Dt prefieren en general el empleo de *ʾæræṣ* en el sentido de «tierra prometida» y las secciones «tú», por el contrario, prefieren *ʾadāmā* en un sentido mucho más general, no resiste un análisis detallado (un repaso del material de la obra histórica deuteronomística nos llevaría en la misma dirección); ha probado además que —al menos en el Dt— la elección de vocablos depende del empleo de diversas composiciones fijas de palabras. *ʾadāmā* aparece en Dt en expresiones compuestas *pᵉrī haʾadāmā,* «fruto de la tierra», *ḥayyīm ʿal-hāʾadāmā,* «los que viven en la tierra» y *ʾrk* hifil *yāmīm ʿal-hāʾadāmā,* «vivir largamente en la tierra» (sobre composiciones fijas de palabras con el término *ʾæræṣ,* cf. Plöger, *loc. cit.).* En la literatura posdeuteronómica desaparece esta diferenciación.

Mientras el empleo de *ʾæræṣ* en estos contextos se refiere a la tierra como entidad geográfica, y en ocasiones también política, hay en el uso de *ʾadāmā* reminiscencias de expresiones antiguas: a los nómadas se les había prometido originalmente no un «país» determinado con sus límites geográficos y políticos bien precisos, sino la posesión de una «tierra de cultivo». La tendencia del AT a unir diversos temas muestra que, al menos desde el yahvista, la promesa general de sedentarización se ha identificado con la promesa concreta de la posesión del país de Canaán. Al mismo campo de ideas pertenece la designación *ʾadmat Yiśrāʾēl,* que aparece sólo en Ezequiel, 17 ×, y que califica a Israel no política, sino teológicamente (cf. Rost, KC 78s; Zimmerli, BK XIII, 147.168s); cf. también *ʾadmat Yehūdā,* en Is 19,17.

También son muy antiguas las expresiones que determinan *ʾadāmā* con un pronombre posesivo y que con la forma «mi/tu/su tierra» se acercan al significado de «patria» (Gn 28,15; Am 7,11.17; Jon 4,2; Dn 11,9; cf. Sal 137, 4: «tierra extranjera»).

5. Los pocos casos en que el vocablo aparece en Qumrán se acoplan al sentido del AT. El griego del NT no establece entre *ʾadāmā* y *ʾæræṣ* mayor distinción que la traducción de los LXX. Ambos términos son traducidos por γῆ. Cf. H. Sasse, art. γῆ: ThW I, 676-680, que pasa por alto varios aspectos importantes.

H. H. Schmid

אהב *ʾhb* Amar

I. La raíz *ʾhb* se ha extendido sólo en cananeo (en acádico, su correspondiente es *râmum [rʾm];* en arameo, *ḥbb* y *rḥm;* en árabe, *ḥbb* y *wdd).*

En ugarítico (UT N. 105; WUS N. 103; A. van Selms, *Marriage and Familiy Life in Ugaritic Literature* [1954] 47.67), el verbo *yuhb* aparece en 67 (= I, AB), V 18, empleado eufemísticamente con *Bʿl* como sujeto y *ʿglt,* «ternera», como objeto; el sustantivo *ʾhbt,* «amor», aparece en 51 (= II, AB), IV, 39, y *ʿnt* III, 4 (= V, AB,C4) paralelo a *yd,* «amor» (raíz *ydd).* La palabra *lihbt* en 1002,46 (= MF V, 46) es incierta.

J. G. Février, RHR 141 (1952) 19ss, supone que en una inscripción neopúnica de Cherchel (Argelia) (NP 130 = NE 438d = Cooke N. 56) se encuentra el participio pual femenino *mhbt,* «querida»; pero según J. T. Milik, Bibl 38 (1957) 254, nota 2, este término debería derivarse más bien de *ḥbb (ḥ > h).*

El arameo *ʾhbth* de CIS II, 150 (= Cowley 75,3, *Papyrusfragment aus Elephantine)* es muy incierto (cf. DISO 6).

Partiendo de una supuesta raíz (onomatopéyica) bilítera, ampliada por una ʾ, *hb,* «soplar, respirar profundamente, exigir» (cf. el árabe *habba).* D. W. Thomas. *The root ʾāhēb ʿloveʾ in Hebrew:* ZAW 57 (1939) 57-64 (siguiendo a Schultens, Wünsche y Schwally), pone este verbo en relación con raíces semejantes *(šʾp, nḥm, nšm,* etc.), que unen la idea del respiro con la de emotividad (lo mismo Wolff, BK XIV/1,42). De todos modos no se pueden deducir conclusiones exegéticas de esta etimología (Thomas, *loc. cit.,* 64).

No se puede admitir la opinión que pretende relacionar etimológicamente nuestra voz con el término *ʾahabā* II, «piel» (cf. Driver, CML 133, nota 2; HAL 18a), sugerida para Cant 3,10 (y menos probablemente también para Os 11,4) (en contra de H. Hirschberger, VT 11 [1961] 373s).

Entre los *derivados* se emplean *ʾōhēb* (participio y sustantivo «amigo») y *ʾahabā* (infinitivo y nombre verbal, «amor»); más raros son los nombres de acción o formas abstractas *ʾahābīm,* «amores» (Os 8,9, cf. Rudolph, KAT XIII/1, 159), «amabilidad» (Prov 5, 19) y *ʾohābīm,* «placeres del amor» (Prov 7,18).

Esta raíz (a diferencia de *ydd, ḥpṣ* e incluso *ḥnn)* no aparece en el AT formando parte de nombres propios; fuera de la Biblia aparece en Elefantina *nʾhbt/nhbt* (participio nifal femenino *amabilis,* Cowley 1,4; 22,91.96.107) y en un sello hebreo (Levy 46 = Diringer 217), cf. Noth, IP N. 924.937; J. J. Stamm, *Hebr. Frauennamen:* FS Baumgartner (1967) 325.

II. *Estadística:* De los 251 casos en que la raíz aparece en el AT, 231 corresponden al modo qal (incluidas 65 × *'ōhēb* y 53 × *'ahªbā),* 1 corresponde al nifal, 16 al piel, 2 a *'ªhābīm* y 1 a *'ºhābīm.* El empleo más frecuente del verbo se da en Sal (41 ×), Prov (32 ×), Dt (23 ×), Os (19 ×), Cant (18 ×) y Gn (15 ×). Los casos de piel se concentran en Jr/Ez/Os; los de *'ōhēb,* en Sal y Prov (17 × en cada uno), y los de *'ahªbā,* en Cant (11 ×, incluyendo 3,10) y Dt (9 ×).

Según Gerleman, BK XVIII, 75, de los 30 casos en que el verbo designa el amor erótico, 7 casos corresponden a Cant y 11 casos al yahvista y a la obra narrativa, más o menos contemporánea, de la ascensión de David al trono y de su sucesión.

Llama la atención la ausencia de *'hb* en el libro de Job (aparece sólo en 19, 19); → *rēaᶜ.*

III. 1. *'hb* coincide fundamentalmente con nuestro «amar» en la *extensión del signifcado* y, consiguientemente, en el campo semántico correspondiente (cf., por el contrario, la presencia en griego de στέργειν, ἐρᾶν, φιλεῖν y ἀγαπᾶν). *'hb,* junto con otros verbos de sentimiento como → *ḥpṣ,* «hallar gusto», → *yr',* «temer», y → *śn',* «odiar», pertenece a los pocos verbos que tienen flexión estativa con sentido transitivo (Bergs. II, 76). Se puede hacer una clasificación funcional de los modos de empleo según los tipos de personas o cosas que aparecen como objeto (III/2, amor entre hombre y mujer; III/3, las demás relaciones personales; III/4, relaciones con objetos), donde pueden entrar también las afirmaciones más generales sobre el sustantivo *'ahªbā* sin objeto. Semánticamente, la referencia personal (tanto de «éros» y «filía» como de «agápe») debió de ser primaria y anterior al uso del concepto aplicado al sentimiento hacia cosas, de forma que el amor por cosas o acciones ha de considerarse como empleo traslaticio y metafórico del vocablo (Quell, ThW I, 22).

Con frecuencia se matiza *'hb* por medio de *conceptos paralelos: dbq,* «estar unido» (Gn 34,3 con otras formulaciones paralelas; 1 Re 11,2; Prov 18,24; cf. Eichrodt I, 162; III, 205); → *ḥpṣ,* «gustar, hallar gusto» (1 Sm 18,22; Sal 109,17); *ḥšq,* «sentir cariño por» (→ *dbq)* y → *bḥr,* «elegir» (Dt 10,15; cf. Eichrodt, *loc. cit.;* O. Bächli, *Israel und die Völker* [1962] 134ss). Paralelo de *'ōhēb* es *rēaᶜ,* «compañero, amigo» (Sal 38,12, donde aparece también *qārōb,* «pariente»; 88,19 unido con *mᵉyuddāᶜ,* «amigo íntimo», cf. BHS y Kraus, BK XV, 607 *ad locum).* Junto a *'ahªbā* encontramos, siempre en sentido teológico y referidos al amor a Dios, los términos *yr',* «temer»; *ᶜbd,* «servir»; *lækæt bᵉkol-dᵉrākāw,* «caminar por todos sus caminos» (Dt 10,12; cf. Eichrodt III, 205; ThW I, 27, nota 39), y aplicados al amor de Dios a su pueblo → *ḥæsæd,* «gracia» (Jr 2,2; 31, 2; cf. Sal 37,28) y *ḥæmlā* (→ *rḥm),* «misericordia» (Is 63,9).

Como sinónimos raros de *'hb* se encuentran en el AT los siguientes: *ḥbb,* «amar», el correspondiente de *'hb* en arameo y en árabe (Wagner N. 82a), que aparece en Dt 33,3, texto difícil, que tiene por sujeto a Dios; además, *ᶜgb,* «desear (sensualmente)» (Jr 4,30; Ez 23,5.7.9.12. 16.20; Ez 16,37, texto enmendado, cf. Zimmerli, BK XIII, 339.543) con significado más especial.

La raíz *ydd,* tan extendida en las lenguas semíticas (KBL 363b), aparece sólo en formas nominales *(yādīd,* «amable», Sal 48,2; «amigo, predilecto», Is 5,1.1; Jr 11, 15, texto enmendado; cf. *inf.* IV/2, otros cuatro casos; *yᵉdīdūt,* «predilecto», Jr 12, 7; *šīr yᵉdīdōt,* «canto de amor», Sal 45,1) y en nombres personales (Noth, IP N. 571. 576.577.843).

El verbo *rḥm* piel, «apiadarse», queda ya algo lejos en cuanto al contenido; el caso único que aparece en Sal 18,2, *rḥm* qal, «amar», y que suena a arameo, suele ser normalmente corregido *('ªrōmimkā,* «te elevaré»).

Como sustantivo se debe mencionar *dōd* (61 ×) con múltiples significados, como es lógico en una palabra que tiene probablemente origen en el balbuceo infantil (J. J. Stamm, SVT 7 [1960] 174ss):

a) «querido, amigo» (Is 5,1 y 33 × en Cant junto al femenino *raᶜyā,* «querida»,

→ *rēaʿ*; acádico *dādū,* cf. AHw 149a; CAD D, 20);

b) en plural, «amor, placeres del amor» (9 ×; Ez 16,8; 23,17; Prov 7,18; Cant 1, 2.4; 4,10.10; 5,1; 7,13; acádico *dādū* plural, *love-making,* CAD D, 20a; ugarítico *dd* 51 [= II AB], VI, 12; 77 [= NK], 23; *ʿnt* [= V AB], III, 2.4);

c) «tío» (18 ×; → *ʾāḇ* 3a), un significado especial en el que coinciden el hebreo, el árabe y el arameo (Stamm, *loc. cit.,* 175ss).

El *opuesto* constante de *ʾhb* es → *śnʾ,* «odiar». Ambos verbos aparecen juntos en más de 30 casos (Gn 29,31s; 37,4; Ex 20,5s; Lv 19,17s; Dt 5,9s; 21,15. 16; Jue 14,16; 2 Sm 13,15 transformación del amor en odio; 19,7; Is 61, 8; Ez 16,37; Os 9,15; Am 5,15; Miq 3,2; Zac 8,17; Mal 1,2s; Sal 11,5; 45, 8; 97,10; 109,3s.5; 119,113.127s.163; Prov 1,22; 8,36; 9,8; 12,1; 13,24; 14, 20; 15,17; Ecl 3,8; 9,6; 2 Cr 19,2). Otras contraposiciones ocasionales, por ejemplo, con *śṭn,* «hostilizar», en Sal 109,4, no tienen importancia comparadas con la anterior. Sorprendentemente apenas se emplea estilísticamente el par de palabras opuestas *ʾōhēb* y *ʾōyb,* «enemigo», a pesar de su asonancia, cf. Jue 5,31, y todo lo más, Lam 1,2.

Los *modos derivados* aparecen sólo en forma participial. El nifal *hannæ ʾæhābīm,* «amigos queridos», aparece una sola vez como epíteto de Saúl y Jonatán en la Lamentación de David (2 Sm 1,23, paralelo a *hanneʿīmīm,* «íntimos»); cf. *sup.* I, sobre los nombres propios. El piel sólo aparece en el participio plural *meʾahabīm* con el sentido peyorativo de «amantes, queridos» (Jr 22,20.22; 30,14; Ez 16,33.36.37; 23,5. 9.22; Os 2,7.9.12.14.15; Zac 13,6; Lam 1,19), mientras que para el significado normal de «amigo, amado» se emplea el participio qal. El piel, «requebrar, lisonjear», no es un intensivo, sino el resultativo que resume sucesivas acciones particulares, que no pueden ocurrir simultáneamente; significa «amar (a muchos alternativamente)» (cf. Jenni, HP 158).

El hifil «hacerse simpático» aparece en Eclo 4,7 y en hebreo medio. El pealal *ʾhbhb,* «galantear», sugerido para Os 4,18, es muy inseguro (HAL 17b).

2. La relación amorosa primaria entre los hombres es la que se da entre el *hombre y la mujer* (terminológicamente aparece en 2 Sm 1,26, *ʾahabat nāšīm,* «amor de mujeres», como punto de comparación para el amor de amistad): Isaac-Rebeca (Gn 24,67), Jacob-Raquel (29,18.20.30.32), Siquén-Dina (34,3), Sansón y la filistea (Jue 14,16), Sansón - Dalila (16,4.15), Elcaná - Ana (1 Sm 1,5), David-Mikal (18,20.28; cf. Gerleman, BK XVIII, 73: únicos pasajes, fuera de Cant, en que una mujer aparece como sujeto), Amnón-Tamar (2 Sm 13,1.4.15), Salomón-mujeres extranjeras (el autor trata de descualificarlas teológicamente, cf. Quell, ThW I, 23, nota 20) junto a la hija del faraón (1 Re 11,1.2), Roboán-Maaká (2 Cr 11,21; sobre la «administración del harén», cf. Rudolph, HAT 21, 233), Asuero-Ester (Est 2,17). Sobre el caso especial de Oseas (Os 3,1), cf. Wolff, BK XIV/1, 75, y Rudolph, KAT XIII/ 1, 89. Los casos citados entienden claramente el amor en sentido sexual.

El amor es un elemento constitutivo de la familia sólo en grado limitado; así aparece, entre otras, en las frases comparativas siguientes: Gn 29,30 (con *min);* 1 Sm 1,5 (*ʾhb,* «preferir»); 2 Cr 11,21 y Est 2, 17 (superlativo). La ley de la herencia en Dt 21,15-17 cuenta precisamente con la presencia de una mujer querida (*ʾahūbā)* y otra postergada (→ *śnʾ).*

A lo anterior se une lo que la *lírica hebrea* (y la literatura sapiencial) tiene que decir sobre el amor (cf. especialmente Gerleman, BK XVIII, 72-75). Las afirmaciones indican la fuerza atractiva del amado (Cant 1,3.4), que en Cant generalmente es llamado *dōdī,* «mi amado», aunque para variar aparece también en fórmulas poéticas como «aquel a quien ama mi alma» (1,7; 3, 1-4). En 7,7 probablemente hay que leer *ʾahūbā,* «amada», en lugar de *ʾahabā (abstractum pro concreto,* cf. Gerleman, 201). En 2,4, el sustantivo *ʾahabā,* «amor», se encuentra curiosamente colocado como letrero que indica el nombre de una bodega; por eso los traductores en general ponen esa palabra entre comillas (Rudolph, KAT XVII/2, 130s; Gerleman, 117s); en 2,5 y 5,8 la muchacha está «enferma de amor» (sobre la enfermedad de amor, cf. 2 Sm 13,2 y Rudolph, 131, nota 4; Gerleman, 119); según 2,7 (= 3,5) y 8,4, el amor no debe ser despertado ni molestado antes de tiempo. Los restantes pasajes en que aparece la palabra *ʾahᵃbā* contienen afirmaciones generales, pero sin llegar a hipostasiar el amor: éste es fuerte como la muerte (8,6), grandes aguas no pueden apagarlo (8,7), no se puede medir (8,7).

En la comparación «mejor que el vino» (Cant 1,2.4; 4,10) y en las demás expresiones referentes al goce (embriagador) del amor (Cant 5,1; 7,13; Prov 5,19b, texto enmendado; 7,18), se usa *dōdīm,* y en los dos pasajes de Prov anteriormente citados, *dōdīm* tiene por paralelo a *ʾahᵃbā* o *ʾᵒhābīm.*

En la literatura sapiencial se usa todavía la raíz *ʾhb* en sentido erótico para designar al amado: así, en Prov 5,19a (*ʾayyælæt ʾahᵃbā,* «cierva amada») y en Ecl 9,9 (*ʾiššā ʾᵃšær ʾāhabtā)* referido a la esposa (Hertzberg, KAT XVII/4, 172).

Sobre Cant 3,10, cf. *sup.* I, cuando se habla de *ʾahᵃbā* II, «piel (?)».

Esta descripción del amor y de la sexualidad totalmente natural y despreocupada no trata de sublimar el amor espiritual e intelectualmente ni juzgarlo moralmente para reprimirlo psicológicamente; precisamente por eso se le despoja de su carácter numinoso y queda separado del aspecto mítico que lo sexual tiene en el ambiente religioso que rodea a Israel. El Cant desempeña un gran papel en la lucha contra la religión erótico-orgiástica de Baal (cf. von Rad I, 36: «Israel no ha tomado parte en la 'divinización' de lo sexual»).

3. Entre las demás *relaciones personales* debe mencionarse primeramente el amor entre *padres e hijos,* aunque se habla raramente de él en la literatura narrativa (en casos especiales como el del hijo único, el de las preferencias, por ejemplo, por el hijo menor): Abrahán-Isaac (Gn 22,2), Isaac-Esaú y Rebeca-Jacob (25,28), Israel-José (37,3.4 comparativamente en sentido de preferir), Jacob-Benjamín (44, 20). La extranjera Rut ama a su suegra Noemí (Rut 4,15). El caso normal se esconde tras la paradoja de Prov 13,24 («el que ama a su hijo, lo castiga»). Por lo demás, cf. más bien → *rḥm.*

También el *señor y el siervo* pueden estar unidos con lazos de amor, así en el Código de la Alianza, Ex 21,15 (incluidos mujer e hijos) y en la ley deuteronómica Dt 15,16; cf. además el ciclo narrativo de Saúl y David (1 Sm 16, 21); entran también en este capítulo las simpatías del pueblo hacia David (18,16.22).

Un caso especial del empleo de *ʾhb* es la *relación de amistad* entre Jonatán y David. El alma de Jonatán está unida *(yšr)* al alma de David (1 Sm 18,1), ama a David *kᵉnafšō,* «como a su vida» (18,1.3; 20,17; contra la interpretación que ve aquí una perversión, cf. M. A. Cohen, HUCA 36 [1965] 83s), presta juramento a David «por su amor» (20,17), mientras que David, por su parte, reconoce en su Lamentación: «tu amor era para mí más maravilloso (Hertzberg, ATD 10, 189) que el amor de una mujer» (2 Sm 1,26, cf. v. 23).

Cuando aquí se dice que la amistad ha llevado a concluir un tratado (cf. sobre esto Quell, ThW II, 112s; → *bᵉrit),* no se prescinde de su base emocional. Pero en casos como éste se comprende cómo el vocablo «amar», usado en contextos político-jurídicos, puede llegar a significar la lealtad propia de los contrayentes de un pacto; W. L. Moran, CBQ 25 [1963] 82, nota 33, y Th. C. Vriezen, ThZ 22 [1966] 4-7, llaman la atención sobre el paralelismo con los pactos de vasallaje de Asaradón: «(jurad) que amaréis a Asurbanipal como a vuestras propias almas *(kī napšātkunu)*», donde se emplea el verbo *râmu,* «amar» (D. J. Wiseman, *The Vassal-*

Treaties of Esarhaddon [= Iraq 20/1], [1958] 49, vol. IV, 268). Cf. *inf.* IV/3.

El verbo *ʾhb* aparece claramente trasladado al área de las *relaciones políticas* internacionales en 1 Re 5,15, donde se presenta al rey de Tiro, Jirán, como *ʾōhēb,* aliado amigo, de David (Moran, *loc. cit.*, 78-81, con empleos semejantes tomados de las cartas de Amarna; Noth BK IX, 89). También en 1 Sm 18,16 y especialmente en 2 Sm 19,7 posee *ʾōhēb,* según Moran, el sentido político de lealtad del vasallo hacia el rey. También el reproche del profeta en 2 Cr 19,2, que acusa a Josafat de «haber entablado amistad con gentes que odian a Dios» (se refiere a Ajab y al reino del Norte), tiene un contexto político-religioso. Referida a personas descritas negativamente, la expresión «todos tus/sus enemigos» tiene un matiz valorativo; así, por ejemplo, referida a Pasjur (Jr 20,4.6) y Jamán (Est 5,10.14; 6,13).

Queda por tratar todavía el empleo de *ʾhb* para describir las relaciones humanas, que se puede encontrar en las afirmaciones generales de los *Salmos* y la *literatura sapiencial.* El salmista se lamenta del deterioro de la situación normal: sus amigos se apartan de él (Sal 38,13; semejante, Job 19,19), Yahvé los ha alejado (88,19), su amor es pagado con enemistad y odio (109, 4.5). Los Proverbios presuponen el «amor» y la «amistad» como elementos conocidos y factores positivos en el orden de valores. Junto a observaciones particulares (Prov 14,20, el rico tiene muchos amigos; 9,8, el sabio ama al que corrige, semejante en 27,5.6; 16,13, el rey ama a quien habla con rectitud), encontramos también afirmaciones de principios: el (verdadero) amigo ama en todo momento (17,17), muchas veces el amigo está más unido incluso que el hermano (→ *dbq)* (18,24). Afirmaciones generales sobre el amor se encuentran en 10,12 (el amor oculta los fallos, semejante en 17,9) y el proverbio de 15,17 («más vale un plato de legumbres con amor que un buey cebado con odio»). Donde más se desarrolla esta abstracción es en los merismos del Qohelet: el amor y el odio tienen su tiempo (Ecl 3,8), los hombres no reconocen ni el amor ni el odio (9, 1), el amor y el odio están presentes desde hace tiempo (9,6).

Sobre el amor al prójimo, al extranjero y a sí mismo, cf. *inf.* IV/1.

4. Cuando *ʾhb* se aplica a la *relación con cosas, situaciones y acciones,* uso derivado del de la relación personal, se destaca el aspecto oportunista y unilateral y se descuida el aspecto de la reciprocidad; no se personifica el objeto (sobre el amor a la sabiduría y la correspondencia de ésta, cf. *inf.* IV/3). El verbo *ʾhb* es más fuerte que → *ḥpṣ* y → *rṣh,* «hallar gusto, placer», y tiene un matiz pasional que estos últimos no tienen. Junto a cosas neutras (por ejemplo, 2 Cr 26,10: Ozías amaba la agricultura) o positivas (por ejemplo, Zac 8,19: la verdad y la paz), las acusaciones se refieren también a objetos y acciones reprochables (por ejemplo, Is 1, 23: el soborno; Os 12,8: el engaño).

He aquí otros pasajes donde se emplea el término sin valor teológico: Gn 27,4.9. 14 (plato gustoso), Is 56,10 (dormir); 57,8 (bodas); Jr 5,31; 14,10; Am 4,5 *(kēn,* «así»); Os 3,1 (pastel de uva); 4,18 (vergüenza); 9,1 (precio de la prostitución); 10,1 (trilla); Am 5,15 (bondad); Miq 3,2 (maldad); 6,8 (→ *ḥæsæd);* Zac 8,17 (juramento falso); Sal 4,3 (lo inútil); 11,5 (crimen); 34,13 (días buenos); 45,8 (justicia); 52,5 (el mal más que el bien). 6 (palabras dañinas); 109,17 (maldición); Prov 1,22 (ingenuidad); 12,1 (educación, conocimiento); 15,12 (reprensión); 17,19 (riña, crimen); 18,21 (lengua); 19,8 (su vida); 20, 13 (dormir). 17 (diversión); 21,17 (vino); Ecl 5,9 (dinero, riqueza).

IV. Trataremos las afirmaciones teológicamente relevantes en que está presente *ʾhb* en los tres apartados siguientes: 1) amor al prójimo (al extranjero y a uno mismo), 2) amor de Dios a los hombres y 3) amor de los hombres a Dios.

1. La afirmación de Lv 19,18, «*amarás a tu prójimo* como a ti mismo» (J. Fichtner, WuD N. F. 4 [1955] 23-52 = *Gottes Weisheit* [1965] 88-114, en especial 102ss), que aparece citada tantas veces en el NT (Mt 5,43; 19,19; 22,39; Mc 12,31; Lc 10,27; Rom 13,9; Gál 5,14; Sant 2,8), aparece exclusivamente en este pasaje. La Ley de Santidad llega a esta exigencia de amor, que sobrepasa con mucho las regulaciones legales externas, transformando toda una serie antigua de leyes negativas referentes al comportamiento legal del israelita en leyes positivas generalizadas e interiorizadas por medio de la parénesis (cf. Lv 19,17: «no odiarás a tu hermano en tu corazón»). Pero este mandato, a diferencia de lo que ocurre en el NT, queda limitado a los «compatriotas» (→ *rēaᶜ*) y no abarca todavía, como mandato principal, toda la ética del comportamiento interpersonal, como sucede ya en la primera parte del doble mandamiento del amor (Dt 6,5) para con Dios.

Una adición de Lv 19,34: «el forastero *(gēr,* → *gūr)* que reside entre vosotros será para vosotros como el indígena y lo amarás como a ti mismo», incluye dentro de la ley también al residente forastero acogido en el país (Elliger, HAT 4, 259), pero descarta implícitamente al extranjero *(nokrī,* → *nkr),* para quien se aplican otras medidas. También en Dt 10,19: «amaréis al forastero» se exige el amor al forastero, y esta exigencia aparece aquí en conexión con la exigencia israelita antigua de la compasión por las personas débiles (cf. la formulación negativa en Ex 22,20ss) (v. 18: huérfanos, viudas, forasteros; → *rḥm).* El amor al prójimo o al forastero no aparece en ningún texto como simple expresión ética (Pedersen, *Israel* I-II, 309; distinto Th. C. Vriezen, *Rubers Auslegung des Liebesgebots:* ThZ 22 [1966] 8s), sino que está siempre motivado teológicamente en el amor de Dios al pueblo o al forastero, y se basa, como el resto de los mandatos de Yahvé, en la relación de alianza (Lv 19,18b sigue a «yo soy Yahvé», → *ʾanī;* Ex 22,20b; Lv 19,34b y Dt 10,19b recuerdan el tiempo en que el mismo Israel fue forastero en Egipto). Esto está confirmado por los paralelos del lenguaje político-jurídico del ambiente del Oriente antiguo (cf. *sup.* III/3), los cuales muestran, además, que se presupone el amor a sí mismo (Lv 19,18.34, *kāmōkā,* «como a ti mismo»; cf. también 1 Sm 18,1.3; 20,17: «como a su propia vida»; Dt 13,7: «como a tu vida») como algo normal (H. van Oyen, *Ethik des AT* [1967] 101s) y no como una tentación peligrosa que haya que combatir con la negación de uno mismo (así, F. Maass, *Die Selbstliebe nach Lev 19,18:* FS Baumgärtel [1959] 109-113).

Los textos a que se suele apelar para defender el amor a los enemigos (Ex 23,4s y Prov 25,21) no emplean el verbo *ʾhb.*

2. En este apartado hablaremos del *amor de Dios* teniendo en cuenta sólo los textos que emplean el verbo *ʾhb* (sobre el tema general del amor de Dios, cf., por ejemplo, Eichrodt I, 162-168; Jacob 86-90; J. Deák, *Die Gottesliebe in den alten semitischen Religionen* [1914]; J. Ziegler, *Die Liebe Gottes bei den Propheten* [1930]; → *ḥæsæd,* → *qnʾ,* → *rḥm).*

Que Yahvé ama a su pueblo Israel es una afirmación relativamente tardía. Se encuentra por primera vez en una tradición recogida en Oseas, el Deuteronomio y Jeremías (von Rad, *Gottesvolk,* 78-83; Alt, KS II, 272) y precisamente en pasajes que, desarrollando el tema de la fe en la elección, se preguntan por el motivo de esa elección (H. Breit, *Die Predigt des Deuteronomisten* [1933] 113ss; H. Wildberger, *Yahwes Eigentumsvolk* [1960] 110ss; O. Bächli, *Israel und die Völker* [1962] 134ss). El motivo está en el amor de Dios, en su decisión soberana que no puede fallar.

Oseas (F. Buck, *Die Liebe Gottes beim Propheten Osee* [1953]) emplea la metáfora del amor paterno (11,1:

«cuando Israel era aún joven, yo lo amé»; v. 4: «con lazos de amor») y del amor conyugal (3,1: «ama a una mujer amante de otro y adúltera, como ama Yahvé a los israelitas»), pero también usa *'hb* en un sentido general (9, 15: «ya no los amaré más»; 14,5: «los querré sin que lo merezcan [*nedābā*]»).

En Dt, junto a *'hb,* aparece también el verbo *ḥšq,* «tomar cariño a alguien, enamorarse de», ambos muy vecinos a → *bḥr,* «elegir» (4,37: «porque él amó a vuestros padres y eligió a su descendencia»; 7,7s: «no porque seáis más numerosos que los demás pueblos se ha enamorado [*ḥšq*] Yahvé de vosotros y os ha elegido..., sino que por puro amor...»; 7,13; 10,15: «pero sólo de vuestros padres se ha enamorado Yahvé [*ḥšq*], pues él los amaba y os ha escogido a vosotros, su descendencia»; 23,6). En Jr 31,3 («con amor eterno te amé, por eso prolongué mi lealtad»), el concepto → *ḥæsæd* aparece como paralelo de *'ahabā,* «señal de que para Jeremías ambos temas tradicionales, la elección y la alianza, comienzan a confluir» (Wildberger, *loc. cit.,* 112).

1 Re 10,9 (= 2 Cr 2,10 = 9,8); Is 43,4; 63,9; Sof 3,17; Mal 1,2 deben ser considerados como productos tardíos de esas tradiciones.

Si *'hb,* aplicado al amor de Dios por su pueblo, se emplea en un marco relativamente reducido, con más razón ocurrirá lo mismo cuando el objeto del amor son personas particulares. Si prescindimos de Sal 47,5 («el orgullo de Jacob a quien ama»), donde ni el sujeto ni el objeto están determinados con claridad, y de las afirmaciones que afectan a categorías enteras (el forastero, Dt 10,18, cf. *sup.* IV/1; Sal 97, 10, texto enmendado, «los que odian el mal»; 146,8: los justos; Prov 3,12: «Yahvé reprende a los que ama»; 15,9: «el que busca la justicia»; 22,11: «el que tiene corazón puro»), sólo de dos reyes se dice que son objeto del amor de Yahvé: Salomón (2 Sm 12,24, probablemente en conexión con el nombre *Yedīdeyā,* «querido de Yahvé», de v. 25; cf. Noth, IP 149; Neh 13,26: «siendo amado de su Dios» [*'āhūb*]) y Ciro (Is 48,14: «él, a quien Yahvé ama»). Debemos suponer que resuena aquí la ideología real del antiguo Oriente (Quell, ThW I, 29), cf. el acádico *narāmu/rīmu,* «querido», como epíteto del rey (Seux 189ss.251) y en los nombres propios (por ejemplo, Naram-Sin, Rim-Sin); sobre el egipcio, cf. H. Ranke, *Die äg. Personennamen* II [1952] 226.

Puede también derivar del Oriente antiguo el empleo de *'hb* en relación a cosas y situaciones (cf. III/4): Yahvé ama la justicia y el derecho (Is 61,8; Sal 11,7; 33,5; 37,28; 99,4; *mišpāṭ,* → *špṭ; ṣedāqā,* → *ṣdq;* cf. los paralelos en las inscripciones reales acádicas de Seux 236s). A partir de la teología deuteronómica de la elección se han formado expresiones sobre el amor de Dios a su santuario en Sión (Mal 2,11; Sal 78,68 paralelo a *bḥr,* cf. 132,12; también 87,2, «más que todas las moradas de Jacob», es comparativo y contiene la idea de la elección).

Se deben mencionar también en este contexto las afirmaciones que emplean el término *yādīd* (Dt 33,12: «Benjamín es el favorito de Yahvé»; Sal 60,7 = 108,7: «tus predilectos»; 127,2: «su predilecto»); sobre *ḥbb,* cf. *sup.* III/1.

3. Las afirmaciones del AT sobre el *amor a Dios* son más recientes aún que las del amor de Dios; estas afirmaciones vuelven a concentrarse en la teología deuteronómica (Bibliografía: G. Winter, *Die Liebe zu Gott im AT:* ZAW 9 [1889] 211-246; H. Breit, *loc. cit.,* 156-165, C. Wiéner, *Recherches sur l'amour pour Dieu dans l'AT* [1957]; Eichrodt II/III, 200-207; J. Coppens, *La doctrine biblique sur l'amour de Dieu et du prochain:* ALBO IV/16 [1964]).

Hay que distinguir entre empleo indicativo y el imperativo del vocablo. El empleo afirmativo de *'ōhēb* (la mayoría de las veces en plural) en el sentido de «partidario» (cf. *sup.* III/3), en contraposición a «el que odia» (→ *śn'*) y «enemigo» (→ *'ōyēb*), puede tener su origen en algunas fórmulas cúltico-litúrgicas (N. Lohfink, *Das Hauptgebot* [1963] 78). Se trata de la fórmula «con aquellos que me aman» de Ex 20,6 y Dt 5,10, probable añadido deuteronómico al decálogo, de difícil datación (semejante también Dt 7,9 y más tarde, sin contraposición, Dn 9,4 y Neh 1,5; sobre la fórmula completa, cf. J. Scharbert, Bibl 38 [1957] 130-150), de la conclusión del cántico de Débora en Jue 5,31, también de difícil datación (cf. A. Weiser, ZAW 71 [1959] 94) y de Sal 145,20. En Is 41,8, *'ōhᵃbī,* «el que me ama», se refiere a Abrahán (y, dependiente de este texto, 2 Cr 20,7; Sant 2,23; cf. también ¹a sura 4,125 [124]: «Dios tomó a Abrahán como amigo *[ḫalīl]).* Jr 2,2: «el amor de tu noviazgo», el texto más antiguo datable con seguridad, depende de la ideología de Oseas (Rudolph, HAT 12,14s).

La exigencia de amar a Dios se inserta en la parénesis deuteronómica y se dirige a todo el pueblo (Dt 6,5; 10, 12; 11,1.13.22; 13,4; 19,9; 30,6.16.20; y, dependientes de éstos, Jos 22,5; 23, 11; 1 Re 3,3: la exigencia cumplida por Salomón). *'hb* no está aquí determinado por la imagen del matrimonio ni por la de la relación padre-hijo y, por lo mismo, no hay aquí influencia de Oseas. El amor es objeto de un mandato (aparte de aquí aparece sólo en la amonestación didáctica del salmo de acción de gracias [31,24]); forma parte de una serie en la que aparecen → *yr'*, «temer» (R. Sander, *Furcht und Liebe im palästinischen Judentum* [1935]), → *'bd,* «servir», y verbos semejantes que se refieren a la relación con Yahvé (N. Lohfink, *loc. cit.,* 73ss, listas 303s; cf. también → *dbq,* «adherirse», en Dt 11,22; 13,5; 30,20; Jos 22,5; 23,12); se concretiza como el amor humano que responde al amor de Dios con fidelidad y obediencia dentro de la alianza de Yahvé. Todos estos textos sugieren, según W. L. Moran, *The Ancient Near Eastern Background of the Love of God in Deuteronomy:* CBQ 25 [1963] 77-87, un origen del uso deuteronómico en la terminología diplomática del antiguo Oriente (cf. *sup.* III/3; ejemplos de las cartas de Amarna). *'hb* significa según eso «obrar con perfecta lealtad con respecto al *partner* de la alianza» y pertenece, en este caso con un claro matiz religioso, al campo semántico de los tratados. El añadido «con todo el corazón, con toda el alma y con todas tus fuerzas» de Dt 6,5 (fórmulas semejantes también en 10, 12; 11,13: tras *'bd,* «servir») y la expresión sobre la circuncisión del corazón (30,6) muestran la tendencia (e incluso la necesidad) de reforzar e interiorizar un vocablo que corría el peligro de desgastarse con el uso.

El amor a Dios como sentimiento religioso subjetivo apenas aparece en el AT, lo cual no es de extrañar, ya que falta una religiosidad mística. Son inciertos desde el punto de vista textual los pasajes de Sal 18,2: «yo te amo, Yahvé, mi fuerza» con *rḥm* qal (Kraus, BK XV, 138; cf. *sup.* III/1) y 116,1: «yo amo, pues Yahvé escucha» con *'hb* (Kraus, *loc. cit.,* 793). El texto más relevante en este contexto es 73,25: «cuando te tengo, ya no deseo nada en la tierra» con → *ḥpṣ,* pero no se refiere directamente a Yahvé.

Como es natural, dada esta limitación del empleo de *'hb* con Yahvé como objeto, la piedad de los salmos prefiere los circunloquios (cf. *sup.* III/4). Aparecen como objeto: el nombre de Yahvé (→ *šēm)* en Sal 5,12; 69,37; 119,132; también Is 56,6; su salvación en Sal 40,17 = 70,5; su santuario en 26,8; cf. 112,6 e Is 66,10, Jerusalén; también su ley, sus mandatos, etcétera, Sal 119,47s.97.113.119.127.140. 159.163.167.

Un grupo aparte está formado por las frases sobre el amor de la sabiduría y sobre el amor a la sabiduría. Estas frases podrían inferirse en este contexto, pues la sabiduría hipostasiada se acerca muchísimo al mismo Yahvé. Esas fórmulas, a diferencia de las expresiones deuteronómicas, son todas recíprocas: Prov 4,6: «ámala y ella te guardará»; 8,17: «yo amo a quienes me aman»; 8,21: «doy riquezas a quienes me aman»; cf. 8,36: «los que me odian, aman la muerte» (en 29,3: «el que ama la sabiduría es la alegría de su padre», la sabiduría no está personificada; este pasaje pertenece a los casos enumerados en III/4). Los paralelos egipcios, que tratan del amor a Maat y del amor de Maat, el orden del universo instituido por Dios, sugieren que las afirmaciones sobre la sabiduría hipostasiada tienen su origen probablemente en ese ambiente cultural (Ch. Kayatz, *Studien zu Proverbien 1-9* [1966] 98-102; antes lo explicaba de forma distinta G. Boström, *Proverbienstudien* [1935] 156ss; cf. también Prov 7,4: «di a la sabiduría: 'tú eres mi hermana [→ *ᵓāḥ* 3c]', llama a la prudencia parienta tuya, para que te guarde...»).

ᵓhb aparece también, dentro de este mismo contexto, en Jr 2,25: «pues amo a los extranjeros» (bajo la influencia de Oseas; cf. 2,33), y en 8,2: «ante el sol y la luna, que aman y a los que han servido» (con terminología deuteronomística), los dos con divinidades extrañas como objeto.

Os 3,1, *ᵓahūbat rēaᶜ*, «que se deja querer por otros» (Rudolph, KAT XIII/1,84), y el participio plural de *ᵓhb* piel, «amante, querida» (cf. *sup.* III/1), Os 2,7.9.12.14.15, referidos a los Baales, Jr 22,20.22; 30,14; Ez 16,33.36.37; 23,5.9.22; Lam 1.19 (cf. 1,2), referidos a los supuestos amigos políticos (Zac 13,6, sin metáfora), conservan, aun dentro del lenguaje figurado, el significado propio de «amante» y no se deben considerar, relacionándolo con el carácter sincretista de la religión cananea que se oculta tras la imagen, como expresiones cultuales técnicas (contra A. D. Tushingam, JNES 12 [1953] 150ss).

V. El NT está estrechamente ligado al AT por el empleo de los pasajes claves de Lv 19,18 y Dt 6,4s y también del término ἀγάπη, escasamente documentado fuera de los LXX en la época precristiana. Los artículos en los diversos diccionarios, normalmente precedidos de un apartado dedicado al AT, ofrecen visiones generales y bibliografía sobre el tema. Cf., por ejemplo, G. Quell y E. Stauffer, art. ἀγαπάω: ThW I, 2055; W. Zimmerli y N. A. Dahl, RGG IV, 363-367; E. M. Good y G. Johnston, IDB III, 168-178. Citemos entre las grandes monografías la de C. Spicq, *Agapè dans le NT* I-III [1958-1960].

E. Jenni

אֲהָהּ *ᵓahāh* ¡Ah!

1. En las interjecciones puras (simples signos sonoros), como son *ᵓahāh*, «¡ah!», → *hōy*, «¡ay!», etc., no tiene sentido buscar las raíces de las que se derivan (es diverso en casos como *ḥālīlā*, «¡lejos esté!», → *ḥll*). Su sonido y su escritura tienen una cierta fluctuación; por eso las diversas interjecciones individuales deben unirse en grupos atendiendo a su significado, que puede ser idéntico o semejante. En el presente artículo, junto a *ᵓahāh* serán tratados también *hāh* (Ez 20,2) y אָנָּא/אָנָּה (*ᵓānnā*, BL 652), que probablemente ha surgido de la combinación *ᵓāh* + *nā*, «por favor».

2. *ᵓahāh* aparece 15 ×, con especial frecuencia en las narraciones de Eliseo, en Jr y en Ez. *ᵓānnā* está documentado 13 ×.

3. La exclamación espontánea *ᵓahāh*, «ah», como reacción de temor, aparece únicamente en las leyendas populares que recogen motivos de cuentos y fábulas, cosa nada extraña desde el punto de vista estilístico (cf. P. Grebe, *Duden Grammatik der deutschen Gegenwartssprache* [1959] 324): Jue 11,35 (el voto de Jefté); 2 Re 3,10; 6,5.15 (historias de Eliseo). La palabra *ᵓadōnī*, «señor mío», que sigue en 2 Re 6,5.15, debe referirse a la persona a quien se dirige la exclamación (Eliseo) (cf. Jue 11,35, *bittī*, «hija mía») y no a Dios.

ᵓānnā, «¡oh!», como lamentación que introduce una petición dirigida a un superior, aparece únicamente en Gn 50,17, con un empleo no teológico.

4. Los demás pasajes en que *ᵓahāh* aparece pertenecen casi exclusivamente al lenguaje de oración. Con la fórmula

'ahāh 'adōnāy Yhwh, «ah, Señor Yahvé», se introducen en Jos 7,7; Jue 6, 22; Jr 1,6; 4,10; 14,13; 32,17; Ez 4, 14; 9,8; 11,13; 21,5, oraciones de lamentación o petición, acompañadas con frecuencia de un estado emocional intenso que se rebela contra la voluntad de Dios, real o supuesta. F. Baumgärtel ha probado (FS Rudolph [1961] 2,9s. 18s.27) que *'ahāh 'adōnāy Yhwh* es una fórmula fija de gran antigüedad, propia de las oraciones cúlticas de petición.

Wolff, BK XIV/25s, reconoce otra fórmula fija, el grito de angustia ante el anuncio del día de Yahvé, introducida por *hēlīlū,* «gritad», en Ez 30,2: *hāh layyōm,* y Jl 1,15: *'ahāh layyōm,* «ah, qué día» (cf. también Is 13,6; Sof 1,11.14ss).

'ānnā' en 6 × (Ex 32,31; Sal 118,25.25; Dn 9,4; Nah 1,5.11) y *'ānnā* en otras 6 × (2 Re 20,3 = Is 38,3; Jn 1,14; 4,2; Sal 116,4.16) aparecen como introducción o nuevo comienzo de una oración de petición. A la interjección sigue siempre, a excepción de Ex 32,31, invocación de Dios, en Dn 9,4 con *'adōnāy* y en todos los demás casos con *Yhwh.* Correspondiendo a su origen compuesto de una interjección de dolor más la partícula impetratoria *nā',* esta exclamación es al mismo tiempo lamentación y petición.

5. El NT no tiene interjecciones que acompañen a la invocación de Dios (los LXX traducen *'ahāh* por medio de ὦ, ἆ ἆ, οἴμμοι, μηδαμῶς o δέομαι).

E. Jenni

אֹהֶל *'ōhæl* Tienda
→ בַּיִת *bayit* Casa

אוה *'wh* piel Desear

1. *'wh* piel, «desear, codiciar», no posee ningún correspondiente inmediato fuera del hebreo.

En árabe existe un verbo que tiene esta misma secuencia fonética: *'wh ('wy)* (*'awā,* «dirigirse a», cf. Nöldeke, NB 190), y lo mismo en siríaco (*'ewā,* «estar de acuerdo»). J. L. Palache, *Semantic Notes on the Hebrew Lexicon* (1959) 2-5, sugiere como significado base del semítico común el de «adaptarse, estar de acuerdo» (piel estimativo, «considerar apto, bueno» > «desear»); pero semánticamente nuestro término es mucho más cercano a *hwh* III (hebreo *hawwāh,* «capricho, avidez»; árabe *hawiya,* «amar»; *hawan,* «avidez, capricho»).

Los modos verbales usados son el piel y el hitpael (las presuntas formas nifal, «ser hermoso, agradable; convenir», en Is 52,7; Sal 93,5; Cant 1,10 pertenecen probablemente, a pesar de BL 422 y HAL 20a, a la raíz *n'h).* Se dan además tres formas nominales: con la preformativa *ma-* (*ma'awayyīm,* «deseo», sólo en Sal 140,9: «no cumplas los deseos de los impíos») o *ta-* (*ta'awā,* «deseo, codicia») y la derivación que surge duplicando la segunda radical (*'awwā,* «conveniencia»).

2. Los 27 casos en que aparece el verbo (piel 11 ×, hitpael 16 ×, pero cf. BH³ en Nm 34,10) están distribuidos en casi todos los géneros literarios del AT; por lo que respecta al sustantivo *ta'awā* (22 × y además 5 × en la designación geográfica *Qibrōt hatta'awā,* Nm 11,34s; 33,16s; Dt 9,22), podemos observar, por el contrario, que es mucho más frecuente en Salmos y en Proverbios (16 ×, de las cuales, Prov 18,1 y 19,22 son inciertos desde el punto de vista textual). *'awwā* (7 ×) está ciertamente documentado en Dt 12,15. 20.21; 18,6; 1 Sm 23,20; Jr 2,24 (sobre Os 10,10, cf. Comentarios).

3. *'wh* piel y hitpael ofrecen dentro de un campo semántico delimitado todo un espectro de matices: ambas formas verbales designan los deseos, anhelos y apetitos del hombre en toda su gama de intensidad y finalidades. Las necesidades básicas de la vida, incluidas las de carácter instintivo, despiertan el deseo de determinadas cosas: David quiere beber agua (2 Sm 23,15); los israelitas quieren comer carne (Dt

12,20); al huésped le atraen los manjares exquisitos de la mesa (Prov 23,3.6); se ansían días felices y el bien en general (Is 26,9; Am 5,18; Miq 7,1); el esposo desea a la esposa (Sal 45,12). Estos múltiples deseos son vistos como deseos sanos, normales y buenos; el sabio sabe que un deseo cumplido (*ta'awā bā'ā* o *nihyā,* Prov 13,12.19) hace bien.

Los deseos pueden, sin embargo, sobrepasar la justa medida y orientarse hacia objetos malos (Prov 21,10: «el impío codicia las cosas malas»); pueden traer perjuicios para los demás y extraviar la propia suerte (Prov 13,4). Por eso se prohíbe la codicia y el deseo mal orientado o inconveniente (Prov 23,3.6; 24,1; Dt 5,21).

El campo semántico de *'wh* es muy cercano al de → *ḥmd.* W. L. Moran, *The Conclusion of the Decalogue (Ex 20,17 = Dt 5,21):* CBQ 29 [1967] 543ss, propone la siguiente diferencia: *ḥmd* es la apetencia suscitada tras la visión de algo hermoso (sólo en Dn 10,3 aparece en relación con la comida) y *'wh* es la exigencia que surge de una necesidad interna (hambre, sed, etc.; sólo en Gn 3,6 aparece la mediación de la vista).

Compárese además → *š'l,* «exigir» (Dt 14,26), → *qwh* piel, «esperar algo» (Is 26,8), *šḥr* piel, «buscar algo» (Is 26,9), *'ūṣ,* «exigir algo» (Jr 17,16), → *bḥr,* «elegir» (Sal 132,13), que aparecen en paralelo a *'wh;* además de *ksp* qal/nifal, «anhelar»; *'rg,* «ansiar»; el arameo bíblico *ṣbh,* «desear, querer», y los sustantivos *'aræšæt,* «exigencia» (Sal 21,3), *mōrāš,* «deseo» (Job 17,11), *baqqāšā,* «apetencia» (Esd 7,6 y 7 × en Est), *hawwā,* «codicia» (Miq 7, 3; Prov 10,3; 11,6), *miš'ālā,* «apetencia» (Sal 20,6; 37,4).

El nombre *ta'awā* designa, lo mismo que el verbo, el deseo más o menos fuerte sin ningún matiz de valoración (el deseo del justo: Prov 10,24; 11,23; del rey: Sal 21,3; del malo: Sal 10,3; 112,10; del perezoso: Prov 21,25) y —objetivado— designa también lo deseable, lo apetecible: *'ēṣ ta'awā,* «árbol deseable» (Gn 3,6), *ma'akal ta'awā,* «comida selecta» (Job 33,20).

Sobre la explicación del nombre de lugar *Qibrōt hatta'awā,* «sepulcros de placer», en Nm 11,34, cf. Noth, ATD 7, 76.

No se pueden apenas apreciar cambios de significado de las dos raíces verbales piel y hitpael; pero, sin embargo, pueden apreciarse particularidades sintácticas, que comportan consigo importantes consecuencias semánticas. El piel tiene casi siempre por sujeto a *næfæš,* «alma», es decir, se considera el deseo como expresión típica de la fuerza vital, del yo. También el sustantivo *'awwā* (raíz duplicada sin aumento) aparece en compuestos fijos: *kol-'awwat næfæš,* «según el deseo del corazón» (sólo en Jr 2,24 falta *kol;* allí se refiere al celo de la camella; expresiones de sentido general con *'wh* piel: Dt 14, 26; 1 Sm 2,16; 3,21; 1 Re 11,37; hitpael: Ecl 6,2). El hitpael a veces va acompañado de objeto (por lo general, se menciona explícitamente a la persona que hace de sujeto, cf. Dt 5,21; Jr 17,16; Am 5,18; Sal 45,12; Prov 23, 3.6; 24,1), pero tiende claramente al empleo absoluto (con el significado de «codiciar, ser codicioso, ávido»), así en 2 Sm 23,15 (= 1 Cr 11,17) o con objeto interno: *hit'awwā ta'awā,* en Prov 21,26; Nm 11,4; Sal 106,14.

4. En los dos últimos pasajes aparece un uso del término eminentemente teológico: la codicia insaciable como tal se dirige contra Yahvé (tradición del desierto), cf. Sal 78,29s. Por lo demás, no se puede determinar ni para el verbo ni para el nombre un significado específicamente teológico, ni siquiera en Is 26,8s (el devoto suspira por Yahvé); Sal 132,13 (Yahvé tiene el deseo de instalarse en Sión); Job 23, 13 (Dios hace lo que quiere).

5. Partiendo del AT (cf. en especial Nm 11,4.34; Sal 106,14; Sal 78, 29s), el judaísmo y el cristianismo llegaron (en la misma línea están las doctrinas helenísticas) a las afirmaciones sobre la pecaminosidad de la codicia y del afán, cf. 1QS 9,25; 10,19 y 1QS 4,9ss; 5,5 para la secta de Qumrán; las

fuentes rabínicas se encuentran en StrB III, 234ss; sobre el material del NT, F. Büchsel, art. ἐπιθυμία: ThW III, 168-173; RGG VI, 482ss; P. Wilpert, art. *Begierde:* RAC II, 62ss.

E. Gerstenberger

אֱוִיל ʾæwīl Necio

1. Las formas nominales *ʾæwīl,* «necio, estúpido» (sustantivo de la forma **qitīl,* cf. GVG I, 356; BL 471), *ʾæwīlī,* «necio» (adjetivo con el sufijo *-ī* de pertenencia, a no ser que en Zac 11, 15 haya un error gráfico, cf. Delitzsch § 53a) e *ʾiwwǽlæt,* «necedad» (abstracto femenino, cf. BL 477; Nyberg 215), que aparecen sólo en hebreo (los vocablos del árabe meridional moderno que aparecen en Leslau 10 quedan muy lejos), se derivan de la raíz *ʾwl* de etimología discutida (cf. GB 16a y König 7b con Zorell 21a y HAL 21a, que son más moderados), y que no está documentada como verbo.

HAL 21 ofrece, como hipótesis, la siguiente etimología árabe: *ʾwl,* «coagularse, engordar» > «volverse tonto». Se debe comparar también el verbo vecino *yʾl,* «ser necio/actuar como un necio», que está documentado en nifal 4 × (así, KBL 358a). *ʾæwīl* en algunos casos se comporta como adjetivo; GB lo considera adjetivo en 7 ×, Lis y HAL sólo en tres casos, a saber: Jr 4,22; Os 9,7; Prov 29,9; el único caso claro es el de Prov 29,9, donde *ʾæwīl* es atributo de *ʾīš,* «hombre»; cf. Barth, § 29a.

2. El origen etimológico de estos vocablos es todavía inseguro; su significado es, sin embargo, claro. En este sentido es muy indicativa su distribución, por la que aparece claro que los vocablos son en primer lugar términos sapienciales muy antiguos.

Prescindiendo de *ʾæwīlī,* que está documentado sólo en Zac 11,15 (en v. 17 no se puede leer este término, cf. B. Otzen, *Deuterosacharja* [1964] 260), estos vocablos aparecen con mayor frecuencia en el libro de los Proverbios: *ʾæwīl* aparece en Prov 19 de las 26 veces en que es usado en la Biblia (el 70 por 100); *ʾiwwælæt* aparece 23 de las 25 veces en que es empleado en el AT (el 92 por 100). Se encuentra especialmente en las colecciones de proverbios de antigüedad reconocida (cf. Gemser, HAT 16,4s.55ss.93ss; U. Skladny, *Die ältesten Spruchsammlungen in Israel* [1962] 6ss; también H. H. Schmid, *Wesen und Geschichte der Weisheit* [1966] 145ss); concretamente, *ʾæwīl* aparece 13 × e *ʾiwwælæt* 16 × dentro de la segunda colección de proverbios (10,1-22,16), *ʾæwīl* 3 × e *ʾiwwælæt* 4 × dentro de la quinta colección (25-29), es decir, en total 36 × (de un total de 42 × en Prov).

En Ecl no aparece ningún término de este grupo (un total de 52 casos); en Job aparece sólo *ʾæwīl* 2 × (5,2s).

3. El *significado base* del concreto personal *ʾæwīl* es «necio» y el del abstracto *ʾiwwælæt,* «necedad». Para poder fijar el campo semántico de estos términos es importante considerar sus sinónimos y sus opuestos (cf. T. Donald, *The Semantic Field of «Folly» in Proverbs, Job, and Ecclesiastes:* VT 13 [1963] 285-292).

En las secciones más antiguas de Prov *ʾæwīl* es un importante concepto opuesto a *(ʾīš) ḥākām,* el «sabio» (10,8.10.14; 12, 15; 14,3; 17,28; 29,9), a *nābōn,* el «inteligente» (17,28), a *ʿārūm,* el «listo» (12, 16; cf. 15,5). Opuesto a *ḥᵃkam lēb* (10,8; 11,29) aparece *ḥᵃsar lēb,* «deficiente mental» (10,21), pero esta expresión sinónima no aparece en paralelismo a *ʾæwīl* (tampoco otros sinónimos; cf., sin embargo, *pōtæ,* «ingenuo», en Job 5,2, y *bānīm sᵉkālīm,* «hijos ingenuos», en Jr 4,22). Otras palabras de semejante significado son → *kᵉsīl* (éste, que aparece 70 ×, es el sinónimo más importante; sobre la diferencia de significado con respecto a *ʾæwīl,* cf., por ejemplo, Skladny, *loc. cit.,* 52, nota 30), → *nābāl* y *pætī* (→ *pth);* más lejano es *mᵉšuggāʿ,* «loco» (Os 9,7).

ʾiwwælæt aparece varias veces unido a *kᵉsīl* (3 × en la descripción del necio de Prov 26,1-12; además, en 12,23; 13,6; 14, 8.24; 15,2.14; 17,12) y también a *ʾæwīl* (16,22; 27,22), *pᵉtāyīm,* «ingenuos» (14, 18; → *pth), ḥᵉsar lēb,* «tonto» (15,21; cf. 10,21), *qᵉṣar ʾappáyim/rūªḥ,* «colérico» (14,17.29). Paralelo a *ʾiwwælæt* es el término *kelimmā,* «vergüenza» (18,13); el opuesto más importante es *dáʿat,* «conocimiento, saber» (12,23; 13,16; 14,18; 15,2. 14), además *tebūnā,* «opinión» (14,29), *śēkæl,* «entendimiento» (16,22), así como *ḥakmōt* (sic)/*ḥokmā,* «sabiduría» (14,1.8).

Como tipo, el *ʾæwīl* tiene características completamente negativas; es lo «contrario del sabio» en todo (Skladny, *loc. cit.,* 12). Su falta de entendimiento se debe entender en primer lugar como «necedad»; pues en «las puertas de la ciudad» el necio debe callar, la sabiduría le sobrepasa (24,7); su necedad va unida con frecuencia a sus labios/boca, es decir, a sus manifestaciones (poco) inteligentes (17,28; también 10,8.10.14; 14,3; así como 12,23; 15,2.14Q; 18,13). Pero a esto se añaden aspectos morales y sociales: es colérico (12,16; 27,3; 29,9; cf. 14,17.29 y Job 5,2) y belicoso, con lo cual carece de *kābōd,* «honor» (20,3; 29,9, autosuficiente, no escucha, como lo hace el sabio, el *ʿēṣā,* «consejo» (12,15), desprecia la *mūsār,* «corrección» (→ *ysr;* 15,5; también 1,7; 5,23; 7,22 sin cambiar el texto; 14,3; 16,22, cf. *inf.* 4). En el joven, la *ʾiwwælæt* puede corregirse con la «vara de la corrección» (22, 15), pero por lo demás el *ʾæwīl* está indisolublemente ligado a su necedad (27,22).

4. La necedad como actitud lleva consigo, debido a la inseparabilidad entre «necedad» y «necio», una conexión necesaria entre acción y resultado que determina su destino (K. Koch, ZThK 52 [1955] 2ss; G. von Rad, KuD 2 [1956] 68s). Pues la necedad es para el necio su «castigo» (opuesto a «fuente de vida», 16,22; cf. 14,3). Más todavía: los necios mueren por falta de inteligencia (10,21; cf. 19,3; Job 5,2). La necedad acarrea desgracia y lleva a la muerte; en lo religioso descalifica a las personas y se convierte así en equivalente de «impiedad/crimen»; así, también en 5,23, la sección más reciente de Prov, la necedad está unida con la muerte del «criminal» (→ *ršʿ*), y el *ʾæwīl* en 1,7 está negativamente relacionado con el «temor de Yahvé»; pero ya en la sección más antigua (10ss) puede el «justo» ser su opuesto (→ *ṣdq;* 10,21; cf. 14,9), pues también aquí la contraposición «sabio/necio» corresponde a la contraposición «justo/pecador» (Skladny, *loc. cit.,* 7ss; Gemser, HAT 16, y Ringgren, ATD 16, en el comentario a 10ss). En este sentido teológico se puede emplear ocasionalmente *ʾæwīl* en un contexto profético de amenaza contra Israel (Jr 4,22); por el contrario, en Os 9,7 la palabra debe entenderse como una cita irónica tomada del mundo sapiencial tradicional (cf. además Is 19,11; distinto 35,8).

Por lo demás, *ʾiwwælæt* puede emplearse en una confesión de pecados dentro de una lamentación (Sal 38,6; 69,6; cf. *ʾæwīlīm* en el canto de acción de gracias, Sal 107,17, donde de todos modos el texto es dudoso).

5. En los escritos de Qumrán *ʾæwīl* aparece 1 × e *ʾiwwælæt* 5 × (Kuhn, *Konk.* 4b). Los LXX traducen *ʾæwīl* por medio de ocho palabras distintas, sobre todo con ἄφρων (13 ×), *ʾiwwælæt* por medio de otras ocho palabras, sobre todo con ἀφροσύνη (8 ×) y ἄφρων (3 ×) (sobre esto y sobre el concepto neotestamentario de la necedad, cf. G. Bertram, art. μωρός: ThW IV, 837-852; W. Caspari, *Über den bibl. Begriff der Torheit:* NKZ 39 [1928] 668-685; U. Wilckens, *Weisheit und Torheit* [1959]).

M. Sæbø

אוּלַי *ʾūlay* Quizá

1. El adverbio modal *ʾūlay,* «quizá», es analizado generalmente como compuesto de las partículas *ʾō,* «o», y *lō* (disimilado), «no» (o bien *lū,* «ojalá») (GB 16a; HAL 21a); pero la etimología no es decisiva para determinar el valor semántico del término. Más

clara es la expresión hecha *mī yōdē^{a}ʿ*, «¿quién sabe?», en el sentido de «quizá».

En los dialectos semíticos emparentados se emplean diversos términos (en hebreo medio, *šæmmā;* en siríaco, *dalmā, k^{e}bar* y *ṭāk* < griego τάχα; sobre los vocablos acádicos *piqat, minde* [< *mīn īde,* «¿qué sé yo?», AHw 655a], *assurri, insurre,* cf. W. von Soden, *«Vielleicht» im Akkadischen:* OrNS 18 [1949] 385-391).

2. *'ūlay* aparece 45 × en el AT, principalmente en los textos narrativos (de Gn a 2 Re y Job 1,5 30 ×, en la literatura profética, y Lam 3,29 15 ×, no aparece en Sal y en los demás *Ketubim).* En Nm 22,33, *'ūlay* debe corregirse a *lūlē,* «si no».

mī yōdē^{a}ʿ, con el significado de «quizá», aparece 4 × (2 Sm 12,22; Joel 2,14; Jon 3,9; Est 4,14).
Un testimonio extrabíblico de *'ūlay [> 'ūlē]* ha sido conjeturado por W. F. Albright, JAOS 67 [1947] 155, nota 23, en la línea 2 de la inscripción de Ahiram (cf., sin embargo, DISO 13).

3. Más que en contextos pasados y presentes (Job 1,5: «quizá han pecado mis hijos», en perfecto; Gn 43,12; Jos 9,7; 1 Re 18,27 en frases nominales; Gn 18,24 y Lam 3,29 con *yēš;* Gn 18, 28-32, con imperfecto), *'ūlay,* «quizá», aparece preferentemente referido al futuro (Jos 14,12 en frase nominal, 32 × en imperfecto). En las frases negativas de Gn 24,5.39 y de 27,12 se expresa un temor (LXX μήποτε, también en Gn 43,12; 1 Re 18,27; Job 1,5; μή Jos 9,7; en los demás casos, εἰ/ἐάν (πως), ἵνα, ὅπως, ἴσως). Os 8,7 puede clasificarse como concesivo «aunque». Los demás casos expresan una esperanza vacilante o confiada (irónicamente en Is 47,12.12; Jr 51,8; semejante también 1 Re 18,27: «quizá duerme»).

4. En una docena de casos aproximadamente, el factor de incertidumbre que comporta *'ūlay* se aplica a la voluntad de Yahvé (Nm 23,3: «si el Señor me saliera al encuentro»; 23,27: «quizá le guste a Dios»; Jos 14,12: «quizá Yahvé esté conmigo»; 1 Sm 6,5: «quizá retire él de vosotros su pesada mano»; 14,6: «quizá haga Yahvé algo por nosotros»; 2 Sm 16,12: «quizá vea Yahvé mi miseria»; 2 Re 19,4 = Is 37,4: «quizá oiga Yahvé»; Jr 21,2: «quizá nos haga Yahvé un milagro, como él suele hacer»; Am 5,15, cf. *inf.;* Jon 1,6: «quizá tenga consideración de nosotros»; Sof 2,3, cf. *inf.)* al igual que en tres pasajes en que aparece *mī yōdē^{a}ʿ* (2 Sm 12,22: «¿quién sabe?, quizá me haga gracia Yahvé»; Jl 2,14: «¿quién sabe?, quizá se apiade todavía»; Jon 3, 9: «¿quién sabe?, quizá se apiade Dios todavía?»; el cuarto pasaje, Est 4,14: «¿quién sabe si no has subido al trono para esta ocasión?» se refiere a la fuerza irracional del destino). Estas afirmaciones sobre Yahvé no son, sin embargo, expresión de la inseguridad del hombre ante un destino caprichoso, sino expresión de la consciente humildad de quien tiene en cuenta la soberana libertad de Dios. Lo mismo vale para las respetuosas palabras de salvación de Am 5,15: «quizá haga Yahvé entonces... gracia al resto de José», y Sof 2, 3: «quizá os salvaréis el día de la ira de Yahvé» (cf. R. Frey, *Amos und Jesaja* [1963] 53). Wolff, BK XIV/2,59, escribe refiriéndose a Jl 2,14: «El 'quizá' de la esperanza forma parte de la humildad del orante (2 Sm 12,22; Lam 3,29b); en el anuncio del mensajero se subraya que el que ha sido llamado a la conversión cae antes de nada dentro del mensaje de juicio (Am 5,15; Sof 2, 3; Jon 3,9) y que debe aguantarlo. El hecho de que el Dios fiel y misericordioso sea libre también ante su propia ira *('rk 'pym)* fundamenta la esperanza en el 'quizá'».

5. De los pasajes neotestamentarios son ἴσως (Lc 20,13) y τάχα (Rom 5,7; Flp 15), sólo Flp 15 recuerda de lejos la idea de Est 4,14.

E. JENNI

אָוֶן ʾāwæn

Desgracia, calamidad

1. El sustantivo hebreo *ʾāwæn,* «desgracia», derivado generalmente de una raíz **ʾwn,* «ser enérgico, fuerte» (HAL 21b), tiene correspondientes al parecer sólo en el semítico noroccidental.

El término, que aparece sólo en forma nominal, parece haber sido formado en oposición intencional a *ʾōn,* «fuerza generadora, fuerza corporal, riqueza» (HAL 22a); éste es el derivado positivo y aquél un segolado con significado negativo. El derivado *teʾūnīm* (Ez 24,12) es muy dudoso textualmente (cf. Zimmerli, BK XIII, 558). A esa misma raíz pertenecen los nombres propios *ʾōn* (Nm 16,1, texto inseguro), *ʾōnām* y *ʾōnān* (cf. Noth, IP 225), pero no el sustantivo *ʾōnī,* «tristeza» (Gn 35,18; Dt 26,14; Os 9,4; raíz *ʾny,* cf. C. Rabin, «Scripta Hierosolymitana» 8 [1961] 386s).

Entre los correspondientes ugaríticos que se suelen citar, *an* y *un* (WUS N. 292.295; UT N. 238.240) son difíciles tanto por su etimología como por su significado; como más cercano habría que citar *anm* (plural, «fuerza», 49 [= I AB] I, 22). No resulta fácil determinar hasta qué punto el arameo *ʾwyn,* que aparece en KAI N. 222 B, línea 30, junto a *mwt,* «muerte», deba tenerse en cuenta aquí (cf. KAI II, 256; Fitzmyer, *Sef.* 69). También *ʾwn* en Aḥ. 160 (DISO 6) es dudoso.

2. *ʾāwæn* no pertenece al campo narrativo/informativo. Los 80 testimonios del término en el AT (incluido Ez 30,17, donde debe vocalizarse *ʾōn* como nombre geográfico) se hallan, con excepción de un caso (Ez 11,2), en textos poéticos, sean textos cultuales, sapienciales, proféticos o de la literatura poética propiamente tal (Job).

Dos terceras partes de los casos se hallan en Sal (29 ×), Job (15 ×) y Prov (10 ×). Quedan 24 casos distribuidos en los diversos libros proféticos (de ellos 12 × en Is) y otros 2 en Nm 23,21 y 1 Sm 15,23.

Los testimonios más antiguos son 1 Sm 15,23 y Nm 23,21. Los textos de Am 5,5; Os 6,8; 10,8; 12,12; Is 1,13; 10,1; 31,2; Miq 2,1; Hab 1,3 (?); 3,7; Sal 7,15; 28,3; 41,7; 59,3.6; 101,8 son también preexílicos. Los demás casos son probable o ciertamente exílicos o posexílicos.

El sustantivo *ʾōn,* «fuera, riqueza», aparece 10 × (Gn 49,3; Dt 21,17; Is 40,26.29; Os 12,4.9; Sal 78,51; 105, 36; Job 20,10; 40,16).

3. El significado base del concepto coincide en gran parte con su etimología: el poder de la calamidad (S. Mowinckel, *Psalmenstudien* I [1921] 30ss). Su empleo presupone, sin embargo, una comprensión dinámica de la existencia (mentalidad de acción): la desgracia es una potente marcha de los acontecimientos, y la fuerza, cuando toma una configuración negativa, es un acontecimiento desastroso.

a) Un *ʾāwæn* puede ocurrir en diversos tipos de actividad desastrosa: en el campo de los sentimientos (Is 32,6; Sal 55,4.11; 66,18), en el del pensamiento programador (en Is 55,7; 59,7; Jr 4,14; Ez 11,2; Miq 2,1; Sal 36,5; en Prov 6,18 hallamos la unión de *ʾāwæn* con → *ḥšb,* «pensar», y sus derivados), en el del lenguaje (Is 58,9; Sal 10,7; 36,4; Job 22,15; 34,36; Prov 17,4; 19,28), en el de la acción de todo tipo, por ejemplo, cúltico (Is 1,13; Zac 10,2), político (Is 31,2), jurídico (Is 10, 1; 29,20), militar (Sal 56,8), etc. Cf. la típica conexión terminológica de *ʾāwæn* con → *pʿl,* «hacer», propia de esta esfera (23 × *pōʿalē ʾāwæn* participio, «malhechores»: Is 31,2; Os 6,8; Sal 5, 6; 6,9; 14,4; 28,3; 36,13; 53,5; 59,3; 64,3; 92,8.10; 94,4.16; 101,8; 125,5; 141,4.9; Job 31,3; 34,8.22; Prov 10, 29; 21,15; 1 × perfecto: Prov 30,20). Se puede reconocer con frecuencia la aptitud general de este término para designar todo tipo de actividad desastrosa, cf. Is 59,4-7; Sal 5,6; 7,15; 55,4. 11; 92,8.10; Job 5,6; Prov 12,21; en especial, Prov 6,12-14; Job 31,3ss.

b) *ʾāwæn* designa no sólo las actividades desastrosas, sino también sus consecuencias, cf. Nm 23,21; Jr 4,15;

Am 5,5; Hab 1,3; 3,7; Sal 90,10; Job 21,19; Prov 22,8, etc. Estos textos y todos aquellos en que el término abarca ambos aspectos, es decir, la acción y sus consecuencias (Sal 55,4; 56,8; Job 15,35; 18,7.12; Is 59,4.6b.7; cf. también Job 4,8; Prov 22,8), muestran que la palabra, de acuerdo con la mentalidad dinámica que la ha concebido, se refiere fundamentalmente a la totalidad del suceso desgraciado.

c) Las afirmaciones hechas en *a)* y *b)* indican que *ʾāwæn* no es un concepto material que designe una actividad especial o describa una fase de algún suceso determinado.

Por tanto, atribuir a *ʾāwæn* el significado original de «magia» (Mowinckel) es algo que no se puede deducir de su etimología ni del empleo del término dentro del AT. Pero no por eso se excluye que el concepto pueda referirse a actividades mágicas o a las desgracias que éstas provocan (cf. la relación entre Nm 23,21 y v. 23; cf. 1 Sm 15,23; Zac 10,2; Sal 59,3.8?; 64.3.6s?). La relación con la magia es natural, dado que ésta es el medio más adecuado —aunque no el único— para manipular la esfera de lo real. Y lo mismo vale para los ejecutores de *ʾāwæn* en los Salmos (cf. *sup. 3a)*. Se puede deducir en qué consisten sus acciones solamente del contexto en que se emplea el término, pero no del término mismo (cf. G. W. Anderson, *Enemies and Evildoers in the Book of Psalms:* BJRL 48 [1965] 18-30). Los que hacen *ʾāwæn* no sólo cometen injusticias, sino que acarrean también desgracias, como lo demuestra el aspecto de acción por terminar que ocasionalmente acompaña a *pʿl,* «hacer». Finalmente, *ʾāwæn* no es ni «un medio para el fin» (Mowinckel, *loc. cit.,* 8.12.15.29 y *passim)* ni el fin de una acción. La designación de acciones, consecuencias y situaciones como *ʾāwæn* indica otra función del término.

d) *ʾāwæn* es un término calificativo que califica negativamente un suceso señalándolo como un peligro portador de desgracia. En este sentido es significativo que se emplee siempre el término para juzgar las acciones de otra persona y nunca para juzgar las propias acciones. En Prov 30,20 la mujer adúltera no discute el adulterio, sino la acusación de que su adulterio acarree la desgracia. El análisis del campo semántico del término viene a confirmar lo mismo: de los 45 conceptos vecinos, aproximadamente, van por delante con distancia *raʿ,* «malo, maligno» (17 ×), *rāšāʿ,* «culpable» (17 ×), y *ʿāmāl,* «fatiga» (11 ×). Los opuestos como *mišpāṭ,* «justicia»; *tōm,* «integridad»; *ṣædæq,* «justicia»; *ʾæmūnā,* «lealtad», vienen a confirmar lo mismo.

e) El significado base, «potencia de desgracia», choca a veces en la traducción con diversas dificultades a causa de nuestra diferente mentalidad. Nosotros no llamamos a una acción «desgracia», sino «delito», «injusticia», «crimen» (cf. HAL 21s). Dado que al fenómeno de la «desgracia» le es inherente el carácter de lo no válido, pueden justificarse traducciones como «engaño», «nada» (Is 41,29). Por el contrario, aunque el concepto pueda referirse también al «culto idolátrico», nunca puede *traducirse* así (1 Sm 15,23; Zac 10,2; Os 10,8; cf., sin embargo, Is 66, 3, → *ʾælīl* 4). Cf. V. Maag, *Text, Wortschatz und Begriffswelt des Buches Amos* (1951) 120.

4. El hecho de que *ʾāwæn* en el AT sea una palabra que se refiere a fenómenos de desgracia, que deben ser calificados negativamente, y de que nunca se emplee para referirse a una acción de Dios (a diferencia de *rāʿā,* «desgracia»; por ejemplo, Is 31,2: «pero también él es diestro en traer males»; cf. Jr 4,6; 6,19; 11,11.17.23; Miq 2,3 y *passim)* demuestra que cualquier forma de actividad del *ʾāwæn* y de toda su esfera es implícita o explícitamente contraria a Dios y, por tanto, teológicamente negativa. Los diversos puntos de vista desde los que se califica negativamente el *ʾāwæn* (sapienciales, discursos proféticos, oración, etc.) y el modo como se lo califica así (dichos sapienciales, juicios proféticos) varían con las circunstancias. Pero el criterio es siempre el mismo: el *ʾāwæn* es una perver-

sión de la esfera del poder salvífico y, por ende, de la presencia salvífica de Dios.

Sucede un *'āwæn,* por tanto: cuando se recurre al oráculo en sustitución de la obediencia a Dios (1 Sm 15,23; Zac 10,2), cuando se cambia y pervierte el sentido de los santuarios (Am 5,5; Os 10,8; Is 1,13), en cualquier acción opuesta a la influencia salvífica de la ley, el derecho y la justicia (Os 6,8; 12, 12; Miq 2,1; Sal 14,4; Prov 12,21; 21, 15). Quien provoca un *'āwæn* en último término niega a Dios (Is 32,6; Jr 4, 14-18; Sal 10,7; 14,4; 53,5; 92,8.10; Job 22,15; 34,8.22.36; Prov 19,28). Según Isaías, los *pō'alē 'āwæn* son gente «que no mira al Santo de Israel ni busca a Yahvé» (31,1s). Por eso Yahvé está contra ellos (Sal 5,6; 36,4.5.13; Prov 10,29) y les ordena que se aparten del *'āwæn* (Job 36,10.21). Según Job 5,6s, es el hombre quien da origen al *'āwæn:* «pues la desgracia no surge del polvo ni brota el mal de la tierra; al contrario, es el hombre quien engendra el mal...». Cf. Job 11,11.14 (completamente distinto Sal 90,7-10).

La razón por la que los Salmos llaman *'āwæn* a la acción de los malvados se encuentra, al parecer, en el hecho de que, o bien la desgracia que esos malvados quieren imponer al perseguido es injusta, o bien tratan de mantenerlo en la desgracia que le ha sobrevenido por medio de algún dolor, olvidando que éste confía en la protección divina (y en el oráculo de protección divina). En cualquiera de los dos casos los malvados actúan contra Yahvé. Su caracterización como *pō'alē 'āwæn* lleva consigo un juicio teológico preciso.

5. Los LXX traducen *'āwæn* de forma irregular por ἀνομία, κόπος, μάταιος, πονηρία, ἀδικία, etc. En estas traducciones se ha perdido todo lo que estaba implícito en el hebreo. En Qumrán, por el contrario, se ha mantenido vivo; cf. los pasajes en Kuhn, *Konk.* 4.

R. Knierim

אור *'ōr* Luz

1. Los vocablos emparentados con *'ōr,* «luz», están documentados casi exclusivamente en acádico y en cananeo (en acádico, *ūru/urru,* «luz», la mayoría de las veces «día»; en ugarítico, *ar,* WUS N. 368, cf. N. 370.372; UT N. 114; en fenicio, *'r-* en nombres propios, cf. Harris 73; además, Huffmon 169s; Gröndahl 103); en otras lenguas semíticas se emplean otras raíces para designar la «luz» (acádico *nūru* y árabe *nūr;* arameo *nhr;* por ejemplo, arameo bíblico *n^ehōr,* Dn 2,22 Q, cf. KBL 1098b; sobre el arameo judaico *'ūrtā,* cf. Levy I, 46a; además DISO 23).

En hebreo se han formado de esta raíz el verbo *'ōr,* que aparece en la forma qal, «amanecer», también en nifal (aunque es inseguro), y en especial en hifil (causativo, «iluminar, aclarar», y causativo interno, «brillar»), así como los sustantivos *'ōr* (masculino, aunque en Jr 13,16, texto dudoso, y Job 36,32, texto dudoso, es femenino) y *'ōrā,* «luz»; *'ūr,* «brillo», y *mā'ōr,* «luz = cuerpo luminoso, lámpara».

También el nombre *m^e'ūrā* de Is 11, 8 es explicado como derivado de esta raíz en GB 393a, BDB 22b, Zorell 404b y otros; KBL 489b, sin embargo, recurre al acádico *mūru,* «animal joven» (remitiéndose a Perles), y lo traduce como «joven» (lo mismo Fohrer, *Jes* I, 151, y Kaiser, ATD 17,116). Tampoco hay que relacionar con esta raíz los términos *'ūr* II (en la expresión *'ūrīm w^etummīm)* y III *('ūr Kaśdīm).* Por el contrario, no parece tener razón I. Eitan, HUCA 12/13 (1938) 65s, al explicar *'ōr* en Is 18,4 y Job 37,11 en el sentido de «lluvia» o «rocío», ofreciendo con ello un nuevo homónimo *'ōr.*

2. Resulta difícil ofrecer la estadística exacta del sustantivo *'ōr,* ya que se puede tomar ocasionalmente esta forma como un infinitivo qal (cf. HAL 24a, N. 3; Zorell 23b). Según Lisowsky, el verbo aparece 41 ×, de ellas 5 × en qal (Mandelkern añade Gn 44,3 y 1 Sm 29,10, mientras que considera 2 Sm 2,

32 como nifal), 2 × en nifal (Sal 76,5 y Job 33,10, textualmente dudoso) y 34 × en hifil (de ellas 15 × en los Salmos). Su distribución no ofrece características tan precisas como la del nombre *'ōr,* que aparece 124 × (de ellas 1 × en plural, en Sal 136,7) y que parece tener connotaciones sapienciales.

Así, pues, *'ōr* aparece 32 × en Job, 4 × en Prov y 3 × en Eclo. En los Salmos aparece 19 × (además 1 × en Lam 3,2); la mayoría de las veces se trata de salmos sapienciales o de textos de influjo sapiencial (36,10; 37,6; 49,20; 89,16; 97,11; 104, 2; 112,4: 119,105; 139,11).

Además llama la atención el hecho de que de 47 textos proféticos 27 pertenecen al libro de Isaías, que contiene muchos pasajes de factura sapiencial (3 × en el Protoisaías, especialmente en los pasajes más recientes; 6 × en el Deuteroisaías, a los que hay que añadir 1QIs[ab] 53,11, y 8 × en el Tritoisaías, donde son especialmente significativos los pasajes de 60, 1.3.19.20), mientras que en Jr aparece sólo 5 × y 2 × en Ez 2 (32,7s). En los profetas menores aparece 13 × distribuidas entre textos cercanos a Is como Am (5, 18.20; 8,8 [texto dudoso]; 9; cf. H. W. Wolff, *Amos' geistige Heimat* [1964] 57) y Miq (2,1; 7,8.9), así como Hab, el llamado discípulo de Is (3,4.11), Sof (3,5) y los pasajes tardíos Zac 14,6 (texto dudoso).7, mientras que la palabra aparece en Os sólo 1 × (6,5 texto dudoso).

En la literatura narrativa *'ōr* aparece casi exclusivamente en la expresión temporal *'ad 'ōr habbōqer,* «hasta el amanecer» (Jue 16,2; 1 Sm 14,36; 25.[22].34. 36; 2 Sm 17,22; 2 Re 7,9; abreviada en Jue 19,26; cf. Gn 44,3; 1 Sm 29,10; Neh 8,3); fuera de esta expresión se encuentra en Ex 10,23; 2 Sm 23,4 y 6 × en Gn 1, 3-5.18 P (sobre la elaboración sapiencial de Gn 1, cf. S. Herrmann, ThLZ 86 [1961] 413-424).

El único caso de forma plural es el de Sal 136,7 *'ōrīm,* «(grandes) luminarias»; corresponde de cerca al *m^e'ōrōt,* «luminarias, lámparas», de Gn 1. *mā'ōr* aparece 19 × (9 × en Ex-Nm en contexto cúltico, 5 × en Gn 1 referido a las estrellas); *'ūr* está documentado 6 ×, de ellas 5 × en las secciones más recientes del libro de Isaías. La más reciente parece ser la forma femenina *ōrā* (Sal 139,12; Est 8,16).

En la estadística anterior no se ha tenido en cuenta 1 Sm 25,22 (cf. BH[3]), pero sí Is 18,4 (en Mandelkern, tomado como *'ōr* II) y Am 8,8 (en Lisowsky, tomado como *y^e'ōr).*

3. El significado base del nombre principal *'ōr* es «luz»; su proximidad a «fuego» (especialmente en *'ūr,* Is 31, 9; 44,16; 47,14; 50,11; Ez 5,2; quizá también Job 38,24, cf. G. R. Driver, SVT 3 [1955] 91s; Barr, CPT 260s) aparece en primer plano en algunas ocasiones (cf. Is 10,17; Sal 78,14); con frecuencia se emplea también *nēr* como paralelo de nuestro término (Sal 119, 105; Job 18,6; 29,3; Prov 6,23; 13,9; cf. Jr 25,10). Por «luz» se entiende primeramente la luz del día (cf. su empleo formando parte de fórmulas hechas en la literatura narrativa, cf. *sup.* 2, así como en Miq 2,1; Prov 4,18). Pero *'ōr,* sin embargo, no se identifica con la luz del sol, sino que puede referirse también a la luz de la luna y las estrellas (Is 13,10; 30,26; Ez 32,7), así como a *šáḥar,* «luz de la aurora» (Is 58, 8; Job 3,9; 41,10; Dalman, AuS I, 601; distinto L. Köhler, ZAW 44 [1926] 56-59, y KBL 962: «aurora»); tampoco su unión con los verbos *zrḥ* y *yṣ'* en el sentido de «salir» indica de por sí que «la salida del sol esté incluida» (S. Aalen, *Die Begriffe «Licht» und «Finsternis» im AT im Spätjudentum und im Rabbinismus* [1951] 39; el autor pone el acento sobre la comprensión «presolar» del mundo que tenían los israelitas y sobre el alternar del día y de la noche como un elemento fundamental de la misma, *loc. cit.,* 10ss; íd., RGG IV, 357-359, y BHH II, 1082; distinto W. H. Schmidt, *Die Schöpfungsgeschichte der Priesterschrift* [1964] 95-100).

El alternar del día y de la noche ha llevado también a un empleo metafórico y simbólico del término. Por un lado, la luz de la mañana que irrumpe (con frecuencia simplemente *bōqær,* «mañana») se ha convertido en salvación divina en el sentido de una victoria en el ámbito militar (cf. Ex 14,24; 2 Re 19,35 = Is 37,26; Is 17,14; Sal 46,6), de la sentencia absolutoria en el ámbito jurídico (Sof 3,5; Sal 37,6; también Os 6,5, cf. Is 59,9) y de la curación y la ayuda en el ámbito médico (Sal 56,14; cf. Is 58,8; en Job 33, 28.30, *šáḥat,* «tumba», es el concepto opuesto; «ver la luz» = «vivir» en Sal 49,20; Job 3,16, cf. v. 20) (así lo han entendido J. Hempel, *Die Lichtsymbolik im AT:* «Studium Generale» 13 [1960] 352-368, siguiendo a Aalen, *loc. cit.,* y J. Ziegler, *Die Hilfe Gottes «am Morgen»:* FS Nötscher [1950] 281-288).

'ōr se encuentra frecuentemente en paralelismo con otras expresiones, en las que algún término que designa la «oscuridad» forma el concepto opuesto, en especial dentro de la literatura sapiencial.

El opuesto más importante es *ḥōšæk,* «oscuridad» (Gn 1,3-5.18; Is 5,20.30; 9,1; 58,10; 59,9; Am 5,18.20; Miq 7,8; Sal 112,4; 139,11; Job 12,22.25; 18,18; 29,3; 38,19; Ecl 2,13; Lam 3,2; la palabra aparece en total 80 ×, de las cuales 23 × en Job y 14 × en Is). Con el verbo *ḥšk* qal, «estar oscuro» (11 ×), hifil, «oscurecer» (6 ×), aparece *'ōr* en Job 18,6; Ecl 12,2; cf. Is 13,10; Am 5,8; 8,9; Job 3,9. *ḥ^a^šēkā,* «oscuridad» (6 ×), aparece junto a *'ōrā* en Sal 139,12, *maḥšāk,* «lugar oscuro» (7 ×), aparece junto a *'ōr* en Is 42,16 (cf. también el arameo bíblico *ḥ^a^šōk* junto a *n^e^hōr* en Dn 2,22).

Otros conceptos opuestos son *'ōfæl,* «oscuridad» (9 ×, de ellas 6 en Job), en Job 30,26; *'āfēl,* «oscuro» (1 ×), en Am 5,20; *'^a^fēlā,* «oscuridad» (10 ×), en Is 58,10; 59,9; *'^a^rāfæl,* «oscuridad producida por las nubes» (15 ×), en Jr 13,16; *ṣalmáwæt,* «tinieblas» (18 ×, de ellas 10 en Job), en Is 9,1; Jr 13,16; Job 12,22 (sobre su etimología, cf. D. W. Thomas, JSS 7 [1962] 191-200; sobre su uso en la literatura sapiencial, cf. J. L. Crenshaw, ZAW 79 [1967] 50).

Ulteriores vocablos de su campo semántico son: *'^a^lātā,* «oscuridad» (Gn 15,17; Ex 12,6.7.12), *'ēfā,* «oscuridad» (Am 4,13; Job 10,22), *mū'āf,* «tiniebla» (Is 8,22 [texto enmendado].23), *qadrūt,* «eclipse» (Is 50,3), *qdr* qal, «oscurecerse» (Jr 4,18 y *passim;* hitpael 1 Re 18,45; hifil Ez 32, 7.8), *ṣll* qal, «hacerse oscuro» (Neh 13,19; sobre *ṣel,* «sombra» → *'ūz),* y también *næšæf,* «crepúsculo matutino/vespertino» (12 ×, «oscuridad», por ejemplo, en Is 59,10). Sobre este grupo de palabras, cf. S. Aalen, *loc. cit.;* H. Conzelmann, art. σκότος: ThW VII, 242-446.

Los sinónimos y términos paralelos a *'ōr* no son tan claros como sus opuestos. Además de *nēr,* «lámpara» (cf. *sup.),* se deben mencionar especialmente *nōgah,* «brillo» (19 ×, y además el arameo *n^e^gah* en Dn 6,20) en Is 60,3; Am 5,20; Hab 3, 4.11; Prov 4,18 y *n^e^gōhā* en Is 59,9; *ngh* qal, «brillar» (3 ×), aparece unido a *'ōr* en Is 9,1; Job 22,28, y el hifil, «hacer brillar» (3 ×), en Is 13,10.

Cf. además → *šæmæš,* «sol», en Ecl 11, 7, → *k^e^bōd Yhwh* en Is 60,1 (cf. v. 2b con *zrḥ,* «salir», referido a Yahvé) y otras palabras paralelas como alegría, justicia, salvación, etc., que interesan al sentido lato de *'ōr* (entre otros, Is 42,6; Jr 25,10; Miq 7,9; Sal 27,1; 36,10; 97,11).

Vocablos vecinos en cuanto al significado son los verbos *'hl* hifil, «brillar» (Job 25,5), *hll* hifil, «(hacer alumbrar» (Is 13, 10; Job 29,3; 31,26; 41,10), *zhr* hifil, «resplandecer» (Dn 12,3), *zrḥ,* «salir, relucir» (18 ×, → *šæmæš), zrq* qal, «ser claro» (Os 7,9), *ṣhl* hifil, «hacer brillar» (Sal 104, 15), los sustantivos *zōhar,* «brillo» (Ez 8, 2; Dn 12,3), *yif'ā,* «brillo» (Ez 28,7.17), *nēṣaḥ,* «brillo» (Lam 3,18: 1 Cr 29,11), y los adjetivos *bāhīr,* «brillante» (?) (Job 37,21; cf. Wagner N. 35), *ṣaḥ* y *ṣāḥī^a^ḥ,* «brillante» (Is 32,4; Cant 5,10 o Ez 24,7.8; 26,4.14; cf. también J. A. Soggin, ZAW 77 [1965] 83-86); → *yp'* hifil. *nhr* qal, «alumbrar» (Is 60,5; Jr 31,12; Sal 34,6), y *n^e^hārā,* «luz del día» (Job 3, 4), son arameísmos (Wagner, N. 184.185). En arameo bíblico, *zīw* es el término usado para designar la idea de «brillo» (Dn 2,31; 4,33).

4. La distinción corriente entre empleo propio y metafórico de la palabra *'ōr* no basta para descubrir su aspecto teológico, pues éste está incluido en ambos empleos. Más bien debería hacerse una clasificación entre formas de empleo: *a)* en las categorías de orden sapienciales y *b)* en las categorías de salvación del culto; debería distinguirse además su uso *c)* en la predicación escatológica y *d)* en las afirmaciones que hacen una especial referencia a Dios.

a) En las categorías de orden sapienciales la luz es la primera y «buena» obra de Dios en la creación (Gn 1, 3s). En Gn 1 no se dice lo mismo de la oscuridad; ésta es teológicamente ambivalente, pues a pesar de su clasificación positiva como noche, que ocurre en virtud de la separación y designación divina (Gn 1,4s; cf. Westermann, BK I, 157-159) o de la delimitación entre el día y la noche (Job 26, 10; cf. 38,19), ésta es también el tiempo del crimen (Job 24,13ss), las tinieblas son símbolo de necesidad y juicio y serán eliminadas al final de los tiempos (cf. *inf. c).* Existe, pues, una tensión entre luz y oscuridad (cf. Aalen, *loc. cit.,* 16s) que sólo puede mantenerse gracias a la «omni-causalidad» y a la potencia de Dios (cf. Is 45,7: «yo que formo la luz y creo la oscuridad») (cf. *inf. d).*

En la misma relación que luz-oscuridad están:

1) en el plano individual, la vida y la muerte (cf. Job 3,4.9.16.20s y los discursos de Elihú 33,28.30; también Ecl 12,2ss).

2) en el orden social, el «justo» y el «injusto» (Job 12,25; 18,5s.18; 22, 28; 38,15; Prov 4,18; 13,9; también Sal 97,11; 112,4); se puede plantear en este contexto el problema de la «justicia como orden del mundo» (cf. el libro de ese título de H. H. Schmid [1968]) y de la teodicea (cf., por ejemplo, Is 5,20).

3) en el orden del conocimiento (aunque no sin una connotación religiosa), la sabiduría y la necedad (Ecl 2, 13; → *ʾæwīl).* Cuando se ha roto el orden establecido, Isaías pronuncia su «ay de aquellos que...» (Is 5,20).

b) Este par de conceptos contrapuestos se aplica también a la salvación y juicio divinos. Dentro de las ideas de salvación del culto, la luz (del rostro) de Dios es expresión de su actitud graciosa, tal como aparece en la bendición sacerdotal Nm 6,25 (*ʾōr* hifil) en el material antiguo (sobre los contextos más recientes, cf. Noth, ATD 7, 53s; C. Westermann, *Der Segen in der Bibel und im Handeln der Kirche* [1968] 45ss) y más tarde en los Salmos (cf. Sal 36,10; y en las manifestaciones de confianza, Sal 4,7; 27,1; en el cántico de acción de gracias, 56,14; y en la lamentación, 43,3, así como en la amonestación sapiencial, 37,6; cf. 89,16; A. M. Gierlich, *Der Lichtgedanke in den Psalmen* [1940]); lo mismo aparece como eco en la literatura profética (Is 2,5).

Desde el punto de vista histórico-salvífico son importantes Sal 78,14, donde *ʾōr* está unido con el tema del vagar por el desierto (cf. Ex 13,21s; Sal 105, 39), así como Sal 44,4, donde aparece unido al tema de la conquista de la tierra. *ʾōr* aparece también en conexión con el rey salvador (2 Sm 23,4; Prov 16,15).

c) En los discursos y la expectativa de juicio la luz de salvación se convierte en oscuridad de catástrofe que se avecina (Am 5,18.20; Is 13,10; cf. F. C. Fensham, ZAW 75 [1963] 170s, sobre el tema del día de Yahvé; además, Am 8,9; Is 5,30; Jr 4,23; 25,10; Ez 32,7s; en Jr 13,16 en el cuadro de una admonición profética); Lam 3,2 es un ejemplo de lamentación ante la catástrofe que ya ha sucedido.

Por otra parte, en la escatología profética de salvación hay un movimiento que parte de la oscuridad del estado de necesidad hacia la luz de la nueva salvación que llega (Is 8,23-9,1; 10,17; 42,16; 58,8.10; Miq 7,8s). La salvación vendrá no sólo para Israel, sino también para los pueblos (Is 51,4); les será otorgada por medio de especiales mediadores salvíficos (Is 42,6; 49,6).

Es propio de la escatología tardía describir el acontecimiento salvífico por llegar en conformidad con el ya ocurrido (cf. Jr 31,35, donde la certeza de la salvación surge de la certeza del orden creado; observamos aquí un influjo recíproco de las categorías de orden y las de salvación, cosa característica del DtIs; sobre esto, cf. von Rad, GesStud 136ss) o como una superación de lo actual (cf. Is 30,26; también 10,17), o también como una supresión del orden creado (Is 60,19s; Zac 14,6s; cf. también Hab 3,11; más textos en Aalen, *loc. cit.*, 20ss; cf. H.-J. Kraus, ZAW 78 [1966] 317-332). Pero en Zac 14,6s el interés de la comunidad posexílica no se ha fijado tanto en la supresión del orden creado, sino que se ha dirigido más bien a la persona de Dios y a su gloriosa teofanía final (cf. M. Sæbø, *Sacharja 9-14* [1969] 298-300).

d) La luz —y lo mismo los «portadores de luz» (*meʾōrōt*, Gn 1,14ss; Sal 136,7-9)—, en cuanto creaturas de Dios, le están totalmente subordinadas. La luz, en las teofanías, forma parte no de la esencia de Dios, sino de su modo de manifestación (cf. Is 60,1ss; Hab 3,4.11; también Sal 44,4; cf. Aalen, *loc. cit.*, 73ss; J. Jeremias, *Theophanie* [1965] 24ss y *passim;* también F. Schutenhaus, ZAW 76 [1964] 1-22). Dios aparece cubierto de luz no sólo en las teofanías, sino también en su morada celeste (Sal 104,2; ni aquí ni en Ez 1 o 43 se puede entender la imagen de Dios en categorías solares; según Aalen, *loc. cit.*, 82ss, contra J. Morgenstern y otros). La luz «viste» a Dios (→ *lbš*); del mismo modo forma parte también de su palabra y de su ley (Sal 119,105; Prov 6,23). El es el Señor, superior a su criatura (Sal 139,11s; Job 12,22; 28,11); sólo él, por tanto, conoce el origen de ésta (Job 38,19s). A él le alaban «todas las estrellas lucientes» (Sal 148,2).

Los nombres propios teofóricos compuestos con palabras que significan «luz», como *ʾūrīʾēl*, *ʾūriyyā(hū)*, *ʾabīnēr*, *ʾabnēr*, *Nēriyyā(hū)*, deben entenderse, lo mismo que la mayoría de los nombres extrabíblicos de este estilo (sobre el acádico, cf. Stamm, AN *s. v. nūru*, *namāru*, etc.; Huffmon, 169s.237.243, con bibliografía), no como testimonios de una religión astral, sino en sentido figurado (luz = fortuna, salvación) (Noth, IP 167-169).

ʾōr es, por tanto, un concepto teológicamente muy importante, que designa primeramente una criatura y un modo de manifestación divina. Este doble concepto ha evolucionado luego en varias direcciones, especialmente en lo referente a la salvación divina, primero para Israel y después también para los pueblos.

5. En los LXX, *ʾōr* recibe diversas traducciones, de las cuales la mayoría sólo aparece una vez; la más frecuente es con mucho φῶς (cf. Gierlich, *loc. cit.*, 3 y *passim*). Sobre el material judío tardío y rabínico, cf. Aalen, *loc. cit.*, 96ss.237ss. En los escritos de Qumrán el empleo de *ʾōr* (según Kuhn, *Konk.*, 4s, el sustantivo aparece 42 × y el verbo 17 ×) coincide en general con su empleo en el AT (cf. F. Nötscher, *Zur theol. Terminologie der Qumran-Texte* [1956] 76ss; H. W. Huppenbauer, *Der Mensch zwischen zwei Welten* [1959] 26ss.71.80ss); de todas formas, la contraposición entre «luz» y «tinieblas» es más acentuada (incluso desde el punto de vista social).

A diferencia del AT y de los escritos de Qumrán, en el NT se habla de la luz como designación de la esencia de Dios, especialmente en la teología joanea (cf., por ejemplo, 1 Jn 1,5; también Jn 1,1-18; cf. sobre el tema R. Bultmann, *Das Evg. des Joh.* [1957] 22ss; P. Humbert, *Le thème vétéro-testamentaire de la lumière:* RThPh 99 [1966] 1-6).

M. Sæbø

אות *ʾōt* Signo, señal

1. Esta palabra aparece en semítico noroccidental (en época veterotestamentaria sólo en hebreo y en el arameo bíblico *ʾāt*) y en árabe; probablemente se debe poner en relación con el acádico *ittu*, cuyo significado tiene un alcance parecido al de la palabra semítico-noroccidental y árabe (AHw 406; CAD I, 304-310). Su origen es desconocido; podría tratarse de una raíz *ʾwy*.

Su campo semántico en las lenguas mencionadas es muy amplio y abarca tanto la esfera profana como la religiosa (sobre el árabe, cf. Lane I, 135; sobre el siríaco, cf. Payne-Smith 412s). En una inscripción neopúnica *ʾt* significa claramente «monumento conmemorativo» (KAI N. 141, línea 4).

2. *'ōt* aparece 79 ×, de ellas 44 × en singular y 35 × en plural (Pentateuco 39 ×, en todos los estratos narrativos; el vocablo está ausente de la literatura sapiencial, a excepción de Job 21,29; por lo demás, los casos se distribuyen regularmente entre la literatura narrativa, profética, y la de los salmos; cf. la estadística material y cronológica en C. A. Keller, *Das Wort OTH als Offenbarungszeichen Gottes* [1946] 7s); aparece también 3 × en arameo (Dn 3,32s; 6,28).

Se deben añadir, tras corregir el texto, los casos de Nm 15,39 y 1 Sm 10,1 (LXX), eventualmente también el de Jon 2,23 (W. Rudolph, FS Baumgartner [1967] 249).

Fuera de la Biblia, *'ōt* aparece, poco antes del exilio, en un óstracon de Laquis (KAI N. 194, línea 10ss): «sepa él (el destinatario de la carta) que nosotros esperamos señales de humo (*mś't*, término técnico para este concepto, cf. Jue 20,38.40; Jr 6,1) de Laquis, pues nos atenemos a todas las señales (*'tt*) que mi señor ha dado; ya que no se ve ninguna señal (*'t*) de Azeqá». De todos modos, la traducción de la última línea es discutida (bibliografía sobre el particular en DISO 29). *'tt* significa aquí claramente «señales militares». Este significado, no documentado por lo demás en hebreo, puede tener su equivalente en el árabe *'āyat* (Lane I, 135).

3. El empleo que el AT hace del concepto *'ōt* (cf. además de Keller, *loc. cit.*, también B. O. Long, *The Problem of Etiological Narrative in the OT* [1968] 65-86) no se puede reducir desde un comienzo a determinados ámbitos de la vida (distinto, Keller, *loc. cit.*, 66ss). Su significado base es el de «señal» en sentido de «prueba» e «indicación».

Según un empleo muy antiguo de la palabra, la «señal de Caín», Gn 4,15, designa una señal tribal tatuada en la frente, que prueba su pertenencia a los quenitas y a sus obligaciones tribales (las siete venganzas de sangre). La señal adquiere, en manos del yahvista, una interpretación teológica apropiada al contexto general de la historia de los orígenes.

También el término *ṭōṭāfōt*, «signo» (3 × paralelo a *'ōt*), tenía originalmente, con probabilidad, un significado semejante. La expresión deuteronomística: «una *'ōt* en la mano y *ṭōṭāfōt* entre los ojos» (Ex 13,16; Dt 6,8; 11,18; en Ex 13,9, con *zikkārōn*, «señal conmemorativa», en vez de *ṭōṭāfōt*, → *zkr*), tiene sin duda un sentido espiritualizado, pero se deriva originalmente de un tatuaje (cf. Noth, ATD 5,79: «joyas pendientes de la cabeza»).

En contextos profanos *'ōt* significa también, en un segundo momento, «estandarte» (Nm 2,2 y también en el Documento de la Guerra de Qumrán; probablemente también en Sal 74,4, cf. Kraus, BK XV, 512s.516).

dægæl, «estandarte, bandera > grupo de una tribu» (Nm 1,52; 2,2-34; 10, 14-25; 13 ×), es un concepto cercano a *'ōt* de Nm 2,2; en Cant 2,4 parece estar presente todavía el significado fundamental de «señal, bandera» o semejantes (cf. Rudolph, KAT XVII/2, 130s; Gerleman, BK XVIII, 117s), mientras que en los papiros de Elefantina (DISO 55; BMAP 41s) y en el Documento de la Guerra de Qumrán (Yadin, 38-64) tiene el significado de «división militar».

Al mismo contexto militar pertenecen, como vocablos de significación parecida, los siguientes términos: *nēs*, «estandarte, señal» (21 ×; exceptuados Ex 17,15; Nm 21,8.9; 26,10 y Sal 60,6 aparece siempre en la literatura profética; cf. BRL 160s), que en Nm 26,10, referido a la banda de Coré, adquiere el significado genérico de «señal admonitoria», y *tōræn*, «mástil, asta» (Is 30,17; 33,23; Ez 27,5, siempre paralelo a *nēs*).

En Job 21,29 y Ez 14,8 (paralelo a *māšāl*, «proverbio») el significado se aproxima a «hecho memorable» en el sentido más amplio, en Jos 2,12 a «garantía» (según Noth, HAT 7,24s, glosa tardía) y en Jr 10,2 e Is 44,25, a «signo astrológico».

4. *a)* Ya el yahvista usa *ʾōt* como término religioso; lo aplica, siguiendo la tradición, a la historia de Egipto (Ex 8,19; 10,1s). La señal consiste en una demostración de poder, por medio de la cual Dios legitima la misión de Moisés. Al documento elohístico pertenecen los textos de Ex 3,12 y 4,17.30. Estos dos últimos pasajes (así como la presencia de *ʾōt* en Ex 4,8s.28; Nm 14, 11 que hay que atribuir a la última redacción) son semejantes al empleo yahvístico; 3,12 tiene un significado algo diverso: Moisés mismo es confirmado en el encargo que ha recibido de Dios (el contenido propio de *ʾōt* ha desaparecido, cf. Noth, ATD 5, 29). Este texto está muy cercano a Jue 6,17ss, donde el jefe carismático Gedeón recibe confirmación de su encargo. *ʾōt* es la prueba que el jefe carismático designado recibe como confirmación de la misión que le ha sido confiada.

Del mismo modo, *ʾōt* puede designar la señal oracular (y no sólo cúltica) (1 Sm 14,10; el contenido de la *ʾōt* en este texto es el comportamiento de los enemigos). En Sal 74,9; 86,17 —que pertenecen al ámbito de la actividad profética— puede resonar un eco de oráculos proféticos.

Para designar el manejo de señales (buenas o malas) existe el término especial *nḥš* (también en arameo y en árabe; W. von Soden, WZKM 53 [1956] 157; O. Eissfeldt, JRL 82 [1963] 195-200) piel, «buscar signos, profetizar, tomar como signo» (Gn 44,5.15; 1 Re 20,33; «conocer por medio de signos», Gn 30,27; distinto J. Sperber, OLZ 16 [1913] 389; H. Torczyner, OLZ 20 [1917] 10ss; sustantivo *náḥaš,* «presagio», Nm 23,23; 24,1), y más generalmente «vaticinar» (prohibido en Israel: Lv 19,26; Dt 18,10; 2 Re 17,17; 21,6; 2 Cr 33,6)*.

Un empleo algo diverso aparece en el ambiente profético antiguo. *ʾōt* tiene la función de legitimar la palabra del profeta, pero interviene en el futuro; los profetas lo predicen (formulado genéricamente en Dt 13,2s, con el verbo característico → *bōʾ,* «suceder», que está presente también en 1 Sm 2,34; 10,1.7.9; cf. además 2 Re 19,29; 20, 8s = Is 37,20; 38,7.22; Jr 44,29; algo más complejo Is 7,11.14). El contenido de *ʾōt* en estos casos no está en relación directa con el mensaje profético. La señal es en cierta medida un medio técnico del profeta para conseguir el reconocimiento y la fe de sus oyentes (→ *ydʿ* con *ʾōt* en Ex 10,2; Dt 4,35; 11,2s y *passim,* cf. Keller, *loc. cit.,* 58s; → *ʾmn* hifil Ex 4,30; Nm 14,11; cf. Is 7,9ss).

En un sentido más amplio, *ʾōt* puede designar «distintivo» o «monumento» que conmemora alguna acción salvífica pasada de Dios (Jos 4,6; en sentido parecido algunos pasajes del P, cf. *inf.),* o que prevé una futura y última etapa de la historia divina (textos que se avecinan a una perspectiva apocalíptica, Is 19,20; 55,13; 66,19).

b) El término *ʾōt* adquiere un significado esencialmente teológico en la profecía clásica, en la teología deuteronomística y en el escrito sacerdotal.

En la *profecía clásica* y en el contexto de acciones simbólicas puede usarse tanto *ʾōt* como *mōfēt* (ambos conceptos en Is 8,18 y 20,3; *ʾōt* sólo en Ez 4,3; *mōfēt,* sólo en Ez 12,6.11; 24,24.27; Zac 3,8). En cuanto al contenido, pertenecen a este contexto todas las acciones simbólicas narradas en el AT (cf. Fohrer, ZAW 64 [1952] 101-120; íd., *Die prophetische Zeichenhandlungen* [1953]). A diferencia de los signos proféticos anteriormente mencionados, que sólo tienen valor de prueba, el contenido de *ʾōt* en este contexto tiene una relación objetiva con el mensaje del profeta. Aquí el signo consuma un suceso que todavía no se ha cumplido y que se hace presente y real precisamente en virtud de la acción simbólica. El «signo» tiene, pues, una función análoga a la de la palabra del profeta (cf. Fohrer, 85ss; von Rad II, 104-107).

La *obra deuteronomística* resume todos los sucesos de Egipto en una fórmula de la que forma parte la expresión *'ōtōt ūmōfetīm* (junto con la «salida con mano fuerte y brazo extendido», Dt 4,34; 6,22; 7,19; 11,2s; 26,8; 29,2; 34,11; sobre la fórmula completa, cf. B. S. Childs, *Deuteronomic Formulae of the Exodus Traditions:* FS Baumgartner [1967] 30-39). Se designa con *'ōt* no sólo las «plagas», sino toda la historia de la actuación divina en Egipto, es decir, el dato fundamental de la teología deuteronomística; *'ōt* es, pues, la forma de la revelación divina, que habrá de entenderse como presente. De ahí la pregunta de si será capaz Israel de reconocer y comprender los *'ōtōt* (Dt 29,2ss). De la obra deuteronomística dependen los demás pasajes que hablan de los *'ōtōt* y los *mōfetīm* en Egipto (Jr 32,20; Sal 78, 43; 105,27; 135,9; Neh 9,10; además, Ex 7,3 P; sólo *'ōtōt* en Nm 14,22; Jos 24,17 y, sin una clara referencia a Egipto, Sal 65,9).

El término *'ōt* tiene un sentido deuteronomístico también en otros contextos (sobre Dt 13,2s; cf. *sup.* 4*a)* Según Ex 13,9.16, la *haggada* pascual es *'ōt* y *zikkārōn* o *ṭōṭāfōt* (cf. *sup.* 3) para Israel; según Dt 6,8, lo es la profesión de fe *(šema');* según 11,18, toda la predicación deuteronómica. *'ōt* tiene también aquí la función de actualizar acontecimientos pasados de la historia de la salvación. Según Dt 28,46, tanto la bendición prometida como la maldición amenazada son «señales» para Israel; por medio del «signo» también el futuro se abre al presente.

El *escrito sacerdotal* toma el concepto *'ōt* con gran amplitud: lo aplica a las «señales y prodigios» en Egipto (Ex 7, 3), a determinados monumentos de la historia del culto de Israel (Nm 15,39, texto enmendado «distintivo»; 17,3: «señal monitoria»; 17,25: «señal de recuerdo»); la sangre pascual de Ex 12, 13 es «señal protectora»; el sábado (Ex 31,13.17; cf. ya Ez 20,12) es señal de la relación entre Yahvé e Israel; el vocablo entra también en el contexto de la alianza: los pactos de Abrahán y Noé tienen sus señales (Gn 9,12s.17, el arco iris; 17,11, la circuncisión). Finalmente, también las estrellas son *'ōtōt* (Gn 1,14, junto a *mō'adīm,* «estaciones», → *y'd).*

'ōt designa aquí la manifestación visible de un orden universal divino, que abarca la naturaleza y el tiempo, que se concreta en la historia de Israel y que finalmente llega a su culminación en el culto.

mōfēt (36 ×) es un concepto cuya etimología no ha sido todavía aclarada (Keller, *loc. cit.,* 60s.115); su presencia en una inscripción fenicia de Chipre es muy dudosa (cf. KAI N. 30, línea 1). Aparece por primera vez en Is 8,18 y 20,3, ya aquí paralelo a *'ōt,* así como en el lenguaje deuteronomístico y en diversos textos dependientes de éste (Ex 7,3 P; Dt 4,34; 6,22; 7,19; 13,2.3; 26,8; 28,46; 29,2; 34,11; Jr 32,20s; Sal 78,43; 105,27; 135,9; Neh 9, 10; en total, 18 ×, y además en arameo: Dn 3,32s; 6,28, *'ātīn weṭimhīn,* «señales y prodigios»). El uso lingüístico de *mōfēt* coincide esencialmente con el de *'ōt,* aunque posteriormente destaca quizá algo más el aspecto prodigioso (paralelo a *niflā'ōt* en Sal 105,5 = 1 Cr 16,12, → *pl'):* portentos en Egipto: Ex 4,21 (redaccional); 7, 3.9 y 11,9.10 (P); Dt 4,34; 6,22; 7,19; 26,8; 29,2; 34,11; Jr 32,20s; Sal 78,43; 105,27; 135,9; Neh 9,10; toda clase de señales terribles o maravillosas por parte de Dios: Dt 28,46; Jl 3,3; Sal 71,7 = 1 Cr 16,12; señales que los profetas ofrecen como prueba: Dt 13,2s; 1 Re 13,3.3.5; 2 Cr 32,24.31; acciones simbólicas proféticas: Is 8,18; 20,3; Ez 4,3; 12,6.11; 24,24.27; Zac 3,8*.

5. En el judaísmo tardío el término aparece con el mismo uso que en el AT (Qumrán: cf. *sup.* 3; en la literatura rabínica se dan en parte nuevos significados y desplazamientos de *'ōt* por *sīmān,* probablemnete < del griego σημεῖον). Sobre el NT, cf. K. H. Rengstorf, art. σημεῖον: ThW VII, 199-268 (de ellos, 207-217 tratan detalladamente de *'ōt* en el AT).

F. Stolz

אֹזֶן *'ózæn* Oreja, oído

1. El sustantivo *'ózæn,* «oído», pertenece al semítico común (**'uḏn-;* HAL 27a), y existe también en egipcio: *jdn* (Erman-Grapow I, 154; suplantado por *mśḏr,* «lugar sobre el que se duerme», cf. W. Helck, ZÄS 80 [1955] 144s; W. C. Till, *Zum Sprachtabu im Ägyptischen,* en O. Firchov (ed.), *Ägyptolog. Studien* [1955] 327.355). Del sustantivo, que como miembro corporal es femenino, se ha derivado el verbo denominativo *'zn* hifil, «ejercitar el oído, oír» (GK § 53g).

En el nombre *'ᵃzanyā* (Neh 10,10) está presente la forma qal; en *Ya'ᵃzanyāhū* (2 Re 25,23; Jr 40,8; Ez 8,11; *Ya'ᵃzanyā,* Jr 35,3; Ez 11,1; abreviado, *Yᵉzanyā[hū],* Jr 40,8; 42,1) aparece la forma hifil, única forma atestiguada a excepción del caso qal anteriormente mencionado (Noth, IP 36. 198; fuera de la Biblia se encuentra el nombre *Y'znyhw* en un sello [W. F. Badè, ZAW 51 ⟨1933⟩ 150-156; Moscati, EEA 70] en Laquis, óstracon 1, línea 2,3, TGI[1] N. 34; además, *Y'znyh* y *Yzn'l* en diversos sellos [Diringer N. 21.28]; sobre formas de nombres de Elefantina, cf. Noth IP 198; L. Delekat, VT 8 [1958] 251s).

2. En el AT el sustantivo aparece 187 × y el verbo 41 × (Sal 15 ×) con una distribución regular a lo largo del mismo. El sustantivo aparece predominantemente en dual (108 ×, de ellas 80 × con la preposición *bᵉ*), y el verbo en imperativo (30 ×).

3. Raramente designa *'ózæn* el *miembro corporal* sin hacer referencia a la acción de oír.

Deben señalarse los siguientes empleos: uso de pendientes (Gn 35,4; Ex 32,2s; Ez 16,12; BRL 398-402); perforación de la oreja como signo de esclavitud (Ex 21,6; Dt 15,17; ThW V, 546; distinto de Vaux I, 132); ritual de la consagración sacerdotal y purificación del leproso *(tᵉnūk 'ózæn,* «lóbulo de la oreja», en Ex 29,20.20; Lv 8, 23s; 14,14.17.25.28 P; Elliger, HAT 4,119); amputación de la oreja como castigo (Ez 23,25; Zimmerli, BK XIII, 549). En Am 3,12 *(bᵉdal 'ózæn,* «lóbulo de la oreja», de un animal del rebaño) y en Prov 26,7 (la de un perro) se trata de orejas de animales.

Fuera de estos casos, el oído aparece siempre como *órgano de la audición: oye* (→ *šmʿ,* Ez 24,26; Sal 92,12; Job 13,1 y *passim); presta atención* (→ *qšb* hifil, Sal 10,17; Neh 1,6.11 y *passim).* Con los verbos de hablar, especialmente con *dbr* piel (por ejemplo, Gn 20,8) y *qr'* (por ejemplo, Ex 24,7), se introduce a los oyentes por medio de la fórmula *bᵉ'ózæn.* Esta fórmula sirve frecuentemente para señalar a los oyentes como testigos (Gn 23,10.13.16). También tras el verbo *šmʿ* cumple la expresión *bᵉ 'ózæn* esa función *(bᵉ* instrumental) (Jr 26,11; 2 Sm 7,22; Sal 44,2). Por el contrario, *šémaʿ 'ózæn* significa «de oídas» (Sal 18,45; Job 42,5). La comunicación de asuntos importantes (con frecuencia de importancia vital) se indica por medio de la expresión → *glb 'oznō,* «descubrir el oído de alguien» (1 Sm 20,2.12s; 22,8.8.17; el autor de la narración del ascenso de David usa con frecuencia esta expresión; también Rut 4,4; con Yahvé como sujeto, cf. *inf.* 4; → *ʿayin).* El maestro de sabiduría puede exigir que «se preste atención» por medio de la expresión *nṭh* hifil *'ózæn,* «inclinar el oído» (Sal 78, 1; Prov 4,20; 5,1.13; 22,17; semejante en Is 55,3; Sal 45,11 y 49,5; cf. además *inf.* 4).

Las enumeraciones de diversos miembros corporales destacan sus diversas funciones: casi siempre ojos-oídos (2 Re 19,16 = Is 37,17; Is 11,3; 30,20s; 35,5; 43,8; Jr 5,21; Ez 8,18; 12,2; Sal 34,16; 92,12; 94, 9; Job 13,1; 29,11; 42,5; Prov 20,12; Ecl 1,8; Dn 9,18; Neh 1,6; 2 Cr 6,40; 7,15), manos-ojos-oídos (Is 33,15), corazón-oído (Jr 11,8; Ez 3,10; Prov 2,2; 18,15; 22,17; 23,12), corazón-ojo-oído (Dt 29,3; Is 6,10; 32,3; Ez 40,4; 44,5), oído-paladar (Job 12, 11; 34,3), oído-lengua (Is 50,4s), manos-cuello-nariz-oídos-cabeza (Ez 16,11s), boca-ojos-oídos-nariz-manos-pies-garganta (Sal 115,5ss; cf. 135,16ss). En la fórmula del talión falta el oído (Ex 21,23ss; Lv 24, 19s).

Como vocablos indicadores del no querer oír o del no poder oír se deben mencionar: → *ḥrš* qal, «ser sordo» (Miq 7,16; Sal 28,1; 35,22; 39,13; 50,3; 83,2; 109,1), *ḥērēš,* «sordo» (Ex 4,11; Lv 19,14; Sal 38, 14; 58,5; en sentido metafórico, Is 29,18; 35,5; 42,18s; 43,8); *'ṭm,* «cerrar» (Is 33, 15; Sal 58,5; Prov 21,13), *kbd* hifil, «endurecer» (Is 6,10; Zac 7,11), *'lm* hifil, «tapar» (Lam 3,56)*.

El verbo *'zn* hifil se encuentra en la invitación a oír, formulada en imperativo y que introduce cánticos (Dt 32,1; Jue 5,3; Gn 4,23), dichos sapienciales (Is 28,23; Sal 49,2; 78,1), instrucciones jurídicas (Job 33,1; 34,2.16; 37,14) y palabras proféticas (Is 1,2.10; 32,9; 51,4; Jr 13,15; Os 5,1; Jl 1,2; cf. Nm 23,18). Con frecuencia aparece en paralelismo con *šm'* y/o *qšb* hifil (Wolff, BK XIV/1, 122s: «fórmula introductoria en boca del maestro»; distinto L. Köhler, *Dtjes, stilkritisch untersucht* [1923] 112: «llamada de dos testigos»; finalmente, I. von Loewenclau, EvTh 26 [1966] 296ss).

El contenido de lo escuchado lo forman casi siempre los *debārīm* (palabras o acontecimientos, Gn 20,8; 44,18). Sobre las preposiciones que siguen a *'zn* hifil, cf. HAL 27a.

'ózæn, además de órgano de la audición, es también, sobre todo en la literatura sapiencial, *órgano del conocimiento y de la comprensión* (Job 12, 11; 13,1; 34,3; Prov 2,2; 5,1.13; 18, 15; 22,17; 23,12; Is 32,3). Comparte esta función con el corazón (cf. Ch. Katatz, *Studien zu Proverbien 1-9* [1966] 43-47).

Cf. HAL 27b sobre el acádico *uznu,* «oído > entendimiento, y *ḫasīsu,* «oreja, audición < comprensión, inteligencia» (AHw 330b; CAD Ḫ 126s; *ḫasāsu,* «pensar»), además, Dhorme, 89s.

4. Del *oído de Yahvé* se habla con toda normalidad (Nm 11,1.18; 14,28; 1 Sm 8,21 y *passim;* sobre el oído de los ángeles, cf. 1QM 10,11; sobre antropomorfismos, cf. Köhler, *Theol.,* 4-6). El ruego de ser escuchado con la fórmula «inclina a mí tu oído» es típica de los salmos de lamentación individual (*nṭh* hifil: Sal 17,6; 31,3; 71,2; 86,1; 88,3; 102,3; 2 Re 19,16 = Is 37,17; cf. Dn 9,18; de alabanza, Sal 116,2), y lo mismo con el imperativo de *'zn* hifil, junto a *šm'* y *qšb* hifil (Sal 5,2; 17,1; 39,13; 54,4; 55,2; 86,6; 140, 7; 141,1; en un salmo de lamentación del pueblo, 80,2; de súplica, 84,9). *Yahvé oye* a los hombres (Sal 94,9; Is 59,1; cf., sin embargo, Job 9,16), también la insolencia de éstos llega a sus oídos (2 Re 19,28 = Is 37,29). Los ídolos no oyen (Sal 115,6; 135,17; cf. Kraus, BK XV, 788; Zimmerli, BK XIII, 260; distinto Weiser, ATD 20, 54).

Yahvé cava, planta, *crea el oído del hombre* (Sal 40,7; 94,9; Prov 20,12; Dt 29,3; cf. Gn 2,7). El «descubre el oído» del hombre (1 Sm 9,15; 2 Sm 7,17 = 1 Cr 17,25; Job 33,16; 36,10. 15; 1QH 1,21 y *passim;* cf. Is 22,14), despierta (*'ūr* hifil) y abre (*ptḥ*) el oído de los profetas (Is 50,4s; cf. Ez 9,1; Is 5,9; Job 4,12). Al confiarles su misión se ordena a los profetas que hablen «al oído» (Ex 11,2; Jr 2,2; 26,15; Dt 31, 11; Jue 7,3). Es expresión deuteronomística el dicho referente al «retumbar de oídos» (*ṣll* en 1 Sm 3,11; 2 Re 21, 12; Jr 19,3). *Israel oye* las palabras y mandatos de Yahvé (Ex 24,7; 15,26; 2 Re 23,2; Is 1,10 y *passim).* La parénesis deuteronómica no emplea la raíz *'zn* (→ *šm').* Israel se cierra a la palabra de Yahvé, cf. la fórmula en el estrato C de Jr: «no oían ni inclinaban su oído (y caminaban...)» (Jr 7,24.26; 11,8; 17,23; 25,4; 34,14; 35,15; 44,5; cf. *'zn* hifil usado en forma negativa por el cronista en Neh 9,30; 2 Cr 24, 19). Aunque el pueblo tiene oídos, no oye (Jr 5,21; Is 43,8; Ez 12,2), su oído está incircunciso (Jr 6,10; cf. H.-J. Hermisson, *Sprache und Ritus im altisr. Kult* [1965] 71), Yahvé mismo lo endurece (Is 6,9s; Dt 29,3; cf. von Rad II, 158ss). Pero al final de los tiempos se abrirán los oídos de los sordos (*pqḥ* nifal en Is 35,5; O. Procksch, *Jesaja* I [1930] 435; → *'áyin*).

5. Qumrán enlaza con el uso teológico del AT. Sobre Filón, Josefo, el rabinismo y el NT: G. Kittel, art. ἀκούω: ThW I, 216-225; J. Horts, art. οὖς: ThW V, 543-558.

Cf. la *apertio aurium* de la liturgia bautismal de la primitiva Iglesia (RGG VI, 651s); sobre Agustín: U. Duchrow, *Sprachverständnis und biblischen Hören bei Augustin* (1965) (con bibliografía).

G. Liedke

אָח *'āḥ* Hermano

1. **'aḫ,* «hermano», y **'aḫāt,* «hermana», pertenecen lo mismo que → *'āb,* «padre») al semítico común (Bergstr. *Einf.* 182); se usan también en un sentido traslaticio en todas las lenguas semíticas (cf. *inf. 3b).*

En el AT aparecen los derivados siguientes: el abstracto *'aḥ^awā,* «hermandad» (entre Judá e Israel, Zac 11,14), el diminutivo *'aḥyān,* «hermanito» (sólo como nombre propio, 1 Cr 7,19; Stamm, HEN 422), así como eventualmente un verbo denominativo *'ḥh* nifal, «hermanarse» *(nāḥā < næ'æḥā* en Is 7,2, cf. HAL 30a; distinto Eissfeldt, KS III, 124-127; L. Delekat, VT 8 [1958] 237-240; H. Donner, SVT 11 [1964] 8), cf. el acádico *aḫû* Gt, «hermanarse mutuamente» *(atḫû,* «compañero, camarada»); St, «juntarse, aliarse» *(šutāḫû,* «emparejados, uno frente a otro»); N, «hermanarse» (AHw 22b).

2. *'āḥ,* «hermano», aparece 629 × (296 × en singular y 333 × en plural, además 1 × en arameo plural en Esd 7,18), con mayor frecuencia en las narraciones familiares del Gn (178 ×, de ellas 100 × en singular); siguen 1 Cr (99 ×, de ellas 79 × en plural, con frecuencia en listas como 1 Cr 25,10. 31) y Dt (48 ×), donde el concepto adquiere gran relevancia (cf. *inf. 4c).*

'āḥōt, «hermana», aparece 114 × (de ellas 9 × en plural), con gran frecuencia en Gn (24 ×) y en 2 Sm 13, Ez 16 y 23.

3. *a)* Se debe partir de la designación de la *hermandad según la carne* (en hermanos o hermanastros, por ejemplo, 2 Sm 13,4, cf. 2 Sm 3,2s; Pedersen, *Israel* I-II, 58ss), que muchas veces para diferenciarla de un sentido más amplio suele ser precisada ulteriormente: Gn 37,27: «nuestro hermano y nuestra carne»; 42,13.32: «hermanos, hijos de un mismo hombre/de nuestro padre»; Dt 13,7: «tu hermano, el hijo de tu madre», semejante Jue 8,19 y en paralelismo de miembros Gn 27,29; Sal 50,20; 69,9; Cant 8,1 (así ya en ugarítico: Krt 9, «siete hermanos», paralelo a «ocho hijos de una madre»; 49 [= I AB], VI 10s.14s).

El mismo significado estricto aparece también en diversas *designaciones de parentesco:* 1) «hermano del padre» (Lv 18, 14, perífrasis de ambiente legal [W. Kornfeld, *Studien zum Heiligkeitsgesetz* ⟨1952⟩ 103] en vez de *dōd,* el término corriente para *patruus* en Lv 10,4; 20,20; 25,49.49; Nm 36,11; 1 Sm 10,14-16; 14.50; 2 Re 24,17; Jr 32,7.8.9.12; Am 6,10; 1 Cr 27, 32; Est 2,7.15); cf. HAL 206b, que ofrece bibliografía, y Fitzmyer, *Gen. Ap.,* 120s; sobre → *'am* en el sentido de «tío», suplantado en hebreo por *dōd,* cf. L. Rost, FS Procksch (1934) 143s (= KC 90s); J. J. Stamm, ArOr 17 (1949) 379-382; íd., SVT 7 (1960) 165-183; íd., HEN 418s. 422; Huffmon, 196s;

2) «hermana del padre» (Lv 18,12; 20, 19; cf. *dōdā,* «hermana del padre», en Ex 6,20; cf., sin embargo, Lv 18,14; 20,20: «esposa del hermano del padre»);

3) «hermano de la madre» (Gn 28,2; 29,10; en acádico-arameo-árabe existe una palabra especial para designar al «hermano de la madre», **ḫāl-,* que falta en hebreo; Huffmon 194);

4) «hermana de la madre» (Lv 18,13; 20,19);

5) «esposa del hermano» (Lv 18,16, en lugar de *y^ebāmā,* «cuñada», en Dt 25,7.9; Rut 1,15; → *'almānā);*

6) «hijo del hermano» (Gn 12,5); así como en un sentido delimitado por palabras vecinas de su campo semántico, por ejemplo en la enumeración de los parientes más cercanos en Lv 21,2s; 25,48s; Nm 6,7; Ez 44,21.

Cf., además, G. Ryckmans, *Les noms*

de parenté en safaïtique: RB 58 (1951) 377-392.

b) Al igual que en otras lenguas, incluso no semíticas, también en hebreo se da fácilmente el paso a un *significado lato,* «pariente cercano, compañero de tribu, compatriota» o «colega, amigo» hasta un significado completamente neutro como «el/lo otro» en relaciones de reciprocidad («uno a otro») (un 45 por 100 de los casos de *ʾāḥ* en el AT), aplicando el modelo familiar a los compañeros de cualquier otro tipo de comunidad estrecha, que son designados como «hermanos» o «hermanas». En estos casos se pone de relieve el elemento de unión, efecto, semejanza o igualdad; ese elemento sirve de *tertium comparationis* en el empleo lato del término, cf. J. Zobel, *Der bildliche Gebrauch der Verwandtschaftsnamen im Hebräischen* (1932) 35-42.

No siempre es posible hacer una precisa separación entre un sentido estricto y un empleo traslaticio del término (en Gn 49,5, «Simeón y Leví son hermanos», el término encierra ambos significados); cf. la reseña sobre textos del Lv en Elliger, HAT 4, 137, nota 12; 259, nota 37; cf. sobre textos del Dt la reseña de C. Steuernagel, *Das Dtn* (^{2}1923) 42, además Fitzmyer, *Sef* 112 en *Sef.* (= KAI, N. 224) III, 9. Testimonios del empleo de «hermano» para designar la relación tío-sobrinos o primos-primas son Gn 13,8; 14,16 (sobrinos, corregido en GnAp 22,11 a *br ʾḥwhy,* Fitzmyer, *Gen. Ap.,* 153); 29, 12.15; Lv 10,4 (hijos de primos); 1 Cr 23,22; del uso de «hermana» para hermanastra, Gn 20,12.

El significado «parientes» (en plural) es claro en Gn 16,12; 25,18; 31,23.25. 32.37.46.54; Ex 2,11; 4,18; Jue 9,26. 31.46 y *passim* (cf. Ez 11,15: «todos tus hermanos, los pertenecientes a tu familia»; Zimmerli, BK XIII, 190.200. 248; → *gʾl),* pero no puede siempre separarse con seguridad del otro significado más amplio «pertenecientes a la misma tribu, al mismo pueblo» (por ejemplo, Nm 36,2; Jue 9,18; 2 Sm 9, 13; sobre Am 1,9, cf. J. Priest, *The Covenant of Brothers:* JBL 84 [1965] 400-406; en Nm 25,18, «compaisana»), ni éste del otro más general de «compañero» (por ejemplo, 2 Re 9,2, entre soldados; Is 41,6, entre artesanos; Nm 8,26; Esd 3,8; Neh 5,14 y frecuentemente en la obra histórico-cronista aplicado a los levitas). Un cuadro parecido aparece en las inscripciones provenientes de Zincirli (KAI N. 214, línea 27-31; N. 215, línea 3.12.17; N. 216, línea 14; DISO 8).

Los sinónimos de este significado lato serán tratados al hablar de → *rēaᶜ*.

c) Como uso *metafórico* del término es característica la fórmula alocutiva «hermano mío/hermana mía», dirigida incluso a los no parientes: Gn 19,7; 29,4; Jue 19,23; 1 Sm 30,23; 2 Sm 20, 9; 1 Cr 28,2 (cf. Lande 20.23-25, que enumera las ideas que acompañan con frecuencia al lenguaje de cortesía). Con este uso está relacionado el empleo del término «hermano» entre iguales a las fórmulas de mensaje (Nm 20,14; 1 Sm 25,6, texto enmendado), en las fórmulas epistolares de cortesía y en el trato diplomático (1 Re 9,13, Hiram-Salomón; 20,32s, Ajab-Ben Adad).

Los testimonios extrabíblicos de este estilo epistolar son numerosos; en acádico: CAD A/I, 200-202; en ugarítico: 18,17; 138,3.10.15.18 (entre padre e hijo); 1016,3 (reina como hermana); 1019,8.10 (paralelo a *rᶜ*, «amigo»); PRU V 59, 2.3.26 (reyes de Tiro y Ugarit); 65,17.19.21; 130,4; 159, 2; cf. A. van Selms, *Marriage and Family Life in Ugaritic Literature* (1954) 113; en fenicio y arameo, cf. DISO 8 y Fitzmeyer, *Gen. Ap.,* 77.

Del mismo modo deben entenderse las fórmulas alocutivas de los cantos fúnebres (1 Re 13,30: «¡ay, hermano mío!»; Jr 22,18: «¡ay, hermano mío; ay, hermana mía»; y también, por influencia de estos últimos, 2 Sm 1,26: «Cómo sufro por ti, Jonatán, hermano mío»; cf. Jahnow, 61ss; Lande, 25s).

Como metáfora de afecto se usa «hermana mía» (esposa), dirigida a la amada (designada en los demás casos de Cant como *ra'yā,* «amiga», → *rēaʿ*), en Cant 4,9.10.12; 5,1.2, y también en poemas de amor egipcios (Grapow 32; A. Hermann, *Altäg. Liebesdichtung* [1959] del 75 al 78; Rudolph, KAT XVII, 150) y en ugarítico (3 Aqht, reverso 24, Anat a Aqhat: «tú eres mi hermano, yo soy tu hermana»; cf. van Selms, *loc. cit.,* 70.120.122; M. Dahood, Bibl 42 [1961] 236). Cf. también Prov 7,4: «dí a la sabiduría: tú eres mi hermana», refiriéndose a la sabiduría personificada (Ch. Kayatz, *Studien zu Proverbien 1-9* [1966] 98).

La pertenencia al mismo grupo y la igualdad se indican por medio de *'aḥ* en Job 30,29: «me he convertido en hermano de los chacales»; Prov 18,9: «hermano del derrochador», cf. 28,24: «camarada del malvado», con *ḥābēr;* con *'āḥōt:* Job 17,14: «a la fosa le digo 'madre mía' y al gusano 'hermano mío'».

Cf. en acádico, por ejemplo, CAD A/I, 172a: «Los dos ojos son hermanos»; en ugarítico, 127 (= IIK, VI), 35.51: «como una hermana se te ha vuelto la enfermedad», a no ser que con Driver, CML 47. 133, entre otros, haya que entender *aḫt* como verbal «tú eres un hermano».

d) El empleo *pronominal* del término en expresiones que contienen las palabras *'īš-'āḥīw* aparece referido a personas (Gn 9,5; 13,11; 26,31; 37,19; 42, 21.28; Ex 10,23; 16,15; Lv 7,10; 25, 14.46; 26,37; Nm 14,4; Dt 1,16; 25, 11; 2 Re 7,6; Is 3,6; 19,2; 41,6; Jr 13, 14; 23,35; 25,26; 31,34; 34,17; Ez 4, 17; 24,23; 33,30; 38,21; 47,14; Jl 2,8; Miq 7,2; Ag 2,22; Zac 7,9.10; Mal 2, 10; Neh 4,13; 5,7, en parte con el significado propio de «hermano»), pero también con referencia a cosas (Ex 25, 20 y 37,9, querubines de oro; Job 41,9, escamas de un cocodrilo); el femenino *'iššā-'āḥōt* referido también a cosas (cortinas, Ex 26,3.5.6.17; alas Ez 1,9; 3, 13).

Los paralelos acádicos *(aḫu aḫa, aḫu ana aḫi,* etc.) se refieren también a personas o cosas (CAD A/I, 203s), y lo mismo el hebreo *tō'ᵃmīm/tᵉ'ōmīm* (R. Köbert, Bibl 35 [1954] 139-141) «gemelos» (Gn 25,24, Jacob y Esaú; 38,27, Fares y Zaraj; Cant 4,5 = 7,4, gacelas, y en Ex 26,24 y 36,29, tablas).

4. *a)* Los empleos teológicos más relevantes de este término no se refieren a su significado más estricto, «hermano según la carne», con todas sus implicaciones de derecho familiar, sino a su significado más general de «miembro (de una comunidad)» o al uso metafórico del mismo.

Sobre el *derecho familiar:* prohibición de relaciones sexuales entre hermanos (Lv 18,9.11 = 20,17; Dt 27,22), cf. W. Kornfeld, *Studien zum Heiligkeitsgesetz* [1952] 110ss; institución del matrimonio con el cuñado (levirato), cf. F. Horst, RGG IV, 338s; Rudolph, KAT XVII, 60-65 (bibliografía) → *g'l;* C. H. Gordon, JBL 54 (1935) 223-231, cree encontrar también en el AT indicios de fratriarquía, semejante a la que puede probarse sin duda ninguna en la región hurrita (P. Koschaker, *Fratriarchat, Hausgemeinschaft und Mutterrecht in Keilsschrifttexten:* ZA 41 [1933] 1-89): fratronimia (Gn 4,22; 36,22; 1 Cr 2,32.42; 24,25; también en ugarítico, 300,5, *Ršpab aḫ Ubn)* y motivos fratriarcales particulares en las narraciones patriarcales (por ejemplo, Gn 24, Labán-Rebeca), pero cf. también De Vaux I, 37. Sobre Gn 12, 13, «di que eres mi hermana», como fórmula de divorcio condicionada, cf. L. Rost, FS Hertzberg (1965) 186-192.

b) Diversas reflexiones éticas sobre la justa *fraternidad en la vida diaria ponen de relieve,* tanto en los textos bíblicos como extrabíblicos, la confianza, el afecto, la disponibilidad, etc. En frases comparativas, «hermano» puede aparecer en paralelo a «padre», por ejemplo en un texto acádico de Mari: «yo soy para ti como un padre y un hermano y tú eres para mí como un adversario y un enemigo» (G. Dossin, «Syria» 33 [1956] 65); en fenicio, Kil. I, 10 (→ *'āb* III/3). Los ejemplos veterotestamentarios de la literatura sapiencial ponen al «amigo» (→ *rēa'*) y al «vecino» junto al hermano, y la comparación resulta a veces negativa para el hermano (Prov 17,17: «el amigo ama en todo tiempo, un hermano es para el día de la desgracia»; pero 18,24: «muchos amigos están más cerca que un hermano», y 27,10: «mejor es un vecino cercano que un hermano lejano»). Otros textos sapienciales sobre el tema de la fraternidad son: Sal 133,1: «mira, qué dulce y amable es convivir los hermanos unidos», y el arameo Ah. 49: «te cuidé como uno trata a su hermano» (Cowley, 221; AOT 456). Cf. también la designación de los amigos Guilgamés y Enkidu como «hermanos» (*Guilg.* VI, 156 = Schott, 58).

c) El concepto «hermano» adquiere un colorido más claramente teológico en la ley de santidad (Lv 19,17 → *rēa'*; 25,35.36.39.46.47.48 → *g'l*). Pero la designación deuteronómica de los miembros del pueblo o de la comunidad como hermanos no implica un nuevo empleo de la palabra. El matiz religioso aparece en el contexto de la intimación de la ley únicamente mediante el empleo insistente del término con sufijo, la mayoría de las veces, *'āḥīkā*, «tu hermano»; así ocurre en todos los pasajes de la ley deuteronómica en Dt 12-16, a no ser que se den, como en 13,7 y 25,5-9, especiales determinaciones de derecho familiar (15,2.3.7.9.12; 17,15.20; 18,15.18; 19,18.19; 20,8; 22, 1-4; 23,20.21; 24,7.14; 25,3.11; levitas, 18,2.7; edomitas, 23,8; cf. O. Bächli, *Israel und die Völker* [1962] 121 a 123). En Jr 34,9.14.17 hallamos textos directamente influidos por el lenguaje deuteronómico; la obra histórico-cronista emplea «hermano» en sentido lato casi exclusivamente en plural; cf. además H. C. M. Vogt, *Studie zur nachexilischen Gemeinde in Esra-Nehemia* [1966] 113-115, sobre todo lo referente a Neh 5.

Ya en Gn 4,9: «¿dónde está tu hermano Abel?», la forma sufijada desempeña un papel especial en la descripción de la relación ejemplar entre Dios, el hombre y el prójimo (W. Vischer, *Das Christuszeugnis des AT* I [1935] 90s: «La responsabilidad ante Dios es la responsabilidad en favor del hermano»).

Este lenguaje deuteronómico se desarrolla en el contexto de la concepción deuteronómica del pueblo de Dios (G. von Rad, *Das Gottesvolk im Dtn* [1929] 13.50; H. Breit, *Die Predigt des Deuteronomisten* [1933] 179-185; O. Procksch, *Theol. des AT* [1950] 239). «Pueblo es la familia acrecentada que forma una unidad. Pero el empleo del término 'hermano' como elemento constitutivo del concepto de pueblo tiene también una función niveladora: los hermanos están al mismo nivel, tienen iguales derechos y deberes y son recíprocamente responsables» (Bächli 123).

La idea de la hermandad de los israelitas bajo un padre (→ *'āb* IV/3c) aparece ciertamente en Mal 2,10, pero no está fijada terminológicamente («¿por qué obrar deslealmente unos con otros?», cf. *3d)*.

d) Sobre la designación de la *divinidad* como «hermano» en los *nombres propios* teofóricos de la antroponimia semítica antigua vale, *mutatis mutandis,* cuanto se ha dicho sobre → *'āb,* «padre» (III/5, con bibliografía).

También aquí, junto a los nombres teofóricos (*'aḥiyyāhū/'aḥiyyā/Yō'āḥ,* «Yahvé es mi hermano»; *'aḥīmælæk, Ḥī'ēl* < **'aḥī 'ēl, Ḥīrām* < fenicio *'ḥrm,* cf. Friedrich § 94), se encuentra una serie de nombres sustitutivos, por ejemplo, *'aḥīqām,* «mi hermano ha resucitado (de nuevo)»; *'aḥ'āb,* «hermano del padre»; *'aḥūmay,* «hermano de mi madre» (según Nöldeke, BS 95), cf. Stamm, HEN 417s.422; sobre *Dōdō,* «su tío», y *Dāwīd,* «tío», cf. Stamm, SVT 7 (1960) 165-183; sobre *'ammōn,* «tío pequeño», cf. íd., ArOr 17 (1949) 379-382.

5. El desarrollo ulterior del empleo lingüístico de nuestro término en el judaísmo y en el NT está estrechamente relacionado con el concepto de prójimo (→ *rēa'*), cf. H. von Soden, art. ἀδελ-

φός: ThW I, 144-146; H. Greeven y J. Fichtner, art. πλησίον: ThW VI, 309-316; RAC II, 631-646; ThBNT I, 146-151; J. Fichtner, *Der Begriff des «Nächsten» im AT mit einem Ausblick auf Spätjudentum und NT:* WuD N. F. 4 (1955) 23-52 (= *Gottes Weisheit* [1965] 88-114).

E. JENNI

אֶחָד *ʾæḥād* Uno

1. *a)* El numeral usado para designar el número «uno» es, en su forma trilítera básica, *ʾḥd,* común a todas las lenguas semíticas (GVG I, 484; Bergstr. *Einf.,* 191; ugarítico: UT N. 126; WUS N. 131; inscripciones neosemíticas: DISO 9; sobre el arameo *ḥad,* con desaparición de la ʾ, cf. GVG I, 243. 257; BLA 54.248s).

En acádico, la raíz tiene la forma *(w)ēdum* (más tarde *ēdu),* con el significado «único, solo» (GAG § 71c; AHw 184. 186-188; CAD E 27s.33.36-39 con otros derivados), mientras que para decir «uno» se usa la palabra *ištēnum* (GAG § 69b; AHw 400s; CAD I/J 275-279), que también es conocida en hebreo *(ʿaštē ʿāśār,* «once», siempre en unión de *ʿāśār,* «diez»; según Zimmern 65y y Meyer II, 87, se trata de un extranjerismo tomado del acádico; pero existe también en ugarítico).

Junto a la forma original *ʾaḥad* (Gn 48, 22; 2 Sm 17,22; Is 27,12; Ez 33,30; Zac 11,7; cf. BL 622; Meyer II, 85) se da como forma más frecuente *ʾæḥād* con reduplicación secundaria de la consonante media de la raíz (GVG I, 68; BL 219), con lo cual la vocal que antecede a *ḥ* con *qāmæṣ* se convierte en *æ* (Bergstr. I, 152; BL 216).

b) En hebreo (y también en ugarítico, cf. UT 43s, N. 126) existe también el plural *ʾaḥādīm* (Gn 11,1: «las mismas palabras»; 27,44; 29,20; Dn 11,20: «algunos días»; Ez 37,17: «para que sean uno solo», según Gordon, UT, *loc. cit.:* «un par»; cf. además BrSynt 74s).

c) La raíz aparece muy pocas veces en forma verbal: en hebreo, *ʾḥd* hitpael, «unirse», sólo en Ez 21,21, texto discutible; en ugarítico, *ʾḥd* D, «asociar(se)» (WUS N. 131), es también muy inseguro.

d) El nombre propio *ʾēhūd* (1 Cr 8,6, miembro de la tribu de Benjamín) debe corregirse en *ʾēhūd* (Noth, IP N. 76; Rudolph, HAT 21,76; HAL 30a).

e) Junto a *ʾḥd* existe en todas las lenguas semíticas la raíz emparentada *wḥd* (en neosemítico, *yḥd):* en acádico, *wēdum,* «único, solo» (cf. *sup.* 1a); en ugarítico *yḥd* hafel, «unir» (DISO 106); sobre ulteriores formas (posteriores al AT), cf. KBL 376b. En hebreo, el verbo aparece muy raramente: *yḥd* qal, «unirse», Gn 48,6 (distinto M. Dahood, Bibl 40 [1959] 169); Is 14,20; el piel de Sal 86,11 es dudoso. Más frecuente son el sustantivo (usado también en los textos de Qumrán) *yáḥad,* «unión» (Dt 33,5; 1 Cr 12,18; cf. S. Talmon, VT 3 [1953] 133-140), en forma adverbial *yáḥad* (44 ×, incluido Jr 48,7 K), y *yaḥdāw* (94 ×, excluido Jr 48,7 Q; *-āw* es quizá desinencia locativa antigua que ha sufrido un cambio de sentido, cf. GVG I, 460-465; BL 529s; J. C. de Moor, VT 7 [1957] 350-355; cf. además *yaḫudunni,* «junto conmigo», un cananeísmo de las cartas de Amarna, CAD I/J 321), ambas con el significado de «mutuamente» (y otros matices modales, locales y temporales, cf. de Moor, *loc. cit.,* 354s; pero no «solo», como afirman J. Mauchline, TGUOS 13 [1951] y M. D. Goldman, ABR 1 [1951] 61-63, refiriéndose a determinados pasajes), y *yāḥīd,* «único, solo, solitario» (12 ×; con frecuencia, referido a «hijo único»; en Sal 22,21 y 35, 17: «mi único = mi vida»)*.

2. El numeral (masculino 703 ×, femenino 267 ×, con 2 Sm 17,12 Q; 1 Re 19,4 Q; Is 66,17 Q; Cant 4,9 K), que aparece 970 × (además, como escritura defectiva, Ez 18,10: *ʾāḥ,* y 33, 30: *ḥad,* cf. Zimmerli, BK XIII, 393. 816), se encuentra en casi todos los escritos del AT (falta en Jl, Miq, Nah, Hab), aunque, como es lógico, aparece con mayor frecuencia en los libros que contienen enumeraciones, secciones legales, descripciones, etc. (Nm 180 ×, de ellas 89 × en Nm 7; Ez 106 ×; Ex 99 ×; 1 Re 63 ×; Jos 60 ×); el arameo *ḥad* aparece 14 ×.

3. Gb 22s y HAL 29s presentan una descripción detallada del empleo de este término. El significado base es el de «uno» en sentido numeral, que puede referirse a Dios (Dt 6,4; cf. Gn 3,22), hombres, animales o cosas. De ahí deben derivarse también el empleo absoluto «el uno» (1 Sm 13,17s y *passim;* en ocasiones con el artículo determinado, cf. GVG II, 69) y el empleo distributivo «cada uno» (por ejemplo, Dt 1,23). Para designar una unidad no determinada puede emplearse el numeral en el sentido de «alguno», por ejemplo, 1 Sm 26,15: *ʼaḥad hāʻām,* «uno del pueblo» (sobre el uso de *min* dentro de esta construcción, cf. GVG II, 84); con la partícula negativa *lō* o también *ʼēn* significa «ninguno». En ocasiones, *ʼæḥād* puede desempeñar también el papel de ordinal, por ejemplo, Gn 1,5: «día uno = primer día»; lo mismo ocurre en las fórmulas de datación. Fuera de estos casos, se dice *rīšōn,* «el primero». *ʼaḥat* se emplea con el significado de «una vez», por ejemplo, en Lv 16,34 y 2 Re 6,10.

4. *a)* El numeral adquiere una especial relevancia en el lenguaje *teológico.* La intolerancia y —unida a ésta— la intransigente dinámica de la fe yahvista veterotestamentaria descarta categóricamente toda divinización del hombre (Gn 3,22) y toda adoración de otras divinidades o potencias junto a Yahvé. Con esto, el dios *uno* pasa a primerísima posición; esto es lo que exige ya el Decálogo, que enfrenta al «Yo», entendido como una unidad divina (Ex 20,2; Dt 5,6), los «otros dioses» (Ex 20,3; Dt 5,7; →*ʼḥr).* Mientras los demás dioses tienen muchos nombres, Yahvé sólo tiene un nombre (Ex 3,14s; cf. von Rad I, 199).

Esta concepción ha recibido una formulación clásica en la expresión surgida en tiempo de Josías (Eichrodt I, 145): *šᵉmaʻ Yiśrāʼēl Yhwh ʼᵆlōhēnū Yhwh ʼæḥād:* «escucha Israel, Yahvé nuestro Dios es sólo uno» (Dt 6,4; otra traducción posible es: «Yahvé es nuestro Dios, Yahvé como único»), expresión que —entiéndase como se entienda su construcción sintáctica (sobre esto, cf., entre otros, S. R. Driver, *Deuteronomy* [[3]1902. 1952] 89s; G. Quell, ThW III, 1079s; von Rad, ATD 8, 44-46) y decídase como se decida cuál es el punto principal de discusión, el politeísmo o el poliyahvismo— pone claramente de relieve la unicidad y exclusividad de Yahvé (cf. E. König, *Theologie des AT* [1922] 129-132, que recuerda la muerte del mártir R. Aqiba pronunciando las palabras de la *šᵉmaʻ;* además, H. Breit, *Die Predigt des Deuteronomisten* [1933] 60-65; Vriezen, *Theol.,* 136.147-152; von Rad I, 240). La fórmula no aparece aislada, sino que está inserta en el mandamiento de amar a este Señor único de forma también única (Dt 6,5; cf. N. Lohfink, *Das Hauptgebot* [1963] 163s; íd., *Höre, Israel* [1965] 63). De ahí se deduce también la exigencia de adorar al Dios *único* en un *único* lugar (cf. 2 Cr 32,12) (von Rad I, 240).

De todos modos, la idea de la unicidad de Yahvé no está ligada al empleo del vocablo *ʼæḥād* (por ejemplo, Ex 15, 11; 2 Sm 7,22; Is 44,6; cf. C. J. Labuschagne, *The Incomparability of Yahweh in the OT* [1966]). Con todo, en el texto tardío de Zac 14,9, *ʼæḥād* vuelve a ser empleado teológicamente, hablando del cumplimiento escatológico a nivel universal de la exigencia de Dt 6,4s: «aquel día Yahvé será único y su nombre será único» (cf. G. A. F. Knight, *The Lord is One:* ET 79 [1967-1968] 8-10).

ʼæḥād se emplea de forma distinta en Mal 2,10: «¿No tenemos todos un único padre? ¿No nos ha creado a todos un único Dios? ¿Por qué, pues, no somos leales entre nosotros...?»; aquí el vocablo está al servicio del ideal de la unidad del pueblo (cf. también Job 31,15). Hay que mencionar también el empleo enfático del término en contextos escatológicos como Jr 32,39: «un solo corazón y un solo camino» (Rudolph, HAT 12, 212); Ez 34,23 y 37,24: «un solo pastor»; 37,22: «un solo pueblo..., un solo rey»; Os 2,2: «un solo jefe»; Sof 3,9: «con un solo hombro = servirle unánimemente»*.

b) En este contexto se pueden mencionar también los vocablos de la raíz *bdd,* vecinos semánticamente a algunos empleos de *'æḥād: bad,* «soledad», usado adverbialmente, *l^{e}bad, mill^{e}bad,* «solo, fuera de» (158 ×): *bōdēd,* «solo» (3 ×); *bādād,* «solo» (11 ×). Más de una vez se presenta la unicidad de Yahvé por medio de *l^{e}bad:* Dt 4,35: «Sólo Yahvé es Dios y ningún otro»; 1 Re 8,39 = 2 Cr 6,30: «sólo tú conoces el corazón de los hombres»; 2 Re 19,15.19 = Is 37,16.20: «sólo tú eres Dios»; Is 2,11.17: «sólo Yahvé será exaltado aquel día»; Is 44,24 y Job 9,8: «el que extiende el cielo completamente solo»; además, Is 63,3; Sal 72,8; 83,19; 86,10; 136,4; 148,13; Neh 9,6; también por medio de *bādād,* Dt 32,12: «Yahvé solo le dirigía; no había con él ningún dios extranjero». A esto corresponde la exclusividad de la relación con Yahvé expresada por medio de *l^{e}bad* en Ex 22,19: «el que ofrece sacrificios a otros dioses y no sólo a Yahvé»; 1 Sm 7,3.4; Is 26,13; Sal 51,6; 71,16; por medio de *l^{e}bādād,* Sal 4,9; Nm 23,9: «un pueblo que vive aparte y no se cuenta entre las gentes», señala las consecuencias que se siguen para el pueblo*.

5. En el judaísmo, «el Uno» puede usarse como nombre sustitutivo de Yahvé (StrB II, 28).

Precisamente este aspecto de la exclusividad de Dios, que interpela al hombre con esa misma exclusividad, es el que más intensamente ha influido en el NT y en su mentalidad (Mc 12,29s; Rom 3,30). Sólo a Dios hay que adorar y servir (Mt 4,10; 6,24). Esta unicidad divina se refleja en Jesús, el hijo único de Dios (1 Cor 8,6; Ef 4,4-6), que con su ἐγώ εἰμι prohíbe todas las demás posibilidades de pensar o razonar religioso (Jn 6,6.48; 8,12; 11,25; 14,6). Cf. E. Stauffer, art. εἷς: ThW II, 432-440; F. Büchsel, art. μονογενής: ThW IV, 745-750.

Lo más cercano a la importante expresión neotestamentaria ἐφάπαξ (cf. G. Stählin, art. ἅπαξ: ThW I, 380-383) es la expresión adverbial veterotestamentaria *'aḥat,* «una vez para siempre», de Sal 89,36 (H. Gunkel, *Die Psalmen* [1926] 394).

G. Sauer

אָחוֹת *'āḥot* Hermana → אָח *'āḥ*

אחז *'ḥz* Asir, agarrar

1. La raíz *'ḥd, «asir», pertenece al semítico común (Bergstr., *Einf.,* 188) y aparece, según la diversa evolución y escritura de la segunda o tercera letra radical, de las siguientes formas: en árabe y en árabe meridional antiguo, *'ḫḏ;* en acádico y etiópico, *'ḫz;* en hebreo (moabita, púnico [?]) y arameo antiguo, *'ḥz;* en ugarítico y desde el arameo imperial, *'ḥd* (los testimonios semíticos noroccidentales, en WUS N. 135 y DISO 9s).

Para el empleo técnico de *'ḥz* qal en 1 Re 6,10 (según Noth, BK IX, 96.99, debe leerse piel en vez de qal», *'ḥz* piel en Job 26,9 y hofal (o pual) en 2 Cr 9,18 (cf. 1 Re 10,19), HAL 31b postula un *'ḥz* II, «recubrir» (originalmente idéntico a *'ḥz* I), que sería un extranjerismo tomado del acádico *uḫḫuzu,* «recubrir», verbo denominativo derivado de *iḫzu,* «cubierta» (cf. *ṭāfûś,* «cubierto», en Hab 2,19, de *tpś,* «agarrar»).

En Neh 7,3, «atrancar», hay otro extranjerismo, esta vez proveniente del arameo (cf. Wagner N. 7a); a él pertenecen también *ḥīdā* (arameo, participio pasivo con ' elidida; en arameo bíblico, *'^{a}ḥīdā,* Dn 5, 12), que significa («asido, agarrado > cerrado») > «enigma» (17 ×, de ellas 8 × en Jue 14,12-19) y la derivación denominativa *ḥūd* qal, «proponer un enigma» (Jue 14,12.13.16; Ez 17,2), cf. Wagner N. 100.101 (algo diverso, G. Rinaldi, Bibl 40 [1959] 274-276; H.-P. Müller, *Der Begriff «Rätsel» im AT:* VT 20 [1970] 465-489).

El verbo aparece en qal y en nifal (pasivo en Gn 22,13 y Ecl 9,12; en los demás casos es denominativo de *'^{a}ḥuzzā,* «posesión», en el sentido de «asentarse en»); sobre piel y hofal, cf. *sup.*

De la misma raíz se ha formado el sustantivo *'^{a}ḥuzzā,* «posesión», forma nominal empleada en la terminología jurídica. Finalmente, el AT posee una serie de nombres propios que contienen la raíz *'ḥz* (cf. *inf.* 4).

Sobre el debatido significado de *'āḥūz* en Cant 3,8 (participio qal «agarrando» o adjetivo «instruido, entendido»), cf. HAL 31b, con bibliografía.

2. En el AT hebreo la forma qal del verbo aparece 58 ×, nifal 7 ×, piel y hofal 1 × cada una. Estos casos están distribuidos a lo largo de todo el AT; el hecho de que los escritos más tardíos presenten más casos es simple casualidad. Por el contrario, los 66 textos que contienen el sustantivo *ʾaḥuzzā* se encuentran, aparte de en Sal 2,8, sólo en los textos tardíos; entre ellos en el documento sacerdotal y en Ez 44-48.

3. En la mayoría de los casos el verbo debe traducirse por «coger, agarrar, asir, sujetar» o semejantes (sobre otros usos técnicos en 1 Re 6,6 y Ez 41,6, derivados de dicho significado, cf. HAL 30a.31a).

Sinónimos de *ʾḥz* son *tpś,* «agarrar, asir, tener que ver con» (qal 49 ×, nifal 15 ×, piel 1 ×, Prov 30,28, texto dudoso); *tmk,* «asir, coger» (qal 20 ×, nifal 1 ×; también en fenicio y acádico), y *qmṭ,* «agarrar» (qal Job 16,8; pual Job 22,16; también en arameo y en árabe); además → *lqḥ* y → *ḥzq* en algunas de sus formas.

El objeto del verbo va con la partícula *be* o con acusativo (textos en HAL 31a). Así, por ejemplo, se agarra: los talones (Gn 25,26), los cuernos del carnero (Gn 22,13 nifal), la cola de la serpiente (Ex 4,4), los batientes de la puerta (Jue 16,3), el arca (2 Sm 6, 6 = 1 Cr 13,9), la barba (2 Sm 20,9), los cuernos del altar (1 Re 1,51), los párpados (Sal 77,5), al amado (Cant 3, 4), racimos (7,9), paños (Est 1,6), lanza y escudo (2 Cr 25,5; cf. Cant 3,8); del mismo modo también el lazo (Job 18, 9; Ecl 12,9) y la red (Ecl 12,9 nifal) agarran; en sentido metafórico se habla de «coger» o «retener» el camino (Job 17,9), la huella (Job 23,11), la necedad (Ecl 2,3. cf. 7,18).

Se emplea el verbo con especial frecuencia cuando se habla, en el contexto de una empresa hostil o violenta, de alguien que ha sido agarrado, apresado o encarcelado (Jue 1,6; 12,6; 16,21; 20,6; 2 Sm 2,21; 4,10; Is 5,29; Sal 56, 1; 137,9; Job 16,12; Cant 2,15).

Más frecuente es todavía el uso metafórico en expresiones que indican que el miedo, el temblor, el pasmo, la debilidad, el dolor, la ira o semejantes han agarrado al hombre (Ex 15,14.15; 2 Sm 1,9; Is 13,8; 21,3; 33,14; Jr 13,21; 49,24; Sal 48,7; 119,53; Job 18,20; 21,6; 30,16).

Muy general es finalmente la expresión de Nm 31,30.47 «(un entresacado =) uno de entre cincuenta»; semejante en 1 Cr 24,6 (cf. Rudolph, HAT 21,160).

Algunos pasajes en nifal (Gn 34,10; 47,27; Nm 32,30; Jos 22,9.19) deben traducirse por «asentarse (en el país)», «tomar posesión (del país)». A este contexto pertenece el sustantivo *ʾaḥuzzā,* que generalmente significa «posesión», la mayoría de las veces en el sentido de posesiones de tierra o país (Gn 23, 4.9.20: posesión de una tumba; Lv 25, 45s: posesión de esclavos). Este nombre recibe un empleo metafórico en la ley que determina que los levitas no deben poseer ninguna propiedad, ya que Yahvé es su «propiedad» (Ez 44, 28; cf. Zimmerli, BK XIII, 1137; von Rad I, 416s). Conceptos paralelos a *ʾaḥuzzā* son: *naḥalā* (→ *nḥl*), *ḥélæq* (→ *ḥlq*), → *gōrāl, yeruššā/yerēšā* (→ *yrš*). Sobre *ʾaḥuzzā* (y sobre su delimitación con respecto a *naḥalā*), cf. F. Horst, *Zwei Begriffe für Eigentum (Besitz): naḥalā und ʾaḥuzzā:* FS Rudolph (1961) 135-156, espec. 153ss.

4. Este grupo de palabras no tiene un significado propiamente teológico. En una ocasión el sujeto del verbo es Yahvé (Sal 73,23: «tú agarras mi mano derecha»; cf. también las afirmaciones sobre la acción salvífica de Yahvé que sujeta, con el verbo *tmk* en Is 41,10; 42,1; Sal 16,5; 41,13; 63,9); en dos ocasiones el sujeto es la mano de Dios: ésta agarra incluso al que habita en el extremo del mar (Sal 139,10), arrastra al juicio (Dt 32,41). Pero no por eso adquiere *ʾḥz* una importancia teológica especial.

Lo mismo vale para *ᵓaḥuzzā:* por mucho que la posesión de la tierra y otras propiedades sean entendidas como don de Yahvé (Gn 17,8; 48,4; Lv 14, 34; Dt 32,49 y *passim),* no se sigue que tal matiz esté contenido sin más en el término *ᵓaḥuzzā,* ni siquiera en los textos que hablan de una *ᵓaḥuzzat ʿōlām,* una «posesión eterna» (Gn 17, 8; 48,4; Lv 25,34) e incluso alguna vez de la *ᵓaḥuzzat Yhwh* (Jos 22,19; cf. H.-J. Hermisson, *Sprache und Ritus im altisr. Kult* [1965] 108).

En este contexto deben mencionarse también los nombres personales formados con *'ḥz,* pues todos ellos son (originalmente) nombres teofóricos: *Yehōʾāḥāz/Yōʾāḥāz:* «Yahvé ha asido (para proteger)» (cf. Noth, IP 21.62.179), *ᵓaḥazyā(hū)* y otras formas abreviadas o secundarias, que a veces aparecen fragmentariamente en sellos y óstraca (*'āḥāz,* en escritura cuneiforme *Ya-u-ḫa-zi;* además, *'aḥzay, ᵓaḥuzzām, ᵓaḥuzzat).*

5. No se puede ıeconstruir con exactitud la historia posterior de este grupo de palabras. Los casos de Qumrán coinciden con los modos de expresión veterotestamentarios (1QH 4,33; CD 2,18; sobre 1QS 2,9 → *'āb* I; el sustantivo *'ḥzh* en CD 16,16, y *'wḥzh* en 1QS 11,7). En el NT no se puede encontrar un equivalente perfecto de este término; los LXX traducen el verbo por 27 verbos distintos y el nombre por 6 vocablos diversos (sobre κρατέω, cf. W. Michaelis, ThW III, 910s).

H. H. SCHMID

אחר *'ḥr* Después

1. *a)* La raíz semítica común **'ḥr* sirve para expresar, en diversas combinaciones y composiciones, una serie de significados derivados todos ellos de la idea de la sucesión temporal. Los significados locales son menos frecuentes que los temporales y se explican fácilmente como transposición basada en el desarrollo del movimiento local: lo que viene detrás viene después.

No hay, pues, por qué seguir a G. R. Driver (JThSt 34 [1933] 377s; ZDMG 91 [1937] 346), quien para explicar *'aḥar* supone que designaba originalmente un miembro corporal (dual *'aḥarē,* «nalgas»), aunque este significado sea posible en la raíz **wark-* (hebreo *yārēk,* «caderas, nalgas, costado», 34 ×; *yarkā,* «espalda; el miembro más lejano», 28 ×) (cf. Dhorme, 98-100).

La *-ē* de *'aḥarē* no debe entenderse como desinencia de dual, sino como asimilación al opuesto *lifnē,* «antes» (BL 644s); el significado «parte trasera, posterior» de *'āḥōr* (2 Re 7,25 = 2 Cr 4,4) es de carácter abstracto.

El significado local «detrás» se expresa en acádico por medio de **(w)ark-,* y aparece en la raíz *'ḫr* (¿por influjo cananeo?, cf. W. von Soden, OrNS 18 [1949] 319s) solamente en Mari *(aḫarātum,* «orilla posterior», AHw 18a; CAD A/I, 170a) y como glosa cananea en una carta de Amarna en Meguido (EA 245,10: *arki-šu/aḫ-ru-un-ú,* «detrás de él», CAD A/I, 194b).

También en ugarítico, hasta el momento, han aparecido sólo empleos temporales, la mayoría adverbiales, del término (UT N. 138; WUS N. 150). En las inscripciones cananeas la raíz aparece muy raramente (*'ḥr 'by,* «detrás de mi padre», en la inscripción de Mesa, KAI N. 181, línea 3; cf. DISO 10).

En arameo antiguo son frecuentes (desde Sef. III = KAI N. 224, línea 24: *'ḥrn,* «otro»; con frecuencia, en los papiros de Elefantina) el uso adverbial, preposicional y nominal (también en el sentido de «posteridad», cf. DISO 10); falta, sin embargo, por completo el uso verbal. El local «detrás... de» se encuentra sólo en la narración de Aḥiqar (Cowley, 214, línea 63 [']*ḥryn,* «tras nosotros [envían]»). En el arameo tardío la raíz cede el puesto a *bātar* (cf. KBL 1049a).

b) De las formas verbales, la más usada es la de raíz duplicada («retrasar» y semejantes); la forma qal tanto en hebreo como en las demás lenguas semíticas está muy poco documentada.

En acádico, la raíz *aḫāru,* «ser tarde», aparece sólo en EA 59,26 (CAD A/I, 170b).

Las formas hebreas de *ʾḥr* qal, «detenerse, demorarse» (Gn 32,5), y el hifil, «retrasarse» (2 Sm 20,5 Q, transitivo interno), son *hapaxlegomena.* Sobre el piel «retener», cf. Jenni, HP 99. En Qumrán aparece también *ʾḥr* hitpael, «quedarse rezagado, hacerse tarde» (1QS 1,14; CD 11, 23).

La forma nominal *ʾāḥōr,* «parte trasera, oeste», se emplea también adverbialmente: «después; (hacia) atrás»; además existe la rara forma adverbial *ʾaḥōrannīt,* «hacia atrás» (BL 633). El adjetivo verbal *ʾaḥēr* (con reduplicación secundaria de la segunda consonante de la raíz en el singular), «siguiente, consecuente, otro, distinto», se diferencia también semánticamente de las formas adjetivales propias, construidas por medio de aformativas, *ʾaḥarōn,* «tardío, futuro, último, posterior, occidental», y *ʾaḥarīt,* «futuro, fin, descendencia».

El abstracto *ʾaḥarīt* es un femenino sustantivado de una forma adjetival en *-ī* (cf. GK § 95t; G. W. Buchanan, JNES 20 [1961] 188; distinto, BL 505; Meyer II, 77). Formas emparentadas son: el acádico *aḫrû* (AHw 21a) y el ugarítico *uḫryt* (2 Aqht [= IID] VI, 35); así, Aistleitner, *Untersuchungen zur Grammatik des Ug.* [1954] 21, y WUS N. 150: «perteneciente al tiempo posterior = futuro, tiempo posterior»; cf. ANET 151: «further life»; CML 134a; Gray, Legacy 113; UT N. 138: «latter end».

ʾaḥár (con reduplicación virtual de la *ḥ,* no segolado) y *ʾaḥarē,* «tras, detrás de, después de», son usados sólo adverbial y preposicionalmente.

En 2 Sm 2,23 deberá leerse *ʾaḥōrē haḥanīt,* «punta posterior de la lanza»; en Gn 16,13 y Ex 33,8 la preposición «(mirar) hacia atrás» puede dejarse como está (HAL 34b: «lado posterior»).

Al lado del significado temporal «después» y del correspondiente local «detrás de», usado en contextos de movimiento, aparece con menor frecuencia el significado puramente estático «detrás» (que responde a la pregunta ¿dónde? o ¿hacia dónde?): *ʾaḥar,* «detrás», en Ex 11,5; Cant 2,9: «detrás de», Ex 3,1; en Gn 22,13 se debe leer *ʾæḥād* (BH[3]), en 2 Re 11,6: *ʾaḥēr* (cf. W. Rudolph, FS Bertholet [1950] 474s); *ʾaḥarē,* «detrás», en Gn 18,10; Nm 3,23; Dt 11,30; Jue 18,12 («occidental»); 1 Sm 21,10; en Ez 41,15 se debe leer *ʾaḥōræhā* (BH[3]); «detrás de sí (echar/mirar)», Gn 19,17; 1 Re 14,9; Is 38,17; Ez 23,35; Neh 9,26; *mēʾaḥarē,* «detrás», Gn 19,26 (texto enmendado); Ex 14,19.19; Jos 8,2.4.14; 2 Sm 2,23; 1 Re 10,19; Jr 9, 21; *mēʾaḥarē lᵉ,* «detrás», Neh 4,7.

Los «significados secundarios» atribuidos a *ʾaḥr/ʾaḥarē,* como «en, con, junto a» (B. B. Y. Scott, JThSt 50 [1949] 178s) o también «a causa de, a pesar de, correspondiente a» (W. J. P. Boyd, JThSt NS 12 [1961] 54-56), responden a matices de las traducciones modernas que corresponden a diversas características idiomáticas (Ex 11,5: «detrás de la muela» = «en la muela»; «ir detrás de alguien» = «ir con alguien», etc.). Pero no hay que exagerar el valor de estas observaciones y pretender que esta preposición significa siempre *ʿim,* «con» (así, M. Dahood, Bibl 43 [1962] 363s; 44 [1963] 292s; ugarítico 77,32 no debe traducirse «with Nikkal will the Moon enter in the wedlock», considerando *ʾḥr nkl yrḫ ytrḫ* paralelo de *ʿmn nkl htny,* «con Nkl..., con», sino que debe traducirse, siguiendo a W. Hermann, *Yariḫ und Nikkal...* [1968] 19, como adverbio: «después se rescató...»). Ecl 12,2: «antes de que... vuelvan (siempre) las nubes tras la lluvia» (Zimmerli, ATD 16/1, 242.246) no es ninguna «meteorological absurdity» (R. B. Y. Scott, *Proverbs/Ecclesiastes* [1965] 255), sino que consigue un efecto especial dentro de esta alegoría de la vejez (H. W. Hertzberg, ZDPV 73 [1957] 115).

Con la raíz *ʾḥr* deben también conectarse las palabras *māḥār,* «mañana», y *moḥºrāt,* «día siguiente» (GVG I, 241).

El nombre personal *ʾaḥēr* (1 Cr 7,12) deberá entenderse como nombre sustitutivo (HAL 34b), pero no hay que corregir el texto (cf. Rudolph, HAT 21,66).

c) Nos limitaremos en este artículo a lo anunciado en 1*b*. En contextos de alguna relevancia teológica aparecen *ʾaḥēr,* «otro», y *ʾaḥarīt,* «fin»; de estos dos vocablos, cuyos significados quedan relativamente alejados uno de otro, se hablará más adelante en la sección 3 (*'aḥēr)* y 4 (*'aḥarīt).*

2. La raíz aparece en el Antiguo Testamento 1140 ×: *'aḥare* 617 × (Gn 69 ×, 2 Sm 58 ×), junto a *'aḥar* 96 × (Gn 16 ×, Nm 10 ×); *'aḥēr* 166 × (sin 1 Cr 7,12; en Lisowsky falta 1 Re 3,22), con mayor frecuencia en Dt (25 ×), Jr (25 ×), Gn (15 ×), 2 Cr (10 ×), 1/2 Re (cada uno 9 ×). A continuación siguen en la serie de frecuencias: *'aḥarīt* 61 ×, *māḥār* 52 ×, *'aḥarōn* 51 ×, *'āḥōr* 41 ×, *moḥorāt* 32 ×, el verbo *'ḥr* 17 × (piel 15 ×, qal e hifil 1 × cada uno), *'aḥōrannīt* 7 ×.

Las secciones arameas del AT contienen *'oḥorān* (femenino *'oḥorī),* «otro», 11 ×; *'aḥarē,* «tras», 3 ×; *'aḥarī,* «fin», 1 ×; *'ad 'ḥryn* (puntuación discutida, cf. KBL 1049a), «finalmente», 1 × (Dn 4,5); los 16 casos pertenecen al libro de Daniel.

3. La expresión *'ēl 'aḥēr,* «otro dios» (sólo en Ex 34,14), y *'ælōhīm 'aḥērīm,* «otros dioses» (63 ×), tienen significado teológico ante todo en el contexto del primer mandamiento (cf. R. Knierim, *Das erste Gebot:* ZAW 77 [1965] 20-39), donde *'aḥēr* constituye la lógica contraposición al único Dios permitido, y dentro de las frases formuladas negativamente es terminológicamente anterior a → *'æḥād,* que presupone una formulación positiva. Sin entrar más a fondo en la cuestión de la edad, absoluta y relativa, de las formulaciones que prohíben el culto a dioses extranjeros (cf., por ejemplo, von Rad I, 216s; Knierim, *loc. cit.,* 27ss), citemos las siguientes: Ex 20, 3 = Dt 5,7: «no tendrás otros dioses (la traducción en singular que defiende A. Jepsen, ZAW 79 [1967] 287, no supone ninguna variación de sentido, dado que la frase está formulada en negativo) junto a mí (o 'a despecho de mí' o 'frente a mí'. cf. J. J. Stamm, ThR 27 [1961] 237s; Knierim, *loc. cit.,* 24s)»; Ex 22,19: «el que ofrezca sacrificios a otros dioses será exterminado» (texto enmendado, cf. BH³); algo distinto, Alt, KS I, 311, nota 2); 23,13: «no debes invocar el nombre de otros dioses»; 34,14: «no debes adorar a ningún otro dios».

También pueden emplearse en lugar de *'aḥēr,* en textos vecinos desde el punto de vista de la tradición, fórmulas interpretativas como «extraño, desconocido», por ejemplo, Os 13,4: «tú no conoces (→ *yd'*) otro Dios fuera de mí» (cf. Dt 11,28; 13,3.7.14 y *passim);* Sal 81,10: *'ēl* → *zār* y *'ēl* → *nēkār,* «dios extranjero».

El profeta Oseas, familiarizado con el decálogo, recoge la fórmula «otros dioses» en 3,1: «dirigirse a otros dioses» (cf. Wolff, BK XIV/1,75s). En la misma línea se sitúa el empleo de la fórmula en Jeremías (por lo menos Jr 1,16 debe ser auténtico, cf. Rudolph, HAT 12,10s) y lo mismo, finalmente, en la teología deuteronómico-deuteronomística (cf. O. Bächli, *Israel und die Völker* [1962] 44-47).

La gran frecuencia del vocablo en Dt, Jr y 1/2 Re (cf. *sup.* 2) está condicionada por el empleo de la fórmula hecha «otros dioses» (Dt, además de 5, 7, los siguientes textos: 6,14; 7,4; 8, 19; 11,16.28; 13,3.7.14; 17,3; 18,20; 28,14.36.64; 29,25; 30,17; 31,18.20; Jos 23,16; Jue 2,12.17.19; 10,13; 1 Sm 8,8; 1 Re 9,6.9 = 2 Cr 7,19.22; 1 Re 11,4.10; 14,9; 2 Re 17,7.35.37.38; 22, 17 = 2 Cr 34,25; Jr, además de 1,16, los siguientes textos: 7,6.9.18; 11,10; 13,10; 16,11.13; 19,4.13; 22,9; 25,6; 32,29; 35,15; 44,3.5.8.15; 2 Cr 28,25).

Los pasajes de Jos 24,2.16 son predeuteronómicos (Noth, HAT 7,139) y reflejan la antigua tradición sobre la asamblea de Siquén con su renuncia de dioses extranjeros (Alt, KS I, 79-88; H.-J. Kraus, *Gottesdienst in Israel* [²1962] 161-166), que está en estrecha relación con el primer mandamiento; según Knierim *(loc. cit.,* 35ss) es aquí donde debe situarse la primerísima formulación de la prohibición de adorar a dioses extranjeros.

Los verbos que acompañan a la expresión *'ælōhīm 'aḥērīm* son varios. Pueden considerarse estereotipos → *'bd,* «servir» (Dt 7,4; 11,16; 13,7.14; 17,3; 28,36.64; 29,25; Jos 23,16; Jue 10,13; 1 Sm 8,8; 1 Re 9,6 = 2 Cr 7,19; Jr 44,3; cf. Jos 24, 2.16; 1 Sm 26,19) y → *hlk 'aḥ^a^rē,* «seguir» (Dt 6,14; 8,19; 11,28; 13,3; 28,14; Jue 2, 12.19; 1 Re 11,10; Jr 7,6.9; 11,10; 13,10; 16,11; 25,6; 35,15), también *qṭr,* «quemar en ofrenda» (2 Re 22,17 = 2 Cr 34,25; Jr 19,4; 44,5.8.15; 2 Cr 28,25; cf. Jr 1,16).

Mientras la mayoría de los pasajes que presentan la expresión *'ᵆlōhīm 'aḥērīm* están conectados de algún modo con el primer mandamiento, en dos ocasiones se habla de los «dioses extranjeros» en un contexto diverso, al afirmar que Yahvé puede ser adorado sólo en la propia tierra (1 Sm 26,19; 2 Re 5,17).

'aḥēr, «otro» (sin *'ᵆlōhīm),* aparece en una afirmación hímnica monoteísta de DtIs (Is 42,8: «no daré mi gloria a ningún otro ni mi honor a los ídolos»; parecido también 48,11); cf. también el arameo bíblico *'oḥ^a^rān* en Dn 3,29: «pues no hay otro dios que pueda salvar así».

Según muchos comentadores, la expresión «de otro lugar», en Est 4,14, tiene el fin de evitar pronunciar el nombre de Dios (por ejemplo, Ringgren, ATD 16/2,116.131; más moderado, Bardtke, KAT XVII/5,332s).

4. *a)* Para la recta comprensión del término *'aḥ^a^rīt* (sobre su derivación, cf. *sup.* 1*b)* no hay que mirar tanto a las traducciones griegas de los LXX (en unos dos tercios de los pasajes este término es traducido por ἔσχατος, «último», 5 × por ἐγκατάλειμμα, «resto»/κατάλοιπος, «restante», en Sal 37,37.38 o Ez 23,25.25; Am 9,1; 6 × por τελευταῖος, «último»/τελευτή, συντέλεια, «fin», en Prov 14,12.13; 16,25; 20,21 [= 9b LXX] o 24,14 y Dt 11,12), cuanto a determinadas analogías de las lenguas semíticas emparentadas, así al ugarítico *uḫryt* (cf. *sup.* 1*b)* y también al significado «posteridad» junto al de «futuro» en acádico *(aḫrâtu/aḫrûtu,* cf. AHw 21a; CAD A/I, 194b.195a) y al arameo (*'ḥrth,* «su posteridad», en una inscripción del siglo VII a. C., de Nerab, KAI N. 226, línea 10; en nabateo, *'ḥr,* «posteridad», cf. DISO 10). Si además se tiene en cuenta que el hebreo no tiene una forma especial para el adjetivo comparativo o superlativo y que al igual que en la mayoría de los idiomas no se ha formado un concepto abstracto sobre el «contenido del tiempo», puede explicarse claramente el uso de *'aḥ^a^rit* con el significado fundamental de «lo que viene después» en todos los textos del AT.

El significado «resto, residuo» (por ejemplo, KBL 33b; cf. LXX), que añade al concepto de lo tardío la nota de lo todavía existente, de lo que queda, apoya la traducción «lo que viene después = la posteridad»; así, en Jr 31,17 (paralelo «hijos»); Ez 23,25.25 (paralelo «hijos e hijas»; la diferenciación que establece Zimmerli, BK XIII, 533, no es decisiva); Am 4,2 y 9,1 (en un contexto oscuro); Sal 37,37.38 (o «futuro»); 109,13 (paralelo «otra generación); Dn 11,4 debe ser eliminado (cf. GB 27a; HAL 36b).

'aḥ^a^rīt adquiere una coloración más comparativa («tiempo posterior = tiempo siguiente, futuro») o superlativa («tiempo último = salida, fin») según el punto del tiempo que tiene presente el que habla, aunque nunca llega a significar un punto final en el sentido del corte definitivo (para ese concepto está → *qēṣ,* de *qṣṣ,* «cortar»).

Los textos de Jr 29,11, «futuro y esperanza»; Prov 23,18 = 24,14: «futuro» (paralelo «esperanza»; 24,20: «el malo no tiene futuro» (cf. W. Zimmerli, ZAW 51 [1933] 198) no tienen un significado «límite» de *'aḥ^a^rīt.* Sí es claramente límite el significado de Dt 11,12: «desde el comienzo del año hasta el final del año»; Jr 5,31: «cuando se ha terminado»; Dn 12,8: «¿cuál es el final de estas cosas?», así como en el significado de «tiempo último» (Dn 8,19.23). Las ideas de desenlace y fin están incluidas en el significado «salida (de una cosa)» (Is 41,22; 46, 10; 47,7; Am 8,10; Prov 14,12 = 16, 25; 14,13, texto enmendado; 20,21;

25,8; Ecl 7,8 junto a *rēšīt,* «inicio»; 10,13 junto a *t^eḥillā,* «inicio»; Lam 1, 9, cf. Rudolph, KAT XVII, 213) y en el de «fin que llega a alguien» (Nm 23, 10, paralelo «muerte»; 24,20; Dt 32, 20.29; Jr 17,11 junto a «en la mitad de sus días»; Sal 73,17; Job 8,7 junto a «inicio»; Prov 29,21; en Jr 12,4 debe leerse *ʾorḥōtēnū,* «nuestras sendas»). En los pasajes del Dt cuya mejor traducción es una expresión adverbial, no siempre resulta fácil hacer una clara elección entre las dos posibilidades (Dt 8,16: «finalmente»; Job 42,12 y Prov 23,32: «más tarde»; Prov 5,4.11: «por fin»; para Prov 19,20, donde se puede dudar entre los sentidos de «en el futuro» y «en tu final», se ha propuesto la lectura *b^eʾorḥōtǣkā,* «por tus sendas»).

En unión con una expresión de movimiento, el término (superlativo) *ʾaḥ^arīt,* «lo que viene al final», recibe un significado local en Sal 139,9: «si tomo las alas de la aurora y voy a habitar al extremo del mar» (cf., por el contrario, el simplemente estático *qīṣōn,* «el más extremo», en Ex 26,4.10; 36,11.17, «el tapiz más extremo»).

Con P. Volz, *Der Prophet Jeremia* [[2]1928] 424s, y W. Rudolph, ZAW 48 [1930] 285, debe rechazarse, por motivos exegéticos, un significado valorativo: «el último = el menor», que en relación con *rēšīt,* «el primero, el mejor» (cf. Nm 24, 20 y Am 6,1: «el primero de los pueblos»), se había aceptado generalmente para Jr 50, 12 («el último de los pueblos», cf., entre otros, B. Duhm, *Das Buch Jeremia* [1901] 362; Weiser, ATD 21, 427; KBL 33b) (cf. Rudolph, HAT 12,300: «mira, [éste es] el fin de los paganos»; cf. Jr 17,11).

b) Según el sentido que acabamos de establecer, debe entenderse también la discutida expresión *b^eʾaḥ^arīt hayyāmīm* (13 ×: Gn 49,1; Nm 24,14; Dt 4,30; 31,29; Is 2,2 = Miq 4,1; Jr 23, 20 = 30,24; 48,47; 49,39; Ez 38,16; Os 3,5; Dn 10,14; además, el arameo *b^eʾaḥ^arīt yōmayyā,* Dn 2,28), expresión que, junto con *b^eʾaḥ^arīt haššānīm* (Ez 38,8), hemos dejado para esta sección. Durante mucho tiempo la interpretación de esta fórmula ha estado condicionada por el uso tardío del concepto ἔσχατος en la apocalíptica y por la discusión sobre la naturaleza y la edad de la escatología veterotestamentaria; pero las publicaciones más recientes están estudiando más de cerca la fórmula atendiendo a los datos de la lengua hebrea y de la historia de la religión veterotestamentaria (cf., entre otros, G. W. Buchanan, *Eschatology and the «End of Days»:* JNES 20 [1961] 188-193; A. Kapelrud, VT 11 [1961] 395s; H. Kosmala, *At the End of the Days:* ASTI 2 [1963] 27-37; Wildberger, BK X, 75; Zimmerli, BK XIII, 949s).

Sobre las opiniones antiguas, cf. Kosmala, *loc. cit.,* 27s: al traducir con W. Staerk, ZAW 11 [1891] 247 a 253, la expresión por «al fin de los días» o «en los últimos días» y considerarla fórmula escatológica en sentido estricto, se llegaba necesariamente a una de estas dos conclusiones: o bien se daba una datación temprana a la escatología (por ejemplo, B. H. Gressmann, *Der Messias* [1929] 74ss.82ss) o bien se consideraban generalmente tardíos los textos que contenían dicha fórmula (entre otros, S. Mowinckel, *He That Cometh* [1956] 131).

Teniendo en cuenta que *hayyāmīm,* «los días» (o el correspondiente *haššānīm,* «los años»), no da la idea abstracta del tiempo en general (→ *yōm;* sobre la falta del concepto abstracto, «vacío», del tiempo, cf. von Rad II, 108ss) y ni siquiera la idea de un espacio de tiempo limitado (el tiempo de este mundo, el período presente del mundo), sino la idea del «curso presente del tiempo» (con valor ligeramente demostrativo del artículo, cf. Kosmala, *loc. cit.,* 29), no se debe atribuir a *ʾaḥ^arīt* el significado límite «fin», sino que, al igual que en acádico *ina/ana aḫrât ūmī,* «en el futuro», o algo semejante (AHw 21a; CAD A/I, 194), se le debe asignar un significado no límite: de «tiempo posterior, continuación, porvenir, futuro». Por tanto, la expresión *b^eʾaḥ^arīt hayyāmīm,* «en el curso del tiempo, en los días futuros», no tiene por sí misma ningún significado escatológico especial; viene a decir lo mismo que el término *'aḥar,* «después», que le precede en Os 3,5, y que la expresión *aḥ*ᵃ*rē d*ᵉ*nā,* «después», que le sigue en Dn 2,29 (cf. 45) (Buchanan, *loc. cit.,* 190; Kosmala, *loc. cit.,* 29).

Sobre la antigüedad de los diversos pasajes, cf. Wildberger, *loc. cit.,* 81: además de Gn 49,1 (introducción de las profecías en la bendición de Jacob) y Nm 24,14 («lo que este pueblo hará a tu pueblo en el tiempo posterior»), deben considerarse también como preexílicos Is 2,2 («sucederá al cabo de los días») y Jr 23,30 (Rudolph, HAT 12,152s; «después de eso se os hará claro y manifiesto»); por el contrario, Jr 30,24 (= 23,20); 48,47 y 49,39 («pero después de esto restableceré a Moab/Elam») deben considerarse posexílicos, lo mismo que Os 3,5 (fórmula conclusiva de una promesa) y Miq 4,1 (Is 2,2).

En los pasajes deuteronómicos secundarios Dt 4,30 y 31,29 el autor se refiere, desde el punto de vista ficticio de Moisés, al tiempo presente, lleno de necesidades, como a un futuro indeterminado (4,30: «cuando en medio de tus angustias todo esto haya venido sobre ti en el tiempo futuro»; 31,29: «después de mi muerte..., entonces en el tiempo futuro la desgracia vendrá sobre vosotros»; cf. en 4,32: «los días anteriores = pasado», como concepto opuesto al de futuro en v. 30); no parece justificado atribuir un valor especial precisamente a estos dos pasajes por su presunto contenido escatológico (H. H. Schmid, *Das Verständnis der Geschichte im Dtn:* ZThK 64 [1967] 12, nota 71).

En los pasajes tardíos de Ez 38,8.16 y Dn 2,28; 10,14, el contexto es ciertamente escatológico en el sentido estricto del término, pero también aquí se habla propiamente de predicciones sobre un futuro lejano. Al traducir por «el tiempo final» (cf. *'aḥ*ᵃ*rīt* en Dn 8, 19.23; 12,8), se colorea la expresión, en sí misma elástica, con concepciones propias del ambiente. Pero terminológicamente el libro de Daniel posee la palabra → *qēṣ* para indicar el final en el sentido estricto de la palabra, término que no es todavía sinónimo de *'aḥ*ᵃ*rīt* (Kosmala, *loc. cit.,* 30s).

No parece que la expresión tenga un empleo estereotipado (semejante al de *bayyōm hahū,* «en aquel día»; *bayyāmīm hāhēm,* «en aquellos días»; *bā'ēt hahī,* «en aquel tiempo»; *hinnē yāmīm bā'īm,* «mira, vienen días», fórmulas proféticas introductorias no muy lejanas en cuanto al significado de la expresión *b*ᵉ*'aḥ*ᵃ*rīt hayyāmīm)* (contra lo que opina Gressmann, *loc. cit.,* 84). Solamente Is 2,2: «y sucederá al cabo de los días», podría tomarse en consideración, pero como fórmula introductoria resulta un caso aislado; en los demás casos, teniendo en cuenta su posición en la frase, viene a ser una designación normal y no especialmente concreta del tiempo (el hecho de que aparezca preferentemente al final de la frase, cf. Gn 49,1; Jr 48,47; 49,39; Os 3,5, se debe simplemente a su significado).

5. Sobre la supervivencia de la expresión estudiada en 4*b* en los escritos intertestamentarios y neotestamentarios, cf. Kosmala, *loc. cit.,* 32ss; G. Kittel, art. ἔσχατος: ThW II, 694s. Sobre la exclusión de los demás dioses (cf. *sup.* 3) en el NT, cf. H. W. Beyer, art. ἕτερος: ThW II, 669-702.

E. Jenni

אֹיֵב *'ōyēb* Enemigo

1. La raíz *'yb,* «enemistar», aparece siempre, a excepción de un caso, en participio, usado por lo general en forma sustantivada, y raramente como verbo (1 Sm 18,29; cf. Sal 69,5; Lam 3, 52). Como derivado está el nombre abstracto *'ēbā,* «enemistad».

El acádico *ayyābu* (con derivados, cf. AHw 23s; CAD A/I, 221-224) y el ugarítico *ib* (WUS N. 7; UT N. 144; cf. también el cananeo *ibi* en EA 129,96 y 252, 28, según W. F. Albright, BASOR 89 [1943] 32, nota 26), se emplean sólo nominalmente, cada uno con una forma nominal diversa. En 51 [=II AB] VII, 35s *ib* es paralelo de *šnu*, «que odia»; sobre el pasaje de 68 [= III AB] A, 8s, que se puede comparar con Sal 92,10; cf. H. Donner, ZAW 79 (1967) 344-346.

El arameo, para designar al «enemigo», emplea generalmente el participio de *śnʾ*, «odiar» (por ejemplo, en las inscripciones de Sefira, KAI N. 122 B, línea 26; N. 223 B, línea 14; N. 224, líneas 10-12; arameo bíblico en Dn 4,16, paralelo *ʿār* → *ṣrr*) y más tarde, por ejemplo en siríaco, *beʿeldebābā* (→ acádico *bēl dabābī*).

El nombre propio *ʾiyyōb* (Job) parece tener un origen diverso, cf. Stamm, HEN 416; → *ʾāb* III/5 y → *ʾayyē* 1.

2. *ʾōyēb* aparece 282 × (incluyendo 1 Sm 18,29 y el femenino *ʾōyǽbæt* en Miq 7,8.10), de ellas 80 × en singular y 202 × en plural (2 Sm 19,10 plural contra Mandelkern 41c). El libro que más casos presenta es Sal (74 ×); siguen Dt 25 ×, 1 Sm 20 ×, Jr 19 ×, 2 Sm 16 ×, Lam 15 ×, Lv 13 × (sólo en Lv 26,7-44), Jos 11 ×; el lugar preferente son los Salmos de lamentación y los libros históricos; en la literatura sapiencial, por el contrario, la palabra tiene menos relevancia (lo mismo que en Is).

ʾyb qal aparece 1 × como verbo finito (Ex 23,22, en una etimología, paralelo → *ṣrr*), *ʾēbā* 5 × (Gn 3,15; Nm 35,21s; Ez 25,15; 35,5).

3. *a)* El singular *ʾōyēb* designa raramente a un enemigo único y concreto (en debates judiciales: Ex 23,4; Nm 35,23; Sansón: Jue 16,23.24; Saúl y David: 1 Sm 18,29; 19,17; 24,5; 26,8; 2 Sm 4,8; Elías con respecto a Ajab: 1 Re 21,20; Nabucodonosor: Jr 44, 30b; Job con respecto a Dios: Job 13, 24; 33,10; Hamán: Est 7,6; sobre Yahvé como enemigo, cf. *inf.* 4). Generalmente, «el enemigo» tiene un sentido de plural e indica a «los enemigos» en general (cf., por ejemplo, 1 Re 8,37.44 con 2 Cr 6,28.34 y el cambio entre singular y plural en Lam).

En la mayoría de los casos el texto se refiere a enemigos político-militares del pueblo de Israel; así en las narraciones históricas de los estilos más diversos (Nm 10,9; 14,42; 32,21; Dt 1, 42; 6,19; 12,10; 25,19; 11 × en Jos 7,8-23,1; Jue 2,14.14.18; 3,28; 8,34; 11,36; 1 Sm 4,3; 12,10.11; 14,30; 29, 8; 2 Sm 3,18; 19,10; 2 Re 17,39; 21, 14.14; Est 8,13; 9,1.5.16.22; Esd 8,22. 31; 5 × en Neh; 2 Cr 20,27.29; 25,8; 26,13), en los cantos de lamentación del pueblo (Sal 44,17; 74,3.10.18; 80,7) y en los himnos (Sal 78,53; 81,15; 106, 10.42; cf. Dt 32,27.31.42; 33,27), también en las leyes deuteronómicas sobre la guerra (Dt 20,1.3.4.14; 21,10; 23,10. 15) y en la consagración del templo de Salomón (6 × en 1 Re 8,33-48 paralelo 2 Cr 6,24-36). Es digna de mención su frecuente presencia en bendiciones, amenazas de maldición y contextos semejantes (Gn 22,17; 49,8; Ex 23, 22.27; 13 × en Lv 26,7-44; Nm 10,35; 23,11; 24,10.18, texto enmendado; 8 × en Dt 28,7-68; 30,7; 33,29; 1 Sm 25, 26.29; 2 Sm 18,32; 1 Re 3,11), a la que se une en cuanto al contenido su presencia en discursos proféticos de salvación y desgracia (en Is sólo en 9, 10; 62,8; en los demás profetas todos los pasajes pertenecen a este grupo, a excepción de Jr 30,14; Nah 1,2.8, cf. *inf.* 4; Miq 7,6, cf. *inf.*; en Miq 7,8. 10, «enemiga» se refiere a un pueblo extranjero personificado).

Son menos frecuentes, a excepción de en los Salmos (cf. *inf. b*), las alusiones a los enemigos de un individuo particular (1 Sm 2,1; 14,24.47; 18,25; 20,15.16; 24,5; 29,8; 2 Sm 5,20 = 1 Cr 14,11; 2 Sm 7,1.9.11 = 1 Cr 17,8. 10; 2 Sm 18,19; Miq 7,6; Sal 127,5, en un salmo sapiencial; Job 27,7; Prov 16, 7; 24,17; 1 Cr 21,12; 22,9); cuando se trata del rey (2 Sm 22 = Sal 18,1.4. 18.38.41.49; Sal 21,9; 45,6; 72,9; 89, 23.43; 110,1.2; 132,18) sus enemigos vienen a ser enemigos del pueblo.

Sobre la intercalación eufemística de *ʾōyebē* en 1 Sm 20,16; 25,22; 2 Sm 12, 14, cf. HAL 37b, con bibliografía, y los Comentarios.

Entre las expresiones paralelas, las más frecuentes son los participios qal/piel de →*śnʾ*, «el que odia» (qal: Ex 23,4; Lv 26,17; Dt 30,7; 2 Sm 22, 18 = Sal 18,18; Sal 21,9; 35,19; 38, 20; 69,5; 106,10; Est 9,1.5.16; piel: Nm 10,35; 2 Sm 22,41 = Sal 18,41; Sal 55,13; 68,2; 83,3), y *ṣar*, «opresor» (→ *ṣrr;* Nm 10,9; Dt 32,27; Is 1,24; 9,10, texto dudoso; Miq 5,8; Nah 1,2; Sal 13,5; 27,2; 74,10; 81,15; 89,43; Lam 1,5; 2,4.17; 4,12; Est 7,6; cf. *ṣōrēr,* Ex 23,22; Nm 10,9; Sal 8,3; 143,12).

Otros cuasi sinónimos de *ʾōyēb* son, entre otros, los siguientes: *m^ebaqqēš rāʿā* o también *næfæš,* «el que trama maldad», o «el que atenta contra la vida» (→ *bqš;* Nm 35,23; 1 Sm 25,26 o Jr 19,7.9; 21,7; 34,20.21; 44,30.30; 49,37), *qām,* «antagonista» (→ *qūm;* Ex 15,6; 2 Sm 22,49 = Sal 18,49; Nah 1,8, texto enmendado; cf. 2 Sm 18,32; *mitqōmēm,* Sal 59,2; Job 27,7), *mitnaqqēm,* «vengativo» (→ *nqm;* Sal 8,3; 44,17). En Sal 5,9; 27,11; 54,7; 56,3; 59,11 aparece junto a *ʾōyēb,* aunque no inmediatamente, el sinónimo *šōrēr,* «enemigo». Cf. también → *śṭn* y la lista en Gunkel-Begrich, 196s.

Sobre el opuesto *ʾōhēb,* «amigo», cf. → *ʾhb* III/1.

b) Se ha discutido mucho sobre la identidad del enemigo de las personas particulares en los salmos de lamentación o acción de gracias individuales (G. Marschall, *Die «Gottlosen» des ersten Psalmbuches* [1929]; H. Birkeland, *Die Feinde des Individuums in der isr. Psalmenliteratur* [1933]; íd., *The Evildoers in the Book of Psalms* [1955]; N. H. Ridderbos, *De «werkers der ongerechtigheid» in de individueele Psalmen* [1939]; A. F. Puuko, *Der Feind in den atl. Psalmen:* OTS 8 [1950] 47-65; C. Westermann, *Struktur und Geschichte der Klage im AT:* ZAW 66 [1954] 44-80; reseña de las diversas posiciones en J. J. Stamm, ThR 23 [1955] 50-55; Kraus, BK XV, 40-43).

El material está presentado con detalle, entre otros, en Gunkel-Begrich, 196s; los pasajes con *ʾōyēb,* que se encuentran generalmente en los géneros de lamentación o acción de gracias individuales (y también cantos de confianza), son los siguientes: Sal 7,6; 9,7; 13,3.5; 31,9; 41,12; 42,10; 43,2; 55,4.13; 61,4; 64,2; 143,3, con el término en singular, y Sal 3,8; 6,11; 9,4; 17,9; 25,2.19; 27,2.6; 30,2; 31,16; 35,19; 38,20; 41,3.6; 54,9; 56,10; 59,2; 69,5.19; 71,10; 102,9; 138,7; 139,22; 143,9.12; cf. 119,98, con el término en plural.

Deben rechazarse absolutamente las interpretaciones que hablaban de oposición de partidos dentro del judaísmo (la antigua exégesis de los Salmos), de hechiceros (S. Mowinckel, *Psalmenstudien* I [1921]) o de enemigos extranjeros (Birkeland, *loc. cit.).* Las afirmaciones sobre los enemigos de las personas particulares (sus anuncios de amenaza, sus discursos ofensivos, su perversidad; cf. Westermann, *loc. cit.,* 61-66) se diferencian claramente de las afirmaciones sobre los enemigos en los cantos de lamentación del pueblo. Mientras los enemigos en éstas ya han golpeado a Israel, en aquéllas sólo amenazan a los enfermos y a los que se encuentran en necesidad jurídica. En éstas, los enemigos no provocan la desgracia, sino que atacan al orante porque éste ha caído ya en la desgracia (cf. Sal 71,11). Lo que adquiere un relieve especial es precisamente el hecho de que se ha dado una ruptura dentro de las relaciones en la comunidad (cf. Sal 41, 7; 55,22).

En primer lugar debería aclararse el trasfondo del libro de Job. Precisamente por haber caído en desgracia, le consideran a Job sus enemigos como culpable y sospechan que ha cometido alguna falta secreta. También David, después de ser expulsado por Absalón, es objeto en 2 Sm 16 de desprecio e incluso de ataques. El caer repentinamente en la miseria era en aquella mentalidad ocasión de desprecio, reproche, aislamiento y enemistad. Oposiciones privadas y diferencias religiosas vienen a intensificar el aislamiento del que ya está a mitad de camino hacia el mundo de la muerte (C. Barth, *Die Errettung vom Tode in den individuellen Klage- und Dankliedern des AT* [1947] 104-107).

4. *a)* No es necesario enumerar los pasajes en que se habla de la interven-

ción de Dios contra los enemigos del pueblo o de personas particulares (por ejemplo, Ex 23,22: «cuando tú... hagas todo lo que te mando, yo seré enemigo de tus enemigos y opresor de tus opresores»). El hecho de que Dios entrega también a su pueblo en manos de los enemigos, como lo dan a entender, al menos como posibilidades, los anuncios proféticos de desgracia (Os 8,3; Am 9,4) y los capítulos de bendiciones-maldiciones de Lv 26 y Dt 28, es enunciado sobre todo por Jr (6,25; 12,7; 15,9.14; 17,4; 18,17; 19,7.9; 20,4.5; 21,7; 34,20.21; 44,30; fuera de estos textos, *ʾōyēb* aparece en Jr sólo en 15, 11, texto dudoso; 30,14, cf. *inf. b;* 31, 16, en un discurso de salvación; 49,37, en un oráculo a las naciones), por Lam (todos los pasajes) y por la obra histórica deuteronomística (Jue 2,14; 1 Re 8,33.37.46.48 y paralelos; 2 Re 21,14; cf. Neh 9,28).

b) Ya en los más antiguos cantos, en los que se alaba a Dios como guerrero, aparece Yahvé enfrentándose a sus propios enemigos (Ex 15,6: «tu derecha, Yahvé, aniquila al enemigo», cf. v. 9; Nm 10,35, en el dicho sobre el arca, «levántate, Yahvé, que desaparezcan tus enemigos»; Jue 5,31: «perezcan, Yahvé, todos tus enemigos»). Parecidas afirmaciones aparecen en el Salterio en secciones hímnicas de tonos en parte arcaicos (Sal 8,3; 66,3; 68,2. 22.24; 89,11.52; 92,10.10). En los profetas, Is 42,13; 59,18; 66,6.14 y Neh 1,2.8 están en la misma línea.

Casos aislados son los de 1 Sm 30,26 («un presente del botín de los enemigos de Yahvé», con cierto deje propagandístico, a no ser que *ʾōyᵉbē* sea una interpolación secundaria, cf. W. Caspari, *Die Samuelbücher* [1926] 387); Is 1,24 (enemigos de Yahvé dentro de Israel); Sal 37,20 (equiparación sapiencial de los impíos con los enemigos de Yahvé); 83,3 (la lamentación colectiva, en el llamado «motivo de la intervención divina», describe a los enemigos del pueblo como enemigos de Yahvé).

c) Sólo en Is 63,10 se presenta directamente a Yahvé como enemigo de Israel («se les trocó en enemigo»). En Jr 30,14 y Lam 2,4.5 se compara la actitud de Yahvé con la de un enemigo («como un enemigo»). En todos estos casos se constata una paradoja.

5. Los LXX traducen *ʾōyēb* casi exclusivamente por ἐχθρός. En los textos de Qumrán, *ʾōyēb* es frecuente en 1QM (Kuhn, *Konk.,* 4). Sobre el NT y su contexto, cf. W. Foerster, art. ἐχθρός: ThW II, 810-815.

Sobre la idea del «amor al enemigo», ausente todavía en el AT, habría que mencionar Ex 23,4s, donde, sin embargo, se exige solamente igual trato en la ayuda que se ha de prestar al adversario (Prov 25,21 emplea → *śnʾ*).

E. Jenni

איד *ʾēd* Desgracia

1. No es fácil determinar de qué raíz se deriva el sustantivo *ʾēd,* «desgracia». Generalmente se acepta como raíz el verbo no documentado *ʾūd,* para lo cual se recurre a palabras árabes, como *ʾāda (ū)* (así, entre otros, Zorell, 40; distinto, P. Humbert, ThZ 5 [1949] 88; cf. L. Kopf, VT 6 [1956] 289). HAL 38a remite a **ʾaid* o **ʾayid.*

El verbo *ʾūd* estaría, sin embargo, documentado si aceptamos que *(lᵉ)ʾēd* en Prov 17,5 es un participio, como ha sido propuesto por G. R. Driver, Bibl 32 (1951) 182, que, sin embargo, corrige en *(lā)ʾed* («as it ought to be written»), y como lo ha entendido M. Dahood, *Proverbs and Northwest Semitic Philology* [1963] 38s, que apela al ugarítico y lo analiza como «participio estativo»; cf. también Gemser, HAT 16,72s; Barr, CPT 266.321 (sobre Job 31,23 y 2 Sm 13,16).

Pero quizá fuera preferible partir del acádico *edû(m)* II, «(amenazadora) inundación, diluvio» (AHw 187b), con lo que se designa «a rare and catastrophic event» (CAD E 36a), y considerar *ʾēd* un extranjerismo tomado del sumerio-acádico (cf. E. A. Speiser, BASOR 140 [1955] 9-11; M. Sæbø, *Die hebr. Nomina ʾed und ʾēd:* StTh 24 [1970] 130-141).

2. *ʾēd* aparece 24 ×: Job y Prov 6 × en cada uno, Jr 5 ×, Abd 13 3 ×, y además, en Dt 32,35; Ez 35,5; 2 Sm 22,19 = Sal 18,19. Ez 35,5, así como Prov 17,5; 27,10 y Job 31,23, ha sido impugnado muchas veces desde el punto de vista textual. A excepción de Ez 35,5, *ʾēd* aparece sólo en textos poéticos. Nunca lleva artículo, pero aparece determinado 2 × por nombres propios y 17 × por sufijos.

3. La palabra es un término relativamente fijo para designar la «desgracia»; no puede hacerse una historia documentada de su significado. De todas formas existen dos empleos del término tan claramente diferenciados, que se debe distinguir también su significado base a tenor de dichos empleos: *ʾēd,* por un lado (A) se emplea en sentido político o militar con referencia a un *pueblo* (también 2 Sm 22,19 = Sal 18,19), y por otro (B) se usa al hablar del destino de *personas particulares* o de pequeños grupos de personas; este último es el caso de los 12 pasajes sapienciales de Job y Prov.

En ambos usos se asocia con frecuencia *ʾēd* a «día» (Dt 32,35; 2 Sm 22,19 = Sal 18,19; Jr 18,17; 46,21; Abd 13 3 ×; Job 21,30; Prov 27,10) o a «tiempo» *(ʿēt),* Ez 35,5; cf. Jr 46,21; 49,8); con la preposición *b*ᵉ viene a ser una importante determinación de tiempo y situaciones. También se puede decir en ambos casos que *ʾēd llega* «repentinamente», en el sentido de lo humanamente «imprevisible» (Dt 32,35; Jr 48,16; Prov 6,15; 24,22; cf. 1,27). El predicado contiene el verbo *bōʾ* bien en qal «llegar» (Jr 46,21; Prov 6, 15; Job 21,17; cf. Jr 48,16 y *ʾātā,* «llegar», Prov 1,27), bien en hifil causativo «hacer llegar» (Jr 49,8.32); tres veces va unido con la preposición *ʿal* (Jr 46,21; 49, 8; Job 21,17; cf. 30,12; Prov 1,27). También se dice en A que *ʾēd* «está cerca» *(qārōb)* (Dt 32,35; Jr 48,16) y en B que «se levanta» *(qūm;* Prov 24,22) o que «está pronta *(nākōn)* para caer» sobre el criminal (Job 18,12).

El término tiene en ambos grupos diversos sinónimos, pero casi ningún opuesto (cf., sin embargo, *nēr,* «lámpara», Job 21,17; también 18,5 y Horst, BK XVI, 270); también los sinónimos se dividen en A y B.

En A se encuentra el frecuente *rāʿā,* «mal, desgracia» (Jr 48,16; Abd 13; cf. también, por ejemplo, Is 7.5; Jr 1,14), y expresiones que dejan resonar el tema tan querido por los profetas de la visita de Dios (Jr 46,21; 49,8); cf. también Ez 35,5: «el día de la desventura final», y Abd 12, 14: «el día de su desgracia [de su caída] de la necesidad». En B, por otra parte, se encuentran dos palabras infrecuentes para designar la «desgracia», a saber: *pīd* (Prov 24,22; y fuera de este texto sólo en Job 12,5; 30,24; 31,29; cf. KBL 759a y Fohrer, KAT XVI, 232.237: «ruina») y *nēkær* (Job 31,3; cf. Abd 12; «algo extraño» = «portador de desgracia»); también el más frecuente *páḥad,* «terror» (Prov 1,26s; cf. Job 31,23 y *passim), yom ʿᵃbārōt,* «día de la ira» (Job 21,30), y *ḥᵃbālīm,* «dolores» (Job 21,17), donde a *ʾēd* se añade la idea de «enfermedad»; lo mismo ocurre en Job 30, donde el v. 12 está construido con *ʾorḥōt,* «caminos» (HAL 84a: «calzadas»); en Prov 1,27 se compara *ʾēd* con una tormenta (cf. también Jr 18,17).

En comparación con el empleo profético de *ʾēd* en A, que parece más tradicional, el uso sapiencial en B es más variado y rico. El término parece proceder del ambiente cultual y haber sido más tarde asumido por el lenguaje profético (tardío).

4. El nombre abstracto es neutral, desde el punto de vista teológico, sólo en Prov 27,10; los demás textos en Job y Prov son expresión de una sabiduría fundada en la teología. *ʾēd* está en relación con Dios: incluso cuando aparece personificado (especialmente, Job 18,12; cf. Fohrer, KAT XVI, 303), no se trata de simple «fatalidad», sino que está subordinado a Dios, que es quien lo causa (cf. Job 31,23; Prov 24, 22). Negativamente aparece unido con el destino desgraciado de los impíos *(ʿawwāl, raʿ, rᵉšāʿīm);* se trata de la «desgracia definitiva que lleva a la muerte» (Fohrer, *loc. cit.).* Se inserta en el esquema sapiencial de la «acción y sus consecuencias» (cf. K. Koch,

ZThK 52 [1955] 2ss); así puede aparecer también en la teodicea y en la lamentación del justo que sufre persecución (Job 21,17.30); en último término se debe atribuir a la justicia de Dios. En la misma línea están los textos proféticos, la mayoría de los cuales gira en torno a la catástrofe nacional y religiosa del año 587 (Abd 13; Ez 35,5; cf. Jr 18,17; 46,21; 48,16; también Dt 32,35). En el (quizá tardío) salmo de acción de gracias, Sal 18 y paralelos, *ʾēd* es la contrapartida de la ayuda y salvación divinas.

5. En los LXX este término no tiene un equivalente fijo; los LXX lo traducen nada menos que con 12 palabras griegas distintas, de las cuales deben mencionarse ἀπώλεια (9 ×) y καταστροφή (2 ×). Finalmente, la palabra no aparece en los escritos de Qumrán y tampoco parece haber tenido ninguna importancia en el NT.

M. Sæbø

איה *ʾayyē* ¿Dónde?

1. El elemento **ʾay,* presente en todas las lenguas semíticas, forma de diversos modos adverbios y pronombres interrogativos (Barth, *Pronominalbildung,* 144-149; GVG I, 327s; Moscati, *Introduction,* 114s.120s), entre ellos las partículas interrogativas hebreas, que van a ser tratadas aquí, *ʾē*, *ʾēfō* y *ʾayyē*, «¿dónde?» (cf. el ugarítico *iy,* WUS N. 161; UT N. 143), además, *ʾē mizzæ̂* y *mēʾáyin,* «¿de dónde?», *ʾān/ʾắnā,* «(¿dónde?) ¿adónde?», e *ʾī-*, «¿dónde está...?», en nombres propios (HAL 37b; Stamm, HEN 416). De la pregunta retórica «¿dónde está...?» se ha desarrollado quizá la expresión negativa «... no está ahí» (→ *ʾáyin;* cf. GVG I, 500; II, 114; BL 633s; I. Guidi, *Particelle interrogative e negative nelle lingue semitiche:* FS Vrowne [1922] 175-178; A. Goetze, *Ugaritic Negations:* FS Pedersen [1953] 115-123; cf. el acádico *yānu,* «no es/son», < *ayyānum,* «¿dónde?», GAG § 11b; CAD I/J 323s).

ʾēkā (Cant 1,7.7) y *ʾēkō* (2 Re 6,13) con el significado «¿dónde?» son arameísmos (Wagner N. 10).

La suposición de G. R. Driver, WdO I/1 (1947) 31, de que *ʾal,* en 1 Sm 27,10 (generalmente corregido en *ʾæl-mī* o *ʾān)* depende del acádico *ali,* «¿dónde?», parece poco probable.

2. Los casi 90 textos que contienen la pregunta «¿dónde?» (junto a 27 × «¿de dónde?» y 20 × «¿adónde?») emplean toda una serie de partículas interrogativas, todas formadas con el elemento **ʾay-;* la más frecuente y, dentro del lenguaje teológico, la más importante es *ʾayyē.*

Con el significado «¿dónde?» se encuentran:

1) *ʾē* 4 × (Gn 4,9; Dt 32,37; 1 Sm 26,16; Prov 31,4 Q, texto dudoso, cf. Gemser, HAT 16, 108; distinto, N. M. Sarna, JNES 15 [1956] 118s; UT § 6.31 y N. 42: «any liquor»);

2) *ʾēzæ̂/ēzæ̂* 17 ×, a veces también pronominal, «¿cuál?» (1 Sm 9,18; 1 Re 13,12; 22,24 = 2 Cr 18,23 + *haddæræk;* 2 Re 3,8; Is 50,1; 66,1.1; Jr 6,16; Job 28, 12.20; 38,19.19.24; Ecl 2,3; 11,6; Est 7,5; cf. también *ʾē mizzæ̂,* «¿de dónde?», 9 ×, junto a *mēʾáyin,* «¿de dónde?», 17 ×, incluyendo 2 Re 5,25 Q; además, una vez *ʾē lāzōt,* «¿por qué?», en Jr 5,7);

3) *ʾēfō (ʾyph)* 10 × (Gn 37,16; Jue 8, 18; 1 Sm 19,22; 2 Sm 9,4; Is 49,21; Jr 3,2; 36,19; Job 4,7; 38,4; Rut 2,19; no se debe confundir con el *ʾpwʾ* o *ʾpw,* escrito *ʾēfō,* «entonces, pues», que puede unirse a partículas interrogativas como *ʾayyē* para darles mayor énfasis);

4) *ʾēkā* 2 × (Cant 1,7.7; fuera de estos textos, 15 ×, con el significado «¿cómo?», junto a 60 × *ʾēk,* 4 × *ʾēkākā* y 2 × *hēk* arameísmo, cf. Wagner N. 73 y el arameo bíblico *hē-kᵉdī,* «como», en Dn 2,43, < *hēk dī,* KBL 1068a);

5) *ʾēkō* 1 × (2 Re 6,13);

6) *ʾắnā* 1 × (Rut 2,19; fuera de este texto, 19 ×, «¿adónde?», y 3 ×, *ʾắnæ̂ wāʾắnā,* «aquí y allí», así como 13 ×, «¿(hasta) cuándo?», → *mātay);* cf. *ʾān* en *mēʾān,* «¿de dónde?», 2 Re 5,25 K, «¿adónde?», 1 Sm 10,14; «¿(hasta) cuándo?», Job 8,2;

7) ʾăyyē 45 × (Is 10 ×; Jr 6 ×, Sal y Job 5 × cada uno, Gn 4 ×, en Jue 9, 38 y Job 17,15 reforzado por medio de *ʾēfō,* «pues», y en Sal 115,2 por medio de *nā,* «pues»);

8) *ʾē* o *ʾayyē,* con sufijo pronominal, 8 × (Gn 3,9; Ex 2,20; 2 Re 19,13; Is 19, 12 con *ʾēfō,* «¿dónde están pues...?»; Miq 7,10; Nah 3,17; Job 14,10; 20,7).

El arameo *ʾān* (DISO 18) no está documentado en arameo bíblico.

3. Sólo la mitad aproximadamente de las preguntas sobre el lugar «en dónde» en el AT son preguntas auténticas. La mayoría de los textos con *ʾayyē* (son excepción Gn 18,9; 19,5; 22,7; 38,21; Ex 2,20; 2 Sm 16,3; 17,20; Jr 2,6.8; Job 35,10; Lam 2,12; en Nah 3,17 y Job 15,23 se debe corregir el texto), y también, aunque mucho menos, algunos textos con *ʾē (-zæ)* y *ʾēfō* (sólo Dt 32,37; Is 50,1 y Jr 3,2; Job 4,7; 38,4), son preguntas retóricas, en las que, por diversas razones estilísticas (afirmación enfática, ironía y burla, lamentación viva, desconcierto, etc.), se sobrentiende la respuesta «en ningún sitio». He aquí algunos ejemplos tomados del empleo profano: Jue 9,38: «¿dónde está, pues, tu boca, con que dijiste...?; Nah 2,12: «¿dónde está el cubil de leones?»; Job 17,15: «¿dónde ha quedado mi esperanza?».

Las preguntas «¿de dónde?» y «¿adónde?» son en la mayoría de los casos preguntas auténticas (también Sal 121,1: «¿de dónde me viene ayuda?»), que en algunos casos pueden convertirse en expresiones formularias con que se abre el diálogo (por ejemplo, Jue 19,17: «¿adónde quieres ir y de dónde vienes?»; cf. Lande 40s). En ocasiones pueden también ser preguntas retóricas que expresan el desconcierto en que se halla el que interroga o también la imposibilidad de encontrar salida a una situación (con *mēʾáyin:* Nm 11,13; 2 Re 6,27; Nah 3,7; con *ʾánā:* Gn 37,30; 2 Sm 13,13; Is 10,3).

4. En los Salmos y en las polémicas sapienciales y proféticas la pregunta retórica «¿dónde está pues...?» (= «no está en ningún sitio...») aparece empleada en las más diversas formas (cf. F. Asensio, *Teología e historia del pacto en torno a una interrogación bíblica:* «Gregorianum» 47 [1966] 665-684).

Distintos son los casos en que el interrogador conoce de antemano la respuesta («aquí» o semejantes), pero formula la pregunta para apelar insistentemente a la responsabilidad de alguno: Gn 3,9: «Adán, ¿dónde estás?»; 4,9: «¿dónde está tu hermano Abel?»; 1 Sm 26,16: «¿dónde está la lanza del rey?»; también 2 Re 2,14: «¿dónde está ahora Yahvé, el Dios de Elías?», invocación a Yahvé expresada exclamativamente.

La pregunta retórica «¿dónde?» referida a Dios (distinta del auténtico interés por Dios, cuya carencia se reprocha en Jr 2,6.8; Job 35,10) se debe entender en la mayoría de los casos como negación malintencionada de la existencia y actividad de Dios y, menos frecuentemente (en las preguntas sobre la actividad milagrosa de Dios), como lamentación del perseguido y llamada al Dios oculto, a quien se pide que vuelva a manifestar su (antigua) potencia (Jue 6,13; Is 63,11.11.15; Mal 2, 17; Sal 89,50: «¿dónde están tus antiguas piedades?»). En las lamentaciones colectivas se recoge la pregunta irónica de los enemigos: «¿dónde está ahora vuestro Dios?» (Jl 2,17; Sal 79,10; 115,2; cf. Miq 7,10; de ahí ha pasado también a la lamentación individual de Sal 42,4.11: «¿dónde está ahora tu Dios?»; de modo semejante también en la lamentación de Jeremías, Jr 17, 15: «¿dónde queda entonces la palabra de Dios?»). También el discurso del copero con su pregunta: «¿dónde están los dioses de Jamat...?» (2 Re 18,34. 34 = Is 36,19.19; cf. 2 Re 19,13 = Is 37,13: «¿dónde están vuestos dioses?»; Jr 2,28: «¿dónde están tus dioses, que te has fabricado?»).

En el lenguaje vivo de la polémica profética y sapiencial, el retórico «¿dónde?» se emplea también en otros contextos muy diversos, cf. Is 19,12; 33, 18.18.18; 50,1; 51,13; Jr 3,2; 13,20;

37,19; Ez 13,12; Os 13,10.14.14, donde se debe corregir ʾæhī por ʾayyē; Zac 1,5; Mal 1,6.6; Job 4,7; 14,10; 20,7; 21,28.28; 38,4; en Job 28,12.20; 38, 19.24: se trata de preguntas que no tienen respuesta y que se formulan como prueba de que el conocimiento es limitado.

5. Las preguntas retóricas con ποῦ, «¿dónde?», en el NT (Lc 8,25; Rom 3,27; 1 Cor 1,20 cita de Is 19,11s; 12, 17; 15,55, según Os 13,14; Gál 4,15; 1 Pe 4,18 cita de Prov 11,31 G; 2 Pe 3,4) dependen probablemente de la gran extensión de este recurso estilístico (J. Konopasek, *Les «questions rhétoriques» dans le NT:* RHPhR 12 [1932] 47-66.141-161; Balss-Debrunner I, 230; II, 83), pero al mismo tiempo sólo pueden entenderse como dependientes del AT en cuanto al contenido.

E. Jenni

אַיִן *ʾáyin* No-existencia

1. Al hebreo *ʾáyin,* «no-existencia, no es», corresponden en el acádico *yānu* (GAG § 111b.190b, babilónico medio y tardío), en el ugarítico *in* (WUS N. 294; UT N. 149.252), en el moabita *ʾn* (KAI N. 181, línea 24), cf. el púnico *ynny (Poen.,* 1006, Sznycer, 142).

La base de esta palabra, tratada en hebreo como un segolado, parece ser la misma que la del interrogativo →*ʾayyē,* «¿dónde?». De aquí que la mayor parte de los autores hagan derivar *ʾáyin,* «no-existencia, no es», de esta partícula interrogativa: «la pregunta retórica '¿dónde está X?' pudo convertirse en la frase negativa 'X no está ahí'» (BL 633; cf. HAL 40b). El semejante desarrollo en acádico (→*ʾayyē* 1) apoya esta explicación.

Ejemplos hebreos extrabíblicos aparecen en la segunda inscripción de Silwán (KAI N. 191 B, línea 1) y en el óstracon N. 4 de Laquis (KAI N. 194, líneas 5.7).

2. La palabra aparece 789 × en el AT (*ʾáyin* 42 ×, incluyendo Is 41,24; Jr 30,7; *ʾēn* 747 ×, de ellas 103 con sufijos).

El opuesto *yēš,* «existencia», aparece 140 × (incluyendo *ʾīš* en 2 Sm 14,19 y Miq 6,10, cf. Wagner N. 28a.b; Gn 21 ×, Ecl 16 ×, Prov 13 ×, Job 12 ×).

Los correspondientes arameo-bíblicos son *ʾītay* (8 ×) y en forma negativa *lā ʾītay* (9 ×).

3. Su significado base es «no-ser/no-existencia» (paralelo a *b^elī, biltī, ʾǽfæs, tōhū)* como negación de *yēš,* «ser/existencia» (cf. Is 44,8). Sobre el empleo de la palabra, cf. GK § 152 i-p.u.

4. Entre las múltiples afirmaciones sobre Dios en las que se emplea *ʾáyin* sobresalen aquellas que tienen un cierto carácter formulario. Aparecen principalmente en DtIs; pero se encuentran también en algunos textos deuteronomísticos y en Os.

Mencionemos en primer lugar la fórmula *ʾēn k^e...,* «no hay nadie como...», que sirve para afirmar que una persona es incomparable (cf. C. J. Labuschagne, *The Incomparability of Yahweh in the OT* [1966]). Esta fórmula presupone la pregunta «¿quién es como tú?» (1 Sm 26,15); la respuesta a tal pregunta será: «nadie es como tú». Esta afirmación de incomparabilidad no se emplea en el AT al dirigirse a un hombre (en tercera persona: 1 Sm 10,24; Job 1,8; 2,3; cf. Lande 103); aparece, por el contrario, frecuentemente en oraciones a Yahvé (1 Sm 2,2; 2 Sm 7, 22 = 1 Cr 17,20; 1 Re 8,23 = 2 Cr 6, 14; Jr 10,6.7; Sal 86,8). En tercera persona aparece también en la fórmula de reconocimiento de Ex 8,6 y en la alabanza descriptiva de Dt 33,26, y como autoafirmación de Yahvé en Ex 9,14.

Junto a la afirmación de incomparabilidad está la afirmación de exclusividad o unicidad. A esta categoría pertenecen los dos giros que encontramos en 1 Sm 2,2: «nadie es santo como Yahvé, pues nadie hay fuera de ti», y 2 Sm 7, 22 = 1 Cr 17,20: «por eso eres grande,

Señor Dios mío, pues nadie es igual a ti y no hay Dios fuera de ti». En la fórmula de reconocimiento de cuño deuteronomístico se acentúa la exclusividad por medio de la expresión *ʾēn ʿôd:* «tú debes/todos los pueblos deben reconocer que Yahvé es Dios y nadie más» (Dt 4,35.39; 1 Re 8,60; cf. Dt 32,39). Esta afirmación de unicidad se combina con la fórmula de autopresentación (W. Zimmerli, *Ich bin Yahwe:* FS Alt [1953] 179-209 = GO 11-40) en Oseas (Os 13,4; cf. 5,14). No es extraño que esta combinación se dé con gran frecuencia en Deuteroisaías, que tanto destaca la exclusividad del Dios *único* en la creación, en la dirección de la historia y en la salvación. Su predilección por esta forma está condicionada también por los himnos de autoalabanza o autoglorificación de los dioses en el ambiente babilónico en que vivió (cf. Westermann, ATD 19,126s). La forma sencilla aparece en el oráculo de Ciro Is 45,5.6: «yo soy Yahvé y nadie más», y en el litigio de 45,18.22; en 43,11 se amplía a «y junto a mí no hay salvador»; en 43,13 (litigio), a «y nadie arranca de mi mano»; en 45,21, a «junto a mí no hay un dios verdadero, salvador», y en 46,9, a «yo soy Dios y nada es como yo» (disputa).

Que estas locuciones no deben entenderse como «fórmulas monoteísticas» (así, B. Hartmann, ZDMG 110 [1961] 229-235) se deduce clarísimamente del género al que pertenecen: es un proceso judicial en el que Yahvé comparece frente a los otros dioses. La frase «y fuera de mí no hay dios alguno» (44,6, cf. v. 8) no es una afirmación, sino una reivindicación (Westermann, ATD 19,114; cf. 69ss). Yahvé exige de los dioses de las naciones pruebas de su divinidad en el actuar histórico continuo, pruebas que ellos son incapaces de presentar. La parte contraria sólo puede callar (41,26: «nadie lo afirma, nadie lo hace oír, nadie os ha oído una palabra») y abandona la escena (41,28: «no hay nadie allí, no hay entre ellos ningún consejero»). La disputa de 40,12-31 muestra claramente la importancia de la palabra *ʾáyin* en DtIs; aparece en ella hasta seis veces: dos veces para declarar que los ricos y poderosos de este mundo son «nada» ante Yahvé (v. 17; cf. 41,11. 12); Yahvé los «aniquila» (v. 23; cf. Ez 26,21; 27,36; 28,19); el Líbano con sus maderas y bosques no basta para ofrecer sacrificios (v. 16); el pensamiento de Yahvé no se puede sondear (v. 28), Yahvé ayuda al impotente (v. 29); cf. además 50,2 y 63,3.

La negación de Dios *ʾēn ʾælōhîm,* «no hay Dios», en Sal 10,4; 14,1 = 53,2, no debe entenderse como negación teórica, sino más bien en el sentido de 3,3: «no ha encontrado ayuda en Dios», como negación práctica: «Dios no está presente/ no interviene» (→ *ʾælōhîm* IV/5; cf. Kraus, BK XV, 106, que cita a Kohler, *Theol.,* 1). Cf. también las afirmaciones con *yēš,* «está presente», en Gn 28,16; Ex 17,7; Jue 6, 13; 1 Sm 17,46; Is 44,8 *(yēš* se usa además en contextos teológicos: 2 Re 3,12; Jr 14,22; 37,17; Sal 73,11; 2 Cr 25,8).

5. En los LXX, para traducir *ʾáyin/ ʾēn* aparecen con frecuencia, además de las partículas negativas, palabras compuestas con alfa privativa. Las fórmulas de incomparabilidad y de unicidad van desapareciendo en el NT, al igual que las confrontaciones con los dioses extranjeros; cf., sin embargo, 1 Cor 8,4.

S. Schwertner

אִישׁ *ʾîš* Hombre

I. Los términos para «hombre» (a diferencia de los términos para «mujer», → *ʾiššā)* no coinciden en las lenguas semíticas, ya que han sufrido diversas innovaciones y cambios. *ʾîš* aparece sólo en hebreo, fenicio-púnico y arameo antiguo (DISO 26), así como en árabe meridional antiguo (W. W. Müller, ZAW 75 [1963] 306), mientras que en acádico *(awīlu, eṭlu, mutu),* ugarítico *(bnš, mt),* arameo (→ *gbr)* y árabe *(marʾ)* predominan otros términos.

La etimología de *ʾîš* es muy incierta; así lo es también, por ejemplo, el intento de K. Elliger, *Studien zum Habakuk-Kommentar vom Toten Meer* (1953) 78s.189, y FS Alt (1953) 100s, de hacer derivar la palabra de una raíz *ʾšš* (KBL 93b: «ser firme, apretado»; HAL 91b: árabe *ʾaṯṯa,* «brotar abundantemente»), basándose en la forma *ʾšyšym,* «hombres (?)», de 1Qp Hab 6,11 (y de aquí conjeturada también en Is 16,7, cf. HAL 91b).

En fenicio-púnico el plural se forma regularmente; en los demás casos, al igual que en el hebreo *ʾanāšîm,* se sustituye la raíz *ʾîš* con una forma de la raíz *ʾnš* (P. Fronzaroli, AANLR VIII/ 19 [1964] 244.262.275) (cf. el hebreo *ʾænôš,* «hombre»; → *ʾiššā,* «mujer» < **ʾanṯ-at-,* no depende de esta raíz). La forma plural *ʾîšîm,* raramente documentada, debe ser una forma más reciente elaborada sobre la base del singular (Is 53,3; Sal 141,1; Prov 8,4; BL 616).

Como derivado debe mencionarse la forma diminutiva *ʾîšôn,* «hombrecillo (en el ojo) = pupila» (Dt 32,10; Sal 17,8; Prov 7,2; para paralelos en otras lenguas, cf. HAL 42a); el verbo *ʾšš hitpolel,* «animarse», en Is 46,8 es muy discutido tanto textual como gramaticalmente (cf. HAL 96b; Bibl 41 [1960] 173 N. 2620).

Sobre los nombres propios *ʾæšbáʿal* (1 Cr 8,33; 9,39; en 2 Sm 2-4 cambiado tendenciosamente en *ʾîš-bōšæt,* «hombre de ignominia») e *ʾîšhôd* (1 Cr 7,18), cf. Noth, IP 138.225, con lo que queda con todo abierta la posibilidad de reinterpretaciones etimológicas populares (cf. HAL 89b) de formas que originalmente eran distintas (lo mismo vale para *Yiśśākār,* interpretado frecuentemente de acuerdo con Gn 30,18, como *ʾîš śākār,* «mercenario»). Sobre *ʾîšṭôb* (2 Sm 10,6.8), cf. A. Jirku, ZAW 62 (1950) 319; HAK 43a.

II. Los 2.183 casos (incluyendo 2 Sm 16,23 Q; 23,21 Q; excluyendo Prov 18,24) de este sustantivo, que ocupa el sexto lugar por su frecuencia en la Biblia, están distribuidos regularmente en todo el AT, aunque son algo más frecuentes en los libros narrativos (Gn, Jue, 1/2 Sm) y en los legales (también Prov):

	Singular	*Plural*	*Total*
Gn	107	51	158
Ex	83	13	96
Lv	93	1	94
Nm	98	33	131
Dt	76	14	90
Jos	39	33	72
Jue	155	44	199
1 Sm	141	70	211
2 Sm	105	34	139
1 Re	69	16	85
2 Re	104	23	127
Is	49	14 + 1	64
Jr	114	47	161
Ez	65	24	89
Os	10	—	10
Jl	2	2	4
Am	2	1	3
Abd	1	2	3
Jon	4	5	9
Miq	7	1	8
Nah	—	1	1
Hab	—	—	—
Sof	2	2	4
Ag	3	—	3
Zac	20	3	23
Mal	4	—	4
Sal	38	6 + 1	45
Job	29	13	42
Prov	84	5 + 1	90
Rut	19	2	21
Cant	3	—	3
Ecl	8	2	10
Lam	1	—	1
Est	20	—	20
Dn	7	1	8
Esd	4	10	14
Neh	24	20	44
1 Cr	24	17	41
2 Cr	43	13	56
Total AT	1.657	523 + 3	2.183*

III. 1. En su *significado base,* la palabra debe traducirse por «hombre» (persona adulta masculina en oposición a «mujer»). Se da, pues, un campo semántico natural en el que hombre y mujer se contraponen.

Son corrientes las series nominales del tipo «hombre y mujer», «hombres y mujeres» (singular junto a plural en Jue 9,49.51 y 16,27.27), en las cuales, de acuerdo con la estructura patriarcal dominante en Israel, el hombre aparece siempre en primer lugar (→ *'āb* III/1). La expresión «hombre y/o mujer» tiende a aparecer en los textos legales con el significado de «cualquiera, quienquiera que» (Ex 21,28.29; 35,29; 36,6; Lv 13,29.38; 20,27; Nm 5,6; 6,2; Dt 17,2.5; 29,17; Est 4,11; cf. 2 Cr 15, 13). La expresión «hombre y mujer», o en su caso «hombres y mujeres», puede también emplearse para designar la totalidad (Jos 6,21; 8,25; 1 Sm 15,3; 22,19; 27,9.11; 2 Sm 6,19 = 1 Cr 16, 3; Jr 6,11; 51,22; Neh 8,2.3, a veces también en series más largas). Existen también series trimembres «hombres/mujeres/niños» (Dt 31,12; Jr 40,7; Est 10,1; cf. Jr 44,7; con *m^etīm,* Dt 2,34; 3,6; con *g^ebārīm,* Jr 41,16). El concepto *bēn,* «hijo», pertenece a este campo semántico sólo cuando es empleado en sentido lato (por ejemplo, Gn 42,11. 13; Dt 1,31; Ez 16,45.45; Mal 3,17).

El hombre tiende a la comunidad sexual con la mujer (Gn 2,24) o, viceversa, la mujer con él (cf. Jr 29,6).

«Estar casada», visto desde el punto de vista de la mujer, se expresa por *hāy^etā l^e'îš* (Lv 21,3; Ez 44,25). A la inversa, se puede llamar a una muchacha virgen cuando ningún hombre ha cohabitado todavía con ella *(lō yād^e'ā 'îš,* Jue 11,39; 21,12; cf. Gn 19,8; 24, 16). Toda una serie de cuestiones sobre las relaciones sexuales extramatrimoniales entre hombre y mujer (esclava, virgen, desposada) aparece regulada en cláusulas legales (Lv 19,20; Dt 22, 22-29); lo mismo vale de las relaciones sexuales con una mujer durante la menstruación (Lv 15,24.33), la cuestión del matrimonio con el cuñado (Dt 25, 7), caso de polución en el hombre (Lv 15,16ss), etc.

Un sinónimo en el significado base es *gæbær* (→ *gbr;* Dt 22,5 en contraposición a *'iššā;* usado frecuentemente en el sentido de *'îš:* Nm 24,3.15), que aparece mucho más raramente. También es poco frecuente el término *m^etīm,* «hombres, gente», usado sólo en plural (22 ×, de ellas 6 × en Job; cf. el acádico *mutu,* el ugarítico *mt* y el etiópico *met,* «hombre, esposo»; cf. también los nombres propios *M^etūšā'ēl,* Gn 4,18, y *M^etūšælaḥ,* Gn 5,21-27; 1 Cr 1,3).

Para designar el sexo existe el término específico *zākār,* «masculino, hombre varón» (82 ×, de ellas 18 × en Lv, 18 × en Nm, 14 × en Gn, 12 × en Esd 8; además, el colectivo antiguo *z^ekūr,* «todo lo masculino», en la ley sobre las peregrinaciones de Ex 23,17 = 34,23 = Dt 16, 16 y en la ley sobre el anatema de Dt 20,13; la raíz **d̲akar-,* «masculino», pertenece al semítico común); su contrario es generalmente *n^eqēbā,* «femenino» (22 ×, si se exceptúa el difícil texto de Jr 31,22 [cf. Rudolph, HAT 12, 198s] aparece sólo en el Pentateuco).

Referido a animales, *'îš* aparece en su significado base sólo en Gn 7,2.2 (en los demás textos se usa *zākār,* Gn 6,19; 7,3 y otros).

2. El significado base queda *restringido* con frecuencia a sentidos especializados:

a) *'îš* debe traducirse en muchos casos simplemente por «marido» (Gn 3,6.16 y *passim).* Dentro de los textos legales pertenecen a esta categoría sobre todo los pasajes en que se zanjan diversas cuestiones de derecho matrimonial (Nm 5,12ss, en el caso de sospecha de adulterio; 30,8ss, en el caso de votos hechos antes de contraer matrimonio; Dt 22,13ss, en el caso de separación; 24,1-4, en caso de nuevo matrimonio tras la separación, cf. Jr 3,1; Dt 24,5, en caso de exención del servicio militar).

Sobre la designación de Yahvé como «esposo», cf. *inf.* IV/3.

En el sentido de «esposo» es sinónimo el término → *ba'al,* «marido» (2 Sm 11,26 paralelo a *'îš);* cf. también → *'ādōn* (Gn 18,12; Jue 19,26s; Am 4, 1; Sal 45,12).

b) En algunos textos, *'îš* sirve especialmente para designar algunas propiedades típicamente viriles, como la fuerza, dominio, valentía (1 Sm 4,9; 26,15; 1 Re 2,2; cf. Gn 44,15; Jue 8, 21, etc.). Otro sinónimo, aunque raramente empleado en este sentido, es *gæbær* (Job 38,3; 40,7).

c) Sólo aparentemente se restringe el sentido de *ʾîš* al significado de «padre» o «hijo» en algunos pasajes, a saber: cuando *ʾîš*, «uno, alguno», en sentido general aparece en contraposición a «hijos» o «padres», respectivamente, en lugar de la designación propia de parentesco (padre : hijo en Gn 42,11.13; Dt 1,31; 8,5 Mal 3,17; hijo : padres en Gn 2,24; 1 Sm 1,11; Am 2,7; Is 66,13; cf. también Gn 4,1).

d) También el plural puede, según el contexto, sustituir a determinadas designaciones más precisas. Así, los «hombres» son, en Gn 12,20, la guardia que el faraón da a Abrahán; en Jos 9,14, negociadores; en Jos 10,18, centinelas; en 2 Sm 18,28, insurrectos, etc. Con especial frecuencia, el plural los «hombres» designa a exploradores (Nm 13s; Dt 1; Jos 2,6s) o acompañantes, sobre todo en Sm y Re (con frecuencia, con la forma sufijada *ʾanāšāw*, «sus hombres»). Precisamente como séquito de David (unas 30 ×), Saúl, Abner o Joab tienen que desempeñar por lo regular funciones militares (distinto, por ejemplo, Gn 24,54.59; 2 Re 5,24).

3. Existe la tendencia a emplear el concepto como *colectivo,* especialmente en conexión con numerales (por ejemplo, 2 Re 4,43; 10,6.14). Este empleo tiene su contexto más apropiado en los libros narrativos; cf. también la conexión fija entre las palabras *ʾîš* → *Yiśrāʾēl.*

4. Con cierta frecuencia se emplea *ʾîš* en el sentido *generalizado* de «persona humana»:

a) Esta tendencia a generalizar su significado se deja notar particularmente en los textos legales (por ejemplo, Ex 21,12: «el que hiere a un hombre...»; naturalmente, estos castigos valen también para aquel que hiere a una mujer), en los textos sapienciales (por ejemplo, Prov 12,25; Sal 37,7) y en las bendiciones o maldiciones (Dt 27,15: «maldito el hombre que...»; Sal 1,1; 112.1.5 y *passim).*

b) El significado general de «persona humana» es evidente en aquellos textos en que *ʾîš* se contrapone a «animal» (Ex 11,7; 19,13; Sal 22,7) y también en aquellos en que se habla del hombre en contraposición a Dios: muy destacado en Nm 23,19; Jue 9,9.13; 1 Sm 2,26 y *passim,* cf. *bešébæt ʾanāšîm,* «con azotes de hombres» (2 Sm 7,14); *miṣwat ʾîš,* «estatuto de hombres» (Is 29,13) (cf. IV/*5b).*

c) Esta generalización se manifiesta sobre todo en los estados constructos: *ʾanšē habbáyit,* «servidumbre» (Gn 39, 11.14 abarca tanto a hombres como a mujeres), *beʾammat ʾîš,* «según el codo corriente» (Dt 3,11), etc.

En este sentido general hay que compararlo con su sinónimo → *ʾādām,* que en ocasiones aparece en paralelismo con *ʾîš* (Is 2,9.11.17; 5,15; Sal 62,10, etc.); cf. también el concepto *ʾænōš,* que en épocas tardías se emplea la mayor parte de las veces en el sentido de «débil, mortal» (→ *ʾādām).*

d) Baste sólo indicar el empleo de *ʾîš* como pronombre en el sentido de «cada uno, todo el mundo, alguno» o, negado, «ninguno».

5. *ʾîš* forma parte de toda una serie de *expresiones compuestas,* de las cuales mencionaremos sólo las más importantes:

a) Se emplea, junto al normal *yōšēb,* «habitante», para designar a los habitantes de una ciudad o de un país (habitante de una ciudad: bien por medio de la expresión compuesta *ʾanšē hāʿîr,* por ejemplo, Gn 24,13, o bien *ʾanšē hammāqōm,* por ejemplo, Gn 26,17, o bien en unión con nombres de lugar, por ejemplo, Jos 7,4s; miembros de una nación: sea en plural constructo *ʾanšē Yiśrāʾēl,* por ejemplo, 1 Sm 7,11, sea como colectivo *ʾîš Yiśrāʾēl, ʾîš Yehûdā,* etc.). Para designar a un habitante particular de una ciudad o nación existen expresiones como *ʾîš ṣōrî,* «hombre de Tiro» (1 Re 7,14), *ʾîš miṣrî,* «egipcio» (Gn 39,1), etc.

b) En cinco pasajes se habla de *ʾanšē habbáyit:* Gn 17,23.27 (esclavos varones que son circuncidados); 39,11.14 (criados de Putifar); Miq 7,6 (gente que vive en la misma casa).

c) *ʾîš* aparece en muchas expresiones compuestas para designar profesiones. *ʾîš milḥāmā* (o plural) es el «guerrero» (Ex 15,3, cf. *inf.* IV/1; Jos 17,1; 1 Sm 18,5 y *passim;* pero también «enemigo», 2 Sm 8, 10 = 1 Cr 18,10; Is 41,12). En tiempos de Salomón parece que se designaba con esa expresión a un conocido grupo profesional (1 Re 9,22); el concepto está documentado mayormente en la época tardía de la monarquía (como sinónimo, cf. *meṯîm* en Dt 33,6; Is 3,25, y *baḥûrîm* en Is 9,16). Muy cercana es la expresión *ʾîš ḥáyil.* Se trata de «hombres hábiles» en lenguaje jurídico (Ex 18,21.25), rabadanes capaces del faraón (Gn 47,6) o idóneos centinelas (1 Cr 26, 8), etc. Desde el tiempo de los jueces, con la expresión *anšê ḥáyil* se designaba a los «guerreros hábiles» (Jue 3,29; 2 Sm 11,16 y *passim;* cf. *gibbôr ḥáyil,* → *gbr).* Otras designaciones de profesión son *ʾîš nābîʾ,* «profeta» (Jue 6,8), *ʾîš hāʾadāmā,* «labrador» (Gn 9,20), *ʾîš yōdēaʿ ṣáyid,* «cazador» (25,27), etc. Otras expresiones compuestas que designan la actividad o la naturaleza de un hombre son: *ʾîš habbēnáyim,* «luchador cuerpo a cuerpo» (1 Sm 17,4.23), *ʾîš raglî,* «infantería» (2 Sm 8,4 = 1 Cr 18, 4; 1 Cr 19,18), etc.

d) *ʾîš* se emplea en perífrasis adjetivales, por ejemplo, en *ʾîš śāʿār,* «peludo», e *îš ḥālāq,* «lampiño» (Gn 27,11).

e) Alguna vez aparece también la expresión *benê ʾîš* (Sal 4,3; Lam 3,33; paralelo a *benê ʾādām* en Sal 49,3 y 62,10). Esta expresión está documentada sólo a partir de la época exílica y debe traducirse simplemente por «hombres»; sólo en Sal 49,3 se puede pensar en traducirla por «nobles» (cf. HAL 42a; Kraus, BK XV, 33.365).

f) La expresión *keʾîš ʾæḥād,* «como un solo hombre», sirve para designar la unidad y la totalidad de un grupo de hombres, por ejemplo cuando la comunidad se reúne «como un solo hombre» (Jue 20,1; Esd 3,1; Neh 8,1) o cuando sale «como un solo hombre» a la guerra (1 Sm 11,7 y *passim).* «Como un solo hombre» se puede también matar a un gran número de hombres (Nm 14,15 y *passim);* cf. la idea de exterminio en la guerra de Yahvé (→ *ḥrm).*

g) Mencionemos finalmente algunas expresiones en las que se emplea *ʾîš* en un sentido muy generalizado (cf. III/4d). En conexión con → *rēaʿ* y con → *ʾāḥ* su significado base se atenúa hasta significar «uno a otro, recíprocamente» (por ejemplo, Ex 18,7 y Gn 42,21). El texto que más se aleja del significado original es el de Gn 15,10, donde incluso la referencia personal se ha perdido: «Abrahán colocó las partes (del animal partido) una frente a otra».

IV. 1. Aunque en el AT se representa a Yahvé como hombre, sólo raramente y en sentido metafórico se habla de él como *ʾîš.*

En la alabanza descriptiva de Ex 15, 3 se llama a Yahvé *ʾîš milḥāmā,* «guerrero». Es ésta la formulación de un descubrimiento que Israel hizo en las batallas con sus vecinos. En DtIs 42, 13 se vuelve a emplear este lenguaje y también el concepto mismo de *ʾîš milḥāmōt,* «guerrero»; pero aquí se trata de una simple comparación entre la actividad de Yahvé y la actividad de un guerrero *(keʾîš milḥāmōt).*

2. *a)* En el antiguo relato de la promesa de Gn 18 la narración alterna entre Yahvé y los tres hombres. Dado que el v. 13 menciona expresamente a Yahvé como sujeto, también los restantes versículos en singular (3.10.14b. 15b) deberán referirse a él en la misma función gramatical. En Gn 18, por tanto, se representa a Yahvé como alguien que aparece en la figura de «tres hombres», aunque nunca se le identifica explícitamente con ellos. Cf. los dos hombres en Gn 19 y el «hombre» en Gn 32,23ss. En la época más antigua de Israel no había dificultad alguna en representar a Yahvé, siguiendo las sagas preisraelíticas, como un hombre de apariencia idéntica a la de los demás hombres, que anda sobre la tierra, come o lucha (una representación parecida aparece posiblemente en Jos 5,13-15 y Ez 8,2).

b) En algunos textos posexílicos se designa ocasionalmente con el término *ʾîš* a los seres celestiales enviados a los hombres (profetas) en el contexto de visiones proféticas del futuro, sin que se les identifique con Dios, pero sin que tampoco se les diferencie claramente.

Ez 9,2ss («seis hombres con el instrumento destructor», «hombre con vestido de lino»; cf. Ex 12,12 P; 12, 23 J, donde Yahvé mismo pasa por Egipto como ángel exterminador); Zac 1,8.10 («hombre entre los mirtos»); Zac 2,5 («hombre con un cordel de medir»); Dn 10,5; 12,6s («hombre con vestido de lino»).

3. En Os 2,4.9.18 se llama a Yahvé el *esposo de Israel.* Esto hubiera sido imposible en el primitivo Israel, pues esta designación implica una concepción propia de la religión cananea de Baal con su *Hierós Gámos* y su prostitución sagrada. Es Oseas el primero que se atreve a emplear esa imagen, que precisamente le sirve para atacar a aquellos que se sienten atraídos por el culto sexual cananeo (cf. Wolff, BK XIV/1,60, y Rudolph, KAT XIII/1, 78s).

Este mismo tipo de imagen lo recoge después Ezequiel (Ez 16, claramente en v. 32 y 45; pero cf. también v. 8. 20). Por el contenido habría que citar aquí Jr 3,6ss y Ez 23, aunque falta en ellos el término *ʾîš.*

También en otros pasajes se compara directamente a Yahvé y su actividad con la actividad de un hombre: Ex 33, 11 (lo mismo que un hombre habla con su amigo, así habla Dios con Moisés); Dt 1,31; 8,5; Mal 3,17 (igual que un hombre lleva a su hijo, lo castiga, se apiada de él).

4. El «hombre de Dios» está claramente del lado de los hombres; es el encargado, el mensajero de Dios. El concepto *ʾîš hāʾælōhîm* aparece en el AT 76 ×, de ellas 55 × en los libros de los Reyes.

Se designa como «hombres de Dios» a los siguientes: Eliseo (29 × en 2 Re 4, 7-13,19); Elías (7 × en 1 Re 17,18.24; 2 Re 1,9-13); Moisés (6 × en Dt 33,1; Jos 14,6; Sal 90,1; Esd 3,2; 1 Cr 23,14; 2 Cr 30,16); Samuel (4 × en 1 Sm 9, 6-10); David (3 × en Neh 12,24.36; 2 Cr 8,14); Semeyas (1 Re 12,22; 2 Cr 11,2); Janán (Jr 35,4); hombres de Dios anónimos (24 ×, en Jue 13,6.8; 1 Sm 2,27; 1 Re 13,1-29; 20,28; 2 Re 23,16.17; 2 Cr 25, 7.9.9.); → *ʾælōhîm* III/6.

ʾîš hāʾælōhîm es, junto a *rōʾæ,* «vidente» (→ *rʾh*), y → *nābîʾ,* «profeta», uno de los conceptos fundamentales en la primitiva profecía de Israel. A pesar de la diversidad de matices en el significado (Elías y Eliseo son «hombres de Dios», sus discípulos se llaman «discípulos de los profetas»; en 1 Re 13 se encuentran precisamente frente a frente un «hombre de Dios» y un «profeta»), el hombre de Dios del tiempo primitivo desempeña funciones proféticas.

En este campo semántico se encuentran la «fórmula de comunicación de la palabra divina» (1 Re 12,22; 17,2.8), la misión del mensajero (1 Re 12,23; 2 Re 1,3.15) y la fórmula del mensajero (1 Sm 2,27; 1 Re 12,24; 13,2; 17,14; 20,28 y otros). Los hombres de Dios de los primitivos relatos proféticos anuncian, igual que los profetas, la salvación o la desgracia. Con frecuencia «hombre de Dios» y «profeta» son términos sinónimos (1 Sm 9,8s; 1 Re 13,18 y otros); cf. C. Kuhl, *Israels Propheten* (1956) 14s; von Rad II, 16s.

No se emplea nunca este término para designar a los llamados profetas escritores de los siglos VIII-VI. En el período tardío pasa a ser un simple título de grandes personalidades (Moisés, David).

También se habla de hombres a los que Dios ha confiado alguna misión especial: «el bastón del hombre que yo elija» (Nm 17,20; cf. 2 Cr 6,5); «el hombre de mi plan» (= Ciro, Is 46, 11); «el hombre que profetizaba en nombre de Yahvé» (Jr 26,21); «el hombre de tu diestra» (Sal 80,18), etc.

5. Los textos citados anteriormente, en los que se designa a Dios directamente como *ʾîš* o en los que se compara su actividad con la de un *ʾîš* (IV/3), son pocos en comparación con aquellos que presentan al *ʾîš* como *criatura de Dios* y, por lo mismo, claramente diferenciado de él.

a) En Gn 2-3 el concepto es raro (2,23s; 3,6.16; aquí el concepto fundamental es → *ʾādām).*

b) En algunos textos se acentúa con gran claridad la diferencia entre

Dios y el hombre: el hombre, a diferencia de Dios, es pasajero (Sal 39,7; 62,10); a diferencia del hombre, Dios nunca miente (Nm 23,19) y mantiene la palabra (Os 11,9). La literatura sapiencial destaca de modo especial esta contraposición: Prov 21,2; 14,12, etc. Cf. también pasajes como Gn 32,29; Jos 10,14; Jue 9,9.13; 2 Sm 7,14; 2 Re 5,7; Is 40,6ss (→ *bāśār)*.

6. Por lo que respecta al hombre, su comportamiento, especialmente el sexual, está regulado por una serie de mandatos divinos cuya transgresión provoca la ira y el castigo de Dios. Mencionemos algunos contextos:

a) Al acto de promulgación de las leyes deben acudir todos, hombres, mujeres, niños, forasteros (Dt 31,12; cf. Jos 8,35). En las asambleas del pueblo celebradas por Esdras y Nehemías aparecen de nuevo estos grupos de personas (Esd 10,1; Neh 8,2s).

b) La ley del anatema de la guerra de Yahvé afectaba a hombres, mujeres y niños (bueyes, ovejas, asnos) (Jos 6, 21; 8,25; 1 Sm 15,3 y otros). La profecía vuelve a mencionar los mismos grupos de gente, sólo que aquí los enemigos de Dios, que son totalmente aniquilados, son los mismos israelitas (Jr 6,11; 44,7; cf. 51,22).

c) El matrimonio de un israelita con una extranjera era en ocasiones posible, pero con el tiempo fue recibiendo un juicio cada vez más negativo teológicamente, ya que la venida de mujeres paganas significaba la introducción de cultos paganos (Gn 34,14; especialmente en la época posexílica: Nm 25,6; Esd 10,17; Neh 13,25).

d) Israel se defendió decididamente contra la introducción y adopción de cultos paganos en especial a partir del Dt. Se castigaba, por tanto, con gran severidad a los idólatras (Dt 17,2.5; 29,19; Ez 8,11.16; 11,1; 14,3.8).

e) El que viola estos mandamientos recibe el correspondiente castigo, pues Dios «paga al hombre según sus obras» (Job 34,11; cf., entre otros, 1 Sm 26,23; 1 Re 8,39 = 2 Cr 6,30; Jr 31,30; 32,19; Ez 6,16; Sal 62,13; Prov 24,29; 2 Cr 25,4).

V. En el NT se distingue entre ἀνήρ, «hombre, persona humana» (A. Oepke, art. ἀνήρ: ThW I, 362-364), y ἄνθρωπος, «persona humana» (J. Jeremias, art. ἄνθρωπος: ThW I, 365-367). Se evoluciona en la dirección del AT. Se establece una clara diferencia entre Dios y el hombre (Mt 21,25; Hch 5,29, con ἄνθρωπος: Jn 1,13, con ἀνήρ), mientras que se contempla la unión entre Dios y el hombre en Jesús de Nazaret (Mc 14,71; 15,39; Jn 19,5, con ἄνθρωπος: Jn 1,30; Hch 2,22; 17,31, con ἀνήρ).

J. KÜHLEWEIN

אכל *'kl* Comer

1. La raíz *'kl* pertenece al semítico común (en etiópico aparece sólo como sustantivo). Como verbo aparece en el hebreo del AT en las formas qal, nifal, pual y hifil; en arameo sólo en qal (cf. *inf. 3a)*. En *3b* diferenciaremos los numerosos derivados nominales (sólo en hebreo) que tienen el significado genérico de «comida», las formas segoladas *'ōkæl* y el femenino *'oklā,* la forma aramaizante *'ᵃkīlā,* los nombres con el preformativo *ma-, ma'ᵃkāl* y *ma'ᵃkōlæt* (1 Re 5,25, *makkōlæt,* GK § 23s). Como *nomen instrumenti* aparece *ma'ᵃkælæt,* «cuchillo».

lḥm, «alimentar», es en cierto sentido sinónimo (6 ×, también en ugarítico junto a *'kl;* sobre el fenicio Kil I,6, cf. DISO 137 y KAI II, 32; en acádico, *la'āmun, laḫāmu, lêmu,* «tomar, comer», AHw 527b. 543b) del sustantivo *læḥæm,* «pan, alimento» (300 ×, incluidos Is 47,1 y Job 30,4, de ellas 1 × es arameo en Dn 5,1, «comida»; también púnico, arameo; sobre el árabe *laḥm,* «carne», cf. L. Köhler, JSS 1 [1956] 10; sobre el etiópico, cf. E. Ullendorf, VT 6 [1956] 192), que aparece en contextos teológicos al afirmar la potencia creadora de Yahvé (Sal 136,25; 146,7; 147, 9; sobre Dt 8,3, cf. von Rad, ATD 8,51; H. Brunner, VT 8 [1958] 428s).

Al sentido de nuestro término se acerca el del vocablo *ṭʿm,* «saborear» (10 ×, de las que en sentido traslaticio, «sentir, experimentar», en Sal 34,9; Prov 31,18), con el sustantivo correspondiente *ṭáʿam,* «gusto», en sentido traslaticio, «entendimiento» (12 ×, además Jon 3,7: «orden», extranjerismo tomado del arameo o del acádico, cf. Wagner N. 117); los correspondientes arameo-bíblicos son: *ṭʿm* pael, «dar de comer», y los sustantivos *ṭáʿam* y *ṭeʿēm,* «entendimiento; orden, relato».

Ulteriores vocablos referentes a la comida, con significados en ocasiones especiales, son los siguientes: *brh,* «comer comida de enfermo» *(biryā* y *bārūt,* «comida de enfermo, de duelo»); *gzr,* «devorar» (Is 9,19); *zūn,* «alimentar» (Job 36,31, texto corregido; *māzōn,* «alimento», en arameo, el hitpael «alimentarse» y *māzōn), ṣīd* hitpael, «aprovisionarse» *(ṣáyid* y *ṣēdā,* «provisiones de viaje»), además *ʾarūḥā,* «comida (para el camino)» (cf. HAL 84b), y *mispōʾ,* «forraje» (ugarítico *spʾ,* «comer»); cf. además las raíces que, no casualmente, empiezan por el sonido lingual *l: lhṭ,* «consumir»; *lḥk,* «lamer, pacer»; *lʿṭ,* «tragar»; *lāšād,* «pasteles» (Nm 11,8; árabe *lsd,* «chupar»); sobre *lʿʿ,* «sorber», y *lqq,* «lamer», → *šth,* «beber»*.

2. Según Mandelkern y Lisowsky, el verbo aparece en el AT 809 × en hebreo y 7 × en arameo (cf., sin embargo, *inf.* 3b) (qal 739 × + 7 × en arameo, nifal 45 ×, pual 5 ×, hifil 20 ×), *ʾōkæl* 44 ×, *ʾoklā* 18 × (sólo en Ez y P, salvo Jr 12,9, siempre con la preposición *le*), *ʾakīlā* 1 ×, *maʾakāl* 30 ×, *maʾakōlæt* 1 ×, *maʾakǽlæt* 4 × (excepto el último, todos estos nombres aparecen sólo en singular).

3. *a)* En la mayoría de los textos el verbo tiene el significado propio de «comer, devorar», designando una función básica en la vida del hombre y del animal. Junto a ver, oír y oler, también *ʾkl* puede valer como signo de que un ser está vivo, Dt 4,28. Pero además de los hombres y de los animales, otros muchos sustantivos pueden ser sujetos de *ʾkl* en sentido traslaticio («consumir» o semejantes): el fuego (unas 70 ×), la espada (12 ×), la tierra (Lv 26,38; Nm 13,32; Ez 36,13s), el bosque (2 Sm 18,8), el calor y el frío (Gn 31,40), la maldición (Is 24,6), la ira (Ex 15,7), el hambre y la peste (Ez 7, 15), la enfermedad (Job 18,13). El objeto del verbo puede también ser algo que no sea estrictamente comida: la tierra (Jr 8,16; 2 Cr 7,13), el campo (Gn 3,17; Is 1,7), ruinas (Is 5,17), herencia (Dt 18,1; hifil, Is 58,14), propiedades (Gn 31,15; Is 61,6; Ecl 5,10.18; 6,2), pecados (Os 4,8), etc. En estas conexiones el sentido puede ampliarse en diversas direcciones: «acabar con», pero también «disfrutar de, beneficiarse, acarrear con las consecuencias» (así, especialmente con «fruto» como objeto, Is 3,10; Prov 1,31 y *passim).* El hebreo gusta además de expresiones gráficas y metafóricas con objeto de persona, por ejemplo, el pueblo, pueblos, los pobres (Sal 14,4 = 53,5; Dt 7,16; Jr 10,25, juego de palabras con *klh* piel, «aniquilar»; 30,16 y *passim;* Hab 3,14; Prov 30,14).

Una extensión parecida del significado se encuentra también en el acádico *akālu,* que puede tener, entre otros, los siguientes sujetos: el fuego, los dioses, la peste, el dolor, la preocupación. Al igual que en hebreo, también en acádico el verbo puede tener, dependiendo del sujeto, los sentidos generales de «emplear», «aprovechar».

También sin objeto puede el verbo tener en ocasiones un significado más amplio, como «explotar, aprovecharse de» (2 Sm 19,43) o «banquetear» (Ecl 10,16). Una extensión del significado, que tiene paralelos también en acádico, se da en Ez 42,5, donde *ʾkl* no debe ser corregido, sino que significa «comer (ocupar) un espacio, una superficie» (cf. AHw 27a).

La expresión *ʾkl qarṣīn,* «calumniar» (propiamente, «comer algo pellizcado»), conocida en el acádico (CAD A/I, 225s; M. Held, JCS 15 [1961] 12) y en arameo (KBL 1121), aparece en Dn 3,8 y 6,25.

Sobre el giro «comer su propia carne», cf. la expresión de la Inscripción de Kilamuwa I, 6-8, con su lenguaje de comerse la propia barba y la propia mano como signo de la máxima desesperación (KAI

II, 31s; M. Dahood, CBQ 22 [1960] 404s).

Sobre la acción (narrada o amenazada en las maldiciones) de comer la carne de los propios hijos u otros parientes en caso de hambre (2 Re 6,28s; Lv 26,29; Dt 28, 53-57; Is 9,19; Jr 19,9; Ez 5,10; Zac 11,9; cf. Lam 4,10) se han de tener en cuenta los paralelos asirios (CAD A/I, 250b; D. R. Hillers, *Treaty-Curses and the OT Prophets* [1964] 62s).

No comer, aunque no se trate de ayuno cúltico, es signo de tristeza (1 Sm 1,7; cf. v. 18; 20; 34; 1 Re 21,4s; cf. v. 7; Esd 10,6). Viceversa, comer es algo que aparece fácilmente unido a la alegría (1 Sm 30,16; Job 21,25; Ecl 9,7; Is 22,13, cf. Gilg. X, III, 6ss = Schott 77s).

b) L. Höhler, JSS 1 (1956) 20-22 ha llamado la atención sobre el problema que supone la coexistencia de 6 o 5 *formas nominales* para designar la «comida, alimento». El estudio del contexto permite establecer las siguientes diferencias:

1) *ʾōkæl* es un concepto colectivo que designa la dimensión concreta y cuantitativa de la «alimentación» (con frecuencia = «trigo», cf. el acádico *ak(a)lu,* «pan», el etiópico *ʾekel,* «trigo»; el ugarítico *akl,* también «trigo», Dahood, UHPh 50). Los pasajes de Job 12,4; 16,16.18.21: «conforme a su apetito», y Job 20,21: «para su glotonería», deben considerarse como infinitivos qal (según eso: qal 744 ×, *ʾōkæl* 39 ×). Rut 2,14: «tiempo de comer», no habla necesariamente en favor de una forma verbal abstracta. 2) *ʾoklā* (fuera de Jr 12,9, aparece sólo en Ez y P, acompañado siempre de la preposición *lᵉ)* debe entenderse como infinitivo femenino (según Bergstr. II, 84, preferido en la época tardía) y, por tanto, *nombre de acción.* 3) *ʾᵃkīlā* (1 Re 19,8: «anduvo gracias a esa comida cuarenta días») corresponde a un participio pasivo y designa el «alimento comido». 4) *maʾᵃkāl* corresponde, según Nyberg 205ss, a una frase relativa sustantivada («lo que se come») y designa la comida en su aspecto de comestibilidad y variedad cualitativa (cf. *maʾᵃkāl* junto a *lᵉʾoklā* en Gn 6,21). 5) *maʾᵃkōlæt* (Is 9,4. 18: «pasto del fuego») corresponde asimismo a un participio pasivo (distinto de *makkōlæt,* «sustento», 1 Re 5,25)*.

4. A diferencia de las divinidades asirio-babilónicas y ugaríticas (cf. G. E. Wright, *The OT Against Its Environment* [1950] 102ss; W. Hermann, *Götterspeise und Göttertrank in Ugarit und Israel:* ZAW 72 [1960] 205-216), Yahvé aparece rarísimamente como *sujeto* de *ʾkl,* y cuando lo hace es en frases negativas o en comparaciones: Dt 4, 24 y 9,3, Yahvé como «fuego devorador» (sobre esto y sobre el «fuego divino» → *ʾēš* 4, → *kābōd);* Os 13,8: «y los devoraré como un león» (aquí, sin embargo, siguiendo a los Comentarios debe corregirse el texto: «entonces los perros los devoran»); en Sal 50,13 se polemiza contra la idea de un Yahvé que come: «¿voy a comer yo carne de bestias y beber sangre de macho cabrío?» (cf. Dt 32,37s: «¿dónde están vuestros dioses... que comían la grasa de vuestros sacrificios?»; Eichrodt I, 84-86; de Vaux II, 338-340).

Por el contrario, Yahvé aparece 13 × como sujeto del hifil, «dar de comer», sea como dispensador de dones (Ex 16, 32 y Dt 8,3.16, maná; además, Is 58, 14; Ez 16,19; Os 11,4, texto dudoso; Sal 81,17; en Ez 3,2 el rollo de Dios le da a comer en la escena de la vocación), o bien en la ejecución del juicio (Is 49,26; Jr 9,14; 19,9; 23,15; Sal 80,6).

Como *acto religioso* aparece la comida especialmente en las prescripciones sobre los sacrificios (L. Rost, BHH II, 1345-50) y en las leyes sobre los alimentos (Lv 11; Dt 14; W. Bunte, BHH III, 1828), así como en las disposiciones y narraciones sobre el no comer (y no beber) como ayuno ritual (→ *ṣūm).* Sólo en Lv *ʾkl* aparece 82 × en la forma qal y 22 × en nifal. Al igual que la comida profana, también la comida cúltica es un signo de alegría (Dt 14, 26 y *passim;* cf. B. Reicke, *Diakonie, Festfreude und Zelos* [1951] 167ss).

Sobre la comida como elemento del rito de conclusión de la alianza (Gn 26,30; 31,46.54; Ex 24,11; Jos 9,14s) → *bᵉrīt.* W. Beyerlin, *Herkunft und Geschichte der ältesten Sinaitraditionen* (1961) 40-42, sospecha que «comer y beber» es expresión técnica para designar la conclusión de la alianza.

Entre los ritos de duelo está la consumición de una comida especial de duelo, Dt 26,14; Jr 16,7 (texto enmendado); Ez 24,17.22 (texto enmendado); Os 9,4, *læḥæm 'ōnīm;* cf. H. Cazelles, RB 55 (1948) 54-71; T. Werden, VT 3 (1953) 290s; J. Scharbert, *Das Schmerz im AT* (1955) 123s.

5. También en Qumrán se emplea el verbo con la misma amplitud de sentidos; puede designar, además del comer profano y cúltico, la actividad del fuego o de la espada. En los LXX se emplean más de 20 vocablos para traducir *'kl;* con ellos se da expresión a la rica gama de sentidos de la palabra hebrea (consumir, quemar, cosechar, etcétera). Sobre el NT, cf. J. Behm, art. ἐσθίω: ThW II, 686-693; L. Goppelt, art. τρώγω: ThW VII, 236s.

G. GERLEMAN

אֵל *'ēl* Dios

I. **'il-* es una palabra antigua (excepto en etiópico) del semítico común que designa a «Dios» y que está especialmente extendida en acádico (CAD I/J 91-103) y semítico noroccidental (DISO 13). A pesar de las muchas propuestas que se han hecho, su etimología sigue siendo muy discutida.

Se la ha relacionado principalmente con *'ul,* «delante, primero» o «ser fuerte», o con *'lh,* «ser fuerte», y también —aunque es menos probable— con la preposición *'l,* «hacia», o *'ly/'lh,* «tender a, conseguir»; *'ll,* «atar», con el árabe *'ill,* «relación», y otros (cf. recientemente F. Zimmermann, VT 12 [1962] 190-195; P. Fronzaroli, AANLR VIII/20 [1965] 248.262.267 y la bibliografía citada en los correspondientes diccionarios).

No poseemos ningún dato sólido que confirme ninguna de las etimologías propuestas. Tampoco el giro *yæš-le'ēl yādī,* «está en mi poder» (Gn 31,29; semejante, Dt 28,32; Miq 2,1; Prov 3,27; Neh 5,5), conduce a ninguna solución satisfactoria, pues no se puede explicar con claridad la etimología de este giro (cf. HAL 47a, con bibliografía). Quizá la palabra *'ēl* escape a toda explicación etimológica debido a su antigüedad; su significado base podría expresar —lo decimos a título de mera hipótesis— la idea de potencia (lo mismo que otras designaciones de divinidades: → *bá'al,* → *'ādōn,* «señor», o → *mælæk,* «rey»).

II. La palabra *'ēl* está documentada en el AT (238 ×) tanto en la época más antigua como en la más tardía; la frecuencia está distribuida desigualmente y se concentra mayormente en Sal (77 ×), Job (55 ×), Is (24 ×, de ellas DtIs 40-46 15 ×), Gn (18 ×), Dt (13 ×). Es decir, que *'ēl* aparece preferentemente en textos compuestos rítmicamente (cf. también los oráculos de Balaán Nm 23-24, 8 ×) y también en lenguaje arcaizante. Es, por tanto, dudoso que determinados libros (Sm, Re, Jr, Cr y otros) pretendan —por alguna razón desconocida— evitar la palabra. El plural *'ēlīm* es poco frecuente en el AT (cf. *inf.* III/3 y Sal 58,2, texto enmendado); el femenino singular, tan familiar en las demás lenguas semíticas, está completamente ausente.

III. *'ēl* es en parte nombre propio de una determinada divinidad como también simple apelativo para designar a «Dios» (plural *'ēlīm).* Simplificando mucho las cosas, se puede distribuir el variado empleo de la palabra en diversos campos, que sólo con mucha reserva pueden considerarse como diversas etapas en el desarollo histórico: desde el empleo más condicionado históricoreligioso (III/1: El en el ambiente circundante del AT; III/2: divinidades en el Génesis; III/3: textos más recientes; III/4: su empleo como superlativo), pasando por la descripción del ser divino con adjetivo (IV/1), hasta su empleo en el Deuteroisaías (IV/2), en el libro de Job (IV/3), en la contraposición entre Dios y el hombre (IV/4) y en la invocación a Dios (IV/5).

1. Principalmente los textos (mitológicos) de Ras Shamra-Ugarit presentan a El como una divinidad de rango

especial. En su calidad de «rey», está en la cumbre del panteón divino. Es «padre» de los dioses, «creador del mundo creado» (de todas formas no ha aparecido hasta el momento ninguna cosmogonía), «sabio», «amable», quizá también «santo»; se le llama además «toro El». Tiene las características de un anciano y habita en una lejanía mítica (cf. O. Eissfeldt, *El im ugaritischen Pantheon* [1951]; M. H. Pope, *El in the Ugaritic Texts* [1955]; M. J. Mulder, *Kanaänitische Goden in het Oude Testament* [1965] 13ss).

También las inscripciones semítico-occidentales conocen al dios El, lo mencionan en las listas de dioses, aunque ya no en primer lugar (cf. W. Röllig, *El als Gottesbezeichnung im Phönizischen:* FS Friedrich [1959] 403-416; R. Rendtorff, *El, Baʿal und Jahwe:* ZAW 78 [1966] 277-292). Aunque El sigue siendo mencionado todavía en épocas posteriores (por ejemplo, por Filón de Biblos), va cediendo el puesto, según parece, a Baal (hasta Palmira) (cf. también U. Oldenburg, *The Conflict between El and Baal in Canaanite Religion* [1970]).

2. En el AT, *ʾēl* se emplea en primer lugar (a partir de Gn 14,18ss) en diversos contextos para designar a divinidades que se aparecen en determinados lugares.

A diferencia de la invocación «tú eres *ʾēl rŏʾī,* el «dios que me ve (?)» (Gn 16, 13 J), el nombre del pozo *beʾēr laḥay rōʾī,* «pozo del viviente que me ve (?)», que es ciertamente más antiguo, no contiene el elemento *ʾēl,* de forma que quizá el numen no era originalmente una divinidad El.

El nombre *ʾēl ʿōlām,* documentado en Berseba (Gn 21,33 J), encuentra una cierta confirmación en «dios sol de la eternidad» conocido en Ugarit *(špš ʿlm,* PRU V, 8) y Karatepe *(šmš ʿlm,* KAI N. 26, A III, 19), así como en el dios Ulomos mencionado en la cosmogonía antes que Mokos (Damascius, *De principiis,* 125; FGH 784). *ʾēl bēt-ʾēl,* «Dios (de) Betel», en Gn 35,7 (E), contiene la designación de un lugar, aunque *bēt-ʾēl* aparece documentado en el ambiente circundante bien como nombre de lugar (y de una piedra), bien como nombre de un dios (Eissfeldt, KS I, 206-233; H. Donner, *Zu Gen 28, 22:* ZAW 74 [1962] 68-70). La expresión «yo soy el dios (de) Betel» (31,13 E; cf. 28,10ss) no puede remontarse a una tradición antigua, pues el nombre está construido con artículo (cf. 35,1.3: *ʾēl,* con artículo), no conserva su original conexión local y la aplicación de la fórmula de autopresentación a la divinidad es secundaria. Además, el texto es en ambos casos inseguro (cf. LXX).

También *ʾēl šadday* (Gn 17,1; 28,3; 35, 11; 48,3; Ex 6,3 P) ha sido considerado, con O. Eissfeldt (KS III, 364, nota 4; 396, nota 1; cf. M. Weippert, ZDMG 111 [1961] 42-62; R. Bailey, JBL 87 [1968] 434-438), como una manifestación local del dios El, quizá en Hebrón; pero el AT no conoce una conexión constante de este dios a un lugar fijo. Ante todo, debe decirse que sólo el elemento → *šadday* está documentado con seguridad en tiempos antiguos (Nm 24,4.16) —aunque su significado es discutido—; Gn 43,14 J/E (asimilación posterior a P) y 49,25 (texto masorético corregido en 3 MSS y traducido para acomodarlo al nombre habitual [?]) son muy dudosos. Sólo a partir del siglo VI aparecen testimonios dignos de confianza de este nombre doble (Ez 10,5 y P), de forma que puede muy bien tratarse de una combinación tardía, lo que aclararía su peculiaridad (su falta de conexión local). P resume con ese nombre las diversas designaciones de los dioses de los padres y de las divinidades El y destaca así la diversidad del período patriarcal (Gn 17,1-Ex 6,3).

Ninguno de estos nombres de Dios aparece en esa misma forma fuera del AT; sólo los elementos individuales que los componen están documentados, en parte, en el ambiente circundante. No se puede, por tanto, saber con seguridad si la combinación de estos elementos se remonta a época antigua. Las relaciones histórico-religiosas de la Palestina preisraelítica se reflejan quizá sólo de forma muy fragmentaria en el AT, pues la tradición las ha transformado más profundamente de lo que se supone comúnmente. En su contexto actual todas estas designaciones divinas pueden aplicarse a divinidades distintas de Yahvé sólo violentando su sentido. Por otra parte, lo más que podemos hacer es conjeturar sobre el tipo de relación que puede existir entre las divinidades locales mencionadas en Gn y el dios El de los textos semíticos occidentales, que no está ligado a un lugar fijo (¿manifestaciones locales del dios supremo?). En cualquier caso no se puede concluir de los diversos epítetos que Yahvé fuese originalmente una divinidad El.

Por mucho que estas formulaciones se remonten a una tradición antigua, están siempre limitadas al área cananea (cf. también nombres de lugar como *Pᵉnūʾēl,* etc.). No es fácil saber si los nómadas conocían ya una religión del dios El.

Propiamente sólo los característicos nombres teofóricos (verbo en imperfecto más nombre de Dios), por ejemplo, «Israel», «Ismael», o en forma abreviada, «Jacob», «Isaac», dan pie a esta suposición. Todas las demás razones son muy inciertas.

Es muy discutida la antigüedad de la expresión «*'ēl* (es el [?]) Dios de Israel» (en Gn 33,20 E [?], nombre de un altar). ¿Se trata de una conexión original o secundaria? ¿El «Dios de Israel» es uno de los llamados dioses de los padres (cf. R. Smend, *Die Bundesformel* [1963] 15.35s; H. Seebass, *Der Erzvater Israel* [1966])? De cualquier forma, esta expresión doble tiene una estructura diversa de la de los demás nombres divinos del Gn formados con *'ēl* y no se puede, por tanto, establecer una comparación entre ellas.

La autopresentación divina a Jacob, «yo soy *'ēl* (con artículo), el dios de tu padre» (Gn 46,3 E), la bendición de Jacob, que con una expresión singular promete a José la ayuda del «*'ēl* de tu padre» (Gn 49,25), y la explicación del nombre propio Eliazar como «el Dios de mi padre es mi ayuda» unen, aunque sea *a posteriori,* rasgos de la religión de El y de la fe en el dios de los padres.

Aun en el supuesto de que los nómadas invocaran ya a sus divinidades con el nombre de *'ēl,* sólo pudieron llegar a conocer los nombres divinos más precisos, como *'ēl 'ōlām,* acuñados por las narraciones de Gn, en los santuarios de la civilización sedentaria.

3. En los pasajes más recientes que hablan de *'ēl* se puede detectar en parte influjos extranjeros y en parte reinterpretaciones del AT.

Según Jue 9,46, en Siquén se rendía culto a un *'ēl bᵉrīt;* pero el nombre de ese dios no se ha transmitido de forma uniforme. Todavía se usaba el nombre *ba'al bᵉrīt* (Jue 8,33; 9,4), aunque El y Baal son dioses distintos. Además no está documentada hasta el momento la existencia de una alianza *(bᵉrīt)* entre Dios y un grupo humano del ambiente circundante a Israel, por lo que el sentido de ese nombre permanece oscuro.

Es dudoso si el título que apunta hacia Jerusalén, *'ēl 'ælyōn,* «el Dios supremo o El el supremo, creador (→ *qnh)* del cielo y de la tierra» (Gn 14,19.22), es un epíteto original del dios El y no la combinación de dos elementos originalmente independientes (cf. G. Levi della Vida y R. Dussaud y más recientemente R. Rendtorff, *loc. cit.). qn 'rṣ,* «creador de la tierra», está documentado en textos de Karatepe, Leptis Magna y quizá también Bogazkoy como apelativo de El, pero falta hasta el momento un correspondiente del otro elemento: «creador del cielo». Tampoco se puede determinar con seguridad si *'ælyōn* era originalmente una divinidad independiente o un epíteto del dios El. En cualquier caso, ambas divinidades debieron unirse muy pronto, pues aparecen juntas en una inscripción de Sefira (KAI N. 222, A 11; cf. Fitzmyer, *Sef.,* 37s) y en el AT pueden ser presentadas en paralelismo (Nm 24,16; Dt 32,8, texto enmendado, Sal 73,11; 77,10s; 78,17s; 107,11; sobre todo 78,35; cf. 82,1.6; Is 14,13s).

En Sal 82,1, que habla de una «asamblea de El» *('ᵃdat-'ēl),* Sal 19,2, que habla de la «gloria de El» *(kᵉbōd 'ēl;* cf. 29,2) y Nm 23,22, que habla metafóricamente de los cuernos de búfalo de Dios, resuenan ecos de concepciones orientales antiguas y en especial cananeas (cf. W. H. Schmidt, *Königtum Gottes in Ugarit und Israel* [²1966] 25ss.40ss.83). También en las arrogantes palabras del rey de Babilonia: «levantaré mi trono por encima de las estrellas de El» (Is 14,13), y del príncipe de Tiro: «yo soy El, yo me siento en trono de dioses» (Ez 28,2), se evita significativamente el nombre divino «Yahvé» (cf. también Dt 32,18; Sal 104,21; Job 38,41?). En el AT nunca se considera *ʾēl* como el nombre de una determinada divinidad en sentido estricto, sino que ha de entenderse siempre como apelativo, aunque se trasluce reiteradamente su carácter de nombre propio. Por eso algunas interpretaciones, que deducen de algunos pasajes del AT una cierta supremacía de El sobre Yahvé (cf. Eissfeldt, KS III, 389ss), tienen que violentar en el fondo el sentido del texto para justificar tal deducción.

Cuando en el AT, quizá en un lenguaje arcaizante, se especifica el concepto *ʾēl* por medio del adjetivo *ḥay,* «vivo» (Jos 3,10; Os 2,1; Sal 84,3; en el juramento de Job 27,2; cf. Sal 42,3. 9), el modelo puede estar no sólo en el nombre personal *Ḥyil* (WUS N. 917), sino también en las afirmaciones míticas sobre la «vida» de El (ugarítico 51 [= II AB], IV, 42 y otros), aunque El no pertenece al ciclo de dioses que mueren y resucitan.

Lo mismo que *bᵉnē ʾēlīm,* «hijos de los dioses» (Sal 29,1; 89,7; cf. Dt 32,8, texto enmendado), designaba originalmente a los dioses subordinados al dios supremo (cf. Sal 82,1.6) y en el AT designa sólo a seres divinos inferiores (cf. W. Herrmann, *Die Göttersöhne:* ZRGG 12 [1960] 242-245; G. Cooke, ZAW 76 [1964] 22-47), así también la frase procedente del politeísmo, «¿quién es como tú entre los dioses?» (Ex 15,11), ha de referirse a la corte celestial. Diversas preguntas de este tipo, así como las correspondientes afirmaciones de incomparabilidad, que dejan reconocer en parte su transfondo histórico-religioso, contienen el término *ʾēl* en singular (Dt 3,24; 33,26; 2 Sm 22,32; Is 40,18; Miq 7,18; Sal 77,14; cf. 89,7s).

Por el contrario, con la inserción de *qannāʾ* «celoso», Israel ha interpretado las designaciones orientales antiguas de la divinidad desde su propia comprensión de Dios; un «dios celoso», que —en lugar de la simple supremacía— exige la exclusividad de relaciones y castiga la transgresión de la misma, es totalmente desconocido en el ambiente que circunda a Israel. Ahora bien, fue en un segundo momento cuando Israel pasó de la exclusividad de su relación con Dios a hacer de la misma una característica de Dios; pues la referencia al «celo» de Yahvé aparece por primera vez en adiciones más recientes al decálogo, que fundamentan el primer mandamiento y que fueron introducidas en el Dt y en otros textos (Ex 20, 5; 34,14; Dt 4,24; 5,9; 6,15; cf. Jos 24,19; Nah 1,2; → *qnʾ).*

Finalmente, la peculiaridad de la fe yahvista dio un nuevo cuño al concepto *ʾēl* al caracterizarlo con aposiciones como «extraño, otro» (→ *ʾḥr,* → *zār,* → *nēkār)* (Ex 34,14; Sal 44,21; 81,10; cf. Dt 32,12; Mal 2,11). Esta delimitación puede llegar a ser una negación: se deserta del yahvismo para seguir a un «no-dios» *(lōʾēl,* Dt 32,21). Según eso, la relación con Dios está siempre determinada literal o al menos objetivamente por el primer mandamiento.

4. Lo mismo que *ʾᵆlōhīm* (III/3), también *ʾēl* puede emplearse, en un sentido debilitado, para expresar el superlativo: «montañas de Dios» (Sal 36,7; 50,10, texto enmendado) y los «cedros de Dios» (Sal 80,11) son algo que destaca por su especial dimensión (eventualmente también, Is 14,13: «estrellas de Dios», mientras que Job 41,17: «fuertes, héroes», se debe derivar de *ʾáyil,* cf. Ez 32,21).

Yhwh ʾēl (Sal 10,12), cf. *hāʾēl Yhwh* (Sal 85,9; Is 42,5), se asemeja a la curiosa expresión *Yhwh ʾᵆlōhīm* (→ *ʾᵆlōhīm* IV/5). La acumulación de designaciones divinas en Sal 50,1 y Jos 22,2 es un modo de hablar solemne y enfático, semejante a la construcción genitiva, equivalente a un superlativo, *ʾēl ʾēlīm,* «Dios de los Dioses», es decir, «el Dios Supremo» (Dn 11,36).

IV. 1. Aunque el AT añade relativamente pocos predicados al nombre de Dios, se hace frecuente en la época tardía —aproximadamente a partir de Dt— el empleo de *ʾēl* en *unión de adjetivos;* debido a su generalidad, la palabra puede recibir numerosas determinaciones. El «Dios celoso» (cf. *sup.* III/3) vigila a Israel que se encomienda a dioses extranjeros; el «Dios santo» (*hāʾēl haqqādōš,* Is 5,16, secundario) se demuestra santo en el juicio. Pero también puede el «gran Dios» (*ʾēl gādōl,* Sal 95,3) intervenir en favor de Israel (Dt 7,21; 10,17), así como perdonar la culpa (Jr 32,18; cf. Neh 1,5; 9,32; Dn 9,4). La fórmula de confesión *ʾēl raḥūm wᵉḥannūn,* «Dios misericordioso y compasivo», igualmente tardía, o semejantes (Ex 34,6; cf. Dt 4,31; Jon 4,2; Sal 86,15; Neh 9,31), que no se refiere —cosa extraña en el AT— a ningún acontecimiento histórico, procede del ambiente sapiencial y es una afirmación fundamental, de valor universal, sobre la esencia de Dios, de forma que podemos detectar aquí los comienzos de una doctrina de las propiedades de Dios (cf. R. C. Dontan, VT 13 [1963] 34-51).

Comparables a éstos son otros determinativos más precisos, como «un Dios justo = verdadero» (Is 45,21; cf. 45,15: «un Dios que se oculta»), «un Dios perdonador» (Sal 99,8) o «el Dios leal» (Dt 7,9). De idéntico significado son las expresiones constructas: «Dios de lealtad» (Dt 32,4 o Sal 31,6; cf. 68,21). En cuanto juez, se le puede invocar como «Dios de la venganza» (Sal 94,1; cf. Jr 51,56). Sobre otras expresiones, especialmente con *ʾēl* como *nomen rectum* (por ejemplo, Sal 78,7: «acciones de Dios»; cf. Job 37,14), cf. HAL 48b.

2. En la proclamación *deuteroisaiana* de la unicidad de Dios («yo soy Dios y nadie más») desempeña un papel importante el apelativo *ʾēl* (sólo en Is 40-46; especialmente 40,18; 43,12; 45,22; cf. 43,10). Pero apenas resuena ya en ella la identificación de Yahvé con la divinidad El. *ʾēl* ya no es un nombre propio, sino —a veces paralelo de *ʾᵆlōhīm* (45,14s; 46,9), a veces alternando con él (45,5.18 y otros; cf. Ez 28,2.9)— que es simplemente la designación genérica de «dios», designación que Yahvé reivindica para sí mismo en exclusiva. *ʾēl* aparece también en las confrontaciones con las divinidades extranjeras (Is 45,20; en secciones secundarias: «hacerse, construirse un dios», 44,10.15.17; 46,6).

3. En el *libro de Job,* especialmente en los discursos de Elihú, *ʾēl* (con o sin artículo) se ha convertido —junto a *ʾᵆlōᵃh* y con frecuencia paralelo a *šadday*— en la designación más frecuente de Dios, mientras que *ʾᵆlōhīm* desaparece casi por completo (cf. Fohrer, KAT XVI, 117s). Este empleo está determinado no tanto por la tradición unida a *ʾēl,* sino por el tema mismo del libro de Job (cf., por ejemplo, 8,3.20; 13,3; 31,14; 34,5.12).

Esto hace que *ʾēl* no aparezca nunca en el libro de Job con sufijos —así se destaca con más fuerza que en el Salterio la diferencia entre Dios y el hombre— o con un adjetivo aposicional, incluso cuando se quiere acentuar la «majestad» de Dios (36,5.22.26).
Son semejantes las ideas y la temática de diversos salmos. Así, según Sal 73,11, los infieles niegan expresamente que el Dios trascendente se ocupe de los quehaceres de los hombres en esta tierra (cf. Job 22,13).

En época tardía se puede usar la designación *ʾēl* de forma tan general porque ya no es necesario distinguir al dios de Israel, en cuanto dios del mundo (cf. *ʾēl,* «en los cielos»: Dt 3,24; Sal 136,26; Lam 3,41), de los demás dioses.

4. Con frecuencia, el AT contrapone expresamente a *ʾēl,* «Dios», y al hombre. «Dios no es hombre, para que pueda mentir» (Nm 23,19): con esta expresión se describe la indefectible

fidelidad de Dios a su palabra. El profeta Oseas (11,9), con su antítesis «yo soy Dios y no un hombre», fundamenta su interpretación de la santidad como amor que perdona y no como ira que castiga. La expresión de Isaías (31,3): «Egipto es hombre y no Dios», establece una neta distinción entre el poder y la impotencia. De forma semejante se opone Ezequiel al arrogante príncipe de Tiro: «tú eres hombre y no Dios» (28,2.9). Finalmente, la diferencia entre Dios y el hombre en el libro de Job (a excepción de 32,13) se convierte en un contraste entre justicia e injusticia: «¿cómo puede un hombre ser justo frente a Dios?» (9,2; 25,4; cf. 4,17 y otros). El ser de Dios y el del hombre son tan distintos que resulta imposible incoar un proceso entre los dos con acusación y réplica por ambas partes (cf. 9,32).

5. *ʾēl* se emplea además para expresar una *estrecha unión con Dios* (cf. «Dios de mi vida», Sal 42,9 y otros); también en este empleo del término, lo mismo que en las fórmulas de oración, podría resonar un modo de hablar frecuente en el ambiente circundante a Israel (cf. sobre las oraciones babilónicas, por ejemplo, J. Begrich, ZAW 46 [1928] 236.242.244s). «Dios mío» (nunca con sufijo de 2.ª o 3.ª persona singular o de 1.ª persona plural) es el grito del individuo en los salmos de lamentación y acción de gracias: «Dios mío, Dios mío, ¿por qué me has abandonado?» (Sal 22,2; también 18,3; 63, 2; 102,25; Ex 15,2; en boca del rey, Sal 89,27; cf. 68,25); y la confesión «tú eres mi Dios» es expresión de confianza (Sal 22,11; 118,28; 140,7; referido a ídolos, Is 44,17; cf. Eissfeldt, KS III, 35-47). Pero también el simple vocativo *ʾēl* sin sufijos puede expresar la llamada del individuo (Sal 16, 1; 17,6; cf. 10,12; 31,6) o de la comunidad (Sal 83,2; 90,2; Nm 16,22; cf. *ʿimmānū ʾēl,* Is 7,14; 8,8.10, → *ʿim).*

V. → *ʾælōhīm.*

W. H. Schmidt

אָלָה *ʾālā* Maldición

1. El empleo de la raíz *ʾlh (ʾlw),* «maldecir», parece limitado al hebreo, fenicio y árabe.

El fenicio *ʾlt,* en un amuleto de Arslan Taṣ (KAI N. 27), significa, en la línea 9, «pacto», y en las líneas 13.14.15, «maldición» (KAI II, 45, según Th. C. Gaster, OrNS 11 [1942] 65s; otras interpretaciones, en DISO 14). El *yaúdico ʾlh,* «conspiración», que DISO 14 toma de KAI N. 215, línea 2, ha sido omitido en KAI II, 223.225.

El árabe *ʾālā (ʾlw* IV) significa «jurar», cf. J. Pedersen, *Der Eid bei den Semiten* (1914) 12s.

El acádico *iʾlu,* «contrato» (AHw 373b), pertenece a *eʾēlu,* «unir (con contrato)» (AHw 189a), y no está relacionado con la raíz hebrea *ʾālā.* Al empleo de *ʾālā* corresponde más bien el acádico *māmītu,* cf. Pedersen, *loc. cit.,* 82; H. C. Brichte, *The Problem of «Curse» in the Hebrew Bible* (1963) 16s.71.76; AHw 599s.

El verbo *ʾlh* aparece en qal y hifil; además del sustantivo *ʾālā* debe mencionarse como ulterior derivado el sustantivo *taʾalā,* «maldición (realizada)», (así, J. Scharbert, Bibl 38 [1958] 5) (cf., sin embargo, Brichto, *loc. cit.,* 69).

2. En el hebreo del AT están documentados 43 × los derivados de esta raíz: qal y hifil 3 × cada uno (en 1 Sm 14,24 se debe leer probablemente *wayyāʾal), ʾālā* 36 ×, *taʾalā* 1 × (Lam 3. 65).

Hay que hacer notar su empleo relativamente raro en los textos narrativos antiguos (Gn 24,41.41; 26,28; Jue 17, 2; 1 Sm 14,24) y su presencia más frecuente en los profetas (13 ×).

3. *a) ʾālā* es fundamentalmente un término propio del ámbito jurídico. A diferencia de → *ʾrr,* «maldecir, anatematizar»; → *qll* piel, «insultar, imprecar», y otras expresiones de este campo semántico (cf. J. Scharbert, *«Fluchen» und «Segnen» im AT:* Bibl 39 [1958] 1-26; H. C. Brichto, *The Problem of «Curse» in the Hebrew Bible*

[1963]), *ʾālā* designa, según F. Horst, RGG V, 1651, la maldición «como recurso jurídico para garantizar el cumplimiento de un juramento (Gn 24,41; Os 4,2; Neh 10,30), un contrato (Gn 26,28; Ez 17,19), una alianza (Dt 29, 19s; 2 Cr 34,24), la maldición en la ordalía (Nm 5,21) y también como venganza jurídica contra ladrones desconocidos, perjuros y cómplices (Jue 17,2s; Lv 5,1; Zac 5,3; Prov 29,24)».

Se trata siempre de una maldición condicionada que el que habla asume sobre sí mismo o impone a otro. Sus campos de empleo son, pues, por un lado, los juramentos (→ *šbʿ*) a los que acompaña una maldición como sanción y que pertenecen a la conclusión de un contrato o una alianza (→ *bᵉrīt*) *(b)*, y por otro, la imposición de una maldición a otras personas, conocidas o desconocidas (Brichto, *loc. cit.*, 41: «adjuration»), con el fin de conseguir el cumplimiento de un mandato o imponer un castigo a quien haya quebrantado la ley *(c)*. En ambos casos se debe contar en ocasiones con un empleo metonímico del término.

b) Aproximadamente en la mitad de los pasajes *ʾālā* aparece en conexión con «juramento» (→ *šbʿ* nifal o hifil, *šᵉbūʿā*) o con «alianza» *(bᵉrīt*; también → *tōrā* en cuanto ley escrita y vinculante). Significa ante todo la sanción que todo juramento comporta en virtud de la automaldición condicionada que le acompaña, la maldición subsiguiente a la eventual ruptura del juramento, así como también, en un segundo momento y en sentido metonímico *(pars pro toto)*, la obligación procedente del juramento o el contrato mismo.

La traducción «(sanción procedente de la) maldición» es apropiada en Dt 29,19 (con *rbṣ*, «acechar»).20 (*ʾālōt habbᵉrīt*, «maldiciones de la alianza»); 30,7; Is 24, 6 (con *ʾkl*, «devorar»; cf. v. 5 *bᵉrīt*; es semejante Jr 23,10, texto dudoso, sin *bᵉrīt*; Dn 9,11 (paralelo *šᵉbūʿā*, escrita en la *tōrā* de Moisés); 2 Cr 34,24 (escrita en el libro). En cambio, debe traducirse como «juramento» en Gn 24,41.41 (con → *nqh min*, «quedar libre de»; cf. v. 8: *šᵉbūʿā*, v. 3.9.37: *šbʿ*); Ez 16,59 y 17,16.18.19 (con *bzh*, «despreciar», paralelo *prr* hifil *bᵉrīt*, «romper el pacto»); Os 10,4 (*ʾlh*, infinitivo, *šāwᵓ*, «hacer un juramento falso», junto a *bᵉrīt*); Neh 10,30 (*ʾālā* y *šᵉbūʿā* en endíadis). En Gn 26,28; Dt 29, 11.13.18; Ez 17,13 (siempre en pararelo a *bᵉrīt*) designa el pacto hecho bajo juramento.

En Jr 29,18; 42,18; 44,12 los judíos apóstatas son designados como «(ejemplos de) maldición»; es significativo que esta extensión del sentido tiene lugar sólo aquí junto a una serie de sinónimos que incluye «horror, grito o imprecación *(qᵉlālā)*, injuria».

c) Las maldiciones condicionadas aplicadas a otras personas se encuentran en las ocasiones más diversas; pero es común a todas ellas que *ʾālā* (cuando es empleado correctamente) funciona como un medio legal. Así sucede concretamente en las proclamaciones públicas, para imponer su cumplimiento, y en los juicios divinos; el que no cumple estas exigencias, es decir, el culpable, quedará afectado por la maldición.

Saúl lanza una imprecación sobre su ejército (*ʾlh* hifil; no «hacer jurar», cf. Brichto, *loc. cit.*, 45-48) para el caso en que alguien contravenga el mandato de abstinencia (1 Sm 14,24); Lv 5,1 habla del testigo que, haciendo caso omiso de la convocación imprecatoria *(qōl ʾālā)*, hecha en público y bajo amenaza de maldición en caso de no cumplimiento, no se presenta a juicio (Elliger, HAT 4,73; otra interpretación, en Noth, ATD 6,33); Prov 29,24 habla del encubridor que queda afectado por la maldición pública dirigida contra un ladrón al que, comprensiblemente, no puede denunciar; Jue 17,2, de un ladrón que ha confesado: la maldición, pronunciada previamente (*ʾlh* qal), queda anulada por una bendición (→ *brk*, que sólo aquí y en Dt 29,18 aparece junto a *ʾālā*). En Zac 5,3, *ʾālā* aparece materializada en el rollo escrito, contemplado en visión, como una maldición que viene de Yahvé sobre ladrones y perjuros.

En Nm 5,11-31, en el contexto de una maldición ordálica (cf. R. Press, ZAW 51 [1933] 122ss) aplicada a una presunta adúltera, se trata no de una automaldición impuesta a la mujer, sino de una maldición condicionada pronunciada por el sacerdote (v. 21a → con *šᵉbūᶜā;* v. 23 plural), que tendrá efecto en caso de que el delito exista (Brichto, *loc. cit.*, 48-52); la mujer se convierte en ese caso en «(ejemplo de) maldición» (v. 21a.27; empleo metonímico de *ᵓālā,* cf. Scharbert, *loc. cit.,* 5.11s). *ᵓālā* aparece también como un instrumento jurídico legal (pero peligroso) contra un enemigo en 1 Re 8,31 (*ᵓlh* hifil y dos veces *ᵓālā*[*ūbāᵓā* en v. 31b]; paralelo 2 Cr 6,22) y Job 31,30 (así, Brichto, *loc. cit.,* 52-56; distinto, Noth, BK IX, 186: juramento de purificación del inculpado).

Y como una maldición condicionada de este tipo contiene siempre una acusación, *ᵓālā* puede también recibir el sentido ulterior de «acusación» (Os 4,2 y Sal 59,13 junto con → *kḥš;* Sal 10,7 sobre una gestión ilegal; Brichto, *loc. cit.,* 56-59).

4. *a)* Dado que la autoimprecación condicionada en los convenios humanos y la maldición condicionada contra los otros están ligadas, como instrumento jurídico, a la garantía divina de un orden justo (Yahvé oye la *ᵓālā,* 1 Re 8, 31s = 2 Cr 6,22s, y se comporta de modo correspondiente, Nm 5,21; Ez 17,15-19; él mismo se adelanta contra el mal empleo de la *ᵓālā,* Os 4,2 y 10,4, o la pone en marcha, Zac 5,3; cf., sin embargo, también la interrupción de la *ᵓālā* por medio de una bendición en Jue 17,2), la apreciación de su valor variará según la medida en que se tome en serio a Dios. En casos extremos, gente sin escrúpulos podría abusar de la *ᵓālā* con menosprecio de Dios y de los hombres (cf. Os 4,2; 10,4; Sal 10, 7; 59,13; Job 31,30, casos de derecho privado; Ez 17,13.16.18.19, casos de derecho público internacional). Ejemplos de *ᵓālā* pronunciada con intención recta se encuentran en Gn 24,41; 26, 28; Jue 17,2; 1 Sm 14,24; Prov 29,24; a éstas se deben añadir naturalmente las menciones generales de esta institución en Lv 5,1; Nm 5,21-27; 1 Re 8, 31 = 2 Cr 6,22; cf. Zac 5,3.

b) La *ᵓālā* presenta un aspecto propiamente teológico sólo en los casos en que aparece como sanción impuesta dentro del cuadro de una alianza entre Yahvé e Israel (15 pasajes desde Jr y Dt). La realización de la maldición queda todavía abierta en el momento de concluirse la alianza (Dt 29,11-20; Neh 10,30), pero debe reconocerse en el juicio que decide sobre su ruptura (Is 24,6; Jr 23,10; 29,18; 42,18; 44, 12; Ez 16,59; Dn 9,11; 2 Cr 34,24); si el pueblo se convierte, las maldiciones alcanzan no a Israel, sino a sus enemigos (Dt 30,7).

5. Los escritos de Qumrán muestran una clara preferencia por la expresión *ᵓālōt habbᵉrīt,* «maldiciones de la alianza», tomada de Dt 29,20 (1QS 2, 16; 5,12; CD 15,2s; cf. 1,17; también *šᵉbūᶜat hāᵓālā* en CD 9,12).

Los LXX traducen el término preferentemente por ἀρά y derivados, más raramente por ὅρκος y derivados (6×).

En el NT pierde importancia el mundo de ideas relacionado con *ᵓālā,* debido a que las relaciones jurídicas han cambiado y a que se rechaza la práctica del juramento. Cf. L. Brun, *Segen und Fluch in Urchristentum* (1932); F. Büchsel, art. ἀρά: ThW I, 449-452; J. Schneider, art. ὅρκος: ThW V, 458-467.

C. A. Keller

אֱלֹהִים *ᵓælōhīm* **Dios**

I. La etimología de la palabra *ᵓælōhīm* es tan discutida como la de → *ᵓēl.*

1. Dado que el singular *ᵓælōᵃh* aparece exclusivamente, si exceptuamos pocos casos, en la literatura posexílica (cf. *inf.* II), podemos presumir que el singular presupone el plural *ᵓælōhīm.* Basándose sólo en el hebreo se puede llegar a la siguiente conclusión: *ᵓælōhīm* es (junto a *ᵓēlīm*) una forma plural de *ᵓēl,* de la que luego se ha deducido secundariamente una forma singular.

En apoyo de esta opinión se puede comparar —aunque con reservas, dado el estado incierto de los textos— el ugarítico, donde el plural de *ilt,* «diosa», parece ser *ilht* y donde probablemente junto al plural masculino *ilm* se da también la forma *ilhm* (WUS N. 182; UT N. 163 y § 8,8).

Sin embargo, el singular **ᵓilāh* aparece desde antiguo en arameo (DISO 14) y en árabe (aunque no en acádico), de forma que, desde este punto de partida, sería más aceptable la derivación *ᵓælōhīm*<*ᵓilāh.*

En cualquier caso no ha de atribuirse a **ᵓilāh* una etimología propia, diferente de la de **ᵓil,* sino que ambos deben considerarse como términos emparentados: el más antiguo **ᵓil* habría sufrido más tarde una ampliación de la raíz. La derivación de *ᵓælōhīm* a partir del árabe *ᵓaliha,* «asustarse» (por ejemplo, König, *Syntax,* § 263a), es tan improbable como su conexión directa con *ᵓēlā/ᵓēlōn,* «árbol» (F. Zimmermman, VT 12 [1962] 190-195). Dado que *ᵓælōhīm* nunca aparece en los nombres de persona o de lugar, sino que siempre es sustituido por *ᵓēl,* es posible que Israel fuera consciente de la conexión existente entre las dos designaciones divinas.

2. Normalmente se considera *ᵓælōhīm* como un plural abstracto, de intensidad, de dignidad, de majestad (König, *Syntax* § 163; GK § 124g). Pero de esa forma es difícil explicar cómo la palabra pudo servir, al parecer desde un comienzo, para designar el plural numérico «dioses» (cf. *inf.* III/1). Si se quiere reducir este doble empleo a un único origen, es más fácil suponer que un auténtico plural original fue entendido más tarde o simultáneamente como plural abstracto. Es por lo menos cuestionable que la expresión haya de ser explicada como un intento de reducir las «potencias divinas» a la unidad. En cualquier caso, el sentido de singular de la forma plural dentro del AT es tan claro, que se emplea siempre el término sin ninguna limitación (sospecha de politeísmo).

Un cierto paralelo lo constituyen el empleo del plural *ilānī-ya* como fórmula alocutiva dirigida al faraón en las cartas de Amarna y el empleo de *ᵓlm* en fenicio como epíteto de un dios (cf. especialmente J. Hehn, *Die biblische und die babylonische Gottesidee* [1913] 168ss; W. Rollig, FS Friedrich [1959] 403-416; también O. Eissfeldt, *El im ugaritischen Pantheon* [1951] 27s). No es fácil determinar en qué medida esta forma de hablar (forma plural con significado singular) revela una tendencia monoteística. Por lo demás, tampoco se ha probado hasta el momento que Israel haya tomado *ᵓælōhīm* en su sentido de plural y singular del ambiente cananeo.

II. 1. **ᵓælōhīm* es, detrás de *bēn,* «hijo», el segundo sustantivo por orden de frecuencia en el AT, con un total de 2.600 casos.

Gn	219	Nah	1
Ex	139	Hab	2
Lv	53	Sof	5
Nm	27	Ag	3
Dt	374	Zac	11
Jos	76	Mal	7
Jue	73	Sal	365
1 Sm	100	Job	17
2 Sm	54	Prov	5
1 Re	107	Cant	—
2 Re	97	Rut	4
Is	94	Lam	—
Jr	145	Ecl	40
Ez	36	Est	—
Os	26	Dn	22
Jl	11	Esd	55
Am	14	Neh	70
Abd	—	1 Cr	118
Jon	16	2 Cr	203
Miq	11		

Pentateuco	812
Jos-2 Re	507
Profetas	382
Ketubim	899
AT hebreo, total:	2.600

En esta lista, 2 Re 17,31 K es contabilizado como *ᵓælōᵃh.* Lisowsky cita por dos veces 1 Re 1,47 (K/Q); lo mismo hace Mandelkern con Gn 21,4; Sal 108,6.8. No están incluidas, en cambio, las variantes que faltan en el código Leningradense en 2 Sm 7,22a y 1 Cr 15,2b.

A éstos se añaden 58 casos de *ᵓælōᵃh:* 41 × en Job 3-40; además, 4 × en Sal y Dn, 2 × en Dt y Hab, 1 × en 2 Re, Is, Prov, Neh y 2 Cr.

Las partes arameas del AT contienen *ᵓælōᵃh* 95 × (17 × en plural, de las cuales 4 × con significado de singular): Jr 10, 11 1 ×, Dn 51 ×, Esd 43 ×).

2. Sobre la distribución de los casos de *ᵓælōhīm* en el AT mencionemos

solamente la siguiente particularidad: los profetas, a excepción de la narración de Jonás, evitan usar el nombre *ʾælōhīm* sin atributos como sujeto de una frase (cf. Lisowsky, 97c), ya que para ellos esta designación divina es demasiado poco concreta; en cambio, en el Pentateuco, en la obra histórica deuteronomística y en la cronística la palabra aparece frecuentemente en esa función.

En el libro de Job, prescindiendo de la narración marginal, *ʾælōhīm* desaparece casi por completo, dejando el puesto a *ʾēl* (cf. allí IV/3) y *ʾælōᵃh* (cf. Fohrer, KAT XVI, 117s). En el resto del AT la forma singular *ʾælōᵃh* aparece raramente y casi exclusivamente en textos poéticos (Dt 32,15.17; Is 44, 8; Hab 3,3; Sal 18,32; 50,22; 139,19; Prov 30,5; Dn 11,37-39). La palabra nunca lleva artículo (una vez un sufijo en Hab 1,11; en estado constructo, en Sal 114,7; Neh 9,17); esto se debe quizá al modo enfático y poético de expresión propio de los textos. Por lo general, el singular presupone ya el paso de la designación genérica «dios» al nombre propio (cf., sin embargo, Dn 11,37ss).

III. A diferencia de *ʾēl*, *ʾælōhīm* era originalmente simple designación genérica de Dios y no un nombre divino, pero a lo largo de la historia va adquiriendo el carácter de nombre propio, de forma que *ʾælōhīm* puede aparecer sin artículo (Gn 1,1; GK § 125s) o en vocativo como fórmula de alocución a «Dios» (Sal 5,11; 51,3 y *passim*). Pero, de todos modos, la palabra no significa sólo «(el) Dios», sino también «(los) dioses» (III/1). A continuación trataremos en III/1-7 los aspectos gramaticales y semánticos e histórico-religiosos y en IV/1-6 los teológicos; a causa de la abundancia de casos, los pasajes que se citen tendrán simplemente valor de ejemplo.

1. Se emplea *ʾælōhīm* para designar *divinidades extranjeras*, acompañado del genitivo referente al grupo de adoradores: «dioses de Egipto» (Ex 12,12; Jr 43,12s; cf. Jue 10,6; 2 Re 17,31 Q; 18,34s; 2 Cr 28,23). En otras expresiones se señala la exclusividad y la ausencia de imágenes en el culto israelítico de Dios: «dioses de los extranjeros» (Gn 35,2.4; Jue 10,16; 1 Sm 7, 3; cf. Dt 31,16; Jr 5,19), «dioses de los pueblos» (Dt 6,14; Jue 2,12; Sal 16,5; cf. 2 Re 19,12 y otros), «dioses de las naciones» (2 Re 18,35; los asirios con referencia a Yahvé: 17,26s), «dioses de la tierra» (Sof 2,11), «otros dioses» (Os 3,1; frecuente en Dtn, Dtr, Jr, a veces debe entenderse como singular, cf. III/2 [?]), «todos los dioses» (Ex 18,11; Sal 95,3; 96,4; 97,7.9; 2 Cr 2,4), «dioses de plata y oro» (Ex 20,23; cf. 34, 17; Lv 19,4).

La forma plural se emplea también para divinidades extranjeras particulares (Jue 11,14; 2 Re 1,2; 19,37; cf. Am 5,26: «vuestro dios-estrella»; 8,14; Nm 25,2; singular Dn 11,37ss; Dt 32, 17) y también para la divinidad femenina Astarté (1 Re 11,5.33; cf. 1 Cr 10,10 con 1 Sm 31,10), ya que en hebreo no existe un término propio para «diosa».

2. *ʾælōhīm* como designación del Dios de Israel funciona gramaticalmente como un singular (Gn 1,1; Sal 7,10; 2 Re 19,4), pero puede llevar un *atributo o un predicado plural,* sin ninguna diferencia reconocible de significado. Con frecuencia se dan juntas ambas posibilidades: *ʾælōhīm ḥayyīm*, «Dios vivo» (Dt 5,26; 1 Sm 17,26.36; Jr 10, 10; 23,36), junto a *ʾælōhīm ḥay* (2 Re 19,4.16; cf. 2 Sm 2,27), «Dios santo» (Jos 24,19 junto a 1 Sm 6,20), cf. también Dt 4,7; 1 Sm 4,8; 28,13; Sal 58, 12 (GK § 132h; König, *Syntax* § 263c). Los textos con el verbo en plural (a excepción de 1 Re 19,2; 20,10, donde, al igual que en 1 Sm 4,8, hablan no israelitas) son, por lo general, ambiguos: Gn 20,13 E (sobre esto, H. Strack, *Die Genesis* [²1905] 77); 35,7 E (cf. Gunkel, *Gen.*, 224); cf. 31, 35 J; Ex 22,8; 1 Sm 2,25. La fórmula de confesión de 1 Re 12,28, al igual

que Ex 32,4.8, tiene un sentido doble intencionado para estigmatizar el culto del becerro como idolatría. En tiempos posteriores se evita la construcción en plural por «temor a malentendidos» (cf. Neh 9,18 con Ex 32,4.8; cf. 1 Cr 17,21 con 2 Sm 7,23; GK § 145i). Estas peculiaridades lingüísticas no permiten sacar conclusiones de tipo histórico-religioso —referentes a un presunto politeísmo original de Israel que aparecería a veces en el Elohísta—.

3. El campo semántico de *ʾælōhīm* trasciende el significado «Dios» y, pasando por el sentido de «divinidad protectora», «espíritus de los muertos», abarca también el sentido traslaticio del superlativo.

Según Ex 21,6 (abreviado en Dt 15,17), a un esclavo que quiere quedarse definitivamente con su dueño se le conduce «ante Dios» o «a la puerta» para recibir una señal. *ʾælōhīm* aquí son las divinidades domésticas que protegen a la familia (cf. Gn 31,30; también Jue 18,24). De forma correspondiente deben entenderse también las disposiciones de Ex 22,7s: cuando un caso de derecho privado no podía ser aclarado, se acudía en tiempos antiguos a los dioses domésticos (pero *ʾælōhīm* no tiene este sentido de «jueces» en Ex 18,19; 22,27; 1 Sm 2,25; Sal 82,1; 138,1; cf. A. E. Draffkorn, JBL 76 [1957] 216-224; H. W. Jüngling, *Der Tod der Götter* [1969] 24ss; W. Beyerlin, *Die Rettung der Bedrängten in Feindpsalmen der Einzelnen auf institutionelle Zusammenhänge untersucht* [1970] 56s).

Los espíritus de los muertos pueden llamarse *ʾælōhīm* (1 Sm 28,13; Is 8,19; cf. Miq 3,7 ?), aunque no pueden intervenir por propia iniciativa en la vida de los hombres, sino respondiendo (siempre de noche) a consultas que se les ha hecho, ni tampoco reciben (a pesar de 1 Sm 28, 14) culto alguno (cf. L. Wächter, *Der Tod im AT* [1967] 192).

En determinados compuestos como «hombre de dios» o «espíritu de dios» (cf. *inf.* II/6), *ʾælōhīm* tiene quizá sólo el sentido atenuado de «divino» o incluso «demoníaco».

En el discutido pasaje de Sal 45,7 el salmista llama al rey *ʾælōhīm.* Zac 12,8 promete para «aquel día»: incluso el más débil habitante de Jerusalén se hará fuerte «como David, y la casa de David como *ʾælōhīm*», que una adición suaviza interpretándolo como «ángel de Yahvé» (Jue 13,22, por el contrario, designa al «ángel de Yahvé» como *ʾælōhīm).*

En Ex 4,16 (cf. 7,1), donde se determina la relación existente entre Moisés como mandante y Aarón como mensajero profético con estas palabras: «él será para ti boca y tú serás para él dios», tenemos un empleo gráfico y traslaticio del término *ʾælōhīm.*

Lo mismo que *ʾēl* (III/4), también *ʾælōhīm* puede desempeñar una función superlativa: «monte de Dios» (Sal 68,16; cf. 36,7), «una ciudad grande para (el mismo) Dios (= de enormes dimensiones)» (Jon 3,3), «sabiduría de Dios» (1 Re 3, 28), «terror de Dios» (1 Sm 14,15; cf. Gn 35,5; 2 Cr 20,29). Pero *ʾælōhīm* no pierde ni siquiera en estos casos todo su significado, pues el valor superlativo se debe precisamente a que se pone la cosa (o la persona) en cuestión en relación con Dios, por ejemplo, «truenos terribles (enviados por Dios?)» (Ex 9,28; cf. 9,23) o «campamento de Dios» (Gn 32,3; 1 Cr 12,23); cf. también «príncipe de Dios» (Gn 23,6), «batallas de Dios» (Gn 30,8), «fuego de Dios» (2 Re 1,12; Job 1,16), quizá «soplo de Dios» (Gn 1,2), «favor de Dios» (cf. *inf.* III/7); sobre esto, cf. ahora D. W. Thomas, VT 3 (1953) 209-224; 18 (1968) 120-124; F. Dexinger, *Sturz der Göttersöhne oder Engel vor der Sintflut?* [1966] 41ss. Por tanto, en la mayoría de los casos no se puede determinar con seguridad el sentido exacto del término *ʾælōhīm;* presenta diversos matices. Además, estas combinaciones con la palabra *ʾælōhīm* deben ser explicadas diversamente según el origen de cada una; en parte, el origen es de carácter histórico-religioso, y en parte, de formación posterior (cf. también III/5).

4. Las más antiguas tradiciones en que está arraigado el nombre *ʾælōhīm* son los nombres de los «dioses de los padres» y del «monte de Dios». Por el contrario, la tradición de la «guerra de Yahvé» no parece haber conocido originariamente este término: en la expresión «pueblo de Dios» referido a las huestes (Jue 20,2 frente a 5,11.13: «pueblo de Yahvé»; cf. 2 Sm 14,13) y en el grito «Dios ha puesto los enemigos en vuestras manos» (Jue 7,14;

8,3; 18,10; cf. 1 Sm 23,14) *ʾælōhīm* ha suplantado al nombre de Yahvé o al Yo divino (cf. G. von Rad, *Der Heilige Krieg im alten Israel* [³1958] 7ss).

En la tradición de los patriarcas (→ *ʾāb* IV/1), *ʾælōhīm* aparece en dos expresiones diversas, ambas de gran antigüedad: «Dios de mi/tu padre» (Gn 31,5.29, texto enmendado; 46,3; cf. Ex 15,2; 18,4 y otros) y «Dios de Abrahán» (Gn 31,42), mientras que la expresión «Dios de mi padre Abrahán» (32,10; cf. 26,24 y otros) representa una forma híbrida. En el juramento pronunciado por Jacob y Labán, tras llegar a un acuerdo de fronteras, ambos apelan a Dios como custodio del acuerdo: «El Dios de Abrahán y el Dios de Najor juzgarán entre nosotros» (Gn 31, 53). Se puede reconocer aquí todavía que ambas divinidades fueron en un tiempo diferentes, mientras que una adición posterior parece resumirlas en la expresión «Dios de sus padres». Formulaciones como «Dios de tu padre, Dios de Abrahán, Dios de Isaac, Dios de Jacob» (Ex 3,6) o «Dios de vuestros padres» (3,13.15s; cf. 4,5), que unen las diversas divinidades de los padres y las identifican con Yahvé, son ciertamente posteriores. El AT reconoce detrás de las diversas designaciones sólo al Dios de Israel, de forma que para deducir la existencia de una forma anterior se debe ir contra el sentido del texto; en todo caso es difícil determinar hasta qué punto disponemos en cada texto de la tradición primitiva (sobre los padres, según Alt, cf. KS I, 1-78; bibliografía en K. T. Andersen, StTh 16 [1962] 170-188; M. Haran, ASTI 4 [1965] 30-55).

Posteriormente, en los discursos que encuadran el Dt y especialmente en Cr gozan de gran preferencia expresiones como «Dios de tus/sus/nuestros/vuestros padres» o semejantes, que destacan la conexión que la propia fe tiene con la tradición. Pero también la expresión «Dios de Jacob», cuya antigüedad (lo mismo que la de la expresión «Dios de Israel»; Gn 28,13) es incierta, adquiere una gran importancia, sobre todo en el culto (2 Sm 23,1; Is 2,3; Sal 20,2; 46,8-12; 84,9 y otros; G. Wanke, *Die Zionstheologie der Korachiten in ihrem traditionsgeschichtlichen Zusammenhang* [1966] 54ss); cf. «Dios de Abrahán», en Sal 47,10 (1 Re 18,36). De forma análoga han sido elaboradas las expresiones «Dios de tu padre David» (2 Re 20,5 = Is 38,5; 2 Cr 21,12), «Dios de Elías» (2 Re 2,14) y también «Dios de Sem» (Gn 9,26).

Si el Dios de los padres, como conviene a su nombre, está ligado a personas, la tradición del «monte de Dios» (Ex 3,1; 4,27; 18,5; 24,13, en parte de E) señala la relación de Dios con un lugar, al que hay que acudir cuando se quiere experimentar la presencia divina. Dado que los relatos del Sinaí son diferentes de los del «monte de Dios» (a excepción de Ex 24,13), no se puede determinar con seguridad si ambas tradiciones se refieren al mismo lugar. En el caso de que ambas hayan tenido un origen común, no deja de ser llamativo cuánto se han separado una de otra. La tradición del «monte de Dios» se desarrolla en la región de los madianitas (cf. la comunidad cultual en Ex 18,12), de quienes la narración del Sinaí no dice una sola palabra. Pero dicha tradición no ofrece ninguna teofanía que corresponda a la de Ex 19,16ss (cf., a lo más, Ex 3).

5. Especialmente en la tradición sobre Jerusalén sobreviven determinadas *concepciones míticas del antiguo Oriente* insinuadas por las expresiones «ciudad de Dios» (Sal 46,5; 48,2.9; 87,3), «torrente de Dios» (Sal 65,10), «monte de Dios» (Ez 28,14.16; cf. 28, 2; Sal 68,16; 1 Re 19,8), «jardín de Dios» (Ez 28,13; 31,8s; cf. Is 51,3); cf. también en la tradición de Moisés «el bastón de Dios» (Ex 4,20; 17,9), «el dedo de Dios» (Ex 8,15; 31,18; Dt 9,10) y «la escritura de Dios» (Ex 32,16). Lo mismo que los *bᵉnē ʾēlīm* —expresión documentada también fuera del AT y, por tanto, quizá de mayor antigüedad—, también los *bᵉnē ʾælōhīm* (Gn 6,2.4; Job 1,6; 2,1; 38,7; cf. Dn

3,25) son «hijos de dioses», es decir, seres divinos.

En la narración mítica de Gn 6,1-4 les corresponde un poder mayor que en la narración que enmarca el libro de Job, en la que sólo desempeñan una función de servidores que forman un consejo celeste. Pero también en la historia de los «matrimonios de los ángeles», según la cual los gigantes surgieron de la mezcla entre hombres y dioses, se ha eliminado la concepción que anteriormente existía; el mito ha sido transformado por la autocomprensión histórica de Israel, para dejar al descubierto la responsabilidad y la culpa de los hombres.

También en otros casos ha sometido Israel las potencias extranjeras al dominio de Yahvé. Así, en la escena mítica de juicio de Sal 82 se pronuncia la sentencia de muerte contra los «dioses» (v. 1.6, *ʾælōhīm),* porque no han sabido hacer justicia al necesitado (cf. Sal 58,2ss).

6. Es característico de las expresiones míticas mencionadas anteriormente y de las expresiones superlativas (cf. *sup.* III/3; cf. también IV/5) el que normalmente estén formadas con el apelativo «dios» y sólo en raras ocasiones con el nombre Yahvé. En general, *ʾælōhīm* aparece con sorprendente frecuencia en *composiciones fijas,* especialmente en el material lingüístico arcaico (cf. III/6-7: F. Baumgärtel, *Elohim ausserhalb des Pentateuch* [1914]). No existe en el AT la fórmula «hijos de Yahvé», que sería análoga a la fórmula «hijos de Dios» (quizá para evitar la concepción de paternidad que pudiera insinuar); del mismo modo, falta también una fórmula con Yahvé paralela a la expresión *ʾīš (hā) ʾælōhīm,* «hombre de Dios». Otras composiciones están más o menos reservadas a *ʾælōhīm* o reciben por medio del nombre genérico una nota especial.

El título «hombre de Dios» (la forma plural no está documentada) tiene su centro de gravedad en las narraciones de Elías y en especial de Eliseo, donde los profetas son señalados como taumaturgos (desde 1 Re 17,18 en adelante); también se aplica entre otros a Samuel (1 Sm 9,6ss) y es transferido también a Moisés (Dt 33,1; Jos 14,6; Sal 90,1; 1 Cr 23,14; 2 Cr 30,16; Esd 3,2) y en Cr a David (2 Cr 8,14; Neh 12,24.36; sobre esto, cf. R. Rendtorff, ThW VI, 809). Cf. también expresiones semejantes, como «consagrado de Dios» (Jue 13,5.7; 16,17) o «príncipe de Dios» (Gn 23,6).

La designación general «arca de Dios» (1 Sm 3,3; 4,11s) podría ser más antigua que el nombre específicamente israelita «arca de Yahvé (Dios Sebaot)» (1 Sm 4,6; 2 Sm 6,2). Junto a éstas, se dan también, entre otras, las expresiones «arca de la alianza de Dios» (Jue 20,27), «arca del Dios de Israel» (1 Sm 5,7ss; cf. J. Maier, *Das altisraelitische Ladeheiligtum* [1965] 82ss).

La expresión «casa de Dios» (Gn 28, 17-22; Jue 9,27; 17,5; 18,31; cf. Jr 43, 12s y otros) es usada frecuentemente en la obra cronística para designar el templo (Esd 1,4; 4,24ss y *passim),* aunque no se puede reconocer ningún motivo constante para alternar esa expresión con «casa de Yahvé» (por ejemplo, 2 Cr 28,24). En cambio, el título «jefe *(nāgīd)* de la casa de Dios» (Neh 11,11; 1 Cr 9,11; 2 Cr 31,13; 35,8) constituye una fórmula fija.

En la expresión «comida de Dios» (Lv 21,6.8.17.21s; 22,25) se ha conservado una concepción sacrificial arcaica, que es aclarada en parte en las citadas leyes por medio de la expresión *ʾiššē Yhwh,* «sacrificio (pasado por el fuego) para Yahvé»; cf. designaciones semejantes en Lc 21,12; 23,14; Nm 6,7; eventualmente Sal 51,19.

En Ezequiel (1,1; 8,3; 40,2; cf. 11, 24; 43,3) se encuentra como expresión fija la composición «visión de Dios» referida a la recepción de la revelación profética.

El «espíritu de Dios» (→ *rūªḥ)* viene sobre los profetas (Nm 24,2; 1 Sm 10,10; 11,6; 19,20.23; Ez 11,24; 2 Cr 15,1; 24,20), da sabiduría (Gn 41,38; Ex 31,3; 35,31) y capacita para interpretar sueños (cf. Dn 4,6: «espíritu de los santos dioses», con 2,28.47); representa, por otra parte, la fuerza vital del hombre (Job 27,3). En 1 Sm 16,14-16 (cf. 16,23; 18,10), a un espíritu malo enviado por Yahvé se le da el nombre de «espíritu de Dios» para diferenciarlo del «espíritu de Yahvé». Quizá *ʾᵃlōhīm* tenga aquí el sentido peyorativo de lo divino-demoníaco.

Existen también otros giros que parecen ser expresiones fijas, aunque no se limitan en absoluto a combinarse con *ʾᵃlōhīm,* como «temeroso de Dios» (Gn 22,12; Ex 18,21; Job 1,1; Ecl 7,18 y otros), «temer a Dios» (Ex 1,17.21; Job 1,9 y otros), «maldecir (o eufemísticamente: bendecir) a Dios» (1 Sm 3, 13, texto enmendado; Job 1,5; 2,9; cf. Dt 21,23: «maldición de Dios»), «preguntar a Dios» (Jue 18,5; 20,18; 1 Sm 14,36s), «oráculo de Dios» (Jue 3,20; 1 Sm 9,27; 2 Sm 16,23; cf. 1 Re 12, 22; Miq 3,7) o «conocimiento de Dios» (Os 4,1; 6,6; Prov 2,5). Estas composiciones están referidas, a veces con plena intención, a la «divinidad» (cf. también la negación de Dios, *inf.* IV/ 5).

7. *ʾᵃlōhīm* se encuentra también en expresiones más o menos fijas como «que Dios me haga esto y aquello» o semejantes (1 Sm 3,17 y *passim;* plural en los no israelitas: 1 Re 19,2; 20,10; distinto 1 Sm 20,13; Rut 1,17), «maldecir (o eufemísticamente: bendecir) a Dios y al rey» (1 Re 21,10.13; cf. Is 8,21; Ex 22,27; distinto, Prov 24,21), eventualmente, «mostrar a alguien un favor de Dios (= obsequio)» (2 Sm 9, 3; cf. 2,5; distinto, 1 Sm 20,14) y otras. Algunas de estas expresiones podían ser normales quizá en los pueblos vecinos a Israel.

La fórmula «como *ʾᵃlōhīm* destruyó (destruyeron [?]) Sodoma y Gomorra» (Is 13,19; Jr 50,40; Am 4,11; cf. Dt 29,22; Is 1,7, texto enmendado; Jr 49,18) es quizá de origen preisraelítico, caso de que esta fórmula atribuyera originalmente el desastre de esas dos ciudades a un dios (o dioses) diverso; en todo caso, la saga de Gn 18s atribuye ya esta acción a Yahvé.

La designación del mensajero enviado por Dios como «ángel de Dios» (Gn 21, 27; 28,12 plural; Jue 6,20 y otros), menos frecuente que la correspondiente «ángel de Yahvé» (→ *malʾāk),* aparece con frecuencia como proverbial (Jue 13,6; 1 Sm 29,9; 2 Sm 14,17.20; 10,28; distinto, Zac 12,8) en comparaciones.

Así como se describe la desgracia que afecta a una persona como enviada por «la mano de Dios» (1 Sm 5,11; Job 19, 21), así también la expresión «sobre mí la mano (benigna) de Dios» o semejantes describen en la época posexílica los beneficios procedentes de Dios (Esd 7,6.9.28; 8,18.22.31; Neh 2,8.18). La «mano» es tendida en esos casos como «actividad».

Quizá deba mencionarse también la expresión doble «dioses y hombres» (Jue 9, 9,13) o «luchar con *ʾᵃlōhīm* y hombres» (Gn 32,29; cf. Os 12,4). Precisamente en esta última expresión se evita el nombre divino Yahvé; según eso, el significado de *ʾᵃlōhīm* a lo largo de la complicada historia de la tradición de la narración de Penuel va recibiendo diversas tonalidades.

IV. 1. En determinadas composiciones, o también cuando se emplea con sufijo, *ʾᵃlōhīm* sirve para expresar la relación entre Dios y el pueblo. Así, «el Dios de Israel» es una fórmula corriente (todos los casos en C. Steuernagel, FS Wellhausen [1914] 329ss). El más antiguo testimonio digno de confianza aparece en el canto de Débora, de la primera época de los jueces (Jue 5,3.5).

No se puede determinar con seguridad la antigüedad de los ejemplos que aparecen en Gn 33,20; Jos 8,30; 24,2.23, de los que se podría deducir el nombre cúltico de un dios venerado en Siquén (cf., por ejemplo, M. Noth, *Das System der zwölf Stämme Israels* [1930] 93s); su antigüedad es incierta, ya que la estructura de la fórmula que aparece en Gn 33,20 es distinta de la de los demás nombres divinos formados con *ʾēl* (→ *ʾēl* III/2) y la datación de Jos 8 y 24 es discutida. Ciertamente, la fórmula no parece ser original en el ámbito de la tradición sinaítica (Ex 24,10; cf. 5,1; 34,23). Aproximadamente a partir del período exílico empieza a gozar de gran preferencia (introducción de los discursos en Jr, Cr y otros). Aparece en contextos diversos: en doxologías y oraciones (1 Re 8,15.23; 2 Re 19,15), en juramentos (1 Re 17,1) y otros contextos.

El profeta Ezequiel usa, además de la fórmula normal «gloria (→ *kbd)* de Yahvé» (1,28 y *passim),* esta otra fórmula curiosa: «gloria del Dios de Israel» (8,4; 9,3; 10,19; 43,2).

Composiciones similares son: «Dios de los hebreos» (Ex 3,18 y *passim)* o «Dios de Jacob» (cf. *sup.* III/4).

2. La relación de Dios con el pueblo se expresa con mayor frecuencia por medio de *ʾælōhīm,* más sufijo «tu/nuestro/vuestro Dios» (por ejemplo, Jos 24,17s.27; Ex 32,4.8; Jue 11,24; Miq 4,5; aplicado a dioses extranjeros: 1 Sm 5,7; Jr 48,35); y la relación de Dios con una persona particular se expresa por medio del sufijo de primera persona «mi Dios».

El significado de estas fórmulas ampliadas por medio de pronombres (cf. Rut 1, 16) sólo puede ser insinuada aquí a título de ejemplo. Así, el enfrentamiento entre Moisés y el faraón se indica con frecuencia por el cambio de fórmulas «nuestro Dios/vuestro Dios» (Ex 8,21ss; 10,16s.23s). En el segundo encuentro con Acaz, Isaías (7, 10-17) propone al rey: «Pide una señal de Yahvé, *tu* Dios». Y cuando Acaz se niega, el profeta pregunta amenazador: «¿Os parece poco cansar a los hombres que cansáis también a *mi* Dios?». El rechazo de la propuesta de Isaías impide la aposición «tu Dios» en la segunda frase. En un tiempo en que la comunión entre Dios y el pueblo parece que ha sido rota conforme al juicio anunciado por los profetas que le precedieron, el Deuteroisaías comienza su predicación con la llamada siguiente: «Consolad, consolad a mi pueblo, dice *vuestro* Dios» (Is 40,1; cf. 40,8: «la palabra de *nuestro* Dios»). El profeta cambia quizá la proclamación tradicional «Yahvé reina» a esta otra: *«tu* Dios reina» (52,7 y hace que un mensajero lleve esta noticia: «he ahí a *vuestro* Dios» (40,9; cf. 35, 4). Ya en la promesa de Oseas (2,25) la llamada «mi Dios» en boca del pueblo resume todo lo que el tiempo de salvación aportará (semejante, Zac 13,9; Is 25,9: «nuestro Dios»). Estas formas sufijadas se encuentran con gran frecuencia en Oseas; pero la literatura deuteronómico-deuteronomística recuerda a Israel todavía con mayor insistencia que Yahvé es «tu/vuestro Dios».

La llamada «Dios mío», que en Os 2,25 tiene valor colectivo (cf. Is 40,27 y otros), con frecuencia es invocación del individuo que abre con ella la lamentación en un momento de necesidad, o expresa su confianza, su esperanza o su gratitud (Sal 3,8; 5,3; 7,2.4; 22,3; 25,2; 38,22; 91,2; 1 Re 17,20s; Dn 9,18s y *passim:* cf. O. Eissfeldt, *«Mein Gott» im AT:* ZAW 61 [1945-48] 3-16 = KS III, 35-47). La fórmula de confesión «tú eres mi/nuestro Dios» es una extensión de aquélla (Sal 31,15; 86,2; 143, 10; Is 25,1 o 2 Cr 14,10; referida a una imagen de Dios: Is 44,17; cf. Gn 31,30; Jue 18,24).

3. Finalmente, las formas sufijadas de *ʾælōhīm* son fundamentales para las llamadas *fórmula de autopresentación:* «Yo soy Yahvé, tu/vuestro Dios», y *fórmula de la alianza:* «Yo seré su Dios y ellos serán mi pueblo».

La fórmula de autopresentación «Yo soy...», tan conocida en el Antiguo Oriente, ha sido aplicada en Israel a Yahvé y ha sido ampliada por medio de la adición «tu/vuestro Dios» (dando lugar a la llamada fórmula de benevolencia); aparece en el AT en diversos contextos y con diferentes significados (a veces es lícito traducirla por «Yo, Yahvé, soy tu Dios»). Esta fórmula hace con frecuencia referencia a la historia, en especial a los acontecimientos de Egipto (Os 12,10; 13,4; Sal 81,11), y en el decálogo la solemne alocución en primera persona de Dios constituye el preludio del que se deducen los mandamientos particulares (Ex 20,2; cf. Jue 6,10). La mayor frecuencia de estas expresiones corresponde también al tiempo del Exilio, pues se acumulan en el escrito sacerdotal, especialmente en la ley de santidad (Lv 18,2 y *passim)* y en Ezequiel (20,5 y otros). En unión con la fórmula «reconocer que» (Ex 6,7 P; Ez 20,20 y otros; → *ydʿ),* el Yo divino se convierte en objeto del reconocimiento por parte de los hombres, cf. W. Zimmerli, GO 11ss.41ss. 125s; K. Elliger, *Kleine Schriften zum AT* (1966) 211-231.

La fórmula de alianza, que se encuentra (desde finales del tiempo preexílico) de formas diversas en la tradición mosaica tardía (Dt 26,17s; 29,12;

Ex 6,7 P y otros) y en las promesas proféticas (Jr 31,33; Ez 11,20 y otros), anuncia la identidad existente o —en momentos críticos— todavía por existir entre Yahvé y el Dios de Israel y entre Israel y el pueblo de Yahvé, cf. R. Smend, *Die Bundesformel* (1963).

4. Muchas veces se determina *ʾælōhīm* con mayor precisión, más frecuentemente por medio de un constructo como «Dios del cielo», «Dios de mi auxilio» que por medio de adjetivos «el Dios justo», «el Dios vivo» o semejantes. En cada caso se anuncia cómo es o cómo actúa Yahvé.

«Dios del cielo» como aposición o como sustitutivo del nombre de Yahvé aparece, si prescindimos de Gn 24,7 (v. 3: «Dios del cielo y de la tierra»), sólo en el tiempo posexílico (Jon 1,9; Esd 1,2 = 2 Cr 36,23; Neh 1,4s y *passim;* arameo: Dn 2,18s y *passim;* cf. Sal 136,26), sobre todo hablando con o sobre los extranjeros. La expresión ha surgido quizá por influjo persa; en cualquier caso, sirve para las relaciones con la administración persa (cf. el título de Esdras «escriba de la ley del Dios del cielo», Esd 7,12). Pero ya desde antiguo es corriente en Israel la idea de que Dios habita en el cielo (→ *šāmáyim)* y Miq 6,6 llama a Yahvé «Dios de las alturas». Ya que esta expresión es única, no podemos decidir hasta qué punto constituía o no una designación jerosolimitana corriente de Dios (cf. Sal 92,9; Jos 2,11 y otros).

De forma semejante acentúan otras composiciones de tipo diverso la universalidad de Dios o la universalidad del ámbito de su actividad, así «Dios de la eternidad» (Is 40,28; cf. Gn 31, 33; Dt 33,27, → *ʿōlām)* o «Dios de toda carne» (Jr 32,27; cf. Nm 16,22; 27,16). Quizá deba mencionarse aquí el nombre frecuentísimo «Yahvé (Dios) Sebaot» (2 Sm 5,10 y *passim,* → *ṣābāʾ;* cf. 1 Sm 17,45: «Dios de los ejércitos de Israel»), nombre que indudablemente quiere destacar la potencia de Yahvé, pero cuyo sentido preciso es discutido.

También tiene carácter de fórmula la expresión de confianza «Dios de mi salvación» o semejantes (Sal 18,47; 24, 5; 27,9; 65,6; 79,9; 85,5; Is 17,10; Miq 7,7 y otros), aunque pudo haber sido acuñada por la experiencia o la esperanza; cf. «Dios de mi auxilio» (Sal 51,16; distinto, 88,2), «Dios de fidelidad» (Is 65,16) y otros. Incluso el nombre «Dios de justicia» (Is 30,18) puede expresar la «gracia» o la «compasión» de Dios (distinto, Mal 2,17).

Las composiciones constructas sirven a veces para sustituir a determinaciones adjetivales (por ejemplo, Sal 59,11.18: «Dios de mi gracia» = «mi Dios gracioso»), aunque también existen expresiones de este último tipo (cf. *sup.* III/2). Así el «Dios vivo» se manifiesta por medio de su intervención salvífica (1 Sm 17,26.36; 2 Re 19,4.16; cf. Dn 6,21.27) como el Dios «verdadero» (Jr 10,10; cf. 2 Cr 15,3), que puede apartar también la desgracia de los individuos (Sal 42,3).

5. Por medio de la expresión *ʾælōhīm* se pone de especial relieve en algunos textos la *divinidad de Dios* o su *relación con el hombre.* En la confesión *Yhwh hū hāʾælōhīm,* «Yahvé es (el verdadero, único) Dios» (Dt 4,35.39; 1 Re 8,60; 18,39; cf. Dt 7,9; 10,17; Jos 2, 11; Sal 100,3 y otros; como fórmula alocutiva: 2 Sm 7,28 = 1 Cr 17,26; 2 Re 19,15.19; Neh 9,7) resuena todavía la confrontación de Yahvé con los otros dioses, incluso cuando se ha impuesto la exclusividad de su culto. Lo mismo que en las afirmaciones de incomparabilidad (2 Sm 7,22 = 1 Cr 17, 20; Is 44,6.8; 45,5.14.21; 64,3; cf. 2 Re 5,15; Dt 32,39 y otros; cf. C. Labuschagne, *The Incomparability of Yahweh in the OT* [1966]), se insiste también aquí en la verdad de la divinidad de Dios contra toda duda posible; también la expresión «Dios de los dioses», que vale por un superlativo (Dt 10,17; Sal 136,2; cf. Dn 2,47), tiene sentido semejante.

La curiosa composición *Yhwh ʾælōhīm* se encuentra, además de en Gn 2,4b-3,23 (sólo *ʾælōhīm:* 3,1b.3.5), en diversos textos (Ex 9,30; 2 Sm 7,25; Jon 4,6; Sal 72,18; 84,12; 1 Cr 17,16s; cf. 22,1 y otros). Si en la narración yahvista de la creación y del paraíso el nombre doble podría deberse al influjo del *ʾælōhīm* de la narración sacerdotal de la creación, en los demás textos no tiene explicación (es preferible traducir: «Yahvé, el Dios verdadero» que «Yahvé de los dioses»); cf. recientemente O. H. Steck, *Die Paradieserzählung* [1970] 28, nota 35.

Lo mismo que *ʾēl* (cf. allí IV/4), también *ʾælōhīm* puede servir para marcar la diferencia, aunque no con tanta fuerza, entre Dios y el hombre (por ejemplo, Gn 30,2; 45,8; 50,19; 2 Re 5,7; Sal 82,6; cf. Job 4,17; Mal 3,8) o entre Dios y los «no dioses» (Dt 32,17; 2 Cr 13,9 y otros). El criterio de esta diferencia es la actividad: los dioses extranjeros son inútiles (Jr 2, 11: *lō ʾælōhīm;* cf. 5,7; 16,20), «obra de los hombres» (2 Re 19,18 = Is 37,19; 2 Cr 32,19; cf. Os 8,6 y la fórmula «fabricar dioses», Ex 20,23; 32,1; Jr 16,20 y otros). Consiguientemente, la negación de Dios («no es un dios», Sal 10,4; 14,1 = 53,2; cf. 10,13; 36,2) no niega la existencia de Dios, sino su actividad en la tierra, lo mismo que la pregunta «¿dónde está tu Dios?» (Sal 42,4.11; cf. 79,10; 115,2; Joel 2,17) se refiere a la aparición de su potencia auxiliadora.

Cuando la serpiente promete al hombre en la narración del paraíso «ser como Dios» (Gn 3,5; el sentido es ambiguo debido a la historia de la tradición que se remonta a concepciones míticas del Antiguo Oriente, cf. Ez 28, 2.9.13), Dios confirma esa promesa de forma atenuada con la expresión «ser como uno de nosotros» (3,22). Se entiende la igualdad con Dios sólo como igualdad con los seres celestiales. Contra eso son los LXX los que llevan a cabo esta atenuación del sentido (cf. también en Sal 97,7; 138,1) de «imagen de Dios» (W. H. Schmidt, *Die Schöpfungsgeschichte der Priesterschrift* [²1967] 141). El AT mismo no limita en modo alguno reconocible la afirmación de que el hombre ha sido creado a «imagen de Dios» (es decir, como su representante, su sustituto, su administrador) (Gn 1,26s; 5,1; 9,6 P; → *ṣǽlæm).* Es verdad que el Sal 8, en un contexto semejante, compara al hombre con «Dios» (v. 6) y no con Yahvé (v. 2); parece, pues, que aprovecha la diferencia entre el nombre genérico y el nombre propio para salvaguardar la peculiaridad de Yahvé. Quizá sigue influyendo en este lenguaje el modo de hablar anterior, que —como en otras expresiones fijas compuestas con *ʾælōhīm (sup.* III/6-7)— considera la relación del hombre con «Dios» y no con «Yahvé». De todas formas, esta distinción no afecta a la narración sacerdotal de los orígenes, ya que ésta emplea siempre la designación *ʾælōhīm.*

6. En determinados círculos del AT se insiste en usar *ʾælōhīm* (con o sin artículo) como designación de Dios, y no el nombre Yahvé: en dos de las fuentes del Pentateuco, la elohísta y la sacerdotal; en el llamado salterio elohísta, en Qohelet y, en parte, en Crónicas (sobre Job, cf. *sup.* II). De este modo, la preferencia por la designación genérica «Dios» en perjuicio del nombre propio (Yahvé) hace que quede en segundo plano la peculiaridad de Israel; pero no es fácil constatar una tendencia en este sentido común a los diversos escritos, ya que nos faltan puntos de referencia para dar razón de este uso de la lengua. ¿Se pretende quizá hacer resaltar la universalidad de Dios? Los escritos individuales pertenecen a tiempos tan distintos que es natural que sean también distintos los motivos y ocasiones que han conducido al mismo fenómeno en los diversos libros.

El Elohísta no se limita exclusivamente al empleo del término *ʾælōhīm* (Gn 20,3.6 y *passim),* aunque sea el término preferido con mucho, pues conserva también en ocasiones —especialmente después de la revelación a Moisés en Ex 3,14— el nombre de Yahvé (cf. recientemente H. Seebass, *Der Erzvater Israel...* [1966] 56, nota 4). Atendiendo a este dato se ha pretendido incluso distinguir dos estratos elohístas; pero hay que hablar más bien de un influjo del modo corriente de hablar o incluso de un influjo posterior de las demás fuentes. El empleo de *ʾælōhīm* no puede interpretarse como reliquia de un antiguo politeísmo israelita (cf. W. Eichrodt, *Die Quellen der Genesis* [1916] 106ss; E. König, *Die Genesis* [2-3 1925] 62ss). Dado que, incluso después de Ex 3,14, se mantiene, al menos como norma general, la designación genérica «Dios», podemos decir que tampoco el Elohísta, como la fuente sacerdotal, ha querido diferenciar estadios individuales en la revelación. Quizá quiera destacar la trascendencia de Dios (cf. la aparición de Dios en sueños y por medio del «ángel de Dios», *sup.* III/7), pero esta explicación está en definitiva basada en suposiciones inseguras.

Por el contrario, todo hace suponer que el escrito sacerdotal quiere confesar al Dios de Israel como Dios de la humanidad y del mundo, ya que en la narración de la creación y de los orígenes hasta la revelación a Abrahán, en Gn 17,1 (→ʾēl III/1) emplea exclusivamente (y después alternando) el apelativo *ʾᵉlōhīm.*

En el salterio elohísta (Sal 42-83), el fenómeno adquiere una mayor relevancia, ya que el nombre propio Yahvé, que originalmente estaba en el texto, ha sido posteriormente sustitutido por el concepto genérico *ʾᵆlōhīm* (cf. Sal 53 con Sal 14). De modo semejante, aunque no tan coherentemente, procede la obra cronista cuando recoge textos de la obra histórica deuteronomística (cf., por ejemplo, «casa de Dios», en 2 Cr 4,11 y con 1 Re 7,40; cf. *sup.* III/6 y M. Rehm, *Textkritische Untersuchungen zu den Parallelstellen der Samuel-Königsbücher und der Chronik* [1937] 108s; sobre los nombres frecuentes «Dios de Israel» y «Dios de los padres», cf. *sup.* III/4; IV/1). Debe suponerse quizá que en esta época tardía el nombre de Yahvé pudo pasar a segundo plano, debido a que la diferencia entre el nombre propio y el nombre genérico se había hecho innecesaria tras el reconocimiento del Dios de Israel como único y verdadero Señor del mundo. A esta acentuación de la trascendencia de Dios y, con ello, de la diferencia entre Dios y el hombre (cf. también el libro de Job) puede haberse añadido el creciente temor a pronunciar el nombre de Yahvé; de todos modos, no fue eliminado totalmente, sobre todo en el libro de las Crónicas. Finalmente, también para el Eclesiastés pudo ser decisivo en su elección del nombre de Dios el hecho de que con el concepto genérico *ʾᵆlōhīm* (la mayoría de las veces sin artículo) quería destacar la omnipotencia de Dios frente a la nulidad del hombre.

V. En general, pues, el nombre genérico *ʾᵆlōhīm* ha ayudado al AT a entender y proclamar al propio Dios de la historia como Dios del mundo. Sobre el influjo que este modo veterotestamentario de hablar ha ejercido en el judaísmo posbíblico y en el NT, cf. H. Kleinknecht, G. Quell, E. Staufer y K. G. Kuhn, art. θεός: ThW III, 65-123.

W. H. Schmidt

אֱלִיל *ʾᵆlīl* Nulidad, vanidad

1. La palabra *ʾᵆlīl,* «nulidad», documentada sólo en el AT y en los escritos dependientes de éste, tiene sus más próximos correspondientes en las formas adjetivales de la raíz *ʾll* en acádico, arameo y árabe, que significan «débil» o conceptos semejantes (cf. HAL 54a). Sobre los múltiples intentos de explicación etimológica, que apenas nos dicen nada sobre el significado del término, cf. Wildberger, BK X, 102 (cf. también J. A. Montgomery, JAOS 56 [1936] 442). Sobre la (¿arameizante?) forma nominal de la palabra, cf. Wagner, 122.

No se ha probado aún la existencia en ugarítico de una palabra *ill,* «aniquilación» (WUS N. 216; UT N. 184; contra Driver, CML 136a; Gray, *Legacy,* 60; Herdner, CTCA 36, lee ahora en 67 [= I*AB] V, 16 *ilm).*

2. *ʾᵆlīl* aparece 20 × en el AT, de ellas, 10 × en Is (2,8.18.20.20; 10,10.11; 19,1.3; 31,7.7.), 2 × en Lv (19,4; 26,1) y en Sal (96,5 = 1 Cr 16,26; 97,7). 1 × en Jr 14,14 Q; Ez 30,13; Hab 2,18; Zac 11,7; Job 13,4.

Cf. también Eclo 11,3; 1QM 14,1 (cf. Is 19,1); 1Q 22 I, 8.

Se han propuesto correcciones textuales para Is 10,10; Ez 30,13; Zac 11,17 (cf. los comentarios).

3. *ʾᵆlīl* es usado en tres ocasiones en singular como *nomen rectum* en una composición constructa y puede ser tra-

ducido por «nulo, insignificante» (Jr 14, 14, texto enmendado: «vano vaticinio»; Zac 11,17: «pastores inútiles»; Job 13, 4: «médicos inútiles»; cf. también Eclo 11,3: «insignificante entre los volátiles es la abeja»).

En todos los demás pasajes (excepto Is 10,10, texto dudoso) el nombre aparece en plural y es una expresión despectiva para designar a los dioses extranjeros. Sal 96,5 = 1 Cr 16,26: «todos los dioses son nadas» (cf. también Sal 97,7) muestra cómo se ha desarrollado esta forma plural a partir del abstracto singular. La imitación irónica de las formas *'ēl/'ᵆlōhīm* ha podido a lo más contribuir a este desarrollo en la literatura profética y en la ley de santidad (Lv 19,4; 26,1), que depende de aquélla.

4. Sobre los *'ᵆlīlīm* se afirma lo siguiente: son obra de manos humanas (Is 2,8.20; 31,7; Lv 26,1), son mudos (Hab 2,18), se los puede, por tanto, tirar (Is 31,7); tiemblan ante Yahvé (Is 19,1) y ante él perecen (2,18). En la expresión *'ᵆlīlīm* suena, pues, la impotencia y la nulidad de los dioses extranjeros. Lo que con ella quiere expresarse aparece con toda claridad en Sal 96,5: «pues todos los dioses de los pueblos son nadas, pero Yahvé ha hecho el cielo». Sobre esto afirma Wildberger, BK X, 102s: «La presencia de esta designación en estos dos ... salmos de la realeza de Dios muestra que pertenecía a la tradición cultual de Jerusalén, donde parece que la conoció Isaías. No es casual que, aparte de éstos, sólo la ley de santidad (Lv 19,4; 26,1) y Habacuc (2,18) hayan recogido esta designación».

'ᵆlīlīm aparece en paralelo a *pǽsæl/pāsīl,* «imagen tallada» (Is 10,10; Lv 26,1; Hab 2,18; Sal 97,7), a *'ᵃṣabbīm,* «imágenes esculpidas» (Is 10,11), a *gillūlīm,* «ídolos» (Ez 30,13), y a *massēkā,* «imagen fundida» (Lv 19,4; Hab 2,18). Eissfeldt, KS I, 271s, ofrece un resumen de las diversas designaciones de «ídolos» presentes en el AT y las divide en cinco grupos: 1) designaciones injuriosas: *bṓšæt,* «vergüenza» (→ *bōš); šiqqūṣ,* «monstruo»; *tō'ēbā,* «horror» (→ *t'b); ḥaṭṭā't,* «pecado» (→ *ḥṭ'); 'ēmā,* «espanto»; 2) designaciones que niegan la existencia: *hǽbæl,* «soplo»; *šǽqær,* «mentira» (→ *šqr),* → *šāw',* «inutilidad»; *'ᵆlīl,* «nada»; *lō-'ēl* y *lō-'ᵆlōhīm,* «no dios» (→ *'ēl* III/3; → *'ᵆlōhīm* IV/5); 3) designaciones que niegan a los ídolos la dignidad de dioses y los rebajan a espíritus inferiores y malignos: *śe'īrīm,* «espíritus de macho cabrío»; *šēdīm,* «demonios»; → *'ắwæn,* «potencia maligna»; 4) denominaciones que afirman que los ídolos son extranjeros y con ello se da a entender con mayor o menor claridad que son tenidos por nulos: composiciones con → *'aḥēr,* «otro»; → *zār,* «forastero»; → *nēkār,* «extranjero»; *ḥādāš,* «nuevo»; 5) denominaciones que identifican a los ídolos con sus imágenes y, por tanto, los califican como materia muerta: *massēkā* y *nǽsæk,* «imagen fundida»; *pǽsæl* y *pāsīl,* «imagen tallada»; *'ōsæb* y *'āṣāb,* «imagen esculpida»; → *ṣǽlæm* y *sǽmæl,* «imagen tallada»; *gillūlīm,* «piedra (trabajada)»; *ṣīr,* «imagen»; *maśkīt,* «objeto precioso»; *neśū'ā,* «imagen de procesión».

5. Los LXX traducen *'ᵆlīlīm* de formas muy diversas; las más frecuentes son: χειροποίητα, «obras humanas» (6 ×), y εἴδωλα, «ídolos» (4 ×). En el NT se recoge el término εἴδωλον para designar a los dioses paganos y precisamente en el sentido acuñado por los LXX y por el judaísmo (cf. F. Büchsel, art. εἴδωλον: ThW II, 373-377).

S. Schwertner

אַלְמָנָה *'almānā* Viuda

1. *'almānā,* «viuda», pertenece, con variaciones fonéticas en arameo y árabe (*'armaltā* o *'armalat* frente al acádico *'almattu* < **'almantu,* ugarítico *almnt,* fenicio *'lmt),* al semítico común (cf. GVG I, 220.227).

La etimología es incierta: cf. los intentos de hallar una derivación presentados en HAL 56b.

De *'almānā* se han derivado los abstractos *'almānūt,* «viudez» *(bigdē 'almᵉnūtāh,* «sus vestidos de viudez», Gn 38,14.19; 19; sobre 2 Sm 20,3 e Is 54,4, cf. *inf. 3b),* y *'almōn,* «viudez», (Is 47,9 paralelo *šᵉkōl,* «falta de hijos», cf. *inf. 3b);* cf. el acádico *almānūtu* (CAD A/I, 362a) y el ugarítico 52 (= SS), 9, *ḥt ulmn,* «bastón de viudez», paralelo a *ḥt ṯkl,* «bastón de falta de hijos», en mano del dios Mot (Gray, *Legacy,* 95s).

Por regresión ha surgido la forma *'almān,* «enviudado, viudo», que aparece en Jr 51,5 aplicada en sentido metafórico: «Israel y Judá no han sido abandonados por su Dios» (Rudolph, HAT 12, 306s). Sobre el supuesto acádico *almānum,* «viudo» (Syria 19 [1938] 108), cf. CAD A/I, 362a.

2. Los 55 casos de *'almānā* corresponden: 1 a Gn, 2 a Ex, 2 a Lv, 1 a Nm, 11 a Dt, 1 a 2 Sm, 5 a 1 Re, 5 a Is, 5 a Jr, 6 a Ez (sobre Ez 19,17, cf. Zimmerli, BK XIII, 418s), 1 a Zac, 1 a Mal, 5 a Sal, 6 a Job, 2 a Lam, 1 a Prov. A éstos deben añadirse *'almānūt* 4 ×, *'almōn* y *'almān* 1 × cada uno. Una tercera parte de estos casos aparecen en textos jurídicos.

No se contabiliza el caso de Is 13,22, citado por Mandelkern, donde *'almᵉnōtāw,* «sus palacios», debe considerarse como forma secundaria de *'armōn* (cf. también Ez 19,7).

3. *a) 'almānā* debe traducirse en todos los casos por «viuda»; se trata de una mujer que, al morir su marido, ha perdido su apoyo social y económico (por tanto, «viuda» aquí es más que la indicación del estado civil de una «mujer cuyo marido ha muerto», cf. L. Köhler, ZAW 40 [1922] 34; G. van der Leeuw, *Phänomenologie der Religion* [²1956] 276; CAD A/I, 364). La suerte de una viuda es siempre triste, lo mismo si no tiene hijos y debe volver a su casa paterna (Gn 38,11, con la posibilidad de matrimonio, conforme a la ley del levirato) que si tiene hijos (*'iššā 'almānā,* en 2 Sm 14,5; 1 Re 17, 9.10); cf. también 1 Re 7,14 (madre de Jiran de Tiro) y 11,26 (madre de Jeroboán), donde el padre ha muerto antes de que el hijo hubiera nacido (cf. en la inscripción fenicia de Esmunazar, línea 3, «hijo de viuda», KAI II, 19-21s). La más conocida narración referente a una viuda, el librito de Rut, no emplea nunca la expresión «viuda».

Por lo general se habla de las viudas en conexión con una serie de personas que sufren idéntica suerte dura: huérfanos *(yātōm),* desheredados *(gᵉrūšā),* forasteros (→ *gēr),* pobres *(dal),* desgraciados (→ *'ānī),* madre sin hijos *(šakkūlā),* y también levitas y esclavos.

Se suelen dar, pues, las siguientes series nominales: viudas/huérfanos/forasteros/desgraciados (Zac 7,10; cf. Dt 27,19; Mal 3,5); viuda/desheredado (Lv 22,13; Nm 30,10; Ez 44,22; cf. Lv 21,14); levita/extranjero/huérfano/viuda (Dt 14,29; 26, 12s; semejante en Dt 16,11.14; 24,17.19-21; Jr 7,6; Ez 22,7).

Se dan también los siguientes paralelismos: huérfano-viuda (Is 1,17.23; Jr 49, 11; Sal 68,6; Job 22,9; 24,3; Lam 5,3); pobre/desgraciado-viuda/huérfano (Is 10,2, citado en CD 6,16); viuda-madre sin hijos (Is 47,8, con *'ālmōn* en 47,9; Jr 15,8; 18, 21). Otros paralelismos: Sal 94,6; 146,9; Job 24,21; 29,13; 31,16.

'almānā no tiene ningún sinónimo que indique exactamente una situación personal semejante y sea apropiado para estas series fijas.

b) En sentido figurado aparece *'almānūt* en 2 Sm 20,3: «viudez durante la vida (del marido)» (o, corrigiendo el texto: «viuda de un vivo» o «viuda en vida»), referido a las concubinas recluidas por David después de la revuelta de Seba. De forma semejante en el papiro de Elefantina, Cowley N. 30, línea 20, la expresión «nuestras mujeres han quedado como viudas» describe la renuncia a las relaciones matrimoniales como signo de duelo.

También una ciudad puede ser designada metafóricamente como viuda: Lam 1,1: «¡cómo se ha vuelto viuda!», describe a Jerusalén tras la catástrofe; en Is 47,8 (oráculo contra Babilonia) dice la altiva Babilonia: «no me siento como una viuda...», cuando precisamente en 47,9 se anuncia a esta ciudad que quedará viuda (*ʾalmōn*) y sin hijos. En Is 54,4 se emplea *ʾalmānūt* referido a la viudez de Israel.

4. *a)* Las viudas están indefensas, pobres y solas dentro de la comunidad en que viven. Por eso, ya desde antiguo, se hallan bajo la protección legal de Yahvé: en la antigua serie de maldiciones del dodecálogo siquemita (Dt 27,19: «maldito el que viola el derecho del forastero, del huérfano y de la viuda»), en el código de la alianza (Ex 22, 21: «no explotaréis a viudas y huérfanos»; la parénesis legal que sigue en v. 23 refuerza la antigua ley añadiendo la amenaza del talión: «vuestras mujeres quedarán viudas»); cf. la ley deuteronómica de Dt 24,17.

En este campo semántico encontramos los siguientes verbos: 1) *nṭh* hifil con *mišpāṭ* por objeto, «violar el derecho» (Dt 27,19); 2) *ʿnh* piel, «oprimir» (Ex 22,21); 3) *ḥbl*, «tomar como rehén» (Dt 24,17: un vestido; cf. Job 24,21: un buey): 4) *ʿšq*, «oprimir» (Jr 7,6; Zac 7,10; Mal 3,5); 5) *ynh* hifil, «molestar» (Jr 22,3; Ez 22,7). También en los textos ugaríticos se habla del derecho de las viudas (*dn almnt* 2 Aqht [= II D] V, 8; 127 [= II K], VI, 33.46; cf. A. van Selms, *Marriage and Family Life in Ugaritic Literature* [1954] 142s).

En otra serie de textos legales del Dt que regulan el derecho de los pobres e indigentes se conceden a la viuda (junto a los levitas/forasteros/huérfanos) determinadas preferencias: durante la cosecha tienen derecho a recoger la rebusca (Dt 24,19-21); en las fiestas de las semanas y de los tabernáculos también las viudas pueden tomar parte (Dt 16,11.14); cuando se entregan los diezmos, las viudas pueden comer hasta saciarse (Dt 14,29; 26, 12s). Si las comparamos con otras legislaciones (Ex 23,14ss; 34,18ss; Lv 23), vemos que se trata de interpretaciones parenético-legales propias de la ley deuteronómica.

Otras tres determinaciones legales dispersas arrojan ulterior luz sobre la situación legal de la viuda: un sumo sacerdote no puede (a diferencia del simple sacerdote, Lv 21,7) casarse con una viuda (Lv 21,14). Cuando la hija de un sacerdote vuelve a la casa paterna como viuda sin hijos puede participar en la comida de las ofrendas (Lv 22,13); cf. también Nm 30,10 (sobre los votos hechos por una viuda).

Resumiendo se puede decir, con Dt 10,18: Yahvé es el Dios «que hace justicia a la viuda y al huérfano» (*ʿōśǣ mišpāṭ*)»; cf. *inf.* Sal 68,6; 146,9. En F. C. Fensham, *Widow, Orphan, and the Poor in Ancient Near Eastern Legal and Wisdom Literatura:* JNES 21 [1962] 129-130; y en Wildberger, BK X, 48, se señalan paralelos recogidos de los pueblos vecinos a Israel.

b) Cuanto había cristalizado en las diversas colecciones legales fue después recogido en los profetas, en el lenguaje cúltico y en el libro de Job.

Dentro de la *literatura profética* son principalmente Is, Jr y Ez los que vuelven sobre las antiguas cláusulas legales en torno a la defensa de las viudas (y no así, cosa curiosa, Am y Miq, que tampoco recogen, por otra parte, los conceptos de «huérfano» y «forastero»). En el cuadro de las acusaciones proféticas se ataca a quienes no defienden la justicia de la viuda (→ *rīb*) (Is 1,23), a quienes oprimen a huérfanos y viudas (Is 10,2; Ez 22,7; Mal 3,5) o a quienes hacen que las mujeres queden viudas (Ez 22,25). En la queja retrospectiva de Yahvé (Jr 15,8) y en la queja de Jeremías (18,21) aparece también este concepto, y lo mismo en el anuncio de juicio (Is 9,16: Yahvé no se apiadará de las viudas). Viceversa, cuando en el oráculo contra las naciones de Is 47,8s se anuncia a Babilonia que quedará viuda, se indica la salvación de Israel (sobre Jr 49,11 y Jr 51,5, cf. Rudolph, HAT 12,288.306s; en Job 27,15 se describe la suerte del tirano); cf. el anuncio de salvación condicionado de Jr 7,6 («si vosotros... no explotáis a la viuda»). Donde con mayor claridad se recogen las antiguas cláusulas legales es en la torá profética: Is 1,17; Jr 22,3; Zac 7,10. En la visión del futuro de Ezequiel (44,22) se modifica la ley de Lv 21,14.

En la *oración* Yahvé puede ser alabado como el juez *(dayyān)* de las viudas (Sal 68,6; cf. 146,9); en las lamentaciones sobre los enemigos se ataca a los que asesinan viudas y huérfanos (Sal 94,6, con *hrg),* y se expresa el deseo de que las mujeres de esos criminales queden a su vez viudas (109,9; cf. Jr 18,21). En las Lamentaciones se oye la queja de que Jerusalén misma (1,1) y su madre (5,3) han quedado viudas.

En el libro de *Job* se vuelve a recoger el lenguaje de los Salmos; así, en la lamentación sobre los criminales que aplastan a la viuda (24,3.21; su catástrofe se describe en 27,15). Es típica la acusación de los amigos, quienes afirman que Job ha enviado a las viudas con las manos vacías (22,9), acusación que Job rechaza en el examen que hace en la lamentación final (29,13; 31, 16).

Cuando se ha violado el derecho de protección que ampara a las viudas, surgen en seguida la acusación, la lamentación e incluso el anuncio del juicio de Dios contra los infractores. Lo mismo expresa Prov 15,25: «Yahvé asola la casa del soberbio, pero afirma los linderos de la viuda».

5. En Qumrán (CD 6,16) y, sobre todo, en el NT continúan las líneas marcadas por el AT: Mc 12,40 y otros. Lc 4,25 recoge 1 Re 17; Ap 18,7 recoge el pasaje de Is 47,8s. Es nuevo el motivo de la advertencia sobre las «viudas jóvenes» (1 Tim 5,9ss).

J. KÜHLEWEIN

אֵם *ʾēm* Madre

1. *ʾēm,* «madre», se remonta al semítico común **ʾimm-* (en acádico, ugarítico y árabe, **ʾumm-,* por influjo de la labial, cf. GVG I, 199 y → *lēb).* Contra anteriores derivaciones (por ejemplo, F. Delitzsch, *Prolegomena eines neuen hebr.-aram. Wörterbuches zum AT* [1886] 109) hoy se sigue a L. Köhler, ZAW 55 (1937) 171: *ʾēm* «no se puede derivar del material semítico que conocemos»; → *ʾāb* y *ʾēm* son palabras que pertenecen al «balbuceo» propio del habla infantil (papá, mamá).

2. Del total de 220 casos, corresponden: 26 a Gn, 7 a Ex, 15 a Lv, 2 a Nm, 13 a Dt, 3 a Jos, 20 a Jue, 4 a 1 Sm, 3 a 2 Sm, 16 a 1 Re, 22 a 2 Re, 5 a Is (DtIs 3, TrIs 1), 9 a Jr, 10 a Ez, 4 a Os, 1 a Miq, 2 a Zac, 12 a Sal, 3 a Job, 14 a Prov, 2 a Rut, 7 a Cant, 1 a Ecl, 3 a Lam, 2 a Est, 2 a 1 Cr y 12 a 2 Cr. Los ejemplos se concentran en cuatro grupos: en los libros históricos (Gn, Jue, Re, entre ellos la designación de la reina madre 19 × en Re y 9 × en Cr); en el cuadro de las determinaciones legales (35 ×); en el lenguaje de oración y en los Proverbios.

3. *a)* En su *significado base, ʾēm* designa a la madre corporal de sus hijos (hijo o hija). Con esto se delimita un primer campo semántico natural en el ámbito de la familia. Esta relación intrafamiliar se expresa, con contadísimas excepciones, por medio de un genitivo que sigue al término y sobre todo por medio de un sufijo posesivo. Es de señalar que sólo en tres ocasiones aparece *ʾēm* con artículo (Dt 22, 6,6.7) y que de los 220 casos 189 son formas sufijadas.

Se da también un segundo campo semántico natural, aunque menos frecuente que el anterior: a la parte materna *ʾēm* corresponde la parte paterna → *ʾāb.* Esta aparece unas 70 × en dicho campo semántico, la mayoría de las veces en series nominales (→ *ʾāb* III/ 1), en las que, dentro de una sociedad de tipo patriarcal como era la israelita (cf. W. Plautz, *Zur Frage des Muterrechts im AT:* ZAW 74 [1962] 9-30), el «padre» figura en el primer puesto.

No existe ningún sustantivo sinónimo a *ʾēm* en su significado base; de todos modos se encuentran a veces algunas formas verbales de *hrh,* «estar encinta», y *yld,* «dar a luz», en paralelismo a *'ēm,* así el participio de *hrh* en Os 2,7; Cant 3,4; la forma *yōlædæt,* «parturienta», en Jr 15,8s; Prov 23, 25; Cant 6,9, en Prov 17,25, independientemente y paralelo a «padre»; otras formas verbales de *yld* paralelas a *'ēm,* en Jr 50,12; Cant 8,5.

En los animales, *'ēm* sirve para designar a la madre (vaca, oveja, cabra: Ex 22,29; 23,19; 34,26; Lv 22,27; Dt 14,21; pájaros: Dt 22,6s).

b) Como designación de relaciones de parentesco este concepto forma parte de toda una serie de estrechas *composiciones de palabras* (en lugar del concepto general «padres», que no existe en el AT, aparece la composición «padre y madre» *'ab* III/1; el participio plural *hōray,* «los que me han concebido», es textualmente incierto). En lugar de hermano o hermana puede también decirse «hijo de mi/tu/su madre» o «hija de mi/tu/su madre».

Así, «hijo de mi madre» (o su correspondiente plural) aparece parelelo a *'āḥ,* «hermano», en Gn 43,29; Dt 13,7; Jue 8, 19; Sal 50,20; 69,9; Cant 1,6; asimismo, «hija de mi madre», paralelo a *'āḥōt,* «hermana», en Gn 20,12; Lv 18,9; 20,17; Dt 27,22; cf. Ez 23,2: «hijas de la misma madre». Esta expresión sirve para designar al hermano o hermana *según la carne,* mientras que *'āḥ* y *'aḥōt* pueden significar también hermanastro o hermanastra. Por el contrario, en Gn 27,29, «los hijos de tu madre» (paralelo a «hermanos»), se refiere a un parentesco más lejano.

Ulteriores composiciones de palabras para designar la parentela por línea materna son las siguientes: «padre de tu madre» = «abuelo» (Gn 28,2); «hermano de tu madre» = «tío» (Gn 28,2, cf. 29,10; Jue 9,1.3); «hermana de tu madre» = «tía» (Lv 18,13; 20,19).

c) El término *'ēm* puede en ocasiones designar en un sentido más *amplio* una maternidad no según la carne. Lo mismo que el hebreo no tiene un término para designar al «abuelo», tampoco conoce un término que signifique «abuela». Para ello se sirve del simple *'ēm* (cf., sin embargo, Noth, BK IX, 335s, sobre 1 Re 15,10; sobre la posición de la *gᵉbīrā,* «reina madre», → *gbr* y cf. *inf.* 4*b).* En Gn 37,10 —así debemos inferirlo del contexto (35,16ss)—, *'ēm* se refiere a la madrastra de José.

Para designar a la «suegra» (madre del marido) existe la palabra semítica común *ḥāmōt* (Miq 7,6; Rut 1,14-3,17 10 ×; es el femenino de *ḥām,* «suegro» = padre del marido, Gn 38,13. 25; 1 Sm 4,19.21); la madre de la esposa se llama *ḥōtænæt* (Dt 27,23; es el femenino de *ḥoten,* «suegro» = padre de la esposa, desde el punto de vista del *ḥātān,* «yerno» = marido de la hija, Ex 3,1; 4,18; 18,1-27 13 ×; Nm 10, 29; Jue 1,16; 4,11, referido siempre a Moisés; Jue 19,4.7.9); la perífrasis «la esposa y su madre», en Lv 20,14*.

Una extensión mayor del concepto aparece en Gn 3,20, donde Eva *(Ḥawwā)* es designada en una etimología como «madre de todos los vivientes» («madre primordial, madre de la raza»); sobre Ez 16,3.45, cf. *inf.* 4*c).* La expresión «madre tierra» no existe en el AT (cf. A. Dietrich, *Mutter Erde* [³1925]; L. Franz, *Die Muttergöttin im vorderen Orient* [1937]; Haussig I, 103ss).

No existe un plural de *'ēm* que corresponda a *'ābōt,* «padres, antepasados», o al sentido de éste. Es típico en este sentido el Sal 109,14: «Recuérdese la culpa de sus padres y no sea borrado el pecado de su madre».

d) En sentido *traslaticio,* el concepto sirve para personificar a un pueblo o una ciudad.

Así, en Os 2,4.7 (Os 4,5 se refiere con *'ēm* no tanto al pueblo cuanto a la madre del sacerdote mencionado, cf. Wolff, BK XIV/1, 95s; distinto, Rudolph, KAT XIII/1, 97.102); en Is 50,1.1 se designa al pueblo de Israel (Ez 19,2.10: Judá o la familia real, cf. Zimmerli, BK XIII, 423s); Jr 50,12 se refiere a Babilonia.

Como título honorífico aparece «madre en Israel» referido tanto a una persona individual, Débora (Jue 5,7; no aparece claro en el contexto cuál es la función que acompaña a dicho título), cuanto a la ciudad Abel-Bet-Maaca (2 Sm 20,19, ¿madre con respecto a las vecinas «ciudades hijas»?; cf. *ʾm,* «metropoli», en monedas fenicias, DISO 15s); Os 10,14 se refiere por medio de una frase hecha (semejante a Gn 32,12) a la madre con sus hijos en sentido genérico, cf. Rudolph, KAT XIII/1, 206.

También en sentido metafórico llama Job en su lamentación (17,14) «mi madre y mi hermana» a los gusanos del Seol; sólo aquí encuentra él la comunidad familiar que le ha sido arrancada en esta tierra.

e) *ʾēm* forma parte de *composiciones hechas de palabras* que designan el «vientre materno» y los «pechos maternos»: *bǽṭæn ʾimmī* con las preposiciones *b*ᵉ o *min,* «ya en/desde el seno materno», es decir, «desde mi nacimiento» (Jue 16,17; Sal 22,11; 139, 13; Job 1,21; 31,18; Ecl 5,14); *mᵉʿē ʾimmī* (Is 49,1; Sal 71,6) y *ræḥæm ʾimmō* (Nm 12,12), «seno de mi/su madre»; «pechos maternos»: *šᵉdē ʾimmī* (Sal 22,10; Cant 8,1), *ḥēq ʾimmōtām* (Lam 2,12). Estos conceptos pueden significar lo mismo sin necesidad de unirse a *ʾēm.*

Donde más se aleja el concepto de su significado base es en la composición *ʾēm haddǽræk,* «camino-madre» (Ez 21,26), es decir, el lugar donde nace un camino nuevo del camino principal, un cruce (cf. Zimmerli, BK XIII, 490).

Nunca aparece *ʾēm* en hebreo formando parte de nombres propios.

4. *a)* La madre está (junto con el padre) bajo una especial *protección legal por parte de Yahvé.*

El padre y la madre deben ser honrados (*kbd* piel: Ex 20,12; Dt 5,16), temidos (*yrʾ*: Lv 19,3). El que desprecia a padre y madre es maldecido (Dt 27,16), el que los golpea o maldice es condenado a muerte (Ex 21,15.17; Lv 20,9; cf. la ley relativa al hijo rebelde en Dt 21,18-21).

El orden impuesto por Dios se refleja en las más diversas reglas de la comunidad: no se puede tener relaciones matrimoniales con la propia madre (Lv 18,7), con la suegra (Lv 20,14) o con la hermana de la madre (Lv 18,13; 20,19); cuando una mujer cautiva se casa, debe llorar primero durante un mes a sus padres (Dt 21,13); uno no puede marchar de casa sin besar a los padres (1 Re 19,20); se debe enterrar al padre y a la madre tras su muerte (Lv 21,1; Ez 44,25; distinto, Lv 21,11, referido al sumo sacerdote, y Nm 6,7, a los nazareos).

Junto a esto, la orden de honrar a padre y madre ha tenido su lugar seguramente ya desde antiguo en la sabiduría de ambiente familiar: Prov 23, 22; 30,17. El que desprecia a padre y madre es «necio» (Prov 10,1; 15,20; cf. 19,26; 20,20; 28,24; 30,11). La instrucción de los hijos es algo que pertenece por lo general al padre (Dt 6,20ss y *passim,* → *ʾāb* IV, 2b), pero también la madre instruye (Prov 1,8; 6,20; 31,1).

Cuando estas leyes son violadas, interviene con razón la acusación profética (Ez 22,7; Miq 7,6).

b) A diferencia de los «padres», *ʾēm* no desempeña ninguna función dentro de la visión deuteronomística de la historia. Existen, es verdad, cuatro textos en los que un rey es valorado teológicamente según haya seguido o no los caminos de pecado de sus padres (1 Re 22,53; 2 Re 3,2) o de su madre (2 Re 9,22; 2 Cr 22,3) (cf. Sal 51,7; 109,14). En general, parece que la *reina madre* ejercía una gran influencia sobre la política y la postura teológica del rey; cf. el título «soberana» (*gᵉbīrā*) en 1 Re 15,13; 2 Re 10,13; Jr 13,18; 29,2; 2 Cr 15,16; en 22,3 como «consejera» (cf. G. Molin, *Die Stellung der Gebira im Staate Juda:* ThZ 10 [1954] 161-175; H. Donner, *Art und Herkunft des Amtes der Königinmutter im AT,* FS Friedrich [1959] 105-145). Esto se deduce de la posición de Betsabé en la corte de Salomón (1 Re 1s) o la de Atalía (1 Re 11); lo mismo se deduce de la siguiente observación: en el encuadre deuteronomístico de la historia de los reyes se menciona siempre, casi sin ninguna excepción, el nombre de la reina madre (1 Re 11,26 y *passim*).

c) El profeta Oseas es el primero que se refiere a Israel como «madre» (2,4.7). En un «proceso legal por infidelidad conyugal» (Wolff, BK XIV/1, 37), la madre infiel es acusada de adulterio por su esposo y por los hijos (v. 4) y en la fundamentación del juicio es tildada de ramera (v. 7). La imagen del matrimonio, que Oseas ha tomado de la mitología cananea, sirve para combatir la inclinación de Israel hacia ese culto que incluía la prostitución sagrada. La misma imagen es recogida en Ez 16; aquí la idea se refiere (v. 3.45) al pasado oscuro de Jerusalén, mientras que el dicho «como la madre, así la hija» (v. 44) enlaza el pasado con el presente (cf. además Is 50,1 y Westermann, ATD 19,180s). Sobre Ez 19, 2.10, donde Judá o la familia real son designados como *ʾēm,* cf. Zimmerli, BK XIII/423s.

d) La composición «seno materno» (cf. *sup. 3a)* tiene su puesto específico en el lenguaje de oración, especialmente en las oraciones de confianza, como Sal 22,10s: «desde el vientre materno eres mi Dios», cf. 71,6; 139,13; Job 31, 18. Vuelve a aparecer en la vocación del Siervo de Is 49,1 (cf. Jue 16,17 y, sin *ʾēm,* Jr 1,5). La idea inversa aparece en la lamentación del profeta: «¡Ay de mí, madre, que me has dado a luz!» (Jr 15,10; 20,14.17). La misma composición vuelve a aparecer, finalmente, en la literatura sapiencial tardía: Job 1,21, como expresión de confianza; Ecl 5,14, con un tono de gran escepticismo.

e) A diferencia del concepto *ʾāb* o *ʾīš,* el término *ʾēm* no se emplea nunca para caracterizar directamente a Yahvé. Según la concepción veterotestamentaria, Yahvé es un dios masculino. Sólo una vez, en época posexílica, se rompe esta regla, cuando se compara la actuación salvífica de Yahvé con la actividad de una madre: Is 66,13 («como consuela la propia madre, así os consolaré yo»); cf. 49,15 (sin *ʾēm).*

5. En el NT el concepto adquiere gran importancia, debido ante todo a la particular posición de la madre de Jesús; cf., sin embargo, las palabras de Jesús sobre los «verdaderos parientes» en Mc 3,31ss (cf. Dt 33,9).

J. KÜHLEWEIN

אָמָה *ʾāmā* **Sierva** → עֶבֶד *ʿæbæd*

אמן *ʾmn* **Firme, seguro**

Esquema del contenido de este artículo: los capítulos I (raíz y derivados), II (estadística) y V (datos posteriores al AT) tratan de la raíz en general; los capítulos III y IV (empleo general y teológico) se dividen en las siguientes subsecciones:

a)	*ʾmn* nifal	columna 283
b)	*ʾmn* hifil	columna 289
c)	*ʾāmēn*	columna 297
d)	*ʾæmūnā*	columna 300
e)	*ʾæmæt*	columna 307

I. 1. La *raíz ʾmn,* «ser firme, seguro, leal», no está documentada en acádico, fenicio ni arameo antiguo; pero sí está documentada, a partir de la rara presencia en arameo imperial o arameo bíblico, en arameo y en las ramas semíticas del sur. Así, pues, en este caso la lingüística comparada, que debe basarse fundamentalmente en material posterior al AT, es de utilidad muy limitada para iluminar el AT; y además, con respecto al significado particular de *ʾmn* hifil, «creer», hay que contar con un sentido que del hebreo ha ido pasando al siríaco (LS 175a), al mandeo (Nöldeke, MG 211) y al árabe (J. Horovitz, *Koranische Untersuchungen* [1926] 55s).

Es posible que tenga relación con el egipcio *mn,* «ser firme, permanecer» (Erman-Grapow II, 60ss) (Calice N. 198; M. Cohen, *Essai comparatif sur le vocabulaire... Chamito-Sémitique* [1947] 83).

Sobre el supuesto cananeo *imti,* «confianza» (?), en EA 71,8, cf. W. F. Albright, JNES 5 (1946) 12, nota 8; CAD E 152b (conjetura: *em-⟨qu⟩-ti-ka?).*

El significado de «en verdad» para el ugarítico *imt* en 67 (= I AB) I, 18s (Driver, CML 102s.136; M. Dahood, CBQ 22 [1960] 406) no es seguro (WUS N. 274: «hierba, heno [?]»).

Del fenicio se podía tomar en cuenta a lo más el nombre propio *ʾlʾmn,* que aparece en un sello (Harris, 77s). Sobre el púnico *emanethi* (Poen., 937), cf. M. Sznycer, *Les passages puniques en transcription latine* [1967] 92-94.

Son muy inciertos dos pasajes de las inscripciones yaúdicas del siglo VIII (KAI N. 214, línea 11; 215, línea 21) (cf. DISO 17).

El testimonio arameo más antiguo parece ser *ʾmyn,* «firme, duradero», en un papiro de Saqqara (finales del s. VII; KAI N. 266, línea 3: «firme, mientras dure el cielo»). Cf. además *hymnwth,* «su confianza», en los oráculos de Aḥiqar (línea 132; Cowley, 217.224; AOT 460: «la amabilidad de un hombre reside en su lealtad»), y *ʾš mhymn,* «hombre de confianza», en *Hermop.* IV, 9 (Bresciani-Kamil, 398s; J. T. Milik, Bibl 48 [1967] 583s).

Los vocablos arameo y semítico-meridionales tardíos aparecen catalogados en HAL 61b; J. Barr, *Bibelexegese und moderne Semantik* (1965) 187s.

2. De los *modos verbales,* el nifal, «tener duración, durar, ser leal, fiel», y el hifil, «estar seguro, confiar, tener fe, creer», son relativamente frecuentes (cf. *inf.* A y B). El qal parece estar representado al menos por los participios, pero éstos se encuentran tan aislados en cuanto al significado de los demás derivados de la raíz *ʾmn,* que es tentador pensar en una raíz *ʾmn* II.

A esta raíz *ʾmn* II, presentada en HAL 62b, a diferencia de KBL 60b, pertenecen los siguientes términos: *ʾōmēn,* «guarda» (Nm 11,12; Is 49,23), «tutor» (2 Re 10, 1.5; Est 2,7); *ʾōmænæt,* «nodriza» (2 Sm 4,4; Rut 4,16); el participio pasivo plural *ʾæmūnīm,* «llevado, criado» (Lm 4,5); *ʾomnā,* «custodia» (Est 2,20); *ʾmn* nifal, «ser llevado, cuidado (un niño)» (Is 60,4). Es dudoso que esta raíz tenga relación con el acádico *ummānu* (HAL 62a; cf. *inf.* 5). Cf. Š. Porúbčan, *La radice ʾmn nellʾA.T.:* RivBibl 8 (1960) 324-336; 9 (1961) 173-183.221-234.

Sobre *næʾæmān,* en Nm 12,7; 1 Sm 3, 20, y *ʾæmūnā,* en 1 Cr 9,22.26.31; 2 Cr 31, 18, donde se puede pensar en derivados de *ʾmn* II, cf. *inf.* A III y D IIII.

3. De los *derivados nominales,* los más importantes son los dos sustantivos femeninos *ʾæmūnā,* «firmeza, confianza, lealtad, honradez» / «deberes profesionales» (cf. *inf.* D), y *ʾæmæt,* «permanencia, duración, lealtad, confianza, verdad» (cf. *inf.* E). *ʾæmæt* debería proceder de **ʾamint-* (BL 608). En ese caso el término sería un femenino sustantivado del adjetivo *ʾāmēn* y se comportaría como *ʾæmūnā* respecto a *ʾēmūn.* Se deben mencionar además: la «fórmula de confirmación» *ʾāmēn,* «cierto», (cf. *inf.* C); el sustantivo *ʾōmæn,* «confianza» (Is 25,1 en la composición adverbial asindética *ʾæmūnā ʾōmæn),* y derivado de él, añadiendo la desinencia *-ām* (BL 529), los adverbios *ʾōmnām,* «ciertamente, realmente, en verdad», y el sinónimo *ʾumnām* (siempre con *he* interrogativa); también el correspondiente femenino *ʾomnā* es usado adverbialmente (sobre estas expresiones adverbiales, cf. *inf.* D). Como adjetivo funciona también el participio nifal *næʾæmān,* «leal, fiel», y también *ʾēmūn,* que como adjetivo sólo aparece en plural y como sustantivo una vez en singular y algo más frecuentemente en plural *ʾæmūnīm* (cf. *inf.* A). Relativamente tarde aparece el sustantivo *ʾamānā,* «pacto, convenio oficial» (Neh 11,23, paralelo a *miṣwat hammælæk,* «prescripción real»).

No se puede determinar con seguridad si *ʾōmenōt* (plural) en 2 Re 18,16, que normalmente se suele traducir por «jambas de la puerta», pero que quizá designe los remates (dorados) de las mismas, debe derivarse o no de *ʾmn* (cf. HAL 63a).

4. A esto se añade una serie de *nombres propios: ʾāmōn* (2 Re 21,18ss y *passim;* junto a Neh 7,59, Esd 2,57 presenta la forma [abreviada] *ʾāmī),* probable hipocorístico de un nombre teofórico compuesto (cf. el fenicio *ʾlʾmn;* cf. *sup.* I/1); o quizá sea, lo mismo que *ʾamnōn* (2 Sm 3,2; 13,1ss

y *passim;* en 2 Sm 13,20, *'amīnōn* es un error textual), designación de una propiedad espiritual (Noth, IP 228: «fiel, leal»; algo distinto, J. Lewy, HUCA 18 [1944] 456; cf., sin embargo, J.-R. Kupper, *Les nomades...* [1957] 71.76). De *'æmæt* se deriva *'amittay* (2 Re 14,25; Jon 1,1; según Noth, IP 162, se trata de una forma abreviada, cf. *Ḥælqay* junto a *Ḥilqiyyāhū).*

A la raíz *'mn* pertenecería también el nombre del río *'amānā* que atraviesa Damasco (2 Re 5,12 Q; K: *'abānā);* según eso, sería designado como río fiel, que nunca se agota, cf. *náḥal 'ētān,* «arroyo duradero (que siempre fluye)» (Dt 21,4; Am 5,24) y el opuesto *'akzāb,* «traidor», paralelo *máyīm lō næ'æmānū,* «agua, que no merece confianza» (Jr 15,18; cf. Ph. Reymond, *L'eau... dans l'A.T.* [1958] 72. 114).

Más difícil todavía es determinar si *'amānā* como nombre del Antelíbano (Cant 4,8) debe derivarse de *'mn,* «estar firme».

Hay que separar naturalmente de todo esto el nombre del dios egipcio *'āmōn* (Jr 46,25; *Nō' 'āmōn* = Tebas, Nah 3,8).

5. *'omnām* (Cant 7,2) y *'āmōn* (Jr 52, 15; Prov 8,30), «artesano», no tienen nada que ver con nuestra raíz, contra lo que antes se pensaba; más bien se remontan a través del acádico *ummānu,* «artesano, artista», al sumerio *ummea* (cf. Wagner N. 18a). Sobre Prov 8,30 (no «niño mimado, preferido», sino «artista»), cf. Ringgren, ATD 16,40; H. H. Schmid, *Wesen und Geschichte der Weisheit* [1966] 150; ambos ofrecen bibliografía.

6. Es muy discutido el *significado base* de la raíz *'mn.* La opinión tradicional le asigna el sentido de «firme, seguro, de confianza» (GB 48a; HAL 61b; H. Wildberger, *«Glauben», Erwägungen zu h'myn,* FS Baumgartner [1967] 372-386; además, Pfeiffer, *Der atl. Hintergrund der liturgischen Formel «Amen»:* KuD 4 [1958] 129 a 141). Zorell, 63b, hace derivar de *'ōmenōt* en 2 Re 18,16 (cf. *sup.* 3) el significado base de «agarrar»; o bien del participio citado anteriormente (2) el significado de «llevar». Pero dado que es muy dudosa la pertenencia de esas formas a *'mn* I, deben ser dejadas de lado a la hora de determinar el significado base de esta raíz. A. Weiser, artículo πιστεύω: ThW VI, 183-191. 197, opina que la traducción corriente «firme, seguro, de confianza» no alcanza a dar totalmente el significado base; piensa que *'mn,* considerado con mayor atención, aparece como un concepto formal cuyo contenido queda determinado de forma diversa en cada caso según el sujeto y que el verbo indica la relación existente entre la realidad y lo que en cada caso es característico del sujeto (p. 184). En esta misma línea Porubcan *(loc. cit.,* 232s, cf. *sup.* 2) llega a la conclusión de que el significado base se puede expresar por un «así... como», expresión que indica la «conformitas intellectus et rei». Sin embargo, y a pesar de que el significado se ha desarrollado de forma muy distinta en las diversas formas y derivados, nos debemos atener al significado base anteriormente indicado como el común denominador de todos ellos —y lo mismo se confirma si miramos a sus correspondientes en las demás lenguas semíticas—. Debe tenerse en cuenta, de todos modos, los justificados ataques contra una supravaloración de los datos etimológicos, precisamente con relación a la raíz *'mn,* lanzados por J. Barr, *Bibelexegese und moderne Semantik* [1965] 164-206 (contra la idea de «concepto formal», en especial en pp. 182s).

Un gran número de detalles concretos viene a demostrar que los autores de los estratos más recientes del AT seguían conociendo todavía este significado base. Incluso en pasajes como Job 39,24 (cf. *inf.* B III/2) sigue siendo todavía perfectamente perceptible este sentido original; también en los escritos de Qumrán aparece, como término de nueva formación, el sustantivo *næ'æmānūt,* «seguridad, garantía» (CD 7,5; 14,2; 19,1), cuyo sentido se aleja poco del significado base.

7. Como raíz *semánticamente emparentada,* → *kūn* se acerca en muchos

aspectos sorprendentemente a la raíz ʾ*mn* (*kūn* nifal, «estar fijo, seguro, tener existencia», cuyo participio *nākōn*, «leal, verdadero», corresponde a *næʾᵆmān;* y *kūn* hifil, que puede ser empleado, lo mismo que ʾ*mn* hifil, como intransitivo: «estar fijo»). La semántica del acádico *kânu* se aproxima todavía más al hebreo ʾ*mn:* G: «tener duración, ser leal, fiel, verdadero»; Gt: «durar establemente»; el adjetivo *kīnu* «duradero, fiel, leal, honrado, verdadero»; los sustantivos *kīnūtū,* «lealtad», y *kittu,* «constancia, lealtad, verdad, integridad, fidelidad, ver(aci)dad» (AHw 438-440.481s.494s). Este paralelismo indica que se puede hablar de una estructura semítica del concepto «verdad» diferente de la griega (H. von Soden, *Was ist Wahrheit?, Urchristentum und Geschichte* I [1951] 1-24; W. von Soden, WdO 4/1 [1967] 44; cf., además, la bibliografía ofrecida en E III/8).

II. La *difusión* de la raíz ʾ*mn* en el AT hebreo (330 casos, sin contar los nombres propios) aparece en la siguiente lista:

	Nifal	Hifil	*ʾāmēn*	*ʾᵆmūnā*	*ʾᵆmæt*	Otras	Total
Gn	1	2	—	—	6	2	11
Ex	—	8	—	1	2	—	11
Lv	—	—	—	—	—	—	—
Nm	1	2	2	—	—	1	6
Dt	3	3	12	1	3	1	23
Jos	—	—	—	—	3	1	4
Jue	—	1	—	—	3	—	4
1 Sm	5	1	—	1	1	—	8
2 Sm	1	—	—	—	3	1	5
1 Re	2	1	1	—	5	1	10
2 Re	—	—	—	2	2	2	7
Is	9	4	2	4	12	3	34
Jr	2	2	2	4	11	—	21
Ez	—	—	—	—	2	—	2
Os	2	—	—	1	1	—	4
Jon	—	1	—	—	1	—	2
Miq	—	1	—	—	—	—	1
Hab	—	1	—	1	—	—	2
Zac	—	—	—	—	6	—	6
Mal	—	—	—	—	1	—	1
Sal	8	7	7	22	37	3	84
Job	1	9	—	—	—	6	16
Prov	3	2	—	3	12	3	23
Rut	—	—	—	—	—	1	1
Cant	—	—	—	—	—	—	—
Ecl	—	—	—	—	1	—	1
Lam	—	1	—	1	—	—	2
Est	—	—	—	—	1	—	1
Dn	—	—	—	—	6	—	6
Esd	—	—	—	—	—	—	—
Neh	2	—	3	—	3	2	10
1 Cr	2	—	1	3	—	—	6
2 Cr	3	4	—	5	5	1	18
	45	51	30	49	127	28	330*

En nifal, 32 × pertenecen al participio *næʾᵆmān.* Is 6,4 no ha sido contabilizado (cf. *sup.* I/2 al hablar de ʾ*mn* II). Os 12,1 es dudoso desde el punto de vista crítico-textual.

A los datos del hifil deben añadirse los tres casos arameos de hafel (Dn 2,45; 6,5. 24). En Jue 11,20 se debe leer *wayyᵉmāʾēn;* también son discutidos desde el punto de vista crítico textual Is 30,21 y Job 39,24.

ʾāmēn en cinco pasajes aparece dos veces (Nm 5,22; Sal 41,14; 72,19; 89,53; Neh 8,6; en el Salterio aparece como conclusión litúrgica de cada colección; por esa razón la versión siríaca lo ha duplicado también en Sal 106,48). La lectura de Is 65,16.16 es insegura.

ʾᵆmūnā aparece una vez en plural en Prov 28,20 *(ʾîš ʾᵆmūnōt).* El texto es dudoso en Is 33,6; Sal 89,9; 119,90; 143,1; 2 Cr 31,18.

ʾᵆmæt es incierto desde el punto de vista textual en Is 42,3; Ez 18,9; Sal 54,7; 111, 7. Por el contrario, en Sal 22,26 puede leerse *ʾᵃmittō* en lugar de *mēʾittᵉkā;* en 101,2, *ʾᵆmæt* en lugar de *mātay;* en 138, 2b, *ʾᵃmittǣkā* en lugar de *ʾimrātǣka,* y en Is 53,10, *ʾᵆmæt śām* en lugar de *ʾimtāśīm* (M. Dahood, CBQ 22 [1960] 406). No existe forma plural.

Los 28 casos restantes son los siguientes: *ʾōmæn* 1 × (Is 25,1); *ʾomnān* 9 × (2 Re 19,17 = Is 37,18; Rut 3,12, y 5 × en Job); *ʾumnām* 5 × (Gn 18,13; Nm 22, 37; 1 Re 8,27; Sal 58,2; 2 Cr 6,18); *ʾomnā* 2 × (Gn 20,12; Jos 7,20; sobre Est 2,20, cf. *sup.* I/2); *ʾēmūn* 1 × (Dt 32,20) y

ʾ*æmūnīm* 7 × (adjetivo: 2 Sm 20,19; Sal 12,2; 31,24; sustantivo: Is 26,2; Prov 13, 17; 14,5; 20,6); ʾ*amānā* 2 × (Neh 10,1; 11,23); ʾ*ōmᵉnā* 1 × (2 Re 18,16).

A) ʾ*mn* nifal.

III. 1. El nifal puede designar unívocamente la idea de *duración,* consistencia (Is 33,16, el agua que en verano no desaparece, cf. Jr 15,18; Dt 28,59, las plagas y enfermedades crónicas, duraderas; 1 Sm 25,28, «casa duradera», referido a una dinastía; en 1 Sm 2,35, a un sacerdote, cf. *inf.* IV/ 4; 1 Cr 17,24, el nombre). Por otra parte, expresa también la *solidez* y sobre todo, valorado desde un punto de vista ético-religioso, la *fidelidad* y *lealtad* (Is 22,23-25, «lugar firme», propio para clavar una clavija; Gn 42,20: «para probar la verdad de vuestras palabras»; 1 Sm 22,14, siervo de confianza; 11,3, *næʾæman-rūaḥ,* «de buenas intenciones», en contraposición al charlatán y divulgador de secretos; Job 12,20, *næʾæmānīm,* «auténtico», como título honorífico de un funcionario, cf. v. 17-19 con el paralelo ʾ*ētānīm,* además, Neh 13,13 y 1 Sm 2,35; Is 8,2 → ʿ*ēd næʾæmān,* «testigo fidedigno», cf. Jr 42,5 y Sal 89,38, texto dudoso, referido a Yahvé.

2. ¿Significa ʾ*mn* nifal también «ser verdadero, demostrarse verdadero»? Dado que el sustantivo ʾ*æmæt,* por lo menos en los textos tardíos, ha adquirido el significado de «verdad» (cf. *inf.* E IV/5; sobre ʾ*æmūnā,* D III/6; IV/ 2), no se puede descartar en principio que también el verbo haya sufrido una extensión de sentido en dirección del concepto «verdad», aunque la versión de los LXX, por ejemplo, nunca traduce ʾ*mn* por el término ἀληθής. Ocasionalmente aparece en el campo semántico de ʾ*mn* nifal el concepto «mentira» *(kzb* o semejantes; Os 12,1s junto a *kāḥaš,* «mentira», y *mirmā,* «engaño»; Sal 78,36s junto a *pth,* «engañar»; sobre Jr 15,18, cf. *sup.* 4), lo mismo que en el campo semántico del adjetivo ʾ*ēmūn* (Sal 101,6s *rᵉmiyyā,* «engaño», y *šᵉqārīm,* «mentiras»; 12,2s, *šāwʾ,* «falsedad», y *śᵉfat ḥalāqōt,* «lengua aduladora»). Y esto basta para establecer la afinidad de ʾ*mn* nifal con la idea de verdad; en muchos lugares se puede traducir por «verdadero (así lo traduce la *Zürcher Bibel* en Gn 42,20; 1 Re 8, 26; 1 Cr 17,23s; 2 Cr 1,9; 6,17). Pero debe quedar claro que el concepto «verdad» debe entenderse a partir de la idea de seguridad, lealtad, fidelidad (lo mismo vale para *nākōn* en textos como Sal 5,10; Job 42,7ss).

3. El adjetivo ʾ*ēmūn,* «fiel, leal», se acerca mucho al participio nifal *næʾæmān* usado *adjetivalmente.* El hecho de que dicho adjetivo aparezca pocas veces en el AT no significa que para éste el concepto de fidelidad sea de escaso valor; más bien está condicionado por el hecho de que el hebreo expresa preferentemente este tipo de cualidades por medio del abstracto en genitivo. Así, junto a *ṣīr næʾæmān* (Prov 25,13) aparece *ṣīr* ʾ*æmūnīm* (Prov 13,17), junto a ʿ*ēdīm næʾæmānīm* (Is 8,2) aparece ʿ*ēd* ʾ*æmūnīm* (Prov 14,5) o ʿ*ēd* ʾ*æmæt wᵉnæʾæmān* (Jr 42,5), junto al sustantivado *næʾæmān* (Sal 101,6; Job 12,20) aparece la composición ʾ*īš* ʾ*æmūnīm* (Prov 20,6) o ʾ*īš* ʾ*æmæt* (Neh 7,2). Junto a ʾ*ēl næʾæmān* (Dt 7,9, cf. Is 49,7) puede también hablarse de ʾ*ælōhē* ʾ*æmæt* (2 Cr 15,3).

El arameo emplea como adjetivo el participio pasivo hifil *mᵉhēman,* «fiel» (Dn 2, 45; 6,5; cf. Hermop. IV, 9, cf. *sup.* I/1).

4. Conceptos paralelos son: *tāmīm,* «recto, irreprochable» (Sal 19,8; cf. 101, 6), y *yāšār,* «justo, honrado» (Sal 19,8s; 111,7s). En un texto (Sal 31,24) aparece ʾ*æmūnīm* junto a *ḥāsīd,* «piadoso», mientras que ʾ*æmūnā* y ʾ*æmæt* aparecen frecuentemente junto a → *ḥæsæd.* Con todo, ʾ*mn* está mucho más cerca de → *kūn* nifal (2 Sm 7,16; Sal 89,38; 1 Cr 17,24; cf. 23; cf. también Sal 78,8.37).

No existe un concepto opuesto fijo; se suele emplear la partícula negativa *lō* (Is 7,9; Jr 15,18; Sal 78,37; cf. *lō nākōn,* Ex 8,22). En un sentido amplio pueden mencionarse → *bgd,* «actuar deslealmente» (adjetivo *bāgōd,* «desleal»); → *mʿl,* «actuar contra el deber, ser desleal»; → *kzb* piel, «mentir», y → *pšʿ,* «rebelarse».

5. *'mn* nifal es usado en sentido propio en Nm 12,7: a Moisés «es encomendado *(nǣ'ᵆmān)* (el ciudado) de toda mi casa» (cf. también la meditación cristológica de Heb 3,1-6). Puede preguntarse si *'mn* nifal en estos dos pasajes no se debe considerar como un derivado denominativo de *'ōmēn,* «custodio» (cf. *sup.* I/2): «ser designado custodio, guarda».

IV. 1. *'mn* es empleado en gran medida al servicio de *afirmaciones teológicas.* Así, Yahvé es el «dios fiel» (Dt 7,9; cf. Is 49,7). Se podría esperar que la expresión apareciera más frecuentemente, puesto que parece muy apropiada para describir la esencia de Dios. Pero el AT no se ocupa de presentar una enumeración de las propiedades de Dios. No es casual, por tanto, que para describir la fidelidad de Dios no se emplee el adjetivo propio *'ēmūn,* sino el participio *nǣ'ᵆmān,* que propiamente significa «el que se manifiesta como *fiel*». En Dt 7,9 la expresión *hā'ēl hannǣ'ᵆmān* recibe, por lo mismo, la siguiente interpretación: «el que mantiene la alianza y conserva la misericordia a los que le aman»; en Is 49,7 la expresión «Yahvé, que es fiel» es seguida del paralelo «el Santo de Israel, que te ha escogido», para evitar que se entienda erróneamente como una descripción de la esencia de Dios. Israel no puede hablar de la fidelidad de Dios, si no es de *la* fidelidad que se ha *manifestado* en momentos concretos de su actuación para con el pueblo. Se pide a Dios que *demuestre* la fidelidad de su palabra (1 Re 8,26 = 2 Cr 6,17). Ha anunciado su mensaje sobre las tribus de Israel cuya certeza se manifestará sin dar lugar a dudas (Os 5,9). Se habla de la seguridad de su voluntad manifestada (Sal 19,8 y 93,5: *'ēdūt,* «testimonio»; 111,7: *piqqūdīm,* «mandatos»; 1 Cr 17,23 y 2 Cr 1,9: *dābār,* «palabra»). En la actuación de Dios para con Israel se ha manifestado el nombre de Yahvé como fiel y grande (1 Cr 17,24).

2. También pertenece al recto comportamiento del *hombre* el manifestarse como leal, recto, fiel. Gracias a su fidelidad entra debidamente en el orden del mundo, en especial en el orden de la convivencia social. Respetar la fidelidad trae vida y bendición (cf. Prov 11,13; 25,13). La profundidad de la visión de la sabiduría en torno a las condiciones de la convivencia humana se demuestra en el hecho de que su concepción de la fidelidad no es un principio rígido: los golpes del amigo pueden ser mejor señal de fidelidad que los besos del enemigo (Prov 27,6). El piadoso en el sentido de la religión cúltica debe dar pruebas de su fidelidad en su relación con Dios (Sal 78,8), que en concreto significa fidelidad hacia su alianza (78,37; 89,29). La fidelidad hacia Dios, pues, no debe manifestarse sólo en un sentimiento interno dirigido hacia Dios, sino que debe realizarse orientando la vida según la voluntad revelada de Dios. Los fieles en el país, sobre los que se dirige la mirada de Dios, son aquellos «que caminan por caminos rectos» (Sal 101,6). A la fidelidad de la revelación de la voluntad divina debe corresponder la lealtad del pueblo de Dios en respetar el orden establecido por Dios.

3. Puesto que *'mn* hifil ha recibido el significado teológico especial de «creer» (cf. *inf.* B), surge la cuestión de si también *nǣ'ᵆmān* o *'ēmūn* no pueden significar «creyente». De hecho se puede tomar en cuenta esta posibilidad en el texto anteriormente citado de Sal 101,6, aunque hay que hacer notar claramente, para evitar malentendidos, que, según el contexto, la fe de esos creyentes debe mostrarse en un comportamiento hacia los demás hombres correspondiente a los ideales de la sabiduría. En un contexto semejante se habla en Sal 12,12 de los *'ᵆmūnīm,* y en Sal 31,24 éstos son los *ḥᵃsīdīm* que aman a Yahvé (cf. también v. 25). *'ēmūn* tiende claramente a convertirse en expresión que designa a los «creyentes», lo mismo que *'ᵆmūnā* tiende hacia el significado de «fe».

En 2 Sm 20,19 aparece un empleo

apropiado de *ʾᵆmūnē Yiśrāʾēl* «que se pregunte en Abel y en Dan si ya no tiene valor lo que han ordenado los 'fieles de Israel'» (texto enmendado, cf. BH³). Weiser (ThW VI, 190s) piensa que la expresión ha tenido su puesto en la confederación sagrada de Yahvé. De todas formas, el pasaje aparece demasiado aislado para poder emitir un juicio sobre él.

4. De gran importancia para la historia de la fe de Israel es la llamada *profecía de Natán* de 2 Sm 7 con su afirmación: «tu casa y tu reino tendrán existencia permanente ante mí» (v. 16, integrante de la tradición original, cf. L. Rost, *Die Überlieferung von der Thronnachfolge Davids* [1926] 47-74 (pág. 63, y A. Weiser, VT 16 [1966] 346ss; distinto, M. Tsevat, HUCA 34 [1963] 73, y R. Smend, FS Baumgartner [1967] 288).

El motivo mismo, la existencia duradera del reino, pertenece a la ideología real del Antiguo Oriente. Asaradón reza así: «... que mi gobierno esté firme en el cielo y en la tierra» (R. Berger, *Die Inschriften Asarhaddons* [1956] 26s; otros ejemplos: VAB 4,78s; SAHG 281; G. W. Ahlström, *Psalm 89* [1959] 53ss).

Por medio de la profecía de Natán el reino davídico ha recibido su sanción religiosa. Esta profecía ha encontrado un fuerte eco en todo el AT (cf. también 2 Sm 23,5). Ya en 1 Sm 25,28 el narrador pone en boca de Abigail la afirmación de que Yahvé concederá a David «una casa duradera», y en 1 Re 11,38 Ajías predice a Jeroboán que Yahvé le construirá una «casa duradera» como se la ha construido a David. Originalmente, la promesa era sin duda una afirmación incondicionada. Pero el narrador conoce bien cuál ha sido el destino de la dinastía de Jeroboán y subordina, por tanto, la promesa a la exigencia de obediencia (cf. también 2 Sm 7,14s). En la misma línea se mueve la formulación de Is 7,9: «si no creéis, no permanecéis». No hay duda de que al usar el verbo *ʾmn* el profeta hace referencia a la profecía de Natán (E. Würthwein, FS Heim [1954] 61; Wildberger, BK X, 271). Pero teniendo en cuenta el comportamiento desleal del rey, transforma la promesa transmitida por la tradición en una amonestación y la condiciona a la fe.

Con semejante juego de palabras (verbo *kânu,* cf. *sup.* I/7) Nabupolasar hace la siguiente formulación en una de sus inscripciones: «quien es fiel a Bel, su base está segura» (VAB 4, 68s).

Parece que al autor de Sal 89 la marcha real de la historia le ha planteado una serie de cuestiones en torno a la profecía de Natán. Pero no se echa atrás: «le mantendré mi gracia para siempre y mi alianza le será fiel» (v. 29, cf. v. 38). Aquí, por tanto, no se habla ya de la duración de la casa de David, sino de la gracia *(ḥǽsæd)* y de la alianza (cf. también 2 Sm 7,28 y Sal 132,12; A. Caquot, *La prophétie de Nathan et ses échos lyriques:* SVT 9 [1963] 213-224).

Tampoco tras la caída de la dinastía davídica renuncia Israel a la promesa. En la consagración (deuteronomística) del templo, Salomón pide que se convierta en realidad la promesa hecha a David (1 Re 8,26). Parece que el deuteronomista esperaba la reinstauración del poder davídico (G. von Rad, *Dtn. Studien* [1947] 61s = Ges. Stud., 200ss). Para el Deuteroisaías, la dinastía davídica no tiene futuro. Pero, sin embargo, la promesa a David no ha fracasado, tan cierto como que Yahvé es *næʾᵆmān* (Is 49,7). Y él interpreta este *næʾᵆmān* como fidelidad de la gracia divina para con *Israel* (55,3). Pero en el Cronista vuelve a aparecer la esperanza referida a la casa davídica: 1 Cr 17,23s; 2 Cr 1,9; 6,17 (cf. G. von Rad, *loc. cit.,* 59-64 o 198-203).

La profecía de Natán ha sufrido una reinterpretación todavía más radical en 1 Sm 2,35: aquí se hace referencia a un *kohen næʾᵆmān,* «un sacerdote fiel», que actuará según la voluntad de Yahvé (sobre la fecha de este pasaje, cf. M. Tsevat, HUCA 32 [1961] 195).

En CD 3,19 la expresión *báyit næ'æmān* es desarrollada de forma característica de Qumrán. «El les construyó una casa duradera en Israel... los que se mantienen en ella están (destinados) a la vida eterna». La «casa duradera» se ha convertido aquí (lo mismo que la «casa de la verdad», en 1QS 5,6, y la «casa de la ley», en CD 20,10.13) en autodesignación de la comunidad.

El *næ'æmān* de la promesa de David se ha convertido, por tanto, en piedra angular de la esperanza mesiánica (von Rad I, 362s); pero a otro nivel expresa la certeza de la elección de Israel y se ha conservado con admirable constancia a través de todas las fases de la historia de Israel. A ambos niveles es un testimonio claro de la conciencia que Israel tenía acerca de la fidelidad de su Dios.

5. En Neh 9,8 se recoge Gn 15,6: «Tú has encontrado su corazón (de Abrahán) fiel hacia ti y has establecido una alianza con él» (cf. Weiser, ThW VI, 185). La fe de Abrahán es interpretada aquí como fidelidad de sentimientos hacia Dios. Pero con esto se ha desplazado el sentido del pasaje del Génesis (cf. *inf.* B IV/2).

6. Mencionemos finalmente Is 1,21.26, donde se niega a Jerusalén el título honorífico de *qiryā næ'æmānā,* «ciudad fiel», pero se le promete como apropiado para el futuro de salvación. *næ'æmān,* que aparte de aquí nunca es aplicado a Jerusalén, parece que ha entrado en este texto en lugar del término transmitido por la tradición, es decir, *nākōn* (participio de → *kūn* nifal, «estar seguro») (Sal 48,9; 87,5; cf. también Is 2,2). Isaías ha elegido el término paralelo *næ'æmān,* porque él, a diferencia de la tradición sionita, no se interesa por la duración de la ciudad de Dios en el sentido de su invencibilidad, sino en el de la lealtad de sus habitantes. En este sentido es significativo para su comprensión de la lealtad el concepto paralelo *'īr haṣṣædæq,* «ciudad de justicia». Así, pues, por medio de *næ'æmān* es actualizado un motivo esencial de la tradición de Sión (cf. sobre esto, Wildberger, BK X, 58ss).

B) *'mn* hifil.

III. 1. *'mn* hifil ha sido estudiado frecuentemente debido a su relevancia teológica en el significado de «tener fe, confianza (en), creer»:

B. Bach, *Der Glaube nach der Anschauung des AT:* BFChrTh IV/6 (1900) 1-96 (fundamental todavía hoy); A. Weiser, *Glauben im AT:* FS Beer (1933) 88-99; J. C. C. van Dorssen, *De derivata van de stam 'mn in het Hebreeuwsch van het Oude Testament* (1951); Th. C. Vriezen, *Geloven en Vertreuwen* (1957); E. Pfeiffer, *Glaube im AT:* ZAW 71 (1959) 151-164; A. Weiser, art. πιστεύω: ThW VI (1959) 182-191; J. Barr, *Bibelexegese und moderne Semantik* (1965) 164-206; R. Smend. *Zur Geschichte von h'myn:* FS Baumgartner (1967) 284-290; H. Wildberger, *«Glauben», Erwägungen zu h'myn,* ibíd., 372-386 (bibliografía); íd., *«Glauben» im AT:* ZThK 65 (1968) 129-159 (bibliografía).

2. *'mn* hifil es un hifil intransitivo o transitivo interno (cf. Jenni, HP 43ss. 250ss), a no ser que se trate de un caso del llamado pseudo-hifil (cf. Wildberger, *loc. cit.,* 384s, nota 2). *'mn* hifil es empleado con acusativo sólo en Jue 21,20 (pero cf. *sup.* II sobre este texto), de forma que no se puede entender como verbo declarativo-estimativo (E. Pfeiffer, *loc. cit.,* 152).

El sentido original físico-concreto «estar firme, mantener quieto» se conserva todavía (referido al corcel) en Job 39,24. Mucho más frecuente es el significado psicológico «tener confianza, ser confiado» en contextos profanos, así en Hab 1,5 y en Job 29,24 (sobre la comprensión de estos pasajes, cf. Wildberger, *loc. cit.,* 376s), pero también en el lenguaje cúltico de los salmos: Sal 27,13 y 116,10. Al igual que en estos pasajes, también en Is 7,9 y 28,16 *'mn* hifil es empleado en forma absoluta (en total, 7 ×).

3. El mismo significado aparece en la construcción con *b*ᵉ (17 × con personas, 7 × impersonal), en contexto profano, en Job 24,22: «él se vuelve a levantar, cuando ya no tienen ninguna confianza en su vida», cf. también Dt 28,66 y Job 15,31 (cf. Wildberger, *loc. cit.,* 379). Sobre *hæ'æmīn b*ᵉ en

contextos teológicos, mencionemos Gn 15,6 y Ex 14,31 (cf. *inf.* IV/2.6).

4. Es distinto cuando *'mn* hifil va unido a *l^e*, por ejemplo, Gn 45,26: «pero su corazón quedó frío, porque no les creyó». Tampoco se puede aceptar para este empleo un sentido base estimativo («tener a alguien por digno de confianza»). Significa lo siguiente: «otorgar confianza a una persona (7 ×) o a una cosa (7 ×)». El interés del narrador se dirige al sujeto del acto de confianza y no a la persona o cosa de que habla. Así, Ex 4,9 no significa «si esas dos señales no les convencen», sino «si ellos no creen en esas dos señales». De hecho, sólo en pocas ocasiones tiene *hæ'æmīn l^e* el significado de «tener por verdadero» (1 Re 10,7; Is 53,1). Este desarrollo, es decir, el traslado del interés del sujeto de la fe a la cosa merecedora de la misma, se da cuando se le añade una frase con *kī*, «que» (Ex 4,5; Job 9,16; Lam 4, 12) o cuando le sigue una construcción en infinitivo (Job 15,22; cf. también Sal 27,13).

5. Junto a *'mn* hifil existen en el AT numerosos *conceptos paralelos* más o menos vecinos.

En el cántico cúltico de Sal 27 aparecen → *ḥzq*, → *bṭḥ*, *lō* → *yr'* → *qwh* piel y → *'ms* piel *leb* (cf. también Sal 31,25 e Is 28,15b.17b). En vez de decir que cree, el orante puede confesar que Yahvé es su defensa, su apoyo, su refugio, su roca, su fortaleza (Sal 27,5). En Is 7,9, en el marco de la amonestación a creer, aparecen los imperativos «no temas ni te asustes (literalmente: no se debilite tu corazón)» (v. 4). En Is 30,15, «creer» es descrito por medio de «tranquilidad, paz, confianza» (sobre esto, cf. Wildberger, ZThK 65 [1968] 151s).

Sobre la peculiaridad del concepto *'mn* hifil es significativo que en otros contextos (y en especial en textos donde el verbo es construido con la partícula *l^e*) aparece todo un grupo de conceptos paralelos y opuestos: → *šm'* «oír (la voz de alguien)» (Ex 4,1-9; Dt 9,23), → *mrh* hifil, «ser obstinado» (Dt 9,23), «ser testarudo» (2 Re 17,14). La causa de la incredulidad en estos contextos no es la falta de confianza, el desaliento y el escepticismo humano ni tampoco la duda de Dios o su palabra, sino la desobediencia, la protesta, la rebelión.

'mn hifil es ciertamente muy importante en el AT, pero debe tenerse en cuenta que la *realidad* de la fe no se limita sólo a los relativamente pocos pasajes en que se emplea el verbo *'mn* hifil. El concepto paralelo más importante, al menos en contexto religioso, es → *bṭḥ*, «confiar» (57 × en sentido religioso, de ellos 37 × en los Salmos). Donde nosotros hablaríamos de «creer», el AT puede también hablar de → *yr'* «temer»; → *yd'*, «reconocer», y → *drš*, «buscar», o emplear → *yḥl*, «esperar», y *ḥkh* piel, «esperar» (→ *qwh*). «El AT... expresa lo que nosotros queremos decir con el término fe usando numerosas expresiones, cuya convergencia deja transparentar el verdadero significado» (F. Baumgärtel, RGG II 1588; cf. también C. Westermann, *Der Segen in der Bibel...* [1968] 19s).

IV. 1. De los 51 pasajes que emplean el verbo *'mn* hifil, 33 pertenecen, según Bach, al «lenguaje sacro» (*loc. cit.*, 30s, con listas). El concepto se ha hecho tan importante en su *empleo teológico* no por el número de ocasiones en que aparece, sino por la importancia de las mismas; a esto se añade que los LXX le han otorgado una atención especial: lo traducen siempre (a excepción de Prov 26,25, con πείθομαι) por πιστεύω y compuestos, y reservan siempre πιστεύω (a excepción de Jr 25,8, que traduce a *šm'*, «oír») para las formas de *'mn*.

2. El significado profano de *'mn* hifil *l^e*, «dar crédito a una persona o cosa», que según pasajes como Gn 45,26 (J) y 1 Re 10,7 (cf. también Jr 40,14) se hizo corriente relativamente pronto y fue empleado también en la enseñanza sapiencial (Prov 14,15; cf. 26,25), no llegó a ser empleado en

la época antigua (sobre la fecha de textos como Ex 4,1.5.8.9; 19,9, cf. Smend, *loc. cit.,* 289).

Por el contrario, parece que *'mn* hifil tuvo muy pronto su *Sitz im Leben* en los oráculos de salvación, especialmente en oráculos dirigidos a los jefes del ejército. Se trata de un género común en el Antiguo Oriente; podemos encontrar en él, incluso fuera de Israel, conceptos emparentados en cuanto al contenido con *'mn* hifil, por ejemplo, «[no temas Asar]adón, [yo soy Istar de Arbe]la... ten confianza *(tazzazma,* cf. AHw 410a)... y hónrame» (ANET 450b = IV R 61, columna VI, líneas 1s.12s); otros ejemplos, en Wildberger, *loc. cit.,* 135s). Gn 15,1-6 está compuesto según el modelo de un oráculo de este tipo (sobre el análisis, cf., entre otros, O. Kaiser, ZAW 70 [1958] 107-126; H. Cazelles, RB 69 [1962] 321-349; Wildberger, *loc. cit.,* 142-147). No se nos ha transmitido, de todos modos, la invitación misma a creer; pero cf. la noticia conclusiva que nos dice que Abrahán creyó en Yahvé en virtud de la promesa recibida y que Dios se lo contó como justicia. La fe de Abrahán es presentada sin duda alguna como respuesta a la exhortación del v. 1, que acompaña a la promesa de un gran premio: «no temas»; así, pues, *hæ'æmīn beYhwh* en este contexto significa algo así como «él estaba lleno de confianza y seguridad, apoyado en Yahvé».

En Is 7,4-9 aparece una imitación de un oráculo de este tipo dirigido a un rey. Isaías sale al paso de la obstinación del rey con la exhortación «no temas» (v. 4), que vuelve a aparecer al final del oráculo en la exhortación a mantener la fe. A diferencia de Gn 15,6, *'mn* hifil está usado aquí absolutamente, y no sin intención. Lo que está en discusión no es saber si Acaz cree en Yahvé —ciertamente no es ateo ni rinde culto a los ídolos—, ni siquiera se trata propiamente de saber si él acepta o no como digna de fe la palabra profética; el núcleo de la exhortación es, más bien, la llamada a Acaz para que se comporte como un hombre que sabe conservar la calma, la confianza y la seguridad aun en situaciones amenazadoras. A Acaz le exige fe porque existe la promesa de permanencia hecha a la casa de David (cf. *sup.* A IV/4).

Que *'mn* hifil se empleaba en conexión con tales oráculos de guerra lo demuestran también Ex 4,31 y Dt 1,32 (cf. sobre esto Wildberger, *loc. cit.,* 134).

Parece que también en el oráculo de salvación por el que la lamentación individual recibe una respuesta en el santuario se oye una amonestación a creer. En todo caso, el orante puede manifestar en su lamentación que él cree o puede testimoniar en su acción de gracias que no ha cedido en su fe incluso en los momentos de mayor necesidad (Sal 27,13; 116,10). La amenaza externa y la tentación interna ponen al creyente frente a su fe. Un documento indirecto del empleo de *'mn* hifil en los oráculos de salvación aparece en Hab 2,2-4 con su enfática conclusión: «el justo vivirá gracias a su fe». El oráculo contesta a la lamentación de 1, 12-17; ha sido pronunciado, lo mismo que Is 7,4ss, en una situación de grave amenaza política. Si allí *'mn* hifil se traduce por «creer», no se comprende por qué en este contexto tan semejante desde el punto de vista de la situación y de la historia de las formas no haya de traducirse *'æmūnā* por «fe» (así, Re 1,17; cf. van Derssen, *loc. cit.,* 121.129; Eichrodt II/III, 196).

Los textos de Gn 15,6 y Hab 2,4b, que tan importantes han sido para el desarrollo del concepto neotestamentario de fe, tienen en común que ambos ponen la fe en relación con la justicia. G. von Rad, *Die Anrechnung des Glaubens zur Gerechtigkeit:* ThLZ 76 (1951) 129-132 (= GesStud, 130-135), ha señalado que → *ḥšb,* «atribuir», en cuanto término del lenguaje cúltico, designa un acto soberano jurídico-sacerdotal relativo a la cualificación de las ofertas y no hay que entenderlo como «poner en cuenta» un pago en el contexto de una operación comercial. En la imputación de la *ṣᵉdāqā* a Abrahán se reconoce que su fe es la actitud que corresponde a la situación del hombre frente a Dios. En su fe se manifiesta que su situación ante Dios «está en regla». La fe no es en manera alguna un mérito; la promesa del premio es incondicionada y procede a la constatación de la fe de Abrahán. Hab 2,4b, de todos modos, debe entenderse a partir de la fórmula declaratoria que se encuentra en Ezequiel: «es justo, vivirá» (18,9; cf. von Rad, *loc. cit.*, y W. Zimmerli, *«Leben» und «Tod» im Buch des Propheten Ezechiel:* ThZ 13 [1957] 494-508 = GO 178-191). Mientras, según el texto de Ezequiel, el signo de la justicia que lleva a la vida son determinadas exigencias ético-cúlticas, para Habacuc tal signo es la fe, a la que puede iluminar la promesa de vida.

3. Los casos de *ʾmn* hifil anteriormente considerados pertenecen, desde un punto de vista histórico-formal, a contextos semejantes, en los que se entiende la fe como una actitud de seguridad y confianza basada en el conocimiento de Dios y de su promesa. Is 28,16: «el que cree, no retrocede» (sobre la traducción, cf. HAL 288a), se inserta de lleno aquí, pero va más lejos. Isaías se dirige contra los defensores de la teología jerosolimitana del culto, que al amparo del templo se creen seguros. Opone su tranquila confianza a la verdadera fe, cuyo metro es el derecho y cuyo peso es la justicia. Ahí aparece claramente por qué los profetas hacen tan limitado uso del concepto «fe». Este les resulta sospechoso, porque fácilmente puede convertirse en piadoso sustituto de la verdadera entrega a Dios en el servicio de la justicia. Los profetas protestan contra «los descuidados de Sión y los confiados (→ *bṭḥ)* de las montañas de Samaría» (Am 6,1; cf. Is 32,9.11; Jr 7,4). Y cuando quieren resumir lo que exigen al pueblo de Yahvé, no le piden confianza o fe, sino obediencia: ¡buscad a Yahvé! (Am 5,14; Os 10,12; Is 9,12; 31,1; Jr 10,21; 30,14; cf. también Sal 24,6).

Un aspecto esencialmente distinto del empleo teológico de *ʾmn* hifil se da en los seis pasajes de Ex 4,1-9,31a. Aun formalmente, el uso del verbo con *lᵉ* pone de manifiesto esta diferencia. En Ex 19,9 se trata de saber si el pueblo otorgará su confianza a Moisés. Cuando se usa una expresión paralela, aparece *šmʿ bᵉ* o *šmʿ bᵉqōl* (v. 19; cf. *šmʿ* en v. 8). Este aspecto del concepto de fe ha adquirido gran importancia teológica en el deuteronomista· Dt 9,23: «ya que fuisteis rebeldes al mandato de vuestro Dios y no le creisteis ni escuchasteis su voz»; semejante en 2 Re 17,14: «no escucharon, sino que fueron obstinados como sus padres, que no creyeron a Yahvé, su Dios». Este último pasaje pertenece a la reflexión fundamental del Deuteronomista sobre la catástrofe de Israel. El motivo es la falta de fe de Israel como rebelión contra Dios, que aparece no como momentáneo rechazo, sino como algo que está presente ya en el pecado original de Israel, su murmuración durante su camino por el desierto.

5. Ni el profeta Isaías ni el Deuteronomista han encontrado gran eco en el resto del AT en lo referente a su comprensión de la fe. El Deuteroisaías emplea *ʾmn* hifil en un discurso judicial ficticio. Israel debe ser testigo de Yahvé, para que los pueblos «aprendan y le crean, para que comprendan que él es», es decir, comprendan que él es el verdadero Dios, a cuyo lado no hay ningún otro salvador (Is 43, 10). Aquí aparecen sorprendentemente otros paralelos distintos: → *ydʿ* y → *bīn* hifil. La fe incluye un determinado reconocimiento, el reconocimiento concreto de que sólo Yahvé es el Señor de la historia. Fe significa aquí: conocer y reconocer una verdad de fe en cuanto tal (cf. *ʾæmæt* en v. 9).

6. Una nueva variación del concepto de fe se deja notar en Sal 78, que delata ya influjo deuteronomístico. El v. 4 dice: «no creyeron en Dios ni confiaron en su ayuda». El v. 32 indica cómo debe entenderse eso: «a pesar de todo esto no creyeron en sus prodigios». Esta frase recoge claramente la de Nm 14,11: «¿hasta cuándo no van a creer *en mí* a pesar de todos los prodigios que he realizado en medio de ellos?». De la fe en Dios se ha pasado a la aceptación de sus prodigios.

Una comprensión semejante del concepto de fe aparece en Sal 106, que presupone el Pentateuco en su estadio final. El v. 12 dice: «entonces creyeron *en sus palabras* y cantaron su gloria». Se refiere a Ex 14, 31. Pero mientras en el texto de Ex se hablaba de la fe en Yahvé («y en su siervo» es probablemente secundario), en este texto se habla de la fe en sus palabras. De forma semejante vuelve a coger 2 Cr 20,20 el texto de Is 7,9 (Wildberger, *loc. cit.*, 131s). El empleo profano de *'mn* hifil se ha hecho, pues, teológicamente importante, tras la reconsideración de los antiguos textos.

7. Una última variación se puede observar en Sal 119: «yo creo en tus mandatos» (v. 66). «Mandatos» parece que está aquí simplemente en lugar de «palabras». Pero atendiendo al contexto total del Salmo significa lo siguiente: tener el convencimiento de que la observancia de los mandatos lleva consigo la bendición.

8. Esta visión general nos ha mostrado que el empleo teológico de *'mn* hifil no es unitario; la razón es que el verbo, aunque no es muy frecuente, pertenece a diversas tradiciones y su empleo ha seguido las vicisitudes de la historia de la religión israelítica.

C) *'āmēn.*

III. La palabra *'āmēn* aparece en el AT exclusivamente en contextos teológicos (cf. A. R. Hulst, *Het woord «Amen» in het O. T.:* «Kerk en Eeredienst» 8 [1953] 50-58; E. Pfeiffer, *Der atl. Hintergrund der liturgischen Formel «Amen»:* KuD 4 [1958] 129-141; S. Talmon, *Amen as an Introductory Oath Formula:* «Textus» 7 [1969] 124-129). De todos modos, no hay duda alguna de que la palabra era usada también en el lenguaje corriente (Lande, 112). Todavía Eclo 7,22 conoce el significado original «fiel» (referido a animales; LXX: χρήσιμος).

En la inscripción de un óstracon de Yavne-Yam (KAI N. 200, línea 11; de lectura discutida, cf. W. F. Albright, BASOR 165 [1962] 45, nota 49; KAI II, 201; Talmon, *loc. cit.*, 127) protesta un agricultor en un escrito de descargo dirigido al administrador de la ciudad: *'mn nqty,* «ciertamente, soy inocente», y se remite a sus compañeros como testigos.

Los LXX traducen este vocablo una vez por ἀληθῶς (Jr 28[35],6) y otra vez por ἀληθινός (Is 65,16). En tres ocasiones han dejado la palabra sin traducir (Neh 5,13; 8,6; 1 Cr 16,36). En los demás pasajes la traduce por γένοιτο, «así sea». El sentido yusivo aparece claro en pasajes como Jr 28,6: «Amén, Yahvé..., que se cumpla tu palabra». Zorell (64) opina de todos modos que se debe añadir un «es». En muchos pasajes, de hecho, *'āmēn* significa: «es seguro, válido» (H. Schlier, ThW I, 339). Es significativa la traducción de Aquila πεπιστωμένως (Sal 89[88],53). Estas diversas posibilidades de empleo están basadas en la dialéctica del concepto. *'āmēn* quiere decir que algo que se ha dicho es «verdadero». Pero al mismo tiempo el que pronuncia el «amén» reconoce que lo verdadero es «válido» y, por tanto, vinculante.

IV. 1. El empleo más frecuente de *'āmēn* es como respuesta a una maldición pronunciada, como, por ejemplo, en la serie de maldiciones de Dt 27, 15-26 (12 ×). Debe traducirse por «así sea». Pero no se trata de un simple deseo. La comprensión israelita de la maldición (y de la bendición) está fuertemente arraigada todavía en el pensamiento mágico (cf. J. Hempel, *Apoxysmata* [1961] 30-113). Ya que las maldiciones se realizan por su propia dinámica, se suelen dirigir regularmente contra crímenes que se han cometido en secreto y no han recibido, por tanto, el castigo humano. El que pronuncia el «amén» contra ellos demuestra conocer bajo qué veredicto se hallan los comportamientos afectados. Y con ello se dirige también contra su posible culpa. Al mismo tiempo, el «amén» tiene un carácter apotropeico (cf. Hempel, *loc. cit.*, 103): cuando lo pronuncia un inocente, la maldición se desvía para caer sobre un culpable. Si alguien se niega a pronunciar el «amén» contra un criminal, cae también él bajo la maldición, ya que no ha negado su solidaridad con el criminal (cf. Jub 4,5).

También se pronuncian maldiciones

en las ceremonias de juramento para salir al paso de un posible perjuro. Asimismo quien debe someterse a las ordalías debe pronunciar el «amén». Lo mismo vale para la ceremonia de un pacto, pues el pacto se concluye bajo juramento y al juramento pertenecen las maldiciones, por si se quebranta el pacto (Jr 11,1-8; cf. v. 5). En las bendiciones y maldiciones condicionadas de la tradición de la alianza (Lv 26; Dt 28) debe suponerse el *ʾāmēn* pronunciado por el pueblo como parte de la alianza. Lo mismo sucede con el convenio de Nehemías con los nobles (Neh 5,1-13), donde el gesto de sacudirse el manto, realizado por el gobernador, simboliza la imprecación, que no lleva ya el nombre de maldición en este texto (v. 13). En Jr 15,11 (texto enmendado) el «amén» del profeta confirma el lamento que ha pronunciado sobre su madre y sobre sí mismo. Estas lamentaciones, desde el punto de vista histórico-formal, se remontan sin duda ninguna a las maldiciones (cf. C. Westermann, *Grundformen prophetischer Rede* [²1964] 140-142).

2. En el fondo, la situación es la misma en la lamentación del agricultor del óstracon de Yavne-Yam: El «amén» implica un juramento con su correspondiente automaldición. Pero el pasaje muestra cómo este lenguaje puede aparecer debilitado: el agricultor pide al administrador que le conceda gracia ante la ley por si es reconocido culpable. El «amén» se ha convertido aquí en simple partícula enfática. También algunos pasajes del AT dejan reconocer un empleo más general del término. Así, en 1 Re 1,36 Banayas confirma con su «amén» las palabras de David de que Salomón será su sucesor en el trono. Es claro que Banayas se compromete con su «amén», a pesar del añadido «así haga Yahvé... (texto enmendado)». Cumplirá luego con su parte en la realización de la resolución real. «Amén» es un sí vinculante, cf. Neh 8,6.

3. Un empleo especial del «amén» aparece en las (indudablemente tardías) doxologías conclusivas de los libros de los Salmos (41,14; 72,19; 89,53; 106,48, simple duplicado). 1 Cr 16,36 da la clave para la recta comprensión de este «amén». Viene a ser un responsorio; la comunidad cultual se identifica con el que recita la oración cuando éste pronuncia la alabanza. La reduplicación sirve para marcar que se ratifica con seriedad y alegría lo que aquél dice. Neh 8,6 muestra con claridad cómo se ha llegado a este nuevo empleo. El capítulo narra la instauración de la nueva ley. Según las normas del género, por medio del «amén» el pueblo debía vincularse a la ley y confirmar las maldiciones que acompañan a la misma. Pero la función del «amén» es nueva. Tob 8,8 muestra que por medio del «amén» uno puede identificarse con la palabra de otro.

4. Mención especial merece Is 65,16. 16: el que se bendice y también el que jura, lo debe hacer *bēlōhē ʾāmēn.* Si se acepta el texto tal como está, deberá interpretarse con Delitzsch según 2 Cr 1,20 (cf. también AP 3,14): «Dios del amén, es decir, Dios que convierte en sí y en amén lo que ha prometido» (cf. comentarios *ad locum).* Posiblemente aquí *ʾāmēn* está sustantivado, de forma que puede traducirse por «Dios de la lealtad». Pero probablemente es mejor cambiar *ʾāmēn* por el sustantivo *ʾōmæn,* cf. *ʾēl næʾæmān* (Dt 7,9; Is 49,7) y *ʾēl ʾæmæt* (Sal 31,6).

D) *ʾæmūnā (ʾēmūn, ʾomnām,* etc.).

III. 1. Los *principales significados* de *ʾæmūnā* son, según HAL 60s, los siguientes: 1) «solidez»; 2) «fidelidad, confianza»; 3) «rectitud»; a éstos se añade el 4) significado especial «deber profesional permanente». Es muy difícil delimitar los matices particulares, como lo demuestra el hecho de que otros lexicógrafos han hecho divisiones diversas, por ejemplo, Zorell (62s): 1) *firmitas, inmobilis stabilitas,* 2) *firmitas ethica personae,* es decir, *fidelitas* (de Dios y de los hombres). Porúbcan, *loc. cit.,* 230, cree que la riqueza y variedad de significados de *ʾæmūnā* no permiten hacerlos derivar del significado base «consistencia»; como primer significado cita el de «verdad» *(loc. cit.,* 221). Pero también en este sustantivo se reconoce el significado base de la raíz «consistencia» y todo hace pensar que también para él deba partirse de él.

2. Uno de los casos más antiguos es el de Ex 17,12 (J o N): «sus (de Moisés) manos se mantuvieron firmes (*ʼæmūnā),* hasta la puesta del sol». Esta traducción (distinta, Porúbcan, *loc. cit.*, 228s: «elevar a la misma posición») está asegurada por la frase precedente: «ellos sostuvieron sus brazos».

El significado de «seguridad», cercano todavía al de «consistencia», aparece en Is 33,6 (si hay que mantener el texto tal como está): «Habrá seguridad en tu tiempo» (sobre esto, cf. H. Gunkel, ZAW 42 [1924] 178).

3. Un significado especial, «cargo fijo» o semejantes, parece darse en 1 Cr 9,22. 26.31 y 2 Cr 31,18 (aquí el texto es inseguro, cf. Rudolph, HAT 21,306). Rudolph (*loc. cit.*, 88) intenta buscar una solución en la línea de «lealtad», «estabilidad» (cf. también K. H. Fahlgren, *Sedaka, nahestehende und entgegensetzte Begriffe im AT* [1932] 145; H. Cazelles, *La Sainte Bible ... de Jérusalem, ad locum.* De todos modos, no es sorprendente que *ʼæmūnā* haya pasado del significado base «firme, seguro» a ser un término técnico para designar «un puesto fijo, un cargo estable». Pero también es posible que *ʼæmūnā,* con este significado, no pertenezca a *ʼmn* I, sino que sea un derivado de *ʼōmēn,* «custodio», y designe, por tanto, algo así como «vigilancia» (cf. Nm 12,7 y *sup.* I/2).

4. El significado más frecuente es el de «consistencia» (en sentido traslaticio), es decir, «*lealtad,* fidelidad», que corresponde al de la forma nifal del verbo (cf., por ejemplo, 1 Sm 26, 23; Is 11,5; Sal 119,30; también 1QpHab 8,2; además, Prov 28,20: *ʼīš ʼæmūnōt).* Correspondiendo a este significado aparece con frecuencia el paralelo → *ḥæsæd* (también *ṣᵉdāqā* y *ṣædæq,* cf. → *ṣdq).*

5. Con relativa frecuencia aparece *šæqær,* «engaño», como opuesto de *ʼæmūnā.* Esto demuestra que *ʼæmūnā* toca de alguna manera el área de significado de nuestros conceptos de «verdad, honradez». En muchos casos, sin embargo, se debe pensar si no habrá que optar por la traducción «fidelidad».

Donde más clara aparece la idea de honradez es en algunos textos de Jeremías: Jr 5,1: «que busque rectitud» (según M. Klopfenstein, *Die Lüge nach dem AT* [1964] 32s, hay que traducir «fidelidad»; cf., sin embargo, el paralelo «que obre la justicia» y en v. 2: «juran en falso», y Jr 5,5; Is 59,4; sobre → *ʻśh,* «ejecutar, hacer», en estos contextos, cf. R. Bultmann, ZNW 27 [1928] 122s=Exegetica [1967] 133s); en 7,28 se lamenta el profeta de que la *ʼæmūnā* ha desaparecido de la *boca* del pueblo; también es claro 9,2: «tensan su lengua como un arco, la mentira y no la verdad manda en la tierra» (cf. BH³) (LXX: πίστις; Klopfenstein, *loc. cit.*, 145: «fidelidad», referida a la fidelidad de la alianza o del matrimonio; pero puesto que el primer hemistiquio habla de tensar la lengua, parece que se refiere a la insinceridad).

6. Con sus quejas sobre la falta de honradez, Jeremías se mueve en un mundo de ideas de gran importancia en el ambiente sapiencial. Este paralelismo de ideas aparece claro en Prov 12,22: «los labios mentirosos los aborrece Yahvé, pero se complace con los que obran sinceramente» (sobre esto, cf. el «Diálogo del pesimista con su alma», H. H. Schmid, *Wesen und Geschichte der Weisheit* [1966] 214). Pero en los Proverbios hay textos que van todavía más allá; así, Prov 12,17: «el que dice algo verdadero». *ʼæmūnā* tiene aquí el carácter de un adjetivo sustantivado: «algo sobre lo que puede uno confiar que es verdadero» (cf. también Is 25,1). Hablando de *ʼæmūnā* debe, pues, distinguirse entre un sentido personal («fidelidad, lealtad, honradez, sinceridad») y un sentido referido a cosas («seguro, verdadero»). Aunque lo cierto es que dicho significado aparece en muy pocos pasajes y no hay base suficiente para traducirlo por el abstracto «la verdad».

7. El aspecto personal, subjetivo, del término aparece frecuentemente con *función adverbial* en la expresión pre-

posicional *bæ'ᵃmûnā,* «sinceramente, de buena fe» (2 Re 12,16; 22,7; 2 Cr 19, 9; 31,12.15; 34,12). La línea personal está representada también por *'ēmûn/'ᵃmûnîm,* «lealtad, fidelidad» (cf. *sup.* II); el aspecto objetivo, relativo a cosas, está representado por *'ómæn,* «en verdad, realmente» (acusativo adverbial, Is 25,1). Como acusativo adverbial aparece también *'omnā,* «en verdad, ciertamente» (Gn 20,12; Jos 7, 20); el sentido es completamente igual al de los adverbios propiamente tales *'omnām* y *'umnām,* «realmente, verdaderamente, ciertamente», bien para expresar que la afirmación de otro coincide con la realidad, bien para recalcar la seguridad de la propia afirmación.

8. Como *conceptos paralelos,* más próximos o más lejanos, de *'ᵃmûnā* aparecen:

a) 'ᵃmæt (Sal 40,11s; Jr 9,2-5); el campo semántico de ambos sustantivos coincide fundamentalmente (cf. *inf.* E);

b) ḥæsæd aparece con llamativa frecuencia junto a *'ᵃmûnā* (Os 2,21s; junto a *ṣædæq, mišpāṭ* y *raḥᵃmîm;* y sobre todo en el lenguaje de los Salmos: 33,4s; 36,6; 40, 11s; 88,12; 89,2.3.25.34.50; 92,3; 98,3; 100,5; 119,75s; Lam 3,22s; cf. Sal 31,24; Prov 20,6); el hecho de que ambos conceptos aparezcan tan frecuentemente uno junto a otro depende naturalmente del *parallelismus membrorum* y del uso del pleonasmo en el lenguaje cúltico; ambos conceptos son tan vecinos, que normalmente podrían ser intercambiados;

c) también son frecuentes en el campo semántico de *'ᵃmûnā* diversos conceptos relativos al derecho y a la justicia: *ṣædæq, ṣᵉdāqā, ṣaddîq* y *mišpāṭ* (Dt 32,4; 1 Sm 26,23; Is 11,5; 33,5s; 59,4; Jr 5,1; Os 2, 21s; Hab 2,4; Sal 33,4s; 36,6s; 40,11; 88, 12s; 98,2s; 119,30.75.138; 143,1, texto dudoso; Prov 12,17; cf. Is 26,2 y Prov 13, 17); este paralelismo a primera vista sorprendente se explica por el hecho de que *ṣdq* y sus derivados pueden ser empleados en el sentido de «solidaridad, lealtad comunitaria» (cf. H. H. Schmid, *Gerechtigkeit als Weltordnung* [1968] 184s) y también por el hecho de que tanto *'ᵃmûnā* como *ṣᵉdāqā* sirven para describir un comportamiento ordenado (cf. Schmid, *loc. cit.,* 68).

IV. 1. De la *'ᵃmûnā* de Yahvé se habla preferentemente en los cánticos cultuales del salterio. En los salmos de lamentación y de acción de gracias (por ejemplo, Sal 88,12 o 40,11, donde, atendiendo al contexto, sólo resulta posible la traducción «fidelidad», eventualmente en endíadis con *yᵉšû'ā,* «ayuda»: «tu ayuda fiel»), se describe la *'ᵃmûnā* como fundamento de la experimentada o esperada actitud bondadosa de Dios con respecto al hombre, actitud que prueba la fidelidad indefectible de Dios. Esta se manifiesta en todas las situaciones de necesidad que se presentan ante el Señor en los salmos de lamentación o que se mencionan retrospectivamente en los salmos de acción de gracias (casos de enfermedad, «la salvación de la muerte», o también ataques de los enemigos como en Sal 92,3 o 143,1). De modo semejante se aferra el poeta en Lam 3,23 a la *'ᵃmûnā* de Yahvé, gracias a la cual no pueden considerarse acabadas sus pruebas de amor *(ḥᵃsādîm)* y puede uno confiar en su gran misericordia *(raḥᵃmîm)* (cf. también Sal 100,5). También los salmos de entronización de la *'ᵃmûnā* de Yahvé. Lo mismo que Yahvé, gracias a su *'ᵃmûnā,* ayuda a su pueblo (Sal 98,3), así puede también, gracias a ella, juzgar a los pueblos cuando realiza su *ṣædæq* a lo largo de la historia (96,13, aquí no en paralelo con *raḥᵃmîm* o con *ḥæsæd,* sino con *ṣædæq,* la «justicia» con que Dios vela para que cada cosa esté en su debido sitio. También en Sal 119,30 aparecen unidos *ṣædæq* y *'ᵃmûnā,* pero esta vez no como operantes en el juicio de los pueblos, sino en la humillación de los piadosos. Pero ésta no excluye, por otra parte, la esperanza en la *ḥæsæd* y la *raḥᵃmîm* (cf. Sal 119,138).

En Sal 89 se habla de la *'ᵃmûnā* de Yahvé con una frecuencia intencionada (vv. 2.3.6.25.34.50); visto el triste estado de la monarquía, el salmo se esfuerza en hacer comprender la promesa de una duradera existencia de la dinastía davídica. Frente a cualquier duda respecto a ella, el poeta opone la confesión de la ʾ*æmūnā* de Yahvé. Ya que no puede dudarse de la ʾ*æmūnā* de Dios, tampoco puede dudarse del *næʾæmān* de la promesa de Natán (cf. vv. 29. 38 y *ḥæsæd* y ʾ*æmæt* en v. 15). Es interesante la fundamentación que podíamos llamar metafísica de la fe en la fidelidad de Yahvé (vv. 3.6.9.15; una confesión parecida, en Sal 36,6s; cf. 57,11; 89,38; 108,5).

Aunque es cierto que en el AT no se especula de ningún modo en torno al ser de Dios en sí mismo, puede, sin embargo, afirmarse que ʾ*æmūnā* pertenece al ser de Dios. Así, se designa a Yahvé, una vez por lo menos, como ʾ*ēl* ʾ*æmūnā* (Dt 32,4; cf. las designaciones ʾ*ēl* ʾ*æmæt* y ʾ*ēl næʾæmān*). De todos modos, el contexto muestra que lo que el autor del cántico quiere acentuar es la honradez y la integridad (en contraste con la desviación del pueblo). Pero tampoco está ausente el aspecto de la fidelidad, como se deduce de la alabanza de Dios como roca, que precede a la confesión de la fidelidad de Dios (v. 4a). Is 65,16 indica que uno puede bendecirse o jurar por el Dios de la lealtad (cf. *sup.* C IV/4).

El tema de la ʾ*æmūnā* de Dios se circunscribe a un ámbito muy limitado de la tradición veterotestamentaria: himnos, salmos de lamentación y de acción de gracias. Dt 32 es un caso especial, puesto que ahí la confesión de la fidelidad divina se basa no en las necesidades concretas del día, sino en la historia de salvación, en la que Dios se ha manifestado a su pueblo. Con respecto a la escasez de pasajes de este tipo, hay que decir que la idea de la fidelidad divina no se limita en absoluto a los textos en que se emplea el término ʾ*æmūnā* o semejantes.

2. Igual que de la ʾ*æmūnā* de Dios puede hablarse también de la ʾ*æmūnā* de sus mandatos: Sal 119,86. Ya que a ésta se enfrenta la *šæqær* de los insolentes, podemos traducir ʾ*æmūnā* por «verdad». Pero esto no significa sólo que dichos mandatos son formalmente «rectos». *šæqær* no significa sólo «mentira», sino también «engaño»; correspondientemente, los mandatos de Yahvé son «verdaderos» en cuanto que uno puede otorgarles su confianza. Son las normas de un orden salvífico del mundo; el que se apoya en ellos no será engañado, sino que le está asegurada la plenitud de vida.

3. Sal 89,3 muestra claramente que se puede concebir la ʾ*æmūnā* como un orden fundamental divino, que existe en el cielo antes de ser realizado en la tierra. Según la ideología real del Antiguo Oriente, que ha dejado sus huellas también en el pensamiento israelita, el rey es el defensor en la tierra de «esa armonía preestablecida» que alaban los santos en el cielo (v. 6). Lo mejor que *cada hombre* puede hacer es inserirse conscientemente en ese orden, es decir, convertirse en ʾ*īš* ʾ*æmūnā* (o ʾ*īš næʾæmān*/ʾ*æmæt*). El que lo hace, conseguirá grandes bendiciones (Prov 28,20; cf. «el labrador fecundo»: «la verdad, y no la mentira, trae riqueza; ella engendra una situación próspera sin fin», F. von Bissing, *Altäg. Lebensweisheit* [1955] 168). El hecho de que el número de estas afirmaciones sea tan escaso se debe a que el pensamiento israelita ha subordinado decididamente esta idea del orden a la idea del dominio de Dios; *él* es el que realiza esta ʾ*æmūnā* (Is 25,1). Por eso se afirma: «Yahvé aborrece los labios mentirosos, pero se complace en los que obran la ʾ*æmūnā*» (Prov 12,22; cf. 12,17). El Sal 119,30 puede decir todavía más: «he elegido el camino de la (no: de tu) ʾ*æmūnā*», aunque luego se repliega a la línea yahvista: «me atraen tus preceptos».

4. Junto a ʾ*æmūnā,* forma sustantivada femenina del adjetivo, aparece también la forma sustantivada masculina ʾ*ēmūn* (la mayoría de las veces en plural, cf. *sup.* II). No es posible apreciar diferencia alguna en cuanto al significado. Si Dios es un Dios de ʾ*æmūnā* (Dt 32,4), los israelitas son hijos que no conocen el ʾ*ēmūn* (v. 20, cf. también v. 5). Sal 12,2: «han desaparecido los ʾ*æmūnīm* ('honradez, integridad') entre los hombres», es comparable a los pasajes jeremianos citados anteriormente (III/5). Según Is 25,1 y 26,2, la

ʾᵆmūnā divina y los *ʾᵆmūnīm* humanos deben corresponderse (los versos siguientes, en 26,3s, hablan de la confianza en Yahvé). Así como en Hab 2,4 se promete la vida a los justos gracias a su *ʾᵆmūnā* (cf. *sup.* B IV/2), así también, según Is 26,2s, el pueblo justo, compuesto por personas que guardan los *ʾᵆmūnīm,* puede abrigar esperanzas de paz. Se puede decir que estos *šōmᵉrē ʾᵆmūnīm* son los «creyentes». El pueblo responde a la fidelidad de Dios, que se manifiesta en sus actuaciones prodigiosas, conservando la fe.

E) *ʾᵆmæt.*

III. 1. Si los LXX traducían ya *ʾᵆmūnā* en casi la mitad de los casos por ἀλήθεια, para *ʾᵆmæt* aparece en 100 de los 127 casos un derivado de ἀληθ-, mientras que πίστις retrocede considerablemente; es llamativa también la relativa frecuencia de δικαιοσύνη (6 ×) o δίκαιος (5 ×); sobre esto, cf. J. Barr, *Bibelexegese und moderne Semantik* (1965) 190ss. Esto demuestra que *ʾᵆmūnā* y *ʾᵆmæt* no son sinónimos totales y que *ʾᵆmæt* se ha abierto más que ningún otro derivado de *ʾmn* al significado de «verdad». Esta no cambia por el hecho de que (contra Porúbcan, *loc. cit.,* 183) el significado de «verdad» no pueda constituir el punto de partida para estudiar la semántica de *ʾᵆmæt,* ni por el hecho de que (contra D. Michel, *ʾÄMÄT:* «Archiv für Begriffsgeschichte» 12 [1968] 30-57) no todos los pasajes de *ʾᵆmæt* puedan entenderse por medio de la idea de conformidad o acuerdo ni pueda hablarse en el AT de un cambio de significado.

2. El significado base que ha de presuponerse, «consistencia», está todavía presente en sentido traslaticio. Y por otra parte, a diferencia de *ʾᵆmūnā,* pero correspondiendo totalmente al modo nifal del verbo, *ʾᵆmæt* ha desarrollado el sentido de «duración, seguridad, permanencia», por ejemplo, en Is 16,5: «así el trono se afirmará por la bondad y se sentará sobre él con seguridad...». Así como *hūkan,* «se afirmará», corresponde al *nākōn,* «firme», de la profecía de Natán (2 Sm 7,16), así también *bæʾᵆmæt,* «con seguridad», corresponde al *næʾman,* «tener consistencia», de aquel texto. Junto al aspecto de la duración también está claramente presente en tales casos el de la seguridad. Así, *śækær ʾᵆmæt,* en Prov 11,18 debe significar «ganancia segura, fija» (cf. M. Klopfenstein, *loc. cit.,* 171s). Por el contrario, es poco probable que la expresión *ḥæsæd wæʾᵆmæt* deba traducirse siempre como endíadis «amor duradero» (así, HAL 66b.247b.323a). Esta expresión se ha convertido ciertamente con frecuencia en fórmula fija y a la fidelidad pertenece sin duda la idea de duración y permanencia (cf., por ejemplo, Jos 2, 14; 2 Sm 15,20; Prov 3,3; 14,22; 16, 6; 20,28 y *passim).* Pero pasajes como Sal 85,11: «se han encontrado la *ḥæsæd* y la *ʾᵆmæt*», demuestran que ambos conceptos están al mismo nivel y que ambos pueden conservar su propio carácter. En algunos casos concretos se puede ver en *ʾᵆmæt* una determinación de «*ḥæsæd* (amor, bondad, misericordia), en el que uno puede depositar la confianza»; el aspecto de la duración no aparece en primera línea.

3. Por el contrario, *ʾᵆmæt,* como segundo miembro de una composición constructa, sirve claramente para determinar un concepto predominante, como *šālōm,* «paz» (Jr 14,13, quizá «paz de gran duración, paz permanente»; pero si miramos a 2 Re 20,19 = Is 39,8 y Jr 33,6, «paz y seguridad», es preferible traducir aquel texto como «paz que garantiza la seguridad»), *ʾōt,* «señal», y otros. Todas estas composiciones se pueden situar preferentemente en el área del concepto de «fidelidad» (distinto, Weiser, ThW VI, 184: «*ʾmn* es un concepto formal que queda determinado de forma diversa en cada caso según el sujeto», sirve para «indicar la verdad de lo que en cada caso es característico del sujeto»; distinto, Barr, *loc. cit.,* 182).

Se deben mencionar aquí los siguientes pasajes: Gn 24,48 (camino de confianza y, por tanto, recto); Ex 18,21 (hombres de confianza, que no se dejan sobornar); Jos 2,12 (señal fiel, es decir, segura); Jr 2,21 (planta de confianza, es decir, genuina); 14,13 (paz de confianza, segura, cf. *sup.*); 42,5 (testigo de confianza, veraz; lo mismo en Prov 14,25, con el opuesto «testigo falso»); Ez 18,8 y Zac 7,9 (sentencia judicial digna de confianza); Prov 22,21 (palabras de confianza, es decir, verdaderas, paralelo *qośṭ,* «verdad»); Ecl 12,10 (palabras dignas de confianza); Neh 7,2 (hombre de confianza y temeroso de Dios); 9,13 (profecías dignas de confianza).

4. Cuando *ʾæmæt* se refiere a personas (y a Dios), el significado pasa del aspecto de la confianza al de la *fidelidad;* así en la frecuente composición *ḥæsæd wæʾæmæt,* «amor y fidelidad», referida a los hombres: Gn 24,49; 47, 29; Jos 2,14; Prov 3,3; referida a Dios: Gn 24,27 y *passim* (cf. *inf.* IV/2). La expresión preposicional *bæʾæmǣt,* «en fidelidad», funciona de hecho como adverbio: «lealmente, sinceramente»; describe la lealtad del comportamiento humano (no la seguridad de una situación, como los adverbios y acusativos adverbiales citados anteriormente en D III/7; pero cf. *inf.* 6).

Los paralelos nos ayudan a determinar cuál es el sentido exacto: *beṭāmīm,* «sinceramente» (Jos 24,14; Jue 9,16. 19); «de todo corazón y con toda el alma» (1 Sm 12,24; 1 Re 2,4); «en justicia y con un sentimiento recto hacia ti» (1 Re 3,6); «con corazón íntegro» (2 Re 20,3 = Is 38,3); semejante, Is 10,20; 61,8; Jr 32,41; Sal 111,8; Prov 29,14. Con *bæʾæmæt,* pues, se califica la presencia del hombre desde el punto de vista de su integridad y de su compromiso personal.

5. Se puede *hacer* la *ʾæmæt* (*ʿśh,* cf. *ʿśh ʾæmūnā,* cf. *sup.* D III/5): Gn 47, 29; Neh 9,33; 2 Cr 31,20. Pero también se puede *decir* la *ʾæmæt,* con lo cual se toma en consideración no la fidelidad del que habla, sino la seguridad de lo que dice. Las palabras son fieles y, por lo mismo, dignas de confianza, si reflejan rectamente una situación, es decir, si son verdaderas: 2 Sm 7,28; 1 Re 17,24; 22,16 = 2 Cr 18,15; Jr 9,4 (opuesto a *tll* hifil, «engañar»); 23,28: «el que dice de verdad mi palabra» (así, Rudolph, HAT 12, 154; Klopfenstein, *loc. cit.,* 103; otros consideran *ʾæmæt* como acusativo adverbial y lo traducen por «fielmente»). Realmente es difícil con frecuencia decidir si *ʾæmæt* significa «rectitud» referida a personas o «verdad» referida a objetos. Así, por ejemplo, en la expresión *ʿēd ʾæmæt* se puede preguntar si *ʾæmæt* debe entenderse como una norma referida a la intención («testigo sincero») o se refiere a la verdad de la cosa testimoniada. Si se parte de *ʿēd næʾæmān* (cf. *sup.* A III/1; cf. Jr 42, 5), se debe optar por la primera posibilidad, pero partiendo de Is 43,9 o Prov 14,25, se ha de preferir la segunda. Según Gn 42,16, José quiere examinar «si hay *ʾæmæt* en vosotros»; *ʾæmæt* aquí debe traducirse no por «rectitud», sino por «verdad» (cf. *sup.* D III/6, tratando de *ʾæmūnā).* Pero no se puede hablar de ningún modo de una abstracción del concepto por encima de la situación concreta (así, G. Quell, ThW I, 234), que vendría a decir: «si *la* verdad está con vosotros». A pesar de la inseguridad en los detalles, basada en el hecho de que para los hebreos la diferencia entre la rectitud (subjetiva) y la verdad (objetiva) no es tan consciente como para nosotros, aparece claro el significado fundamental orientado en la línea objetiva. Tal es el caso especialmente en el ámbito jurídico, donde no está en tela de juicio simplemente la sinceridad subjetiva, sino la verdad objetiva. Los testigos pueden aludir a la afirmación de uno de los litigantes diciendo así: *ʾæmæt,* «es verdad», es decir, la afirmación en cuestión coincide con la realidad (Is 43,9). Se confirma que una acusación es *ʾæmæt* (Dt 13,15 y 17,4, explicitado con *nākōn haddābār,* «el asunto es realmente así»; cf. 22,20). En Prov 22,21: «palabras de *ʾæmæt*», es explicación de *qōšṭ,* «verdad»; *dbr*

piel *ʾᵆmæt* significa, si no «decir la verdad», sí «decir cosas verdaderas» (Zac 8,16; cf. Sal 15,2; Prov 8,7; 12,19 paralelo a «lengua mentirosa»), y *hyh ʾᵆmæt,* «demostrarse como verdadero» (Dt 22,20; 2 Sm 7,28; cf. 1 Re 17,24).

6. Finalmente se deben señalar los pasajes en que *bæʾᵆmæt* significa no «con fidelidad, rectamente», sino «en verdad, realmente, verdaderamente» (Jue 9,15; Jr 26,15; 28,9; cf. también el simple *ʾᵆmæt* en Jr 10,10).

7. Los *conceptos paralelos* más importantes son los siguientes:

a) *ʾᵆmūnā* (cf. *sup.* D III/8);

b) *ḥæsæd* (cf. *sup.* III/2.4 referido a los hombres, y IV/2 referido a Dios);

c) Conceptos sobre la integridad de la persona (cf. *sup.* 4);

d) Conceptos de la vida jurídica: → *ṣædæq,* «justicia» (Sal 15,2; 85,12; Prov. 8,7s y *passim; ṣᵉdāqā,* Is 48,1; 59, 14; Jr 4,2; Zac 8,8 y *passim; ṣaddīq,* Neh 9,33); *mišpāṭ,* «derecho» (→ *špṭ;* Is 59, 14; Jr 4,2 y *passim); mēšārīm,* «rectitud» (Prov 8,6); *nᵉkōḥā,* «lo recto» (Is 59,14), y *passim;*

e) *šālōm* (→ *šlm;* 2 Re 20,19 = Is 39, 8; Jr 33,6; Zac 8,16.19; Mal 2,6; Sal 85, 11; Est 9,30).

Conceptos opuestos son los siguientes: *šæqær,* «engaño» (Jr 9,4; Zac 8,16; Prov 11,18; 12,19 y *passim); kāzāb,* «mentira» (Prov 14,25 y *passim); mirmā,* «engaño» (Prov 12,19); *ræšaʿ,* «delito» (Prov 8,7; cf. 11,18; Neh 9,33).

8. El campo semántico de *ʾᵆmæt* coincide casi exactamente con el de *ʾᵆmūnā,* si prescindimos de *šālōm* y de un caso en que aparece el arameísmo *qōšṭ,* «verdad» (Wagner N. 274; el arameo bíblico *qᵉšōṭ,* Dn 4,34), como paralelo (Prov 22,21). *ʾᵆmæt* en el sentido de «verdad» no tiene ningún verdadero paralelo; de hecho, no existe ningún término hebreo fijo para designar la «verdad». Esto no quiere decir que no conozcan el concepto de verdad, sino que su concepto de verdad está indisolublemente unido a la idea de fidelidad (cf. W. Panennberg, *Was ist Wahrheit?:* FS Vogel [1962] 214-239, en especial 216; H. von Soden, *loc. cit.,* cf. *sup.* I/7; H.-J. Kraus, *Wahrheit in Geschichte,* en H. R. Müller-Schwefe (ed.), *Was ist Wahrheit?* [1965] 35-46; K. Koch, *Der hebr. Wahrheitsbegriff im griech. Sprachraum,* ibíd., 47-65; M. Landmann, *Ursprungsbild und Schöpfertat* [1966] 213-22). *ʾᵆmæt,* cuando se refiere a personas, significa lealtad, rectitud, en el sentido de fiabilidad; de igual modo, cuando significa «verdad», es en el sentido de fiabilidad de una cosa o palabra. Pero en este sentido sólo puede ser digno de confianza lo que corresponde a la verdad o está regulado en conformidad a ella.

IV. 1. La confesión de la *ʾᵆmæt* de Dios, lo mismo que la confesión de su *ʾᵆmūnā,* tiene su puesto principal en el Salterio. En el salmo de lamentación (Sal 31), Yahvé, que en otros pasajes es llamado *ʾēl næʾᵆmān* o *ʾēl ʾᵆmūnā,* es alabado como *ʾēl ʾᵆmæt* (v. 6). Baste esta concisa alusión para indicar que los demás salmos de lamentación y de acción de gracias señalan también en la dirección de la *ʾᵆmæt* de Yahvé. En este contexto no se puede establecer diferencia alguna entre *ʾᵆmæt* y *ʾᵆmūnā.*

También se puede alabar la *ʾᵆmæt* de Yahvé porque se la ha experimentado o se la puede experimentar como ayuda. En Sal 69,14 se implora a Yahvé que escuche la plegaria «en la fidelidad de tu ayuda». Gracias a esta esperanza de la ayuda se busca amparo en la fidelidad de Dios. La fama de su fidelidad debe empujar a Dios a intervenir antes de que sea tarde. Por eso el orante le puede recordar que en el hades no se alaba su fidelidad (Sal 30,10; Is 38,18; cf. Sal 71,22; sobre *ʾᵆmūnā,* Sal 88,12). O puede también pedir que la luz y la fidelidad de Dios le conduzcan a su monte santo, para cantar allí su alabanza al tiempo que ofrece sacrificios (Sal 43,3; cf. 138,2). A la ayuda que se espera de la fidelidad de Dios pertenece siempre el aniquilamiento de los enemigos (54,7; cf. 22,26, texto enmendado). En 91,4b la fidelidad de Yahvé es alabada como escudo y arma (poema didáctico [?], cf. Kruas, BK XV, 635).

El himno de Sal 146 (que también contiene elementos propios del salmo de acción de gracias de particulares) describe con gran fuerza qué es lo que supone para Israel el hecho de que Yahvé guarde eterna fidelidad. El poeta no piensa, como suele ser lo normal, en su propia necesidad, sino que alaba a Yahvé como ayuda de todos los oprimidos. Se llama a Yahvé Dios de Jacob (v. 5), pero se le describe como creador y Dios de Sión (v. 10), que dominará eternamente. La fidelidad de Dios (v. 6) aparece aquí, comparándola con la piedad normal de los salmos, bajo una amplísima perspectiva.

2. Al igual que en el ambiente profano, también referido a Dios, se pone ʾæmæt en relación con → ḥǽsæd (III/1).

En Os 4,1 y Miq 7,20, ʾæmæt se encuentra delante de ḥǽsæd, aunque normalmente ḥǽsæd va por delante. El lazo que une a ambos sustantivos puede ser, como lo es en esos textos, bastante flojo (cf. Sal 69,14), pero a veces los dos conceptos se unen estrechamente por medio de un simple wᵉ, «y» (Sal 25,10; 40,12; 57,4; 85,11; 89,15; 138,2; fuera del Salterio: Gn 24, 27; Ex 34,6; 2 Sm 2,6; 15,20; unión no tan estrecha: Gn 32,11; Os 4,1; Sal 26,3; 57,11 = 108,5).

Se puede muy bien decir que en estas composiciones el acento recae sobre ḥǽsæd. El sustantivo ʾæmæt determina a ḥǽsæd, «misericordia, bondad, amor, voluntad comunitaria», en la línea de la fidelidad.

Se deben mencionar especialmente los siguientes textos:

a) Sal 89,15. La afirmación de que el derecho y la justicia son el fundamento del trono divino se acomoda perfectamente al contexto, que habla del reinado de Dios. Pero la afirmación avanza más: «ḥǽsæd y ʾæmæt están en tu presencia». Estas son vistas aquí, en el sentido de una hipóstasis, como un ser que está frente a Yahvé. En la misma línea puede el Sal 85,11s decir: «ḥǽsæd y ʾæmæt se encuentran; justicia y paz van juntas (texto enmendado); la fidelidad brota de la tierra y la justicia baja del cielo». La discusión de los exegetas sobre quién es el sujeto de esta fidelidad, Dios o los hombres, es ociosa: se afirma naturalmente que es Dios quien hace brotar esta fidelidad. Pero la formulación deja reconocer que ḥǽsæd y ʾæmæt pueden ser consideradas como entidades cósmicas cuyo gobierno garantiza la fertilidad de la tierra, pues cuando ellas adquieren poder, el cosmos debe volver a su equilibrio armónico y fructífero.

b) El Sal 15 confiesa: «tú eres un Dios misericordioso, gracioso, paciente y rico en ḥǽsæd y ʾæmæt» (cf. v. 5). Se trata claramente de una antigua fórmula de confesión (sin ʾæmæt, también en Sal 103, 8; 154,8; Jl 2,13 y Jon 4,2, extendido por «se arrepiente del mal»; con ʾæmæt, en Ex 34,6; pero la fórmula, según Noth, ATD 5,215, ha sido introducida posteriormente). Parece que ʾæmæt ha sido introducido secundariamente en la fórmula, por influjo de la expresión compuesta ḥǽsæd wæʾæmæt. Se quiere señalar explícitamente el aspecto de la fidelidad, que se mantiene incluso en situaciones en que la relación entre Dios y el pueblo está sometida a dura prueba. Algo semejante sucede cuando en Sal 86,5 la expresión «rico en amor» es ampliada por medio de «bondadoso y perdonador» y cuando en Joel y Jonás se afirma que Yahvé está dispuesto a arrepentirse.

c) En tres ocasiones fuera de los salmos habla el AT de ḥǽsæd wæʾæmæt en unión de ʿśh, «hacer»: Gn 24,49; 32,11 (ḥᵉsādīm); 2 Sm 2,6. En los tres textos se habla de la recta guía de los hombres por parte de Dios. Por eso se puede decir también que los caminos de Dios son ḥǽsæd wæʾæmæt (Sal 25,10; cf. 43,3). El piadoso sabe que se halla bajo la guía de la fidelidad divina.

3. Si ʾæmæt describe los fundamentos del orden cósmico, el hombre debe realizarlo lo mismo que Dios. A esto exhorta sobre todo, como es natural, la sabiduría (Prov 3,3; 14,22; 16,6; 20,28). En Gn 24 la fidelidad humana corresponde a la divina (vv. 27 y 49). La bondad y fidelidad, que, según Prov 20,28, guardan al rey, corresponden a la bondad y fidelidad que se hallan frente a Dios (Sal 89,15). Con bondad y fidelidad se logra la aprobación por parte de Dios y de los hombres (Prov 3,3s). La exigencia de ʾæmæt aparece también una vez en los profetas: Os 4,1: «no hay ʾæmæt ni ḥǽsæd ni reconocimiento de Dios en el país». El reconocimiento de Dios debe verificarse en la realización de la ḥǽsæd y la ʾæmæt. Los versos siguientes indican sin lugar a dudas que lo referido tiene que ver no con la actitud respecto a Dios, sino con la actitud res-

pecto a los compatriotas. Se puede decir que nunca en el AT se habla de *ḥǽsæd* (o *ʾæmæt* solo) para describir la actitud de los hombres con respecto a Dios. La respuesta a la fidelidad de Dios sólo puede realizarse a través de la fidelidad para con los demás hombres. Las únicas excepciones son los textos tardíos de 2 Cr 31,20 y 32,1.

Por el contrario, a Israel se le pide una actitud *bæʾæmæt* frente a Dios, lo cual no significa primariamente «en fidelidad» (así, HAL 67a), sino «honradamente, rectamente, honestamente» (cf. *sup.* III/4). Una actitud *bᵉtāmīm* y *bæʾæmæt* es la expresión legítima del temor de Dios (Jos 24,14).

4. Como se ha señalado anteriormente (III/5), *ʾæmæt,* en el uso profano, significa no sólo la «fidelidad, lealtad, honradez» en el sentido subjetivo, sino también la «fiabilidad, verdad» en el sentido objetivo. ¿Habla el AT también de la *verdad de Dios?* Tampoco aquí es fácil decidir entre ambas posibilidades. Contra muchos exegetas (Delitzsch, Duhm, Marti y otros) tampoco en Is 59,14s se puede ir más allá de la idea de «fidelidad» (M. Klopfenstein, *loc. cit.,* 46; Fohrer, *Jes III,* 219; Westermann, ATD 19,273 y otros).

Con mayor frecuencia todavía se suele traducir Sal 25,5, «condúceme según tu *ʾæmæt,* enséñame...», por «verdad», y la petición de ser enseñado parece dar razón a esta traducción. Pero este salmo alfabético presenta claros rasgos del salmo de lamentación, y en éstos se habla de *ʾæmæt* en el sentido de «fidelidad». En el v. 6, *ʾæmæt* vuelve a aparecer en los conceptos de *raḥᵃmīm,* «misericordia», y *ḥǽsæd.* Y sobre todo en atención al v. 10 debe traducirse «guíame según tu fidelidad» y no como normalmente se hace: «en tu verdad». De forma análoga debe entenderse Sal 86,11: «enséñame tu camino, para que yo camine bajo tu fidelidad»; la fidelidad de Dios es el ámbito en el que se debe desarrollar el camino del hombre para que sea salvífico.

Distinto es el empleo en los salmos legales 19 B y 119. En la expresión «los mandatos de Yahvé son *ʾæmæt»* (19,10); *ʾæmæt* presenta un aspecto objetivo. De todas formas, la traducción «verdaderos» es problemática. La frase paralela del v. 10a dice que la palabra de Yahvé (léase *ʾimrat* en lugar de *yirʾat)* es clara y tiene existencia duradera. Así, *ʾæmæt* se refiere más a la fidelidad y valor duradero del mandato divino que a su verdad. Lo mismo sucede con las afirmaciones sobre la ley en Sal 119 (vv. 43.142.151.160). El campo semántico demuestra en cada caso que lo que se quiere indicar es la duración o «eterna» validez de los mandatos, así en v. 152: «desde siempre conozco yo tus prescripciones, que tú has establecido para siempre». Se puede traducir por «verdadero»; pero son verdaderos porque son fieles, y esto se prueba a su vez porque ellos garantizan la «vida» (vv. 40.116.144).

Finalmente, también es difícil de traducir Sal 51,8: «tú amas la *ʾæmæt* en lo íntimo y en lo secreto me enseñas la sabiduría». Tanto el texto como la traducción son inseguros (cf. Kraus, BK XV, 382s.387); de todos modos, *ʾæmæt* aparece aquí en paralelo a *ḥōkmā,* «sabiduría», y es, lo mismo que *ḥokmā,* algo sobre lo que se debe instruir. Por eso, por medio de *ʾæmæt* parece designarse la verdad en el sentido de una revelación secreta, de un conocimiento profundo, no accesible sin más.

5. Con esto nos acercamos al texto del *libro de Daniel.* Dn 8,26: «la visión que se ha revelado es *ʾæmæt»,* sólo puede significar que es verdadera porque uno puede fiarse de ella, teniendo la seguridad de que no quedará sin cumplimiento; lo mismo 10,1 y 11,2 (texto inseguro; cf., sin embargo, *Plöger,* KAT XVIII, 145s.150). Estos textos de Daniel deben distinguirse claramente de 1 Re 17,24. Allí se afirmaba que Dios había hablado realmente (de verdad) al profeta; aquí se afirma que él ha comunicado la verdad al escritor apocalíptico, de forma que esta revelación es fiel reflejo de los acontecimientos venideros. Estos aparecen descritos en el libro de la *ʾæmæt* (Dn 10,21), el «libro de la verdad», expresión que se suele entender a partir de las tablas

del destino babilónicas (cf. los comentarios de Marti, Bentzen, Porteous, *ad locum;* distinto, Plöger, KAT XVIII, 146). Pero también la revelación confiada hace tiempo a Israel puede ser designada como «verdad de Dios» (9, 13).

Esto nos lleva a 8,12, donde *ʼæmæt* es usado en un sentido último, absoluto. Después de haber sido descrito el crimen del «cuerpo pequeño», se señala finalmente: «la *ʼæmæt* ha sido echada por los suelos» (texto enmendado; cf. BH[3]; distinto, Plöger, *loc. cit.,* 120. 122). Aquí *ʼæmæt* es simplemente designación de la verdad, la religión judía con sus determinaciones legales particulares (K. Marti, *Das Buch Daniel* [1901] 58s; R. Bultmann, ZNW 27 [1928] 118s = Exegetica [1967] 129).

El empleo de *ʼæmæt* en el libro de Daniel es singular. Quizá únicamente Ecl 12,10 conozca un concepto de verdad semejante. Bultmann (cf. *sup.*) sospecha que Dn 8,12 ha sufrido influjos de concepciones persas y opina, con toda razón, que también el «libro de la verdad», del que el ángel toma revelaciones sobre el futuro para comunicárselas al vidente (Dn 10,21), delata influjo extranjero. En cualquier caso es claro que con Daniel comienza una nueva comprensión de *ʼæmæt* y con ella una nueva comprensión de la verdad.

V. No podemos seguir aquí en detalle la *supervivencia* de este grupo de palabras o sus correspondientes griegos en la literatura de Qumrán, en el judaísmo posterior y en el NT. También los datos bibliográficos exigen una selección:

a) «Creer»: además de A. Weiser y R. Bultmann, art. πιστεύω: ThW VI, 171-230, y los artículos de los diccionarios RGG, EKL y otros, se pueden citar los siguientes:

A. Schlatter, *Der Glaube im NT* (1927); W. G. Kümmel, *Der Glaube im NT, seine katholische und reformatorische Deutung:* ThBl 16 (1937) 209-211 = *Heilsgeschehen und Geschichte* (1965) 67-80; E. Walter, *Glaube, Hoffnung, Liebe im NT* (1940); M. Buber, *Zwei Glaubensweisen* (1950); G. Schrenk, *Martin Bubers Beurteilung des Paulus in seiner Schrift «Zwei Glaubensweisen»:* Judaica 8 (1952) 1-25; M. Bonningues, *La Foi dans l'évangile de St. Jean* (1955); G. Ebeling, *Was heisst Glauben?* (1958); íd., *Jesus und Glaube:* ZThK 55 (1958) 64-110 = *Wort und Glaube* (1960) 203-254; W. Grundmann, *Verständnis und Bewegung des Glaubens in Johannes-Evangelium:* KuD 6 (1960) 131-154; F. Neugebauer. *In Christus, EN XPIΣTΩI. Eine Untersuchung zum paulinischen Glaubensverständnis* (1961) 150-181; H. Schlier, *Glauben, Erkennen, Lieben nach dem Johannesevangelium,* FS Söhngen (1962) 98-111 = *Besinnung auf das NT* (1964) 279-293; H. Ljungmann, *Pistis, A Study of its Presuppositions and its Meaning in Pauline Use* (1964); H. Conzelmann, *Fragen an Gerhard von Rad:* EvTh 24 (1964) 113-125 (123ss); E. Grässer, *Der Glaube im Hebräerbrief* (1965); N. Lazure, *Les valeurs morales de la théologie johannique* (1965) 161-204; P. Stuhlmacher, *Gerechtigkeit Gottes bei Paulus* ([2]1966) 81-83; H. Conzelmann, *Grundriss der Theologie des NT* (1967) 79s.192ss; C. A. Keller, *Glaube in der «Weisheit Salomos»,* FS Eichrodt (1970) 11-20.

b) «Amén», en el judaísmo, en el NT y en la primitiva Iglesia: H. Schlier, art. ἀμήν: ThW I, 339-342; StrB I, 242-244; III, 456-461; RAC I, 378-380; BHH I, 80s; V. Hasler, *Amen* (1969).

Además: H. W. Hogg, JQR 8 (1897) 1-23; G. Dalman, *Die Worte Jesu* ([2]1930) 185-187; P. Glaue, ZKG 44 (NF 7) (1925) 184-198; D. Daube, *The NT and Rabbinic Judaism* (1956) 388-393.

c) «Verdad»: además de G. Quell y R. Bultmann, art. ἀλήθεια: ThW I, 233-251, se ofrece nueva bibliografía en RGG, EKL, etc.:

R. Bultmann, ZNW 27 (1928) 134-163; F. Nötscher, *«Wahrheit» als theol. Terminus in den Qumrantexten:* FS Christian (1956) 83-92 = *Von Alten zum Neuen Testament, Ges. Aufs.* (1962) 112-125; H. Kosmala, *Hebräer, Essener, Christen* (1959) 135-173.192-207; L. J. Kuyper, *Grace and Truth:* «Interpretation» 18 (1964)

3-19; O. Böcher, *Der joh. Dualismus im Zusammenhang nachbibl. Judentums* (1965); N. Lazure, *loc. cit.* (cf. *sup.*) 70-90 (bibliografía); P. Ricca, *Die Eschatologie des vierten Evangeliums* (1966) 111-113.

H. WILDBERGER

אמץ *'mṣ* Ser fuerte

1. La raíz *'mṣ* aparece sólo en hebreo y esporádicamente en ugarítico (cf. UT N. 228; WUS N. 282).

En los caballos llamados *'ᵃmuṣṣīm,* de Zac 6,3.7, se trata de la designación de un color y el término no pertenece a nuestra raíz (cf. HAL 63b: «[caballo] pío»; A. Guillaume, Abr-Nahrain 2 [1962] 7, «dust-coloured»; W. D. McHardy, FS Kahle [1968] 174ss).
Además del verbo en qal, piel, hitpael, hifil (cf. Jenni, HP 280), se emplean también el adjetivo *'ammīṣ,* «fuerte», y los sustantivos *'ōmæṣ, 'amṣā* (Zac 12,5, texto dudoso), «fuerza», y *ma'ᵃmāṣ,* «esfuerzo».
Sobre los nombres propios *'ᵃmaṣyā(hū), 'āmōṣ, 'amṣī,* cf. Noth, IP 190.

2. Las palabras pertenecientes a este grupo aparecen en el AT 50 × (qal 16 ×, piel 19 ×, hitpael 4 ×, hifil 2 ×), *'ammīṣ* 6 × y los sustantivos 1 × cada uno.
Las formas verbales aparecen con mayor frecuencia en la literatura deuteronomístico-cronista y en Dt (qal 12 ×, piel 6 ×, hitpael 3 ×), después en los salmos) (qal 2 ×, piel 3 ×, hifil 2 ×), en la literatura sapiencial (piel 5 ×) y en los escritos proféticos (piel 5 ×).

3. Los diversos significados de esta raíz se derivan de su significado base «ser fuerte, vigoroso». El vocablo aparece sólo con sujeto personal (Dios, el hombre). En qal *'mṣ* aparece sólo (a excepción de la fórmula de ánimo, cf. *inf.* 4) en relación a la fuerza superior de un pueblo (Gn 25,23; 2 Cr 13,18) y en los salmos de lamentación individuales para referirse a la fuerza amenazadora del enemigo del salmista. El piel factitivo designa el aumento de la fuerza física (con frecuencia, unido a → *kōᵃḥ:* Am 2,14; Nah 2,2; cf. Prov 31,17; Is 35,3; Job 4,4), el endurecimiento del corazón (Dt 2,30; 15,7; 2 Cr 36,13; cf. E. Hesse, *Das Verstockungsproblem im AT* [1955] 16), el despertar del afligido (Job 16,5) o de quien ha recibido una vocación (cf. *inf.* 4) o la reparación de un edificio (el templo en 2 Cr 24,13; cf. la consolidación de las nubes por obra de Dios en Prov 8,28). El hitpael significa «realizar algo con el empleo de fuerza» (1 Re 12,18 = 2 Cr 10,18), «ser superior a alguien» (2 Cr 13,7) y «estar firmemente decidido» (Rut 1,18). Sobre hifil, cf. *inf.* 4.

Las raíces sinónimas más importantes son: → *ḥzq* y → *'zz;* como opuestos hay que considerar *dll,* «ser pequeño», y *rph,* «estar dormido».

4. En los salmos de lamentación individuales, la fuerza superior de los enemigos (2 Sm 22,18 = Sal 18,18; Sal 142,7) es ocasión para implorar la intervención salvífica de Dios, que se muestra superior a toda fuerza humana (cf. 2 Cr 13,18). La más característica, sin embargo, es la estereotipada fórmula de ánimo en el Dt y en la literatura deuteronomístico-cronista: *ḥᵃzaq wæ'æmaṣ,* «sé firme y fuerte», o su correspondiente plural *ḥizqū wᵉ'imṣū* (cf. N. Lohfink, «Scholastik» 37 [1962] 32-44). La fórmula pertenecía originalmente a la promesa de asistencia divina, especialmente en contexto de guerra (Dt 31,6; Jos 1,6; 10,25; cf. también Nah 2,2; → *ḥzq),* promesa que se expresa como oráculo de salvación dirigido a un jefe del pueblo amenazado por los enemigos (Dt 31,7.23) o al pueblo que se prepara para el combate (Dt 31, 6; Jos 10,25). Es peculiar la relación de la fórmula con la observancia de los mandatos promulgados por medio de Moisés o incluso con la observancia de los mandatos del código legal (Jos 1, 7ss; cf. Noth, HAT 7,28), relación que corresponde a los intereses deuteronó-

micos. La fórmula fue trasladada después también al ámbito cultual como exhortación divina que hace desaparecer el miedo (de todos modos, sólo con *ʾmṣ* hifil: Sal 27,14; 31,25). En el contexto del oráculo de salvación cúltico, *ʾmṣ* aparece en la promesa de ayuda hecha por Yahvé al siervo de Dios (Is 41,10; cf. Sal 89,22).

Es discutida la interpretación de Sal 80, 16.18, donde debe tratarse o bien de la «educación del rey», basada en la antigua concepción de relación padre-hijo entre Dios y el rey (así, Kraus, BK XV, 559s), o bien de la educación de todo el pueblo (interpretación que apoyaría el v. 16; así, Weiser, ATD 15, 375; cf. Os 10,1ss; Ez 16,7).

5. Los empleos más importantes del término anteriormente citados se encuentran también en la literatura de Qumrán y concretamente, como era de esperar, en el Documento de la Guerra (1QM) y en los salmos de alabanza (1QH) de la cueva I (cf. Kuhn, *Konk.*, 17). Sobre la fórmula de ánimo en el NT, cf. 1 Cr 16,13.

A. S. van der Woude

אמר *ʾmr* Decir

1. Todas las lenguas semíticas conocen una raíz *ʾmr,* pero el significado «decir, hablar» es propio sólo del semítico noroccidental, es decir, de los diversos dialectos cananeos (sin el ugarítico) y arameos (cf. DISO 17s). En árabe clásico y árabe meridional antiguo significa, tras un salto natural que se da también en el hebreo veterotestamentario tardío, «ordenar»; por el contrario, el acádico *amāru* (y probablemente el ugarítico *amr* Gt; cf. WUS N. 283; UT N. 229) significa «ver»; cf. el sentido semejante del etiópico *ʾmr* I/2, «mostrar».

Sobre el supuesto desarrollo del significado «ver > decir», cf. S. Moscati, *La radice semitica ʾmr:* Bibl 27 (1946) 115-126; HAL 63b, con datos bibliográficos; además, H. Kronasser, *Handbuch der Semasiologie* (1952) 93.

El que en acádico *ʾmr* signifique ver y que, por tanto, se quiera ver en ese significado la etimología del hebreo *ʾmr,* no justifica apelar, como lo hace Dahood, Bibl 44 (1963), a un supuesto significado base «ver» para interpretar Sal 11,1; 29,9 y 71,10 (textos en los que siempre sigue al verbo una *oratio directa).*

El verbo se emplea, además de en la forma qal, en la forma nifal (pasiva) y hifil (discutido en cuanto a su significado, aunque ciertamente causativo) (cf. *inf. 3b).*

ʾmr hitpael, «alabarse, vanagloriarse» (Sal 94,4; a leer quizá también en Is 61,6), y sus sustantivos correspondientes, *ʾāmīr* o *ʾēmær,* «copa, ramo, rama», están presentados por separado en HAL 61a.65a (a diferencia de GB 48a.51) como pertenecientes a una raíz especial *ʾmr* II.

Como nombres derivados se encuentran, junto a la rara forma *qutl ʾomær,* «dicho, noticia; cosa», las formas *qitl ʾēmær/ʾimrā,* «palabra, sentencia», así como el término tardío arameizante *maʾamār,* «palabra, orden» (Wagner, N. 149); cf. también el infinitivo sustantivado arameo-bíblico *mēmar,* «palabra, orden».

De entre las lenguas vecinas del semítico noroccidental se pueden citar también el ugarítico *amr,* «deseo, discurso (?)» (WUS N. 284), y el yaúdico *ʾmrh,* «discurso, palabra, orden (?)» (DISO 18; KAI N. 214, línea 26.32, cf. II, 221).

Sobre los nombres personales *ʾamaryā(hū),* con su forma abreviada *ʾimrī,* y eventualmente *ʾōmār* e *ʾimmēr,* cf. Noth, IP 173; HAL 21b.65f; Gröndahl 99; Huffmon 168.

2. *ʾmr* qal, «decir», es, con sus 5.282 presencias, el verbo más frecuente del AT (delante de → *hyh,* «ser»; → *ʿśh,* «hacer»; → *bōʾ,* «venir»; → *ntn,* «dar»; → *hlk,* «ir»); es «una de las monedas de cambio más comunes de la lengua» (O. Procksch, THW IV, 90). A esto se debe su regular distribución a lo largo de todo el AT, aunque, como es lógico, aparece con mayor frecuencia en los textos narrativos que

en los textos jurídicos o poéticos, por ejemplo.

'mr está representado en todos los libros del AT: Gn 603 × (347 × *wayyṓmær/wayyōmar* y 81 × *lēmōr),* Ex 299 ×, Lv 80 ×, Nm 244 ×, Dt 140 ×, Jos 136 ×, Jue 269 ×, 1 Sm 422 ×, 2 Sm 334 ×, 1 Re 326 ×, 2 Re 343 ×, Is 241 ×, Jr 475 × (163 × *'āmar,* 49 × *wayyṓmær* y 114 × *lēmōr),* Ez 362 ×, Os 20 ×, Jl 5 ×, Am 52 ×, Abd 2 ×, Jon 22 ×, Miq 10 ×, Nah 2 ×, Hab 3 ×, Sof 4 ×, Ag 26 ×, Zac 109 ×, Mal 40 ×, Sal 99 ×, Job 97 ×, Prov 25 ×, Rut 54 ×, Cant 2 ×, Ecl 20 ×, Lam 10 ×, Est 52 ×, Dn 22 ×, Esd 15 ×, Neh 61 ×, 1 Cr 72 ×, 2 Cr 184 ×. De las 5.282 formas (en Lisowsky faltan: 1 Sm 4,16b y 17,10: *wayyṓmær;* 2 Re 16,7: *lēmōr,* y Ez 4,14: *wā'ōmar),* 930 × pertenecen a la fórmula *lēmōr* (además, 9 × *lēmōr* como infinitivo con *le),* 2.069 × a *wayyṓmær* o *wayyōmar* y otras 644 × son formas compuestas con *waw* (en Lisowsky están mal colocados 2 Sm 20,18a: *lēmōr;* 2 Re 9,17: *weyōmar,* y 1 Cr 16,31: *weyōmerū)**.

'mr nifal aparece 21 ×; hifil 2 ×; el arameo *'mr* qal 71 × (Dn 65 ×, Esd 5 ×, Jr 1 ×).

Los sustantivos aparecen: *'ṓmær* 6 ×, *'ēmær* 48 ×, *'imrā* 37 ×, *ma'ămār* 3 × (en Est); el arameo *mēmar* 2 ×.

3. *a) 'mr* qal significa «decir, hablar» (si lo pide el contexto, puede también ser traducido por «preguntar» o «responder»; → *š'l,* → *'nh),* y es la introducción normal del discurso directo o (más raro) indirecto (BrSynt 140). A diferencia de *dbr* piel (→ *dābār* III/1), *'mr* nunca significa «hablar» sin indicación de lo hablado (GB 50; HAL 64a; sobre las aparentes excepciones, cf. *ibíd.;* cf. Jenni, HP 165, nota 192).

El verbo *'mr* se emplea con una cierta frecuencia en el *perfectum declarativum* (perfecto de ratificación) en 1.ª persona singular, característico de los verbos de decir en sentido amplio (→ *qr',* «llamar»; → *brk* piel, «bendecir»; → *šb'* nifal, «jurar», también → *ntn,* «dar, declarar como apropiado»), y que sirve para asegurar la coincidencia entre lo afirmado y la acción: *'āmartī,* «con/por eso digo» (cf. Dt 32,40; Jue 2,3; 2 Sm 19,30; Is 22,4; Sal 16,2, texto enmendado; 31,15; 75,5; 119,57; 140,7; 142,6; hifil 9,22; 32,10; cf. Bergstr. II, 27s; BrSynt 40; D. Michel, *Tempora und Satzstellung in den Psalmen* [1960] 80.92-95; E. Koschmieder, *Beiträge zur allgemeinen Syntax* [1965] 26-34); también la fórmula *kō 'āmar Yhwh,* «así habla Yahvé (por mediación mía)», podría pertenecer a este grupo.

Como sujetos de *'mr* aparecen Dios, los hombres, las bestias (Gn 3,1; Nm 22,28.30) y —en fábulas— los árboles (Jue 9,8ss). El discurso anunciado por *'mr* es introducido en la mayoría de los casos sin transición ninguna: en ocasiones se interponen *lēmōr* (cf. *inf.), kī* (por ejemplo, Gn 29,33; Ex 4,25; Jue 6,16) o *'ăšær* (Neh 13,19.22: «ordenar») (cf. Joüon, 480). La persona a quien se dirige el discurso es introducida por medio de *'æl* o *le;* las mismas preposiciones sirven también para designar a las personas o cosas de las que se dice algo. El acusativo se emplea, como en Sal 41,6: «dicen hostilidades contra mí», cuando sigue un discurso directo o cuando se debe traducir el verbo por «mencionar» o «nombrar» (HAL 64a, 3a-c) (para el último, también *le).*

No es raro el empleo de *'mr* para introducir un discurso directo incluso detrás de otro verbo de decir, bien como imperfecto consecutivo (después de *dbr* piel, *'nh* e incluso tras el mismo *'mr),* o bien, lo cual es frecuentísimo, como infinitivo más *le* = *lēmōr,* «para decir, diciendo, con estas palabras, de la forma siguiente» (sobre esta forma, cf. BL 223.370), detrás de *dbr* piel, *š'l, ṣwh* piel e incluso *'mr,* o detrás de otros muchos *verba dicendi.*

En algunos casos, la mayoría de ellos, relativamente tardíos, *'mr* puede significar «ordenar», como en arameo y árabe. Más frecuente es todavía el empleo en el sentido de «decirse a sí mismo» = «pensar», con frecuencia en la construcción *'mr belibbō/'æl-libbō/lelibbō,* «decir en/a su corazón» (cf. N. Bratsiotis, *Der Monolog im AT:* ZAW 73 [1961] 30-70, especialmente 46s; sobre los verbos de pensar → *ḥšb).* La enumeración de estos y de los demás casos de esta sección pueden verse en GB 50s y HAL 64.

b) *ʾmr* nifal tiene un sentido pasivo («ser dicho, ser mencionado») y se puede traducir perfectamente (al igual que el latín *dicitur,* «se dice») como impersonal.

Sobre los dos casos de *ʾmr* hifil, «inducir a decir» (Dt 26,17s), cf. R. Smend, *Die Bundesformel* (1963) 7s.33 («proclamar»); Th. C. Vriezen, *Das Hiphil von ʾamar in Deut 26,17. 18:* JEOL 17 (1963) 207-210; von Rad, ATD 8,116; anterior bibliografía en GB 51a.

c) En cuanto a los sustantivos de la raíz *ʾmr,* la diferenciación de los significados resulta complicada en algunos textos debido al estado difícil e inseguro del texto (*ʾōmær,* en Hab 3,9; Sal 68,12; 77, 9; *ʾēmær,* en Job 20,29; Prov 19,7; 22, 21). Tampoco el supuesto vocablo *ʾēmær,* propuesto en base a la forma sufijada *ʾimrō,* de Job 20.29, es del todo seguro (GVG I, 255: disimilación de *ʾomrō* a *ʾimrō:* lo mismo BL 215, donde las formas plurales y femeninas son explicadas como formas análogas a *ʾimr-).* Quizá deban tomarse en consideración las siguientes constataciones: a *ʾōmær* nunca sigue un genitivo o un sufijo; por tanto, tiene un sentido muy general: en Sal 19,3s, «palabras» casi en sentido de «habla, discurso»; en Job 22, 28, «cosa, algo» (→ *dābār*). *ʾimrā* aparece siempre (a excepción de Sal 12,7.7) en singular y seguido de genitivo o sufijo como *nomen unitatis* con el significado de «sentencia, párrafo» (referido a unidades poéticas o proféticas en Gn 4,23; Dt 32,2; Is 28,23; 32,9; en los demás casos, fuera de Is 29,4, referido siempre a la palabra de Dios, que aparece 19 × en el Sal 119 como entidad teológica propia). A esto se ajusta también el femenino plural de Sal 12,7: «las palabras (concretas) de Yahvé son (siempre) palabras limpias»; el masculino plural de *ʾēmær,* por el contrario (el singular no está documentado fuera del discutido texto de Job 20,29), puede ser también plural colectivo o de totalidad (Nyberg 220) (siempre con genitivo o sufijo fuera de Prov 19,7 y 22,21b; el significado «palabras» se refiere en todos los pasajes, incluso en Nm 24,4.16; Jos 24,27, a «todas»; Sal 107,11; Job 6,10. donde se habla de las «palabras de Dios», se refieren no a las «palabras singulares», sino a las «palabras en conjunto») *.

4. Que Dios habla es algo que se da por descontado en todo el AT; cuando él calla, hay algo que va mal. No es éste el lugar de abordar la problemática especial de la palabra de Dios en el AT (cf. O. Procksch, THW IV, 70.89.100; W. Zimmerli, RGG VI, 1809-1812; → *dābār* IV). Pero sí deben mencionarse aquí dos fórmulas fijas que se refieren, especialmente en la literatura profética, al hablar divino.

Muy frecuente es la expresión narrativa normal *wayyōmær Yhwh/ʾᵉlōhīm,* «y habló Yahvé/Dios», que en ocasiones (así en Gn 1, cf. W. H. Schmidt, *Die Schöpfungsgeschichte der Priesterschrift* [1964] 169-177; Westermann, BK I, 153s) tiene un sentido más fuerte. De gran importancia es también la no menos frecuente fórmula *kō ʾāmar Yhwh,* «así habla Yahvé» (sobre la traducción del perfecto, cf. K. Koch, *Was ist Formgeschichte?* [1964] 216, y *sup.* 3a), que constituye la introducción normal de la palabra profética de Yahvé. L. Köhler, *Deuterojesaja stilkritisch untersucht* (1923) 102-105; íd., *Kleine Lichter* (1945) 11-17, y Lindblom, *Die literarische Gattung der profetischen Literatur* (1924) 160s, han reconocido en otra fórmula el género literario de mensaje, que tiene su modelo en el ambiente profano. Siguiendo a esos autores se ha dado en designar dicha expresión como «fórmula del mensajero» (cf. Wildberger, *Jahwewort und profetische Rede bei Jeremia* [1942] 46ss; C. Westermann, *Grundformen profetischer Rede* [1960] 70ss, y otros). La fórmula «así habla NN» se emplea en sentido profano en Gn 32,4-6, y de forma semejante en Babilonia y en las cartas de Amarna (cf. Köhler, *loc. cit.;* sobre los paralelos de Mari, cf. M. Noth, *Geschichte und Gotteswort im AT,* en *Ges. Stud.,* 230-247). La tercera fórmula que debe mencionarse, el simple *ʾāmar Yhwh,* «habla Yahvé», aparece con especial frecuencia como conclusión de las palabras del mensajero e incluso en ocasiones inserto dentro de las mismas (de modo semejante a → *nᵉʾūm Yhwh;* sobre la relación entre *(kō) ʾāmar Yhwh* y *neʾūm Yhwh,* cf. F. Baumgärtel, ZAW 73 [1961] 278.284ss).

En estos ejemplos aparece con gran claridad que incluso palabras de uso cotidiano se pueden convertir en palabras características de determinados géneros literarios. Para designar especiales palabras de Dios como mandato o promesa se emplea junto a verbos específicos como → *ṣwh* piel, «ordenar», el verbo *dbr* piel (→ *dābār* IV/1), con preferencia a *ʾmr.*

5. El empleo de *ʾmr* en Qumrán corresponde totalmente al del AT (incluido el empleo de *lēmōr).* El verbo tiene un sentido concreto especial en 1QpHab y comentarios semejantes, donde por medio de *ʾšr ʾmr,* «cuando dice», se introducen palabras de la Escritura (cf. K. Elliger, *Studien zum Habakuk-Kommentar vom Toten Meer* [1953] 124s; E. Osswald, ZAW 68 [1956] 245).

Dado el carácter poco específico del verbo, los LXX emplean más de 40 equivalentes griegos para traducirlo, entre los que destacan εἰπεῖν y λέγειν (la diferencia entre *ʾmr* = λέγειν, «decir», y *dbr* piel = λαλεῖν, «hablar», se mantiene con gran regularidad).

El NT sigue de cerca, en especial en las partes narrativas de los evangelios, al AT. El significado central de λόγος en los diversos escritos del NT es independiente, al menos lingüísticamente, del uso de *ʾmr* en el AT (cf. O. Procksch y G. Kittel, art. λέγω: ThW IV, 89-147).

H. H. Schmid

אֱנוֹשׁ *ʾænōš* Hombre → אָדָם *ʾādām*

אֲנִי *ʾanī* Yo

1. El pronombre personal independiente de 1.ª persona singular tiene en las lenguas semíticas una doble forma: una breve y otra larga. Al semítico común **ʾanā* se ha añadido en las lenguas semíticas orientales y noroccidentales un elemento *-k,* cuya vocal de desinencia es distinta en el semítico noroccidental y en el oriental (acádico, *anāku;* ugarítico, *ank;* glosas cananeas de EA 287,66.69, *a-nu-ki;* fenicio-púnico y arameo antiguo, *ʾnk* y *ʾnky;* hebreo, *ʾanōkī).* La forma breve no presenta siempre la misma vocal final; la diferencia puede ser cuantitativa y cualitativa (sobre el babilónico antiguo *ana,* cf. Moscati, *Introduction,* 103; CAD A/II, 110s; ugarítico, *an;* hebreo, *ʾanī;* arameo, *ʾanā;* árabe, *ʾanā;* etiópico, *ʾana).*

En las lenguas semíticas noroccidentales (ugarítico, fenicio-púnico y hebreo) se usan ambas formas, la larga y la breve. En ugarítico domina la forma larga (5 : 1, por ejemplo), que aparece en textos poéticos y, sobre todo, en prosa. La forma breve no ha sido documentada todavía en ningún texto poético. La forma breve y la más enfática forma larga pueden aparecer una junto a otra (Texto 51 [= II AB] IV/V 59s). En fenicio-púnico la forma breve es tardía y rara (Friedrich 111; DISO 19). En hebreo, por influjo del arameo, ha disminuido mucho el empleo de la forma larga (cf. Wagner, 130; cf. *inf.* 2). En el hebreo medio posterior al AT la forma larga aparece sólo en citas veterotestamentarias.

2. *ʾānōkī* aparece 358 × en el AT (de ellas 63 × unido con *we*), *ʾanī* aparece 870 × (177 × con *we*).

	ʾānōkī	*ʾanī*	*Total*
Gn	56	41	97
Ex	21	39	60
Lv	—	67	67
Nm	7	21	28
Dt	56	9	65
Jos	9	4	13
Jue	17	12	29
1 Sm	26	20	46
2 Sm	24	30	54
1 Re	7	30	37
2 Re	2	16	18
Is	26	79	105
Jr	37	54	91
Ez	1	169	170
Os	11	12	23

	ᵓānōkī	*ᵓanī*	*Total*
Jl	—	4	4
Am	10	1	11
Abd	—	—	—
Jn	2	5	7
Miq	1	2	3
Nah	—	—	—
Hab	—	1	1
Sof	—	2	2
Ag	—	4	4
Zac	5	11	16
Mal	1	8	9
Sal	13	70	83
Job	14	29	43
Prov	2	7	9
Rut	7	2	9
Cant	—	12	12
Ecl	—	29	29
Lam	—	4	4
Est	—	6	6
Dn	1	23	24
Esd	—	2	2
Neh	1	15	16
1 Cr	1	12	13
2 Cr	—	18	18
Total AT	358	870	1.228

La forma breve está documentada en todos los libros del AT a excepción de Abd y Nah que nunca usan el pronombre personal independiente singular. La forma larga falta en Lv, Jl, Hab, Sof, Ag, Cant, Ecl, Lam, Est, Esd, 2 Cr; en los demás libros tardíos su uso es también muy limitado; predomina sólo en Gn, Dt, Jos, Jue, 1 Sm, Am y Rut. La forma breve es especialmente frecuente en P, Ez (forma larga sólo en Ez 36,28) y DtIs (55 : 24), así como en el Tritoisaías (15 : 2). En Gn la relación entre la forma larga y la forma breve es la siguiente: en J 39/19, en E 16/13, en P 1/8 (seguimos la división de fuentes establecida por M. Noth, *Überlieferungsgeschichte des Pentateuch* [1948] 29ss); cf. HAL 70a, donde se ofrece bibliografía antigua en torno a esta estadística.

La forma corta puede seguir a la forma larga (Ex 7,17; 2 Sm 3,13; Job 33,9); aunque el orden también puede ser inverso (Is 45,12; Jon 1,9).

En arameo-bíblico, *ᵓanā* aparece 16 × (Dn 14 ×, Esd 2 ×).

3. El pronombre personal independiente de primera persona singular da al que habla la posibilidad de inserirse de forma enfática en la conversación y de manifestar expresamente su situación. Esta función del pronombre personal se ha perdido casi por completo en los textos tardíos (Ecl 2,11.12.13.15).

El sujeto que habla se presenta poniendo por delante su nombre (Gn 27,19; 45,3; Rut 3,9), mencionando un título o profesión (Gn 41,44; 1 Re 13,18), aludiendo a la ascendencia de la que proviene (Gn 24,24.34; 1 Sm 30,13), a su origen (2 Sm 1,8; Jon 1,9) o a su situación jurídica (Gn 23,4; 2 Sm 14,5; Am 7,14). A la pregunta sobre la identidad se responde con «Yo (soy)» (= sí!) (2 Sm 2,20; 20,17; 1 Re 18,8). El que habla informa sobre su situación y su salud (1 Sm 1,15; Sal 109,22; 119,141; Job 9,21). Ante superiores se llama «esclavo» (2 Sm 15,34; también en el trato diplomático en casos de dependencia: 2 Re 16,7; cf. además L. Köhler, ZAW 40 [1922] 43-45; Lande, 30.68ss; H. Grapow, *Wie die alten Ägypter sich anredeten* [[2]1960] 179-185). En las exclamaciones interrogativas se suele manifestar impotencia, extrañeza, indignación (Gn 4,9; 30,2; 1 Sm 1,8; 2 Sm 3,8), pero también resignación y humilde sumisión del yo que habla (Ex 3,11; 1 Sm 18,18; 2 Sm 7,18). Expresiones formularias se usan para el juramento (*ḥay ᵓāni,* Nm 14,21.28 y otros, 20 ×; *ḥay ᵓānōkī,* Dt 32,40, caso único con la forma larga; → *ḥyh* 3c) y para indicar la edad (Dt 31,2; Jos 14,7; 2 Sm 19,36). El que habla puede ponerse enfáticamente junto con otra persona o incluso un grupo de personas (Gn 31,44; Jue 7,18; 1 Sm 20,23) o también destacarse o enfrentarse a su ambiente (Job 32,6). En enfrentamientos aparece con frecuencia el pronombre personal unido a *wᵉ-* (Gn 27,11; Ex 2,9; Jos 24,15; 1 Sm 17,45; 1 Re 12,11; Jr 36,18).

Conforme a las intenciones anteriormente mencionadas, depende del grado de participación personal y de la situación de la conversación el uso o no uso del pronombre personal independiente de primera persona singular para dar un énfasis especial a las palabras del que habla (*ʾānōkī,* con perfecto: Jos 7,20; 1 Sm 22,22; con imperfecto: Gn 38,17; 1 Re 2,18). El pronombre personal aparece también, sin énfasis especial, en frases secundarias introducidas por *ki* y también con frecuencia en frases relativas tras un participio. Se puede marcar el énfasis con la partícula *gam* antepuesta al pronombre (Gn 21,26; 2 Re 2,3; Sal 71,22; Prov 1,26) o por medio de la partícula *ʾaf* testimoniada en los textos más recientes (Gn 40,16; Job 32,10.17).

Por medio del imperativo de → *rʾh,* «ver» (2 Sm 7,2), que más tarde será sustituido por la partícula demostrativa → *hinnē,* «mira, he ahí», se solicita de modo especial la atención del que escucha hacia el que habla y hacia sus palabras (Jue 7,17; cf. Gn 25,22).

4. Los pasajes en que Dios habla en primera persona son más frecuentes en los discursos divinos de las narraciones patriarcales, en las secciones legales del Pentateuco y en los discursos proféticos. Los pasajes en que Dios habla en primera persona se van haciendo menos numerosos en los textos posexílicos; con frecuencia son simples citas de formas antiguas (Ag 1,13; 2,4). El *angelus interpres* ocupa el lugar de Dios (Zac 1,9; Dn 10,11ss).

El pronombre personal independiente de primera persona singular no se emplea en los discursos divinos de forma distinta a como ocurre en los discursos humanos semejantes. La fórmula de presentación puede abrir los discursos de Dios en los que se hacen afirmaciones sobre el ser de Dios y su actuación con individuos o con una comunidad. El pronombre personal se usa unido a *wᵉ* en las confrontaciones entre la actitud y actuación humanas y divinas (Ex 4,15; 2 Sm 12,12; Is 65, 24; Os 7,13; Jon 4,10s). En los discursos divinos aparecen con frecuencia frases secundarias introducidas por *ki* o frases relativas con participio. Las partículas *gam* (Gn 20,6; Lv 26,24; Ez 8,18) y *ʾaf* (Lv 26,16; Sal 89,28) aumentan el énfasis. *hinnē* (Gn 28,15; Ex 4,23; 1 Sm 3,11; Jr 6,19; Ez 37,5. 12.19.21; Am 2,13) y el más expresivo *hinᵉnī* (Gn 6,17; Ez 5,8; 6,3; 34,11. 20) indican por lo general una nueva actuación de Dios.

La fórmula de autopresentación revela el nombre de Dios en relación con su acción histórica. Con ello se interpela al hombre para que dé una respuesta. La revelación del nombre divino hace que el hombre pueda invocar a Dios (fundamentales: W. Zimmerli, *Ich bin Yahwe:* FS Alt [1953] 179-209 = GO 11-40; además: K. Elliger, *Ich bin der Herr - euer Gott:* FS Heim [1954] 9-34 = KS 211-231; R. Rendtorff, *Die Offenbarungsvorstellungen im Alten Israel,* en *Offenbarung als Geschichte:* KuD cuaderno 1 [²1963] 21-41). La fórmula de autopresentación proviene del politeísmo y está muy extendida en todo el Antiguo Oriente (cf. también A. Poebel, *Das appositionell bestimmte Pronomen der 1. Pers. Sing. in den westsemitischen Inschriften und im AT* [1932]. Con esta referencia de la divinidad a sus propias acciones y propiedades, la fórmula de autopresentación adquiere el carácter de autoalabanza (en el AT, en DtIs: Is 44,24; 45,7; también en palabras de juicio y polémica; cf. Westermann, ATD 19, 124-132; H.-M. Dion, *Le genre littéraire sumérien de l'«hymne à soi même» et quelques passages du Deutéro-Isaïe:* RB 74 [1957] 215-234).

La fórmula veterotestamentaria de autopresentación es una frase nominal independiente, tanto en la forma breve «yo soy Yahvé» como en la fórmula completa «yo soy Yahvé, tu/vuestro Dios». Yahvé no se presenta como un desconocido, sino que, junto con la comunicación de su nombre, hace referencia a acontecimientos antiguos y ya conocidos (Gn 15,7; 26,24; 28,13; 31, 13; Ex 3,6; también: Os 12,10; 13,4). La promesa que en ocasiones sigue sitúa la futura acción de Dios en este contexto histórico. La autopresentación divina no estaba unida originalmente a la proclamación de la ley. La fórmula breve es aquí, lo mismo que en los profetas exílicos, un resumen conciso del poder que se atribuye Dios, atribución que se remite a las pruebas presentadas por el mismo Dios a lo largo de la historia de Israel (sobre P, cf. Lv 18-19 *passim;* sobre DtIs, cf. Is 45,21; 43,11 o 45,22 y 48,12).

Unida al verbo → *yd'*, la fórmula de autopresentación se convierte en fórmula de confesión («¡reconoced que yo soy Yahvé!»). El reconocimiento de Yahvé tiene lugar en conexión con las pruebas históricas presentadas por el mismo Dios (cf. la tradición del éxodo). La unión de la fórmula de confesión con sucesos inminentes constituye una característica de la profecía exílica (en Ez sobre todo en unión con palabras de juicio; en DtIs en unión con oráculos de aceptación y de vocación: Is 49, 23.26; 45,2s.5s.7).

5. Sobre Qumrán, cf. S. Mowinckel, *Jeg'et i Qumransalmene:* NTT 62 (1961) 28-46; sobre el NT, cf. sobre todo E. Stauffer, art. ἐγώ: ThW II, 341-360; además, E. Schweizer, *Ego eimi* (1939, ²1965) 12ss; sobre el contexto: E. Norden, *Agnostos theos* (1913) (reimpresión, 1960) 177ss.

K. Günther

אסף *'sp* Reunir → קבץ *qbṣ*

אַף *'af* Ira

1. La raíz *'np* pertenece al semítico común. De ella se deriva el sustantivo **'anp-* (→ **'app-)*, «nariz» (Bergstr., *Einf.*, 184; P. Fronzaroli, AANLR VIII/19 [1964] 269), que en algunas lenguas semíticas ha dado paso al verbo denominativo *'np*.

El sustantivo, que en semítico meridional aparece sin asimilación de la segunda radical y en las demás lenguas con asimilación de la misma y que se emplea frecuentemente en dual, está representado en todos los dialectos semíticos en su significado de «nariz» (en acádico, *appu,* AHw 60; CAD A/II, 184-189; en ugarítico, *ap,* WUS N. 344; UT N. 264; sobre el arameo antiguo, cf. DISO 21; en arameo imperial y arameo-bíblico, *'anpōhī,* «su rostro», Dn 2,46; 3,19 escrito otra vez con *n).* Funciona como un masculino (K. Albrecht, ZAW 16 [1896] 78).

Por el contrario, el verbo *'np*, «resoplar (de ira)», que es probablemente denominativo (Mandelkern, 131; más reservado, O. Grether, ThW V, 392, nota 56.57), está documentado sólo en hebreo (qal y hitpael), moabita (KAI N. 181, línea 5), acádico (AHw 320a) y árabe (con el significado de «rechazar, renunciar, sentir repugnancia», Wehr, 27).

Nombres propios formados con esta raíz son: *'appáyim* (1 Cr 2,30s; Nöldeke, BS 102: «nariz pequeña»; Noth, IP 227: «con nariz grande») y *Ḥᵃrūmaf* (Neh 3,10; Noth, IP 227: «con la nariz partida»).

Quizá tenga que ver con esta raíz también el nombre *'ᵃnāfā* (Lv 11,19; Dt 14, 18), una clase de pájaros impuros que incluye diversas especies (no identificado, cf. HAL 70b; IDB II, 596; BHH III [1578]; G. R. Driver, PEQ 87 [1955] 17s).

2. El verbo *'np* aparece en el AT 14 ×, 8 × en qal y 6 × en hitpael (el último siempre dentro del ámbito deuteronómico-deuteronomístico).

'af está más ampliamente documentado. En el AT aparece 235 veces en singular (excluido Hab 2,15, donde debe tratarse de la conjunción *'af):* 25 × con el significado «nariz», 42 × referido a la ira humana y 168 × referido a la ira divina.

El dual *'appáyim* está documentado 42 × (de las que queda excluido 1 Sm 1,5, que debe ser enmendado). También los dos casos de las partes arameas del AT deben entenderse como dual («cara») (F. Schulthess, ZAW 22 [1902] 164).

En la siguiente exposición se indican por separado los casos del verbo (qal, hitpael), del singular *'af* (N = «nariz»,

IH = «ira» humana, ID = «ira» divina) y del dual *'appáyim* (Du.):

	qal	*hit-pael*	*N*	*IH*	*ID*	*Du.*
Gn	—	—	1	6	—	6
Ex	—	—	—	3	5	2
Nm	—	—	1	2	10	2
Dt	—	4	1	—	12	—
Jos	—	—	—	—	3	—
Jue	—	—	—	2	5	—
1 Sm	—	—	—	4	1	6
2 Sm	—	—	2	1	2	4
1 Re	1	1	—	—	—	2
2 Re	—	1	1	—	4	—
Is	1	—	3	2	20	1
Jr	—	—	—	—	24	—
Ez	—	—	3	1	11	—
Os	—	—	—	—	4	—
Jl	—	—	—	—	—	1
Am	—	—	1	1	—	—
Jon	—	—	—	—	1	1
Miq	—	—	—	—	2	—
Neh	—	—	—	—	1	1
Hab	—	—	—	—	2	—
Sof	—	—	—	—	4	—
Zac	—	—	—	—	1	—
Sal	4	—	4	4	24	3
Job	—	—	4	7	11	—
Prov	—	—	2	7	1	6
Cant	—	—	2	—	—	—
Lam	—	—	—	—	10	1
Dn	—	—	—	—	1	1
Esd	1	—	—	—	2	—
Neh	—	—	—	—	—	2
1 Cr	—	—	—	—	1	1
2 Cr	1	—	—	2	6	2
AT hebr.	8	6	25	42	168	42

3. *a)* Se debe partir del significado concreto del sustantivo como designación del miembro corporal «nariz». La forma dual *'appáyim* significa «los dos lóbulos o ventanas nasales» por los que entra y sale el aliento vital (Gn 2, 7; 7,22); también en Ex 15,8 y Lam 4,20 (quizá también en KAI N. 224, línea 2, y quizá KAI II, 266) está presente todavía este significado fundamental.

Lo mismo sucede en acádico, donde innumerables casos atestiguan el empleo del término para designar este miembro corporal: perforación de la nariz, corte de la nariz, etc. (AHw 60; CAD A/II, 184-189).

Se emplea el dual para designar como *pars pro toto* la totalidad de la cara (Gn 3,19; en arameo, Dn 3,19) y tiene un uso estereotipado en la expresión «caer sobre el rostro en señal de saludo» (Gn 42,6; 48,12; 1 Sm 20, 41; 24,9; 25,41; 28,14; 2 Sm 14,4.33; 18,28; 24,20 = 1 Cr 21,21; 1 Re 1,23. 31; Is 49,23; cf. en arameo Dn 2,46; ante mensajeros de Dios, Gn 19,1; Nm 22,31; en postura de oración, Neh 8,6; 2 Cr 7,3; 20,18; cf. también 2 Sm 25, 23: *l*ᵉ*'appē,* «ante»), cf. el acádico *appa labānu,* «postrarse humildemente» (AHw 522).

En sentido traslaticio se emplea el dual en la composición *'ǽræk 'appáyim,* «paciente», para designar la paciencia humana (Prov 14,29; 15,18; 16,32; *'ṓræk 'appáyim,* «paciencia», 25,15) y la divina (Ex 34,6; Nm 14,18; Jon 4, 2; Nah 1,3; Sal 86,15; 103,8; 145,8; Neh 9,17); la composición *q*ᵉ*ṣar-'appáyim,* por el contrario, designa la impaciencia (Prov 14,17; cf. 14,29 con *rûᵃḥ).*

El significado traslaticio «ira» aparece sólo en dos (discutibles) pasajes: Prov 30,33b y Dn 11,20 (cf. comentarios).

b) También la forma singular designa primeramente el miembro corporal.

Referido a los hombres: Nm 11,20; Ez 23,25; Am 4,10; Prov 30,33a; Cant 7,5; como sede del aliento: Is 2,22; Job 27,3; Cant 7,9; anillo como adorno: Gn 24,47; Is 3,21; Ez 16,12; como castigo: 2 Re 19, 28 = Is 37,29; referido a animales: Job 40,24.26; Prov 11,22. Cf. también las expresiones en que aparece el término en un sentido lato: *śīm 'af,* «estar decidido» (Job 36,13; HAL 74b), y *gōbah 'af,* «orgullo» (Sal 10,4). Referido a dioses: Sal 115,6; referido a Dios: cf. *inf.* 4a.

Lo mismo sucede en otras lenguas semíticas; por ejemplo, en acádico, *appu,* «nariz», se emplea también para designar el punto más alto o la cima de una cosa o semejantes (AHw 60); en ugarítico, *ap zd* significa «pezón»; *ap lb,* «pecho» (WUS N. 344); *ap ṯġr,* «portal de entrada» (UT

N. 264); en el semítico noroccidental, nuestro término significa también «superficie» (KAI N. 222 A, línea 28; N. 228 A, línea 14); en árabe, *'anf* significa «nariz, saliente, desfiladero (de una montaña)» (Wehr, 27).

c) Más frecuentemente, sin embargo, *'af,* tras un paso de significado fácilmente inteligible de «nariz» a la «agitación» (propia de la furia) que se manifiesta en dicho miembro corporal, sirve para designar el sentimiento de «ira» (cf. Dhorme, 80s; ugarítico: WUS N. 345; (?) arameo: Cowley N. 37, línea 8, cf. DISO 21). En casi la mitad de los textos que hablan de la ira humana, *'af* aparece unido al verbo → *ḥrh,* «encenderse» (o al sustantivo correspondiente *ḥorī)* (especialmente en la literatura narrativa: Gn 30,2; 39,19; 44,18; Ex 11,8; Nm 22,27; 24,10; Jue 9,30; 14,19; 1 Sm 11,6; 17,28; 20,30. 34; 2 Sm 12,5; Is 7,4; Sal 124,3; Job 32,2.2.3.5; 2 Cr 25,10.10). Una ira santa se apodera del hombre cuando el espíritu de Yahvé viene sobre él (Jue 14,19; 1 Sm 11,6). La ira puede retirarse *(šūb,* Gn 27,45); esto se logra sobre todo por medio de una actitud inteligente (Prov 29,8).

4. *a)* En línea con la mentalidad antropomórfica del AT se puede hablar de la nariz de los dioses (Sal 115, 6) e incluso de Yahvé (Dt 33,10; 2 Sm 22,9.16 = Sal 18,9.16; sobre Ez 8,17, texto dudoso, cf. Zimmerli, BK XIII, 195.222s; en dual, Ex 15,8).

b) Sin embargo, en la mayoría de los casos en que se habla de *'af* se hace referencia a la ira divina (168 ×). El verbo *'np* qal/hitpael sirve en todos los casos para designar la ira divina, lo mismo que en la afirmación de la inscripción de Mesa (KAI N. 181, línea 5; DISO 19): el dios Kamos está enojado con su pueblo.

La reacción de Dios, cuyos motivos se pueden explicar a partir de reacciones humanas semejantes, aunque no se puede equiparar a ellas, es una respuesta a la conducta humana que ofende el ser y los mandatos de Dios (sobre la motivación ética, cf. Vriezen, *Theol.,* 129-132). Y no se puede equiparar a aquellas porque, según la visión del AT, Dios no debe responder de sus acciones ante ningún tribunal; con esto se manifiesta con toda claridad que no se trata de una confrontación entre dos partes de iguales derechos, sino de una confrontación del creador con su criatura, del legislador con quien le debe obediencia, del Señor con su súbdito. Ya en las antiguas fuentes del Pentateuco se expresa con claridad que el pueblo puede ser objeto de la ira divina (Nm 11,1.10.33[J]; Ex 32,10.11.12. 22[E]); pero esta idea se acentúa especialmente en los profetas del s. VIII (Os 8,5; Is 5,25 y *passim)* y del s. VII. Son Jeremías (los 24 casos se refieren a la ira divina, reforzados con frecuencia por medio de otras expresiones, por ejemplo, 21,5) y, tras él, Ezequiel (11 ×, que tienen siempre por paralelo a → *ḥēmā,* a excepción de 7,3 y 43, 8; en 25,14 y 38,18 la ira no se dirige contra Israel) los que hablan con especial frecuencia de la ira de Dios.

En todo el AT se puede observar que la ira divina es la reacción, racionalmente inexplicable, de una persona que se presenta como señor absoluto. Esta reacción escapa a toda definición conceptual precisamente porque este Señor se ha comunicado a su pueblo libremente y de un modo que supera la razón humana. De esta manera la ira divina es la correspondencia necesaria del amor divino, que busca la salvación de su pueblo (cf., por ejemplo, Ex 4, 14; Sal 30,6).

Sobre las principales expresiones paralelas o relacionadas con *'af* deben consultarse los artículos → *ḥrh (ḥārōn),* → *ḥēmā,* → *'æbrā,* → *qṣp,* → *qn',* también *šūb;* y además *zá'am,* «ira, enojo» (Is 10,5.25; 30,27 y *passim),* → *zá'af,* «furia» (Is 30, 30) y el arameo *r^egaz,* «ira» (Dn 3,13).

Como síntesis orientadoras y bibliografía en torno al tema de la «ira de Dios» deben consultarse: Eichrodt I, 168-176; Jacob 91-93; O. Grether y J. Fichtner, artículo ὀργή: ThW V, 392-413; RGG VI,

1929-1932; IDB IV, 903-908; BHH III, 2246-2248; además, por ejemplo, R. V. Tasker, *The Biblical Doctrine of the Wrath of God* (1951); J. Gray, *The Wrath of God in Canaanite and Hebrew Literature:* «Journal of the Manchester University Egyptian and Oriental Society» (1947-1953) 9-19; H. Ringgren, *Einige Schilderungen des göttlichen Zorns:* FS Weiser (1963) 107-113.

5. La característica ambivalente ira-amor constituye también en el NT un doble componente fundamental. Cf. F. Büchsel, art. θυμός: ThW III, 167s; G. Stählin, art. ὀργή: ThW V, 419-448.

G. Sauer

אֵפֶר *ᵓéfær* Polvo → עָפָר *ᶜāfār*

אֹרַח *ṓraḥ* Senda → דֶּרֶךְ *dǽræk*

אֲרִי *ᵓarī* León

1. Junto a *ᵓarī* aparece en hebreo la forma *ᵓaryē,* probable extranjerismo tomado del arameo antiguo (cf. Wagner N. 28); ambas formas están documentadas en el AT desde los más antiguos estratos. En su significado de «león», el término es conocido, fuera del hebreo, solamente en arameo (KAI N. 223 A, línea 9; Aḥ, líneas 88.89. 110.117; arameo-bíblico y posterior: KBL 1053s; DISO 24).

Se suele suponer que existen relaciones etimológicas con una palabra semítica común que significa «animal (grande, salvaje, numinoso)» (Bergstr., *Einf.,* 182; E. Ullendorf, VT 6 [1956] 192s; Wagner, *loc. cit.;* P. Fronzaroli, AANLR VIII/23 [1968] 280.282.292.300s) y que se ha especializado en las diversas lenguas para distintos animales (en etiópico, *ᵓarwē,* todavía «bestia», Dillmann, 743; en acádico, *a/erû,* «águila», W. von Soden, AfO 18 [1957-58] 393; AHw 247; pero también *arwûm,* «gacela macho», AHw 73; en árabe, *ᵓarwīyat,* «cabras», etc., cf. HAL 84b. 85a). Según L. Köhler, ZDPV 62 [1939] 121-124, el origen de la palabra y del animal designado debe buscarse en el mundo camita (el egipcio *rw,* etc.); puramente hipotético es J. J. Glück, ZAW 81 [1969] 232-235.

2. El singular *ᵓarī* aparece 17 × (incluyendo 2 Sm 23,20 Q; Lam 3, 10 Q), *ᵓaryē* 45 × (excluyendo 2 Sm 23,20 K; Lam 3,10 K), el plural *ᵓarāyīm* 1 × (1 Re 10,20, cf. v. 19), *ᵓarāyōt* 17 ×; la distribución de estos 80 casos no presenta características especiales (1 Re 13 ×, Jr 8 ×, Is 7 ×, Sal 6 ×).

Añádanse los casos del arameo-bíblico: *ᵓaryē* 1 × (Dn 7,4) y el plural *ᵓaryāwātā* 9 × (Dn 6,8-28).

3. *a) ᵓarī* designa el león adulto (macho o hembra).

Son sinónimos *lābīᵓ* y *láyiš;* éstos aparecen sólo en textos métricos.

lābīᵓ aparece 11 × en el AT, además, 1 × el fememino *lᵉbiyyā* y 1 × cada uno de los plurales, *lᵉbāᵓīm* y *lᵉbāᵓōt.* Cf. el acádico *lābu/labbu* (AHw 526); el ugarítico *lbu,* también en nombres propios (WUS N. 1435; UT N. 1347; Gröndahl 154; cf. Huffmon 225); el fenicio, en el nombre *ᶜbdlbᵓt,* entre otros (KAI N. 21, cf. II, 29); el arameo, Aḥ, línea 117 (Cowley, 239); el árabe *lab(u)ᵓat* (Wehr, 760b), etcétera. También puede tener relación con el griego λέων (KBL 472a; AHw 526).

láyiš aparece 3 × (Is 30,6; Job 4,11; Prov 30,30) y tiene su correspondiente en el acádico *nēšu* (AHw 783a), en el arameo judaico *lētā* (Dalman, 217b) y en árabe *layṯ* (Wehr, 789b).

Las demás designaciones de león son más específicas: *gūr* (Gn 49,9; Dt 33,22; Ez 19,2.3.5; Nah 2,12; *gōr,* Jr 51,28 y Nah 2,13) significa la cría de león (Lam 4,3, usado también para el chacal; sobre los correspondientes semíticos, cf. HAL 177b), *šáḥal* (Os 5,14; 13,7; Sal 91,13; Job 4,10; 10,16; 28,8; Prov 26,13) designa la cría del león ya destetada (Köhler, *loc. cit.;* cf. también S. Mowinckel, FS Driver [1963] 95-104), *kᵉfīr* (31 ×), el joven león que ya marcha independiente en busca de su presa (cf. Nöldeke, BS 70, nota 10; J. Blau, VT 5 [1955] 432). El valor simbólico de estas expresiones es el mismo; en los textos poéticos aparecen con frecuencia dos de estas designaciones en *parallelismus membrorum* para designar el león.

El león es temido como animal feroz que amenaza a hombres y animales (Am 3,12; 5,19; Prov 22,13; 26,13; citado en 1 Sm 17,34ss; Jr 5,6; Prov 28,15 junto a otras bestias feroces, como el oso y el zorro). Habita sobre todo en la depresión del Jordán (Jr 49,19 = 50,44) y en las zonas montañosas (Cant 4,8).

b) Con frecuencia aparece el león como punto de comparación. Los términos de comparación son: su fuerza (Jue 14,18; 2 Sm 1,23; Prov 30,30), su rapacidad (Gn 49,9; Nm 23,24; Is 5,29; Nah 2,13; Sal 104,21) y su capacidad de estar maliciosamente al acecho (Sal 10,9; 17,12).

Ya que se trata del animal más fuerte, el león es símbolo de la fuerza y del valor (2 Sm 17,10; 23,20 = 1 Cr 11,22; 1 Cr 12,9). Desde este punto de vista se entiende su presencia en el lenguaje de las bendiciones: en el oráculo de Balaam, Israel es designado como un león (Nm 23,24; 24,9); en las bendiciones de Jacob o Moisés son designados así Judá, Gad y Dan (Gn 49, 9; Dt 33,20.22; junto a *ʾărī* aparecen *lābīʾ* y *gūr)*. Más tarde se recoge en otros textos esta designación de Israel como un león (Ez 19,1-9; Miq 5,7).

La rapacidad del león da pie a la comparación con la actitud de los señores despóticos en textos proféticos (Ez 22,25; Sof 3,3) y sapienciales (Prov 28,15; cf. 20,2).

Asimismo, debido a su peligrosidad y su carácter insidioso, se emplea la imagen del león en los salmos de lamentación individual para designar al «enemigo» (Is 38,13; Sal 7,3; 10,9; 17, 12; 22,14.17?.22 = Lam 3,10; cf. Jr 12,8; en Sal 35,17 y 58,7, *kᵉfīr)*. En la literatura profética las potencias amenazadoras en el ámbito histórico-político son comparadas con el león; en primer lugar, los pueblos extranjeros que amenazan a Israel (Is 5,29; 15,9; Jr 2, 30; 4,7; 5,6; cf. también Dn 7,4); en la profecía posexílica sobrevive esta imagen como designación de lo peligroso (Jl 1,6). Con carácter popular se emplea este motivo en 1 Re 13,24ss y 2 Re 17,25s.

El león, como fuerza que amenaza al hombre, no es una comparación exclusiva de Israel; cf., por ejemplo, la mención del león en una fórmula de maldición, KAI N. 223 A, línea 9 (D. H. Hillers, *Treaty-Curses and the OT Prophets* [1964] 54-56).

Las descripciones del tiempo de salvación dicen que ya no existirá el león (Is 35,9) o que se convertirá en un animal doméstico (Is 11,6s; 65,25).

Las imágenes de leones forman parte integrante de los símbolos arquitectónicos del templo y del palacio (junto a toros, animales alados y palmeras; 1 Re 7,29.36; 10,19s = 2 Cr 9,18s).

Estos animales tenían un significado religioso en la mentalidad cananea; recuérdense dioses como El, Baal y la diosa madre con sus animales sagrados, el toro y el león; por otro lado, estos leones son imitación de leones domesticados que desempeñan funciones de custodia (cf. B. Brentjes, WZ Halle-Wittenberg 11 [1962] 595ss).

Sobre el significado del león en Egipto, cf. C. de Wit, *Le rôle et le sens du lion dans l'Égypte ancienne* (1951).

Las figuras de leones que aparecen en la visión del carro de Ezequiel están inspiradas en los leones del templo (Ez 1,10; 10,14).

4. No es rara la comparación de la acción de Yahvé con la actitud del león. Esta imagen sirve por lo general para describir el terror y la amenaza de su venida como juez (Jr 50,44 = 49,19; Os 5,14; 13,7.8, texto dudoso; Job 10, 16, cf., sin embargo, Fohrer, KAT XVI, 200; Lam 3,10; negado en Os 11,10, caso de que haya que trasladarlo a v. 9, cf. Rudolph, KAT XIII/1, 213). A esto se debe el que en las descripciones de teofanías se use cinco veces el verbo *šʾg,* que originalmente se refería sólo al rugido del león (en Job 37,4, aplicado al trueno), para referirse a la palabra terrible de Yahvé (Jr 25,30 3 ×; Am 1,2; Jl 4,16; siempre junto a *ntn qōl,* «levantar la voz»; referido a leones, Jr 2,15; Am 3,4; H. Gressmann,

FS Baudissin [1918] 198s, menciona un paralelo egipcio).

Esta comparación puede también destacar la fuerza de Yahvé y con ello su invencibilidad cuando interviene salvíficamente en la historia de su pueblo (Is 31,4; Os 11,10, caso de que no sea auténtico, cf. Wolff, BK XIV/1, 252.263); consiguientemente, *š'g* expresa también en este contexto la potencia de Dios (Os 11,10.10).

Amós compara el hablar de Yahvé a su profeta con el rugido del león (Am 3,4.8). Así como el rugido del león es señal de que ha cazado una presa, así también el anuncio del profeta es consecuencia de que Dios se ha apoderado de él.

El AT puede emplear tranquilamente la imagen del león referida a Yahvé, porque en Israel no se daba ninguna polémica contra un culto a los leones (no se podía, en cambio, relacionar el toro con Yahvé); cf. J. Hempel, ZAW 42 [1924] 88-101 = «Apoxysmata» [1961] 14-26.

5. En el NT se dan algunas reminiscencias de la función del león en el AT; en especial se compara con el león la fuerza antidivina, en concreto, Satán: 1 Pe 5,8, que cita Sal 22,14; sobre otros pasajes, cf. W. Michaelis, artículo λέων: ThW IV, 256-259.

F. Stolz

אֶרֶץ *'æræṣ* Tierra, país

1. *'æræṣ,* «tierra, país» (raíz con interdental sonora enfática, cf. Moscati, *Introduction,* 28-30), pertenece al semítico común (Bergstr., *Einf.,* 185) y está documentado con un sentido fundamentalmente idéntico en las siguientes formas: *'rṣ,* en ugarítico (UT N. 376; WUS N. 420), fenicio, púnico y moabita (DISO 25s); *erṣetu,* acádico (con desinencia femenina; acádico antiguo *arṣatum* en un NP, cf. CAD E 311a); *'rq* o el más tardío *'r',* arameo (DISO 25s; sobre el paso de *q* a ', cf. W. Baumgartner, ZAW 45 [1927] 100s = *Zum AT und seiner Umwelt* [1959] 88; en Jr 10,11 aparece todavía *'arqā* junto a *'ar'ā); 'rd,* árabe y árabe meridional antiguo; *'ard,* tigre (en etiópico, por lo demás, suplantado por *medr).*

El sustantivo aparece siempre construido en femenino; quizá se haya conservado en eso una reminiscencia de la antigua concepción de la madre tierra (cf. *inf.* 4*a).*

En Job 34,13 y 37,12 (cf. también eventualmente Is 8,23) está documentada la forma *'árṣā,* acentuada por los masoretas en la primera sílaba como locativo, aunque no exista en el contexto un sentido propiamente locativo. Por lo general, se suele proponer la lectura *'arṣō* eliminando la *h-* (cf. BH[3] y los comentarios; cf. también la Inscripción de Mesa, KAI N. 181, líneas 5/6, *b'rṣh,* «contra su país»; BL 252; Meyer I, 95). Pero ni las variantes que presenta BH[3] han de ser consideradas como muy antiguas ni la forma sufijada tiene mucho sentido en el contexto, en especial por lo que respecta a Job 34,13. ¿Debemos pensar que se trata de una desinencia debilitada de acusativo o locativo (así GK § 90s; BL 528), o más bien de una forma con desinencia femenina explícita (cf. el acádico *erṣetu;* y el arameo *'rqt/'rṣt,* KBL 1054b)?

Como derivado debe señalarse sólo el arameo-bíblico *'ar'ī(t),* «inferior, suelo», en Dn 6,25 (BL 197).

El NP *'arṣā,* que aparece en 1 Re 16,9, no tiene nada que ver con *'æræṣ,* sino que, según Noth, IP 230, debe ser relacionado con el árabe *'araḍat,* «polilla» (distinto, Montgomery, *Kings,* 289; J. Gray, *I & II Kings* [1963] 328).

2. *'æræṣ* ocupa el cuarto lugar entre los sustantivos más frecuentes en el AT. El término aparece 2.504 × en el AT hebreo, con una distribución regular, y otras 22 × en las secciones arameas. Sólo 77 de los casos hebreos presentan la forma plural; este dato es fácil de comprender, ya que el plural cubre sólo una pequeña parte del significado del término.

Las cantidades relativas a los diversos libros son las siguientes: Gn 311 ×, Ex 136 ×, Lv 82 ×, Nm 123 ×, Dt 197 ×, Jos 107 ×, Jue 60 ×, 1 Sm 52 ×, 2 Sm 40 ×, 1 Re 56 ×, 2 Re 71 ×, Is 190 ×, Jr 271 ×, Ez 198 ×, Os 20 ×, Jl 12 ×, Am 23 ×, Abd 1 ×, Jon 2 ×, Miq 15 ×, Nah 3 ×, Hab 10 ×, Sof 8 ×, Ag 5 ×, Zac 42 ×, Mal 2 ×, Sal 190 ×, Job 57 ×, Prov 21 ×, Rut 4 ×, Cant 2 ×, Ecl 13 ×, Lam 11 ×, Est 2 ×, Dn 20 ×, Esd 13 ×, Neh 20 ×, 1 Cr 39 ×, 2 Cr 75 ×; el arameo *'ᵃraq:* Jr 1 ×, Dn 19 ×, Esd 1 ×; además, *'arʿī* 1 × en Dn. No contamos la variante *'āræṣ* (Bomb.) en vez de *ṣædæq* (BH³) en Prov 8,16*.

3. *a)* *'æræṣ* designa: 1) cosmológicamente, la tierra (en oposición al cielo) y la tierra firme (en oposición al agua), cf. *inf.* *3b;* 2) físicamente, el suelo sobre el que está el hombre *(3c);* 3) geográficamente, determinadas regiones y comarcas *(3d);* 4) políticamente, determinadas regiones soberanas y países *(3e).*

El material veterotestamentario no permite decidir cuál de estos empleos es primario y cuál secundario; los criterios para un estudio de su desarrollo habrían de ser externos al texto. Sobre este punto, cf. L. Rost, *Die Bezeichnungen für Land und Volk im AT:* FS Procksch (1934) 125-148 = KC 76-101.

Para Prov 29,4; 31,23 y Eclo 10,16 (G: πόλις) se ha sugerido el significado de «ciudad», apelando a diversos (aunque no completamente claros) paralelos fenicios (KAI N. 14, línea 16. 18: *Ṣdn 'rṣ ym,* «Sidón del país del mar», cf. Eissfeldt, KS II, 227ss), cf. M. Dahood, *Proverbs and Northwest Semitic Philology* (1963) 62s; íd., Bibl 44 (1963) 297s; 47 (1966) 280.

b) En el sentido más general, *'æræṣ* designa la tierra, que, junto con el cielo (→ *šāmáyim),* compone la totalidad del universo, el cosmos. «Cielo y tierra» es una expresión hecha para designar el mundo (Gn 1,1; 2,1.4; 14,19. 22 y *passim;* cf. B. Hartmann, *Die nominale Aufreihungen im AT* [1953] 60; a las series allí mencionadas se deben añadir las que aparecen en paralelismo, en total un mínimo de 75 casos).

El orden cielo-tierra, que se puede observar en la mayoría de los casos, refleja todavía la concepción mítica del mundo celeste (primario) y terrestre (secundario). El orden tierra-cielo aparece únicamente donde se da un movimiento de la tierra hacia el cielo (Ez 8,3; Zac 5,9; 1 Cr 21, 16), o también donde predomina claramente una visión geocéntrica del mundo (Gn 2,4b y Sal 148,13). Según eso, las opiniones de B. Hartmann, *Himmel und Erde im AT:* SThU 30 (1960) 221-224, deben ser modificadas. Sobre los paralelos mesopotámicos, cf. A. Jeremias, *Handbuch der altorientalischen Geisteskultur* (²1929) 127.

En el AT no existe ninguna palabra especial para designar el «mundo»; cf. la perífrasis por medio de → *kōl,* «todo, la totalidad», en Is 44,24; Jr 10,16; Sal 103, 19. La infrecuente palabra *ḥælæd,* «(tiempo de la) vida» (Sal 39,6; 89,48; Job 11, 17; cf. el árabe *ḫalada,* «durar eternamente»), aparece en Sal 49,2 (en Sal 17,14 el texto es dudoso) con el significado de «mundo», de modo semejante al posveterotestamentario → *ʿōlām,* al griego αἰών, «eón», y al alemán *Welt* (originariamente «siglo», formación paralela a la del latín *saeculum,* cf. Kluge, 853b)*.

Junto a la visión bipolar del mundo se da también una visión tripolar (construida *ad hoc* la mayor parte de las veces), por ejemplo, cielo-tierra-mar (Ex 20,11; cf. Gn 1,10.20 y otros), cielo-tierra-agua bajo la tierra (Ex 20,4; Dt 5,8). En ocasiones parece sobrentenderse un trío cielo-tierra-mundo subterráneo (→ *šᵉ'ōl);* cf. la designación del mundo subterráneo como *'æræṣ taḥtīt* o *taḥtiyyōt* (Ez 26,20; 31,14.16.18; 32, 18.24; cf. Zimmerli, BK XIII, 611. 621) y las expresiones emparentadas *taḥtīt* o *taḥtiyyōt (hā)'āræṣ* (Is 44,23; Sal 63,10; 139,15), así como Sal 115, 15-17 y semejantes.

En algunos pasajes, el simple *'æræṣ* se acerca al significado de «mundo subterráneo» (cf. el acádico *erṣetu,* AHw 245; CAD E 310s; K. Tallqvist, *Sum.-akk. Namen der Totenwelt* [1934] 8ss) (HAL 88a: Ex 15,12; Jr 17,13; Jon 2,7; Sal 22,30; 71,20; además,

M. Dahood, Bibl 40 [1959] 164-166; 44 [1963] 297).

Donde se presenta una visión cosmológica más precisa (sobre todo en los textos tardíos), se considera la tierra, conforme a las concepciones del Oriente Antiguo (cf. Jeremias, *loc. cit.*, 117ss), como surgida tras una división del océano original (→ *t^ehōm*) (Gn 1; Prov 8,27-29) y apoyada todavía sobre columnas en el agua (1 Sm 2,8; Sal 24, 2; 104,5s; 136,6; cf. Gn 49,25; Ex 20, 4; Dt 5,8; Sal 82,5; Is 24,18; Jr 31, 37; Miq 6,2 y *passim);* sobre ella se apoya la bóveda celeste (Am 9,6).

En Job 26,7, donde se dice que Dios ha extendido la tierra sobre la nada, aparece otra concepción según la cual la tierra está extendida como un paño. Según Job 38,12, la aurora coge la tierra por sus extremos y sacude de ella a los malvados. La misma concepción aparece en el Gran Himno a Šamaš (I, 22): «Thou (Šamaš) art holding the ends of the earth suspended from the midst of heaven» (ANET 387; cf. SAHG 241; Lambert, BWL 126s).

Mientras la concepción tierra-agua concibe la tierra como un disco (Is 40,22: *ḥūg hāʾāræṣ,* «círculo de la tierra», cf. Prov 8,27; Job 26,10, texto enmendado; también Job 22,14), los numerosos pasajes que hablan de los (cuatro) extremos de la tierra (imagen del paño), de sus puntas, finales o ángulos, pertenecen a la otra concepción: *kanfōt hāʾāræṣ* (Is 11,12; Ez 7,2; Job 37,3; 38,13; cf. Is 24,16), *ʾafsē (hā)ʾāræṣ* (Dt 33,17; 1 Sm 2,10; Is 45,22; 52,10; Jr 16,19; Miq 5,3; Zac 9,10; Sal 2,8; 22,28; 59,14; 67,8; 72,8; 98,3; Prov 30,4), *q^eṣē hāʾāræṣ* (Dt 13,8; 28,49.64; Is 5,26; 42,10; 43,6; 48,20; 49,6; 62,11; Jr 10,13; 12,12; 25,31.33; 51,16; Sal 46,10; 61,3; 135,7; Prov 17,24), *q^eṣōt hāʾāræṣ* (Is 40,28; 41,5.9; Job 28,24), *qaṣwē ʾǽræṣ* (Is 26,15; Sal 48,11; 65,6). Sobre concepciones semejantes en Mesopotamia, cf. Jeremias, *loc. cit.,* 142-148. Ambas concepciones coexisten pacíficamente en el AT; pueden aparecer unidos elementos que tienen su origen en una o en otra concepción —lo mismo en Mesopotamia que en Israel— (cf., por ejemplo, Job 38,4-13 y *passim).*

Tanto si se habla de la tierra como de un círculo, como si se mencionan los «extremos» de la tierra, se plantea la cuestión de su centro. Ez 38,12 habla de *ṭabbūr,* «el ombligo», del mundo (cf. 5,5 y Jue 9,37; sobre esto, cf. HAL 352b y Zimmerli, BK XIII, 955s, con referencia de paralelos del Oriente Antiguo y griegos).

De todos modos, lo que interesa al AT no es la tierra como parte del cosmos, sino lo que la llena *(ʾǽræṣ ūm^elōʾāh,* Dt 33,16; Is 34,1; Jr 8,16 y *passim),* sus habitantes (Is 24,1.5.6.17; Jr 25,29.30; Sal 33,14 y *passim),* pueblos (Gn 18,18; 22, 18; 26,4; Dt 28,10 y *passim),* reinos (Dt 28,25; 2 Re 19,15 y *passim)* y semejantes. Así, el concepto «tierra» puede designar a la vez —al igual que en otras lenguas— la tierra y sus habitantes (Gn 6,11 y *passim).*

Paralelo a *ʾǽræṣ,* aparece con frecuencia en estos contextos: *tēbēl,* «tierra firme, círculo de la tierra» (→ *ʾbl* 1.2).

c) En su empleo físico, *ʾǽræṣ* designa el suelo sobre el que están los hombres y las cosas, sobre el que se halla el polvo (Ex 8,12s), sobre el que se arrastran los reptiles (Gn 1,26; 7,14; 8,19 y *passim),* yacen los cuerpos de los asesinados (Lam 2,21), etc. Sobre él caen la lluvia y el rocío (Gn 2,5; 7,4; Ex 9,33; Job 5,10; 38,26 y *passim),* el pájaro alcanzado (Am 3,5), la piedra (Am 9,9), el criminal derribado (Ez 28, 17; Sal 147,6) y semejantes. Sobre él se sienta el afligido (2 Sm 12,17.20; Ez 26,16; Job 2,13 y *passim),* y el deprimido (Is 47,1; Abd 3 y *passim),* se echa sobre él ante Dios (Gn 24,52), ante el rey (2 Sm 14,33; 18,28 y *passim),* ante el padre (Gn 48,12 y *passim)* y ante otras personas superiores. Sobre él se elevan edificios y desde él se mide la altura (Ez 41,16; 43,14 y *passim).* Intermedias entre los significados del primer grupo y de éste son las expresiones que hablan de que el suelo o la tierra se ha abierto (ha abierto su boca) y se ha tragado a hombres (Nm 16, 20-34; 26,10; Dt 11,6; Sal 106,17; cf. Ex 15,12), de que el suelo o la tierra se mueve (1 Sm 14,15; Sal 46,7; 97,4 y *passim),* o de que se puede adentrar en la tierra o en el suelo (Jon 2,7) y se puede dormir allí (Sal 22,30), etc.

En muchos casos, *ʾǽræṣ* se avecina a algunos modos concretos de empleo de → *ᵃdāmā;* de forma semejante puede también emplearse *ʿāfār* (cf., por ejemplo, 1 Re 18,38; Is 34,7.9 y *passim*).

d) Cuando *ʾǽræṣ* está determinado por un genitivo, designa regiones o comarcas concretas.

Se pueden citar a guisa de ejemplos, que podrían multiplicarse fácilmente, los siguientes: *ʾǽræṣ mōladtō,* «tierra de su parentela» (Gn 11,28; 24,7; 31,13; Jr 22,10; 46,16; Ez 23,15; Rut 2,11), *ʾǽræṣ ʾābōt,* «tierra de los padres» (Gn 31,3; 48, 21), *ʾǽræṣ mᵉgūrīm,* «tierra donde se reside como forasteros» (Gn 17,8; 28,4; 36, 7; 37,1; Ex 6,4; todos pertenecientes a P; cf. sobre esto von Rad, ATD 3,214; íd., I, 172s; además, Ez 20,38), *ʾǽræṣ ᵃḥuzzātō,* «tierra de su posesión» (Gn 36,43; Lv 14, 34; 25,24; Nm 35,28; Jos 22,4.9.19; cf. *ʾǽræṣ yᵉruššātō* en Dt 2,12; Jos 1,15), *ʾǽræṣ mōšᵉbōtēkæm,* «tierra de vuestra morada» (Nm 15,2), *ʾǽræṣ mæmšaltō,* «tierra de su dominio» (1 Re 9,19 = 2 Cr 8,6; Jr 51,28); *ʾǽræṣ, šibyām* (o *šibyā*), «tierra de su (del) destierro» (Jr 30,10; 46,27; 2 Cr 6,37s; Neh 3,36). Cf. también el empleo frecuente de la expresión «mi/tu/su tierra» para referirse a la patria o lugar de origen (Gn 12,1; 24,4; Ex 18,27; Nm 10,30 y *passim,* muchas veces paralelo a *mōlædæt,* «parentela»).

e) En el límite entre el sentido geográfico y político del término se hallan aquellos pasajes que hablan de la región o «país» de una determinada tribu.

Cf. *ʾǽræṣ ʾæfráyim* (Dt 34,2; Jue 12, 15; 2 Cr 30,10), *ʾǽræṣ Binyāmīn* (Jue 21,21; 1 Sm 9,16; 2 Sm 21,14; Jr 1,1 y *passim*), *ʾǽræṣ Gād* (1 Sm 13,7), *ʾǽræṣ Gilʿād* (Nm 32,1.29; Jos 17,5.6; 22,9.13.15.32; Jue 10,4 y *passim*), también *ʾǽræṣ Zᵉbūlūn/Yᵉhūdā/Mᵉnaššǽ/ Naftālī.*

El significado político domina en los pasajes que hablan de cada uno de los Estados como «país de X», sea usando un nombre colectivo (por ej., *ʾǽræṣ Yiśrāʾēl,* en 1 Sm 13,19; 2 Re 5,2. 4; 6,23; Ez 27,17; 40,2; 47,18; 1 Cr 22,2; 2 Cr 2,16; 30,25; 34,7; además, con Edom, Asur, Babel, Canaán, Madián, Moab; sobre *ʾǽræṣ Miṣráyim,*

«país de Egipto», en Dt, cf. J. G. Plöger, *Literarkritische, formgeschichtliche und stilkritische Untersuchungen zum Dtn* [1967] 100-115), un gentilicio en singular o en plural (por ejemplo, *ʾǽræṣ hāᵃᵉmōrī,* «país de los amorreos», en Ex 3,17; 13,5; Nm 21,31; Jos 24,8; Jue 10,8; 11,21; Am 2,10; Neh 9,8; también país de los girgasitas, jebuseos, cananeos, caldeos, hebreos, filisteos, etcétera), o bien la expresión «país de...», con la indicación del correspondiente señor (por ejemplo, «país de Sijón» y «país de Og», Dt 4,46s; 1 Re 4,19; Neh 9,22); cf. también «mi/tu/su país» referido al señor (por ejemplo, Gn 20,15).

Al empleo político de *ʾǽræṣ* pertenece también el concepto de *ʿam hāʾāræṣ* como designación colectiva de todos los políticamente hábiles de un país (cf. E. Würthwein, *Der ʿamm haʾarez im AT* [1936]; → *ʿam*).

4. *a)* Entre las afirmaciones teológicas que emplean el término *ʾǽræṣ* se encuentran en primer lugar las que dicen que Dios creó la tierra (tierra y cielo) (→ *brʾ,* «crear», Gn 1,1; 2,4a y *passim;* → *ʿśh,* «hacer», Gn 2,4b; Prov 8,26; Is 45,12.18 y *passim;* → *yṣr,* «formar», Is 45,18; Jr 33,2 y *passim;* → *qnh,* «crear», Gn 14,19.22). El interés por la actividad creadora de Yahvé es diversa en los diversos círculos de tradición del AT (cf. G. von Rad, *Das theol. Problem des atl. Schöpfungsglaubens:* BZAW 66 [1936] 138-147 = GesStud 136-147; íd., I, 149-167); pero cuando se habla de la fundación de la tierra o del mundo se hace siempre referencia a Yahvé (se trata, por lo general, de pasajes de los salmos, que siguen a antiguas concepciones cananeas o, de lo contrario, de textos tardíos, sacerdotales).

Sobre el origen cananeo, cf. especialmente la formulación, de evidente origen cananeo, *ʾēl ʿælyōn qōnē šāmáyim wāʾāræṣ,* «Dios altísimo, creador del cielo y de la tierra», en Gn 14,19.22; cf., entre otras, la inscripción fenicia llamada de la puerta inferior de Karatepe (KAI N. 26, A III, línea 18), la inscripción neopúnica Trip. 13, de Leptis Magna (KAI N. 129, línea 1), así como el nombre del documentado dios heteo Elkunirsa, que se debe remontar también a un *'l qn 'rṣ* (cf. H. Otten, MIO 1 [1953] 135-137; W. F. Albright, FS Mowinckel [1954] 7s; → *'ēl* III/3).

En conformidad con la imagen del universo se afirma que Yahvé ha *fundado* la tierra (→ *ysd:* Is 48,13; 51,13. 16; Zac 12,1; Sal 24,2; 78,69; 102,26; 104,5; Job 38,4; Prov 3,19; → *kūn* polel: Is 45,18; Sal 24,2; 119,90; hifil: Jr 33,2).

Hay un punto en el que coinciden todos estos diversos modos de expresión: para todos la tierra ha sido creada y no es dios. No se habla de un dios o de una diosa tierra; también está ausente la concepción, tan extendida en la historia de las religiones, de la «madre tierra» (cf. van der Leeuw, 86-99; M. Eliade, art. *Erde:* RGG II, 548-550). Como alusiones a esta concepción se puede citar Job 1,21; Ecl 5,14; Sal 139,15 (cf. también Gn 3,19 y Eclo 40,1).

Sobre la invocación del cielo y de la tierra como testigos en Dt 4,26; 30,19; 31,28 y su trasfondo oriental antiguo, cf. M. Delcor, *Les attaches littéraires, l'origine et la signification de l'expression biblique «prendre à témoin le ciel et la terre»:* VT 16 (1966) 8-25; Fitzmyer, *Sef.* 38.

b) Como obra de Yahvé, la tierra es propiedad suya (Sal 24,1; cf. 95,4s). Yahvé es Señor de toda la tierra (Jos 3,11.13; Miq 4,13; Zac 4,14; 6,5; Sal 97,5; 114,7, texto enmendado; → *'ādōn* IV/5), rey de toda la tierra (Sal 47,8; Zac 14,9), altísimo sobre toda la tierra (Sal 97,9), Dios de toda la tierra (Is 54,5), Dios arriba en el cielo y abajo en la tierra (Dt 4,39). Si el cielo es el trono de Yahvé, la tierra es el escabel de sus pies (Is 66,1). Yahvé mira a la tierra (Gn 6,12; Is 5,30; cf. Sal 33, 14), camina sobre la tierra (Hab 3,12), la aterra (Is 2,19.21); pero, sobre todo, es su juez (Sal 82,8; 96,13 = 1 Cr 16, 33; Sal 98,9).

c) El concepto *'æræṣ* recibe su empleo específicamente teológico en el lenguaje de las tradiciones sobre la conquista de la tierra dentro del contexto de la promesa de la tierra y de la conquista de la misma (cf. sobre esto G. von Rad, *Verheissenes Land und Yahwes Land im Hexateuch:* ZDPV 66 [1943] 191-204 = GesStud 87-100; sobre el Dt, cf. los estudios de *'rṣ* y *'dmh* en Plöger, *loc. cit.,* 60-129).

Si Dt 26,5ss, llamado por G. von Rad «breve credo histórico» *(Das formgeschichtliche Problem des Hexateuch* [1938] 3ss = GesStud 11ss), debe considerarse como una antigua fórmula de confesión, debería aparecer ya ahí en un lugar central la afirmación de que Yahvé ha dado «esta tierra» a Israel (v. 9). Sobre la problemática en torno a la visión de von Rad, cf. Rost, KC 11-25.

En cualquier caso, sin embargo, ya desde Alt, KS I, 66, se reconoce comúnmente que la promesa de la tierra (junto a la promesa de la posteridad) tiene sus raíces en el tiempo patriarcal. Como probable formulación más antigua se considera el texto de Gn 15, 18 (según O. Procksch, *Die Genesis* [1924] 111, y Alt, KS I, 67, nota 3, el pasaje sería un añadido reciente); 12,7 y 28,18 indican posiblemente que la promesa de la tierra ha sido transmitida posteriormente en diversos santuarios de tierras de cultura. La doble promesa constituye el centro de la visión yahvista del tiempo patriarcal (12, 7; 13,15; 15,7 J?; 15,18; 24,7; cf. el añadido posterior 26,3s). H. W. Wolff, *Das Kerygma des Jahwisten:* EvTh 24 (1964) 81s.93 = GesStud 354.368, ha observado con razón que la promesa de la tierra pasa a segundo plano en Gn 12,1, pero ha supervalorado este hecho. Gn 15,13 y eventualmente también 21, 23 indican que también el Elohísta presupone la promesa de la tierra. El escrito sacerdotal la ha vuelto a formular expresamente (con significativas variaciones) (Gn 17,8; 28,4; 35,12; 48,4; cf. también el concepto sacerdotal *'æræṣ m^egūrīm,* «tierra donde se reside como forastero»; cf. *sup. 3d).*

La promesa de la tierra adquiere un valor relevante en el Deuteronomio:

1) La *ʾæræṣ* ha sido jurada por Yahvé a los padres (y a sus descendientes) (*šbʿ* nifal: Dt 1,8.35; 6,10.18.23; 8,1; 10,11; 26,3; 31,7; cf. *dbr* piel en 9,28; 27,3). Son paralelos → *ʾadāmā* (7,13; 11,9.21; 26,15; 28,11) y una vez *gebūl,* «región» (19,8).

2) La *ʾæræṣ* es la tierra dada por Yahvé (→ *ntn,* construido en infinitivo: 1,8.35; 4,38; 6,10.23; 10,11; 26,3; 31,7; con participio en frase relativa: 1,25; 2,29; 3,20; 4,1; 11,17.31; 15,7; 16,20 y *passim;* en ocasiones la fórmula se amplía por medio de *lerištāh,* «para poseerla»: 5,31; 9,6; 12, 1; 18,2.14; por medio de → *naḥalā:* 4,21; 15,4; 19,10; 20,16; 21,23; 24,4; o por medio de ambas palabras: 25,19; 26,1). Aquí aparecen como paralelos *ʾadāmā* y *naḥalā.*

3) Israel toma posesión de la tierra (→ *yrš:* 1,8.21; 3,18.20; 4,15.14.22.26; 5,31.33 y *passim).*

4) Esta tierra es una «buena tierra» (1,25.35; 3,25; 4,21.22; 6,18 y *passim;* cf. Ex 3,8; Nm 14,7; 1 Cr 28,8), una «tierra que mana leche y miel» (6,3; 11,9; 26,9.15; 27,3; cf. Ex 3,8.17; 13,5; 33,3; Lv 20,24; Nm 13,27; 14,8; 16,13s; Jos 5, 6; Jr 11,5; 32,22; Ez 20,6.15; una vez con *ʾadāmā,* Dt 31,20).

5) Tanto la promesa como la toma de posesión de la *ʾæræṣ* están estrechamente unidas en el Dt con la proclamación de los mandamientos. O bien la conquista de la tierra es el presupuesto para el cumplimiento de los mandatos («cuando entres en la tierra que Yahvé, tu Dios, te da, deberás...», o expresiones semejantes: 12, 1; 17,14s; 18,9; 19,1; 26,1; con *ʾadāmā,* 21,1), o bien el cumplimiento de los mandatos es la condición necesaria para la conquista de la tierra (4,25s; 6,18; 8,1; 11,8s. 18-21; 16,20; 19,8s; con *ʾadāmā:* 28,11; 30,17-20). Sobre la importancia teológica de esta relación, cf. H. H. Schmid, *Das Verständnis der Geschichte im Dtn:* ZThK 64 (1967) 1-15.

Este lenguaje deuteronómico continúa en afirmaciones semejantes de cuño deuteronomístico (Jos 21,43; 23,16; Jue 2,1s.6). Se oyen también ecos de él en la profecía contemporánea y posdeuteronomística, sobre todo en Jr (32, 22) y Ezequiel (33,24). Al mismo tiempo ambos profetas van formulando, en el contexto de la experiencia del exilio, la esperanza de una nueva conquista de la tierra (Jr 30,3; Ez 36,28). La promesa de la *ʾæræṣ* sobrevive en forma sapiencial individualizada en Sal 37,11.22.29.34; Prov 2,21s; 10,30; cf. Is 65,9 y finalmente en Mt 5,5.

d) En el contexto de la promesa de la tierra y de su cumplimiento se la designa en diversas tradiciones del AT como «tierra de Yahvé» (Os 9,3) o como «mi/tu/su tierra» (Jr 2,7; Jl 2, 18; Sal 85,2 y *passim;* cf. *admat Yhwh* en Is 14,2). Ya que la *ʾæræṣ* en cuanto país es propiedad de Dios, no puede venderse como suelo o como propiedad (Lv 25,23ss; cf. H. Wildberger, *Israel und sein Land:* EvTh 16 [1956] 404-422). Una ofensa contra Yahvé es al mismo tiempo una ofensa contra la tierra. Con su comportamiento indigno Israel profana la tierra (Lv 18,25.27s; Nm 35,34; Jr 2,7; 3,2 y *passim).* Así, en definitiva, el juicio de Dios no recae sólo sobre Israel, sino también sobre su tierra.

e) En el límite del AT y en el cuadro de una nueva apocaliptización de algunos elementos particularmente antiguos aparece también la promesa de la creación de un nuevo cielo y una nueva tierra (Is 65,17; 66,22; → *ḥādāš).*

5. El lenguaje de Qumrán sigue la línea del AT. No puede negarse que se trata de expresiones formularias cuando se dice, por ejemplo, que la comunidad debe realizar la lealtad, el derecho y la justicia «en la tierra» (1Qs 1, 6, semejante 8,3 y *passim),* o que el consejo de la comunidad debe expiar «por el país» (1QS 8,6.10 y *passim).*

En el NT, *ʾæræṣ* y *ʾadāmā* son traducidos indistintamente por γῆ. Cf. sobre el particular los diccionarios del NT, en especial H. Sasse, art. γῆ: ThW I, 676-680.

H. H. Schmid

ארר *'rr* Maldecir

1. La raíz *'rr* pertenece, al parecer, al semítico común, aunque lo cierto es que está documentada sólo esporádicamente (cf. HAL 88a; P. Fronzaroli, ANNLR VIII/20 [1965] 253s.264; sólo el acádico *arāru* es usado normalmente en el sentido de «maldecir», cf. AHw 65; CAD A/II, 234-236; en arameo se emplea *lūṭ;* en árabe, *l'n,* etcétera).

Aunque se han conservado bastantes textos de maldición del entorno cultural del AT (cf. los elencos en S. Gervitz, *West-Semitic Curses and the Problem of the Origins of Hebrw Law:* VT 11 [1961] 137-158; F. C. Fensham, *Malediction and Benediction in Ancient Near Eastern Vassal-Treaties and the OT:* ZAW 74 [1962] 1-9; D. R. Hillers, *Treaty-Curses and the OT Prophets* [1964]), raramente aparecen verbos con el significado de «maldecir». Cf. el hebreo *'rwr,* «maldito (sea el hombre que la abra)», en la inscripción de una tumba de Silwan del s. VII/VI, KAI N. 191 B, línea 2; el arameo *ylwṭwn,* «maldicen», en los oráculos de Aḥiqar, línea 151 (Cowley, 217.225).

El hebreo *'rr* aparece como forma verbal en qal, nifal y piel (cf. Jenni, HP 216); como forma nominal, *me'era,* «maldición» (BL 492).

2. En el AT la raíz *'rr* está documentada en total 68 ×: en qal 55 × (de ellas 40 × en la forma de participio pasivo *'ārūr,* de la que hay que partir para realizar un estudio semántico), en piel 7 ×, en nifal 1 × (Mal 3,9, participio); el sustantivo *me'ērā* aparece 5 ×.

Nm 22,6, *yū'ār* debe entenderse, siguiendo a BL 433, como imperfecto qal pasivo.

Su distribución es muy irregular; las palabras de este grupo aparecen en algunos textos concretos con marcada frecuencia: Dt 27,15-28,20 (19 ×), Nm 22-24 (7 ×), Nm 5,18-27 y Mal (6 × cada uno), Gn 3-9 J (5 ×).

3. *a)* El significado de *'rr,* «maldecir = cargar con la desgracia», que limita con → *'lh,* → *qll* piel y otros verbos de maldecir (cf. J. Scharbert, *«Fluchen» und «Segnen» im AT:* Bibl 39 [1958] 1-26; H. C. Brichte, *The Problem of «Curse» in the Hebrew Bible* [1963]), se deduce de las concepciones orientales antiguas y veterotestamentarias en torno a la bendición y a la maldición (bibliografía en F. Horst, RGG V, 1649-1651; C. Westermann, BHH I, 487s; últimamente, W. Schottroff, *Der altisr. Fluchspruch* [1969] y, principalmente, de la oposición semántica con respecto a → *brk,* «bendecir», oposición que aparece más patente en las fórmulas con *'ārūr* o con el correspondiente *bārūk.*

Para entender la relación semántica entre *'ārūr* y las demás formas verbales debe compararse Gn 27,29 y Nm 24, 9 con Gn 12,3; Gn 3,17 con 5,29. El verbo *'rr,* por tanto, no significa otra cosa que «hacer *'ārūr,* declarar *'ārūr,* designar a alguien como *'ārūr*».

La limitación de nuestro término al significado de «atar, retener», que estudia E. A. Speiser, *An angelical «Curse»: Exodus 14-20:* JAOS 80 (1960) 198-200, afecta sólo al empleo metonímico en la expresión acádica *arrat lā napšuri,* «maldición sin solución».

'rr aparece en 12 ocasiones como concepto opuesto a *brk,* «bendecir»: Gn 9,25s; 12,3; 27,29; Nm 22,6.12; 24,9; Dt 28,16-19; cf. 3-6; Jue 5,23s; Jr 17,5, cf. 7; 20,14; Mal 2,2; Prov 3, 33. Un *'ārūr* es, por tanto, lo contrario de un *bārūk,* alguien perseguido y alcanzado por la desgracia, cuya existencia es desgraciada y cuya presencia trae desgracia.

La existencia desgraciada de un *'ārūr* está gráficamente descrita en Dt 28,15-68: un *'ārūr* no cosecha sino fracasos en todo lo que emprende. Por eso Balak pretende hacer de Israel un *'ārūr* por medio de Balaán, para poder expulsarle después más fácilmente (Nm 22,6). *'arūrīm* son hombres que están en posición subalterna y deben servir a otros, sin llegar nunca a ser «rama verde» (Gn 9,25; Jos 9,23). Uno que es «rico en *me'ērōt*» es uno que debe sufrir siempre escasez (Prov 28,27). Un

ʾārūr se asemeja, según Jr 17,5s, a la zarza miserable que lleva una existencia pobre y triste, luchando por sobrevivir en la estepa, y, según Jr 20,14-16, es como una ciudad desolada irremisiblemente. La maldición de Josué sobre Jericó debe realizarse en el reconstructor de esta ciudad, quien perderá a su primogénito y a su último hijo (Jos 6,26); Jonatán, que ha cargado sin saberlo con la maldición de su padre, hace imposible la pregunta normal del oráculo, debido precisamente a que es un *ʾārūr* (1 Sm 14,24-28.37). *ʾārūr* es el cadáver de Jezabel (2 Re 9,34), por una parte porque pesaba sobre ella una palabra profética de desgracia (1 Re 21,23), y por otra porque toda su existencia había traído desgracia al pueblo. *ʾārūr* es la serpiente por su existencia miserable y por el miedo que infunde (Gn 3,14); *ʾārūr* es el suelo, porque no da más que fatiga y trabajo inútil (Gn 3,17; 5,29).

Por otro lado, es imposible declarar *ʾārūr* a un *bārūk,* es decir, a uno a quien acompaña el éxito y la fortuna (Nm 22, 12; cf. 23,8) o al soberano, de cuyo ser *bārūk* depende el bienestar de todos (Ex 22,27).

b) Se emplea sobre todo el término en las fórmulas *ʾārūr* (38 ×, en forma no predicativa sólo en 2 Re 9,34 y Sal 119, 21, pero cf. G). La fórmula es «*ʾārūr* es NN» o «*ʾārūr* es aquel que...».

La designación del afectado se hace por lo general por medio de la expresión *ʾārūr hāʾîš ʾ^a šær*... (Dt 27,15; Jos 6,26; 1 Sm 14,24.28; Jr 11,3; 20,15; cf. 17,5 y KAI N. 191 B, línea 2) o simplemente *ʾ^a šær* (Dt 27,26), frecuentemente también por medio de un participio (Gn 27,29; Nm 24,9; Dt 27,16-25; Jue 21,18; Jr 48,10.10; Mal 1,14), y en ocasiones por medio de una alocución directa: «*ʾārūr* eres tú» (Gn 3,14; 4,11; Dt 28,16.16.19.19).

La fórmula *ʾārūr* tiene una doble función. En primer lugar sirve para designar como *ʾārūr* a una determinada persona, sea o no conocida por el que pronuncia la fórmula, es decir, para cargarla con desgracia por medio de la eficacia inherente a la fórmula, que en algunas circunstancias es pronunciada por una persona especialmente capacitada (Nm 22-24); contra Scharbert, *loc. cit.,* 6, hay que decir que en principio cualquiera es capaz de pronunciar la fórmula *ʾārūr* eficazmente). Probablemente en todos los casos en que el texto habla de *ʾrr* se está pensando en la pronunciación de la fórmula *ʾārūr.* En general, y para dar mayor vigor a la fórmula, se describe con más detalles la desgracia con que se carga a la víctima (cf., por ejemplo, Jos 9,23; Jr 20, 14s).

También se pueden designar como *ʾārūr* animales o cosas: la serpiente (Gn 3,14), el suelo (Gn 3,17), un día (Jr 20,14; cf. Job 3,8), la «cólera» de un hombre (para que no le afecte directamente a él, Gn 49,7).

En segundo lugar, la fórmula *ʾārūr* sirve como «maldición eventual» para crear, por medio de la eficacia de la fórmula, una zona de maldición, es decir, una esfera de desgracia potencial, en la que se introduce cualquiera que comete una acción señalada en la fórmula (por ejemplo, Jos 6,26; Jue 21, 18; 1 Sm 14,24.28; Jr 48,10). En algunos textos claramente «litúrgicos» se crea por medio de fórmulas en serie (12 fórmulas *ʾārūr,* en Dt 27,15-26; 6 fórmulas *ʾārūr,* en Dt 28,16-19) toda una red de potencias de desgracia que entran en actividad en el momento de la transgresión. Si las fórmulas se pronuncian en presencia de otras personas, éstas contestan por medio de un *ʾāmēn* (Dt 27,15-26; Jr 11,5 M; cf. Nm 5,22), que confirma la existencia de la esfera de desgracia potencial.

En Nm 5,23 se introduce la maldición escrita (*ʾālā*) en una corriente de agua; ésta es llamada, por lo mismo, «agua que convierte en *ʾārūr*» (*máyim m^e ʾār^e rîm*) y en las ordalías trae desgracia a la mujer culpable.

c) En Dt 28,16-20 y en Mal 2,2 el sustantivo *m^e ʾērā,* «maldición, imprecación», aparece en estrecha relación con el verbo *ʾrr* qal («enviar una maldición» = «maldecir»); en Mal 3,9 aparece en relación con *ʾrr* nifal. En Prov 3,33, *m^e ʾērā* es paralelo de la expresión verbal *y^e bārēk,* «él bendice»; *m^e ʾērā,* por tanto, designa no sólo el efecto de *ʾrr,* es decir, la desgracia (cf. Dt 28, 20 G: ἔνδεια, «indigencia»; Prov 28, 27 G: ἀπορία, «necesidad»), sino también el mismo hacer *'ārūr,* es decir, la declaración de *'ārūr,* con todos sus efectos consecuentes (contra Scharbert, *loc. cit.,* 7).

4. El grupo de palabras *'rr* tiene una doble importancia teológica:

a) Yahvé es el Señor absoluto de todas las declaraciones *'ārūr.* El mismo, cuando así lo decide, convierte a hombres y animales en *'ārūr* pronunciando las palabras fatales (Gn 3,14-17; 4,11; 5,29; 12,3; Jr 11,3; Mal 2,2; cf. 3,9) y se sabe de él que su *me'ērā* persigue a diversa gente (Dt 28,20; Prov 3,33). Y, sobre todo, puede dar la vuelta a las declaraciones *bārūk* de los hombres, incluso las de los sacerdotes (Mal 2,2) o dar el encargo de hacer lo contrario a un mago que se dispone a pronunciar un *'ārūr* (Nm 22-24). Por eso el hombre que declara a alguien *'ārūr* lo declara *'ārūr* «ante Yahvé» (1 Sm 26,19).

Yahvé declara *'ārūr* al malvado *(rāšā',* Prov 3,33), al criminal (Gn 4,11), al demasiado listo (Gn 3,17), al que viola los mandamientos (Dt 28,20; Jr 11,3) o —en la teología posexílica— al que no desempeña rectamente su cargo sagrado (Mal 1,14; 2,2; 3,9).

b) La esfera de desgracia potencial que se crea por medio de la declaración de *'ārūr* está limitada por la sabiduría de Yahvé. *'ārūr,* es decir, perseguido por la desgracia, es aquel que se mueve fuera de la esfera señalada por la sabiduría de Dios, o sea, el que actúa dentro de la esfera de lo prohibido por Yahvé. Esto se expresa con especial claridad en la oposición de la declaración de *bārūk* y de la declaración de *'ārūr* (Dt 27,11-26; 28; *'ārūr* solo en Jr 11,3): el que actúa dentro del marco de las ordenaciones divinas es *bārūk* (= acompañado por la fortuna), fuera de este marco se es *'ārūr* (= alcanzado por la desgracia). Con una formulación más sapiencial se encuentra el mismo principio en Jr 17,5 y 7: *bārūk* es el hombre que edifica su vida en la presencia de Dios y deposita en éste toda su confianza; *'ārūr,* por el contrario, es el que deposita su confianza en los hombres. Según Jr 48,10, *'ārūr* es aquel que trata con negligencia o pone dificultades a la obra de Dios. Como ya hemos visto, la declaración de *'ārūr* hecha directamente por el mismo Yahvé se dirige contra aquellos que no se someten totalmente a él (Gn 3,14.17; 4, 11; Sal 119,21). En Malaquías se crea la esfera de desgracia especialmente a causa de una actividad cúltica incorrecta, a causa de la ofensa hecha a Yahvé en el culto (Mal 1,14; 3,9).

5. El empleo de este grupo de palabras en Qumrán es semejante al del AT: la fórmula *'ārūr* es mucho más frecuente que el simple verbo (cf. Kuhn, *Konk.,* 23). Por el contrario, en el NT (cf. L. Brun, *Segen und Fluch im Urchristentum* [1932]; J. Behm, artículo ἀνατίθημι: ThW I, 355-357; F. Büchsel, art. ἀρά: ThW I, 449-452), ἐπικατάρατος = *'ārūr* se emplea sólo en una cita veterotestamentaria (Gál 3, 10 = Dt 27,26; el ἐπικατάρατος de Gál 3,13 corresponde no a una fórmula *'ārūr,* sino a la expresión constructa *qilelat 'ælōhīm,* en Dt 21,23).

C. A. Keller

אָרַשׂ *'rś* piel **Desposar**

1. *'rś* piel, «desposar a una mujer», tiene correspondientes inmediatos sólo en hebreo y arameo posbíblicos (*'rs,* también en qal, por ejemplo, el participio pasivo del hebreo medio *'ārūs,* «novio», y en las correspondientes formas verbales pasivas).

Se puede suponer que existen relaciones con el acádico *erēšu,* «solicitar, pedir» (AHw 239s; CAD E 281-285; es raro el participio *ērišu,* «novio», AHw 242b; CAD E 301a; cf. el ugarítico *'rš,* «pretender», WUS N. 243; UT N. 379; el hebreo *'aræšæt,* «deseo», Sal 21,3) y con el árabe *'arūs,* «novio, novia»; *'a'rasa,* «celebrar una boda» (KBL 90a; P. Wernberg-Møller, JSS 11 [1966] 124), pero no con el acádico *erēšu,* «labrar» (raíz *ḥrt,* hebreo *ḥrš,* «labrar») en la metáfora de la mujer-campo (así, A. Sarsowsky, ZAW 32 [1912] 404s).

2. *'rś* aparece 11 × en el AT: 6 × en piel (Dt 20,7; 28,30; 2 Sm 3,14; Os 2,21.21.22) y 5 × en pual (Ex 22, 15; Dt 22,23.25.27.28).

3. El significado base en piel (resultativo, que expresa un efecto jurídicamente perceptible, cf. Jenni, HP 248) se puede traducir por «desposar una mujer»; la traducción libre «prometerse (referido al hombre)» no debe entenderse, según nuestro sentido actual, como designación de la simple promesa de matrimonio en la que todavía queda la posibilidad de volverse atrás, a diferencia del acto jurídico público del matrimonio (cf. *inf.).* El verbo es complementado por el simple acusativo; cuando se menciona la dote aparece el *b^e^ pretii* (2 Sm 3,14: «por el prepucio de cien filisteos»; cf. Os 2,21s). Sujeto es siempre el hombre (en Os 2,21s es Yahvé, cf. *inf.);* objeto es la mujer que él desposa. Las formas pual designan el pasivo correspondiente «estar desposada (referido a la muchacha)». En estas frases el sujeto es la joven virgen *(b^e^tūlā* o *na'^a^rā b^e^tūlā,* Ex 22,15; Dt 22,23-28) o la muchacha *(na'^a^rā,* Dt 22, 25.27); cf. sobre esto D. H. Weiss, JBL 81 (1962) 67-69.

El escaso número de veces que aparece el término hace difícil determinar cuál es su significado jurídico (y lo mismo su exacta traducción). Lo designado con *'rś* debe distinguirse bien de la celebración del matrimonio propiamente dicho: un hombre puede desposar una muchacha sin haberla «tomado por esposa» *(lqḥ,* Dt 21,11; 22,13s y *passim;* cf. también *b'l,* «casar», Dt 21,13 y *passim;* → *bá'al;* en directa contraposición a *'rś* aparece *lqḥ* en Dt 20,7 y *hyh l^e^'iššā* en Dt 22,29). También debe señalarse claramente la diferencia entre *'rś* y *škb,* «cohabitar» (Ex 22,15; Dt 22, 23.25.28; *šgl,* Dt 28,20). Por lo mismo, *šlḥ* piel, «repudiar», no es el concepto opuesto de *'rś,* sino de *lqḥ* y de *hyh l^e^'iššā* (Dt 22,19.29; 24,1.3.4).

Por otro lado, es obvio que a un *'rś* sigue un *lqḥ* o un *škb:* el desposado está libre del servicio militar, para que pueda casarse con su mujer (Dt 20,7), y cuando un desposado no puede gozar de su mujer es que está bajo una maldición (Dt 28,30). El estar desposado es una situación legal que se halla bajo protección, lo mismo que el matrimonio; si esa relación es violada, el culpable recibe, lo mismo que un adúltero, la pena de muerte (cf. Dt 22,23s con 22,22; Lv 20,10 y otros).

Se podría, pues, considerar que *'rś* piel indica un acto no idéntico ciertamente con la celebración matrimonial, pero que en cuanto acto jurídico vinculante pone en acto el matrimonio. Esta interpretación se confirma por el hecho de que en los desposorios es un elemento esencial el que el novio entregue la dote *(mōhar,* Gn 34,12; Ex 22,16; 1 Sm 18,25) al padre de la novia (cf. 1 Sm 18,25 con 2 Sm 3,14; Gn 34,12). Si uno seduce a una muchacha todavía no desposada, debe de todas formas pagar la *mōhar* antes de casarla (Ex 22, 15 con el verbo *mhr* qal, «adquirir tras el pago de la *mōhar*»; Dt 22,29: «dar cincuenta piezas de plata»).

Sobre el matrimonio en el AT, cf. E. Neufeld, *Ancient Hebrew Marriage Laws* (1944); F. Horst, art. *Ehe im AT:* RGG II, 316-318 (con bibliografía); de Vaux I, 45-64.322s; sobre los «desposorios» en el derecho matrimonial del Oriente Antiguo y del judaísmo, cf. E. Kutsch, *Salbung als Rechtsakt* (1963) 27-33 (con bibliografía).

4. El empleo descrito de *'rś* piel vuelve a aparecer en la profecía de Oseas: Os 2,21s. Aquí, en el anuncio profético de salvación, el sujeto es Yahvé; la mujer interpelada es, según el lenguaje figurado de Oseas (tomado del culto cananeo de Baal), Israel. La relación matrimonial con Yahvé, que la impúdica Israel ha roto (2,4ss), volverá a comenzar —en esto consiste precisamente la salvación anunciada— y durará «para siempre». Yahvé es quien paga también la *mōhar* (cf. la partícula *b^e^,* cinco veces repetida: «a costa de la salvación, de la justicia»). Aquí vuelve a confirmarse que *'rś* no indica

un acto jurídico no vinculante, sino un acto jurídico público y «válido para siempre» (Rudolph, KAT XIII/1,80; Wolff, BK XIV/1,56.63s, habla incluso de una «celebración jurídica vinculante del contrato matrimonial» y traduce *'rś* por «adquirir por esposa»).

5. Los LXX traducen *'rś* en Dt 28, 30 y 2 Sm 3,14 por λαμβάνειν; en los demás casos, siempre por μνηστεύειν, que es usado también en Mt 1,18; Lc 1,27; 2,5 para referirse a la situación jurídica de María.

J. Kühlewein

אֵשׁ *'ēš* Fuego

1. La palabra aparece en casi todas las ramas semíticas (con excepción del árabe) en el sentido de «fuego».

En árabe, y en parte en arameo, la palabra semítica común (**'iš-[at-],* cf. P. Fronzaroli, AANLR VIII/20 [1965] 145-149) está sustituida por formas de la raíz *nūr,* «ser claro» (árabe *nār,* arameo *nūr); en siríaco, 'eššātā* conserva todavía el significado de «fiebre».

El hebreo *'iššæ,* «sacrificio» (no necesariamente «sacrificio de fuego»), probablemente no pertenece a *'ēš,* cf. J. Hoftijzer, *Das sogenannte Feueropfer:* FS Baumgartner (1967) 114-134.

2. Estadística: *'ēš* aparece 378 × en el AT hebreo (Ez 47 ×, Jr 39 ×, Is 33 ×, Lv 32 ×, Dt 29 ×, Sal 28 ×, etc.; Gn sólo 4 ×, ausente en Jon, Ag, Rut, Ecl, Esd, Est); se deben contar además *'æššā* 1 × (Dn 7,11; considerado generalmente como femenino abstracto, pero podría ser también masculino enfático, cf. Fitzmyer, Sef, 53) y *nūr* 17 × (Dn 3,6-27; 7,9s).

En esta estadística se han incluido los textos de Jr 51,18 y Hab 2,13, donde HAL 89b, siguiendo a G. R. Driver, JSS 4 (1959) 148, supone la existencia de una palabra *'ēš* II, «pequeñez».

Dentro del AT no está documentada la forma plural (cf. Eclo 48,3); M. Dahood supone una forma dual en Jr 6,29, Bibl 44 (1963) 298. Deben corregirse y descartarse Nm 18,9; Dt 33,2 Q; Ez 8,2a.

3. *a) 'ēš* designa concretamente el fuego como un elemento independiente de la cultura humana tal como se utiliza en el uso doméstico (por ejemplo, Is 44,16) y artesanal (por ejemplo, Ez 22,20, referido al trabajo del metal; Job 28,5, referido al trabajo minero). En la guerra se combate contra el enemigo por medio del fuego (por ejemplo, Is 50,11, *zīqōt,* «flechas incendiarias»); en especial, las leyes de la guerra santa exigen que todo lo perteneciente al enemigo sea pasado por el fuego (Dt 13, 17; → *ḥrm;* ejemplos: Jos 6,24; 7,15; 8,8; Jue 20,48; semejante, Nm 31,10). La pena de muerte es ejecutada en determinadas ocasiones por medio del fuego (Lv 20,14; 21,9; cf. Gn 38,24; en contexto de la transgresión de las leyes de la guerra santa, Jos 7,15.25).

En el culto, el fuego es importante, ya que la víctima de los sacrificios suele ser quemada (sobre la regulación de los diversos tipos de sacrificio, cf. Lv 1ss; sobre el fuego como medio de purificación ritual, → *ṭhr;* sobre la acción de quemar lo sagrado para preservarlo de la profanación, → *qdš).* El fuego está sometido a diversas normas; cuando no corresponde a ellas, es un *'ēš zārā,* «fuego ilegítimo» (→ *zār;* Lv 10, 1; Nm 3,4; 26,61, el fuego de Nadab y Abihú), portador de desgracia. Corresponde a un estrato tardío de la legislación sacerdotal la norma de que nunca debe extinguirse el fuego sobre el altar (Lv 6,1ss; cf. J. Morgenstern, *The Fire on the Altar* [1963]; sobre el posterior desarrollo legal en torno a la prescripción, cf. 2 Mac 1,18ss).

Una especial prohibición afecta en el AT a la costumbre de sacrificar niños a «Moloc» (R. de Vaux, *Les sacrifices de l'A.T.* [1964] 67-81; expresiones: → *'br* hifil *lammōlæk,* Lv 18,21; 2 Re 23,10; Jr 32,35; *'br* hifil *bā'ēš,* «hacer pasar por el fuego», Dt 18,10; 2 Re 16, 3 = 2 Cr 28,3: *b'r;* 2 Re 17,17; 21, 6 = 2 Cr 33,6; 2 Re 23,10; Ez 20,31; *śrp bā'ēš,* «quemar», Dt 12,31; 2 Re 17,31; Jr 7,31; 19,5 M; cf. también Lv 20,2-5; Is 30,33; Jr 3,24; Ez 16,21; 23,37; Sal 106,37s; sobre *tōfæt,* «ciudades de fuego», cf. KBL 1038b). Los sacrificios se dedican a un dios Mäläk (distinto, O. Eissfeldt, *Molk als Opferbegriff im Punischen und das Ende des Gottes Moloch* [1935]); → *mǽlæk* 4e.

**b)* En HAL 89 se da una enumeración completa de los verbos y sustantivos relacionados con *ʾēš*. Aquí mencionamos los verbos específicos de encender/quemar/consumir:

1) *ʾōr* hifil, «encender», en Mal 1,10; Is 27,11, junto al significado normal de «hacer brillar», lo mismo que *ʾūr*, «brillo» > «(brillo del) fuego»;

2) *bʿr* qal, «quemar» (38 ×), piel, «encender, mantener el fuego» (13 ×), pual, «ser encendido» (1 ×), hifil, «consumir» (6 ×); además, *beʿērā*, «material combustible» (Ex 22,5); cf. Jenni, HP N. 31;

3) *dlq* qal, «dar fuego» (Abd 18; Sal 7,14; hifil Ez 24,10; cf. Hal 214b y J. Blau, VT 6 [1956] 246; L. Kopf, VT 8 [1958] 170s); además, *dallæqæt*, «ardor febril»;

4) *yṣt* qal, «encender, consumir» (4 ×), nifal, «encenderse, consumirse» (6 ×); hifil, «dar, aplicar fuego» (17 ×); forma secundaria *ṣut* hifil, «encender» (Is 27,4);

5) *yqd* qal, «quemar» (3 ×), hofal, «ser encendido» (5 ×); además, *yeqōd*, «incendio» (Is 10,16 *ter*), *yāqūd* (Is 30,14) y *mōqēd* (Lv 6,2, cf. Elliger, HAT 4,81; Is 33,14; Sal 102,4), «hogar»;

6) *kwh* nifal, «quemarse» (Is 43,2; Prov 6,28); además, *kewiyyā* (Ex 21,25.25) y *kī* (Is 3,24), «quemadura», *mikwā*, «herida de quemadura» (Lv 13,24-28);

7) *lhṭ*, «consumir, quemar» (qal Sal 57, 5; 104,4; piel 9 ×); además, *láhaṭ*, «llama, brasa» (Gn 3,24);

8) *nśq* nifal, «encenderse» (Sal 78,21), hifil, «encender» (Is 44,15; Ez 39,9);

9) *ṣrb* nifal, «quemarse» (Ez 21,3); además, **ṣārāb*, «ardiente» (Prov 16,27) y *ṣāræbæt*, «quemadura, cicatriz» (Lv 13,23. 28);

10) *qdḥ* qal, «encenderse, prender» (5 ×); además, *qaddáḥat*, «fiebre» (Lv 26, 16; Dt 28,22), *ʾæqdāḥ*, «(pedernal) berilo» (Is 54,12);

11) *śrp*, «consumir» (qal 102 ×, nifal 14 ×, pual 1 ×); además, *śerefa*, «consumido, quemado, cenizas» (13 ×, cf. *sup.* *beʿera*, sólo en 2 Cr 16,14; 21,19, «incineración»), *miśrāfōt*, «quema» (Is 33,12; Jr 34,5).

En arameo-bíblico aparecen, junto a *dlq* qal, «quemar» (Dn 7,9), y *yqd* qal, «quemar» (Dn 3,6-26; además, *yeqēdā*, «quema», 7,11), los verbos *ʾzh* qal, «calentar» (Dn 3,19.19.22), y *ḥrk* hitpael, «ser quemado» (3,27).

Verbos de extinción son: *dʿk* qal, «extinguir» (7 ×), pual, «extinguirse» (Sal 118,12; nifal, «desaparecer», Job 6,17), con la forma secundaria *zʿk* nifal, «apagarse» (Job 17,1, y *kbh* qal, «extinguir» (14 ×), piel, «extinguir» (10 ×).

Entre los sustantivos de significado parecido el más importante es *láhab*/*læhābā*, «llama» (12,19, también con el significado de «cuchilla»; en Ex 3,2, *labbat-ʾēš* se debe corregir en *laḥæbæt-ʾēš*; *šalḥæbæt*, «llama», en Ez 21,3; Job 15,30; Cant 8,6, texto enmendado, es un arameísmo; cf. Wagner N. 305); se deben mencionar también *ræšæf*, «llama, brasa» (7 ×; cf. A. Caquot, Sem 6 [1956] 53-63), y *šābīb*, «llama» (Job 18,5; cf. Wagner N. 304; en arameo-bíblico, *šebīb*, «llama», Dn 3,22; 7,9).

c) El fuego se emplea, igual que en otras lenguas, como imagen de las pasiones ardientes: ira (Os 7,6, texto enmendado; sobre el fuego de la ira de Yahvé, cf. *inf.* 4), dolor (Sal 39,4), amor (Cant 8,6), adulterio (Job 31,12; Prov 6,27s), afán polémico (Prov 26, 20s), injusticia (Is 9,17), pecado en general (Eclo 3,30 y *passim*). El punto de comparación es en primer lugar la fuerza destructora, más raramente la función iluminadora del fuego (Nah 2, 4; cf. F. Lang, ThW VI, 934, donde se hace referencia a los diversos juegos de palabras que se forman con este término).

4. Dentro de la tradición religiosa el fuego ocupa un lugar específico en el motivo de la teofanía.

El origen de la concepción que Israel tenía de la teofanía es doble, en conformidad con el significado original del fuego. En la teofanía del Sinaí se piensa originalmente en un fuego volcánico (así, la narración yahvista en Ex 19,18, cf. Noth, ATD 5,86.125s.128s; J. Jeremias, *Theophanie* [1965] 104ss). La otra representación de la teofanía proviene de la religiosidad cananea: la idea de la teofanía que se da en una tempestad acompañada de rayos (por ejemplo, Sal 18,8ss; 29; 97,2ss; cf. paralelos extraisraelíticos en Jeremías, *loc. cit.*, 75ss; P. D. Miller, *Fire in the Mythology of Canaan and Israel:* CBQ [1965] 256ss; también el elohísta describe parcialmente la teofanía del Sinaí como una tormenta, cf. Noth, *loc. cit.*, 128s). Ambas representaciones se mezclaron en seguida (por ejemplo, Hab 3,3ss). Estrechamente unida con la tradición de la teofanía y, por tanto, del fuego aparece la representación de la *kābōd* (→ *kbd)* de Yahvé (Sal 29; 97,6; Is 10, 16; cf. Ez 10; cf., además, von Rad I, 253).

Representaciones antiguas de tipo especial aparecen en casos aislados como apariciones que acompañan a un dios en Gn 15,17 («antorcha de fuego») y Ex 3,2 («llama que sale de una zarza»; sobre esto, cf. Noth, ATD 5,26).

La representación del fuego del Sinaí adquiere un colorido especial en el horizonte de ideas del Deuteronomio y del escrito sacerdotal. El Dt (y el escrito deuteronomístico) habla en forma estereotipada del «monte que arde en fuego» (Dt 4,11; 5,23; 9,15); más esencial es la representación de «Yahvé que habla desde el fuego» (Dt 4,12.15.33.36; 5,4s.22.24-26; 9,10; 10,4; 18,16): todos los elementos de la teofanía están subordinados a la acción de hablar por parte de Yahvé. P habla de la «columna de fuego» *('ammūd 'ēš)* durante la noche y de la «nube» (→ *'ānān)* durante el día, apariciones que no están ligadas al Sinaí, sino que marchan delante de Israel (Ex 13,21s; 14,24; 40, 38; Nm 9,15s; 14,14; cf. Neh 9,12.19; unido con el Sinaí y con *kabod,* Ex 24, 16s: «como un fuego ardiente»). Representaciones semejantes aparecen en Dt 1,33; Is 4,5; Sal 78,14. Con intención espiritualizante designa el deuteronomista al mismo Yahvé como «fuego que consume» *('ēš 'ōkᵉlā,* Dt 4,24; 9,3; también Is 33,14 y 30,27: «su lengua»). 1 Re 19,12 favorece una comprensión literal de la expresión (junto al fuego son mencionados los demás elementos de la teofanía; cf. J. Jeremias, *loc. cit.*, 112-115; J. J. Stamm, FS Vriezen [1966] 327-334).

En las corrientes de tradición de los Salmos y de la profecía dependiente de ellos la teofanía se refiere menos a la palabra de Dios que a su actuar, de forma que aquí lo importante es la actividad del fuego. Dios aparece en el «fuego de su ira» (→ *'af,* → *ḥēmā,* → *'æbrā;* Dt 32,22; Is 30,27.30; Jr 4, 4; 15,14; 17,4; 21,12; Ez 21,36s; 22, 21.31; 38,19; Nah 1,6; Sal 89,47; Cant 2,4; también → *qin'ā,* «celo», aparece en Ez 36,5; Sof 1,18; 3,8; Sal 79,5), que ataca a enemigos del mundo mítico o histórico (potencias del caos, pueblos extranjeros, pecadores, y al mismo Israel también: Sal 46,10; 68,3; Is 9,4. 18; 66,15s; Am 1s, etc.; frecuente también en Jr, por ejemplo, 11,16; 17,27 y *passim).* Separado del contexto de la teofanía aparece también el fuego como fuego de juicio, que la apocalíptica coloca al final de los tiempos (Is 66,24; Zac 9,4; Dn 7,9ss y *passim).*

R. Mayer, *Die biblische Vorstellung vom Weltenbrand* (1956) 79ss, presenta una detallada lista de los pasajes del AT que hablan real o (aunque no siempre es fácil discernir) figuradamente del fuego como instrumento de la ejecución del juicio.

Aunque la imagen de la fundición del metal aparece ya antes en el anuncio de juicio (cf. Is 1,25; Jr 6,27-30; 9,6; Ez 22,17-22), sin embargo, del «juicio purificador» por medio del fuego se puede empezar a hablar sólo en Zac 13,9 y Mal 3,2s (Mayer, *loc. cit.*, 113s; cf. también G. Rinaldi, *La preparazione dell'argento e il fuoco purificatore:* BeO 5 [1963] 53-59).

En la narrativa popular el fuego de la teofanía se convierte en un milagroso «fuego de Dios» (2 Re 1,9ss; Job 1,16 y *passim).* También los ángeles tienen parte en este fuego divino (Ez 10,2.6s; 28,14; 2 Re 6,17).

5. El judaísmo tardío y el NT enlazan (prescindiendo de la elaboración y desarrollo de algunos textos vetero-

testamentarios concretos) con el empleo de la apocalíptica. Cf. F. Lang, *Das Feuer im Sprachgebrauch der Bibel,* Diss. Tübingen (1951) (dactilografiada); íd., art. πῦρ: ThW VI, 927-953.

F. STOLZ

אִשָּׁה *'iššā* Mujer

1. La palabra *'iššā,* «mujer», corresponde al semítico común **'ant-at* (P. Fronzaroli, AANLR VIII/19 [1964] 162s.166.245.262): acádico *aššatu,* «esposa» (además, como cananeísmo, *'iššu,* «mujer, hembra», AHw 399a; CAD I/J 267b); ugarítico, *aṯt,* «esposar»; arameo, *'intᵉtā/'ittᵉtā,* «mujer»; árabe, *'unṯā,* «femenino»; etiópico, *anest,* «mujer».

La radical *ṯ* no permite hacer derivar la palabra del hebreo *'īš,* «hombre» (contra la etimología popular de Gn 2,23); no es posible ofrecer una etimología. Contra el intento de hacerla derivar de la raíz **'nṯ,* «ser débil» (por ejemplo, Driver, CML 152, nota 17), está la vocalización del acádico *enēšū,* «ser débil», que presupone una laringal fuerte como primera radical, mientras que el árabe *'anuṯa* debe ser denominativo (cf. Fronzaroli, *loc. cit.,* 162s).

Sobre las formas irregulares *'éšæt* en singular constructo y *nāšim* plural, con su posible comparación con *'īš,* «hombre», o el correspondiente *'ᵃnāšīm,* «hombres», cf. BL 617.

El plural *'iššōt,* formado a partir del singular, está documentado sólo en Ez 23,44 (texto dudoso) (cf. Zimmerli, BK XIII, 535s).

*2. Lo mismo que *'īš,* también *'iššā* aparece con mayor frecuencia en los libros narrativos (Gn, Jue 1/2 Sm):

	Singular	*Plural*	*Total*
Gn	125	27	152
Ex	32	6	38
Lv	34	1	35
Nm	30	11	41
Dt	33	8	41
Jos	8	2	10
Jue	55	14	69
1 Sm	42	12	54
2 Sm	40	9	49
1 Re	29	9	38
2 Re	16	3	19
Is	6	6	12
Jr	12	24	36
Ez	13	8 + 1	22
Os	5	—	5
Am	2	—	2
Miq	—	1	1
Nah	—	1	1
Zac	2	7	9
Mal	3	—	3
Sal	3	—	3
Job	7	1	8
Prov	23	2	25
Rut	13	2	15
Cant	—	3	3
Ecl	3	—	3
Lam	—	3	3
Est	5	16	21
Dn	—	2	2
Esd	1	11	12
Neh	2	8	10
1 Cr	16	4	20
2 Cr	8	11	19
Total AT	568	212 + 1	781

En Lisowsky faltan los textos de 1 Re 14,5.6.

En el arameo bíblico aparece 1 × el plural *nᵉšēhēn,* «sus mujeres» (Dn 6,25; el singular **'antā/'antᵉtā* correspondiente a *nᵉšīn* no está documentado, pero aparece en el arameo imperial, cf. DISO 26s).

3. *a)* En su *significado base* de «mujer» (la persona de sexo femenino) está contenida ya su correlación con *'īš,* «hombre» (las mismas formas de dos vocablos en hebreo hacen resaltar aún más esta correlación, cf. Gn 2,23).

En la gran mayoría de los casos el concepto está caracterizado por el encuentro matrimonial o extramatrimonial con el hombre. Junto a esto aparecen también series nominales en las que este elemento sexual pasa a segundo plano. La expresión «hombre o mujer» puede ser empleada en el sentido de «alguien, cualquiera»; «hombres y mujeres» puede también significar «todos»; para listas de estas expresiones y de las series «hombres/mujeres/niños», cf. → *'īš* III/1.

Otro campo semántico natural está formado por los conceptos «hijo/hija/niño» o sus correspondientes plurales, que aparecen también por lo general en series nominales.

Ejemplos: «mujer/hijos/nueras» (Gn 8,16, cf. 6,18; 7,7.13; 8,18); en nacimientos, «mujer-hijo/hija» (Gn 18,10 y *passim;* «mujeres/hijos» (Gn 32,23), «mujer/hijas» (Is 32,9 en paralelismo); muy frecuente, «mujeres/hijos» (Gn 30, 26; Nm 14,3 y otros; Sal 128,3, en *parallelismus membrorum).*

El campo semántico del término aparece caracterizado por un gran número de verbos, de los que mencionaremos sólo los más importantes:

hrh, «concebir» (Gn 25,21; Ex 2,2; 21, 22; Jue 13,3 y otros); → *yld,* «engendrar» (Gn 3,16 y *passim;* además, *hrh* y *yld* aparece con frecuencia uno junto a otro); → *lqḥ,* «tomar por esposa, casar» (Gn 4, 19; Dt 23,1; Jue 14,2 y otros); *hyh le'iššā,* «casarse» (Gn 24,67 y otros); *ntn le'iššā,* «dar por esposa» (Gn 16,3; Jue 21,1.7 y otros). Existe toda una serie de expresiones para designar la relación matrimonial: *škb,* «dormir» (Gn 26,10 y otros); → *yd',* «conocer» (Gn 4,1.17 y otros); *bō' 'æl,* «entrar a» (Gn 38,8.9 y otros); → *glh* piel, *'ærwat 'iššā,* «descubrir las vergüenzas de una mujer» (Lv 18,6ss; 20,11.17-21); → *qrb,* «acercarse» (Lv 18,14 y otros); *'nh,* «violar» (Gn 34,2 y otros); *šgl,* «dormir con» (Dt 28,30 y otros). Mencionemos también los siguientes verbos: → *'hb,* «amar»; → *ḥmd,* «desear»; → *'rś,* «desposar»; *zūb,* «tener la menstruación»; *ynq* hifil, «sosegar»; → *qn'* piel, «ser celoso»; *n'p,* «cometer adulterio»; → *šlḥ,* «repudiar»; → *bgd,* «violar la lealtad». De época tardía deben mencionarse: *yšb* hifil, «casar = traer a vivir consigo a una mujer» (Esd 10,2ss; Neh 13,23.27); → *yṣ'* hifil, «repudiar» (Esd 10,3.19).

No existen sustantivos sinónimos de *'iššā* en su significado base.

El término es usado sólo una vez referido a animales (Gn 7,2; cf. también Ez 1,9).

b) Lo mismo que *'īš,* «hombre/esposo» (III/2a), también se emplea *'iššā* con frecuencia en el *sentido específico* de «esposa» (Gn 12,5; 2 Sm 11, 27 y *passim).* Son frecuentes las expresiones *X 'ēšæt Y,* «X, esposa de Y» (por ejemplo, Gn 11,31), y *šēm 'ištō X,* «su esposa se llamaba X» (por ejemplo, Rut 1,2).

Sobre la posición de la mujer en el AT, cf. Horst, art. *Frau* II: RGG II, 1067s, y la bibliografía allí citada.

La palabra normal para designar a la «concubina» es *pīlægæš* (36 ×; de origen no semítico, cf. Ellenbogen, 134); en 1 Sm 1,6 aparece *ṣārā,* «co-esposa, rival». Designaciones especiales para referirse a la esposa del rey o a las pertenecientes al harén del monarca son las siguientes: *šēgal* (Sal 45,10; Neh 2, 6; arameo-bíblico, Dn 5,2.3.23) y en arameo-bíblico *leḥēnā* (en Dn 5 siempre junto a *šēgal).*

En Lam 2,20 el contexto da al término el sentido limitado de «madre»; en Gn 29,21 y Dt 22,24, el de «novia». En Ecl 7,26 aparece *hā'iššā* generalizado («la hembra» = «el sexo femenino»).

c) En sentido *metafórico* se usa el término para designar a un hombre cobarde, pero sólo en los oráculos proféticos contra los pueblos, donde únicamente de los soldados y guerreros de un pueblo extranjero se dice que se han hecho mujeres o como mujeres (Is 19,16; Jr 48,41; 49,22; 50,37; 51,20; Nah 3,13).

'iššā aparece además como imagen aplicada a Israel o a Jerusalén: Os 2,4; Jr 3,1.3.20; Is 54,6; Ez 16,30.32; 23, 2ss (cf. *inf.* 4*f).*

d) Comparado con *'īš,* el término *'iššā* aparece mucho más raramente en el sentido generalizado de «cualquiera» (Ex 3,22; Am 4,3; Rut 1,8s). Expresiones para «la una... la otra» se forman con *'āḥōt* (→ *'āḥ* 3d) y *re'ūt* (Jr 9,19; referido a animales: Is 34,15.16; Zac 11,9).

4. Son varios los empleos del término en contextos más o menos teológicos:

a) En las *narraciones patriarcales,* la promesa del hijo a la madre de la tribu constituye sin duda un motivo muy antiguo. A la lamentación de la madre sin hijos contesta Dios (o su mensajero) prometiéndole un hijo: Gn 17,19 (cf. 16,11); 18,10; 24,36; 25,21 (cf. Westermann, *Forschung am AT* [1964] 19ss; sobre la cuestión de la poligamia, cf. W. Plautz, *Monogamie und Polyginie im AT*: ZAW 75 [1963] 3-27).

b) En *Gn 2-3* aparece *'iššā* sola 17 ×. Se deben señalar especialmente la etiología de la palabra en 2,23 (*me-'īš*, «del hombre ha sido tomada»), la función especial de la mujer en la historia de la caída y el castigo especial en 3,16.

c) Sobre *series* como «hombres/mujeres/niños (vacas/ovejas/asnos)» se debe hacer notar algunas circunstancias concretas, como, por ejemplo, la ejecución del mandato de exterminio en la guerra de Yahvé (Nm 31,9.17; Dt 2, 34; 3,6; Jos 6,21; Jue 21,10s; 1 Sm 15,3; 22,19; 27,9.11). Series de este tipo aparecen en el anuncio profético de juicio (los enemigos de Yahvé son ahora los israelitas: Jr 6,11s; 14,16; 38,23; Ez 9,6; formulando un deseo contra los enemigos: Jr 18,21).

Un segundo *Sitz im Leben* es el acto de proclamación de la ley, para el cual se han congregado «hombres/mujeres/niños (/forasteros)» (Dt 31,12; Jos 8, 35). Este mismo empleo vuelve a aparecer en las asambleas populares que celebraron Esdras y Nehemías (Esd 10,1; Neh 8,2s).

d) Las *mujeres extranjeras* constituyen un motivo teológico especial. En época antigua no constituía dificultad desde el punto de vista teológico la convivencia entre israelitas y cananeos (Gn 34; Ex 2,21; 4,20; cf. Dt 21,11. 13). La teología deuteronomística en Jue y Re da un juicio claramente negativo sobre esa convivencia con los vecinos: las mujeres extranjeras traen consigo a los dioses extranjeros y suponen un abandono de Yahvé (Jue 3,6; 1 Re 11,1ss; 16,31; 21,25; 2 Re 8,18). La cuestión se hizo especialmente aguda en los primeros años posexílicos: en el escrito sacerdotal (Gn 27,46; 28,1.2. 6.9; Nm 25,6ss, texto cercano a P) y en Esd 10,2ss; Neh 13,23ss.

e) Abusar de una mujer es una «infamia en Israel» (*nebālā*, → *nābāl*), que atrae la ira y el castigo de Dios (Jue 19s; cf. Gn 34). Por eso existe toda una serie de *prescripciones legales* que regulan las relaciones sexuales entre el hombre y la mujer:

Nadie debe desear a la mujer de su prójimo (Ex 20,17; Dt 5,21). Si uno se acuesta con una mujer desposada (Dt 22,23s) o casada (Dt 22,22), ambos son reos de muerte. Sobre el adulterio grava la pena de muerte (Lv 20,10; Nm 5,11ss). La misma pena cae sobre una mujer que tiene trato sexual con un animal (Lv 20,16). En Lv 18 se regula toda una serie de relaciones sexuales intrafamiliares; en Lv 15, el comportamiento durante la menstruación. Otras leyes que afectan a la mujer: Ex 19,15; 21,22; Lv 12,1-8; Nm 6,2; 30,4ss; 36, 3ss; Dt 17,2.5; 22,19; 24,1ss; 25,5.

La profecía recoge en ocasiones estas prescripciones legales, parte en las acusaciones contra los transgresores de la ley (de mandatos sobre la sexualidad: Os 2,4; Jr 3,1ss; 5,8; 29,23 y otros; idolatría: Jr 7,18; 44,15; Ez 8,14), parte en el anuncio profético de juicio (2 Sm 12,11; cf. Is 13,16; Jr 8,10; Zac 14,2). Finalmente deben ser mencionadas las palabras de la Torá en Ez 18, 6.11.15.

La literatura sapiencial elabora de forma diversa los temas sexuales mencionados: la razón «te guarda de la mujer de otro» (Prov 2,16; 6,24; 7,5; cf. 6,29). Por lo demás, una mujer buena y sensata es un don de Yahvé (Prov 19,14; cf. la alabanza de la mujer honrada y diligente en Prov 31,10-31).

f) En la profecía, Israel o Jerusalén son designados en ocasiones como *esposa de Yahvé*, por primera vez en Oseas (2,4; la acción simbólica de Os 1,2ss; 3,1ss no pertenece a este contexto). En una «acción legal por infidelidad matrimonial» (Wolff, BK XIV/1,37) la mujer infiel (= Israel) es acusada de adulterio. La imagen del matrimonio, que Oseas tomó de la mitología cananea, sirve para combatir la tendencia de Israel hacia este culto cananeo de Baal con su prostitución sagrada. La imagen vuelve a ser recogida en la acusación de Jeremías (3,1.3.20) y de Ezequiel (16,30.32; 23,44). De forma diversa desarrolla esta misma imagen la proclamación salvífica del Deuteroisaías (Is 54,6): Israel es la «mujer de juventud» abandonada que Yahvé llama de nuevo.

g) Una vez se compara el *actuar salvífico de Yahvé* con respecto a Israel con la actitud de una mujer hacia su hijo: Is 49,15: «aunque una mujer olvidase a su hijo...» (cf. Is 66,13, → *'ēm* 4e).

5. En el NT vuelven a aparecer las siguientes líneas: *a)* el tema de la mujer estéril a quien Dios promete un hijo (Lc 1); *b)* Gn 2-3 en Mc 10,7 paralelos y otros; *c)* el tema de las «mujeres extranjeras» pasa en 1 Cor 7,12ss al tema del «cónyuge no cristiano»; *d)* al igual que en el AT, el matrimonio está especialmente salvaguardado (Mt 5,31s; Ef 5,22ss), aunque faltan las numerosas prescripciones sexuales de aquél; *e)* sobre el empleo figurado, cf. Ap 21,2.9; 22,17. Cf. también A. Oepke, art. γυνή: ThW I, 776-790.

J. Kühlewein

אָשָׁם *'āšām* Reato

1. La raíz *'šm* o (según el árabe *'aṯima,* «desviarse») **'ṯm* no ha sido documentada todavía en documentos semíticos prehebreos o contemporáneos al AT (sobre el ugarítico, cf. D. Kellermann, *'āšām in Ugarit?:* ZAW 76 [1964] 319-322; sobre el púnico, cf. Sznycer, 143). Sobre los equivalentes árabes (y ¿también etiópicos?), cf. HAL 92.

En hebreo se han formado de la raíz *'šm:* el verbo en qal, nifal e hifil; el sustantivo abstracto *'āšām,* que designa un estado (GK § 84s; BL 462s); el abstracto *'ašmā,* originalmente infinitivo femenino (BL 317.463; claro todavía en Lv 4,3; 5,24.26); el adjetivo verbal *'āšēm.*

2. El verbo está documentado 33× en qal, una vez en nifal y otra en hifil; el nombre *'āšām* 46 ×, *'ašmā* 19 × y el adjetivo 3 ×.

Del total de 103 casos en que aparece la raíz, 49 pertenecen a las secciones P de Lv y Nm, 9 a 1/2 Cr, 8 a Ez y 7 a Esd. En las secciones legales de Ex y Dt la raíz no aparece nunca y en la literatura sapiencial muy pocas veces (2 ×). Los libros históricos emplean raramente la palabra: Gn 2 ×, Jue 1 ×, 1 Sm 4 × (todas en el cap. 6), 2 Sm 1 ×, 2 Re 1 ×. Lo mismo vale del lenguaje de los profetas: destacan Ez con 8 casos y Os con 5 casos (verbales); quedan Jr con 3 casos y Am, Hab, DtIs, DtZac, Jl e Is 24 con 1 caso cada uno. Así, pues, el 70 por 100 de los casos corresponde a textos influidos por el culto y la teología de época exílica y posexílica.

Los casos más antiguos corresponden al sustantivo *'āšām* en Gn 26,10 (L/J) y 1 Sm 6,3.4.8.17, después al adjetivo *'āšēm* en 2 Sm 14,13. Sólo más tarde aparece el verbo en Jue 21,22, seguido de *'āšām,* en 2 Re 12,17; *'ašmā,* en Am 8,14; *'āšēm,* en Gn 42,21 (E), y finalmente el verbo en Os 4,15; 5,15; 10,2; 13,1; 14,1 y Hab 1,11.

La forma nominal *'ašmā,* si prescindimos de Am 8,14 y Sal 69,6, aparece por primera vez en la época posexílica, inicialmente *junto a 'āšām* (Lv 4,3; 5,24.26; 22, 16). En Esd y Cr, donde, por una parte, aparecen los demás 13 casos, y por otra, ha desaparecido la forma *'āšām,* la nueva forma *'ašmā* ha sustituido a la vieja *'āšām.* Este desarrollo se confirma en los textos de Qumrán, donde *'āšām* sólo aparece dos veces y *'ašmā,* por el contrario, 37 × (cf. Kuhn, *Konk.,* 23s).

En Jue 21,22; Is 24,6; Ez 6,6; Os 4,15; Hab 1,11; Prov 14,9; Est 10,19 existen dificultades textuales.

3. *a)* El contexto, las fórmulas y las composiciones de palabras dejan reconocer dos focos en el área de empleo del concepto dentro del AT:

1) Una situación de reato en la que alguien da algo.

Cf., por ejemplo, «llevar algo a Yahvé como *'āšām»* *(bō* hifil) (Lv 5,15b.18.25; Nm 6,12), «presentar algo ante Yahvé» *(qrb* hifil) (Lv 14,12), «presentar la propia vida (como) *'āšām (śīm)»* (Is 53,10), además, «carnero-*'āšām»* (Lv 5,16; 19,21b. 22), «cordero-*'āšām»* (Lv 14,21.24.25), «plata-*'āšām»* (2 Re 12,17). Cf. también el «día de la *'ašmā»* (Lv 5,24; cf. Os 5,15) y finalmente las fórmulas de introducción en Lv 6,10; 7,1.7.37; Nm 18,9, además, Os 5, 15; Is 24,6; Zac 11,5.

2) Una situación en la que alguien está o estará obligado a expiar el reato y en la que debe dar algo.

Esto se expresa *a)* por medio del verbo usado como fórmula de juicio en los géneros de declaración de culpabilidad (que en nuestro caso implican una indicación formal de las consecuencias de la declaración): Os 10,2; 13,1; 14,1; Jr 2,3; Ez 22, 4; 25,12; Prov 30,10; Sal 34,23; cf. Jr 50, 7; Sal 5,11; casi todos estos textos presentan una estructura trimembre en la que la declaración de culpabilidad ocupa una posición media entre la acusación y el anuncio concreto de castigo; *b)* asimismo, por medio del verbo y como fórmula de juicio en la enseñanza cúltico-legal: Lv 4,13s.22s; 5,17.19b.23; Nm 5,6.7; *c)* en fórmulas declaratorias (en el caso de *'āšām):* Lv 5, 19a; 7,5; 14,13; *d)* en la enseñanza exhortativa de la Torá: Os 4,15; 2 Cr 19,10b; *e)* en confesiones de fe: 2 Cr 28,13b; *f)* en todos los casos de *'ašmā* (exceptuado Lv 5, 24); *g)* cf. finalmente Jr 50,7; 51,5; Sal 68,22; Gn 26,10; además, Am 8,14: «juran por aquello por lo que Samaría se ha hecho culpable».

b) El material presentado muestra los puntos de vista que hay que distinguir para determinar el significado del concepto:

1) *'šm* no sirve para expresar la «transgresión» o el «delito». Por tanto, hay que distinguir bien en los textos el término *'āšām* de los términos que indican «transgresión» (por ejemplo, *m'l,* Lv 5,15.21; *ḥṭ',* Lv 4,2s.13s; 5,1s; cf. también Esd 9,13). Mientras las transgresiones pueden ser de diverso tipo (Lv 4,13; 5,2.17-19; Nm 5,6s) y *'šm* puede presuponer todos los tipos (Lv 5,21-23.26; 2 Cr 19,10), *'šm* se refiere siempre a un *tipo concreto de consecuencia* de esas transgresiones.

2) Tampoco se puede probar que *'šm* signifique un determinado tipo de pena (T. H. Gaster, IDB IV, 152: *simply a mulct, a fine* (= *mulcta pecuniaria).* Las cargas pueden ser diversas, cf. 1 Sm 6,3.4.8.17; Gn 42,21; 2 Re 12,17; Os 14,1; Jr 51,5; Is 53,10; además, Lv 5,15ss; Ez 40,39; 44,29; 46,20; Esd 10,19, etc.

3) *'āšām,* en cuanto cumplimiento (de la deuda), no puede entenderse originalmente como «sacrificio», aunque la institución del *'āšām* aparezca más adelante junto a los diversos ritos sacrificiales, cf. Lv 6,10; 7,7.37; Nm 18,9; 2 Re 12,17; Ez 40,39; 42,13; 44,29; 46,20 (cf. R. Rendtorff, *Studien zur Geschichte des Opfers im Alten Israel* [1967] 227s; Elliger, HAT 4,73ss).

4) Aunque en Jr 51,5s; Lv 5,17; 22,19; Esd 9,6: *'āšām* y *'āwōn* (ambos conceptos muy próximos uno de otro), se refieren a la misma situación, expresan, sin embargo, algo diverso: → *'āwōn* presenta el aspecto del peso, de la carga, del cargar (con la culpa); *'āšām,* por el contrario, presenta el aspecto del estar obligado (a cargar con la culpa). *'ᵃwōn 'ašmā,* en Lv 22,16, indica, por tanto, «la carga del reato».

5) Finalmente tampoco los aspectos funcionales como «indemnización» o «reparación» parecen ser lo que primariamente indica *'šm.* El punto de vista primario es la situación de deuda contraída, consecuente a un juicio, la situación de responsabilidad creada y su cumplimiento. Los aspectos funcionales parecen pertenecer más bien al *sentido presupuesto* de la situación de responsabilidad, sin que estén directamente expresados en la palabra misma. Así, *'āšām,* según Lv 5,14-16, no es «indemnización» (contra Elliger, HAT 4,76; con Gaster, *loc. cit.:* «Not an indemnification... not compensatory»), pero sí sirve para expresar la reparación (contra Gaster, *loc. cit.);* cf. → *kpr* piel *'al* y → *slḥ.* Cf. también Lv 5,21-26 y Nm 5,6s. Gn 42,21 parece implicar la compensación. El texto de 1 Sm 6,3.4. 8.17 tiene por objetivo la rehabilitación

y la restitución; Is 53,10, la restitución; cf. Jue 21,22.

c) El empleo (doble para nuestra mentalidad) de la única raíz *ʾšm* (cf. *sup. 3a)* se refiere probablemente a una situación fundamental común, que va desde la declaración de la culpa hasta el cumplimiento de la misma: es *la obligación resultante de un ser culpable, la obligación de la culpa, el reato, el estar cargado con la deuda o la responsabilidad contraída.* Según esto, la «obligación» apunta hacia el cumplimiento, aunque éste todavía no aparezca como realizado, mientras que el cumplimiento por su misma esencia está caracterizado siempre como «reato, responsabilidad». Esta situación aparece en el caso de *condena* a cargar con la deuda (cf. *sup.* 3*a*[1]), mientras dura el estar cargado con la culpa (formas adjetivales, cf. Prov 14,9: «los necios desprecian la deuda contraída»; Sal 68, 22: «el que persiste en la deuda contraída»; Jr 51,5: «la tierra está llena de deudas contraídas») y en el caso del *cumplimiento* (cf. *sup.* 3*a*[2]).

En este sentido las formas nominales (incluida la adjetival) indican el *estar* obligado al reato, mientras que el verbo indica el *incurrir* en el reato. La razón para usar exclusivamente el singular del sustantivo (excepciones: Sal 69,6; 2 Cr 28,10, ambos casos de *ʾašmā)* consiste probablemente en que se consideraba «la obligación contraída por la culpa» como una, referida al juicio y a la expiación. Las formas plurales en el verbo y en los adjetivos se refieren, por el contrario, al número plural de las personas que han contraído la deuda.

Esta situación fundamental común y este significado base parecen prevalecer todavía en aquellos pasajes en los que no se impone una alternativa entre «culpa» y «expiación»: Gn 26,10; 42, 21 (cf. v. 22c); Jue 21,22; 2 Sm 14,13; Os 5,15 (cf. Wolff, BK XIV/1, 134, y Gn 42,21); 10,2; 14,1; Is 53,10; Prov 14,19; 30,10; Esd 10,19 M: «y obligado a ofrecer un carnero por su reato (¿penitencia?, ¿castigo?)»; por el contrario, según los LXX: «y como su castigo (penitencia) un cordero por su reato». Cf. la doble perspectiva también en los contextos de Sal 34,22 y 23; Lv 5,24 y 26.

d) Basándose en esta aplicación del significado base a diversos aspectos de la situación de reato se llega a usar el concepto desde diversas perspectivas. Además de las ya mencionadas del *estar* obligado al reato/*contraer* la deuda y del *cumplimiento* de la misma, hay que mencionar finalmente el empleo de *ʾāšām* como *medio* del cumplimiento de la deuda.

Este último empleo recibe su expresión gramatical con *ʾāšām* como acusativo de objeto o *nomen rectum* de una cadena constructa: «matar un *ʾāšām*» (Lv 7,2, se refiere a un animal); «llevar un *ʾāšām*» (Lv 5,6s.15b.25a.28). Según Ez 40,39; 42,13; 44,29; 46,20, *ʾāšām* pertenece a las ofrendas sagradas, reservadas a los sacerdotes.

El cambio de perspectivas aparece claro en Lv 5,15s: 1) «*ʾāšām* para Yahvé», 2) «un carnero como *ʾāšām (lᵉʾāšām)*», 3) «el carnero del *(hā)ʾāšām*». En 1) *ʾāšām* es sujeto, en 2) y 3) es el carnero el sujeto de la frase. Mientras 2) y 3) explicitan la relación entre *ʾāšām* y carnero, en 1) dicha explicitación está contenida en el término *ʾāšām.* Esto indica que incluso allí donde la palabra debe entenderse como instrumento, ésta expresa más el sentido de la función del medio que el medio mismo. Los contextos muestran que siempre se tenía en cuenta y se aludía también al medio.

e) El problema de nuestras actuales traducciones consiste en que, dada la diferencia de perspectivas, nosotros nos fijamos y expresamos primariamente lo diferencial y no tanto lo común, como es el caso de *ʾāšām.* Atendiendo a la intención fundamental del concepto hebreo se debería traducir: *ʾšm* qal, «incurrir/estar en situación de reato o responsabilidad»; *ʾšm* nifal, «tener una deuda obligatoria, una responsabilidad» (Jl 1,18); *ʾšm* hifil, «colocar en situación de reato de responsabilidad» (Sal 5,11); *ʾāšēm,* «responsable, obligado, sometido a una deuda»; *ʾāšām* y *ʾašmā,* «reato, responsabilidad, sujeción a una deuda» (ambos nombres indican, en cuanto es posible, la unidad de situación y cumplimiento). Donde especialmente se destaca el aspecto del cumplimiento y no puede prescindirse del elemento instrumental, se debe traducir por «cumplimiento del reato», «ofrenda por el reato». Las diversas posibilidades son: «culpa-pago de la culpa» (Buber); «culpabilidad-pena» (Wolff, lingüística y objetivamente claro); «ser culpable-expiar» *(Zürcher Bibel;* objetivamente no muy claro y lingüísticamente no muy coherente). Por el contrario, son falsas o problemáticas las traducciones siguientes: «endeudarse, endeudamiento» (porque olvida el acto de la transgresión); «cometer pecado» *(Zürcher Bibel,* por ejemplo, en Lv 5,17); «cargado de culpa» (KBL 94b; HAL 93a, porque «cargado» recuerda más a *'āwōn);* «sacrificio por el pecado» (porque «sacrificio» implica algo distinto al carácter de pena de la ofrenda penitencial).

4. La idea implícita en una situación de *'šm* es la siguiente: por medio del reato y de la expiación por algo dañoso cometido se crea el presupuesto para la restauración de la situación alterada. La palabra tiene un carácter teológico en cuanto que la responsabilidad del hombre es expresión, causa y consecuencia del juicio o actividad divinos y que como situación o expiación humana se refiere a dicho juicio y actividad de Dios. Esto aparece claro cuando se violan los privilegios de Yahvé (por ejemplo, en el ámbito cúltico). Y lo mismo sucede implícitamente cuando al causar daños a nivel mundano o humano se viola el mundo de valores de Yahvé. La razón para esta cualidad teológica de *'šm* reside en que toda situación de deuda contraída por una culpa humana tiene que ver siempre y fundamentalmente con Dios. En consecuencia, todo cargar con una culpa significa al mismo tiempo una toma de responsabilidad frente a Dios. No se puede, pues, distinguir tampoco aquí entre una comprensión religiosa y profana de las situaciones de *'šm.*

Por lo mismo, se solicita de Dios o se anuncia el *'šm* a causa de la opresión del justo (Sal 5,11; 34,22s) o cuando sufre violencia el justo, que está bajo la protección de Yahvé (Ez 22,4; 2 Cr 19,10, cf. v. 5-9). O bien la situación de reato contraído por los enemigos de Dios tiene como consecuencia la intervención divina (Sal 68,22). Según Nm 5,6s, existe reato con respecto a la persona dañada o a sus parientes o, caso de que éstos no existan, con respecto a Dios, según la concepción de que una ofensa legal contra los hombres es también una ofensa contra Dios. Lv 5,14-16.21-26 declaran responsable ante Dios, en un sentido amplio, a todo aquel que comete una transgresión legal contra el prójimo, además de la reparación a la persona dañada.

Los hermanos de José comprenden su situación como una situación de reato por el delito cometido contra José (Gn 42,21). Según 1 Sm 6,3, *'šm* debe conseguir la curación y el reconocimiento de la motivación del juicio divino.

En este sentido, *'šm* viene a ser consecuencia de haber roto la alianza (Is 24,6) o de haberse alejado de Yahvé (Os, en especial 14,1; Jr 51,5). El reato aparece patente cuando se atenta contra algún privilegio de Yahvé, algo consagrado a Yahvé, sea Israel (Ez 25, 12; Jr 50,7; Zac 11,5), miembros del pueblo (2 Cr 28,13), la propiedad del santuario o de los sacerdotes (Ez 40, 39; 42,13; 44,29; 46,20) o una ley religiosa especial (Esd 10,19).

5. Los LXX han traducido *'šm* con no menos de 16 términos diversos. La traducción más frecuente, con casi la mitad de los casos (la mayoría del Lv, Nm y textos emparentados), es la de πλημμέλεια, «transgresión» (πλημμελέω y semejantes no están documentados en el NT); siguen ἁμαρτία (ἁμαρτάνω), ἄγνοια y otros vocablos que designan «delito». En los LXX, por tanto, se ha abandonado en principio el significado fundamental unitario de *'šm* y ha sido sustituido por varios significados y por una diversa comprensión, distinta en cada caso. Esto sigue valiendo a pesar de la reconocida diversidad de estratos de tradición en los LXX y a pesar del predominio de la traducción πλημμέλεια. Por otra parte, tampoco existe —si

prescindimos de algún grupo de textos relativamente limitados (Lv/Nm)— una gran coherencia en la traducción, ni siquiera para reflejar las perspectivas principales. Estas han caído víctimas de una comprensión de la realidad inherente a los conceptos griegos. Al pasar al ámbito lingüístico griego se ha perdido fundamentalmente todo lo que *ʾšm* significaba específicamente.

R. Knierim

אשר *ʾšr* piel **Declarar dichoso**

1. El término más importante del grupo de palabras *ʾšr* II es la forma nominal *ʾašrē,* entendida generalmente como plural constructo de un supuesto *ʾæšær,* «dicha, salvación» (cf., sin embargo, Joüon, 215; J. A. Soggin, ThZ 23 [1967] 82). Este grupo de palabras tiene diversos correspondientes en las demás lenguas semíticas, que, sin embargo, ayudan poco para aclarar de modo satisfactorio su origen etimológico (cf. HAL 94-96; Zorell, 87; W. Janzen, HThR 58 [1965] 216; J. Barr, *Bibelexegese und moderne Semantik* [1965] 120). El derivado *ʾōšær,* «dicha», está documentado una sola vez (Gn 30,13; cf. HAL 95b; además, WUS N. 458; el neopúnico *ʾšr lb,* «alegría del corazón [?]», KAI N. 145, línea 11). Formas verbales se dan sólo en *ʾšr* piel y pual y son, en general, consideradas como derivaciones denominativas de *ʾašrē* (cf. D. R. Hillers, *Delocutive Verbs in Biblical Hebrew:* JBL 86 [1967] 320-324).

2. Mientras la distribución del verbo es poco significativa (piel 7 ×, pual 2 ×), en el caso de *ʾašrē* se dejan notar tendencias concretas. El vocablo aparece en total 45 × (Sal 26 ×, Prov 8 ×; además, Dt 33,29; 1 Re 10,8.8. = 2 Cr 9.7.7; Is 30, 18; 32,20; 56,2; Job 5,17; Ecl 10,17; Dn 12,12; además, *ʾōšær* 1 ×, cf. *sup.),* de ellas 38 × en la forma *ʾašrē,* 6 × con sufijo plural y 1 × con sufijo singular (Prov 29,18).

El término *ʾašrē,* según lo indicado, aparece con gran frecuencia en los salmos: se debe estudiar a qué género pertenecen los salmos en cuestión, porque de esto depende el problema (tan debatido en la actual investigación) del origen y tipo de las afirmaciones *ʾašrē.*

Esta investigación demuestra que la fórmula estereotipada *ʾašrē* es propia de los salmos reconocidos como sapienciales (Sal 1; 32; 34; 106; 112; 127; 128; cf. Gunkel-Begrich 392; S. Mowinckel, SVT 3 [1955] 213; Sellin-Fohrer 308ss) o en pasajes de cuño sapiencial de otros salmos (cf. Sal 94; 119; además, Sal 2,12b junto a v. 10). En 3 de los 9 casos en que aparece el verbo se nota un sello sapiencial (Job 29,11; Prov 3,18; 31,28; cf. Sal 41,3 Q). Basta mirar a estos datos para ver el limitado valor del detallado intento de E. Lipinski, *Macarismes et psaumes de congratulation:* RB 75 (1968) 321-367, donde el autor pretende demostrar un origen cúltico de la fórmula *ʾašrē* basándose en primer lugar en los textos de los salmos (cf., además, *inf.* 4).

3. *a)* El significado base del piel, que hay que considerar como estimativo-declarativo, es «declarar dichoso» (así, por ejemplo, GB 73; HAL 94a; Jenni, HP 41.270). Como verbos paralelos aparecen en ocasiones *ʿūd* hifil, «dar testimonio (laudatorio)» (Job 29, 11), y *hll* piel, «alabar» (Prov 31,28; Cant 6,9). Por medio del verbo —y también por medio de las formas nominales—, que se refiere sólo a hombres (y nunca a Dios, cf. G. Bertram, ThW IV, 368), se da expresión a una descripción predicativa de contenido positivo, que será aclarada y fundamentada más concretamente por el contexto o a través de datos de diverso tipo (por ejemplo, por medio de una frase *kī,* Mal 3,12).

b) La declaración nominal de felicidad por medio de formas sufijadas y sobre todo por medio de *ʾašrē* coincide con lo dicho sobre los verbos, pero presenta un empleo más extenso y mucho más formulario.

En la fórmula con el simple *ʾašrē,* éste aparece siempre en primera posición; lo mismo sucede normalmente en las formas sufijadas (en Prov 14,21; 16,20; 29,18, por el contrario, aparece en posición posterior). En 1 Re 10,9 = 2 Cr 9,7; Sal 144,15 la fórmula es ampliada por medio de un paralelo. En Sal 32,1s; 84,5s; 119,1s; 137, 8s; Prov 8,32.34 se dan duplicados (cf. K. Koch, *Was ist Formgeschichte?* [1964] 8.104), que dan pie para elaborar series de esta fórmula (de todas formas, estas series se multiplican sólo en época tardía, cf. C. A. Keller, FS Vischer [1960] 89). La continuación sintáctica de la fórmula se da por medio de un nombre: *ʾādām* (Sal 32, 2; 84,6.13; Prov 3,13; 8,34; 28,14) y *ʾænōš* (Is 56,2; Job 5,17), «hombre», *ʾīš* (singular: Sal 1,1; 112,1; plural: 1 Re 10, 8 = Cr 9,7) y *gæbær* (Sal 34,9; 40,5; 94, 12; 127,5), «varón», *gōy* (Sal 33,12) y *ʿam* (Sal 89,16; 144,15.15), «pueblo», «sus hijos» (Prov 20,7), «tus siervos» (1 Re 10, 8 = 2 Cr 9,7), «los que caminan sin defecto» (Sal 119,1), o también por medio de un participio (sing.: Sal 32,1; 41,2; 128,1; Dn 12,12; plural: Is 30,18; Sal 2,12; 84, 5; 106,3; 119,2) o por medio de una frase relativa, construida bien asindéticamente en imperfecto (Sal 65,5; Prov 8,32; cf. BrSynt 144), bien con *šæ-* e imperfecto (Sal 137,8.9), o frase nominal (Sal 146,5). Esta extensión de la fórmula caracteriza o fundamenta más concretamente el contenido de la declaración de dichoso aplicada a una persona (o a un grupo de personas).

En ocasiones aparece en fórmulas alocutivas (Dt 33,29; Is 32,20; Sal 128,2; Ecl 10,17 con formas sufijadas; cf. Mal 3,12 con el verbo). En determinadas circunstancias se puede presuponer un acto de congratulación (cf. Gn 30,13; también Sal 127,3-5; 128; cf. ThW IV, 369, 46-48), de forma que la declaración de dichoso no puede entenderse como simple saludo o simple felicitación (cf. H. Schmidt, ThStKr 103 [1931] 141-150; Gemser, HAT 16, 29, la caracteriza como «forma hímnica solemne, intermedia entre la palabra de declaración y la palabra de exhortación»; pero tal caracterización es, según W. Zimmerli, ZAW 51 [1933] 185, nota 1, demasiado poco precisa). Más bien debe entenderse como oráculo predicativo de salvación (cf. Fohrer, KAT XVI, 152; también Kraus, BK XV, 3, citando a M. Buber), que alaba a una persona (o a un grupo de personas) en razón de su dichosa situación de felicidad y la presenta como ejemplar —con la consecuente intención exhortatoria— y que tuvo su origen en un interés sapiencial extendido luego a lo religioso en sentido más estricto.

4. Teológicamente es importante no contraponer esos intereses, como si la «sabiduría» coincidiera esencialmente con un *savoir vivre* profano; ha de destacarse, más bien, el carácter religioso de la sabiduría (cf. Zimmerli, GO 303; Ch. Kayatz, *Studien zu Proverbien 1-9* [1966] 51s, donde se presenta material egipcio, y sobre todo J. Dupont, *«Béatitudes» égyptiennes:* Bibl 47 [1966] 185-222). Así la dichosa situación salvífica puede ser de diverso tipo y referirse, por ejemplo, a la posesión de hijos, de hermosura y honor, a la adquisición de la sabiduría, así como al perdón de los pecados o a la confianza divina (indicaciones más precisas en G. Bertram, ThW IV, 368s); pero se puede decir en cualquier caso que el hombre a quien se declara dichoso no viola el orden establecido por Dios, sino que se somete a él (cf. Wildberger, BK X, 182), y que puede ser imagen visible para los demás de la bendición de Dios experimentada o esperada (así, W. Janzen, *loc. cit.*, 218ss, contra S. Mowinckel, *Psalmenstudien* V [1924] 1s.54, y otros, que, atendiendo al interés cúltico, se inclinan a considerar *ʾašrē* como un tipo de palabra de bendición cercana a las del grupo de *brk,* cosa que no parece objetiva; cf. también J. Dupont, *Les Béatitudes* [[2]1958] 321ss). La «sabiduría teológica» y la piedad pueden también ser destacadas nomísticamente (así, especialmente en Sal 1; cf. también Sal 119,1s; Prov 29,18b). Tanto en Sal 1 como en el lenguaje apocalíptico de Dn 12,12 se hace referencia a la salvación en contraposición a la perdición bajo el poder divino.

5. En los LXX, que siguen fundamentalmente la línea del concepto veterotestamentario, y lo mismo en el

NT, donde el concepto «está referido preponderantemente a la específica alegría religiosa que invade al que participa en la salvación del reino de Dios» (F. Hauck, ThW IV, 369s), los equivalentes griegos de *ʾšr* pertenecen casi siempre a la raíz μακάριος, μακαρίζω y μακαρισμός. Por lo demás, desde el punto de vista formal, lo característico de los escritos recientes son las series (los «macarismos») (cf. Eclo 25, 7-11; Mt 5,3-12; Lc 6,20-23, → *hōy*). Cf. F. Hauck y G. Bertram, art. μακάριος: ThW IV, 365-373; J. Dupont, *Les Béatitudes* ([2]1958); A. George, FS Robert (1957) 398-403; K. Koch, *Was ist Formgeschichte?* (1964) 7-9. 46-49.64-67.247s; W. Käser, ZAW 82 (1970) 225-250.

M. SÆBØ

אֵת *ʾēt* **Con** → עִם *ʿim*

אתה *ʾth* **Venir** → בּוֹא *bōʾ*

בגד *bgd* **Ser desleal**

1. La raíz *bgd*, «ser desleal», sólo ha podido ser documentada fuera del hebreo en el dialecto árabe de Datinah (C. Landberg, *Études sur les dialectes de l'Arabie Méridionale* II [1905] 365s; *Glossaire Datinois* I [1920] 135), donde *bagada* significa «engañar, embaucar».

En cuanto a la supuesta relación de la raíz con *bǽgæd*, «vestido, manta» (215 × en el AT), o con el árabe *biǧād/buǧd*, que debe de tener un significado base cercano a *tecte agere* (Gesenius, Thesaurus, 177; Landberg, *loc. cit.*, y otros), no se puede ir más allá del *on hésite* pronunciado por J. Joüon, «Mélanges de la Faculté Orientale de Beyrouth» 6 (1913) 171. Más bien, *bǽgæd*, «vestido», es un nombre primario, y en este artículo podemos prescindir de él.

Como derivados aparecen el nombre *bǽgæd*, «deslealtad» (Is 24,16; Jr 12,1 en la figura etimológica *bgd bǽgæd*), el plural participial abstracto *bōgᵉdōt*, «traición» (Sof 3,4 en la composición *ʾanšē bōgᵉdōt*, «hombres de traición»; según Gemser, HAT 16,113, también Prov 23, 28: *bōgᵉdīm*, «engaño») y el adjetivo *bāgōd*, «desleal» (Jr 3,7.10, intercambiable con el participio *bōgēd*).

2. El verbo aparece en el AT 49 ×, todas en qal. De estos casos, 30 pertenecen al cuerpo profético (añadidos posexílicos en Is 10 ×, Dt 2 ×, Jr 9 ×, Os 2 ×, Hab 2 ×, Mal 5 ×), 10 a Prov (9 ×) y Job (1 ×), 6 a Sal (5 ×) y Lam (1 ×), y a Ex, Jue y 1 Sm un caso a cada uno. Unidos estos casos a los 5 de nombres anteriormente citados, la raíz aparece en total 54 veces; de ellas 35, es decir, casi el 65 por 100, pertenecen a las secciones proféticas.

El verbo aparece 35 × en forma absoluta (de ellas 23 × en participio) y 14 × (también Sal 73,15, texto enmendado) con *bᵉ* e indicación de la persona (Yahvé, en Jr 3,20; 5,11; Os 5,7; 6,7; en los demás casos siempre los hombres: mujer 4 ×, miembros de la propia tribu 3 ×, pueblo extranjero 2 ×, el rey 1 ×). No es acertado considerar que en Jr 3,20 se da una construcción con *min*, pues aquí *min* se debe traducir como «a causa de» (contra S. Porúbcan, *Sin in the OT* [1963] 61, que también de forma incorrecta admite una construcción con *ʾēt*).

3. *a)* La semántica de *bgd* debe estudiarse a partir del AT únicamente, ya que el único paralelo árabe, anteriormente mencionado, apenas ofrece resultados positivos. Si partimos de los tres textos que tienen mayor probabilidad de ser los más antiguos, Ex 21,8; Jue 9,23; 1 Sm 14,33, y trazamos desde ahí las diversas líneas semánticas, observaremos en primer lugar la existencia de tres campos de empleo de la raíz: el primero de ellos debió de constituir su *Sitz im Leben* original, mientras que el segundo y el tercero representan los campos primarios de extensión del significado. A éstos se unen otros dos campos de extensión semántica, el uno preteológico y el otro específicamente teológico; esta distinción la hacemos para facilitar la visión general, pero no quiere decir que se dé una clara diferencia entre ellos.

Resulta, por tanto, la siguiente disposición: derecho matrimonial (*3b*), derecho político-internacional (*3c*), derecho cúltico-sacral (*3d*), social (*3e*), campo específicamente teológico (*4a-d*).

b) En Ex 21,8, *bgd bᵉ* está estrechamente relacionado con un estado jurídico, propio del derecho de esclavos, basado en la relación matrimonial. Una esclava destinada a ser mujer del dueño, y que, por lo mismo, ha adquirido, «al menos en cierta medida, los derechos de esposa» (Noth, ATD 5, 144), no puede ser vendida a un extranjero, aunque no haya agradado al señor a quien iba destinada. Según eso, el verbo significa: «actuar en contra de lo exigido por el ordenamiento jurídico o contra la obligación que surge de una relación de lealtad que se ha establecido». En la traducción «actuar con deslealtad» debe tenerse presente que se trata más de un delito objetivamente mensurable de comportamiento que de un delito contra los sentimientos.

Si a partir de este pasaje trazamos la línea del derecho matrimonial, nos encontramos con los siguientes textos: Mal 2,14.15 (sobre vv. 10.11.16, cf. *inf. 3e*), donde *bgd* se refiere a la ruptura matrimonial (v. 16, *šlḥ* piel) y recibe su carácter jurídico por medio de la expresión *ʾēšæt bᵉritǣkā*, «mujer de tu contrato matrimonial» (Horst, HAT 14,268), cuyo «testigo» es Yahvé (v. 14); Prov 23,28, donde *bōgᵉdīm*, en unión a «prostituta» o «extranjera» (= mujer de un hombre extranjero), significa precisamente «adúltero»; Lam 1,2, donde la mujer abandonada traidoramente es imagen de la Jerusalén abandonada por sus aliados; con ello se ha dado ya el paso al contexto político (cf. *inf. c*).

c) Jue 9,23 presenta *bgd* en el campo del derecho político-internacional; designa la «deserción» de los siquemitas de Abimélek.

En la misma línea están, además de Lam 1,2 (cf. *sup. b*), los pasajes de Is 21,2 (traición de los vasallos de Babilonia contra ésta), 33,1; Hab 1,13; 2,5. En los últimos tres pasajes *bgd* es aplicado, tras una extensión y cambio de sentido peculiares, al poder político de las potencias extranjeras que desprecian cualquier límite impuesto por el derecho internacional, poder por el que «el impío (*rāšāᶜ*) devora al justo (*ṣaddīq*)» (Hab 1,13). Se debe notar que Is 33,1: «ay del traidor que no ha sido traicionado», es interpretado en v. 8 precisamente como «él ha roto el pacto (*bᵉrīt*)». «Hay que considerar el poder humano como separado... de Dios, cuando viola el derecho, cuando en cierta medida traiciona la fidelidad de la alianza (*bgd*) oprimiendo con brutalidad para aumentar así su poder...» (Horst, HAT 14,177).

d) En 1 Sm 14,33, *bgd* califica la transgresión de la ley ritual de Lv 7, 26s; 17,10ss (prohibición de comer sangre), en paralelo a → *ḥṭʾ*, «desviarse», como un delito cúltico-sacral.

Algo semejante se da también en Sal 78,57, como lo demuestra su comparación con el v. 58 («santuarios», «ídolos»). Si, como es probable, en Sof 3,4 se increpa a los profetas cúlticos como *ʾanšē bōgᵉdōt*, «hombres de traición», deberemos incluir este pasaje en este apartado.

e) Trasladado al ámbito, preteológico todavía, de la lealtad comunitaria exigida por las estructuras sociales naturales propias de la creación, aparece el verbo *bgd* en Jr 12,6 (familia), Job 6,15 (miembros de una tribu), Mal 2, 10.11.16 (hermandad de los hijos de Dios) y en los Proverbios. En Sal 73,15 significa traición a la comunidad de los «píos» (v. 1), que en Sal 25,3 se contraponen, como «los que esperan en Yahvé», a los *bōgᵉdīm rēqām*, «infieles sin motivo». Prov 25,19 pone al *bōgēd* en relación con el falso testimonio (v. 18).

4. *a)* Se da un empleo específicamente teológico del término en la expresión *bgd bᵉ* referida a Yahvé (Jr 3, 20; 5,11; Os 5,7; 6,7) o también simplemente con el verbo aplicado directamente a la relación con Dios, con frecuencia en participio sin objeto (o con objeto interno) (1 Sm 14,33; Is 24, 16; 48,8; Jr 3,8.11 = 12,1; Sal 25,3;

78,57; 119,158), o con el adjetivo *bāgōd* (Jr 3,7.10).

b) La transposición de la línea del «derecho matrimonial» a la relación con Dios se da en Jr y Os. En conformidad con la ideología de la alianza que está a la base, encontramos expresiones paralelas: *šūb mē'aḥ^{a}rē,* «desviarse de»; *znh,* «prostituirse»; *n'p,* «cometer adulterio», y los opuestos: *šūb 'æl,* «volver a»; *'th l^e,* «venir (de nuevo) a»; *yd' 'æt-Yhwh,* «(re)conocer a Yahvé». Mal 2,10-16 puede aplicar las dos palabras clave, mutuamente relacionadas, *bgd* y *b^{e}rīt,* tanto al matrimonio como a la alianza con Yahvé (vv. 10.14), debido a que este empleo había sido ya preparado desde antes, como lo demuestran Os 6,7 (*bgd b^{e}Yhwh* y *'br b^{e}rīt,* «violar la alianza», se aclaran mutuamente) y Jr 3,8 (el «libelo de repudio» presupone la concepción de «contrato matrimonial»).

c) En los demás pasajes, *bdg* se aplica más bien a las normas y prescripciones de la justicia y la fidelidad comunitaria: a la *mišpāṭ* (→ *špṭ;* Is 33, 1.5; Os 5,1.7; 6,5.7; Hab 1,12.13), a la *ṣ^{e}dāqā* (→ *ṣdq;* Is 33,1.5; cf. el opuesto *ṣaddīq* en Is 24,16; Hab 1,13; 2,4.5), a la *'^{æ}mūnā* (→ *'mn;* Jr 9,1.2; Hab 2,4.5) y a → *ḥæsæd* (Os 6,4.6.7; Job 6,14.15). Aquí, en paralelo al participio *bōgēd,* aparece el adjetivo *rāšā'* (→ *rš';* Jr 12,1; Hab 1,13). Otro paralelo importante lo constituye la raíz *pš'*, «romper con» (R. Knierim, *Die Hauptbegriffe für Sünde im AT* [1965] 113ss), que en Is 48,8b interpreta el *bāgōd tigbōd* de v. 8a, y en Is 24,20, el *bōg^{e}dīm bāgādū ūbǽgæd bōg^{e}dīm bāgādū* de v. 16. La suposición de que en los textos citados en 4*c* se ha tomado especialmente la línea política para transponerla a la relación con Dios es confirmada por su proximidad a *pš'*, que designa con especial frecuencia la deserción política.

d) Desde el punto de vista histórico-formal, llama la atención el hecho de que la mayoría de los casos que aparecen dentro de la sección acusatoria de los géneros proféticos de juicio vuelve a aparecer también en los géneros de lamentación o de amenaza. También en Sal y en Lam se dan casos de nuestro verbo en géneros de amenaza y de acusación. El origen jurídico de *bgd* ha favorecido su empleo en los textos en que los profetas ponen de manifiesto acusatoriamente la apostasía de Israel.

5. El empleo típico del participio de *bgd* en los escritos de Qumrán para designar a los «hijos de la oscuridad» = «los apóstatas» está preparado en el AT. Es interesante el paralelismo entre *'dt bwgdym* (CD 1,2; 6 Q 3,13 = DJD III, 140) y *'^{a}ṣæræt bōg^{e}dīm* de Jr 9,1, expresiones ambas que significan algo así como «comunidad de infieles».

Teniendo en cuenta que ἀθετέω y ἀσυνθετέω son en los LXX las traducciones más frecuentes de *bgd* (y junto a éstas, esporádicamente, ἀνομέω: εγκαταλείπω y, algo más frecuente, παρανομέω), se puede pensar que en el ἀσύνθετοι, de Rom 1,31, reaparecen los *bōg^{e}dīm,* y que en Lc 10,16, «el que me rechaza (ἀθετῶν), rechaza (ἀθετεῖ) al que me envió», podemos encontrar la interpretación que el cristianismo primitivo hizo de lo que en el AT se expresaba por medio de *bgd b^{e}Yhwh.*

M. A. Klopfenstein

בַּד *bad* Estar solo → אֶחָד *'æḥād*

בוא *bō'* Venir

1. El verbo *bō',* «entrar, venir», tiene correspondientes en la mayoría de las lenguas semíticas, aunque en parte con significados ligeramente diversos (acádico *bâ'u,* «pasar de largo», o semejantes; árabe *bā'a,* «volver»); el arameo emplea *'th* para «venir» y *'ll* para «entrar» (ambos como arameísmos en hebreo, cf. Wagner, 31s y 219s).

En Mari está documentado el acádico *bâ'u* con el significado semítico-occidental de «venir» (AHw 117b; CAD B 181).

El ugarítico *ba* corresponde en cuanto al significado al hebreo *bō'* (WUS N. 487; UT N. 453). En fenicio-púnico parece estar presente además de la forma qal (DISO 32) también la forma yifil (KAI N. 5, línea 1; N. 81, línea 4), y también el sustantivo *mb'*, «ocaso (del sol)» (DISO 141).

Como formas nominales aparecen en hebreo *mōbā'* y *mābō'*, «entrada», *t^ebū'ā*, «ingreso, beneficio», así como, quizá como extranjerismo tomado del acádico, una vez *bī'ā*, «entrada» (HAL 102a).

2. *bō'* ocupa (detrás de *'mr*, «decir»; *hyh*, «ser», y *'śh*, «hacer, realizar») el cuarto lugar entre los verbos más frecuentes del AT y el primer lugar entre los verbos de movimiento (*hlk*, «ir», ocupa, detrás de *ntn*, «dar», el sexto lugar):

	qal	*hifil*	*hofal*	*Total*
Gn	168	46	3	217
Ex	78	45	1	124
Lv	30	44	7	81
Nm	69	22	—	91
Dt	84	22	—	106
Jos	54	5	—	59
Jue	87	8	—	95
1 Sm	143	27	—	170
2 Sm	133	15	—	148
1 Re	96	18	—	114
2 Re	128	19	5	152
Is	102	21	—	123
Jr	159	52	2	213
Ez	131	57	3	191
Os	11	—	—	11
Jl	7	1	—	8
Am	10	3	—	13
Abd	4	—	—	4
Jon	5	—	—	5
Miq	10	1	—	11
Nah	1	—	—	1
Hab	6	—	—	6
Sof	2	1	—	3
Ag	5	3	—	8
Zac	18	4	—	22
Mal	7	3	—	10
Sal	70	8	1	79
Job	47	4	—	51
Prov	31	3	—	34
Rut	18	—	—	18
Cant	5	5	—	10
Ecl	12	3	—	15
Lam	7	3	—	10
Est	29	8	—	37
Dn	33	10	—	43
Esd	13	4	—	17
Neh	29	20	—	49
1 Cr	46	16	—	62
2 Cr	109	48	2	159
Total AT	1.997	549	24	2.570

En esta lista se han incluido los pasajes del nombre geográfico *L^ebō' Ḥ^amāt* («por donde se entra a Jamat») (11 ×; cf. M. Noth, ATD 7,93.216; íd., BK IX, 192; K. Elliger, BHH II, 630), así como Gn 30,11 Q, pero no Job 22,21.

Los sustantivos aparecen: *mābō'* 23 × (Ez 5 ×), *mōbā'* 2 × (2 Sm 3, 25 Q; Ez 43,11), *t^ebū'ā* 43 × (incluido Job 22,21; 11 × en Lv, de los cuales 9 × en Lv 25; 8 × en Prov, 6 × en Dt) y *bī'ā* 1 × (Ez 8,5).

3. Los numerosos modos de empleo del verbo no pueden ser enumerados aquí *in extenso*. Los diccionarios (cf. GB 86-88; Zorell 98-100; HAL 108-110) los suelen dividir en dos grandes grupos, atendiendo a sus dos significados principales: «entrar» (cuyo opuesto es → *yṣ'*, «salir») y «venir» (cuyo opuesto es *hlk*, «ir»), y añaden luego otros significados más raros («ir», «volver», etc.), junto con diversos tipos de frases hechas.

Por lo que se refiere al significado «entrar», HAL 109 considera el caso en que el verbo sigue al sujeto *šǽmæš*, «sol», y lo traduce por «ponerse» (Gn 15,12.17; 28,11; Ex 17,12; 22,25; Lv 22,7; Dt 16,6; 23,12; 24,13.15; Jos 8, 29; 10,27; Jue 19,14; 2 Sm 2,24; 3,35; 1 Re 22,36; Is 60,20; Jr 15,9; Miq 3, 6; Ecl 1,5; 2 Cr 18,34; cf. hifil, «hacer ponerse», Am 8,9; *m^ebō' haššæmæš*, «puesta del sol, occidente», Dt 11,30; Jos 1,4; 23,4; Zac 8,7; cf. Mal 1,11; Sal 50,1; 104,19; 113,3; con el mismo significado aparece el verbo *'rb* IV con el sustantivo *ma'^arāb* de la misma raíz; cf. el acádico *erēbu*).

El significado general se adapta muy bien al lenguaje velado, como, por ejemplo, en Gn 15,15: «entrar adonde los padres» = «morir», y frecuentemente en el sentido de «entrar a una mujer = cohabitar» (Gn 6,4; 16,2.4; 19, 31; 29,21.23.30; 30,3.4.16; 38,2.8.9. 16.16.18; Dt 21,13; 22,13; 25,5; Jue 16,1; 2 Sm 3,7; 12,24; 16,21.22; Ez 17,44; Sal 51,2; Prov 6,29; 1 Cr 2,21; 7,23; semejante también en árabe y ugarítico, cf. WUS N. 487,76 [= IV AB] II, 21s).

El significado «venir» se ha desarrollado de formas diversas. J. G. Plöger, *Literarkritische, formgeschichtliche und stilkritische Untersuchungen zum Dtn* (1967) 174-184, investiga la asociación de *bō'* con *yṣ'* («ir y venir», «salida y entrada») y llega al resultado de que no se le puede atribuir ningún *Sitz im Leben* fijo especial (cf. Dt 28,6.19; 31, 2; Jos 6,1; 14,11; 1 Sm 18,13.16; 29, 6; 1 Re 3,7; 15,17 = 2 Cr 16,1; 2 Re 11,8 = 2 Cr 23,7; 2 Re 19,27 = Is 37, 28; Sal 121,8; 2 Cr 15,5; cf. los términos acádicos *erēbu* y *aṣû,* CAD E 263; HAL 109b con bibliografía).

Junto al empleo espacial no es raro tampoco el empleo temporal de «venir», y no sólo con expresiones temporales (por ejemplo, → *yōm,* «día», en la fórmula de introducción *hinnē yāmīm bā'īm,* «mira, vienen días», usada por los profetas: 1 Sm 2,31; 2 Re 20, 17 = Is 39,6; Jr 7,32; 9,24; 16,14; 19, 6; 23,5.7; 30,3; 31,27.31.38 Q; 33,14; 48,12; 49,2; 51,47.52; Am 4,2; 8,11; 9,13), sino también referido a acontecimientos previamente anunciados que «se cumplen, se realizan» (cf. Dt 13,3; 18,22; 28,2.15.45; 30,1; Jos 21,45; 23, 14.15; Jue 9,57; 13,12.17; 1 Sm 9,6; 10,7.9 Is 5,19; 42,9; 48,3.5; Jr 17,15; 28,9; Hab 2,3; Sal 105,19; Prov 26,2). La palabra *habbā'ōt* aparece sustantivada: «los acontecimientos futuros», Is 41,22; cf. *hā'ōtiyyōt,* Is 41,23; 44,7, de *'th,* «venir»).

Como sinónimo aparece en ocasiones, en textos métricos, especialmente en DtIs y Job, el equivalente arameo *'th* qal, «venir» (19 ×); también hifil, «traer» (2 ×). Sobre Is 21,12, cf. C. Rabin, FS Rinaldi (1967) 303-309.

El arameo *'th,* «venir», aparece 7 × en qal, 7 × en hafel con el significado de «traer» y 2 × con el significado de «ser traído».

4. *a)* En unos cuarenta pasajes se habla claramente de una «venida» de Dios (cf. G. Pidoux, *Le Dieu qui vient* [1947]; F. Schnutenhaus, *Das Kommen und Erscheinen Gottes im AT:* ZAW 76 [1964] 1-22; E. Jenni, FS Eichrodt [1970] 251-261). Quizá se pueda establecer, como más apropiada, la distinción de tres grupos de venidas de Dios: la venida de Dios como revelador en las narraciones antiguas, la venida condicionada por el culto o el templo y las descripciones teofánicas hímnicas o proféticas.

Un primer grupo lo constituyen los textos de las antiguas narraciones, en las que no viene un simple mensajero de Dios (Jue 6,11; 13,6.8.9.10; cf. Jos 5,14), sino Dios mismo, aunque sólo sea, como en el Elohísta, en un sueño nocturno (Gn 20,3, a Abimélek; 31,24, a Labán; Nm 22,9.20, a Balaán; parecido en la narración de la infancia de Samuel, 1 Sm 3,10) o de algún modo no precisado como en Ex 20,20 («venido, para someteros a prueba»; cf. Dt 4, 34, donde *bō'* sólo tiene una función auxiliar al servicio del siguiente verbo), o, como en el Yahvista, en una nube (Ex 19,9, J, según W. Beyerlin, *Herkunft und Geschichte der ältesten Sinaitraditionen* [1961] 14; según Noth, *Überlieferungsgeschichte des Pentateuch* [1948] 33, se trata de un inciso de estilo deuteronomístico).

Muy diverso es el segundo grupo: la venida de Dios a una acción cúltica está presupuesta en la ley sobre el altar de Ex 20,24 («venir a ti y bendecirte»). Según la concepción de los filisteos, Dios ha venido al campamento junto con el arca (1 Sm 4,7). Una venida o intervención de Dios condicionada cúlticamente aparece también en Sal 24, 7.9 en el contexto de la procesión del arca. Finalmente, según Ez 43,2.4; 44, 2, Dios viene al templo nuevo.

El grupo teológicamente más importante lo constituyen las descripciones epifánicas y teofánicas (C. Westermann, *Das Leben Gottes in den Psalmen* [1953] 65-72; J. Jeremias, *Theophanie* [1965]), en las que *bō'* aparece con gran frecuencia, aunque no como palabra clave dominante (cf. → *yṣ'*, → *yrd*, → *yp'* hifil). Según Jeremias (*loc. cit.*, 136-164), el frecuente género de la descripción teofánica no depende en cuanto a su primer elemento, es decir, en cuanto a la descripción de la llegada de Yahvé desde su morada (Dt 33,2, del Sinaí; cf. Sal 68,18b, texto enmendado; Hab 3,3, de Temán), de motivos extrabíblicos (distinto, Schlutenhaus, *loc. cit.*, 4.6), sino que tiene su *Sitz im Leben* original en la fiesta de la victoria del ejército israelita, que celebraba la venida de Yahvé a ayudar a su pueblo en la guerra de Yahvé. Pero a partir de ahí el motivo se ha extendido, pasando por el campo hímnico, a los dichos proféticos de salvación y condena; pero aquí la venida de Yahvé no ocurre desde el Sinaí, sino, como corresponde a la idea que en cada caso se tiene sobre la morada de Yahvé, desde Sión (Sal 50,3; cf. v. 2), desde lejos (Is 30,27, el nombre de Yahvé), desde el Norte (Ez 1,4, cf. Zimmerli, BK XIII, 51s; cf. también Job 37,22, texto enmendado, *'th* referido al resplandor de Dios), o sin indicación precisa del lugar de origen (Is 40,10; 59, 19s; 66,15; Zac 14,5, cf. 2,14; Mal 3, 1s.24; cf. también Is 19,1: Yahvé viene de Egipto). En Sal 96,13 = 1 Cr 16, 33; Sal 48,9, junto a la llegada de Yahvé para el juicio, está la descripción teofánica, de la que sólo quedan algunas reminiscencias. Lo que es común a todos estos pasajes es que en ellos *bo'* está al servicio del testimonio del Dios que interviene eficazmente en la historia.

En Is 3,4 (*bō' bᵉmišpāṭ 'im*, «entrar en juicio con»; cf. Sal 143,2; Job 9,32; 22,4; H. J. Boecker, *Redeformen des Rechtlebens im AT* [1964] 85) e Is 50,2 («¿por qué he venido y no hay nadie?»; cf. 41, 28) se trata no de una venida en el sentido pleno de la teofanía, sino de *bō'*, empleado en frases hechas propias del lenguaje jurídico; cf. *'th* en Dn 7,22.

En Os 6,3, «vendrá a nosotros como la lluvia», el verbo está condicionado por la imagen. En Os 10,12 y también en Zac 2, 14 (cf. anteriormente sobre Ex 20,20; Dt 4,34) *bō'* tiene la función de verbo auxiliar que prepara la acción que sigue.

b) El verbo *bō'* desempeña además un papel preciso en la profecía mesiánica de Zac 9,9: «mira, el rey viene a ti», mientras que los pasajes de Gn 49,10 («mientras que venga *šīlō* [?]») y Ez 21,32 («mientras venga aquel a quien corresponde el derecho/el juicio») siguen siendo difíciles y discutidos. Cf. también en Dn 7,13 la venida (*'th*) del «hombre» sobre las nubes del cielo.

Cuando se habla de los futuros acontecimientos escatológicos (por ejemplo, el gran desastre, Is 30,13; venganza y revancha, Is 35,4; espada, Ez 33,3.4.6; día de la venganza y de la retribución, Os 9,7; castigo, Miq 7,4; pero también positivos como luz y salvación, Is 56,1; 60,1; 62,11; el dominio anterior, Miq 4,8; con *'th:* Ciro, Is 41,25), son sobre todo las expresiones → *qēṣ*, «fin» (Am 8,2; también Ez 7,2-6; cf. Gn 6,13; Lam 4,18), y → *yōm Yahwh*, «el día de Yahvé», o semejantes, las que se unen a *bō'* (Is 13,6.9.22; cf. 63,4; Jr 50,27.31; cf. 51,33; Ez 7,10.12, cf. 25s; 21,30.34; 22,3.4; Jl 1,15; 2,1; 3,4; Sof 2,2; Zac 14,1; Mal 3,19.23).

5. Entre las muchas traducciones posibles de *bō'*, los LXX emplean con especial frecuencia ἔρχεσθαι, εἰσέρχεσθαι y ἥκειν. Sobre *bō'*, en el contexto de la esperanza mesiánica de Qumrán (1QS 9,11; CD 19,10s; 1QPB 3), cf. A. S. van der Woude, *Die messianischen Vorstellungen der Gemeinde von Qumrân* (1957) 58.76s. Sobre la venida de Dios (Ap 1,4.8; 4,8), de Cristo y del reino en el NT, cf. J. Schneider, artículo ἔρχομαι: ThW II, 662-682; íd., artículo ἥκω: ThW II, 929-930; K. G. Kuhn, art. μαραναθά: ThW IV, 470-475; A. Oepke, art. παρουσία: ThW V, 856-869.

E. Jenni

בוש *bōš* Avergonzarse

1. El verbo *bōš*, formado de la raíz bilítera **bṯ* con vocal larga *(ā > ō)*, aparece sobre todo en semítico oriental y noroccidental; en árabe aparece con una disimilación trilítera de la raíz débil en *bht;* cf. el raro término árabe *bhṯ* (Th. Nöldeke, ZDMG 40 [1886] 157.741).

No deben confundirse la raíz *bōš* I, que estudiamos en este artículo, y la raíz *bōš* II, usada en pilel (Ex 32,1; Jue 5,28), con el significado de «titubear, vacilar» (N. H. Torczyner, ZDMG 70 [1916] 557; cf. HAL 112s; el significado de las palabras ugaríticas *bš* y *bṯ* es discutido, cf. WUS N. 597.609.610; UT N. 532.544; Esd 8,22 en qal, presentado en HAL 113a como caso posible, no parece pertenecer a *bōš* II).

Se debe citar como particularidad gramatical de *bōš* I el hecho de que tiene dos formas hifil: junto a la forma normal, *hēbīš,* aparece la forma más frecuente, *hōbīš,* forma que debe explicarse por confusión con *ybš* (BL 402); cf. *inf. 3b.*

Se deben tomar en consideración los siguientes derivados: *bốšæt* y *būšā,* «vergüenza»; *m^e^būšīm,* «las vergüenzas», mientras que *bošnā,* en Os 10,6, da la impresión de estar en un texto corrompido (cf. Barth, 346).

2. El verbo aparece 129 × (qal 95 ×, hifil 33 × *[hēbīš* 11 ×, *hōbīš* 22 ×, incluidos Is 30,5 Q; Jl 1,12a, que en Lisowsky aparecen en la voz *ybš],* hitpoel 1 ×). Está ausente del Pentateuco, a excepción de Gn 2,25 (hitpoel); es muy raro en prosa, poco usado en los textos sapienciales (Prov, 6 × hifil); es, por el contrario, frecuente en los profetas (en especial Jr, 36 ×) y en los Salmos (34 ×).

Del TM deben excluirse Os 13,15 y Sal 25,3b (BH³); sobre Is 30,5 Q/K, cf. los comentarios; debe contarse, en cambio, Ez 7,26, texto enmendado (BH³).

Los derivados aparecen: *bốšæt* 30 × *būšā* 4 ×, *bošnā* y *m^e^būšīm* (Dt 25, 11) 1 × cada uno.

3. *a)* El significado base en qal es «avergonzarse» en doble sentido: por un lado, en sentido objetivo que define la situación («ser reducido a nada»), y por otro, en sentido subjetivo que cualifica el sentimiento de quien ha sido reducido a nada («avergonzarse»).

La expresión *ʿad-bōš* (Jue 3,25; 2 Re 2, 17; 8,11) es una fórmula estereotipa en el sentido de «hasta el final» o algo parecido (Torczyner, *loc. cit.,* refiere esta expresión a *bōš* II).

El alcance del significado aparece claro en las expresiones paralelas, que tienen unas veces carácter objetivo y otras subjetivo:

— *Klm* nifal/hofal, «ser avergonzado» (originariamente «ser herido», cf. L. Kopf, VT 8 [1958] 179), Is 41,11; 45,16s; Jr 14,3; 17,3 texto enmendado (BH³); 22, 22; 31,19; Ez 36,32; Sal 35,4; 69,7; Esd 9,6; más alejado Is 54,4;

— *ḥpr,* «avergonzarse», Is 1,29; 24,23; 54,4 (hifil); Jr 15,9; 50,12; Miq 3,7; Sal 35,26; 40,15; 71,24; más alejados, Sal 35, 4; 83,18;

— *ḥtt,* «quebrarse, estar lleno de espanto», 2 Re 19,26 = Is 37,27; Is 20,5; Jr 17,18 (nifal);

— *ḥwr,* «palidecer», Is 19,9, texto enmendado (BH³); 29,22;

— *sūg* nifal, «ceder», Is 42,17; Sal 35, 4; 40,15; 129,5;

— *bhl,* «hallarse confundido», Sal 6,11; 83,18.

Una vez cada uno aparecen los verbos *pḥd,* «asustar» (Is 44,11); *šdd* pual o qal pasivo, «ser desolado» (Jr 9,18); *umlal,* «estar seco, triste» (Jr 15,9); *ʾbd,* «perecer» (Sal 83,18); *kšl,* «tropezar» (Jr 20, 11); además, expresiones de tristeza como *ḥph rōš,* «cubrir la cabeza» (Jr 14,3), y *npḥ næfæš,* «desfallecer el alma» (Jr 15,9).

En muy pocas ocasiones se puede separar el aspecto objetivo o el subjetivo, como, por ejemplo, cuando dentro de la lamentación individual se habla de vergüenza, arrepentimiento (Jr 31, 19; 51,51; distinto, Job 19,3) o, por otro lado, cuando se habla de la aniquilación del enemigo (Sal 6,11; 31,18 y *passim,* cf. *inf.* 4). Como concepto opuesto al sentido subjetivo aparece *śmḥ,* «alegrarse» (Is 65,13; Sal 109,28; cf. Is 66,5).

b) El hifil en su forma regular tiene el sentido causativo de «poner en vergüenza», etc. (Sal 44,8; 119,31.116; 14,6 y 53,6, texto dudoso; Prov 29,15, siempre con objeto; en Prov 10,5; 12, 4; 14,35; 17,2; 19,26 aparece el participio sin objeto como cualificación del necio ignorante, especialmente en contraposición al prudente; *maśkīl,* Prov 10,5; 14,35; 17,2; *'éšæt ḥáyil,* «mujer honrada», Prov 12,4; cf. la expresión paralela *maḥpīr,* «sinvergüenza», en Prov 19,26).

La segunda forma, elaborada por analogía con los verbos *primae w/y,* tiene casi siempre un sentido transitivo interno y se acerca, por tanto, al significado del qal (en Jl 1,10.12a es difícil establecer la diferencia con *ybš,* «secarse»), pero a veces tiene también sentido causativo: «confundir», 2 Sm 19,6, cf. «actuar desvergonzadamente» en Os 2,7).

c) El hitpoel, creado quizá por el Yahvista en Gn 2,25, se mueve en el ámbito personal-subjetivo («avergonzarse uno de otro»).

d) Los derivados abarcan, lo mismo que el verbo, ambos aspectos, es decir, vergüenza y anonadamiento hasta la vergüenza (Dt 25,11: *mᵉbūšīm,* con el significado concreto de las «vergüenzas»). Conceptos paralelos son: *kᵉlimmā,* «vergüenza» (Is 30,3; 61,7; Jr 3,25; Sal 35,26; 44,16; 69,20; 109,29), y *ḥærpā,* «deshonra» (Is 30,5; 54,4; Sal 69,20). Es frecuente la expresión *bṓšæt pānīm* (Jr 7,19; Sal 44,16; Dn 9,7s; Esd 9,7; 2 Cr 32,21), literalmente, «vergüenza del rostro», es decir, «sonrojo». *Bṓšæt* parece ser sinónimo del nombre divino *Bá'al* en Jr 3,24; 11,13; Os 9,10, así como en los nombres personales *'īš bṓšæt* (2 Sm 2,8), *Yᵉrubbæšæt* (11,21), *Mᵉfībṓšæt* (21,8), quizá también en Laquis, óstracon 6,6 aplicado a Bel Marduk (H. Michaud, *Sur la pierre et l'argile* [1958] 101; cf. HAL 158b).

A partir de aquí se debe explicar la vocalización del nombre divino *Mǽlæk* como *Mṓlæk;* ésta es la opinión común desde A. Geiger, *Urschrift und Übersetzungen der Bibel* (1857); distinto, O. Eissfeldt, *Molk als Opferbegriff im Punischen und das Ende des Gottes Moloch* (1935).

4. Dentro del empleo religioso del término, el aspecto subjetivo del mismo desempeña un papel menor; éste se da cuando, dentro de la lamentación, se manifiesta la propia actitud de arrepentimiento. Pero es mucho más significativo el aspecto objetivo, en primer lugar en la lamentación por el enemigo (Sal 6,11; 35,4.26; 40,15; 70,3; 71,13. 24; dependen de éstos, en cuanto al lenguaje, Jr 17,13.18; Is 26,11): el autor de la lamentación pide a Dios que aniquile al enemigo y, por otro lado, que le libre a él de la desgracia. Con frecuencia, esta oración es acompañada por el tema de la confianza (Sal 22,6; 25,2s.20; 31,2.18; 69,7; 71, 1). El orante, por tanto, se apoya en la ayuda de Dios que le va a librar de la desgracia; el enemigo, que no puede esperar tal ayuda, está destinado a la destrucción.

Del culto, el verbo ha pasado a la profecía: su *Sitz im Leben* aquí es el anuncio de juicio (Is 1,29; 19,9; 41,11; 65,13; 66,5; Jr 15,9; 20,11; Ez 16,63; 32,30; 36,32 y *passim),* dirigido contra los pueblos extranjeros y también contra Israel, o el anuncio de salvación dirigido a Israel (aniquilación de los enemigos: especialmente desde DtIs, Is 45,17.24; 49,23; 54,4 y *passim).* También aquí se ha mantenido la concepción de los Salmos: lo que se opone a la voluntad de Yahvé debe ser aniquilado.

Finalmente, así se entiende por qué *Bá'al* es llamado *bṓšæt* y por qué *Mǽlæk* recibe la misma vocalización de *bṓšæt:* esos dioses constituyen la más decidida potencia enemiga de Yahvé, potencia que aparece ante él como una depravada nulidad; cf. la designación *bᵉliyyá'al,* que probablemente designa algo semejante («nulidad», «principio negativo» o semejante; cf. V. Maag, *Bᵉlīyá'al im AT:* ThZ 21 [1965] 287-299).

5. En el NT sobrevive aún en parte el lenguaje veterotestamentario, tomado de los LXX; cf. R. Bultmann, artículo αἰσχύνω: ThW I, 188-190.

F. Stolz

בחן *bḥn* **Probar**

1. *bḥn,* «probar», está presente, además de en hebreo, en arameo (aunque en esta lengua es poco frecuente).

Debido a la proximidad del significado, se le ha atribuido una relación original con el árabe *mḥn* y también con la raíz → *bḥr,* «elegir», que en arameo significa también «probar» (bibliografía antigua en GB 92a). Pero dentro del AT son distintos *bḥn,* «probar», y *bḥr,* «elegir» (el significado *bḥr,* «probar», en Is 48,10; Job 34,4.33; nifal Prov 10,20 debe considerarse un arameísmo, cf. Wagner N. 38; íd., FS Baumgartner [1967] 358s).

Los dos casos de *bḥn,* «probar», del arameo imperial presentados por DISO 33, en un óstracon de Elefantina y en Aḥ., línea 203, son bastante dudosos; el siríaco *bḥn* pael significa «probar, disputar». *bḥr* no parece estar documentado en el arameo antiguo.

El verbo aparece en qal y en nifal. Como sustantivo aparece el *nomen agentis bāḥōn,* «examinador».

La piedra *bōḥan* de Is 28,16 es explicada por L. Köhler, TZ 3 (1947) 390-393, como un extranjerismo tomado del egipcio para designar una clase de piedra («pizarra gnéisica»), mientras que la traducción tradicional «piedra probada» o «piedra de prueba» deriva de nuestra raíz (cf. HAL 115a).

La palabra *bōḥan* de Ez 21,18 está en un texto muy dudoso. No pertenecen a nuestra raíz las palabras *baḥūn* (Is 23,13) y *báḥan* (Is 32,14) con el significado de «torre de guardia» o algo semejante (extranjerismo tomado del egipcio, cf. HAL 114a.115a).

2. *bḥn* qal aparece 25 × (Sal 9 ×, Jr 6 ×, Job 4 ×, y en Zac 13,9.9; Mal 3,10.15; Prov 17,3; 1 Cr 29,17), nifal 3 × (Gn 42,15s; Job 34,36), *bāḥōn* 1 × (Jr 6,27, junto a *bḥn* qal).

3. *a)* No se puede probar que también *bḥn* —al igual que *ṣrp,* «fundir, purificar», que, por ejemplo, en Jue 7, 4 y Sal 26,2 ha desarrollado los significados traslaticios y genéricos de «escrutar (a los hombres)» y «probar (las entrañas y el corazón)»— haya tenido originalmente un significado especial, técnico, del cual se haya deducido después el significado metafórico de «probar» (HAL 114b), aunque en una ocasión el verbo lleve por objeto la palabra «oro» (Zac 13,9, paralelo a *ṣrp* con objeto «plata») y aunque se emplee frecuentemente la operación de refinar metales preciosos como figura y como metáfora de «probar, purificar» a los hombres (*ṣrp,* paralelo a *bḥn* en Jr 6, 27-30; 9,6; Zac 13,9; Sal 17,3; 26,2; 66,10; cf. Prov 17,3; además, Is 48,10: *ṣrp,* paralelo a *bḥr,* «probar»; otros verbos en Mal 3,3; Dn 12,10).

Los demás verbos paralelos y el empleo del verbo nos llevan a un significado general: «probar = examinar (críticamente)».

bḥn aparece junto a → *ydʿ,* «(re)conocer» (Jr 6,27; 12,3; Sal 139,23; Job 23,10); *ḥqr,* «investigar» (Jr 17,10; Sal 139,23); → *pqd,* «buscar» (Sal 17,3; Job 7,18); → *rʾh,* «contemplar» (Jr 12, 3; 20,12; cf. Sal 139,24; cf. los términos acádicos *amāru* y *barû,* «mirar» y «examinar» (AHw 40s); → *ḥzh,* «contemplar» (Sal 11,4); *ṭʿm,* «degustar» (Job 12,11; 34,3); *špṭ,* «juzgar» (Jr 11, 20), y → *nsh* piel, «tentar» (Sal 26,2; 95,9).

El objeto de la prueba pertenece siempre a la esfera personal, a excepción del pasaje citado de Zac 13,9 (oro).

Son probados los hombres (12 ×), su camino (Jr 6,27), sus palabras (Job 12,11; 34,3; Gn 42,16 nifal), su corazón (Jr 12,3; Sal 17,3; Prov 17,3; 1 Cr 29,17; cf. también Ecl 2,5; Sab 3,6; 1 Pe 1,7; → *lēb)* o los riñones y su corazón (Jr 11,20; cf. 17,10; Sal 7,10; Jr 20,12 y Sal 26,2). Sobre Yahvé como objeto (Mal 3,10.15; Sal 81,8, texto enmendado; 95,9), cf. *inf.* 4.

b) Como verbos de significado parecido deben tenerse en cuenta, además de los verbos paralelos ya mencionados (→ *ydʿ,* → *nsh,* → *pqd),* algunos vocablos más raros con un trasfondo de significado diverso en cada caso:

1) *ʾzn* piel, «pesar» (Ecl 12,9; cf. G. Rinaldi, Bibl 40 [1959] 268s), denominativo de *mōzᵉnáyim,* «balanza»;

2) *būr* (Ecl 9,1, texto dudoso) y *brr* (Ecl 3,18; piel Dn 11,35; hitpael Dn 12, 10; hifil Jr 4,11) significan «revisar, probar» a partir de la concepción concreta de purificación, separación, limpieza (Ez 20, 38 qal; Is 52,11 nifal);

3) sobre *bḥr,* «probar», cf. *sup.* 1 (en Is 48,10 1 QIs[a] tiene *bḥn);*

4) en Jr 6,27 ha sido propuesto en lugar de *mibṣar* el participio piel *m[e]baṣṣēr,* «acrisolador» (HAL 142b), como derivado de *bæṣær,* «mineral de oro» (Job 22, 24.25; cf. F. Rundgren, OrNS 32 [1963] 178-183);

5) *bqr* piel, «buscar, ocuparse de, atender a» (Lv 13,36; 27,33; Ez 34,11.12; Prov 20,25), puede quizá remontarse a un término cúltico (2 Re 16,15; Sal 27,4; cf. HAL 144b, con bibliografía; Kraus, BK XV, 224);

6) *ḥqr,* «investigar, explorar» (22 ×), puede en algunos casos ser traducido por «probar» (por ejemplo, Job 29,16, referido a la investigación de un caso jurídico; *ḥqr,* con Dios/Yahvé como sujeto: Jr 17, 10; Sal 44,22; 139,1.23; Job 13,9; 28, 27);

7) sobre *ṣrp,* cf. *sup. 3a;*

8) *śbr* qal en Neh 2,13.15 tiene el significado «examinar (los muros)»; en los demás casos es piel y tiene el significado de «aguardar, esperar» (Wagner N. 292; cf. el latín *spectare, exspectare);*

9) *tkn,* «examinar» (Yahvé examina los espíritus/corazones/obras: Prov 16,2; 21,2; 24,12; nifal 1 Sm 2,3); en los demás casos tiene un significado parecido a firme, ordenado.

4. *a)* Con más frecuencia que el hombre (Jr 6,27; Zac 13,9 en comparación; Mal 3,10.15; Sal 95,9; el oído: Job 12,11 y 34,3; cf. Gn 42,15.16 nifal; corrigiendo el texto, también en Jr 9, 6, cf. Rudolph, HAT 12,66, y Sal 81,8, cf. Kraus, BK XV, 562) es Yahvé el sujeto del examen (todos los pasajes restantes, Sal 11,4, sus ojos [no: «pestañas», cf. Dahood, UHPh 67]), en Jr 6,27 y 9,6, por mediación de su profeta. El pueblo es raramente objeto del examen divino; por lo general, objeto del examen son los hombres individuales o el hombre en general.

La imagen del examen y purificación del metal precioso aparece en el cuadro de la historia de Yahvé con su pueblo en Jr 6,27; 9,6; Zac 13,9; Sal 66,10 (cf. también Is 48,10). Pertenece a la función profética de Jr ser el escrutador del pueblo (6,27); se ve obligado a lamentarse del resultado negativo (6, 27-30; 9,6). En los demás casos, en los que a través del juicio se deja ver la salvación (Zac 13,9: purificación del tercio; Sal 66,10: acción de gracias de la comunidad), la «prueba» tiene el sentido de juicio purificador.

En la mayoría de los casos se trata de la relación de Yahvé con personas individuales. En el lenguaje de los salmos, que ha sido recogido también en las confesiones de Jeremías y en la sabiduría, se reconoce a Yahvé como al juez recto que examina el corazón y los riñones (Jr 11,20; 12,3; 17,10; 20, 12; Sal 7,10; 17,3; 26,2; Prov 17,3; 1 Cr 29,17) y apela a la responsabilidad de cada uno (Sal 11,4.5; 139,23; Job 7,18; 23,10). En Job 34,36 el pensamiento de Elihú se eleva a pasión escrutadora (cf. Fohrer, KAT XVI, 469).

5. En los LXX la traducción más frecuente de *bḥn* es δοκιμάζειν. Sobre los escritos de Qumrán y sobre el NT (citas veterotestamentarias en 1 Tes 2, 4; Ap 2,23), cf. Kuhn, *Konk.*, 30s, y W. Grundmann, art. δόκιμος: ThW II, 258-264; G. Delling, art. ἐρευνάω: ThW II, 653s.

E. Jenni

בחר *bḥr* **Elegir**

I. 1. *a)* La raíz **bḥr* está representada en las lenguas semíticas de forma irregular. Con un significado semejante al del hebreo aparece, sobre todo, en acádico y en arameo tardío (en nombres propios también en amorreo y en árabe meridional antiguo), pero no está documentada (hasta el presente) en los textos semíticos noroccidentales de la época veterotestamentaria. Donde más fielmente se ha conservado el significado base es en el árabe de los beduinos: «tomar seriamente en consideración» (HAL 115a).

El árabe clásico conoce *bḥr* V, «penetrar profundamente, analizar profundamente» (Wehr, 37a). J. G. Wetzstein ha constatado entre los beduinos del desierto sirio, en el área de Damasco, el verbo *bḥr* con el significado de «morar alrededor, estar atento (a la caza)» o «mirar (en una tienda)» (ZDMG 22 [1868] 75, línea 9, además 122; 83, línea 9, además 148). El árabe meridional antiguo parece conocer sólo el nombre teofórico *Ybḥrʾl* (G. Ryckmans, *Les noms propres sud-sémitiques* I [1934] 221).

El acádico emplea el verbo, que, según las reglas fonéticas, se ha convertido en *bêru,* con el significado de «escoger» (objeto: hombres, mensajeros, guerreros, etc., pero también cosas, mercancías) y también, aunque menos seguro, con el significado de «examinar» (cf. AHw 122s con CAD B 212s); también emplea el adjetivo verbal *bēru,* «escogido, elegido», que en Mari aparece sustantivado, *beʾrum* (así, AHw 122b y CAB B 211 en vez de la lectura antigua *beḫrum,* por ejemplo, en ARM XV, 193; cf. GAG § 23e.f) con el significado de «tropa escogida» (cf. M. Noth, *Die Ursprünge des alten Israel im Lichte neuer Quellen* [1961] 35; D. O. Edzard, ZA 56 [1964] 144; M. Wagner, FS Baumgartner [1967] 358s). Como arameísmos aparecen en el babilónico tardío *beḫēru,* «escoger, organizar (tropas)», y *biḫirtu,* «reclutamiento (de soldados)» (AHw 117s. 125b; CAD B 186a.223b).

En amorreo aparece la raíz en nombres propios *(Yabḫarum, Bataḫrum, Biḫirum, Biḫira* y otros; cf. Huffmon, 175).

En arameo antiguo y arameo-bíblico no consta la raíz *bḥr.* Los dialectos arameos tardíos (arameo judaico, palestino cristiano, mandeo) conocen el verbo con el doble significado de «examinar» y «escoger» (Wagner N. 38).

b) También en el AT *bḥr* significa, en algunos textos, «examinar» (Is 48,10; Job 34,4.33; cf. Eclo 4,17; nifal participio «examinado», Prov 10,20; quizá también pual «ser examinado», en Job 36,21, texto enmendado, cf. Hölscher, HAT 17, 84s; HAL 115b). Por lo demás, «examinar» se dice en hebreo → *bḥn* (también en Is 48, 10, según 1QIs[a], *bḥntykh).* En los dos pasajes citados de Job es posible que se dé un influjo arameo. La semejanza de forma y significado hace pensar que las raíces *bḥn* y *bḥr* estén emparentadas (cf. bibliografía en Wagner N. 38); en ese caso, la variante *bḥr* se habría especializado con el significado de «escoger, elegir», y *bḥn,* con el de «examinar, poner a prueba».

c) M. Dahood, Bibl 43 (1962) 361, postula una nueva raíz *bḥr,* «reunirse», para 1 Sm 20,30 (donde, por lo general, se suele corregir de *bōḥēr* en *ḥābēr)* y Ecl 9,4 (donde en lugar del Ketib *yᵉbuḥar* se suele leer el Queré *yᵉḥubbar),* basándose en el acádico *paḫāru,* «reunirse», en los ugaríticos *pḫr* y *mpḫrt* y en el fenicio *mpḥrt,* «asamblea». Probablemente hay que aceptar esta conjetura (cf. también HAL 115b); en caso contrario, habría que aceptar las enmiendas mencionadas, de forma que, en cualquier caso, ambos pasajes quedan descartados de la raíz *bḥr,* «escoger».

2. *a)* El verbo *bḥr* se emplea en qal y en nifal (sobre el posible pual en Job 36,21, cf. *sup.* 1*b;* sobre Ecl 9, 4 K, cf. *sup.* 1*c).* Al modo qal pertenece el participio pasivo *bāḥūr,* «escogido», que en el lenguaje religioso está representado por el adjetivo sustantivado *bāḥīr,* «elegido». Otros sustantivos (de ámbito profano) son *mibḥōr* (2 Re 3,19; 19,23) y *mibḥār,* «lo elegido, lo mejor».

b) Al igual que el acádico *beʾrum,* «(tropa) escogida», tampoco el hebreo *bāḥūr,* «joven (maduro, vigoroso)» (en hebreo medio también *bᵉḥūrā,* «muchacha»), plural *baḥūrīm* (GB 91a: «tropa joven», Is 9,16; 31,8; Jr 18,21; Am 4,10; Lam 1,15 y *passim),* puede separarse del verbo *bḥr* (Noth, *loc. cit.,* 35; contra HAL 114a.115a). Se opone a *zāqēn,* «anciano» (Jr 31,13 y *passim),* y es paralelo de *bᵉtūlā,* «muchacha joven» (Dt 32,25 y *passim);* en sentido militar se usa en 2 Re 8,12; Is 31,8; Jr 18,21; 48,15; 49,26 = 50,30; Ez 30, 17; Am 4,10; Sal 78,31; 2 Cr 36,17; cf. también Ez 23,6.12.23. A este *bāḥūr* pertenecen los dos abstractos plurales, *bᵉḥūrīm* (Nm 11,28) y *bᵉḥūrōt* (Ecl 11, 9; 12,1), que significan «edad juvenil», «flor de la vida».

Del acádico *bahūlāti* se ha solido deducir, a partir de J. Barth, ZA 3 (1888) 59, y H. Holma, *Die Namen der Körperteile im Ass.* (1911) 100, nota 4, la existencia de la raíz *bḥr* (por ejemplo, P. Joüon, Bibl 6 [1925] 314s; Zorell,

103a; KBL 117b); pero ese verbo acádico, según AHw 96b.117b, sólo en Sargón y Senaquerib se diferencia artificialmente de *ba'ūlātu,* «súbditos», y este último término pertenece a *bêlu* (→ *bá'al).* Tampoco es correcta la referencia de G. Quell, ThW IV, 149, nota 5, al hebreo medio *bḥl* piel, «madurar» (cf. Dalman, 51b; HAL 114b).

c) Como nombres propios aparecen *Mibḥār* (quizá «elegido», cf. Noth, IP 224), en 1 Cr 11,38, y *Yibḥār,* en 2 Sm 5,15; 1 Cr 3,6; 14,5; este último debe considerarse, contra KBL 359a, un hipocorístico que expresa un deseo (cf. Noth, IP 209). En ese caso sería testimonio de la fe en la elección referida a un individuo. El hecho de que no aparezca más frecuentemente y de que no existan en absoluto nombres semejantes compuestos con el elemento Yahvé (cf., por el contrario, el amorreo *Yabḫar-dIM* y el árabe meridional antiguo *Ybḥr'l)* es prueba de que en Israel la «elección» se refiere primariamente a la relación entre Dios y el pueblo (cf. *inf.* IV).

Baḥūrīm (2 Sm 3,16 y *passim;* sobre su localización geográfica, cf. BHH I, 191s; II, 342; cf., además, el gentilicio conjetural *Baḥūrīmī* en 2 Sm 23,31 y 1 Cr 11,33) es un nombre de lugar muy conocido, debido probablemente a que los cadetes solían reunirse allí.

II. 1. *bḥr* qal aparece en el texto masorético 146 ×. En la siguiente lista se consideran los siguientes apartados: uso profano (Pr), uso teológico con Dios como sujeto (TD) y uso teológico con el hombre como sujeto (Th). La distribución de casos es la siguiente:

	Pr	*TD*	*Th*	*Total*
Gn	2	—	—	2
Ex	2	—	—	2
Nm	—	3	—	3
Dt	1	29	1	31
Jos	1	1	2	4
Jue	—	—	2	2
1 Sm	5	5	—	10
2 Sm	5	2	—	7
1 Re	2	10	—	12
2 Re	—	2	—	2
Is 1-39	2	1	1	4
Is 40-55	1	7	1	9
Is 56-66	—	3	4	7
Jr	—	1	—	1
Ez	—	1	—	1
Ag	—	1	—	1
Zac	—	3	—	3
Sal	1	9	3	13
Job	7	—	—	7
Prov	—	—	2	2
Neh	—	2	—	2
1 Cr	2	7	—	9
2 Cr	1	11	—	12
Total AT	32	98	16	146
	=22%	=67%	=11%	= 100 %

Jr 8,3 debe considerarse, contra lo que opina Lisowsky, 208, como nifal. En la columna Pr se han descartado, ya que hay que corregir el texto, los casos de 1 Sm 20,30 (cf. *sup.* I/1*c);* Sal 84,11 y 2 Cr 34, 6 K; en la columna TD se ha descartado Is 48,10 (cf. *sup.* I/1*b).* Conjeturalmente, debe aceptarse *bḥr* en Sal 16,4 y Job 23, 13. El verbo aparece todavía en Eclo 4,17 con el significado de «examinar».

De esta lista puede deducirse lo siguiente: *a)* destaca fácilmente el empleo teológico del verbo, especialmente con Dios como sujeto. *b)* El empleo profano aparece ya en las secciones antiguas del AT (está ya presente en el Yahvista); el caso más antiguo es probablemente el de Jue 5,8, aunque es textualmente dudoso. El empleo teológico es más reciente (en J y en E no está aún documentado); parece, pues, que ha sido a lo largo de la historia de Israel cuando se ha ido formando e imponiendo este empleo. *c)* El empleo teológico con el hombre como sujeto aparece en contadas ocasiones; pero se debe señalar, con todo, que se puede perfectamente decir que Israel, o cada israelita, ha elegido a Dios (es decir, que ha elegido la conducta recta). *d)* La distribución del verbo, especialmente en su empleo teológico con Dios como sujeto, es muy irregular; esto quiere decir que no se impuso en todos los círculos de la religiosidad del Israel antiguo. El centro de gravedad cae en Dt (29 ×)

y en la obra histórica deuteronomística (20 ×).

El participio pasivo qal *bāḥūr* (19 ×; no se han incluido en la lista anterior; 2 Cr 5 ×; Jue 3 ×; 1 Sm, 2 Sm y Jr 2 × cada uno; Ex, 1 Re, Sal Cant y 1 Cr 1 × cada uno) y el nifal (7 ×; Prov 6 × y Jr 8,3; cf., además, Eclo 37,28 y 41,16), así como el pual (1 ×, cf. *sup.* I/1*c*), aparecen sólo en sentido profano.

2. Por lo que se refiere a los sustantivos, hay que señalar que *bāḥīr* (13 × distribuidas curiosamente: Sal 5 ×; DtIs y TrIs 3 × cada uno; 2 Sm y 1 Cr 1 × cada uno) designa siempre al elegido de Dios (Sal 106,23, Moisés; 2 Sm 21,6, texto dudoso, Saúl; Sal 89, 4, David; Is 42,1, el siervo de Dios; Is 43,20 y 45,4, el pueblo; Is 65,9.15. 22; Sal 105,6 = 1 Cr 16,13; Sal 105, 43; 106,5, los fieles individualmente; cf., además, Eclo 46,1, y, eventualmente, Jr 49,16 = 50,44, corrigiendo el texto que lee *bāḥūr*).

mibḥār y *mibḥōr* aparecen 12 × y 2 ×, respectivamente; *bāḥūr*, «muchacho», 44 × (de ellas, 36 × en plural; Jr 11 ×, Is, Ez y Lam 5 × cada uno; Am y Sal 3 × cada uno; debe descartarse Is 42,22, que aparece en Lisowsky, 207); *beḥūrīm*/*beḥūrōt* 1 × y 2 ×, respectivamente.

III. 1. Si prescindimos de los pocos pasajes en los que la traducción se acerca al significado de «examinar» (cf. *sup.* I/1*b*), *bḥr*, en su empleo profano, significa «escoger» o «elegir». Así, por ejemplo, en los textos históricos se habla con frecuencia de la elección de los guerreros (cf. Ex 17,9; Jos 8,3; 1 Sm 13,2; 2 Sm 10,9 Q: «elección entre todos los escogidos [*beḥūrē*] de Israel»; 17,1, cf. también *mibḥār* en Ex 15,4; Jr 48,15: *mibḥōr baḥūrāw*, «sus cadetes escogidos»). El pueblo elige a su rey (1 Sm 8,18; 12,13); el sacerdote elige la víctima sacrificial (1 Re 18,23.25). Pero también el hombre corriente se halla siempre, en su vida cotidiana, frente a una elección: Gn 13,11; Dt 23,17; 1 Sm 17,40, etc. A esto corresponde el significado de *mibḥār*/*mibḥōr*, «lo selecto, lo mejor»; cf., por ejemplo, Gn 23,6; Dt 12,11; Is 22,7; Jr 22,7.

2. *a)* La elección realizada puede ser precisada aún más concretamente en cuanto al objeto: se elige lo más propio, lo más adecuado, lo más apropiado, lo mejor y lo más hermoso. Dado que el significado fundamental debe ser «mirar atentamente» y que el verbo puede significar también «examinar», hay que pensar que este carácter valorativo de la elección es un elemento primario de la misma. El sujeto, ciertamente, está implicado, ya que es él quien valora; pero tal valoración corresponde a una reflexión racional. Típicos para expresar este aspecto son los conceptos paralelos: → *ḥzh*, «observar» (Ex 18,21 comparado con v. 25), → *ydʿ*, «reconocer, entender» (Job 34, 4; cf. Am 3,2; Jue 1,5), → *bīn*, «reconocer» (Job 34,4, texto enmendado).

b) Además de este significado objetivo, cognitivo, se debe distinguir el otro significado subjetivo, propio de la voluntad: se elige lo que se quiere tener, lo que gusta a uno, lo que se aprecia. No es posible, ciertamente, establecer una neta diferencia entre ambos aspectos. Pero el segundo se deja notar en las traducciones, que a veces lo traducen por «elegir *para sí*», incluyendo expresamente al sujeto; otras veces lo traducen incluso por «desear» (2 Sm 19,39), «querer» (Gn 6,2), «tener mayor gusto» (Job 36,21), «hallar gusto» (Prov 1,29), «preferir» (Job 7,15) y «decidir» (Job 29,25) (todos los ejemplos siguen a la *Zürcher Bibel*); cf. *bḥr le*, en 2 Sm 24,12, con el correspondiente *qbl* piel *le*, en 1 Cr 21,11. Como conceptos paralelos se deben citar aquí → *ḥmd*, «codiciar» (Is 1,29); → *šʾl*, «exigir» (1 Sm 12,13); → *bqš* piel, «buscar» (Is 40,20); → *ʾwh* piel, «desear» (Sal 132,13; Job 23,13, texto enmendado); → *ḥpṣ*, «hallar gusto» (Is 56,4; 65,12; 66,30). En Os 5,11 aparece *yʾl* hifil, «querer», donde se podía esperar un *bḥr;* uno no elige para sí simplemente lo que es bueno, sino «lo que es bueno a sus ojos» (cf. 2 Sm 19, 39). A esto corresponde el significado del participio nifal, que se puede traducir por «codiciado, precioso» (Prov 8,10.19; 10,20; cf. también 16,16; 21, 3; 22,1). La «elección» se realiza en estos casos en base a un deseo no fundamentado ni fundamentable racionalmente.

3. *a)* El sujeto de la elección en el AT, por lo que respecta al uso profano, suele ser una personalidad destacada (el jefe del pueblo, el rey, el sacerdote) o también el pueblo entendido colectivamente; sin embargo, en el ámbito sapiencial el hombre individual puede ser sujeto de la elección.

b) En la literatura sapiencial se introduce también el objeto de la elección. Se invita a la recta elección entre el camino del bien y el camino del mal (Prov 3,31; cf. también 1,29), entre lo que es justo y lo que es injusto (Job 36,21; cf. también Job 9,14; 15, 5; 34,33). Con esto se da por supuesto, aunque no de forma refleja, que el hombre puede elegir libremente entre el bien y el mal, entre lo justo y lo injusto. Pero con esta idea de elegir lo «bueno» (→ *ṭōb)* no siempre se piensa en una decisión moral. En 2 Sm 19,39: «lo que es bueno a tus ojos», se piensa en la elección de lo que es agradable. Y en Is 7,15, con la idea de elegir lo bueno y rechazar lo malo, se quiere indicar la capacidad que tiene Emmanuel de imponerse al mundo exterior (cf. Wildberger, BK X, 296s).

4. Como concepto contrario a *bḥr* debemos citar en primer lugar → *m's,* «rechazar»; este concepto se opone al nuestro en toda la extensión de su significado (cf., por ejemplo, 1 Sm 8,7 y 18; Is 75,15; Sal 78,67; Job 34,33).

IV. El vocablo *bḥr* se ha convertido en el AT en término técnico propio de la «elección» (bibliografía más importante: K. Galling, *Die Erwählungstraditionen Israels* [1928]; H. H. Rowley, *The Biblical Doctrine of Election* [1950]; Th. C. Vriezen, *Die Erwählung Israels nach dem AT* [1953]; K. Koch, *Zur Geschichte der Erwählungsvorstellung in Israel:* ZAW 67 [1955] 205-226; R. Martin-Achard, *La signification théologique de l'élection d'Israël:* ThZ 16 [1960] 333-341; H. Wildberger, *Jahwes Eigentumsvolk* [1960]; P. Altmann, *Erwählungstheologie und Universalismus im AT* [1964]; H. J. Zobel, *Ursprung und Verwurzelung des Erwählungsglaubens Israels in der Krise der Exilszeit,* FS Eichrodt [1970] 307-324; además, los artículos de los diccionarios de G. Quell, ThW IV, 148-173 [bibliografía], y G. E. Mendenhall, IDB II, 76-82 [bibliografía]).

El centro de gravedad del empleo teológico de *bḥr* lo constituye el motivo de la elección del pueblo por parte de Dios (IV/2-4, en tiempos preexílicos, exílicos y posexílicos), mientras que la elección de Dios o del camino recto por parte del hombre queda muy en segundo plano (IV/5). Pero más antigua aún que la idea de la elección del pueblo es en Israel la idea de la elección del rey por parte de Dios (IV/1).

1. *a)* En el ambiente que rodea a Israel, el *rey* aparece en todos los pueblos como el elegido por la divinidad (sobre esto, cf. S. Morenz, *Die Erwählung zwischen Gott und König im Ägypten:* FS Weedemeyer [1956] 118-137; R. Labat, *Le caractère religieux de la royauté assyro-babylonienne* [1939] 40ss).

Tanto en la región del Nilo como en el área mesopotámica el título de «hijo» expresa, aunque sea dentro de concepciones teológicas diversas, la posición especial y «elegida» del rey con respecto a su Dios (→ *bēn* IV/3*a).* En las dinastías XVIII-XX aparece la fórmula «Amón, que ama al (faraón) NN más que a los demás reyes» (Morenz, *loc. cit.;* además, D. Müller, ZÄS 86 [1961] 134; Quell, *loc. cit.,* 161, nota 64.68). En la región de Mesopotamia se afirma que la divinidad conoce al rey (en acádico: *edû,* → *yd');* éste es su favorito (en acádico: *migru,* cf. Seux, 162-

168.448s), la divinidad lo llama, pronuncia su nombre (en acádico: *nabû)* y semejantes. La expresión acádica que más se acerca al hebreo *bḥr* en cuanto a significado y empleo es el verbo *(w)atû(m)* (en sumerio: *pà),* que significa «ver» y presenta los matices de «mirar, elegir, llamar» e incluso «pasar revista, buscar» y que, por otra parte, se emplea frecuentemente para expresar la elección de los reyes por parte de los dioses (Seux, 368s.433-436; *ibid.,* 121s, tratando de *itûtu,* «elección, elegido, llamado»). El tema de la «elección del rey» está presente cuando, por ejemplo, Zkr de Jamat confiesa de sí mismo: *«Bʿlšmyn* me hizo rey» (en arameo: *mlk* hafel; KAI N. 202 A, línea 3). Para más detalles, cf. H. Frankfort, *Kingship and the Gods* (1948) 238s; de Vaux I, 156.

b) Dada la existencia de estas concepciones en torno a Israel, se podía suponer que también en el mismo Israel se hablaría de la elección del rey por parte de Yahvé desde el mismo momento en que se constituyó la monarquía. Lo que debemos preguntarnos es hasta qué punto y desde cuándo se ha descrito la posición especial del rey ante Yahvé, dentro de esta ideología real, por medio del vocablo *bḥr.* Teniendo en cuenta que este vocablo aparece ya en la narración de la ascensión de David al trono (2 Sm 16,18; cf. también 2 Sm 6,21; sobre esto, cf. A. Weiser, VT 16 [1966] 344.348), se puede deducir que el empleo de *bḥr* se impuso ya en la época davídica (cf. también, de todas formas, los pasajes posteriores de 1 Sm 16,8.9.10). Probablemente Saúl mismo fue designado ya como elegido de Yahvé (cf. 1 Sm 10, 24 y el pasaje dudoso, que a pesar de todo hay que mantenerlo contra la mayoría de los exegetas, de 2 Sm 21,6), siempre en pasajes donde se recogen antiguas tradiciones.

c) Aunque Israel comparte con los pueblos vecinos esta idea de la elección del rey, se debe decir que muy pronto la marcó con el sello especial de su fe. Esto se desprende ya del hecho de que en la tradición de Saúl no se habla sólo de la elección del rey, sino también de su rechazo (1 Sm 15,23.26, ciertamente no el mismo estrato de tradición, pero el rechazo presupone la elección). Este dato llama más la atención, dado que, en algunas ocasiones, se atribuye al «ungido de Yahvé» un carácter indeleble (1 Sm 24,7.11; 26,9.11.16.23; 2 Sm 1,21). Para explicar este rechazo por parte de Dios se debe considerar el fallo por parte del rey. Se puede plantear la cuestión de cómo un elegido de Yahvé puede fallar, pero aparece claro el reconocimiento de que a la elección por parte de Yahvé debe responder la fidelidad por parte del elegido. Cuando no se hace caso de las obligaciones resultantes de la elección, la misma elección se pone en cuestión. A esto se debe el que en el Norte se evite expresamente hablar de la elección del rey. Ni siquiera Dt 17,15 (caso de que Dt 17,14ss provenga realmente del Norte, como supone K. Galling, ThLZ 76 [1951] 133-138, y no se piense que es una adición secundaria, como supone R. P. Merendino, *Das deuteronomische Gesetz* [1969] 179ss) constituye un testimonio de que también en el Norte el rey fuese considerado realmente como elegido; más bien demuestra que esta tesis no había llegado a imponerse.

d) En el reino meridional la situación es diversa. Nunca se puso en duda la elección de David. Es verdad que en 2 Sm 7 no está presente la raíz *bḥr,* pero el título *nāgīd* aplicado a David no es muy lejano en cuanto al contenido del término *bāḥīr* (cf. W. Richter, BZ 9 [1965] 77). De todos modos, el contenido de la promesa de Natán no es la elección de David, sino la elección de su «casa». En los salmos reales (que pertenecen con seguridad a época preexílica) se menciona ciertamente la elección de David; pero no hay que olvidar que la razón de esta mención está precisamente en que se piensa implícitamente en el monarca reinante en cada caso (Sal 78,67; 89,4.20). Dada la situación real, que con frecuencia no era nada agradable, no resultaba fácil mantener la fe en la elección de la casa davídica. El Sal 89 constituye un documento impresionante sobre la lucha en torno a la validez de la elección de la casa de David. El autor piensa que, vista la debilidad de los descendientes de David, debe deducirse que Yahvé ha rechazado *(m's)* a su «ungido» y que ha abandonado la alianza con David (v. 39s). Pero no puede ni quiere creer que con esto haya sido anulada la elección. Interpreta la elección como una alianza que fue jurada por Yahvé a David (vv. 4.35.50; cf. también Sal 132, 11), apela a la fidelidad de Yahvé (vv. 2.3. y *passim),* subraya la firmeza y duración, incluso la «eternidad», de la elección (vv. 5.22.29s.37). La elección no puede caer, incluso cuando el rechazo es manifiesto.

e) Saúl fue proclamado rey debido a la valentía con que desplazó a Yabés (1 Sm 11). Pero la narración de 1 Sm 10,17-24 lo presenta de forma diversa: Saúl fue elegido echando a suertes. Se trata de un hombre humilde, que permanece escondido. Pero cuando lo mandan a llamar se ve que «llevaba la cabeza a todo el pueblo». Más profunda todavía es la narración paralela de David: el criterio no es la estatura —Yahvé ha rechazado al hermano mayor de David—; «Yahvé mira al corazón» (1 Sm 16,7). Ciertamente se alaba la belleza de David (v. 12). Pero lo que determina a David como rey no son ni su presencia externa ni sus cualidades espirituales, sino el espíritu de Yahvé (v. 13), que le ha destinado para realizar en él la elección. Las cualidades del elegido no deben contradecir necesariamente lo que se espera de un rey; pero la razón de esta elección concreta sigue siendo, en definitiva, un secreto divino contingente e indescifrable.

f) En las narraciones mencionadas no se indica cuál es el fin para el que ha sido elegido el rey. Pero se sobrentiende que al ungido de Yahvé se le encarga una tarea con relación al pueblo. David es «príncipe del pueblo de Yahvé» (2 Sm 6,21; cf. 7,8 y Sal 78, 71). Para describir la relación del rey con respecto a Dios se emplea ya en la profecía de Natán el concepto *ʿǽbæd* (→ *ʿbd;* 2 Sm 7,5 y *passim;* 132,10). *ʿǽbæd Yhwh* se ha convertido precisamente en concepto paralelo de *b^eḥīr Yhwh* (cf., por ejemplo, Sal 105,6). El término designa, en este contexto, al «ministro» o «visir», que ha sido destinado a llevar adelante en el pueblo y entre los pueblos la voluntad de su Señor (cf. W. Zimmerli, ThW V, 656. 662s).

2. *a)* A partir de una determinada época se habla en el AT no sólo de la elección del rey, sino también de la *elección del pueblo;* esto constituye una novedad dentro de la historia de las religiones del Antiguo Oriente. La idea de la posición especial de Israel con relación a Yahvé constituye precisamente algo característico de su fe. Queda expresado ya en la simple fórmula indicadora de que Yahvé es el Dios de Israel. Se habla con toda razón de las tradiciones de la elección (K. Galling, *Die Erwählungstraditionen Israels* [1928]; W. Wildberger, *Jahwes Eigentumsvolk* [1960]; sobre esto, cf. Zobel, *loc. cit.,* 6ss). Se puede perfectamente, sin embargo, hablar de la elección de Israel sin mencionar expresamente el término *bḥr.* Los investigadores del AT están prácticamente de acuerdo en señalar que nunca se ha hablado explícitamente de la elección de Israel hasta el Dt (G. von Rad, *Das Gottesvolk im Dtn* [1929] 28: «El verbo *bḥr* [sujeto: Dios — objeto: el pueblo] es una creación deuteronómica original», Vriezen, *loc. cit.,* 47; G. E. Mendenhall, IDB II, 76). Pero a esta afirmación se puede oponer la objeción de que el Dt tiene indudablemente una larga prehistoria que se remonta al lejano pasado en la historia del Norte; también se puede objetar que las referidas afirmaciones del Dt delatan la existencia previa de una fórmula ya fija y estereotipa. A esto se añaden algunas alusiones de los salmos. El salmo 78, anteriormente citado, habla no sólo de la elección de Israel, sino también de la elección de Judá (v. 68),

y señala que Yahvé ha rechazado la tienda de José y no ha elegido a la tribu de Efraín. Esto nos deja entrever la extrema necesidad en que se encontraban los defensores de la idea de elección cuando sucedió el gran desastre de Israel (o ya antes, en alguna crisis del Estado). Los salmos 33 (v. 12), 47 (v. 5) y 135 (v. 4), que se consideran por lo general posexílicos, deben remontarse, en lo que a sus afirmaciones sobre la elección se refiere, a formulaciones anteriores al Dt.

b) Pero ciertamente es en el *Deuteronomio* donde el teologúmeno de la elección de Israel aparece más desarrollado. De todos modos, en 17,15 se habla de la elección del rey (cf. *sup.* IV/1*c);* por otra parte, la más frecuente con mucho es la fórmula estereotipa: «las ciudades que Yahvé, vuestro Dios, ha elegido...», que, curiosamente, aparece sólo en el cuerpo legal (Dt 12, 5-26,2: 20 ×; cf. además 31,11; Jr 9, 27 y *passim;* cf. *inf.* 3*c).* Pero todo lleva a pensar que la teoría de la elección de Sión («hacerlos habitar allí por mi nombre» o semejantes) ha sido incluida en el Dt en ocasión de la redacción jerosolimitana (cf. recientemente Merendino, *loc. cit.,* 382ss). De la elección de Israel, por el contrario, se habla sobre todo en el segundo discurso introductorio del Dt (7,6s; 10,15; además, 14,2 y 4,37). No hay duda de que también en el reino del Norte seguía viva la idea de la elección del rey. Pero, probablemente por influjo de la antigua tradición del éxodo-elección, y tras la experiencia de la desviación de los reyes, el término *bḥr* se especializó para expresar la actitud de Dios hacia Israel. Con esto, siguiendo dicha «democratización», las concepciones propias del ámbito mítico (elección del rey o del monte de Dios) pasan al ámbito de la historia (salida de Egipto). Por lo que deja ver Sal 78,68, parece que hacia finales del reino del Norte se afrontó seriamente también en Jerusalén la cuestión de la elección del pueblo.

c) Dentro del AT, el *locus classicus* de la elección de Israel es Dt 7,6-9. Esta sección está inserta en el texto parenético de 7,1-11, en el que se exige a Israel que se distancie de Canaán. En otras palabras: la idea de la elección no constituye el tema central, sino que sirve de motivación para la parénesis. En los versículos siguientes (vv. 9-11) aparece la tradición de la alianza como segundo motivo. No se habla, pues, aisladamente de la elección de Israel, sino que se presenta para fundamentar las exigencias que Yahvé hace a Israel. En 10,12, la referencia a la elección sirve para fundamentar la exigencia general de Yahvé a la obediencia: a temer a Yahvé, caminar por sus sendas, amarle de todo corazón y con toda el alma. La formulación estereotipa «elegir de entre los pueblos» delata que el empleo teológico de *bḥr* en este ambiente ha surgido de la confrontación de Israel con Canaán.

El significado de la elección aparece claro al ponerla en conexión con los conceptos *ʿam qādōš,* «pueblo santo», y *ʿam* → *s^egullā,* «pueblo de propiedad», ambos tomados de la tradición. Con ello se precisa más el concepto *ʿam qādōš,* tan rico en significados: Israel es santo no a causa de una especial integridad cúltica o moral, sino gracias a que por medio de la elección se ha convertido en el pueblo que Yahvé tiene en propiedad. Y precisamente teniendo en cuenta que la santidad no es una propiedad que nace de él, sino algo que se basa en la elección por parte de Yahvé, Israel debe sentirse obligado a tomar una actitud conforme a este acto libre y gracioso de Yahvé. En 7,7s (texto ciertamente tardío, cf. el estilo «vosotros») se rechaza con violencia la idea falsa de que la elección de Yahvé se basa en una especial cualidad de Israel: primero en el v. 7 comentando *bḥr* por medio de *ḥšq,* «adherirse a, amar»; después, en el v. 8, aludiendo al amor de Yahvé hacia Israel (→ *ʾhb* IV/2) y a la fidelidad con que Yahvé guarda el juramento hecho a los padres, y finalmente por medio de la negación: «no porque vosotros fuerais más numerosos que los demás pueblos...». En Dt 9,4-6 la idea se hace aún más clara: «no por tu justicia *(ṣᵉdāqā)* ni por la rectitud *(yōšær)* de tu corazón»; se hace también más radical: «pues tú eres un pueblo de dura cerviz». En 10, 14s (también secundario), al señalar que Yahvé es el Señor del cielo y de la tierra, se recalca aún más la irracionalidad de su actitud al elegir a Israel.

El trabajo del autor deuteronómico está minuciosamente medido desde el punto de vista teológico; con él la «elección» se ha convertido en expresión conceptual de la actitud de Yahvé hacia Israel, él ha interpretado la elección como acto absoluto de la gracia de Yahvé, basado únicamente en su amor insondable a Israel, explicándola en definitiva como un acontecimiento dialéctico: la elección indica el amor de Yahvé, pero por otra parte exige del pueblo de Dios obediencia y fidelidad. La palabra que fundamenta esta comunión parte de Yahvé, pero exige una respuesta clara por parte del interpelado: Israel. Con esta comprensión de la relación entre Yahvé e Israel el Dt se avecina al profetismo preexílico.

d) Junto a la elección del pueblo, y curiosamente desligada de ésta, aparece en el Dt la elección de Sión (12, 5.11.14.18.21.26; 14,23.24.25; 15,20; 16,2.6.7.11.15.16; 17,8.10; 18,6; 26,2; 31,11). El carácter formulario con que se presenta esta última elección, aún más patente que el de aquélla, muestra claramente que el Dt ha recogido concepciones previamente existentes. Esto es lo que, con razón, ha señalado Koch, *loc. cit.,* 215s, contra Vriezen, *loc. cit.,* 46s. Ya en el preexílico Sal 132 se habla de que Yahvé ha elegido a Sión como lugar de su morada (v. 13). También el Sal 78, de finales de la época monárquica, alude a la elección de Sión por parte de Yahvé (v. 68: «que él ama»). Puede incluso preguntarse si ya en tiempo de los yebusitas no se hablaba de la elección de Jerusalén. También en el área mesopotámica se habla en ocasiones de la elección del santuario por parte de una divinidad; pero en la mayor parte de los casos esto sucede sólo indirectamente: se señala, en efecto, que el rey ha sido elegido para construir o cuidar el santuario (cf. H. Wildberger, FS Eichrodt [1970] 309, nota 9). Pero la elección de un único santuario, tal como lo presenta el Dt en el sentido exclusivo de la centralización del culto jerosolimitano, carece naturalmente de paralelos.

La fórmula de elección «el lugar que Yahvé, vuestro Dios, elegirá» puede ser ampliada por medio de la expresión «de entre todas vuestras tribus» o «en una de tus tribus» (12,5.14). En estas expresiones se refleja la pretensión jerosolimitana de ser el lugar central de adoración para todo Israel. También esas fórmulas pueden, a su vez, ser extendidas por expresiones como «para poner allí su nombre» (12,5-21) o «para hacer habitar allí su nombre» (12,11; 16,2.6.11; cf. también 12,5). Y esto, frente a Sal 132, que todavía habla ingenuamente de que Yahvé ha escogido el templo como «morada» y como «lugar permanente de reposo», representa una sublimación. El «nombre» designa una presencia de revelación (→ *šēm).*

La fórmula «el lugar que Yahvé elegirá» sirve en ocasiones simplemente para parafrasear el nombre de Sión/ Jerusalén (el futuro del verbo tiene su razón de ser en la ficción que pone en boca de Moisés el Dt y no puede, por tanto, presentar la elección de Jerusalén como una realidad ya verificada). Pero en general significa más que eso. El lugar de la presencia de Yahvé es fuente de bendición, alegría y vida (por ejemplo, Sal 36,8ss). Al elegir para sí este lugar en medio de las tribus, Yahvé manifiesta su unión con Israel y se manifiesta como «tu/vuestro Dios». Pero las diferencias entre estas afirmaciones y las afirmaciones sobre la elección son, a pesar de todo, muy grandes. Israel evoca la idea de su elección como pueblo al recordar su historia de salvación; al hablar de Jerusalén lo hace participando en el culto del santuario central. Si allí la elección implica el compromiso de Israel, aquí posibilita una vida bajo la protección y bendición de Dios. Con esto, parte de la teología del templo ha irrumpido en el mundo anfictiónico. No es casual, ciertamente, que la fórmula aparezca repetidamente en el cap. 12, que contiene diversas regulaciones en torno a la centralización del culto, y en el cap. 16, que presenta un calendario de fiestas. A esto se debe también el hecho de que ya el Dt hable, aunque sea en un texto tardío, de la elección de Leví «de entre todas sus tribus» (18,5; 21,5). Al santuario elegido pertenece el sacerdocio elegido. Y al igual que la unicidad del templo, también el hecho de que el sacerdocio pertenezca a una sola tribu asegura el recto funcionamiento de un culto divino que posibilita y garantiza la salvación.

e) Frente a esta concepción tan clara en torno a la elección es muy llamativo que ninguno de los profetas preexílicos se refiera a la elección de Sión ni a la de Israel con el vocablo *bḥr*. Conocen ciertamente el *hecho* de la elección (por ejemplo, Am 3,2); pero también la ponen en cuestión (por ejemplo, Am 9,7). De ahí se comprende su cuidado en evitar el concepto *bḥr;* este concepto podía fácilmente dar lugar a ilusiones peligrosas: podía, en efecto, hacer creer que la salvación estaba asegurada a Israel por la simple realización del culto en la ciudad santa o que Israel estuviera ya libre de toda desgracia por el simple hecho de haber sido elegido. Incluso Isaías, el jerosolimitano, que conocía las ideas en torno a la elección del rey y del templo, tiene sumo cuidado al referirse a ellas: las presenta siempre como condicionadas a la fe (7,8; 28,16) y las remite al horizonte del acontecer escatológico (2, 2-4; 9,1-6).

3. *a)* La *obra histórica deuteronomística,* surgida en la época exílica, debió afrontar la realidad de la caída del reinado davídivo, de la destrucción del templo y del fin de Israel como nación. 1 Sm 10,24 había hablado de la elección de Saúl (cf. H. J. Boecker, *Die Beurteilung der Anfänge des Königtums in den dtr. Abschnitten des 1 Samuelbuches* [1969] 48s) y otros textos posteriores se referían al rechazo del mismo (cf. *sup.* IV/1*c).* Ahora el pasaje deuteronomístico de 8,18 afirma que ha sido el pueblo mismo quien ha elegido al rey. Esta elección de Israel se debe comparar, precisamente, según v. 8, a su culto a los ídolos (cf. Jue 10,14). Sólo Yahvé puede ser rey de Israel; la elección del rey por parte del pueblo equivale prácticamente a rechazar a Yahvé (1 Sm 8,7). De todos modos, la obra histórica deuteronomística no ha eliminado las antiguas tradiciones favorables al reinado de Saúl y de David, ni siquiera la profecía de Natán. Pero en los textos en que el propio deuteronomista toma la palabra sólo emplea *bḥr* para referirse a David (1 Re 11,34 y quizá 8,16, texto dudoso). Nunca designa como «elegido» a ninguno de los descendientes de David, cosa que, por el contrario, hacen los salmos reales. Al deuteronomista le resulta más fácil hablar de la elección de Jerusalén (1 Re 8,16.44.48; 11,13. 32.36; 16,21; 2 Re 21,7, «eternamente»; 23,27; al igual que en el Dt, también aquí se puede insertar alguna expresión como «para colocar allí mi nombre» o semejantes). Pero, prescindiendo de 1 Re 3,8 (que quizá no sea deuteronomístico), el deuteronomista no habla nunca de la elección de Israel; y esto por la sencilla razón de que, según él, en el Israel de la época monárquica ha faltado la necesaria respuesta a la elección, es decir, ha faltado el temor y el amor a Yahvé. Más aún, no sólo excluye el tema de la elección de Israel, sino que, reflexionando sobre el final del reino del Norte, se habla también de su rechazo (2 Re 17,20), que afecta también, según v. 19, a Judá. Y en 23,27 habla expresamente de la expulsión de Judá «de delante de mi rostro, como he expulsado ya a Israel». Al mismo tiempo habla también del rechazo de la ciudad elegida, Jerusalén, junto con su templo (cf. también 24,

20). El cuadro que presenta es, pues, bastante sombrío: el pueblo ha deshecho las inagotables posibilidades que Yahvé había abierto a Israel por medio de la elección, y también, indirectamente, por medio de la elección del rey y del templo.

Pero entenderíamos mal la obra histórica del deuteronomista si la consideráramos como la tumba de la gran utopía de la elección de Israel: a diferencia de lo que ocurre con la elección de Saúl, la elección de la casa de David nunca es revocada. La conclusión de la gran obra, es decir, la narración del giro favorable que toman los asuntos de Joaquín, parece dejar abierta alguna oportunidad a la casa de David. El «eternamente» que suena en 2 Re 21,7 indica que, por encima del rechazo presente, queda abierto un futuro para Jerusalén.

También Jos 24 pertenece a la época exílica. Se trata, ciertamente, de una tradición antigua, pero que el deuteronomista ha reelaborado, entre otros, en los versículos 15 y 22 (cf. J. L'Hour, *L'alliance de Sichem:* RB 69 [1962] 5-36.161-194.350-368); en estos versículos parece que se ofrece a Israel la posibilidad de optar libremente por Yahvé. Ahora bien, esto debe ser interpretado desde la época exílica. Israel corre el peligro de pasarse a los dioses. En esta situación inserta el deuteronomista su predicación sobre la historia. La decisión ha sido tomada hace tiempo: «vosotros sois testigos contra vosotros mismos de que Yahvé os ha elegido para que le sirváis» (v. 22). «Josué y su casa», con su clara decisión a favor de Yahvé, sirven de modelo. El autor no habla de la elección de Israel por parte de Yahvé porque para él es claro que Yahvé continúa considerando a Israel como pueblo suyo: la cuestión no es ésta. La cuestión es saber si Israel, tras la catástrofe experimentada, se decidirá finalmente a permanecer en la decisión que una vez tomó en favor de Yahvé.

En una ocasión, de todos modos, el deuteronomista habla de la elección de Israel: Dt 4,37: «porque él ha amado a tus padres, ha elegido a su descendencia y te ha sacado de Egipto». El pasaje, una clara adaptación de Dt 7, 6-10 a la nueva situación, deja entrever qué pruebas hubo de soportar la fe en la elección tras la caída de Jerusalén. La elección se basa, también aquí en este texto, en el amor de Yahvé, pero aquí se trata de su amor a los padres. En estos momentos en que la posesión de la tierra se ha hecho problemática, en lugar de afirmar que en el acto de la elección Yahvé ha hecho de Israel el pueblo de su propiedad, se señala que la elección se ha manifestado en que Yahvé ha dado la tierra en herencia a Israel. La respuesta a la elección ya no es sólo la obediencia y el temor de Dios; ahora, después de que la crisis del 586 ha conmovido profundamente la fe en Yahvé, la respuesta debe ser más radical: el reconocimiento de que solo Yahvé, y nadie más, es Dios (v. 35) arriba en el cielo y abajo en la tierra (v. 38). Donde el deuteronomista sigue los pasos del Dt es al encuadrar todo lo que dice sobre la elección en textos que constituyen una predicación, aunque el tema de ésta ya no es la obediencia a Yahvé, sino el retorno a él (v. 30).

b) Aproximadamente en la misma época que el deuteronomista, escribía también su obra el *Deuteroisaías.* El deuteronomista desarrolló su labor en Palestina, el Deuteroisaías lo hace en Babilonia. Pero éste pertenece no sólo geográfica, sino también espiritualmente, a un mundo diverso. Sabe que se enfrenta a un auditorio que no se engaña en cuanto al alcance del desastre sufrido; sabe que está ante un auditorio que se pregunta seriamente si todavía existe algún futuro para Israel. Y él contesta a esta pregunta concentrando conscientemente todo su mensaje en la idea de la elección. Es significativo que el autor aborde este tema preferentemente en oráculos de salvación. Es en Is 41,8-13 donde esto se realiza con mayor vigor. Se dirige al pueblo de Dios no sólo con los nombres de Israel y Jacob, sino también como «brote de Abrahán, mi amigo»: se inserta la elección con mayor profundidad en la historia y se la pone en conexión con la relación Yahvé-Abrahán. También constituye novedad el título «siervo mío» aplicado a Israel (cf. también 44,21; 45,4). El paralelismo entre *ʿæbæd* y *bāḥīr* procede de la ideología real (cf. *sup.* IV/1*f*). En el DtIs se lleva, pues, a término la «democratización» de la idea de la elección del rey (cf., por ejemplo, 55,3ss, donde las gracias prometidas a David son traspasadas al pueblo). Este autor ha combatido una dura batalla contra la duda radical en torno a la elección, como lo demuestra claramente el que en 41,9 la fórmula «yo te he elegido» queda confirmada con la expresión «y no te he rechazado». También el DtIs ha entendido la elección como realizada en un acto histórico: Yahvé ha tomado a Israel «del confín de la tierra». Puede que esta expresión se refiera no al éxodo de Egipto, sino a la llamada de Abrahán desde Mesopotamia. En otros pasajes, el DtIs se remonta aún más a los inicios: según 43,20s, el elegido Israel es «el pueblo que me he formado»; conecta la elección con el momento de la creación (cf. también 44,1s). Esto no quiere decir, de todos modos, que la elección sea un acontecimiento que queda perdido en el pasado. En 43,18, precisamente, exhorta el DtIs a no pensar más en lo antiguo, porque Yahvé crea algo nuevo; del mismo modo, en 44,2, a las afirmaciones sobre la elección siguen en vv. 3s promesas de salvación. La conciencia de la elección abre a Israel la puerta del futuro. Con miras a Israel confía Yahvé a Ciro el dominio de los pueblos. Yahvé, que ha elegido a Israel, es también su redentor *(gōʾēl)* y conduce a Israel, «el desprecio de los pueblos», hacia casa por un camino triunfal.

El DtIs no recoge, en cambio, la teología del templo con tanta determinación. Aunque el profeta espera la reconstrucción de Jerusalén y su templo (44,26; 49,17-23), no se atreve a basar su fe en la elección de Sión. La dura crítica a la cosificación de la idea de elección hecha por los profetas ha obtenido resultados.

Lo mismo vale sobre la crítica deuteronomística a la monarquía. El DtIs no ve ningún futuro para la casa de David. Pero diversos elementos de la ideología real han sido recogidos en su imagen del siervo de Dios. El «siervo de Yahvé» (en el que hay que ver una figura individual) es, al igual que el rey, un *bāḥīr* (42,1). Lo mismo que este último, también él tiene el espíritu de Yahvé (1 Sm 16,13; Is 11,2). El hecho de ser siervo significa que tiene una tarea en el mundo: él debe llevar la verdad a los pueblos, debe ser la luz de los pueblos, por medio de él es glorificado Yahvé. Quienquiera que sea este siervo de Yahvé, no puede ser casual que se le aplique, lo mismo que a Israel, los títulos de *ʿæbæd* y *bāḥīr*. El representa al verdadero Israel y todo lo que sobre él se dice pone de manifiesto que la elección de Israel no se puede separar de su misión en el mundo. Pero nuestro autor trasciende todas las interpretaciones de la elección hechas antes de él al señalar que el siervo de Dios realiza su elección por medio del sufrimiento vicario.

Se puede preguntar si este modo de hablar de la elección de Israel, propio del DtIs, no conduce a aquel falso sentimiento de seguridad que empujó a los profetas preexílicos a oponerse a la idea de elección. El autor evita este riesgo al no fundamentar la conciencia de salvación de Israel ni en el templo ni en el rey; pero, sobre todo, lo elimina por medio de su interpretación del concepto *ʿæbæd*. Ser elegido significa, sí, ser tomado bajo la propia responsabilidad, pero en cuanto siervo de Yahvé entre los pueblos, es decir, no sólo como realizador de la obediencia, sino también como testimonio dado por el fracaso aparente, el sufrimiento y la muerte.

c) Tampoco *Ezequiel* habla de la elección de la casa de David o de la elección del templo. Incluso de la elección de Israel habla *expressis verbis* sólo en una ocasión (Ez 20,5). La razón de esta clara reserva reside en el reconocimiento, expresado repetidas veces, de que Israel ha rechazado los mandatos de Yahvé (Ez 5,6; 20,13 y *passim*). Llama la atención que la única vez en que el profeta menciona la elección de Israel lo hace para acusar al pueblo de que no ha sido consecuente con ella, es decir, para acusarle de no haber abandonado los ídolos. Lo mismo que el deuteronomista, tampoco Ezequiel quiere que, al recordar la elección, se olvide el tan necesario sentimiento de conversión. También llama la atención, finalmente, que, a pesar de la dureza de sus palabras de juicio, el profeta nunca se refiera expresamente al rechazo de Israel por parte de Yahvé.

d) Jr 33,23-26 es prueba de que, a través de los acontecimientos del presente, se llegó a ver el problema del rechazo en toda su crudeza. Se hablaba en el pueblo del rechazo de «los dos linajes que Yahvé había elegido». El autor, perteneciente asimismo a la época exílica, se levanta con decisión contra ese abandono de la fe: «tan cierto como que yo he creado el cielo y la tierra..., así de cierto que no rechazaré a la descendencia de Jacob y a David, mi siervo...». A Israel y a su casa se les conserva la elección no porque ellos la hayan mantenido, sino porque Yahvé ha vuelto su mirada y se ha apiadado de ellos.

De forma diversa se manifiesta el autor de Is 14,1. Para él ese rechazo se ha convertido en realidad, pero se atreve a hablar de una nueva elección de Israel. Del mismo modo que la elección fundamental se manifestó en la salida de Egipto, así ahora esta repetición, basada también, según él, en la misericordia de Yahvé, se manifiesta en el retorno de Israel a su patria. Y así como en el éxodo de Egipto se mezcló «mucha gente extranjera» (Ex 12,28), así también ahora, en el segundo éxodo, se han unido muchos extranjeros a la casa de Jacob. Un autor posterior, sin embargo, no comentó esta hermosa idea de forma muy feliz: según él, las gentes que acompañarán a Israel se convertirán en esclavos y esclavas del mismo.

4. *a)* Si el texto de Jr 49,14 = 50, 44 ha sido fielmente transmitido, existían en la época exílica grupos de gentes que mantenían la esperanza de que Yahvé había de erigir a su «elegido» como soberano. Esta esperanza se podía referir sólo a un descendiente de David y, así, el pasaje sería un ulterior testimonio de que la fe en la elección de la casa de David no se había apagado del todo durante el exilio. En todo caso, poco *después del exilio* Ageo se atrevió a proclamar a Zorobabel, el descendiente de David, como el elegido de Yahvé (2,23). El mismo texto emplea la antigua expresión paralela «siervo mío» y describe su poder con las siguientes palabras: «tú serás para mí un sello». También su contemporáneo Zacarías espera la reinstauración de la monarquía, como lo sugiere Zac 6,9-15. El profeta habla también expresamente de la elección de Jerusalén (3,2). En 1,17 y 2,16 habla más precisamente de la *nueva* elección de la ciudad. Se podría pensar que esta afirmación —lo mismo que la expresión de Is 14,1— ha surgido de una irreflexión teológica que en definitiva destroza la idea de elección. Pero el hecho de que dicha frase sea posible en el ámbito del AT viene a demostrar que la elección no es algo que está fijado de forma determinista y que la correspondencia entre la elección de Yahvé y el compromiso adquirido por los hombres se toma totalmente en serio. «La elección de Yahvé no es una fatalidad de la gracia, sino una llamada que exige respuesta» (Zimmerli, BK XIII, 445). Hay otro aspecto en el que Zacarías, al igual que Is 14,1, da un paso hacia adelante: Yahvé seguirá ciertamente poniendo su morada en medio de Israel, pero «ese día muchos pueblos se adherirán a Yahvé y se convertirán en pueblo suyo». Con eso

se ha roto el particularismo de la fe en la elección; ya en el Deuteroisaías se había preparado el camino para superar este particularismo, pero sin llegar a renunciar a la situación privilegiada de Israel.

b) Lo mismo se afirma en el salmo 32, de época posexílica. En este salmo, la idea de elección está inserta en un texto que pertenece al género de bienaventuranza: «¡Feliz la nación cuyo Dios es Yahvé, el pueblo que se eligió por heredad!» (v. 12). Israel no debe temer, porque es propiedad de Yahvé (cf. también Sal 135,4, donde se vuelve a recoger el concepto *s^{e}gullā,* «propiedad particular», cf. Ex 19,5; cf., además, Sal 47,5). Pero el hecho de que Yahvé ha elegido a Israel como heredad no excluye, sino que más bien implica positivamente que él es rey de toda la tierra (Sal 47,8). Precisamente por eso se atreve el salmista a pronunciar la atrevida frase de que los príncipes de la tierra se han reunido como «pueblo del Dios de Abrahán» (v. 10). Incluso si hubiera que leer *ʿim ʿam,* «con el pueblo...», o simplemente *ʿim,* «con», en lugar de *ʿam,* «pueblo» (cf. los comentarios), el universalismo del poder divino seguiría siendo algo inherente a la elección de Israel (cf., sobre el tema, P. Altmann, *Erwählungstheologie und Universalismus im AT* [1964]; H. Schmidt, *Israel, Zion und die Völker,* tesis presentada en Zürich [1968] 11s.19ss.99s).

c) De época exílica son también los salmos 105 y 106, que evocan la historia de salvación y presuponen, por tanto, el Pentateuco ya definitivamente elaborado; 105,6 habla de la «descendencia de Abrahán, su siervo», y en paralelo de los «hijos de Jacob, sus elegidos» *(b^{e}ḥīrāw)*». Este último vocablo debe leerse, probablemente, *b^{e}ḥīrō,* «su elegido» (cf. BHS): el elegido es el padre de la tribu, pero junto con él, naturalmente, se incluye a todo Israel. Por eso puede hablarse sin dificultad en v. 43, lo mismo que en Sal 105,5, del pueblo como elegido de Yahvé. De todos modos, hay que tener en cuenta el plural: el pueblo es visto aquí como una unión de individuos. Y así surge la cuestión de si no habrá que distinguir en Israel entre elegidos y rechazados.

d) También Isaías III habla de los elegidos de Yahvé (Is 65,9.15). Y recoge incluso antiguas promesas que iban unidas a la elección de Israel: los israelitas poseerán la tierra y habitarán en ella como siervos de Yahvé. Pero los elegidos no son ya el Israel empírico, sino el pueblo de Dios, todavía por crear, de la futura época de salvación. Israel, tal como actualmente es, ha escogido lo que es malo a los ojos de Yahvé (65,15; cf. 66,3s). Esta falsa elección por parte de los hombres los excluye del grupo de los elegidos de Yahvé. Es Yahvé quien creará al verdadero Israel: «yo sacaré una simiente de Jacob» (65,9) y esta simiente será «mi pueblo, pueblo que me busca» (v. 10). Con esto, es evidente, se superan las fronteras del actual Israel. Hay «eunucos» que guardan el sábado y eligen lo que agrada a Yahvé; éstos tendrán en la casa de Yahvé «un nombre y un monumento» que «serán mejores que hijos e hijas» (56,4s). Es claro, por tanto, que tras la desintegración de Israel como pueblo en la época posexílica se debió llegar a esta nueva comprensión de la fe en la elección. En esta nueva comprensión, atendiendo a la correspondencia entre la elección humana y la elección divina, se determina una nueva dimensión del pueblo de Dios en la que domina el aspecto de la persona individual. Pero esto no supone, de todos modos, que la fe en la elección de Israel haya sido suprimida. El nuevo pueblo de Dios seguirá siendo siempre, si no «descendencia de Jacob», sí «descendencia surgida de Jacob». Y si es cierto que el templo será «casa de oración para todos los pueblos» (56,7), también es cierto que los fieles de Yahvé serán siempre remitidos a Jerusalén. Además, y sobre todo, debe tenerse en cuenta lo siguiente: si es cierto que por una falsa elección queda uno descartado del grupo de los elegidos de Israel, también es cierto que el nuevo Israel no se constituye por la recta elección de los hombres, ya que se trata de una creación escatológica propia de Yahvé.

e) Ya en un estrato secundario del Dt se hablaba de la elección de la tribu de Leví para desempeñar el sacerdocio (cf. *sup.* IV/2*d).* No es de extrañar que el escrito sacerdotal aborde, en los tres pasajes en que habla expresamente de la elección (Nm 16,5.7; 17,20), la cuestión del sacerdocio legítimo: el sacerdocio es limitado ahora a la descendencia de Aarón. Pero esta limitación no se ha realizado sin protestas. La narración de la revuelta de la banda de Coré (Nm 16, de elaboración P) es una descripción de las ordalías que deben decidir «quién es el suyo, quién es el consagrado a quien él deja acercarse; al que él elija lo dejará acercarse» (v. 5; cf. v. 7). También Nm 17,16ss (v. 20) habla de una comunicación divina que asegura esta elección. El significado de estos pasajes aparece claro cuando se tiene en cuenta que P no habla en ellos ni de la elección del pueblo ni de la elección del rey. Es suficiente con conocer la elección de la casa sacerdotal. La salvación está ya asegurada por el hecho de que el culto a Yahvé sea desempeñado por los hombres destinados a ello. Se ha de entender este punto de vista sacerdotal desde el deseo de ofrecer un fundamento seguro a la fe de Israel en la presencia de la gracia divina. El reverso de este punto de vista, sin embargo, es que toda la actividad de Israel queda limitada a la corrección en el culto. Con esto parece haberse extinguido la protesta del profetismo preexílico contra la falsa seguridad de Israel, que creía poder fundamentar en el templo su fe en la presencia salvífica de Yahvé.

f) La visión del escrito sacerdotal ha encontrado eco en el salmo 105. También este salmo habla de la elección de Aarón. Pero junto a él se habla también de Moisés como siervo de Yahvé (v. 26; en 106,23 Moisés es designado expresamente *bāḥīr).* La razón por la que los mismos salmos hablan de la eleción de particulares (cf. *sup.* IV/4*c)* y de la elección de Aarón y Moisés es clara: Yahvé, en su amor, ha elegido ciertamente al pueblo, para «ver su gozo» en la alegría del mismo (106, 5). Pero Israel se ha manifestado indigno de ello, según lo ha demostrado la historia. Debía haber sucumbido, si no fuera que Moisés «estuvo en la brecha» ante Yahvé (106,23). Se trata de un interesantísimo intento de resolver la cuestión planteada por la continua desviación del pueblo y por el riesgo en que se coloca de transformar la elección en rechazo: Israel, consciente de su desviación como pueblo elegido por su Dios, se aferra a la elección de sus padres, de sus jefes y de sus mediadores salvíficos: Abrahán (cf. también Neh 9,7), Jacob, Aarón y ahora Moisés. Se presenta aquí de nuevo el impresionante cuadro de Is 53 sobre el siervo de Yahvé: «él, el justo, mi siervo, traerá la justicia a muchos» (v. 11). Asegurar la elección de uno posibilita el mantenimiento de la fe en la elección de muchos, del mismo modo que en el NT no se puede hablar de la elección del pueblo de Dios prescindiendo de Cristo, el ἐκλεκτὸς τοῦ θεοῦ (G. Schenk, ThW IV, 191-197.

g) La obra histórica del cronista ha reelaborado las tradiciones que habían llegado hasta él. No presenta ninguna concepción propia de la elección, sino que rejuvenece las antiguas representaciones. 1 Cr 28,4ss y 2 Cr 6,5s recogen 1 Re 8,16. En este texto se hablaba de la elección de Jerusalén y de David. El cronista lo amplía: la elección de David presupone la elección de Judá, que es claramente idéntico al verdadero Israel. Pero, sobre todo, él habla también de la elección de Salomón. Que esta elección reviste para él gran importancia lo demuestran las repeticiones en 1 Cr 28,5.6.10 y 29,1. La verdadera razón de la elección de este rey reside en el hecho de que él va a construir una casa a Yahvé (28,10; 29, 1). Ya en fuentes sumerias y acádicas (cf. *sup.* IV/2*d)* la divinidad pone al rey en su cargo precisamente en cuanto custodio de los santuarios. Con esto, el cronista ha unido la elección del rey y la elección de Jerusalén, en cuanto ciudad en la que Yahvé hace habitar su nombre, aún más estrechamente que los documentos anteriores. También fuera de estos textos atribuye el cronista gran importancia a la elección de Jerusalén (2 Cr 6,5.6.34.38; 7,12.16; 12, 13; 33,7; Neh 1,9), tanto más cuanto que debe justificar una actitud antisamaritana. Cuando se habla del templo no pueden faltar, naturalmente, los levitas (1 Cr 15,2; 2 Cr 29,11). Esta breve síntesis basta para demostrar que lo que al cronista de hecho interesaba era la elección del templo con sus sacerdotes. La elección del rey ya no constituye tema independiente; de la elección de Israel ni siquiera se habla. Si el culto del templo puede celebrarse regularmente, está de más plantearse el problema de la elección de Israel (1 Cr 16,13 es cita de Sal 105,6; también Neh 9,7 pertenece al material recibido de la tradición). Al final, pues, se ha impuesto la antigua teología del templo (cf. *sup.* IV/2*d*). De todos modos, «Israel» ya no es el pueblo de Dios en sentido étnico, sino la comunidad cultual, la muchedumbre de los que, buscando y alabando a Dios, se reúnen en la ciudad de los sacrificios y de la adoración.

5. *a)* No sólo es Dios quien escoge y elige: también el *hombre* lo hace. El AT supone que el hombre puede elegir a *su Dios* o a sus dioses. Si el texto de Jue 5,8 es original, el texto más antiguo en que aparece el vocablo *bḥr* dentro del AT habla precisamente de la elección de nuevos dioses. En un ambiente politeísta y en una situación étnica y religiosamente compleja, como era la de Canaán, debía de ser grande la tentación de querer asegurarse la felicidad con nuevos dioses. El primer mandamiento tiene en cuenta esta situación. Por lo general, de todas formas, no se emplea el término *bḥr* para designar este volverse a otros dioses; la palabra tiene demasiada importancia teológica y un sonido excesivamente solemne para poder ser empleada en la polémica contra la apostasía. De todos modos, Isaías amenaza: «ciertamente, os avergonzaréis de los árboles que anhelabais *(ḥmd)* y os sonrojaréis llenos de afrenta por los jardines que os habéis elegido *(bḥr)*» (Is 1,29; cf. Wildberger, BK X, 69.71). El deuteronomista clama irónico: «id y gritad a los dioses que os habéis elegido» (Jue 10, 14), y el Deuteroisaías, en su polémica contra los ídolos, les grita a éstos: «mirad, sois nada, y vuestras obras son nada; quien os elige es abominable» (Is 41,24). La misma polémica aparece también una vez en el Tritoisaías (Is 65,12; 66,3); también el Sal 16, que pertenece más o menos a la misma época, parece referirse a la elección de otros dioses (v. 4, léase *bāḥārū* en lugar de *māhārū,* cf. H. Gunkel, *Die Psalmen* [⁴1926] 52). Es significativo que este empleo no aparezca en contextos donde simplemente se constata que Israel sirve a otros dioses, sino en textos donde se desarrolla una polémica irónica: si creéis que os va a ir mejor con otros dioses, está bien, probad con ellos. Y si «halláis placer» (así traduce la *Zürcher Bibel* el término *bḥr* en Is 66,3) en sus caminos y vuestro corazón «se deleita *(ḥpṣ)* en sus abominaciones», entonces cargad con las consecuencias que esa elección comporta. La elección de otros dioses y de otro culto es ciertamente una posibilidad inherente a la libertad de Israel y a la libertad de los hombres; en cuanto tal, se irá convirtiendo en realidad, que lleva a la autodestrucción. La libertad de realizar una elección de este tipo significa la posibilidad de fracasar.

b) Quien elige una divinidad no sólo elige un nuevo nombre de lo divino, sino que se liga a un determinado camino (Is 66,3; cf. también Sal 119, 30), elige unas determinadas prescripciones (Sal 119,173). El que renuncia a Yahvé no sólo elige lo que es malo a sus ojos, sino que elige lo malo a secas, puesto que Yahvé es el creador y conservador del orden moral del mundo. De esta forma los ideales sapienciales pudieron ser incorporados a la confesión de fe en Yahvé. Elegir a Yahvé, o el temor de Yahvé, y elegir el camino de la verdad (Sal 119,30) y de la vida es, en definitiva, una misma cosa. El fiel confía en esto: el que teme a Yahvé «sabe qué camino debe elegir» (Sal 25,12). Y, a la inversa, la sabiduría tardía puede recomendar el temor de Yahvé (Prov 1,29; cf. 3,31), pero asegura a la vez que quien ha hecho la elección recta puede esperar la bendición. Su «alma» reposará con los buenos, es decir, hallará suerte y salvación y «su descendencia heredará la tierra» (Sal 25,13). Por eso, en la interpretación del deuteronomista pueden reaparecer las antiguas palabras de bendición y maldición que cierran el cuerpo legal, acompañadas de la recomendación siguiente: «ahora escoge la vida, para que permanezcas con vida...» (Dt 30, 19).

c) Pero si es cierto que se puede recomendar la elección de lo que es bueno a los ojos de Yahvé, del camino recto, de la vida, o semejantes, también es cierto que falta la última consecuencia, es decir, la exigencia de elegir a Yahvé. Esta exigencia corresponde perfectamente a la acusación de que Israel se ha elegido dioses extranjeros. Jos 24, 15 se acerca algo a esta consecuencia: «Pero si no os agrada servir a Yahvé, elegid hoy a quién queréis servir...». Parece que aquí se pone a Israel ante la elección entre Yahvé y los dioses. Pero, prescindiendo de que en el deuteronomista Israel se halla obligado a una elección realizada ya hace tiempo (cf. *sup.* IV/3*c),* en este pasaje se rompe incluso la lógica de la correspondencia: la alternativa a la elección de los dioses no es la elección de Yahvé, sino el temor de Yahvé y el servicio a Yahvé con rectitud y fidelidad (v. 14). Y a la posibilidad de una elección errónea por parte del pueblo, Josué opone no su decisión de elegir a Yahvé, sino la promesa siguiente: «yo y mi casa servimos a Yahvé». Israel es consciente de que no puede elegir a Yahvé como se elige a otros dioses. Dentro del pluralismo de las religiones Yahvé no es una de las muchas posibilidades que se ofrecen al hombre piadoso. Israel no debe elegir a Yahvé, sino reconocer que ha sido elegido por él. Por eso la alternativa a la elección de otros dioses sólo puede ser la de saber si está dispuesto a realizar lo que comporta el ser propiedad especial de Yahvé. A Israel se le exige, ciertamente, que elija el camino recto, pero puede estar seguro de que Yahvé le mostrará cuál es ese camino; debe elegir la vida y puede hacerlo, puesto que Yahvé «se la ha puesto delante» (Dt 30,19).

V. 1. En la literatura de Qumrán, *bḥr* aparece 30 ×, *bāḥīr* 20 × (Kuhn, *Konk.,* 30s). La idea de elección aparece unida estrechamente a la alianza del Sinaí (1Q 34 bis 3II, 5), cosa que no ocurre tan directamente en el AT. La concepción de la alianza del Sinaí es transferida a la «nueva alianza»; sus miembros son «elegidos de Dios» (1Qp Hab 10,13) o «elegidos de Israel» (1Q 37, 1,3 y *passim).* Dentro de la comunidad misma de Qumrán los sacerdotes zadoqueos son considerados elegidos en sentido especial. Los *b*ᵉ*ḥīrīm* son honrados y tienen una conducta intachable (1QS 4,22s) y Dios los hace partícipes de la suerte de los santos (1QS 11, 7). Ellos han sido elegidos desde el comienzo del mundo, pero esto no debe entenderse de forma determinista, pues «antes de que fueran creados ya conocía él sus obras» (CD 2,7s). Los elegidos son, pues, completamente libres en sus decisiones, por eso son llamados también los «voluntarios» (1QS 5,1 y *passim);* se escogen ellos mismos el camino (1QS 9,17s). Sobre Qumrán, cf. F. Nötscher *Zur theologischen Terminologie der Qumran-Texte* [1956] 174s; íd., BZ 3 [1959] 220ss; J. Gnilka, BZ 7 [1963] 44-48; J. A. Fitzmyer, *The Aramaic «Elect of God» Text from Qumran Cave IV:* CBQ 27 [1965] 348-372.

2. Los LXX traducen *bḥr* preferentemente por ἐκλέγεσθαι (para más detalles, cf. G. Quell, ThW IV, 148s). *bāḥīr* es traducido siempre por ἐκλεκτός. El término ἐκλέγεσθαι, por otra parte, se emplea raramente para traducir otras raíces hebreas, lo cual viene a demostrar que el tér-

mino fue entendido como un concepto teológicamente acuñado.

3. Sobre el empleo de *bḥr* y ἐκλέγεσθαι en el judaísmo tardío y en el NT, cf. G. Quell y G. Schrenk, art. ἐκλέγομαι/ἐκλογή/ἐκλεκτός: ThW IV, 147-197; G. Nordholt y L. Coenen, art. *Erwählung*: ThBNT I, 282-291; además, N. A. Dahl, *Das Volk Gottes* [1941] 51ss; B. W. Helfgott, *The Doctrine of Election in Tannaitic Literature* [1954]; I. Daumoser, *Berufung und Erwählung bei den Synoptikern* [1955]; H. Braun, *Spätjud.-häretischer und frühchristlicher Radikalismus* [1957]; J. Jocz, *Theology of Election* [1958]; U. Luz, *Das Geschichtsverständnis des Paulus* [1968] 64s.179.

H. Wildberger

בטח *bṭḥ* Confiar

1. *bṭḥ*, «confiar», está documentado fuera del AT sólo, y muy esporádicamente, en cananeo; en arameo (si prescindimos de unos pocos casos tomados del hebreo) y en acádico no está representado; tiene sus equivalentes en las raíces *rḥṣ/raḥāṣu* y *tkl/takālu*. Las etimologías que quieren hacer remontar *bṭḥ* a un significado material concreto no han conseguido la adhesión unánime de los autores.

Una glosa cananea de EA 147, línea 56, presenta la lectura *ba-ti-i-ti (baṭīti)*, «yo soy optimista» (cf. CAD B 177a; DISO 33).

En una carta fenicia del siglo VI (KAI N. 50, línea 5), *bṭḥ* aparece en un contexto corrompido, en parte ininteligible («¿seguridad, garantía»?).

Sobre el nombre propio *Mbṭḥyh*, «Yahvé es objeto de (mi) confianza», con la forma secundaria *Mpṭḥyh* y las formas abreviadas *Mb/pṭḥ* en los papiros arameos de Elefantina (Cowley, 295a.297b; BMAP 187); cf. J. J. Stamm, FS Baumgartner [1967] 314. En hebreo aparece *Mbṭḥyhw* en Laquis, óstracon I, línea 4 (cf. TGI^1, N. 34).

Basándose en el árabe *bṭḥ*, «derribar» (VII: «yacer sobre el vientre»), se ha sugerido para Jr 12,5 y Prov 14,16 el significado «caer al suelo», sea entendido como el significado base de («yacer» > «abandonarse» >) «confiar» (así, entre otros, G. R. Driver, FS Robinson [1950] 59s; J. Blau, VT 6 [1956] 244; L. Kopf, VT 8 [1958] 156-168), sea que se piense en una nueva raíz *bṭḥ* II (HAL 116a: qal Jr 12,5; Prov 14,16; *baṭṭūḥa*, «valle habitado», Job 12,6; rechazado, por ejemplo, por Rudolph, HAT 12,84; Fohrer, KAT XVI, 237), que supone una derivación diversa de la *bṭḥ* I (L. Köhler, ZAW 55 [1937] 172s; OTS 8 [1950] 8s, y KBL 118b: basándose en el árabe *bāṭeḥ*, «yegua preñada», y en el hebreo *ʾ^{a}bbaṭṭīḥīm*, «sandías», el autor sugiere para *bṭḥ* la derivación «ser henchido, firme» > «estar confiado, confiar, estar seguro»; Ch. Rabin, FS Baumgartner [1967] 225-228, propone otra etimología: se basa en el árabe *btʿ* con el significado base de «ser fuerte» y sugiere que se ha dado un salto semántico de «fuerza, grandeza» > «autoconfianza»)*.

Del verbo están documentadas las formas qal y el causativo hifil; a éstas se añaden los derivados nominales *bǣṭaḥ* y *baṭṭūḥōt*, «seguridad»; *biṭḥā*, *mibṭāḥ* y *biṭṭāḥōn*, «confianza»; *bāṭū^{a}ḥ*, «lleno de confianza».

2. Incluyendo los pasajes que se ha pretendido asociar a *bṭḥ* II (cf. *sup.*), resulta la siguiente estadística:

	qal	*hifil*	*bǣṭaḥ*	*Demás sustantivos*	*Total*
Gn	—	—	1	—	1
Lv	—	—	3	—	3
Dt	1	—	3	—	4
Jue	5	—	2	—	7
1 Sm	—	—	1	—	1
2 Re	8	1	—	1	10
Is	18	1	3	4	26
Jr	14	2	4	3	23
XII	5	—	4	—	9
Sal	44	1	3	4	52
Job	4	—	2	4	10
Prov	10	—	4	4	18
Ecl	—	—	—	1	1
1 Cr	1	—	—	—	1
2 Cr	1	—	—	—	1
T. AT	113	5	42	22	182

La columna «demás sustantivos» se refiere a *baṭṭūḥōt* 1 × (Job 12,6), *biṭḥā* 1 × (Is 30,15; *biṭḥēk*, de Jr 48,7, es considerado aquí, siguiendo a Mandelkern y HAL 116a, como infinitivo qal; Lisowsky lo asigna a *bæṭaḥ), mibṭāḥ* 15 × (Prov 4 ×, Jr/Sal/Job 3 × cada uno, Is/Ez 1 × cada uno), *biṭṭāḥōn* 3 × (2 Re 18,19 = Is 36, 4; Ecl 9,4) y *bāṭūªḥ* 2 × (Is 26,3; Sal 112,7)*.

3. *a)* Donde más frecuentemente aparece el verbo en el AT es en los formularios de oraciones y cánticos: dos de cada cinco pasajes pertenecen al salterio; además, muchos textos pertenecen también a géneros cúlticos (cf. la oración de Is 12,2; el canto de Is 26,4) o reflejan temática de ese tipo (cf. los «tratados» deuteronomísticos de Jr 7, 4ss; 2 Re 18,5ss). Sin pretender que se hayan dado combinaciones de las instituciones en cuestión, se deben mencionar los formularios de bendición y maldición (cf. Jr 17,5.7; Is 31,1; Am 6,1) y los oráculos de desgracia y salvación, que hablan también de la confianza de una forma muy semejante (Is 30,12; 42,17; 47,10; 50,10; 59,4; Os 10,13; Miq 7,5; Sof 3,2, etc.). Incluso pasajes genuinamente sapienciales recogen el empleo «religioso» de *bṭḥ* (Prov 3,5; 16,20; 28,25; 29,25; cf. Job 11,18); el empleo cúltico del término aparece, pues, en primer plano. Los sustantivos están distribuidos por todos los campos literarios; *mibṭāḥ* parece haberse introducido durante el exilio de Judá (¿es Jr 2,37 el pasaje más antiguo?).

b) *bṭḥ* puede describir la situación o el sentimiento de seguridad; el participio activo qal se presta especialmente a esto. Los habitantes de la Lais preisraelítica viven, como corresponde a su situación de bienestar, tranquilos y confiados (*šōqēṭ ūbōṭēªḥ,* Jue 18,7.27); se pronuncia una palabra de desgracia contra las campesinas que caminaban seguras (Is 32,9ss). «Aunque me llegue la guerra, yo sigo tranquilo» (*beᵉzōt ʾªnī bōṭēªḥ,* Sal 27,3). El que se siente seguro no teme (Is 12,2; Sal 56,5.12) y nada lo agita (Sal 21,8; cf. 25,2; 26,1). También el simple imperfecto qal puede describir esta situación de seguridad; se suele expresar por medio de locuciones preposicionales (*bṭḥ bᵉ/ʾæl/ʿal).* Uno se abandona (cf. el empleo «reflexivo» en 2 Re 18,24; Jr 7,8) en todo tipo de situaciones, personas o circunstancias (los muros de la ciudad, Dt 28,52; la táctica de guerra, Jue 20,36; la fuerza [?], Os 10,13; los tesoros, Jr 49,4; la hermosura, Ez 16,15) e incluso en lo malo (Is 30,12). La frase relativa «en quien tú te abandonas» se emplea como fórmula hecha (cf. Dt 28,52; 2 Re 19,10 = Is 37,10; Jr 5,17; 7,14; Sal 41,10; 115,8). Si las circunstancias externas están en orden y son pacíficas, se vive «en seguridad» (cf. la expresión adverbial *bæṭaḥ, lābæṭaḥ,* 1 Sm 12,11; Is 32,17; Miq 2,8; Prov 1,33; Lv 25,18s; Jue 18,7; 1 Re 5,5; Ez 38,8ss, etc.).

Pero *bṭḥ* no designa sólo una situación. Designa también el acto de confianza y el surgir de la misma en una zona de seguridad de la vida o tiende a la creación de esa zona. Las recomendaciones a la confianza y las advertencias contra la falsa confianza (en imperfecto: Jr 17,5.7; Sal 44,7; 55,24; 56,4s.12; en imperativo y yusivo, también en frases negativas: Is 26,4; 50, 10; Jr 7,4; 9,3; 49,11; Miq 7,5; Sal 4,6; 9,11; 37,3; Prov 3,5) significan el salto a la confianza todavía por realizar, y las afirmaciones con el verbo en perfecto (cf., por ejemplo, *bāṭaḥtī,* «yo confío», Sal 13,6; 25,2; 26,1; 31, 7.15; 41,10; 52,10; 56,5.12; junto al imperfecto *ʾªnī ʾbæṭaḥ,* Sal 55,24, o junto al participio *ʾªnī bōṭēªḥ,* Sal 27, 3) se refieren al abandonarse ya realizado y experimentado. Lo mismo si se trata de descripciones de situación que de afirmaciones de confianza de diversa duración, frecuencia o modulación, siempre se tiene en cuenta un punto de referencia hacia el que se dirige la confianza; *bṭḥ* designa por lo general un acto que fundamenta la existencia (de forma distinta piensa A. Weiser, ThW VI, 191s). El que confía se apoya en algo (cf. *šʿn,* «apoyarse», en Is 30,12; 31,1; 50,10; Prov 3,5; → *smk* y 2 Re 18,21 = Is 36,6; Is 26,3; Sal 71,5s), y todo depende en definitiva de la fiabilidad del otro; el que confía busca protección (cf. → *ḥsh* y Jue 9, 15; 2 Sm 22,3; Is 30,2; Sal 11,1; 16, 1; 31,2; 71,1; 91,4; 118,8s, etc.) y se mantiene o cae a la vez que aquel en quien ha confiado.

Los nombres derivados *mibṭāḥ,* «razón, fin de la confianza» (que, a diferencia de los otros sustantivos, se usa casi siempre objetivado y referido al objeto de la confianza, por ejemplo, Yahvé, Jr 17,7; Sal 40,5; 65,6; 71,5; Betel, Jr 48,13; una tela de araña, Job 8,14; la tienda, 18,14; oro fino, 31,24; en plural y referido a diversos objetos de la confianza, Is 32,18; Jr 2,37; tampoco, Prov 22,10: «para que tu confianza esté en Yahvé» debe considerarse *nomen actionis), biṭṭāḥōn,* «confianza, esperanza» (sólo en 2 Re 18,19 = Is 36,4 y Ecl 9,4; no se puede determinar con precisión cuál es el matiz expresado), *biṭḥō,* «confianza» (sólo en Is 30,15, *nomen actionis,* cf. el infinitivo en Jr 48,7), y el adjetivo *bāṭū^{a}ḥ,* «lleno de confianza» (sólo en Is 26,3; Sal 112,7), se acomodan perfectamente a esta imagen lingüística.

4. Un empleo específicamente teológico del término se da en todos aquellos lugares en los que se presupone que sólo la confianza en Yahvé es firme y está realmente fundamentada o donde se indica que no existe ningún otro objeto digno de la última confianza. Esto ocurre en casi todos los pasajes en los que aparece el término *bṭḥ;* el vocablo es, pues, un término teológico eminente que se acerca en cuanto al significado a los sinónimos → *'mn* hifil, «creer», y → *ḥsh,* «buscar protección» (cf. A. Weiser, ThW VI, 191ss; R. Bultmann, ThW VI, 5s).

Existen muchas declaraciones programáticas en torno a la confianza en Yahvé: sapienciales (Jr 17,5: «maldito el hombre que confía en los hombres...»; v. 7: «bendito el hombre que confía en Yahvé»; Prov 16,20: «el que edifica sobre Yahvé hallará fortuna»), proféticas (cf. Is 30,12: «vosotros os confiáis en la opresión y en la violencia y os amparáis en ellas...»; v. 15: «la conversión y el arrepentimiento os ayudarán, la tranquilidad y la confianza os harán fuertes») y también narraciones teológicas ejemplares.

La narración sobre el rey Ezequías y sobre el asedio de los asirios a Jerusalén, muy compleja desde el punto de vista histórico-tradicional (2 Re 18s = Is 36s; cf. la versión reelaborada de 2 Cr 32 que aparece en un contexto diverso) parece ser un paradigma sobre el tema: «Yahvé es el único Dios (2 Re 19,15.19), sólo en él puede uno confiar». 2 Re 18ss se abre indicando las cualidades especiales del rey Ezequías; los sitiadores le provocan: «¿en quién basas, pues, tu confianza?» (18,19. 20; 19,20) y reducen la fe del rey *ad absurdum.* Pues la inseguridad de los que participan en la alianza, los acontecimientos históricos y el hecho de que Dios permita el imperio asirio (18,19-25; 19,11-13) contradicen la confianza de Ezequías en Yahvé (cf. especialmente 18,22.25; climáticamente, en v. 30: «no dejéis que Ezequías os lleve a la confianza en Yahvé [*bṭḥ* hifil]). Contra todo cálculo militar, Ezequías ratifica extraordinariamente su confianza en Yahvé (19,35ss). Sobre la diferencia entre esta narración y la predicación de Is, cf. von Rad II, 175; B. S. Childs, *Isaiah and the Assyrian Crisis* (1967); R. Deutsch, *Dis Hiskiaerzählungen,* tesis de teología presentada en Basel (1969).

El discurso de Jeremías en el templo (Jr 7,3-15) señala, basándose en acontecimientos históricos, cómo incluso la confianza en Yahvé puede ser falseada cuando no va unida a una auténtica y directa obediencia.

Ambas narraciones constituyen otros tantos ejemplos de los afanes exílicos (deuteronomísticos) por lograr una nueva relación con Yahvé.

Las mismas cuestiones se plantean en los textos propiamente cúlticos o litúrgicos. ¿Es Yahvé digno de confianza? ¿Es el único digno de confianza? Las fórmulas de los salmos animan a los participantes en el culto a que osen dar el salto a la confianza (exigencia directa en imperativo: por ejemplo, Sal 37,3; 62,9; 115,9ss); dan lugar a la confesión de que Yahvé es de hecho ayuda, amparo y refugio (cf. Sal 25,2s; 27,3.5.9s; 28,7; 31,4.7s; 71, 5; 91,2; cf. Gunkel-Begrich, 232ss) y no decepciona a los que en él se amparan (cf. la fórmula de ánimo que con frecuencia cierra las afirmaciones de confianza: «yo no temo» o semejantes, Sal 56,5.12; 25,2; 21,8); finalmente, formulan la exigencia de que el ejemplo de confianza debe crear escuela (Sal 40,4). Pero la fórmula que reviste una importancia especial en el lenguaje de los salmos es la siguiente: «yo (nosotros) confío (confiamos) en Yahvé».

De los 44 pasajes en que aparece *bṭḥ* qal en el salterio 17 corresponden a estas confesiones personales, que están con frecuencia reforzadas por el pronombre personal de 1.ª persona singular o plural (cf. también las expresiones sinónimas con → *ḥsh,* Sal 7,2; 11, 1; 16,1; 71,1 y *passim;* → *qwh* piel, Is 8,17; 25,9; Sal 25,5.21; 40,2; 130, 5; → *dbq,* Sal 63,9; 119,31; → *smk* nifal, Is 48,2; Sal 71,6; *šʿn* nifal, 2 Cr 14,10, etc.). En ocasiones, esta expresión de confianza aparece como conclusión de un salmo (Sal 55,24; 84,13), pero por lo general constituye el núcleo de un elemento formal perteneciente al cántico de lamentación, a saber: el elemento conocido como «manifestación de confianza» (cf. Gunkel-Begrich, 254ss; S. Mowinckel, *The Psalms in Israel's Worship* I [1962] 220, y en el índice bajo la palabra «Confidence»).

Todo esto significa lo siguiente: en la tradición israelita se conoce y se exige una absoluta y exclusiva entrega a Yahvé; esa confianza en Yahvé incluye la *esperanza* de salvación (Job 11,18) y la *fe* en el Dios de los pobres (Sal 22,40).

5. Los teólogos judíos y cristianos incluyen el motivo de la «confianza en Dios» en sus reflexiones, que abordan el tema general de la «fe, obediencia, esperanza». Y así, de cuando en cuando, el tema de la confianza pasa a primer plano (en los textos de Qumrán, cf. 1QM 11,2 con 1 Sm 17,45; sobre la literatura apócrifa y pseudoepigráfica, así como sobre la literatura del NT y del cristianismo primitivo, cf. R. Bultmann, art. πιστεύω: ThW VI, 197-230, en espec. 200s.206s; íd., artículo πείθω: ThW VI, 1-12, en espec. 5s). El πεποιθέναι ἐπὶ τῷ θεῷ no tiene en el NT peso propio; ha sido subordinado a πιστεύειν: la «confianza (ha) tomado la forma de la fe» (Bultmann, ThW VI, 7). Cf., además, StrB, 188. 191s; R. Bultmann, art. ἐλπίς: ThW II, 518-520.

E. Gerstenberger

בין *bīn* Comprender

1. La raíz *bīn,* «comprender» (< «diferenciar»), está documentada en casi toda el área de las lenguas semíticas noroccidentales y meridionales (cf. HAL 117b; de época anterior o contemporánea al AT se puede mencionar sólo el ugarítico *bn,* WUS N. 531; UT N. 461).

Junto al verbo (qal, nifal, hifil, poel, hitpoel) están también los sustantivos *bīnā,* «inteligencia, entendimiento», y *tᵉbūnā,* «inteligencia, habilidad»; cf. también el nombre propio *Yābīn.*

No tenemos aquí en cuenta los vocablos *bēn,* «entre», e *(īš hab)bēnáyim,* «campeón» (HAL 118.134), que, con frecuencia, son atribuidos a la misma raíz.

2. El verbo aparece en qal y hifil, contabilizados conjuntamente, 126 × (incluyendo Jr 49,7 [que en Lisowsky es asignado a *bēn]* y Prov 21,29 Q); en las formas de imperfecto, que constituyen casi la mitad de todos los casos, es imposible distinguir entre qal y hifil (BL 396; Bergstr. II, 149). El nifal aparece 22 × (21 × *nābōn,* participio con sentido adjetival «inteligente»), el poel 1 ×, el hitpoel 22 ×. Los sustantivos: *bīnā* 37 × (además, 1 × en arameo, en Dn 2,21) y *tᵉbūnā* 42 ×.

La mayor parte de los 250 casos hebreos pertenecen a los salmos y a textos sapienciales (Prov 67 ×, Job 36 ×, Sal 30 ×); además, en Is (28 ×), la obra histórica cronística (23 ×) y Dn (26 ×, más una vez en arameo).

3. El verbo *bīn,* empleado raramente de forma imprecisa (sobre su uso en la literatura sapiencial, cf. *inf.*

4), debe traducirse con frecuencia por «notar» o «darse cuenta» (el hitpoel con frecuencia significa «atender a»; sobre la diferencia de significado entre qal y hifil, cf. Jenni, HP 254).

Ejemplos: darse cuenta de quién es el que llama (1 Sm 3,8), de que el niño está muerto (2 Sm 12,19), de los pecados (Sal 19,13), del fuego (58,10), de un delito (Neh 13,7), de la catástrofe (Job 6,30); empleado de forma absoluta, *'ēn mēbīn,* «nadie se da cuenta» (Is 57,1); prestar atención a la proclamación de la ley (Neh 8,8; cf. 8,2.3.12; 10,29); hitpoel, «observar con atención» (1 Re 3,11; cf. Job 31, 1.12).

En los libros de las Crónicas, el verbo significa a veces «tener aptitud profesional» (→ *ḥkm;* 1 Cr 15,22; 25,7; 27,32; 2 Cr 34,12; cf. Dn 1,4.17; 8,23; cf. *tᵉbūnā* en Ex 31,3; 35,31; 36,1; 1 Re 7,14).

El hifil significa a veces «distinguir» (1 Re 3,9), «ser inteligente» (3,11) y, en frases negativas, «no entender nada» (Is 29,16 referido al alfarero).

Junto al sentido transitivo interno, el hifil tiene también, en 20 ocasiones, el sentido causativo normal: «dar inteligencia» y, en la misma línea, «instruir» (por ejemplo, 2 Cr 35,3 Q; el participio *mēbīn,* «maestro», en Esd 8,16; 1 Cr 25,8).

Sobre las diversas construcciones del verbo con objeto y preposiciones, cf. HAL 117s.

4. Por lo que se refiere al empleo teológico del verbo, hay que mencionar en primer lugar aquellos pasajes en que Yahvé aparece como sujeto.

Yahvé se da cuenta de los delitos (Sal 94,7, paralelo a *r'h,* «ver»), conoce los pensamientos de los hombres (139,2; cf. 1 Cr 28,9), toma nota de los lamentos (Sal 5,2, paralelo a *'zn,* «oír»), observa las obras de los hombres (33,15), atiende a su pueblo (Dt 32,10 poel). De la *tᵉbūnā* de Dios se habla en Is 40,14.28; Jr 10,12 = 51, 15; otorgada al rey en 1 Re 5,9; cf. *bīnā* en Is 11,2.

Cuando el sujeto es el pueblo o una persona particular, entonces se trata, por lo general, de prestar atención a la naturaleza y a la historia (Dt 32,7, paralelo a *zkr,* «recordar»; Sal 28,5; 73, 17; hitpoel: Is 43,18; Job 37,14; 38, 18; cf., distinto uno de otro, los textos de Is 52,12 y Jr 2,10).

No se ha prestado todavía suficiente atención, desde el punto de vista teológico, al hecho de que en el AT se exprese tan frecuentemente la idea de la relación con Dios por medio de conceptos sapienciales (cf. H. H. Schmid, *Wesen und Geschichte der Weisheit* [1966] 199-201, con bibliografía).

En innumerables fórmulas se señala que el pueblo debe «comprender» algo (con frecuencia paralelo a *yd',* «reconocer»): Is 6,9s; 32,4; 40,21; 43,10; 44,18; Jr 23,20 = 30,24; Os 14,10; Sal 94,8; 107,43 (cf. *bīnā* en Is 27,11; 33,19), o bien que dicha «comprensión» falla una y otra vez: Dt 32,28s; Is 1,3; Jr 9,11; Os 4,14; Sal 49,21; cf. Sal 82,5; Dn 11,37.

Cuando en tiempos posteriores la ley pasa a ocupar el lugar central de la religión veterotestamentaria, ella se convierte en objeto y finalidad del comprender: Neh 8,2.3.12; 10,29; Sal 119, 27.34.73.95.100.104.125.130.144.169; cf. ya Dt 4,6 *(bīnā).*

Este grupo de palabras reviste una importancia especial en Prov, Job y Dn.

Los Proverbios de Salomón sirven *lᵉhābīn 'imrē bīnā,* «para comprender (o aprender) las palabras de la inteligencia» (Prov 1,2); su objeto es la *bīnā* o la *tᵉbūnā* (2, 3); se trata de comprender el *māšāl,* el dicho sapiencial (1,6), de adquirir *'ormā,* «inteligencia» (8,5a), de entender el camino (14,8) y volverse inteligente (8,5b, texto dudoso); *mēbīn* es, pues, «el que comprende» (8,9; 17,10.24; 28,2.7.11), *bīnā,* «la inteligencia» (con frecuencia, paralelo a *ḥokmā,* «sabiduría»; 4,1.5.7; 7,4; 8,14; 9,6.10; 16,16; 23,23; 30,2) y lo mismo *tᵉbūnā* (2,2.3.6.11; 3,13.19; 5,1; 8,1; 10,23 y *passim), nābōn,* «el inteligente» (paralelo a *ḥākām,* «sabio», opuesto a necio, tonto; 10,13; 14,6.33; 15,14; 16,21; 17,28; 18,15; 19,25). De la *bīnā* falsa, exclusivamente humana, se habla en 3,5; 23,4; *tᵉbūnā,* 21,30.

Este grupo de palabras aparece de forma muy diversa en el poema de Job. Junto al empleo «profano» (6,30; 14,21; 18,2; 31,1; 22,12 y otros) y al uso sapiencial general (28,23; 32,8.9; 34,16; 36,

29 y *passim,* y además la mayoría de los casos de *bīnā* y *tᵉbūnā)* se da toda una serie de empleos específicos: Job, que ha notado la injusticia de Dios (13,1 paralelo a *r'h,* «ver»; *šmᶜ,* «oír», cf. 23,8), no está en condiciones de ver a Dios (9,11 paralelo a *r'h;* 23,8). Quisiera saber qué es lo que Dios le contestaría (23,5 paralelo a *ydᶜ);* pero Dios no le presta atención (30, 20, texto enmendado). Del juicio de sus amigos Job no comprende nada (15,9 paralelo a *ydᶜ),* pero quisiera que éstos le manifestaran cuál es su fallo (6,24 paralelo a *yrh* hifil, «enseñar»).

En las narraciones de las visiones del libro de Daniel, *bīn* se convierte en *terminus technicus* de la comprensión de lo que en ellas se ve y se oye (aparece en construcciones diversas: 1,17; 8,5.15.16.17. 27; 9,22.23; 10,1.11.12.14; 11,33; 12,8. 10); cf. también la comprensión de las escrituras en 9,2.

5. De la mezcla de sabiduría, apocalíptica y gnosis que se dio con el pasar del tiempo es también responsable el pensamiento de la secta de Qumrán. Sobre el significado de las expresiones sapienciales en Qumrán, cf. F. Nötscher, *Zur theol. Terminologie der Qumran-Texte* [1956] 38ss (sobre *bīn* y *bīnā,* cf. *ibíd.,* 54ss).

Sobre el empleo neotestamentario del verbo griego γινώσκειν, en el que ya en los LXX habían confluido las raíces *bīn* y *ydᶜ,* cf. R. Bultmann, artículo γινώσκω: ThW I, 688-719.

H. H. SCHMID

בַּיִת *báyit* Casa

1. **bayt-,* «casa», pertenece al semítico común (Bergstr., *Einf.,* 186); en todas las ramas semíticas se dan, lo mismo que en hebreo, sentidos metafóricos (cf., por ejemplo, AHw 132-134; CAD B 272-277.282-297; WUS N. 600; UT N. 463; DISO 35s).

No existen en hebreo derivados directos de *báyit; bītān,* «palacio» (Est 1,5; 7,7.8), parece ser un extranjerismo tomado del acádico a través del arameo (Wagner N. 42). En arameo bíblico está documentado, además de *báyit,* el verbo denominativo *bīt,* «pasar la noche» (Dn 6,19) (este último sentido tiene correspondientes en acádico, ugarítico, arameo, árabe, etíope, pero no en hebreo, donde *līn,* «pernoctar», y, en sentido general, «permanecer en algún lugar», ocupa su puesto).

Son numerosos, por el contrario, los nombres de lugar formados con *Bēt-* (HAL 120-124: N. 1-52); con frecuencia, *Bēt-* designaba en estos nombres originariamente el santuario de alguna divinidad (por ejemplo, *Bēt Dāgōn, Bēt-ᶜanāt, Bēt Šǽmæš).*

En diversas ocasiones, aunque no convincentemente, se ha sugerido una forma femenina de nuestro término en lugar de *bēn,* «entre», para los difíciles textos de 2 Re 11,15 = 2 Cr 23,14 (*'æl mibbēt[lᵉ],* cf. *inf.* *3c)* y Prov 8,2 *(bēt nᵉtībōt,* «encrucijada» [?], cf. Gemser, HAT 16,44) (Wagner N. 41; HAL 124a; sobre Ez 41, 9, cf. Zimmerli, BK XIII, 103; sobre Job 8,17, cf. Horst, BK XVI, 126). En 2 Re 23,7b, en lugar del actual plural de *báyit* se debe pensar en un término *bat* III, «vestido tejido», usado en plural (HAL 159b).

2. La estadística de *báyit* está dificultada por el hecho de que no siempre resulta fácil distinguir los nombres de lugar formados con *Bēt-.*

En la siguiente lista, de acuerdo con Lisowsky (y con Mandelkern), no se contabilizan como nombres de lugar los señalados en HAL 120-124, N. 5,30,46,51; sí se cuentan, en cambio (a diferencia de Lisowsky), los N. 12,23 y 27 *(Bēt Haggān,* 2 Re 9,27; *Bēt-Hakkǟræm,* Neh 3,14; *Bēt Millō,* Jue 9,6.20.20; 2 Re 12,21). Sin contar los *ca.* 50 nombres de lugar con sus correspondientes formas adjetivales (unos 240 casos) ni 2 Cr 34,6 K, y contando, por el contrario, 2 Re 23,7b (cf. *sup.* 1) y los pasajes de Nm 1,2 y 2 Sm 19,12b, que faltan en Lisowsky, resultan las siguientes cifras:

Gn	109	Jl	6	Cant	5
Ex	59	Am	27	Ecl	11
Lv	53	Abd	5	Lam	3
Nm	58	Jon	—	Est	28
Dt	45	Miq	16	Dn	3
Jos	25	Nah	1	Esd	30
Jue	68	Hab	3	Neh	52

1 Sm	61	Sof	5	1 Cr	112
2 Sm	115	Ag	11	2 Cr	218
1 Re	194	Zac	31		
2 Re	151	Mal	2	Hebr.	
Is	75	Sal	53	del	
Jr	146	Job	26	AT	2.048
Ez	181	Prov	38		
Os	15	Rut	7		

bītān aparece 3 ×, el arameo-bíblico *báyit* 44 × (Dn 9 ×, Esd 35 ×), *bīt* qal 1 ×.

3. *a)* En su *significado base, báyit* designa la «casa» firme, construida con cualquier material (BRL 266-273.409-416; BHH II, 658s; III 1361-1365), normalmente diferenciada de *ʾōhæl,* «tienda» (cf. 2 Sm 16,22; Jr 35,7.9s; Os 12,10; cf., sin embargo, Sal 132,3: *ʾōhæl bētī,* «mi tienda de morada»; 1 Cr 9,23, texto dudoso, *bēt-hāʾōhæl,* «la tienda-casa», cf. Rudolph, HAT 21, 88; *ʾōhæl* aparece en el AT 345 × [Nm 76 ×, Ex 62 ×, Lv 44 ×, Gn 23 ×, Sal 18 ×, Prov 14 ×, Jue 13 ×] y en el 60 por 100 de los casos es usado en sentido cúltico: «tienda de Yahvé», «tienda del encuentro» o semejantes [→ *yʿd* 2.4b]) y de *sukkā,* «choza» (cf. Gn 33,17; en el AT 31 ×); cf. A. Alt, *Zelte und Hütten,* FS Nötscher (1950) 16-25 = KS III, 233-242; W. Michaelis, *Zelt und Hütte im biblischen Denken:* EvTh 14 [1954] 29-49. Sobre la expresión «¡a tus tiendas, Israel!», empleado a la hora de romper filas en el ejército de Israel, y otros pasajes con fórmulas fijas de la época nomádica que no han desaparecido con el paso del nomadismo a la civilización sedentaria (tienda > casa), cf. Alt, *loc. cit.* 240.

Si prescindimos del abstracto genérico *binyān,* «edificio» (→ *bnh,* «edificar»; se trata de un arameísmo que aparece en Ez 40,5; 41,12.12.15; 42,1.5.10 [41,13, *binyā];* cf. Wagner N. 44), no encontraremos sinónimos para nuestro término más que en vocablos que designan casas grandes, palacios y semejantes; junto al frecuente *bēt hammælæk,* «palacio real», aparecen los extranjerismos *hēkāl,* «palacio, templo» (en sumerio **haikal* [A. Falkenstein, «Geneva» N. S. 8 ⟨1960⟩ 304] > *é-gal;* en acádico *ekallu;* en ugarítico *hkl;* en arameo bíblico *hēkal;* en el AT aparece 80 × en hebreo [en Jr 7,4 tres veces] y 13 × en arameo, de ellas 14 + 5 × con el significado de «palacio»: 1 Re 21,1; 2 Re 20, 18 = Is 39,7; Is 13,22; Os 8,14; Jl 4,5; Am 8,3; Nah 2,7; Sal 45,9.16; 144,12; Prov 30,28; Dn 1,4; 4,21.26; 5,5; 6,19; Esd 4,14; 2 Cr 36,7), *ʾappædæn,* «palacio» (< persa *apadāna,* cf. Wagner N. 25; Dn 11,45) y *bītān,* «palacio» (cf. *sup.* 1), mientras que la expresión *ʾarmōn* (Is 13, 22, *ʾalmōn),* «palacio (fortificado)» (33 ×, usado sobre todo en los profetas), y especialmente *bīrā,* «ciudadela» (18 ×, sólo en Est, Dn, Neh y 1/2 Cr; en arameo *bīrā,* Esd 6,2; es un extranjerismo tomado del acádico, cf. Wagner N. 40), acentúan sobre todo el aspecto de la fortificación (cf. también *migdāl,* «torre», → *gdl).*

b) Unido a *ʾælōhīm,* «Dios», o a otro nombre divino, *báyit* designa una «casa de Dios» o «templo» (cf. BRL 511-519; BHH III, 1940-1944) (también puede darse el mismo significado con *báyit* solo en construcciones elípticas o cuando está determinado de forma diversa, por ejemplo en 1 Re 13,32 y 2 Re 17,29: santuarios de las alturas; Am 7,13: santuario real; Miq 3,12; Ag 1,8). En el AT se trata a veces del santuario de dioses extranjeros (por ejemplo, 1 Sm 5,2: templo de Dagón; cf. también nombres de lugar, cf. *sup.* 1) o de santuarios de Yahvé situados fuera de Jerusalén (Jue 18,31: «mientras permanezca la casa de Dios en Siló»; 1 Sm 1,7; sobre *Bēt-ʾēl,* cf. *inf.* 4*b* y → *ʾēl* III/2), pero la más frecuente con mucho es la referencia al templo de Jerusalén (→ *ʾælōhīm* III/6; la composición *bēt Yhwh,* «casa de Yahvé», aparece en el AT 255 ×: 2 Cr 75 ×, 2 Re 52 ×, Jr 33 ×, 1 Re 22 ×, 1 Cr 20 ×, Sal 9 ×; sobre Os 8,1, cf. *inf. 3d).* Como sinónimos deben mencionarse *hēkāl* (cf. *sup. 3a),* que, de todos modos, puede también referirse a la sala central del templo en contraposición al atrio y al santo de los santos (HAL 235a), y las expresiones genéricas *qōdæš* y *miqdāš,* «santuario» (→ *qdš).*

c) Los sentidos *traslaticios* de *báyit*

se basan principalmente en la casa como ámbito cerrado, siempre que no se abandone el sentido impersonal para designar a los habitantes de la casa (cf. *inf. 3d).* Si en el concepto se incluye el aspecto de habitación de seres vivos, entonces se puede hablar de «lugar de residencia» (de hombres: Job 17,13: «cuando yo espero, mi casa es el abismo»; 30,23: «a la muerte quieres llevarme, a la casa que espera a todos los vivientes»; de los animales: Job 34,6: el desierto como morada del onagro; Job 8,14 y 27,8, texto enmendado, una tela de araña). La expresión «casa eterna», que se refiere a la tumba y aparece en Ecl 12,5 *(bēt-ʿōlām,* cf. Sal 49,12) y que está documentada también en púnico, palmirano, griego y latín, se remonta a ideas originariamente egipcias (cf. E. Jenni, ZAW 65 [1953] 27.29). Las «casas de arcilla» en las que «habitan» los hombres *(škn),* de las que habla Job 4,19, se refieren no a la tumba, sino que designan en lenguaje figurado el cuerpo de los hombres postrados (cf. Horst, BK XVI, 76).

En determinados empleos técnicos de *báyit* puede desaparecer la idea de «habitación», de forma que quede únicamente la idea de «receptáculo» o semejantes: así, para un cerrojo (Ex 26,29; 36,34) o para unos valores (Ex 25,27; 30,4; 37,14.27; 38,5); la expresión *bāttē næfæš,* de Is 3, 20, ha sido interpretada habitualmente como «frasco de perfumes», pero recientemente se ha sugerido el sentido de «estuche de almas» = «amuleto» (cf. Wildberger, BK X, 143). También es difícil el texto de Ez 1,27: «fuego que forma una envoltura» (Zimmerli, BK XIII, 2.8.56), es decir, fuego en forma de «aureola» o receptáculo. 1 Re 18,32: «superficie de dos arrobas», recuerda el acádico *bītu* con su sentido documentado de «parcela».

En las expresiones *báytā,* «hacia adentro» (Ex 28,26 y *passim); mibbáyit* (Gn 6,14 y *passim)* y *mibbáytā* (1 Re 6,15), «dentro»; *mibbáyit lᵉ* (1 Re 6,16) y *lᵉmibbēt lᵉ* (Nm 18,7), «dentro de», y *ʾæl mibbēt lᵉ,* «hacia adentro» (2 Re 11,15; cf. 2 Cr 23,14), *báyit* se ha convertido en locución adverbial o preposicional con el sentido de «interno, dentro».

Neh 2,3: «la ciudad donde *(bēt)* están los sepulcros de mis padres», recuerda el empleo neoasirio de *bīt* como preposición o conjunción subordinativa de oración de lugar (GAG § 116s.175a; AHw 131b).

d) En hebreo, lo mismo que en las demás lenguas vecinas, el significado de casa se ha extendido con frecuencia a todo lo que hay en casa («bienes, posesiones», por ejemplo, Gn 15,2) y especialmente a la «comunidad de gentes» que habita en la casa (es clásico, en este sentido, Jos 24,15: «yo y mi casa queremos servir a Yahvé»). Así, *báyit* significa «familia» (Gn 7,1 y *passim;* → *bnh,* → *ʿśh),* «clan» (por ejemplo, Jr 35,2: «casa» de los recabitas, a quienes está prohibida la posesión de una casa en el sentido concreto del término), o también «generación, descendencia» (Ex 2,1 y *passim);* tratándose de reyes significa «casa (real)» o «dinastía» (Is 7,2.13 y *passim). bēt-ʾāb,* «casa paterna, familia (paterna)» (por ejemplo, Gn 24,38), se ha convertido en la época posexílica en término propio de la organización de la sociedad en clanes (→ *ʾāb* III/4). También enteras comunidades tribales o pueblos enteros pueden ser designados por medio de *báyit,* siguiendo el modelo de la familia o del clan; así, *bet ʾæfráyim,* «casa de Efraín» (Jue 10,9); *bēt Yaʿaqōb,* «casa de Jacob» (Ex 19,3, paralelo a «israelitas»; Is 2,5.6 y *passim);* en sentido político se refiere especialmente a los dos reinos de Judá e Israel *(bēt Yᵉhūdā,* 2 Sm 2,4.7.10.11 y *passim,* en total 41 ×; *bēt Yisrāʾēl,* 2 Sm 12,8 y *passim,* en total 146 ×, de ellas 83 × en Ez; sobre el origen de esta última expresión en analogía a *bēt Yᵉhūdā* → *Yiśrāʾēl,* 2; también deben compararse los nombres de países documentados en fuentes asiro-babilónicas, como *Bīt Ammānu,* etc.; cf. RLA II, 33ss). En conexión con este uso lingüístico llama Os 8,1 «casa de Yahvé» al país (y no al templo) (cf. también Os 9,8.15; Jr 12,7; Zac 9,8; Wolff, BK XIV/1, 176). En contraste con *bēt Yiśrāʾēl,* Ezequiel creó la expresión *bēt mᵉrī,* «casa de obstinación» (→ *mrh* 4*c;* cf. Zimmerli, BK XIII, 74).

Una metonimia semejante «casa > inquilinos» se ha dado en el título real egipcio «faraón» (en hebreo, *Parʿō); pr-ʿʾ,* «casa grande», designaba originariamente el palacio real, pero con el tiempo (desde el s. XVI a. C.) pasó a designar al rey egipcio (BHH III, 1445).

4. *a)* J. Hempel, *Der Symbolismus von Reich, Haus und Stadt in der biblischen Sprache:* WZ Greifswald 5 (1955 - 1956) 123 - 130 (en las voces «Einwurzelung», «Eingrenzung», «Ordnung»), presenta un elenco de las concepciones religiosas conexas con la casa, concepciones cuyo influjo llega hasta el NT. De todos modos, no vale la pena adentrarse aquí en los aspectos histórico - culturales e histórico - religiosos, como, por ejemplo, en la oposición de los recabitas a la construcción de casas (oposición basada en su obligación de seguir los ideales nómadas por fidelidad hacia Yahvé, cf. Jr 35) y la polémica profética contra las casas lujosas (por ejemplo, Am 3,15; 5,11), ya que dichos aspectos no han influido en el empleo lingüístico de *báyit.*

b) Lo mismo vale para los innumerables pasajes en que se habla de la «casa de Dios» o de la «casa de Yahvé». Al igual que con los demás objetos cúlticos (arca, tienda, sacrificio, etcétera), tampoco al hablar del templo de Jerusalén entraremos en las cuestiones de la esencia e historia de la institución cúltica; únicamente se debe hacer notar la existencia de un empleo lingüístico de significado teológico especial (sobre las concepciones teológicas de cierta importancia en torno a la morada de Dios, cf. → *škn,* «habitar»). Pero precisamente en este aspecto el material existente no es muy abundante. La expresión «casa» se usa indistintamente en el AT para referirse a los templos paganos y para designar el templo de Yahvé en Jerusalén; tampoco se pueden señalar fluctuaciones en el empleo de estos vocablos con el paso del tiempo. De gran eficacia estilística es el contraste intencionado entre los dos significados de *báyit,* «templo» y «dinastía», en la narración de la negativa a la construcción del templo en 2 Sm 7,5.11.29 («tú me ibas a construir a mí una casa... Yahvé te edificará una casa..., yo te construiré una casa»).

En un estrato muy antiguo, que quizá se refleja todavía en Gn 28,22, *bēt ʾᵉlōhīm* puede referirse no a una casa de Dios en el sentido de edificio, es decir, de templo, sino a una piedra cúltica *(maṣṣēbā,* «masebá») «como representación, lugar de residencia o lugar de morada de la divinidad» (H. Donner, ZAW 74 [1962] 68-70, que hace notar el paralelo arameo antiguo *bty ʾlhyʾ*, «casa de los dioses», de KAI N. 223 C, línea 2s.7.9s, escrito en estelas que contienen el texto de un tratado; cf. Fitzmyer, *Sef.,* 90, con bibliografía; sobre la divinidad preisraelítica Betel [Jr 48,13?, cf. Rudolph, HAT 12,258s], cf. O. Eissfeldt, ARW 28 [1930] 1-30 = KS I, 206-233; *ʾēl* III/2).

Además de templos terrestres, como, por ejemplo, en Siquén (Jue 9,4), Silo (Jue 18,31; 1 Sm 1,7) y sobre todo en Jerusalén, quizá se hable en el AT también de un palacio divino en el cielo *(báyit,* quizá en Sal 36,9 [HAL 119b], pero inseguro; *hēkāl,* probablemente en Miq 1,2; Hab 2,20; Sal 11,4; 18,7 = 2 Sm 22,7; cf. también Is 66, 1; → *škn).* Distinta es la imagen poética de Job 36,29 sobre el cielo como *sukkā,* «choza» (propiamente «techo de ramaje»), de Dios sobre las nubes (Fohrer, KAT XVI, 480).

Sobre la tierra de Israel como «casa» de Dios o de Yahvé, cf. *sup. 3d.*

5. En el AT, «casa» no se usa aún como imagen de la comunidad, como ocurre en Qumrán (1QS 5,6; 8,5.9; 9,6; CD 3,19; cf. J. Maier, *Die Texte von Toten Meer* II [1960] 46s) y en el NT (1 Tim 3,15; Heb 3,1-6; 1 Pe 2,5; 4,17). *báyit,* en Nm 12,7, donde la situación de Moisés es comparada a la «situación del esclavo principal, el

que recibe la confianza de su señor, a quien 'toda la casa' de su señor ha sido confiada» (Noth, ATD 7,85), sólo se puede interpretar como imagen referida a Israel en cuanto dominio de Yahvé (cf. Heb 3,1-6). Sobre los LXX y sobre el NT, cf. O. Michel, art. οἶκος: ThW V, 122 a 161; W. Michaelis, artículo σκηνή: ThW VII, 369-396; J. Goetzmann, art. «Haus», «bauen»: ThBNT II, 636-645, con bibliografía.

E. Jenni

בכה *bkh* Llorar

1. El verbo **bky,* «llorar», pertenece al semítico común (Bergstr., *Einf.,* 188; P. Fronzaroli, AANLR VIII/19, 270). En hebreo existen los sustantivos derivados *bᵉkī, bᵉkīt, bǽkæ,* «llanto».

Como ulteriores derivados se deben tomar en consideración los términos *Bōkīm* (Jue 2,1-5, con una etimología que explica *Bōkīm* referido al llanto del pueblo) y *bākūt* (en la expresión *ʾallōn bākūt,* «encima de las lamentaciones», Gn 35,8, que presenta también una etimología secundaria), términos ambos que forman parte de nombres de lugar. ¿Constituía originalmente el «llanto» la forma de manifestación del numen del árbol (B. Stade, *Biblische Theologie des AT* I [1905] 112)? *bkʾ* es forma secundaria de *bkh;* la raíz aparece de esa forma en el nombre de un tipo de arbusto llamado *bᵉkāʾīm* (2 Sm 5, 23s; 1 Cr 14,14s), es decir, de un tipo de arbusto goteante, «llorón». En Sal 48,7 se menciona un *ʿēmæq habbākāʾ;* se trata evidentemente del nombre propio de un valle con escasa vegetación (que recibe pocas gotas de agua), cf. HAL 124a. Probablemente también el nombre de lugar *Bōkīm* debe entenderse originalmente de la misma forma.

2. El verbo aparece 114 × (qal 112 ×, piel 2 ×). La distribución no presenta particularidades especiales. *bᵉkī* aparece 30 ×; *bᵉkīt* (Gn 50,4), *bǽkæ* (Esd 10,1) y *bākūt* (Gn 35,8) son *hapaxlegomena.*

3. El significado de *bkh* se traduce perfectamente por «llorar». Se emplea el término para designar el llanto del niño en Gn 21,16; Ex 2,6. Las personas lloran en la lamentación por los muertos (expresiones paralelas: *spd,* «lamentarse», Gn 23,2; 2 Sm 1,12; Ez 24,16; en el mismo contexto: *dmʿ* «derramar lágrimas», Jr 13,17, cf. *dimʿā,* «lágrima», Jr 31,16; Ez 24,16; Mal 2, 13; Lam 1,2; *ṣūm,* «ayunar», Jue 20, 26; 2 Sm 1,12; 12,21s; *nūd,* «lamentarse». Jr 22,10; una breve descripción de las costumbres de duelo en Jr 41,6; Ez 27,31). Principalmente son las mujeres las que deben realizar las prácticas acostumbradas en caso de duelo (2 Sm 1,24); se considera como algo especialmente malo cuando no hay nadie para hacer el duelo y la lamentación (Sal 78,64; Job 27,15).

También en la lamentación ritual, que por lo general se realiza en el templo, se da el llanto; suele ser designado como «llanto ante Yahvé» (Jue 20,23. 26). En este contexto aparecen las siguientes expresiones paralelas: *ṣūm,* «ayunar» (Jue 20,26; Sal 69,11), *nzr* nifal, «separarse (por medio del cumplimiento de diversas normas)» (Zac 7, 3). Se sabe que en tiempos posexílicos los sacerdotes realizaban en ocasiones la lamentación del pueblo «entre el atrio y el altar» (Jl 2,17); en este contexto, cf. también 2 Re 22,19; Sal 137, 1; Lam 1,2.16. Este llanto cúltico tenía originalmente la intención de atraer la gracia divina (así debe entenderse quizá Os 12,5; cf. P. R. Ackroyd, VT 13 [1963] 250s; de forma diversa lo entiende, por ejemplo, Wolff, BK XIV/ 1, 275), pero en el AT es simplemente signo del dolor del que se lamenta. Jeremías, cuando describe su pasión (Jr 8,23; 13,17), depende de la terminología y estilo propios de la lamentación individual.

El llanto de las personas adultas no se limita sólo a estas ocasiones consuetudinarias, sino que irrumpe espontáneamente en caso de fuerte emotividad de enfermedad (1 Sm 1,7s.10), de tristeza por un acontecimiento desagradable (Gn 27,38; Jue 11,37; 1 Sm 30,4; 2 Sm 3,16; Neh 1,4 paralelo a → *ṣūm,* «ayunar», → *ʾbl* hitpael, «hacer duelo»,

→ *pll* hitpael, «rezar»; Is 33,7 paralelo a → *ṣ'q,* «gritar»), de excitación (2 Re 8,11), de turbación (Gn 42,24; 43,30; 50,17; 1 Sm 24,17; Job 2,12; Esd 3, 12; Neh 8,9). En Miq 1,10, texto enmendado, aparece una exigencia de llanto formulada en un discurso profético de amenaza (cf. S. J. Schwarter, VT 14 [1964] 455).

Como casos especiales de esta emoción pueden considerarse los saludos y las despedidas (Gn 29,11; 33,4; 45,2 con *b^ekī;* 45,14s; 46,29; 1 Sm 20,41; Rut 1,9.14, con frecuencia unido a verbos como «besar», «abrazar», «postrarse ante alguien»). Sobre esto, cf. R. Lehmann, *Der Tränengruss im AT:* «Baessler Archiv» 19 (1936), citado en ZAW 55 (1937) 137.

Probablemente existía en Israel la costumbre de llorar cuando la siembra, costumbre que sería como un eco del duelo cananeo por la muerte del dios de la vegetación (se alude a ello en Sal 126,6; más tarde existe la misma costumbre en ocasión de la fiesta de año nuevo; tocar el Sofar es símbolo de lo mismo, cf. F. Hvidberg, *Weeping and Laughter in the OT* [1962]), pero esta costumbre no tiene ningún significado en el cuadro de la religión yahvista oficial. Sobre el llanto cúltico en el judaísmo tardío, cf. J. A. Wensinck, FS Sachau (1915) 26-35, a quien sigue J. L. Palache, ZDMG 70 (1916) 251-256.

En el lenguaje poético *bkh* puede referirse a sujetos no humanos (Job 31,38: el campo «llora», paralelo a *z'q,* «gritar»; se trata de la correcta relación entre el hombre y la naturaleza). Ecl 3,4 asegura que tanto el llanto como la broma tienen su puesto en la vida humana (concepto opuesto: *śḥq).*

Sobre el empleo del piel (Jr 31,15: modelo de lamentación por los muertos; Ez 8,14: llanto por Tammuz, cf. en Sal 126, 6), cf. Jenni, HP 157.

4. En muy pocos casos desempeña el llanto un papel que afecta a la relación entre Dios y el hombre (no lo desempeña en la lamentación por los muertos, → *'bl;* y ciertamente no en relación con el culto de la vegetación, aunque pudiera quizá contarse con una «religión popular»); esos pocos casos son, por ejemplo, la lamentación individual y la lamentación del pueblo; ambas son signo de la impotencia del hombre que acude implorante a Dios, son expresión de la emoción que conmueve al hombre cuando escucha el juicio divino (Jue 2,4; 2 Re 8,11ss).

El llanto ocupa un lugar especial en el motivo de las «protestas en el desierto» (Nm 11,4.10.13.18.20; 14,1; Dt 1,45). Designa la actitud desobediente del pueblo que no se fía de la dirección divina y que, por lo mismo, se lamenta.

Ya que el llanto es signo de la necesidad humana, Israel espera que en los futuros tiempos apocalípticos desaparecerá todo llanto (Is 30,19).

5. Esta última idea adquiere cierta importancia en el NT, puesto que Jesús promete ese tiempo final (cf. Mt 5,4 y *passim).* Sobre todo esto, cf. K. H. Rengstorf, art. κλαίω: ThW III, 721-725.

F. Stolz

בֵּן *bēn* **Hijo**

I. La palabra *bēn* (**bin-*), «hijo», con su correspondiente femenino *bat* (**bint-),* «hija», pertenece al semítico común (Bergstr., *Einf.,* 182; en etiópico ha sido sustituida por *wald,* y en acádico, por *mārū).* Quizá esté relacionada con → *bnw/y,* «edificar».

En acádico el vocablo está documentado sólo en textos poéticos y en nombres propios; en su lugar aparece *māru/mārtu* (AHw 127a.138b.614.615s).

No es clara la relación entre **bin* y *bar/b^erā (brt),* que en el área aramea (y también en árabe meridional moderno) reemplaza al singular *bēn.* Cf. R. Ružička, *Konsonantische Dissimilation in den sem. Sprachen* (1909) 68s; distinto, BLA 179; Wagner, N. 46; HAL 131b.

II. Con unos 5.000 casos, *bēn* es, con mucho, el sustantivo más frecuente del AT. Su especial frecuencia en Gn, Nm y obra histórica cronística se explica sobre todo por las listas de generaciones.

	bēn			*bat*		
	Sing.	Plur.	Total	Sing.	Plur.	Tot.
Gn	177	188	365	45	64	109
Ex	39	194	233	13	10	23
Lv	28	132	160	20	2	22
Nm	244	387	611	10	16	26
Dt	37	90	127	14	7	21
Jos	44	197	241	2	14	16
Jue	52	152	204	8	19	27
1 Sm	80	58	138	9	7	16
2 Sm	140	67	207	14	6	20
1 Re	140	48	188	11	—	11
2 Re	163	58	221	16	1	17
Is	38	46	84	14	9	23
Jr	143	82	225	21	19	40
Ez	116	75	191	6	31	37
Os	6	18	24	2	2	4
Jl	1	14	15	—	2	2
Am	2	9	11	—	1	1
Abd	—	2	2	—	—	—
Jon	3	—	3	—	—	—
Miq	2	4	6	7	—	7
Nah	—	—	—	—	—	—
Hab	—	—	—	—	—	—
Sof	5	3	8	3	—	3
Ag	10	—	10	—	—	—
Zac	8	5	13	4	—	4
Mal	2	4	6	1	—	1
Sal	15	88	103	6	6	12
Job	6	30	36	—	5	5
Prov	41	19	60	—	2	2
Rut	2	6	8	8	3	11
Cant	—	2	2	2	10	12
Ecl	5	11	16	—	1	1
Lam	—	4	4	21	1	22
Est	8	7	15	5	—	5
Dn	2	7	9	2	—	2
Esd	41	156	197	—	4	4
Neh	115	131	246	1	17	18
1 Cr	338	370	708	10	18	28
2 Cr	127	105	232	14	13	27
AT	2.160	2.769	4.929	289	290	579*

En esas cifras no se han tenido en cuenta los nombres propios formados con *Bæn-, Bin-, Bat-* ni la expresión *bat hayya*^{ca}*nā/b*^{e}*nōt ya*^{ca}*nā,* «avestruz» (8 ×), pero sí se ha contabilizado el *b*^{e}*nē* de *Rabbat b*^{e}*nē-*^{c}*ammōn* y *bēn/bæn* de 1 Cr 4,20a; 7,35; 15,18 (errores textuales y no partes de un nombre propio); 1 Cr 6,11 K es contado como singular; se prescinde de 2 Cr 11,18 K (Q *bat).* En Lisowsky faltan 2 Re 1,17b, *bēn,* y Neh 5,5b, *bānēnū**.

En arameo bíblico *bar,* «hijo», aparece 19 × (el singular 8 ×, 4 × en Dn y 4 × en Esd; el plural 11 ×, 4 × en Dn y 7 × en Esd). *Bar* aparece además (3 ×) en Prov 31,2 como arameísmo (cf. Wagner N. 46).

III. 1. En su significado base, *bēn* designa al «hijo» y concretamente, por lo general, al «hijo corporal de su padre o de su madre». Con eso queda delimitado un primer campo semántico natural del término dentro del ámbito de la familia.

En la mayoría de las ocasiones se indica la relación familiar por medio de un genitivo que sigue a nuestro término en singular («hijo de X», especialmente frecuente en las diversas listas genealógicas) o por medio de un sufijo posesivo (cf., por ejemplo, la expresión estereotipa que aparece con frecuencia en el marco deuteronomístico: «su hijo X reinó en su ciudad», 1 Re 14,20.31 y *passim).* Con frecuencia aparecen directamente en este campo semántico los conceptos → *ʾāb,* «padre» (por ejemplo, Gn 22,7; 42,32; 2 Sm 7,14 = 1 Cr 17,13; plural en Ex 20,5; Nm 14,18 y *passim),* y *ʾēm,* «madre» (Gn 27,13; 43, 29; Os 10,14 y *passim);* la madre puede ser calificada de forma más precisa (Jue 11,1: hijo de una prostituta; 1 Re 7,14: hijo de una viuda; Gn 25,6: hijos de la concubina; Jue 8,31, en singular; Gn 21, 10.13 y Ex 23,12: hijo de una sierva) o designada simplemente como → *ʾiššā,* «mujer» (1 Sm 1,4; 1 Re 17,17).

Existe otro segundo campo semántico natural del término, aunque menos frecuente: a *bēn,* como descendiente masculino, corresponde el femenino *bat,* «hija», por lo general en series nominales en plural (Gn 5,4ss; 11,11ss y *passim;* en *parallelismus membrorum,* por ejemplo, Is 60,4).

Existen también otras series nominales en que aparece *bēn:* mujer/hijos (Ex 4,20 y *passim);* hijos/mujer/nueras (Gn 6,18; 7,3.13; 8,18, cf. 8,16); mujeres/hijos/hijas (Gn 36,6; Ex 32,2 y *passim);* hijo/hija/esclavo/esclava/ganado/forastero (Ex 20, 10; cf. Dt 5,14); hijos/hijos de los hijos (Dt 4,9.25 y *passim);* hijo/hija/esclavo/esclava/levita (Dt 12,18; 14,11.14, cf. 12, 12); ovejas/vacas/hijos/hijas (Jr 3,24; cf. 5,17), otras series: Jos 7,24; Ex 32,29; 2 Sm 19,6; Jr 16,3.

Como sinónimo de *bēn* aparece en ocasiones *yǽlæd* con el significado de «hijo»

(Ex 2,10; 1 Re 3,25; Rut 4,16; en paralelismo en Jr 31,20). De todos modos, *yǣlæd* es más raro que *bēn* y tiene un sentido más general. En Dt 1,39 el concepto *ṭaf* es paralelo a *bēn;* pero *ṭaf* significa, más bien, niño pequeño o niño de pecho. Otros paralelos son: *ʿul,* «niño de pecho» (Is 49,15), y *pᵉrī-bǣṭæn,* «fruto del vientre materno» (Is 13,8; Sal 127,3); sobre *bᵉkōr,* «primogénito» → *rōš (rīšōn).*

En el campo semántico de *bēn* son frecuentes los siguientes verbos:

1) *yld* qal, referido a una mujer o a la madre: «dio a luz un hijo» (con frecuencia, unido al verbo previo *hrh,* «concebir»): Gn 4,25; 16,15; 19,37.38; 21,2; 29,32; 1 Sm 1,20; Os 1,3 y *passim;* en la promesa de un hijo: Gn 16,17; Jue 13,3; Is 7,14 (cf. P. Humbert, *Der biblische Verkündigungsstil und seine vermutliche Herkunft:* AfO 10 [1935] 77-80); *yld* hifil, referido al padre: «engendró hijos e hijas» (Gn 5,4ss; 11,11ss; cf. Dt 28,41 y *passim); yld* pual, referido al padre: «le nació un hijo» (Gn 4,26; cf. 10,25; 35,26 y *passim);*

2) *lqḥ ʾiššā lᵉbēn,* «tomar una esposa para el hijo» (Gn 24,3ss; cf. Jr 29,6 y *passim);*

3) la expresión *ntn lᵉbēn,* «dar al hijo (como mujer)» (Gn 38,26; cf. Dt 7,3; Jue 3,6 y *passim);*

4) *lō hāyū lō bānīm,* «no tenía hijos» (Jos 17,3; cf. Nm 3,4; Dt 25,5; 1 Cr 23, 17 y *passim);*

5) una serie de verbos que describen la transmisión de determinadas tradiciones de padres a hijos: *ʾmr,* «decir» (Ex 12,26; Dt 6,21); *šʾl,* «preguntar» (Ex 13,14; Dt 6,20; Jos 4,6.21); *ngd* hifil, «dar a conocer» (Ex 13,8); *ydʿ* hifil, «hacer saber» (Jos 4,22; Sal 78,5); *lmd* piel, «enseñar» (Dt 4,10); *šnn* piel, «advertir» (Dt 6,7); *spr* piel, «contar» (Joel 1,3; Sal 78,6).

Con mucha frecuencia se usa *bēn* para designar las crías de los animales. Así, en Lv 22,28 *bēn* designa la cría de una oveja o de una vaca; en Dt 22,6s, una cría de pájaro; en Gn 32,16, la cría de una camella; en 1 Sm 6,7.10, terneros, y en Job 39,4, la cría de una cierva. Más frecuentes todavía son las composiciones con *bēn* para designar animales jóvenes; así, por ejemplo, *bæn-ʾātōn,* «pollinos» (Gn 49,11; Zac 9,9), *bæn-bāqār,* «novillo» (Gn 18,7s; Lv 4,3.14; Nm 7,15-81 y *passim); bᵉnē (hay)yōnā,* «tórtolas» (Lv 1,14; 5,7.11; 14,30 y *passim);* cf. otras combinaciones en Sal 114,4.6; 147,9, por ejemplo, en una ocasión aparece una combinación de este tipo referida a plantas: *bēn pārāt,* «retoño» (Gn 49,22).

2. En algunos casos se extiende el término, bien para designar a hijos, nietos y descendencia en general, bien para referirse a una relación filial no corporal.

a) El plural de la palabra no siempre significa «hijos varones» (en contraposición a «hijas»), sino que a veces significa «hijos» en general (es decir, hijos e hijas), por ejemplo, en Gn 3,16: «parirás los hijos con dolor» (2 Re 19, 3, referido incluso a los todavía no nacidos) y sobre todo en la expresión «hijos e hijos de tus hijos» (Ex 34,7 y *passim).* A veces, *bēn* sirve para designar al «nieto» (aunque es más frecuente la composición *bæn-bᵉnō,* cf. *inf. 3c),* Gn 31,28.43; 32,1, o a la descendencia en general (junto a la designación más frecuente, *bᵉnē bānǣkā,* «los hijos de tus hijos»), por ejemplo, 1 Re 9,21.

b) Por lo que respecta a *bēn* empleado en un sentido no corporal, deben distinguirse los siguientes ámbitos dentro del AT:

La expresión alocutiva *bᵉnī,* «hijo mío», que aparece a veces en los libros históricos, es de carácter formulario (Jos 7,19: Josué a Akán; 1 Sm 3,6.16: Elí a Samuel; 4,16: Elí al mensajero).

Es más bien respecto a la expresión alocutiva «hijo mío», tal como la emplea la literatura sapiencial (Prov 1,10. 15; 2,1; 3,1.11.21 y *passim),* donde debíamos preguntarnos si no debe pensarse en una filiación espiritual, es decir, en una relación de profesor-alumno o maestro-discípulo. Pero si es cierto que las doctrinas y dichos tradicionales no sólo se transmitían en la corte, sino también en el ámbito de la tribu (cf. H. W. Wolff, *Amosʾ geistige Heimat* [1964], donde ofrece ulterior bibliografía), aquel a quien se llama *bēn* en el contexto sapiencial puede entenderse como hijo corporal del que habla o, al menos, como perteneciente a su misma tribu (Prov 1,8 sugiere esta explicación).

Los *b^enē hann^ebī'īm,* «hijos de los profetas», de los cuales se habla en las narraciones de Elías y Eliseo (1 Re 20, 35; 2 Re 2,3.5.7; 4,1.38; 5,22; 6,1; 9, 1), no son hijos corporales del profeta; se trata de hijos espirituales en el sentido de discípulos (→ *'āb* III/2*b*). Cf. también 2 Re 8,9 (Ben Hadad con respecto a Eliseo); pero téngase en cuenta también el empleo político en la fórmula de sumisión que pronunció el rey Ajaz con respecto a Tiglat Piléser: «soy tu esclavo y tu hijo» (2 Re 16,7).

A este mismo contexto pertenece, finalmente, el grupo de textos en que un hombre es llamado «hijo de Yahvé» (cf. *inf.* IV/3).

El sentido del término es muy lato cuando se llama «hijos» a los habitantes de una ciudad, así en Is 51,18.20; 66,8; Sal 147,13; Lam 1,16; Jerusalén es comparada, en un sentido traslaticio y figurado, a una madre que ha dado a luz a sus hijos (habitantes).

3. El término *bēn* se presta fácilmente a composiciones con otras palabras:

a) La composición más frecuente es la de *bēn* en plural constructo con un gentilicio para designar a los pertenecientes al pueblo en cuestión. En primer lugar hay que mencionar la expresión *b^enē Yiśrā'ēl* (unas 630 ×); esta expresión es, junto a la más rara *'īš Yiśrā'ēl* (50 ×) o *'anšē Yiśrā'ēl* (9 ×), la forma normal de referirse a los «israelitas»; no se pueden apreciar diferencias de significado entre las tres expresiones.

A ella corresponden otras composiciones semejantes, como *b^enē Y^ehūdā,* «judíos»; *b^enē ʿammōn,* «amonitas», etc., y la designación de los miembros de una tribu, como *b^enē Lēwi,* «levitas». También son vecinas otras composiciones como *b^enē ʿam,* «paisanos» (Gn 23,11; Lv 20,17 y *passim;* diferentes de *b^enē hāʿām,* «gente mezquina», en 2 Re 23,6; Jr 26,23), y *b^enē qædæm,* «gente oriental» (Gn 29,1; Jue 8,10 y *passim).*

b) La expresión corriente para indicar la edad es la siguiente: *bæn... šānā* (literalmente: «hijo de... años»; Gn 5,32; Nm 13,47; 7,15.88 y *passim).*

c) *bēn* es empleado a veces en unión con otros conceptos de parentesco para designar de forma más precisa las relaciones entre parientes:

bæn 'immō, «hijo de su madre» = «su hermano» (Gn 43,29, paralelo a *'āḥ,* cf. 27,29); *b^enē 'ābīkā,* «hijos de tu padre» = «tus hermanos» (Gn 49,8, paralelo a *'aḥǣkā,* «tus hermanos»; *b^enē 'īš 'æḥād,* «hijo de un mismo hombre» = «hermano» (Gn 42,13, cf. v. 32). La nuera es la «mujer del hijo» (Lv 18,15); la nieta es la «hija del hijo/de la hija» (Lv 18,10.17); el sobrino es el «hijo del hermano/de la hermana» (Gn 12,5; 14,12; 29,13); el primo es el «hijo del tío» (Lv 25,49; Nm 36,11); y, según eso, los descendientes son los «hijos de los hijos» (Gn 45,10; Ex 34,7 y *passim).*

d) De las demás composiciones en que *bēn* es seguido de un genitivo, citaremos sólo las más importantes.

Es muy frecuente el uso de la expresión *bæn-'ādām* o el plural *b^enē 'ādām* para designar a personas individuales (singular 93 ×, en Ez; Nm 23,19; Is 51,12 y *passim;* plural, con artículo, Gn 11,5; sin artículo, Dt 32,8 y *passim;* → *'ādām* 3). Como paralelos de *bæn-'ādām* aparecen *'^ænōš* (Is 51,12; 56,2; Sal 8,5; 90,3; Job 25,6), *'īš* (Is 52,14; Miq 5,6; Sal 80,18; Job 35,8; Prov 8,4 y *gæbær* (Job 16,21).

bæn-hammælæk es el «hijo del rey, el príncipe» (Jue 8,18; 2 Sm 9,11; 13,4.23. 32). Las composiciones con *bēn* sirven también para formar adjetivos, por ejemplo, *bæn-šāmæn,* «fértil» (Is 5,1), *ben maśkīl,* «inteligente» (Prov 10,5), *bæn-māwæt,* «mortal» (1 Sm 20,31; 26,16; 2 Sm 12,5), *b^enē ʿawlā,* «pérfido» (2 Sm 3, 34; 7,10 = 1 Cr 17,9 y *passim), b^enē ḥáyil,* «acaudalado, propietario obligado al servicio militar en tiempo de guerra» (Dt 3,18; Jue 18,2 y *passim), b^enē nēkār,* «extranjero» (Ex 12,43; Lv 22,25; 2 Sm 22, 45 y *passim).*

Composiciones como *bēn zākār,* «muchacho» (Jr 20,15; cf., sin embargo, este tipo de expresión en un contrato matrimonial arameo recogido en Cowley N. 15, línea 20: *wbr dkr wnqbh,* «sea chico o chica»), o *b^enē ʾîš,* «hombres» (Sal 4,3), muestra cuánto ha podido alejarse *bēn* de su significado base hasta llegar a ser un simple término individualizador dentro de un grupo o incluso simple partícula. GVG II, 242; J. Zobel *(Der bildliche Gebrauch der Verwandtschaftsnamen im Hebr.* [1932] 25-35 y WUS N. 534 *bn* 2): «perteneciente a algo», presentan ejemplos tomados de las lenguas semíticas vecinas.

4. Los escasos nombres propios compuestos con *bēn* como primer elemento deben situarse en el contexto de la onomástica del Oriente Antiguo (cf. Huffmon, 120s.175s; Gröndahl, 80. 118s; A. Caquot, Syria 39 [1962] 239s; sobre *Binyāmīn,* cf. K. D. Schunck, *Benjamin* [1963] 4ss; además: Alt, KS III, 198-213).

Sobre los nombres teofóricos como *Bæn-h^adad,* no documentados entre los israelitas, cf. O. Eissfeldt, FS Baetke (1966) 110-117. La etimología egipcia del nombre de Moisés (forma abreviada de un nombre teofórico con *mś,* «niño»; cf. H. Ranke, *Die äg. Personennamen* I [1935] 338.340) no es ya aceptada.

IV. 1. Uno de los más antiguos motivos en las narraciones patriarcales lo constituye la *promesa del hijo* y su cumplimiento. Ante la lamentación de la mujer privada de hijos, Dios (o su mensajero) le promete a ésta un hijo; cf., por ejemplo, Gn 18,10.14: «de aquí a un año tu mujer Sara tendrá un hijo»; cf. Gn 16,11; 17,16.19; 21,2 y *passim* (C. Westermann, *Forschung an AT* [1964] 19ss). Este motivo sigue vivo a lo largo de todo el AT (Jue 13, 3.5.7; 1 Sm 1,20; Is 7,14; 54,1) y llega hasta el NT (Lc 1-2).

Otro motivo de las narraciones patriarcales del Gn, motivo importante en nuestro contexto, consiste en la transmisión de la bendición de padre a hijo. Donde más claro aparece es en Gn 27, que culmina en la bendición de vv. 27-29; cf., entre otros, Gn 9,25-27; 48,15s; 49. Lo importante es que en estos textos nos asomamos a un acontecimiento intrafamiliar que tiene lugar entre padre e hijo.

También la transmisión de la tradición era originalmente un acontecimiento entre padre e hijo dentro del ámbito de la familia. El hijo pregunta cuál es el sentido de algún acto o de algún asunto; el padre responde transmitiendo al hijo lo que él mismo ha oído al respecto (cf. *sup.* II/1).

2. *a)* Los hijos reciben de sus padres no sólo la bendición; también deben cargar y responder de la culpa de sus padres: Yahvé «castiga el pecado de los padres en los hijos y en los hijos de los hijos hasta la tercera y cuarta generación» (Ex 20,5; 34,7; Nm 14, 18; Dt 5,9; cf. Is 14,21; Jr 32,18; → *ʾāb* IV/2*b*). Esta responsabilidad colectiva fue eliminada con el paso del tiempo (Jr 31,29; Ez 18,2.4.20; 2 Re 14,6 = 2 Cr 25,4; cf. J. Scharbert, *Solidarität in Segen und Fluch im AT und in seiner Umwelt* I [1958]; R. Knierim, *Die Hauptbegriffe für Sünde im AT* [1965] 204-207).

b) La acusación profética se dirige directamente a la culpa de los hijos: hijos que han abandonado a Yahvé (Jr 5,7), hijos de prostitución (Os 2,6) e hijos insubordinados (Ez 20,21). La culpa une a hijos, padres y esposas en una familia (Jr 7,18); se manifiesta en el hecho de que los culpables sacrifican a sus hijos e hijas a dioses extraños (Os 9,13; Jr 7,31; 19,5 y *passim;* cf. Dt 12, 31; Sal 106,37s).

De modo parecido suena también el anuncio de juicio, que aparece con palabras semejantes en los diversos profetas: los padres tropezarán junto con los hijos (Jr 6,21), serán aniquilados (Jr 13,14), hijos e hijas morirán (Jr 11, 22), mujeres y niños serán exiliados (Jr 38,23), etc. Sólo después de pasada la catástrofe se elevará una nueva voz que hable del retorno de los niños (Is 49, 22).

c) Resultan interesantes en este contexto los propios hijos de los profetas y sus nombres. Así, los nombres de los dos hijos (y de la hija) de Oseas contienen un claro anuncio de juicio: Os 1,3s: «Yizreel» («porque dentro de poco visitaré yo a la casa de Judá por la sangre de Yizreel»); 1,6: «No-hay-compasión»; 1,9: «No-mi-pueblo». Lo mismo se puede decir de los hijos de Isaías: Is 7,3: *Šear-Yašub* («un resto vuelve»), y 8,3: Maher-Šalal-Jaš-Baz («pronto saqueo, rápido botín»). Así, también, el nombre del primer hijo de Isaías anuncia juicio (para la mayoría) y salvación (para el resto); lo mismo vale para el hijo anunciado en Is 7,14 con el nombre de «Immanuel» («Dios con nosotros»), aunque en este caso se discute si se trata de un hijo corporal de Isaías (cf. H. W. Wolff, *Immanuel* [1959]; J. J. Stamm, ThZ 16 [1960] 439-455; íd., ZDMG, Suppl. I [1969] 281-290); sobre la promesa del hijo, cf. también Is 9,5.

El hecho de que Jeremías no pueda tener hijos e hijas corporales es signo del juicio que se avecina (Jr 16,2).

d) La expresión alocutiva *bæn-ʾādām* dirigida al profeta, que aparece 93 × en Ezequiel, se debe traducir por «tú, hombre individual» (Zimmerli, BK XIII, 70s). En cualquier caso, el «hijo del hombre» no es aquí todavía ningún ser celestial. La expresión *bæn-ʾādām* aparece todavía, en esta época, como paralelo de los conceptos *ʾænōš* e *ʾīš* (cf. *sup.* III/3*d); ʾādām* es el hombre en contraposición a Dios. Es significativo el texto de Nm 23,19: «Dios *(ʾēl)* no es un hombre *(ʾīš)* para que pueda mentir, ni hijo de hombre *(bæn-ʾādām)* para que se arrepienta».

Sobre la figura del «semejante a un hombre» *(kebar ʾænāš)* de Dn 7,13, y del «hijo de hombre», que aparece unido a aquel y que no coincide ya con el «hijo de hombre» veterotestamentario, cf. los Comentarios y C. Colpe, art. ὁ υἱὸς τοῦ ἀνθρώπου: ThW VIII, 403-481.

3. En el AT, a diferencia de otras religiones, aparece raramente la designación de un hombre como «hijo de Dios» o de un grupo de hombres como «hijos de Dios».

a) En algunos pasajes se presenta al rey davídico como hijo de Yahvé: 2 Sm 7,14: «yo seré padre para él y él será hijo para mí»; cf. 1 Cr 17,13; 22, 10; 28,6. También Sal 2,7: «tú eres mi hijo, yo te he engendrado hoy». A diferencia de la ideología real egipcia que presenta al faraón como hijo de Dios en sentido físico y mítico, en el AT se trata simplemente de ideas de adopción. A esta concesión de la filiación por parte de Dios siguen como consecuencia un derecho y una obligación especiales por parte del rey (cf. G. von Rad, *Das judäische Königsritual:* ThLZ 72 [1947] 211-216 = GesStud 205-213; M. Noth, *Gott, König, Volk im AT:* ZThK 47 [1950] 157-191 = GesStud 188-229, sobre todo 222ss; Kraus, BK XV, 18s; G. Cooke, *The Israelite King as Son of God:* ZAW 73 [1961] 202-225; K.-H. Bernhardt, *Das Problem der altorientalischen Königsideologie im AT* [1961] 74ss.84ss).

b) En algunos pasajes el concepto de hijo sirve para describir la relación de Yahvé con su pueblo Israel. Os 2,1 y 11,1 deben considerarse como los textos más antiguos en este sentido. Pero no debe pensarse en una filiación física, ni siquiera en una filiación espiritual (¿tradición sapiencial?), ideas ambas muy frecuentes en los pueblos vecinos a Israel. Cuando Oseas se refiere a Israel por medio de la expresión «hijos de Dios» está pensando (en contraposición a los «hijos de prostitución» caídos) en una «relación íntima de asistencia, dirección y obediencia» (Wolff, BK XIV/1, 30s.255-257). En Ex 4,22s, añadido tardío a la narración J-E del Pentateuco, Israel es llamado «hijo primogénito» de Yahvé; esta designación se emplea en previsión de la última plaga, por medio de la cual Yahvé se dispone a vengar en el «hijo primogénito del faraón» (v. 23) la injusticia cometida contra su hijo (cf. Noth, ATD 5,33s).

Cuando en Is 1,2 se habla de Israel llamándolo «hijos» que Yahvé ha criado, pero que le han abandonado, la idea de «educación» desempeña un papel importante (lo mismo en Os 11,1) (cf. Wildberger, BK X, 12s). Del mismo modo se habla metafóricamente de los «hijos de Yahvé» en Dt 14,1; 32, 5.19s (cf. P. Winter, ZAW 67 [1955] 40-48); Jr 3,14.18.22; Is 43,6; 45,11 (→ *'āb* IV/3; G. Quell, ThW V, 970ss).

c) La expresión *b^e^nē hā'^æ^lōhīm,* «hijos de Dios», se refiere a seres celestes; en el AT se habla en ocasiones de estos seres: Gn 6,2.4; Job 1,6; 2,1; 38,7; *b^e^nē 'ēlīm,* en Sal 29,1; 89,7; *b^e^nē 'ælyōn,* «hijos del Altísimo», en Sal 82, 6; el arameo *bar '^æ^lāhīn,* en Dn 3,25. «El término *bēn* se aplica a ellos no en cuanto hijos de Dios en sentido físico-genealógico y, por lo mismo, mitológico, sino de forma general en cuanto pertenecientes al mundo de Elohim» (von Rad, ATD 2,93). De todos modos, no es grande la importancia y la función de estos seres dentro del AT. Cf. W. Herrmann, *Die Göttersöhne:* ZRG 12 (1960) 242-251; G. Cooke, *The Sons of (the) God(s):* ZAW 76 (1964) 22-47.

d) Se deben mencionar, finalmente, algunos pasajes en los que la actitud de Yahvé para con los hombres *es comparada* con la actitud de un padre para con su hijo: como un padre lleva a su hijo (Dt 1,31), como un padre castiga a su hijo (Dt 8,5; Prov 3,12), como un padre se compadece de sus hijos (Sal 103,13) o de su hijo (Mal 3,17), así lo hace también Yahvé con los suyos (cf. Mal 1,6).

V. El concepto υἱός en el NT recoge el *bēn* veterotestamentario. Lo que en el NT da un nuevo acento a este concepto es la designación de Jesús como el «hijo»; cf. los títulos cristológicos «hijo de hombre», «hijo de David» e «hijo de Dios». Cf. H. E. Tödt, *Der Menschensohn in der synoptischen Überlieferung* (²1963); F. Hahn, *Christologische Hoheitstitel* (²1964); G. Fohrer, E. Schweizer, E. Lohse, W. Schneemelcher, art. υἱός: ThW VIII, 340-400; C. Colpe, art. ὁ υἱός τοῦ ἀνθρωποῦ: ThW VIII, 403-481; E. Lohse, art. υἱός Δαυίδ: ThW VIII, 482-492.

J. Kühlewein

בנה *bnh* Construir

1. La raíz **bny,* «construir», aparece en todas las lenguas semíticas, excepto en etiópico (el acádico *banû* y el ugarítico *bny* significan también «crear, engendrar», cf. *inf. 3a).*

No es seguro, aunque sí posible, que exista relación entre *bēn,* «hijo», y *bnh;* lo mismo debe decirse sobre una relación etimológica entre *bnh* y *br',* «crear» (cf. HAL 133).

Como derivados nominales aparecen en el AT *binyā, binyān, mibnæ,* «edificio», y *tabnīt,* «proyecto, modelo, imagen»; a éstos deben añadirse diversos nombres propios: *B^e^nāyā(hū), Binnūy, Yabn^e^'ēl, Yibn^e^yā,* etc.

2. En el AT hebreo el verbo aparece 346 × en qal (incluido Ez 16,31) y 30 × en nifal. La mitad de los casos de qal aparece en los libros que hablan de la edificación del templo o de las murallas (53 × en 1 Re, 61 × en 2 Cr, 28 × en 1 Cr y 23 × en Neh); por lo demás, la distribución es regular.

Los sustantivos aparecen: *tabnīt* 20 ×; los otros tres 9 × —todas ellas en Ez 40-42— *(binyān* 7 ×).

En arameo bíblico qal aparece 15 ×, hitpael 7 ×; *binyān* 1 ×.

3. *a)* El *significado base* es «construir, fabricar»; en ocasiones, «consolidar» y «reconstruir» (significados documentados también en inscripciones neosemíticas, cf. DISO 38). El verbo rige los siguientes objetos: casa, palacio, muralla, ciudad, altar, templo, etc. A diferencia de lo que ocurre en acádico y en ugarítico, en hebreo no puede probarse que se dé el significado de «crear, engendrar», a no ser que se suponga tal significado en nombres propios como *B^e^nāyā(hū).*

En ugarítico hay que señalar el epíteto de El *bny bnwt,* que debe traducirse por «creador de las criaturas» (cf. W. H. Schmidt, *Königtum Gottes in Ugarit und Israel* [[2]1966] 59). Sobre el acádico, cf. AHw 103.

b) bnh báyit es una expresión metafórica que significa «fundar una familia, crear una posteridad» (Dt 25,9; cf. Rut 4,11), «fundar una dinastía» (2 Sm 7,27; 1 Cr 17,25). En Gn 16,2 y 30,3, *bnh* nifal, «ser construido», es una expresión que significa «tener hijos». Pero incluso aquí se debe partir del significado base y no debe pensarse en un significado secundario independiente.

También en Job 22,23 debería suponerse un significado metafórico, caso de que el texto fuera correcto (cf. Dahood, UHPh 53).

c) Como *paralelos* de otros significados de *bnh* deben señalarse *kūn* hifil, «fundamentar» (2 Sm 7,13 = 1 Cr 17, 12; Sal 89,3.5); *nṭʿ,* «plantar» (Jr 1, 10; 31,28; 45,4 y otros); *ʿśh,* «hacer» (cf. 2 Sm 7,11 y 27). Como opuesto aparece *hrs,* «destruir», en Jr 1,10; 45, 4; Sal 28,5; Job 12,14 y Prov 14,1, por ejemplo.

4. *a)* Como pasajes de interés teológico deben mencionarse en primer lugar aquellos en que se habla de que *Yahvé construye:* se trata de anuncios de salvación que miran al futuro; deben mencionarse 2 Sm 7,27; 1 Cr 17, 10.25 (una casa para David, cf. 2 Sm 7,11; Sal 89,5); 1 Re 11,38 (una casa para Jeroboán); Am 9,11 (reedificar la choza de David); Jr 24,6; 31,4.28; 33, 7; 42,10 (textos de hechura deuteronomística que se refieren a una reconstrucción posterior al juicio, con frecuencia aparece el paralelo *nṭʿ,* «plantar»); Ez 28,26; 36,33-36 (una adición cuyo texto es eco de formulaciones jeremianas, cf. Zimmerli, BK XIII, 696.873. 881s); Sal 102,17; 147,2 (Sión o Jerusalén; lo mismo en la petición de Sal 51,20; con mirada retrospectiva en 78, 69).

Esta misma concepción, pero en sentido negativo, aparece en el anuncio de desgracia de Jr 45,4 (destruir lo edificado) y en Mal 1,4 (Edom).

b) Is 58,7; 60,10; 61,4; 65,21s contienen otros oráculos de salvación que hablan de la *reconstrucción,* tras el tiempo de desgracia del exilio, como verificación de la bendición de Yahvé (cf. también Jr 29,5, que habla de la tarea de los exiliados). Jeremías ha recibido su vocación como profeta «para que extirpe y destruya, para que plante y reconstruya», es decir, recibe una vocación para que actúe como profeta de desgracia y como profeta de salvación (Jr 1,10). Sobre este doble concepto empleado en ese y en otros textos, cf. R. Bach, *Bauen und Pflanzen:* FS von Rad (1961) 7-32; S. Herrmann, *Die profetischen Heilswartungen im AT* (1965) 165-169.

c) El empleo de este verbo en el contexto salvífico está relacionado con la idea de que «construir casas y habitarlas» es una bendición; es expresión de la alegría vital y del goce completo de los dones de la tierra que Dios ha dado al pueblo, concepción que se refleja especialmente en el Dt (6,10s; 8, 12; 20,5; lo contrario, en 28,30).

5. De los textos de Qumrán debe tomarse especialmente en consideración 1QS 11,8 (*mabnīt qṓdæš,* «edificio santo», como designación de los elegidos de Dios). Sobre el NT, cf. O. Michel, art. οἰκοδομέω: ThW V, 139ss.

A. R. Hulst

בַּעַל *báʿal* **Dueño**

1. La palabra **baʿl-,* «señor, dueño», lo mismo que su correspondiente femenino, pertenece al semítico común. Es importante, desde el punto de vista de la historia de las religiones, el paso de apelativo a nombre propio de una o más divinidades; por lo demás, debe señalarse que el término se limita casi exclusivamente a desempeñar una función simplemente modal («término formal», GVG II, 240s). El verbo correspondiente es con frecuencia puramente denominativo.

El acádico *bēlu/bēltu,* «señor, señora», constituye, según eso, la base de donde se deriva *bêlu,* «dominar, disponer» (cf. *be'ūlātum,* «capital disponible, capital en circulación», AHw 124a; *ba'ūlātu,* «los súbditos», AHw 117b). El área de significado de *bēlu* cubre también el significado del hebreo → *'ādōn.* Sobre los nombres divinos Bêl (referido a Enlil y Marduk) y Bēlet (referido a Ninlil y Ṣarpānītu), cf. Haussig I, 46; AHw 118; en el AT, *Bēl* aparece en Is 46,1; Jr 50,2; 51,44. De las innumerables expresiones compuestas con *bēl* mencionaremos las siguientes: *bēl pī/āḫāti,* «encargado, comisario» (AHw 120a), de donde viene el arameo y hebreo *pæḥā,* «gobernador» (Alt, KS II, 333; KBL 757b.1112a; E. Y. Kutscher, «Tarbiz» 30 [1960-61] 112-119), y *bēl ṭēmi,* cf. el arameo *be'el ṭe'em* como designación de un funcionario (Esd 4,8.9.17; Cowley, N. 26, línea 23; KBL 1079b; Driver, AD 18)*.

En el área del semítico noroccidental (ugarítico: WUS N. 544.545; UT N. 493; Gröndahl, 114-117; además, DISO 40; HAL 137s; LS 83s) los casos en que aparece nuestro término se dividen entre el apelativo «señor, dueño» (delimitado en cuanto al significado por → *'ādōn* y *mārē',* «señor, amo») y los diversos nombres divinos (cf. *inf.* 4*a).* Es también importante el empleo del término para designar al marido en relación con su mujer («esposo»; en arameo aparece, por ejemplo, en el contrato matrimonial recogido en Cowley, N. 15, línea 23). En este contexto el verbo ha adquirido el significado de «casarse» (cf., entre otros, R. Yaron, JSS 3 [1958] 26s); el ugarítico *b'l,* «hacer, trabajar, realizar» (WUS N. 546; UT N. 494), ha de considerarse, por el contrario, como forma secundaria de la raíz → *p'l,* «hacer» (se ha sugerido que también en el AT *b'l* puede tener este significado: sobre Is 54, 5, cf. UT N. 494; HAL 136s; cf. también, según Dahood, Bibl 46 [1965] 320, Is 1, 31; Job 31,39; Prov 1,19; 3,27; Ecl 8,8; cf., sin embargo, Barr, CPT 100s)*.

2. El apelativo *ba'al,* «dueño», aparece en el hebreo del AT 84 × (Jue 19 ×, Ex y Prov 14 × cada uno, Ecl 7 ×; el femenino *ba'ala* aparece 4 ×; a esto se debe añadir el arameo *be'el* 3 × (Esd 4,9.9.17).

El significado «esposo» aparece 15 × (siempre en singular, a excepción de Est 1,17.20).

bá'al aparece 36 × en singular y 48 × en plural; en 18 ocasiones el plural está acompañado del sufijo de 3.ª persona singular y en todas ellas el plural tiene un significado de singular («su señor»; se trata de un plural mayestático: Ex 21,29. 29.34.36; 22,10.11.13.14; Is 1,3; Job 31, 39; Prov 1,19; 3,27; 16,22; 17,8; Ecl 5, 10.12; 7,12; 8,8).

Como designación divina o como nombre divino, *Bá'al* aparece en singular 58 × (2 Re 24 ×, 1 Re 12 ×, Jr 11 ×, Jue 6 ×, Os y 2 Cr 2 ×, Sof 1 ×); a estos casos hay que añadir las composiciones *Bá'al Berīt* (Jue 8,33; 9, 4), *Bá'al Zebūb* (2 Re 1,2.3.6.16) y *Bá'al pe'ōr* (Nm 25,3.5; Dt 4,3.3; Os 9,10; Sal 106,28); no tenemos en cuenta aquí los numerosos nombres de lugar (la clasificación de Nm 22,41 y Os 9,10 es discutida) y los nombres personales formados con *Bá'al/Ba'alā.* El plural *be'ālīm* aparece 18 × (cf. *inf.* 4*a).*

El verbo aparece 10 × en qal y 2 × en nifal; a estos casos hay que añadir 4 × del participio pasivo femenino *be'ūlā,* «casada».

3. *a)* En su significado base de «dueño (de alguna cosa)», el término no tiene paralelos ni derivados.

Una vez aparece en paralelo a *bá'al* un participio de → *qnh,* «comprar» (Is 1,3). El concepto *'ādōn,* que sólo en 1 Re 16,24 puede ser traducido por «dueño», describe no tanto una relación de posesión cuanto una relación de dominio: José, por ejemplo, es *'ādōn,* «jefe», sobre Egipto y sobre sus habitantes, pero no es dueño del país (Gn 42,30.33; → *'ādōn,* III/1).

bá'al (lo mismo que *ba'alā)* no se emplea nunca (excepto en la expresión *be'ūlat bá'al,* cf. *inf. b)* como término absoluto: se usa siempre con un genitivo o un sufijo pronominal. Los genitivos regidos por *bá'al* son muy diversos, como diversos son también los contextos; limitándonos a los 13 casos del código de la alianza, hallamos los siguientes genitivos: *bá'al* es dueño de una mujer (Ex 21,3.22), de un animal doméstico (21,34; 22,10.11.13.14; cf. Is 1,3), de un buey —con especial frecuencia— (21,28.29.29.36), de una casa

(22,7; cf. Jue 19,22s) o de una cisterna (21,34).

b) De los 84 casos de *bá'al* (antes mencionados), en 15 *bá'al* es dueño de una mujer, es decir, debe entenderse como «esposo, marido»; los pasajes que tienen este significado están distribuidos por todo el AT (Gn 20,3; Ex 21, 3.22; Lv 21,4, texto enmendado; Dt 22,22; 24,4; 2 Sm 11,26; Os 2,18, en lenguaje figurativo; Jl 1,8; Prov 12,4; 31,11.23.28; Est 1,17.20). En este campo semántico aparece siempre como concepto complementario de → *'iššā,* «esposa» (2 × como genitivo: *bá'al [hā]'iššā,* «marido», Ex 21,3.22). En este sentido de «esposo», *'īš* es más neutro que *bá'al;* este último hace pensar más en una relación de posesión (el concepto → *'ādōn,* empleado también en el sentido de «esposo», presenta un matiz diverso referido a la relación de dependencia: Gn 18,12 y *passim).* 2 Sm 11, 26 muestra, sin embargo, que estos conceptos son muy cercanos entre sí: «cuando la mujer de Urías oyó que su marido *('īš)* había muerto, hizo duelo por su esposo *(bá'al)*».

Aquí pertenece también el verbo *b'l,* que en qal tiene siempre, excepto en tres ocasiones (Is 26,13; Jr 3,14; 31, 32: «dominar»; el caso de 1 Cr 4,22 es muy discutido) el significado de «casarse (referido al hombre)», y en nifal, «ser tomado en matrimonio» (Is 62,4; Prov 30,23). En este campo semántico no aparecen términos generales o paralelos. Son tomados en matrimonio: una mujer (Dt 21,13; 24,1), una muchacha (Is 62,5), la hija de un dios extranjero (Mal 2,11), una repudiada (Prov 30, 23), o también, en sentido metafórico, el Israel exiliado (Is 54,4), el país (Is 62,4) o Jerusalén (Is 62,5); donde el objeto es una comunidad, el sujeto es siempre Yahvé (cf. *inf.* 4*b).*

Mientras la forma nominal femenina *ba'ᵃlā* significa siempre «dueña» (1 Sm 28,7.7, *'ōb,* «espíritu de los muertos»; 1 Re 17,17, una casa; Neh 3,4, hechicería), el verbo ha formado un participio pasivo *beʿūlā,* «casada» (Gn 20,3 y Dt 22,22, que presentan la expresión fija *'iššā beʿūlat bá'al,* «mujer casada con un hombre»; Is 54,1 y 62,4, que se refieren, en sentido metafórico, al Israel del exilio o al país, y donde la *beʿūlā,* «la casada», y la *šōmēmā,* «la abandonada», aparecen como conceptos opuestos).

c) El estado constructo plural unido a un nombre de ciudad designa a los «habitantes» de esa ciudad —lo cual está estrechamente relacionado con el significado base de «poseedor de tierras y campos»— (cf. también el acádico *ba'ūlu,* sinónimo de *rubû,* «príncipe», AHw 117b). De los 21 casos en que el término tiene este significado, 16 se concentran en Jue 9 (ciudadanos de Siquén, o bien, v. 51, de la ciudad; vv. 46s, moradores de la fortaleza de Siquén); los demás casos son vecinos: Jos 24,11, Jericó; Jue 20,5, Guibeá; 1 Sm 23,11s, Queilá; 2 Sm 21,12, *Yabéš.* Se trata siempre de habitantes (la mayoría de las veces cananeos) de una ciudad, que actúan y negocian libremente con el exterior y que, por razón de sus propiedades, tienen una posición superior a la de los demás «habitantes» *(yōšᵉbīm)* u «hombres» *('ᵃnāšīm)* (cf. J. A. Soggin, *Das Königtum im Israel* [1967] 23, que remite a KAI N. 222 A, línea 4).

d) Al igual que *bēn,* «hijo», e *'īš,* «hombre», también *bá'al* se presta fácilmente a formar composiciones constructas, por medio de las cuales se define a los «poseedores» como dueños de alguna cualidad o como dedicados a algún asunto o actividad, por ejemplo, *bá'al hahᵃlōmōt,* «poseedor de sueños = soñador» (Gn 37,19); *bá'al 'af,* «poseedor de cólera = colérico» (Prov 22,24, paralelo de *'īš ḥēmōt,* «hombre de ira = iracundo»; cf. 29,22, donde *'īš 'af* es paralelo a *bá'al ḥēmā); bá'al haqqᵉrānáyim,* «poseedor de dos cuernos = bicorne» (Dn 8,6.20). Cf. BrSynt 69 y la larga lista de expresiones formadas con *bá'al,* como elemento formal, que presenta HAL 137

4. *a)* Cuando *bá'al* aparece en el AT como designación divina se refiere,

por lo general, al rival cananeo de Yahvé.

En el panteón ugarítico Baal figura, junto a El, como rey de los dioses (cf. W. H. Schmidt, *Königtum Gottes in Ugarit und Israel* [²1966] 10-21.29-54); es venerado como Dios de la fertilidad. Cuando él muere, herido por Mot, el dios de la muerte, toda la naturaleza se marchita; cuando él vuelve a la vida, la naturaleza vuelve a reverdecer (A. S. Kapelrud, *Baal in the Ras Shamra Texts* [1952]; Haussig I, 253-264).

Por lo que respecta al AT, O. Eissfeldt, ZAW 57 (1939) 1-31 = KS II, 171-198, ha terminado con las opiniones hasta entonces corrientes en torno a los baales. Antes se opinaba que se trataba de un gran número de pequeñas divinidades locales carentes de importancia. Según él, se trata de diversas manifestaciones de un *mismo dios,* a saber: *Baʿalšāmēm,* el «dios del cielo», o bien Hadad, el dios del tiempo (cf. RGG I, 805s).

El nombre *Báʿal* aparece en el AT en tres ámbitos:

1) En los libros narrativos designa a una divinidad unida siempre a un lugar concreto y en el que desempeña una función también concreta.

En diversos pasajes (cf. *sup.* 2) se habla de *Báʿal Peʿōr,* que es venerado en un santuario situado en el monte *Peʿōr,* frontera entre moabitas e israelitas (Nm 23,28), o en la localidad *Bēt Peʿōr,* a unos 20 km al este del límite norte del mar Muerto (O. Henke, ZDPV 75 [1959] 155-163). Deben mencionarse también *Báʿal Berīt,* «Baal de la alianza» (Jue 8,33; 9,4; cf. 9, 46), relacionado con el templo de Siquén, *Báʿal Zebūb* (2 Re 1,2-16, designado explícitamente como dios de la ciudad de Ekrón; cf. BHH I, 175s; F. C. Fensham, ZAW 79 [1967] 361-364), y también otras divinidades, documentadas sólo en diversos nombres de lugar, como Baal Safón (Ex 14,2.9; Nm 33,7; cf. O. Eissfeldt, *Baal Zaphon, Zeus Kaios und der Durchzug der Israeliten durchs Meer* [1932]; Haussig I, 256-258) y Baal de Hermón (Jue 3,3; cf. 1 Cr 5,23).

Báʿal simplemente, sin añadidos, es la designación que reciben el Baal de Ofrá (Jue 6,25-32), el del Carmelo (1 Re 18,21ss; cf. ALT KS II, 135-149; O. Eissfeldt, *Der Gott Karmel:* SAB [1953] 1; K. Galling, FS Alt [1953] 105-125) y el dios traído de Tiro a Samaría (1 Re 16,31s; 18,19; 22,54; 2 Re 10,18-28 y *passim;* cf. Alt, KS III, 258-302). Se puede preguntar, de todos modos (contra Eissfeldt), si estas divinidades, tan alejadas geográficamente unas de otras, son de hecho manifestaciones diversas de *Baʿalšāmēm* o si no se tratará, más bien, de divinidades diversas.

2) Los 20 casos en que la designación Baal aparece en los libros proféticos se distribuyen así: 13 casos corresponden a Jr (a veces en formulaciones deuteronomísticas), 6 casos a Oseas (sobre 2,18, cf. *inf. b)* y 1 caso a Sof. Oseas y Jeremías, que siguen al primero y continúan la batalla de Elías contra el culto de Baal. En su polémica contra dicho culto, Oseas emplea la imagen del matrimonio: la mujer infiel (= Israel) se aleja de Yahvé y se prostituye tras sus amantes (Os 2,7ss; sobre el plural *beʿālīm,* en 2,15.19; 11,2; cf. Wolff, BK XIV/1,46s). El juicio anunciado por Oseas consiste en que Yahvé castigará en esta mujer los «días de los baales» (es decir, la participación en las fiestas cúlticas cananeas) (2,15); el día de salvación vendrá cuando Yahvé haya alejado los «nombres de los baales» (2,19). La apostasía de Yahvé para adoptar el culto de Baal, de la que Oseas acusa a Israel, tiene sus raíces ya en los primeros tiempos de la historia de Israel: ésa es la opinión que el profeta manifiesta en los resúmenes históricos retrospectivos (9,10; 11,2; 13,1).

En Jeremías adquiere gran amplitud la acusación contra los que adoptan el culto de Baal: se acusa a los profetas de haber profetizado en nombre de Baal (Jr 2,8 = 23,13) y al pueblo de ofrecer sacrificios a los baales.

La acusación profética contra la apostasía de Yahvé y contra los que adoptan el culto de los baales se expresa por medio de los siguientes verbos: *zbḥ,* «sacrificar» (Os 11,2), *qṭr* piel/hifil, «quemar» (Os 2,15; 11,2; Jr 7,9; 11,13.17; 19,4s; 32,29); *nzr* nifal, «consagrarse» (Os 9,10); *ʾśm,* «contraer una culpa» (Os 19,1); *šbʿ* nifal, «jurar» (Jr 12,16); *bnh bāmōt,* «construir santuarios en las alturas» (Jr 19, 5; 32,35). También los nombres paralelos usados en este campo semántico reflejan en parte el juicio profético contra los baales: *bōšæt,* «dios de ignominia» (Os 9,10); *siqqūṣīm,* «abominaciones» (Jr 32,34); *ʾælōhīm ʾaḥērīm,* «otros dioses» (Jr 7,9; 19,4; cf. 11, 13); *pesīlīm,* «imágenes» (Os 11,2).

3) El tercer ámbito, en el que, por lo general, el término aparece en plural, lo constituyen las obras históricas deuteronomística y cronística, que están estrechamente ligadas a Oseas y Jeremías.

He aquí algunas expresiones típicas que se usan para designar la apostasía de Yahvé para dar culto a los baales: *ʿbd,* «servir» (Jue 2,11.13; 3,7; 10,6.10; 1 Sm 12,10; 1 Re 16,31; 22,54; 2 Re 17,16); *hlk ʾaḥarē,* «ir tras» (Dt 4,3; 1 Re 18,18; Jr 2, 23; 9,13); *znh ʾaḥarē,* «prostituirse tras» (Jue 8,33).

Junto a los baales aparecen en ocasiones, como divinidades distintas, sus correspondientes femeninos: las Astartés (Jue 2,13; 10,6; 1 Sm 7,4; 12,10) y Aserás (Jue 3,7; y también el «ejército del cielo»: 2 Re 17, 16; 21,3 = 2 Cr 33,3; 2 Re 23,4s).

b) No se osó hasta muy tarde, y aun entonces en muy raras ocasiones, relacionar la raíz *bʿl* con Yahvé.

Is 26,13 emplea el verbo *bʿl* qal en su significado de «dominar» para dar expresión a la lamentación del pueblo que se queja de que hubo un tiempo en el que no era Yahvé, sino otros señores, los que dominaban sobre los orantes. En Jr 3,14 y 31,32 *bʿl* es construido con la partícula *be;* el contexto lleva a traducir esta expresión por «ser señor»: sujeto es siempre Yahvé, que habla en primera persona. En Jr 3,14 el término aparece en el cuadro de un anuncio de salvación condicionada: Yahvé, como señor, es capaz de volver a traer a Sión a los «hijos apóstatas». En Jr 31,32 Yahvé se manifiesta como el señor que castiga a los que han roto la alianza.

En Nah 1,2 *báʿal* aparece sólo como término puramente formal; Yahvé es *báʿal ḥēmā,* «lleno de ira». En la misma línea debe también entenderse, quizá, Is 1,3; en ese texto se compara la actitud de Israel con respecto a Yahvé con la actitud de un asno respecto al pesebre de su amo.

En ocasiones Yahvé es comparado con un *báʿal,* «esposo». Así, Os 2,18, donde *baʿalī* es paralelo de *ʾīšī:* «aquel día me llamarás 'marido mío' y no me llamarás 'baal mío'». Wolff, BK XIV/1, 60, señala, con razón, que en esta palabra de salvación se indica que «aquel día» Israel no sólo respetará a Yahvé como legítimo esposo *(báʿal),* sino que le amará como marido *(ʾīš);* pero debe entenderse también (atendiendo a 2,19) como una indicación de que aquel que llama *baʿalī* a Yahvé no establece la debida diferencia entre Yahvé y el Baal cananeo (cf., de todos modos, Rudolph, KAT XIII/1, 78s).

Detrás de Is 54,1-10 hay que entender la lamentación de la mujer privada de hijos (cf. Westermann, ATD 19, 217ss), imagen de Israel en el exilio. La salvación anunciada por el Deuteroisaías consiste precisamente en que Yahvé se convertirá en marido de esa mujer abandonada (Is 54,5).

Esta concepción del matrimonio entre Yahvé y el pueblo o el país de Israel vuelve a ser recogida por el Tritoisaías en Is 62,4s. Los nuevos nombres «mi placer» y «desposada» *(beʿūlā)* caracterizan el tiempo de salvación y se oponen a los nombres antiguos «abandonada» y «solitaria» (cf. 54,1).

Sobre el problema de los nombres propios compuestos con el elemento *báʿal,* documentados en la época de los jueces e inicios de la época monárquica, cf. Noth, IP 11-122; Eichrodt, I, 126-128.

5. En el NT no existe un correspondiente único de la raíz *bʿl.* Ya los LXX traducen *bʿl/báʿal* con términos muy diversos: así, por ejemplo, en Ex 21,28 («dueño»), por medio de κύριος; en Jue 9 («ciudadanos»), por medio de ἄνδρες; en Dt 21,13; 24,1 («casarse»), por medio de συνοικίζειν; en 2 Sm 11,26, tanto *ʾīš* como *báʿal* («marido») son traducidos por ἀνήρ; la divinidad

cananea Baal, por el contrario, es simplemente transcrita. El nombre divino aparece en el NT únicamente en el nombre Βεεζεβούλ (Mc 3,22 y *passim;* cf. W. Foerster, art. Βεεζεβούλ: ThW I, 605s; L. Gaston, *Beelzebul:* ThZ 18 [1962] 247-255).

J. Kühlewein

בקשׁ *bqš* piel **Buscar**

1. La raíz *bqš* está documentada únicamente en hebreo, ugarítico *(bqṯ,* cf. UT N. 505; WUS N. 572) y fenicio (DISO 41).

Además del piel y el pual se ha formado en hebreo el abstracto verbal *baqqāšā,* «exigencia, deseo», que, morfológicamente, es un infinitivo pal arameo (GK § 84e; BL 479).

Según C. Brockelmann, ZS 5 (1927) 31s, *bqš* se ha formado a partir del arameo *bqr,* «investigar» (Wagner N. 45), buscando la rima con el parcialmente sinónimo → *drš,* término que aparece con frecuencia unido a *bqš;* cf., sin embargo, el ugarítico *bqṯ* junto a *drš.*

2. El verbo *bqš* aparece 222 × en piel y 3 × en pual; es particularmente frecuente en Sm/Re (50 ×), Jr (22 1 ×) y Sal (27 ×). El nombre verbal *baqqāšā* aparece 8 ×: 7 × en Ester y 1 × en Esdrás (Esd 7,6).

3. El significado base de *bqš* piel se refiere a la búsqueda de lo perdido o extraviado (cf. C. Westermann, *Die Begriffe für Fragen und Suchen im AT:* KuD 6 [1960] 2-30; respecto a *bqš,* cf. especialmente 2-9). En la mitad de los pasajes aproximadamente el sentido es el de «indagar por alguien o algo (de quien se desconoce dónde está)»; cf. el latín *quaerere.* Como objeto aparecen personas o animales (unos 50 ×) o cosas (unos 60 ×), por ejemplo Gn 37,15s; Jos 2,22; Jue 4,22; 1 Sm 9,3; 23,14; 26,2.20; 1 Re 18,10. El objeto puede también ser indeterminado o anónimo: «buscar, elegir a alguien (de entre una masa)», por ejemplo, 1 Sm 13,14; 16,16; 28,7; 1 Re 1,2s; Is 40, 20; Ez 22,30; Nah 3,11 («buscar» inútilmente). En 1 Re 10,24 = 2 Cr 9,23 y Prov 29,26 se habla de buscar el rostro (→ *pānīm)* de un hombre como expresión de cortesía (cf. *inf.* 4).

Si el objeto pertenece a la esfera de lo ideal o cualitativo, es decir, si no se trata de buscar algo que está situado en un lugar, sino de cumplir un deseo o realizar un plan, entonces el verbo adquiere una coloración emocional: «intentar algo, esforzarse por algo, preocuparse por algo», por ejemplo, Jr 2, 33; 5,1 (la fidelidad); Ez 7,25 (la paz); Sof 2,3 (la rectitud, la humildad); Sal 4,3 (la mentira); 27,4 (habitar en la casa de Dios); sobre todo, Prov 2,4; 19,27; 14,6; 15,14; 17,1.11; 18,1.15 (sabiduría o semejantes); también Ecl 7,25; Dn 8,15. Debe notarse que el elemento cognitivo queda muy relegado. *bqš* aparece muy raramente en el sentido de «escrutar, investigar» (cf. → *drš).* Aparte de Jue 6,29, donde *bqš* sigue en paralelo a *drš* y recibe el matiz de éste, pertenecen a este contexto sólo algunos textos de la literatura sapiencial, en los que la sabiduría constituye el objeto del verbo, por ejemplo, Prov 2,4 (aquí, sin embargo, la sabiduría aparece personificada); 18,15; Ecl 7,25; 8,17.

En su significado de «salir a por algo, buscar algo» y con objetos ideales semejantes, *šḥr* piel (12 ×, con Dios como objeto Is 26,9; Os 5,15; Sal 63,2; 78,34; Job 8,5) es un perfecto sinónimo de *bqš* piel (cf. Jenni, HP 222).

Sobre la delimitación de los significados de *bqš* piel (en sentido objetivo y resultativo, «encontrar algo, tratar de hacerse con algo») y *drš* (en sentido intencional, «preocuparse por algo, indagar, ocuparse de algo»), cf. Jenni, HP 248s y → *drš* 3.

Unas 30 × aparece *nǽfæš* como objeto: «acechar la vida de alguien»; y *rā'ā* 9 ×: «buscar la desgracia de alguien». En la expresión opuesta «buscar la salvación de alguien», *bqš* piel se emplea en sólo dos ocasiones (Sal 122,9 y Neh 2,10, con *ṭōb* o *ṭōbā).* Se puede, pues, decir que, a diferencia de *drš, bqš* piel designa en este contexto primariamente un buscar hostil.

En unas 20 ocasiones *bqš* piel designa un buscar apremiante referido al hombre, es decir, significa «solicitar, exigir», basándose incluso en un título jurídico (cf. el latín *petere),* por ejemplo, Gn 31,39; 43, 9; Nm 16,10; Jr 22,23; 1 Sm 20,16; en 2 Sm 4,11; Ez 3,18.20; 33,8 es empleado con → *dām,* «sangre», como objeto.

No se usa *bqš* piel como verbo de movimiento: «visitar, ir a ver un lugar».

Además de objetos nominales o pronominales aparece también a veces como objeto un infinitivo con *l*[e] 17 ×, sin *l*[e] 2 × (Ex 4,24; Jr 26,21).

Como equivalente arameo-bíblico existe *bʿh,* «buscar» (qal: Dn 2,13: «¿se buscaba?»; 6,5; pael: 4,33) y «pedir» (9 ×). En Dn 2,13 se podía pensar también en los sentidos de «estar a punto de, estar para, correr el riesgo» (KBL 1058b, con bibliografía), cf. *ḥšb* piel en Jon 1,4 y *bqš* piel en Gn 43,30 (HAL 146a.347b).

Como verbos vecinos en cuanto al significado deben mencionarse también los siguientes: *ḥpr,* «excavar», empleado en Job 3,21 y 31,29 en el sentido metafórico de «indagar, buscar», y en Dt 1,2; Jos 2, 2,3 en el sentido de «explorar (un país)» (HAL 327a; dividido en dos raíces en GB 250a); *ḥpś* qal/piel, «registrar» (cf. Jenni, HP 130s); además, *tūr* qal/hifil, «explorar, investigar» (qal 19 ×; de ellas 14 × en Nm 10,33-15,39; hifil 3 ×).

4. En los 14 casos en que es Dios el sujeto del buscar, el verbo sigue teniendo un sentido semejante al del uso profano: «buscar a un extraviado» (Ez 34,16; Sal 119,176; cf. Ecl 3,15), «elegir buscando» (1 Sm 13,14); «buscar, investigar» (Ez 22,30; Job 10,6), «pretender» (Ex 4,24; Jue 14,4; Zac 12,9), «exigir» (Jos 22,23; 1 Sm 20,16; Ez 3, 18.20; 33,8).

Mucho más numerosos y de mayor interés teológico son los pasajes en los que Dios es objeto del buscar *(ca.* un cuarto de todos los casos de *bqš).* La expresión «buscar a Dios» sólo en raras ocasiones (8 ×) designa un suceso único; en esos casos el verbo no tiene un sello teológico especial. También en el sentido de «buscar un oráculo, una revelación» (→ *drš* 4) es más bien excepcional el uso de *bqš* piel. El único pasaje claro es el de Ex 33,7. También Os 5,6 (referido a la inútil frecuentación de los santuarios) y 2 Cr 20,4 tienen sus raíces en el culto. La expresión «buscar el rostro de Dios» o semejantes (cf. *sup.* 3) aparece en 2 Sm 21,1; Sal 24,6; 27,8; 105,4 = 1 Cr 16, 11; 2 Cr 7,14.

Por el contrario, en los 30 pasajes en que *bqš* piel sirve para designar el justo comportamiento ante Dios, la conversión y el temor de Dios, se puede apreciar un empleo teológico fijo. «Designa más un *status* que un *actus*» (Westermann, *loc. cit., 5). bqš* piel puede aparecer, en esos casos, como paralelo y sinónimo de *drš* (Dt 4,29; Jr 29, 13; Sof 1,6; Sal 105,3s = 1 Cr 16,10s; 2 Cr 20,3s).

5. Kuhn, *Konk.,* 35, señala 7 casos en los textos de Qumrán. Estos casos siguen fundamentalmente la línea de empleo del AT (3 × con objeto directo: *næfæš, rūaḥ, binā;* 2 × con *l*[e] e infinitivo). En 1QS 5,11, donde *bqš* es empleado (junto a *drš)* en el sentido de «estudiar, investigar sus (de Dios) leyes», se emplea el verbo en un sentido que no tiene correspondencia exacta en el AT.

En los LXX aparecen 17 verbos diversos para traducir a *bqš* piel. De entre todos los equivalentes el más frecuente es ζητεῖν (175 ×) y sus compuestos (ἐκζητεῖν 25 ×).

Sobre el NT, cf. H. Greeven, artículo ζητέω: ThW II, 894-898.

G. Gerleman

ברא *br'* Crear

1. De los múltiples intentos para determinar la etimología del verbo, el más probable es el que relaciona *br'* I, «crear» (qal, nifal y además el abstracto verbal *b*[e]*rī'ā),* con *br'* III (piel), «cortar, talar» (Jos 17,15.18), «despedazar» (Ez 23,47).

En una inscripción púnica (CIS I, 347, línea 4) *br'* aparece como designación de una profesión, quizá en el sentido de «escultor» (DISO 43 sugiere, con interrogantes, «graveur»; cf. Lidzbarski, NE 244). *br'* I/III podría haberse originado de una raíz bilítera *br* en el sentido de «cortar, dividir» (cf. también G. J. Botterwerk, *Der Triliteralismus im Semitischen* [1952] 64s); pero también esta hipótesis es problemática.

Por una parte, *br'* III piel no tiene las mismas particularidades de *br'* I qal (por ejemplo, el tener por sujeto sólo y exclusivamente a Dios). Por otra parte, en el empleo de *br'* qal/nifal nunca se deja notar el sentido base «cortar» o semejantes. El verbo falta, por ejemplo, precisamente en la primera parte, original, de la historia de la creación de Gn 1, donde, siguiendo la tradición del Oriente Antiguo, se describe el origen de la luz y la oscuridad, el océano superior y el inferior, el agua y la tierra firme (Gn 1,4b.7.9 G) a partir de una materia preexistente (cf. también vv. 14.18).

No se puede, pues, seguir dentro del AT, al menos claramente, una evolución del significado o una limitación del mismo a la creación divina; a lo más se puede detectar una especialización en cuanto a los objetos de *br'*-Creación (cf. *inf.* 3c y 4). Ambas raíces verbales, aun cuando en un tiempo quizá estuvieran unidas, están ya separadas en el AT. *br'* I tiene un cuño propio y no sobrevive en él ninguna concepción supuestamente mítica o de connotaciones de trabajo manual.

Cf. sobre este verbo, además de los comentarios y de las teologías del AT, F. M. Th. Böhl, FS Kittel (1913) 42-60; W. Foerster, ThW III, 1004-1015; J. van der Ploeg, «Le Muséon» 59 (1946) 143-157; P. Humbert, ThZ 3 (1947) 401-421 (= *Opuscules d'un Hébraïsant* [1958] 146-165); N. H. Ridderbos, OTS 12 (1958) 219-223; E. Dantinne, «Le Muséon» 74 (1961) 441-451; W. H. Schmidt, *Die Schöpfungsgeschichte der Priesterschrift* ([2]1967) 164-167; C. Westermann, BK I, 136-139.

2. *a)* El verbo (qal 38 ×; nifal 10 ×; *b^erî'ā* 1 ×; cf. la estadística en Hambert, *loc. cit.,* 146-149) aparece principalmente en el Deuteroisaías y en el (prácticamente contemporáneo) escrito sacerdotal; esporádicamente en los salmos y en otros contextos. Esta distribución nos hace sospechar que el lugar original del verbo es el lenguaje cúltico, ya que también el mensaje del Deuteroisaías está muy influido por los salmos. Por otro lado, parece que la expresión es extraña a la literatura sapiencial (a pesar de Ecl 12,1); de todos modos, llama la atención su ausencia en el libro de Job, que tantas veces se refiere al tema de la «Creación».

b) Teniendo en cuenta la escasez de testimonios preexílicos, no se puede atribuir gran antigüedad al término.

La historia yahvista de la creación (Gn 2,4bss) no emplea este verbo. Gn 6,7 J está redaccionalmente influido por el lenguaje del escrito sacerdotal (tanto en la frase relativa compuesta con *br'* como en la enumeración de los seres vivientes). Así, pues, *br'* aparece en el yahvista sólo en Nm 16,30 en la débil expresión *br' b^erî'ā,* «realizar algo nuevo, maravilloso»; pero incluso aquí no puede descartarse en principio que haya habido una elaboración posterior (cf. el concepto *'ēdā,* «comunidad», en v. 26). La promesa de maravillas como «no se han hecho nunca en toda la tierra y en todos los pueblos», que aparece en Ex 34,10, es un añadido interpolado entre el anuncio de la alianza y la proclamación de la ley. Am 4,13 introduce las doxologías del libro de Amós, que fueron intercaladas más tarde. Is 4,5 corresponde a un anuncio de salvación «no auténtico», que une de forma insólita los temas de teofanía y creación. La parénesis de Dt 4,32 (*br'* aparece aquí en una datación semejante a la de Ez 28,13.15) procede de un marco posterior (¿deuteronomístico?) del quinto libro de Moisés. Los salmos 102 (v. 19), 148 (v. 5) y también 51 (v. 12) no pueden considerarse preexílicos. La promesa de una nueva creación del pueblo en Jr 31,22 data probablemente de la época de Josías.

Puede quedar abierto el problema de la datación de Sal 89 (vv. 13.48) y 104 (v. 30), pero esta simple evidencia no bastaría para llegar a la conclusión de que el verbo *br'* pertenecía esencialmente al testimonio de la fe israelita en la creación en la época preexílica. Debemos atenernos a la opinión de J. Wellhausen de que «el concepto se fue empleando más y más a partir del exilio babilónico» *(Prolegomena sur Geschichte Israels* [[6]1927] 304).

3. El empleo de *br'* está caracterizado por algunas particularidades:

a) El sujeto de la afirmación es siempre Dios, concretamente el Dios de Israel, nunca una divinidad extranjera (cf., por ejemplo, Ez 28,13.15). «Lo más importante es que se trata de un término propio para referirse únicamente a la acción creadora de Dios y para distinguirla así de toda obra y realización humanas» (J. Wellhausen, *loc. cit.).* Ya que en el AT el verbo está reservado únicamente a Dios, no puede encontrarse ninguna analogía a esta acción creadora ni puede elaborarse ninguna representación de la misma, pues la actuación divina puede ser representable sólo en cuanto semejante a la humana. El verbo, pues, no dice nada sobre el cómo del origen.

b) Nunca se menciona una materia (expresada en acusativo o por medio de una preposición) a partir de la cual Dios crea (cf. sobre todo Gn 1,27).

c) Los objetos de *br'* son diversos, pero la mayoría de las veces se trata de algo especial, extraordinario, nuevo:

1) cielo y/o tierra: Gn 1,1; 2,4; Is 65, 17; 42,5; 45,18; cf. 40,28; Sal 148,5; 89, 13 (norte y sur = la totalidad);

2) los hombres: Gn 1,27; 5,1s; 6,7; Dt 4,32; Is 43,7; 45,12 (Dios «hizo» la tierra; «creó» a los hombres); Ez 28,13.15; Mal 2,10; Ecl 12,1; Sal 89,48;

3) pueblo de Israel: Is 43,1.15; Sal 102,19; cf. Ez 21,35 (Ammón);

4) algo maravilloso, nuevo, o cosas semejantes: Ex 34,10; Nm 16,30; Is 48, 6s; 65,17; Jos 31,22; cf. Is 41,20; 45,8; Sal 51,12; 104,30.

En algunos textos este sello específico de *br'* pasa a segundo plano. Así, en Am 4,13 («el que crea la tempestad») se emplean diversos verbos sinónimos, y en Is 42,5, a la «creación del cielo» se añade la idea de «desplegarlo». *br'* se refiere aquí a un estadio intermedio, no al estadio final de la creación.

Lo decisivo aquí —como resulta de los párrafos 3) y 4)— no es que antes de la creación no había «nada», sino el hecho de que la actuación de Dios hace surgir algo nuevo, algo que antes no existía de ese modo (cf. también Is 41, 20; Sal 51,12; 102,19). De por sí, pues, el verbo no designa una *creatio ex nihilo,* pero viene a significar precisamente lo que en otras mentalidades se quiere asegurar por medio de la expresión *creatio ex nihilo:* la creación extraordinaria, soberana, sin esfuerzo y completamente libre, por parte de Dios.

4. El profeta exílico Deuteroisaías describe con el verbo *br'* no sólo la obra divina pasada o presente (Is 40, 26.28; 42,5; 45,12.18; cf. Sal 104,30), sino también la futura (41,20; 45,8; cf. 65,17s; Jr 31,22); pues lo mismo que el mundo como totalidad es una creación (cf. 45,7), así lo es para él la nueva salvación. El escrito sacerdotal, por el contrario, limita de forma consecuente este concepto, usado antes de formas diversas, a la creación «desde el comienzo».

Con esto pasa a primer plano el carácter específico del verbo (también en Sal 148,5, en conexión con la creación por la palabra, originalmente independiente). Mientras en el DtIs el verbo está subordinado a otras expresiones más o menos equivalentes, en el escrito sacerdotal designa una acción definitiva, que no necesita ser completada, y aparece en pasajes enfáticos que, en esa forma, no pertenecen a los estratos más antiguos de la tradición. Tanto el título (Gn 1,1) como las frases conclusivas (2,3s) destacan en forma de resumen que Dios lo ha creado todo (sin elementos previos). El verbo es empleado tres veces en la narración de la creación del hombre (1,27; cf. 5,1s; no aparece en el anuncio de esta creación en 1,26); esto indica, por una parte, la peculiaridad de esta obra; por otra, nos permite renunciar a todo intento de explicar cómo ha surgido el hombre y de dónde se ha originado (son distintos Gn 2,7 y Sal 139,15). De forma semejante quedan también excluidas todas las concepciones míticas, pues incluso el monstruo marino (y con él los primeros seres vivos) ha sido creado por Dios sin esfuerzo ninguno (1,21).

A pesar de la tendencia a considerar globalmente la totalidad como obra de Dios (por ejemplo, Gn 1,1; Is 45,7; 65,17), *br'* puede también referirse a la asistencia de Dios a los particulares (Is 43,7; Mal 2,10; Ecl 12,1). Por eso Sal 51,12 puede formular la oración «crea en mí un corazón puro», que recoge la promesa escatológica de un hombre nuevo (cf. Ez 36,26 y otros).

5. Los LXX no traducen siempre *br'* por κτίζειν (cf. W. Foerster, ThW III, 999-1034), sino que (a diferencia de Aquila, Símmaco y Teodoción) lo traducen, sobre todo en Gn, por ποιεῖν (cf. H. Braun, ThW VI, 456ss). No se conserva, pues, la peculiaridad del concepto hebreo. De todos modos, la concepción helenista de la creación de la nada (cf. 2 Mac 7,28; Rom 4,17) intenta preservar —probablemente a base de elevar e invertir el principio de causalidad— lo que de hecho pretende el empleo hebreo del término *br'*.

W. H. Schmidt

ברח *brh* Huir → נוס *nūs*.

בְּרִית *b^e^rīt* Compromiso, obligación

I. 1. El sustantivo *b^e^rīt* está documentado (hasta el momento) sólo en hebreo (contra la interpretación de TAR *be-ri-ti* en dos textos acádicos de Qatna como *krt b^e^rīt,* propuesta por W. F. Albright, BASOR 121 [1951] 21s; cf. J. A. Soggin, VT 18 [1968] 210-215); la mención de un *'el b^e^rīt* (Jue 9,46) o de un *ba'al b^e^rīt* (Jue 8,33; 9,4) de Siquén (sobre esto: R. E. Clements, *Baal-Berith of Shechem:* JSS 13 [1968] 21-32) permite concluir que el término fue empleado también en cananeo.

2. Se han propuesto diversas explicaciones para aclarar la etimología de *b^e^rīt.*

a) Antes se hacía derivar *b^e^rīt* de un sustantivo acádico *birītu,* «cadena». Según eso, *b^e^rīt* sería «en primer lugar 'cadena'... y en sentido traslaticio 'acuerdo vinculante'» (R. Kraetzschmar, *Die Bundesvorstellung im AT* [1896] 245; cf. P. Karge, *Geschichte des Bundesgedankes im AT* [1910] 228s y otros). Pero, prescindiendo de otras dificultades (cf. O. Loretz, *b^e^rīt «Band-Bund»:* VT 16 [1966] 239-241), según esta explicación la expresión *krt b^e^rīt,* es decir, «cortar un *b^e^rīt»,* significaría literalmente «cortar una cuerda/una cadena», significado que no corresponde al sentido (comúnmente aceptado) de *krt b^e^rīt* como «establecer una alianza» (E. Nielsen, *Shechem* [^3^1959] 114).

b) M. Noth, *Das atl. Bundschliessen im Lichte eines Mari-Textes:* FS Lévy (1955) 433-444 = GesStud 142-154, basándose en ARM II, 37, línea 13s, relacionó *bérīt* con la preposición acádica *birīt,* «entre» (constructo de *birītu,* «espacio intermedio»). Pero en la expresión acádica *salīmam birīt ... u ... aškun,* «establecí un pacto entre ... y ...», que se puede comparar a la expresión hebrea *(krt) b^e^rīt bēn ... ūbēn ...* (G 9,17 y otros), el término *birīt* no corresponde al hebreo *b^e^rīt,* sino a la preposición *bēn.*

c) Si se pretende hacerlo derivar de un verbo *brh,* nos encontramos con que tal verbo sólo existe en árabe —y no en hebreo— con el significado de *cecidit, secuit* (así, Gesenius, *Thesaurus* I, 238s; recientemente, P. Humbert, ThZ 6 [1950] 60). Por otro lado, queda también excluida toda relación semántica con *brh* I, «comer», que podría sugerirse pensando que *b^e^rīt* designaba originalmente el banquete celebrado con ocasión de la conclusión de un tratado (Gn 26,30, cf. 28; 31,46.54, cf. 44) (E. Meyer, *Die Israeliten und ihre Nächbarstämme* [1906] 558, nota 1; KBL 152b; L. Köhler, JSS 1 [1956] 4-7, y otros); esta exclusión se debe a que *brh* designa siempre el comer de los enfermos y afligidos, del mismo modo que los sustantivos derivados *bārūt* (Sal 61,22) y *biryā* (2 Sm 13,5.7.10) designan la comida de desgraciados y enfermos.

d) Parece, más bien, que *bᵉrīt* se deriva de una raíz *brh* II (E. Kutsch, *Sehen und Bestimmen. Die Etymologie von bᵉrīt:* FS Galling [1970] 165-178; cf. ya en GB 114b). Esta raíz aparece en acádico *(barû)* con el significado base de «ver, contemplar» (AHw 109; CAD B 115); los anteriores intentos de establecer una relación entre *bᵉrīt* y esta raíz (cf., por ejemplo, H. Zimmer, *Beiträge zur Kenntnis der bab. Religion* II [1901] 50) fracasaron porque la raíz estaba documentada sólo en el sentido de «ver» referido al sacerdote receptor de oráculos. Pero, de acuerdo con el sentido acádico, el único caso hebreo de *brh* II (1 Sm 17,8: «designaos un hombre que baje contra mí») presenta el significado de «ver, designar (para una determinada tarea), elegir, determinar» (lo mismo que *r'h* en Gn 22,8; Dt 12,13; 1 Sm 16,1; 2 Re 10,3; Est 2, 9; *ḥrz* en Ex 18,21). De este sentido se deriva *bᵉrīt,* «determinación (de hacer algo concreto), obligación».

La formación y desarrollo de este significado son idénticos a los de los sustantivos *ḥōzǣ* y *ḥāzūt* (que no debe enmendarse) empleados en Isaías (Is 28,15.18) en paralelo a *bᵉrīt:* estos sustantivos se derivan del verbo *ḥzh* en el sentido documentado en Ex 18,21; ese mismo sentido: «ver > designar > determinar > ordenar» aparece también en el arameo targúmico (por ejemplo, en Lv 5,10; Jr 22,13a; 32,7s; 1 Cr 15, 13) y en palmirano (arancel en CIS II, 3913: II, 114.123.129; cf. I, 7; II, 131; DISO 85).

II. El sustantivo *bᵉrīt* aparece en el AT 287 × (sólo en singular): Gn 27 ×; Ex 13 ×, Lv 10 ×, Nm 5 ×, Dt 27 ×, Jos 22 ×, Jue 7 ×, 1 Sm 8 ×, 2 Sm 6 ×, 1 Re 14 ×, 2 Re 12 ×, Is 12 × (DtIs 4 ×, TrIs 4 ×), Jr 24 ×, Ez 18 ×, Os 5 ×, Am 1 ×, Abd 1 ×, Zac 2 ×, Mal 6 ×, Sal 21 ×, Job 3 ×, Prov 1 ×, Dn 7 ×, Esd 1 ×, Neh 4 ×, 1 Cr 13 ×, 2 Cr 17 ×.

Esta estadística es útil sólo parcialmente, dado que los libros del AT proceden de estratos muy diversos; puede resultar interesante, a la hora de las conclusiones, sólo si se tiene en cuenta la época de origen de los diversos textos. A época predeuteronomística pueden asignarse los siguientes textos: Dt 33,9 (?); 9,6.7.11.15. 16; 24,25 (?); Jue 8,33; 9,4.46; 1 Sm 18, 3; 20,8; 23,18; 2 Sm 3,12.13.21; 5,3; 23,5; 1 Re 5,26; 15,19a.b; 20,34a.b; 2 Re 11,4; en la obra del Yahvista: Gn 15,18; 26, 28; en la obra del Elohísta: Gn 21,27.32; 31,44; además, Ex 24,7.8 (?); Os 6,7; 8,1 (?); 10,4; 12,2; Is 28,15.18; del libro de los Salmos hay que citar al menos Sal 89, 4.29.35.40. Esto supone un total de 43 casos. En la época inmediatamente anterior. al exilio, *bᵉrīt* aparece con mucha mayor frecuencia; esto hace que su significado vaya enriqueciéndose, sobre todo dentro del ámbito teológico. Los testimonios son especialmente numerosos en la literatura deuteronómico-deuteronomística. A los textos de Dt 4,13 y otros 14 × en el Dt; Ex 19,5; 23,32; 34,10.12.15.27.28; Jos 23,16; Jue 2,1.2.20; 1 Re 8,23; 11,11; 19,10.14; 2 Re 11,17; 17,15.35.38; 18,12; 23,2.aα. β.b.21; Jr 11,2.3.6.8.10; 14,21; 22,9; 31, 31.32a.b.33; 34,8.10.13.15.18aα.β; Am 1,9 (62 pasajes, prescindiendo del libro de los Salmos), se añaden otros 42 textos desde Nm 10,33; 14,44; Dt 10,8, etc., hasta 2 Cr 5,2.7, textos que —ampliando secundaria u originalmente la expresión «arca de Yahvé/Dios»— hablan del «arca de la *bᵉrīt* de Yahvé/Dios», que contenía (según la concepción deuteronomística) las «tablas de la *bᵉrīt*» (Dt 9,9.11.15; 1 Re 8,9 G) (cf. 1 Re 8,9.21; y Dt 10,2). También el escrito sacerdotal, contando las adiciones y la ley de santidad, forma un amplio conjunto de 39 casos (Gn 6,18; 9,9-17: 7 ×; 14,13; 17,2-21: 13 ×; Ex 2,24; 6,4.5; 31, 16; Lv 2,13; 24,8; 26,9-45: 8 ×; Nm 18, 19; 25,12.13).

III. 1. Ya a finales del siglo XIX, J. J. P. Valeton jr., ZAW 12 (1892) 1-22.244-260; 13 (1893) 245-279, y R. Kraetzschmar, *loc. cit.* (cf. *sup.* I/ *2a),* señalaron que nuestro concepto de «alianza» no corresponde de forma adecuada al hebreo *bᵉrīt.* Por esa razón B. Baentsch, *Exodus-Leviticus-Numeri* (1903) —por poner un ejemplo— propuso para *bᵉrīt,* en Ex 2,24, «alianza»; en 6,4s, «promesa inviolable», y en 19, 5, «estatuto de la alianza». Frente a esta diferenciación, Eichrodt puso de relieve (I, 9; cf. íd., *Bund und Gesetz:* FS Hertzberg [1965] 30-49) que en Israel tanto la $b^e r\bar{i}t$ profana como la «religiosa comportan una relación recíproca: ya que, aun reconociendo la diversa repartición de obligaciones entre ambos contrayentes de la alianza, en ningún caso se pone en cuestión la reciprocidad de la relación». Más tarde, J. Begrich, *Berit. Ein Beitrag zur Erfassung einer atl. Denkform:* ZAW 60 (1944) 1-11 = GesStud 55-66, hizo un nuevo planteamiento e interpretó $b^e r\bar{i}t$ como una «relación en la que un poderoso atrae a sí a un menos poderoso» *(loc. cit.,* 4; cf. ya, sobre todo, por ejemplo, B. Duhm, *Das Buch Jesaja* [1892] 385, hablando de Is 55,3), con lo cual sólo el poderoso adquiere obligaciones y el receptor (débil) de la alianza, en cambio, no desempeña un papel activo; sólo en un segundo tiempo habría sido entendido $b^e r\bar{i}t$ como un pacto en el que se dividen los derechos y las obligaciones entre las partes. La misma unilateralidad de la $b^e r\bar{i}t$ es resaltada por A. Jepsen, *Berith. Ein Beitrag zur Theologie der Exilszeit,* FS Rudolph (1961) 161-179, quien la interpreta como una «afirmación, promesa y compromiso solemnes» *(loc. cit.,* 165-178); el autor niega que $b^e r\bar{i}t$, por lo menos en el uso profano, indique también la obligación impuesta a un segundo *(loc. cit.,* 165). De la aceptación y crítica de estas opiniones (E. Kutsch, *Gesetz und Gnade. Probleme des atl. Bundesbegriffes:* ZAW 79 [1967] 18-35; íd., *Der Begriff* $b^e r\bar{i}t$ *in vordeuteronomischer Zeit,* FS Rost [1967] 133-143; cf. también G. Fohrer, *Altes Testament- «Amphiktyonie» und «Bund»? Studien zur alt. Theologie und Geschichte* [1969] 84-119, sobre todo 103ss) se pueden sacar las siguientes conclusiones, por lo menos en lo que se refiere al uso profano.

2. $b^e r\bar{i}t$ designa no una «relación», sino que es la «determinación», el «compromiso» que toma el sujeto de la $b^e r\bar{i}t$; en ese contexto, $b^e r\bar{i}t$ puede designar precisamente la «promesa». El contenido de tal $b^e r\bar{i}t$ como «autocompromiso» se deduce del contexto: «dejar (a otros) con vida», Jr 9,15a; lo mismo en 1 Sm 11,1; Dt 7,2; Ex 23, 32s; 34,12.15; Jue 2,2; defender la vida comunitaria, 1 Sm 18,3 (Begrich, *loc. cit.,* 6; Jepsen, *loc. cit.,* 163); proteger a la esposa, Ez 16,8.60a; Mal 2, 14; sobre los compromisos adquiridos por David con respecto a los más ancianos de Israel, en 2 Sm 5,3, cf., por ejemplo, Sal 101 (y Jepsen, *loc. cit.,* 163s). No sólo los poderosos, también los subordinados, los débiles y los inferiores pueden asumir un compromiso de este tipo; así, por ejemplo, lo hace el derrotado rey arameo Ben-Hadad con respecto a Ajab de Israel, en 1 Re 20,34aβb (cf. Jepsen, *loc. cit.,* 164s; sobre el contenido, cf. v. 34aα); Israel con respecto a Asiria, en Os 12,2bα (cf. v. 2bβ), los judíos (Est 10,3) o Ezequías (2 Cr 29,10) con respecto a Yahvé. En ninguno de estos textos se incluye en el concepto $b^e r\bar{i}t$ la idea de compromiso u obligación por parte de los que se benefician de la $b^e r\bar{i}t$. Más aún: para «cortar» una $b^e r\bar{i}t$ (→ *krt),* es decir, para asumir el compromiso, el sujeto de la $b^e r\bar{i}t$ no necesita siquiera una contraparte. El rey Josías «cortó la $b^e r\bar{i}t$ ante Yahvé, para andar tras Yahvé», 2 Re 23,3aα: él asume ese compromiso sobre sí y el pueblo le siguió en un acto posterior (v. 3b); esto sucede *ante* Yahvé, no «con Yahvé». No existe, pues, una conclusión de la alianza con Yahvé o con el pueblo. El mismo empleo lingüístico aparece en Ex 34,10; Jr 34,15b.18aβ; Os 10,4; 2 Cr 15,12; 34,31 (cf. también Neh 10, 1.30). En Sal 83,6, cf. también 2 Cr 23,16, los enemigos de Yahvé se comprometen a marchar juntos contra Yahvé.

El que asume el compromiso lo puede reforzar por medio de un rito de automaldición pasando por entre las dos partes de un animal despedazado (Jr 34,15b.18aβ.19; Gn 15,17s): caso de que no cumpla su palabra, perecerá lo mismo que ese animal.

3. El sujeto de la *b^erīt* impone una obligación a la contraparte, es decir, a aquel con quien «ha cortado» la *b^erīt*. Así lo hace, según Ez 17,13ss, Nabucodonosor con el rey judío Sedecías: sólo este último, y no el babilonio, «caerá bajo la maldición» (v. 13bα) caso de que no «guarde» la *b^erīt* (sobre *krt b^erīt [ʾæt-]*, en Ez 17,13aβ, cf. el arameo *gzr ʿdn [ʿm]* en KAI N. 222 A, línea 7). De forma semejante, los de Guerar quieren imponer una obligación a Isaac (Gn 26,28, cf. v. 29a), David toma a Abner a su servicio (2 Sm 3, 12s), los israelitas imponen una obligación a David (como rey, 2 Sm 3,21, cf. 2 Cr 23,3) y también, según Is 28, 15.18, a la muerte (es decir, le obligan a que les respete la vida), el rey Sedecías impone una obligación a los judíos y a los jerosolimitanos (es decir, que dejen en libertad a los esclavos, Jr 34,8), Job la impone a las piedras del campo (Job 8,23; sobre esto, cf. Horst, BK XVI/1,87s) o a sus ojos (Job 31,1), el sacerdote Yehoyadá «encerró» a los jefes de la tropa de palacio (2 Re 11,4). En ninguno de estos textos comporta la *b^erīt* una obligación para los que «cortan la *b^erīt*».

4. Partiendo del autocompromiso (cf. *sup.* 2) se puede llegar al compromiso recíproco asumido por dos o más partes, se puede llegar a la *b^erīt* recíproca. Así, Salomón y el rey Jirán de Tiro han «cortado ambos una *b^erīt*» (1 Re 5,26bβ); entre ellos hubo → *šālōm* (v. 26bα). También la *b^erīt* entre los reyes de Damasco y de Judá (1 Re 15,19a) fue entendida como «pacto de no agresión», como compromiso mutuo de conservar la paz; y lo mismo la *b^erīt* entre el arameo y Bašá de Israel (v. 19b). También era recíproca, según 1 Sm 23,18, la *b^erīt* entre Jonatán y David, así como, según Gn 31,44, la *b^erīt* entre Jacob y Labán. En este empleo, secundario y poco frecuente, del término se fundamenta la traducción de *b^erīt* por «alianza».

5. Finalmente, también un tercero puede establecer una *b^erīt* para dos «partes». Ahora bien, en el AT no se da ningún ejemplo que muestre que este tipo de *b^erīt* comporte obligaciones para ambas partes (sobre el «modelo», cf. ARM II, 37, líneas 6-14, y además Noth, *loc. cit.*, 142ss). En la *b^erīt* que, según 2 Re 11,17b, ha establecido el sacerdote Yehoyadá «entre el rey y el pueblo» debe tratarse —atendiendo a 2 Sm 3,21; 5,3 y 2 Cr 23,3)— de obligaciones del rey respecto al pueblo. También en 2 Re 11,17a la obligación (a saber: «ser un pueblo de Yahvé», v. 17a) cae claramente de un lado, es decir, del lado del pueblo. También entra aquí la *b^erīt* que, en beneficio de Israel, quiere establecer Yahvé con las fieras del campo, etc. (Os 2,20, cf. *inf.* 7*c;* sobre el tema, cf. Ez 34,25; Lv 26,6, así como H. W. Wolff, *Yahwe als Bundesvermittler:* VT 6 [1950] 316-320).

6. El establecimiento *a)*, el mantenimiento *b)* y la violación o supresión *c)* de una *b^erīt* son designados por diversos verbos (en los párrafos siguientes se tendrá en cuenta también el empleo teológico).

a) La expresión más antigua y más frecuente es *krt b^erīt,* literalmente, «cortar una *b^erīt*», que debe traducirse por «llegar a una determinación, establecer una obligación». Hay que señalar —contra lo que se opina normalmente— que esta expresión no deriva del despedazamiento de los animales, según Jr 34,18s y Gn 15,10.17 (→ *krt*). Cf. *krt* → *ʾālā* (Dt 29,11.13 y en fenicio en KAI N. 27, línea 8s), *krt ʾdābār* (Ag 2,5), *krt ʾamānā* (Neh 10,1).

Inmediatamente antes del exilio aparece la fórmula → *qūm* hifil *b^erīt,* «establecer, poner en vigor una *b^erīt*» (Ez 16,60 y *passim;* cf. 2 Re 23,3aβ); cf. *qūm* hifil con *š^ebūʿā,* «juramento», como objeto (Gn 26,3 y *passim), nédær,* «voto» (Nm 30, 14s; Jr 44,25), *dābār,* «palabra, promesa» (Dt 9,5 y *passim),* pero también «palabra de la torá» (Dt 27,26 y *passim), miṣwā,* «mandato» (Jr 35,16 y *passim).* También las siguientes expresiones son tardías: con *b^erīt* como objeto aparecen los verbos *ntn,* «dar» (Gn 9,12; 17,2; Nm 25,12); *śīm,* «establecer» (2 Sm 23,5), *šbʿ* nifal, «jurar» (Dt 4,31 y *passim), ngd* hifil, «anunciar» (Dt 4,13), *ṣwh* piel, «ordenar» (Dt 4,13 y *passim);* con la partícula *b^e*, «en», delante de *b^erīt* aparecen los verbos *bō'*, «entrar» (Jr 34,10; Ez 16,8; 2 Cr 15,12; cf. 1 Re 8,31 = 2 Cr 6,22, con *'ālā;* Neh 10,30, con *'ālā* y *š^ebū'ā), 'br,* «entrar» (Dt 29,11), *'md,* «permanecer» (2 Re 23,3b); además, *bō'* hifil, «hacer entrar» (1 Sm 20,8; cf. Ez 17,13, con *'ālā), lqḥ,* «tomar» (2 Cr 23, 1; Ez 17,13b [?]), *'md* hifil, «hacer permanecer» (2 Cr 34,32, texto enmendado).

b) También los verbos que se refieren al mantenimiento de una *b^erīt* aparecen a finales de la monarquía: referido a una *b^erīt* profana: *zkr,* «recordar» (Am 1,9), y *šmr,* «conservar» (Ez 17,14); referido a Dios con respecto a su *b^erīt* = «promesa»: *zkr* (Gn 9,5 y otras 11 ×), *šmr* Dt 7,9 y otras, 6 ×; cf. Dt 7,8; 1 Re 2,43, con *š^ebū'ā* como objeto); referido al hombre con respecto a la *b^erīt* de Dios = «ley»: *šmr* (Gn 17,9 y otras 5 ×; cf. 1 Sm 13, 13 y *passim,* con *miṣwā* como objeto), *nṣr,* «conservar» (Dt 33,9; Sal 25,10), *'mn* nifal, «ser fiel» (Sal 78,37), *ḥzq* hifil, «mantener» (Is 56,4.6).

c) Para expresar la violación o la supresión de una *b^erīt* se emplean: en el uso profano, el hombre con respecto a una *b^erīt* = «promesa»: *ḥll* piel, «profanar» (Sal 55,21; Mal 2,10), *prr* hifil, «romper» (1 Re 15,19); Dios con respecto a su *b^erīt* = «promesa»: *prr* hifil (Lv 26,44; Jue 2,1), *škḥ,* «olvidar» (Dt 4,31), *ḥll* piel, «profanar» (Sal 89,35), *n'r,* «abandonar» (Sal 89,40); el hombre con respecto a una *b^erīt* de Dios = «ley»: *prr* hifil (Gn 17,14 y *passim;* cf. Nm 15,31 y Esd 9,14 con *miṣwā;* Sal 119,126, con *tōrā,* pero también Zac 11,14, con *'aḥ^awā,* «hermandad»), *'br,* «transgredir» (Dt 17,2 y otras 7 ×; además, Os 6,7 [?], cf. Dn 9,11, con *tōrā;* 2 Cr 24,20 y Eclo 10,19, con *miṣwā;* Nm 22,18 y 1 Sm 15,24, con *pǣ,* «declaración, orden»), *'zb,* «abandonar» (Dt 29,24 y otras 4 ×; cf. Prov 4,2, con *tōrā;* Dt 26, 13, con *miṣwā), m's,* «rechazar» (2 Re 17, 15, con *ḥuqqīm;* Lv 26,15 y Ez 20,24, con *ḥuqqōt;* 2 Re 17,15, con *'ēdōt;* Is 5, 24, con *'imrā;* 1 Sm 15,23.26, con *dābār), šḥt* piel, «extirpar» (Mal 2,8), *rš'* hifil, «contraer una culpa» (Dn 11,32), *šqr b^e*, «actuar deslealmente con» (Sal 44,18), cf. también *gō'al,* «impurificación» (Neh 13, 29); el hombre con respecto a una *b^erīt* = «promesa» establecida con Dios: *škḥ,* «olvidar» (Jr 50,5).

7. La diversidad de modos de empleo de nuestro término, que se han indicado en la sección III/2-4, es confirmada por ulteriores detalles.

a) En los casos en que *b^erīt* designa el autocompromiso pueden aparecer como paralelos los sustantivos *š^ebū'ā,* «juramento» (Sal 105,9 = 1 Cr 16,16; cf. también *šb'* nifal *š^ebū'ā,* Nm 30,7; Jos 9,20 junto a *šb'* nifal *b^erīt* en Dn 4,31; 8,18) o bien *'ālā,* «maldición» (Dt 29,11.13; Gn 26,28; Ez 16,59; 17,18s). Por el contrario, en los casos en que *b^erīt* designa el compromiso de otro aparecen como paralelos sustantivos distintos, sustantivos que responden a este nuevo sentido: *tōrā,* «instrucción» (Os 8,1; Sal 78,10; cf., por ejemplo, Dt 28,69 junto a v. 58; 2 Re 23,3aβ junto a v. 24; 2 Re 23,2.29 junto a 22,8.11), *ḥuqqīm* y *ḥuqqōt,* «decretos» (2 Re 17, 15; Sal 50,16 o 1 Re 11,11; cf., por el contrario, *ḥōq,* «decreto a favor de», en Sal 2,7, junto a *b^erīt* y *š^ebū'ā* en Sal 105, 9s = 1 Cr 16,16s), *tōrōt* y *ḥōq,* «instrucción» y «decreto» (Is 24,5), *'ēdōt,* «mandatos» (2 Re 17,15; Sal 25,10; 132,12), *piqqūdīm,* «órdenes» (Sal 103,18), *'imrā,* «palabras (de Yahvé)» en el sentido de «mandato» (Dt 33,9).

b) Cuando el «establecer una *b^erīt*» lleva consigo un autocompromiso del sujeto que la realiza, se puede decir también que éste «ha jurado» (cf. Jos 9,15b con v. 15a; 1 Sm 20,12 G [I] con 18,3; Esd 10,5 con v. 3; Sal 89,4; cf. también Os 10,4; Ez 16,8; 2 Cr 15,12.14). Cuando, por el contrario, el sujeto de la *b^erīt* impone una obligación a otro, se puede decir que «le ha hecho jurar» (2 Re 11,4; cf. también Ez 17,13). Si se trata de una *b^erīt* recíproca, se puede decir que «ambos han jurado (recíprocamente)» (cf. 1 Sm 20,42 con 23,18; Gn 21,31b con v. 32a).

c) La diversidad de empleos señalada en III/2-4 queda reflejada también en el uso de las preposiciones que unen a la otra parte con la expresión *krt b^erīt.* La preposición *l^e*, «para», se emplea cuando se trata de un autocompromiso; este autocompromiso redunda en beneficio de otro. *'æt-* e *'im,* «con», son excepción en este sentido (Gn 15,18; Sal 105,8s = 1 Cr 16, 15s; Zac 11,10 u Os 12,2; Job 40,28; Neh 9,8). Cuando, por el contrario, se trata de imponer una obligación a otro, la partícula usada preferentemente es *'æt-* (Jr 34,8; Ez 17,13; Ex 34,27; Dt 5,3 y *passim)* o *'im* (Os 2,20; Ex 24,8 y *passim;* en arameo, cf. KAI N. 222 A, línea 1 y *passim);* como excepción aparece *l^e* (Jos 24,25;

2 Re 11,4; Job 31,1). La *b^erīt* recíproca se establece *bēn ... ūbēn ...*, «entre ... y ...» (1 Re 15,19). En los textos recientes se pueden emplear las mismas preposiciones para el autocompromiso (Gn 9,12s. 15-17; 17,2.7), para un compromiso tomado conjuntamente por varios (2 Cr 23,16) o también para la obligación impuesta a otro (Gn 17,10s). Cuando un tercero establece una *b^erīt* destinada a dos «partes», aparece —como es natural— *ʿim* referido al que adquiere la obligación y *l^e*, «en favor de», referido al que se beneficia de la obligación del otro (Os 2,20: hombres y bestias no son, pues, «*partners* de la alianza»). En 2 Re 11,17a, y también en v. 17b, ambas partes aparecen unidas por medio de *bēn ... ūbēn,* aun cuando la obligación recae sólo sobre una de ellas.

Caso especial son los textos en los que el afectado por una *b^erīt* aparece en acusativo. También en estos casos *b^erīt* puede designar un autocompromiso (Lv 26, 42: «me acuerdo de mi *b^erīt* ['promesa'] para con Jacob [Isaac, Abrahán]»; cf. Jr 33,21a.b), o bien una «obligación, determinación, orden» (Jr 33,20a: «si vosotros podéis romper mi *b^erīt* ['determinación, orden'] respecto al día y mi 'orden' respecto a la noche», es decir, que ambos aparezcan a su debido tiempo, v. 22b; cf. v. 25 y *ḥōq,* «orden», referido a las estrellas en Sal 148,6). Teniendo esto en cuenta, deben aceptarse como correctos los acusativos del texto masorético en Is 59, 21; Ez 16,8.60; 37,26 (sobre este tema, cf. GK § 118m.q; BrSynt § 80e).

IV. 1. Al ser llevado al ámbito teológico *b^erīt* se aplica a la relación entre Dios y el hombre. Sujeto de la *b^erīt* es, por lo general, Yahvé; es «su» *b^erīt;* él es quien establece la *b^erīt* (incluso en 2 Re 11,17a; Jr 50,5; Esd 10, 3; 2 Cr 29,10, donde los israelitas o Ezequías realizan una *b^erīt* respecto a Yahvé, no se deja de señalar la superioridad de Yahvé). En estos casos, *b^erīt* puede designar o bien el autocompromiso de Yahvé, su promesa de hacer o dar algo concreto (IV/2, cf. III/2) o bien la obligación que Yahvé impone a los hombres (IV/3, cf. III/3), pero nunca un compromiso recíproco (IV/4, cf. III/4).

2. De la *b^erīt* de Yahvé, entendida como «autocompromiso, promesa», se habla en el AT en circunstancias diversas. El contenido de esa *berīt* varía según quienes sean los receptores de la misma y según sea la situación en que éstos se hallan.

a) Como receptores de una *b^erīt* aparecen en primer lugar los patriarcas. Los afecta una *b^erīt* en tres aspectos: (1) Yahvé promete a Abrahán (y a su descendencia) la tierra de Canaán: ya en el yahvista en Gn 15,18; después en Ex 6,4 (P); Sal 105,10 = 1 Cr 16, 17. (2) P presenta también la promesa patriarcal de la «gran descendencia» como una *b^erīt:* Gn 17,2 + 6.3-5. (3) Finalmente, también la promesa de Yahvé de ser el Dios de los patriarcas y de Israel aparece como una *b^erīt,* sobre todo en el escrito sacerdotal y en la obra deuteronomística: Gn 17,7.(8b); (Lv 26,45). Esta misma *b^erīt* es la que se menciona en los pasajes que afirman que Yahvé se acuerda de su *b^erīt* —para ayuda y salvación de Israel— (Ex 2,24; 6,5 P; Lv 26,42.44; Jr 14, 21; Sal 106,45; 11,5; cf. 2 Re 13,23) y también en aquellos en que se dice que Yahvé mantiene su *b^erīt* y su fidelidad *(ḥæsæd)* (Dt 7,9.12; 1 Re 8,23; Neh 1,5; 9,32; 2 Cr 6,14); cf. también la *b^erīt* que Yahvé ha jurado a los padres de Israel (Dt 4,31; 7,12; 8,18).

En los tres casos la *b^erīt* constituye la forma de garantía más importante junto al juramento (referente al don de la tierra: Gn 24,7 J; 26,3, añadido a J; 50,24 E; Dt 1,8.35 y *passim;* a la gran descendencia: Gn 22,16s E; Ex 32,13, deuteronomista; a la promesa de ser su Dios: Dt 29,12b) y a la simple promesa por la palabra (referente al don de la tierra: Gn 12,7; 13,14s.17; 28,13 y *passim;* a la gran descendencia: Gn 12, 2 J; 22,17 R^JE [?]; 26,4, añadido a J; 26,24 J; 28,3; 48,4 P; Ex 32,13, deuteronomista; a la promesa de ser su Dios: Ex 29,45; cf. 25,8; Dt 29,12aβ; Ez 34,24aα, cf. v. 24b; cf. también Lv 11,45; 22,33; 25,38; 26,45; Nm 15, 41). Una diferente valoración de los hijos de Abrahán se manifiesta, entre otros detalles, en que en Gn 17 a Ismael, el hijo de la esclava, se le promete, sí, bendición y gran descendencia (17,20) (cf. Gn 16,10 J) lo mismo que a Isaac (cf. v. 16), pero la *b^e^rīt* de Yahvé está reservada a Isaac (vv. 19. 21) (esta *b^e^rīt* se refiere, según algunos manuscritos de los LXX, a la promesa de ser su Dios).

b) La *b^e^rīt* establecida por Yahvé para David contiene la promesa de que el trono permanecerá para siempre y que será ocupado siempre por un descendiente de David (2 Sm 23,5; Sal 89,4.29.35.40; Is 55,3; Jr 33,21; 2 Cr 13,5; 21,7; junto al juramento: Sal 89, 4; 132,11; junto a la simple promesa: 2 Sm 7,11b.16.25; 1 Re 8,20; Jr 33, 17; 1 Cr 22,8, cf. v. 10; cf. Sal 89,35).

c) También la promesa que Yahvé hizo a Noé de que no volvería a castigar la tierra con un nuevo diluvio recibe en P el nombre de *b^e^rīt* (Gn 9, 8-17; cf. la simple promesa en J Gn 8, 21 y el juramento en Is 54,9). El arco iris, como signo de la *b^e^rīt,* valdrá para recordar a Yahvé su promesa (Gn 9, 12-17).

d) *b^e^rīt* aparece también como garantía divina que asegura a Leví (Mal 2,4s.8; Jr 33,21b, cf. v. 18.22) o Pinjás (Nm 25,12s; cf. Neh 13,29) el sacerdocio permanente.

e) Tras la conquista de Jerusalén y la caída del Estado de Judá en el año 587 a. C. surge la siguiente pregunta: vista la desobediencia del pueblo, ¿abandonará o no abandonará Yahvé su *b^e^rīt,* su promesa a los padres? Esta pregunta recibe diversas respuestas. Según un punto de vista, Yahvé mantiene firme su *b^e^rīt* incluso en la situación del exilio (Lv 26,44, con los israelitas; Jr 33,21, la *b^e^rīt* con David y con Leví), se acuerda de su *b^e^rīt* (Lv 26,42 [*b^e^rīt* con los patriarcas].45 [*b^e^rīt* del éxodo]). Por otro lado, en la profecía aparece el anuncio de que Yahvé volverá —de nuevo— a establecer una *b^e^rīt* con su pueblo: promete que preservará a Israel de una desgracia semejante a la actual, lo mismo que hizo a la humanidad después del diluvio (Is 54,9s), le anuncia un futuro feliz (Is 61,8), el tiempo escatológico de salvación en el que desaparecerán guerras y peligros naturales (Ez 34,25; Os 2,20, texto secundario). Pero, sobre todo, Yahvé cuidará de que la relación entre Dios y el pueblo no volverá a romperse por la desobediencia de Israel. Su *b^e^rīt* = «promesa» consiste en que su espíritu (es decir, el espíritu de obediencia) y las palabras (de la ley) que ha puesto en boca de los israelitas no abandonarán jamás a éstos (Is 59,21). Y junto con el anuncio de que Yahvé les dará un solo corazón y un único camino para que le teman siempre (sobre el tema, cf. Jr 24,7; Ez 11,19; 36,26s; sobre Jr 31,31-34, cf. *inf. 3d)* está la *b^e^rīt* de que Yahvé no dejará nunca de hacerles el bien (Jr 32,39s). En esta promesa de un futuro salvífico (cf. *b^e^rīt šālōm,* Is 54,10; Ez 34,25; 37,26) se puede apelar también a una *b^e^rīt* más antigua (Ez 16,60; cf. Is 55,3).

3. *a)* *b^e^rīt* puede aparecer como paralelo en cuanto al contenido y a la formulación de *tōrā,* «instrucción»; *ḥōq,* «orden», y semejantes (cf. *sup.* III/7*a);* en ese caso *b^e^rīt* designa la imposición de la voluntad divina con respecto a los hombres. En muchos casos no se determina en detalle cuál es el contenido de esta obligación que Dios impone a los hombres; *b^e^rīt* abarca con frecuencia la totalidad de las determinaciones divinas, por ejemplo, Is 24,5; Os 8,1; Sal 25,10 y otros. En otros textos, el contenido se deduce del contexto, como, por ejemplo, en Prov 2, 17; cf. Ex 20,14; Dt 5,18 (Lv 20,10).

b) En el ámbito deuteronomístico la comunicación de la *b^e^rīt* de Yahvé = «determinación, obligación» (para Israel), aparece unida a dos lugares: 1) al Horeb y 2) al país de Moab (cf. la confrontación en Dt 28,69).

1) La *b^e^rīt* del Horeb está ligada, según JE, a la comunicación de la voluntad divina en el Sinaí. Aquí *b^e^rīt* designa el decálogo, las «diez palabras», que están escritas en las dos tablas (Dt 4,13; 5,2.22 [vv. 6-21, decálogo]; 9,9.11.15; 1 Re 8, [9 G].21), que fueron colocadas dentro

del arca (1 Re 8,9.21; cf. Dt 10,2; sobre el «arca de la *b^erīt* de Yahvé», cf. *sup.* II). En otros pasajes es sólo el primer mandamiento, a saber: no adorar a otros dioses distintos de Yahvé, el que es designado como *b^erīt* (Dt 17,2; 29,24s; 31,16.20; 1 Re 11,11; cf. v. 10; 19,10.14 [aquí *b^erīt* aparece introducido secundariamente en sentido deuteronomístico]; 2 Re 17,15.35. 38; Jr 11,3s.10; 22,9; cf. también 2 Re 23, 3aα.b y 2 Cr 34,42 junto a 2 Re 23,4ss y 2 Cr 34,33).

2) Como dato «característico» de la obra deuteronomística debe considerarse la concepción de una *b^erīt* = «obligación» impuesta por Moisés a Israel en el país de Moab (Dt 28,69; 29,8.[11].13.20). El contenido de dicha obligación es, precisamente, la ley deuteronómica (cf. también Dt 15, 1.12 con Jr 34,12-14), que se hace remontar, como *«b^erīt* de Moab», al tiempo de Moisés; lo mismo hace Ex 24,3-8 con respecto al llamado código de la alianza (Ex 22-23,19).

c) En la época exílica aparece por primera vez la idea de una *b^erīt* impuesta a un patriarca: la ley de la circuncisión según P en Gn 17,9ss (v. 10 la diferencia claramente de la *b^erīt* = «promesa» en vv. 2.4.7). En esta época también la observación del sábado es designada como *b^erīt* (Ex 31,16 P^s; Is 56,4) y también (Gn 17,13; Ex 31, 16) la colocación de los panes de la dedicación es designada como «*b^erīt* eterna» (Lv 24,8).

d) Como expresa contraposición a la *b^erīt* = «obligación» impuesta cuando el éxodo de los padres de Egipto (cf. *sup.* 3b[1]), *b^erīt* que Israel ha roto, Jr 31,31-34 anuncia una *b^erīt ḥ^adāšā,* una «nueva obligación», en la cual Yahvé colocará su instrucción en el corazón de los israelitas; así éstos la cumplirán y la relación entre Dios y el pueblo quedará asegurada (sobre esto, cf. *sup. 2e).*

e) El acto de comunicación de la ley, sea en el Sinaí/Horeb, sea en el país de Moab, no es designado nunca como *b^erīt;* esta designación se reserva a lo comunicado, a lo determinado; no existe, por tanto, ninguna *b^erīt* como «alianza del Sinaí». Este dato aporta nueva luz sobre contraposiciones como «alianza del Sinaí-alianza de David» (cf. L. Rost, ThLZ 72 [1947] 129-134; M. Sekine, VT 9 [1959] 47-57) y «alianza del Sinaí-alianza de Abrahán» (cf. W. Zimmerli, ThZ 16 [1960] 268-280).

4. Desde un punto de vista teológico, reviste especial importancia el hecho de que el AT no presente la relación entre Dios y el hombre como una *b^erīt* recíproca, como una *b^erīt* en la que Dios por una parte y los hombres por otra asumen obligaciones a las que se pudiera apelar por ambas partes (como ocurre, por ejemplo, en la *b^erīt* entre Salomón y Jiram, 1 Re 5,26). En la mal llamada «fórmula de la alianza» (más adecuado sería llamarla «fórmula de pertenencia») «Yahvé, el Dios de Israel-Israel, el pueblo de Yahvé» (sobre esto, cf. R. Smend, *Die Bundesformel* [1963]), la relación entre Dios e Israel es descrita por medio de los conceptos «Dios-pueblo» en el sentido de «señor-siervo». En esta relación «Dios-pueblo» Dios es el único que impone obligaciones. Así, Dios puede hacer depender la realización de su *b^erīt* = «promesa» del cumplimiento de diversas condiciones (Dt 7,9; 1 Re 8, 23); puede hacer depender la relación «Dios-pueblo» de la observancia de su *b^erīt* = «obligación» (Ex 19,5; cf. Sal 132,12). Pero el hombre, aun cumpliendo estas obligaciones, no puede exigir a Dios que cumpla su promesa; la garantía de que esa promesa se cumplirá reside exclusivamente en el hecho de que Dios mantiene su promesa. Si con el término *partners* se quiere designar a personas relacionadas mutuamente con igualdad de derechos, entonces es peligroso hablar de *partnership* entre Dios y el hombre.

V. 1. El hebreo posterior al AT emplea el término *b^erīt* en el mismo sentido que el AT (sobre *b^erīt* en el judaísmo primitivo, cf. J. Behm, ThW II, 128-131; A. Jambert, *La notion d'alliance dans le judaïsme* [1963]).

a) El Eclo emplea *b*ᵉ*rīt* en el sentido de obligación que uno asume: por parte de hombres, 4,19 (paralelo a *ʾlh);* 44,12 (cf. P. A. H. de Boer, FS Baumgartner [1967] 25-29).20 (Abrahán recibe la *b*ᵉ*rīt* de la circuncisión); por parte de Dios con respecto a Noé, 44,17s; con respecto a los padres, 44,22; con respecto a Aarón, 45,15 (sacerdocio); con respecto a Pinjás, 45,24 (sumo sacerdocio); con respecto a David, 45,25.

b) En Qumrán, *b*ᵉ*rīt* aparece: 1) Empleado no teológicamente: como autocompromiso, 1QS 1,16 (cf. 2 Re 23,3a); también en la expresión *yqym bbryt ʿl npšw,* «debe colocarlo en su persona por medio de una *b*ᵉ*rīt»* (es decir, «distinguirse de los hombres criminales»), 1QS 5,10 (cf., además, 1QH 14,17, así como CD 16,1.4.9). En la expresión *bʾy bryty,* «los que han entrado en mi (del orante) *b*ᵉ*rīt»* = «los que están obligados conmigo» (1QH 5,23), *b*ᵉ*rīt* debe entenderse como obligación impuesta a otro; cf., en el mismo sentido, «los hombres de su (de los sacerdotes) *b*ᵉ*rīt»,* 1QS 5,9; 6,19; 1QSa 1,2.

2) Dentro del ámbito teológico, en los textos en que se afirma que Dios «se acuerda» de su *b*ᵉ*rīt* (1Q 34 3,2,5; 6QD 3,5; CD 1,4; 6,2; 4Q DibHam 5,9), o que «mantiene» su *b*ᵉ*rīt* (por ejemplo, 1QM 18,7), ésta designa el autocompromiso, la promesa de Yahvé. Deben también mencionarse aquí la «promesa» a los padres (1QM 13,7; 14,8; CD 8,18 = 19,31), a David (4QDIbHam 4,6), a los sacerdotes (1QM 17,3). Como «obligación», *b*ᵉ*rīt* se refiere a «actuar conforme a lo que él (Dios) ha ordenado, sin desviarse de ahí...» (1QS 1,16s) y a «distinguirse de los hombres criminales» (5,10 y semejantes). Se piensa en esta obligación cuando se habla de entrar en la *b*ᵉ*rīt (bōʾ,* 1QS 2,12.18 y *passim; ʿbr,* 1,18.20 y *passim).* Como «obligación» debe entenderse también la *bryt ḥdšh* (CD 6,19; 8, 21; 19,33) que, según CD 20,12, se ha puesto en vigor *(qym* piel) «en el país de Damasco (= ¿Qumrán?)» y en la que se entra allí (6,19).

3) *b*ᵉ*rīt* en Qumrán puede designar también a un grupo de personas: así, en 1QS 5,11.18, «(los hombres criminales) no son contados en su (de Dios) *b*ᵉ*rīt»* (cf. CD 19,35: «[los apóstatas] no son contados en la asamblea del pueblo»); lo mismo en 1QM 14,4, donde «su *b*ᵉ*rīt»* está en paralelo a «pueblo de su redención», y 17,7, donde «*b*ᵉ*rīt* de Israel» es paralelo de «lote (= pueblo) de Dios». También en Dn 11,22.28.30a.b (pero no en 9,27 y 11,32) se usa *b*ᵉ*rīt,* según parece, en el mismo sentido. En ambos casos se hace referencia a los creyentes, a aquellos que hacen la voluntad de Dios.

2. El arameo targúmico traduce *b*ᵉ*rīt* (excepto en tres ocasiones) por medio de *q*ᵉ*yām,* que tampoco significa —como sucede con *b*ᵉ*rīt*— «alianza» o semejantes, sino que significa «disposición» (cf. *qym* piel, así como el arameo pael).

*q*ᵉ*yām* cubre todo el campo semántico de *b*ᵉ*rīt,* como se deduce del hecho que *q*ᵉ*yām* puede traducir no sólo *b*ᵉ*rīt,* sino también los términos hebreos *š*ᵉ*būʿā,* «juramento» (por ejemplo, Nm 30,3; Dt 7,8; Hab 3,9); *nḗdær,* «voto» (por ejemplo, Gn 28,20; 31,13), y también *ḥōq,* «orden» (por ejemplo, Ex 18,16.20; Sal 99,7; cf. el arameo-bíblico *q*ᵉ*yām,* «orden», en Dn 6,8.16). La traducción de *b*ᵉ*rīt* por *g*ᵉ*zērā,* «determinación, ley» (2 Re 17,15) o por *ʾōrā-y*ᵉ*tā,* «doctrina, ley» (Lv 26,25; Ez 16, 61) confirma que las personas familiarizadas con el arameo podían captar en *b*ᵉ*rīt* el aspecto de «ley».

Sobre esto y sobre V/3-4, cf. E. Kutsch, *Von b*ᵉ*rīt zu «Bund»:* KuD 14 (1968) 159-182.

3. Más problemático resultó el paso a la lengua y mentalidad griegas. Los LXX traducen *b*ᵉ*rīt,* en todos los sentidos posibles mencionados en III y IV, por διαθήκη en *ca.* 267 ×; en 1 Re 11,11 lo traduce por ἐντολαί (sobre los demás casos, cf. Kutsch, *loc. cit.,* 166, nota 27). Aquí se entiende *b*ᵉ*rīt* (no como «alianza, pacto» o semejantes, sino) rectamente como «orden, determinación»; de todos modos, la traducción por medio de διαθήκη («última decisión de la voluntad, testamento») no tiene en cuenta el aspecto de «última voluntad» que encierra de por sí este sustantivo (igual que Aristófanes, *Aves,* 440s; cf. Kutsch, *loc. cit.,* 167, nota 30).

A este empleo de διαθήκη responde el hecho de que los LXX lo usen también para traducir *tōrā,* «instrucción» (Dn G 9,13), *ʿēdūt,* «determinación» = decálogo (Ex 27,21; 31,7; 39,35 [= G v. 14]), *kātūb,* «lo escrito (en el libro [de la ley] de Moisés)» (2 Cr 25,4). También el nieto de Jesús Ben Sirá emplea διαθήκη 8 × para traducir el término *bᵉrīt* (Eclo 41,19 [Rahlfs: v. 20]; 44,12.18.20.22.[23]; 45, 15.24.25), pero asimismo lo usa 9 × para traducir *ḥōq* y en 47,11 para traducir *ḥuqqā,* «orden».

A diferencia de los LXX, Aquila traduce *bᵉrīt* en 26 ocasiones por συνθήκη, «alianza, pacto», y (quizá) en 3 ocasiones por διαθήκη. También Símmaco prefiere συνθήκη (24 : 7); Teodoción, en cambio, con sólo 4 casos de συνθήκη se acerca más a los LXX, caso de que no haya de atribuirse διαθήκη (11 casos) al modelo que usó como base de su versión.

4. La versión vetero-latina del AT, que traduce (con poquísimas excepciones) *bᵉrīt* por *testamentum,* ofrece una traducción literal de los LXX, pero se aleja todavía más del concepto hebreo. En su nueva versión del AT, hecha directamente del hebreo por los años 390-405, san Jerónimo traduce *bᵉrīt* 135 × por *foedus* y 96 × por *pactum;* sigue, por tanto, la línea de Aquila, de Símmaco y también, quizá, la de sus maestros hebreos. *Testamentum* aparece pocas veces en la Vulgata, pero es frecuente en el libro de los Salmos, ya que el Salterio fue tomado de una elaboración anterior.

E. KUTSCH

ברך *brk* piel **Bendecir**

I. 1. La raíz *brk,* «bendecir», está documentada en semítico noroccidental y meridional (el material de las inscripciones está tratado con detalle en W. Schottroff, *Der altisraelitische Fluchspruch* [1969] 178-198, y G. Wehmeier, *Der Segen im AT* [1970] 8-66).

En acádico está representada por *karābu,* «orar, consagrar, bendecir, saludar» (*ikribu,* «oración, consagración; bendición»). De todos modos, la idea de bendición en sentido estricto no desempeña en Babilonia un papel importante y en el empleo de *karābu* domina el aspecto de saludo (cf. B. Landsberger, MAOG 4 [1928-29] 294-321; AHw 369s.445s; CAD I/J 62-66). Es poco probable que exista una relación etimológica entre *brk* y *karābu* (cf. el árabe meridional antiguo *krb,* «consagrar, ofrecer»).

Los numerosos derivados árabes, empleados sobre todo en fórmulas de agradecimiento y de felicitación, se basan todos en el término fundamental *baraka;* este término designa la fuerza benéfica que pasa de Dios o de los santos a determinados animales, plantas u objetos y les asegura plenitud, bienestar, salud y suerte (cf. DAFA I, 567; en época anterior al islamismo no se pensaba en relacionarlo con la actuación de ninguna divinidad; pero el Corán, influido sin duda por el semítico noroccidental, atribuye expresamente a Dios la bendición, cf. J. Chelhod, RHR 148 [1955] 81s.87s; A. Jeffery, *The Foreign Vocabulary of the Qurʾan* [1938] 75; en la fe popular ambas concepciones rivalizan entre sí).

Resulta difícil determinar cuál es la relación entre *brk* y el hebreo *bæræk,* «rodilla», por una parte (cf. el acádico *birku,* «rodilla», también «energía, fuerza» y «seno», empleado eufemísticamente para designar los órganos sexuales y en los ritos de adopción; cf. Dhorme 108.156s; AHw 129a; M. Cohen, *Genou, famille, force dans le monde chamito-semitique,* FS Basset [1928] 203-210), y el hebreo *bᵉrēkā,* «estanque», por otra (cf. A. Murtonen, VT 9 [1959] 164).

2. Del verbo hebreo están documentados los modos qal, piel, pual, hitpael y nifal; como sustantivo aparece *bᵉrākā.*

En la mayoría de las lenguas semíticas del modo qal sólo está documentado el participio pasivo (en ugarítico: 1 Aqht [= ID] 194; en arameo no aparece prácticamente más que esta forma; cf. DISO 44); en púnico, por el contrario, además del modo piel aparecen también formas conjugadas del modo qal (KAI N. 175, líneas 4s; J. Friedrich, ZDMG 107 [1957] 282-290); las formas qal que aparecen en los dialectos arameos tardíos deben ser, más bien, formas secundarias elaboradas a partir del participio pasivo (Nöldeke, MG 125, nota 2).

En árabe existen diversas formas correspondientes al piel hebreo: *barraka* (con hombres como sujetos; no aparece en el Corán), «pronunciar una fórmula de bendición» (cf. Lane I, 193), y *bāraka* (con Dios por sujeto), «comunicar fuerza vital», el modo V se acerca mucho en el significado al nifal («recibir una bendición», cf. *inf*. III/3), el modo X al hitpael («pedir la bendición», cf. *inf*. III/2s).

Fuera de la Biblia, el sustantivo está documentado sólo en semítico noroccidental; aparece en pocas ocasiones y éstas corresponden a textos tardíos (cf. DISO 44).

Los nombres personales compuestos con las diversas formas de *brk*, los nombres de agradecimiento *Bærækyā (hū)* y *Barak'ēl*, el nombre de deseo *Yebærækyāhū* y la forma abreviada *Bārūk* (Noth, IP 183.195s), tienen correspondientes en púnico (Harris, 91) y en los dialectos arameos tardíos (A. Caquot, Syria 39 [1962] 246). En 1 Cr 12,3, *Berākā* debe corregirse por *Bærækyā* (Rudolph, HAT 21, 104; distinto, HAL 154b).

II. El verbo *brk* y el susantivo *berākā* aparecen en el AT hebreo 398 ×:

	qal	*nifal*	*piel*	*pual*	*hitpael*	*berākā*	*Total*
Gn	8	3	59	—	2	16	88
Ex	1	—	5	—	—	1	7
Lv	—	—	2	—	—	1	3
Nm	2	—	14	1	—	—	17
Dt	9	—	28	1	1	12	51
Jos	—	—	8	—	—	2	10
Jue	1	—	3	2	—	1	7
1 Sm	7	—	4	—	—	2	13
2 Sm	3	—	10	1	—	1	15
1 Re	6	—	6	—	—	—	12
2 Re	—	—	3	—	—	2	5
Is	2	—	4	—	2	4	12
Jr	2	—	1	—	1	—	4
Ez	1	—	—	—	—	3	4
Jl	—	—	—	—	—	1	1
Ag	—	—	1	—	—	—	1
Zac	1	—	—	—	—	1	2
Mal	—	—	—	—	—	2	2
Sal	17	—	52	4	1	9	83
Job	—	—	7	1	—	1	9
Prov	1	—	3	2	—	8	14
Rut	4	—	1	—	—	—	5
Esd	1	—	—	—	—	—	1
Neh	—	—	4	—	—	2	6
1 Cr	2	—	13	1	—	—	16
2 Cr	3	—	5	—	—	2	10
T. AT	71	3	233	13	7	71	398

Entre los casos del sustantivo se ha incluido la designación topográfica *'ēmæq berākā* (2 Cr 20,26.26), pero no el nombre personal *Berākā* de 1 Cr 12,3 (cf. *sup*. I/2). El infinitivo absoluto *bārōk* (Jos 24,10, en los demás casos *bārēk)* pertenece al piel, no al qal.

En el arameo bíblico la raíz *brk* aparece sólo en Dn (1 × participio pasivo qal, 3 × pael).

La raíz es sorprendentemente frecuente en las narraciones patriarcales del Gn (82 ×) y en el Dt; en las secciones legales del Deuteronomio, en cambio, retrocede sensiblemente (los casos de Nm se limitan a la perícopa de Balaán, 14 ×, y a la bendición aaronítica, 3 ×). Más de la mitad de los casos de los salmos se refieren a la alabanza de Dios. En los libros narrativos se emplean varias formas relacionadas con el saludo y la felicitación. El nombre aparece con relativa frecuencia en textos de sabor sapiencial. En la literatura profética el verbo no desempeña un papel decisivo (26 ×).

III. Se suele considerar generalmente (apelando sobre todo al árabe *baraka)* como significado base «potencia salvadora, fuerza salvífica». *bārūk* (cf. *sup*. III/1) sería, según eso, «uno a quien ha alcanzado la fuerza salvífica»; el piel (cf. *inf*. III/2) significaría «convertir a alguien en uno a quien ha alcanzado la fuerza salvífica» o también «declararlo como tal»; el nifal (cf. *inf*. III/3), «experimentar dentro de sí la fuerza salvífica», y *berākā* sería «la fuerza salvífica» en cuanto tal (cf. *inf*. III/4).

Cf. Th. Plassmann, *The Signification of Beraka* (1913); S. Mowinckel, *Psalmenstu-*

dien V (1924); íd., *The Psalms in Israel's Worship* II (1962) 44-48; J. Hempel, *Die isr. Anschauungen von Segen und Fluch im Lichte altorientalischer Parallelen:* ZDMG 79 (1925) 20-110 = «Apxismata» (1961) 30-113; Pedersen, *Israel* I-III, 182-212; F. Horst, *Segen und Segenshandlungen in der Bibel:* EvTh 7 (1947-48) 23-37 = *Gottes Recht* (1961) 188-202; F. Horst, RGG V, 1649-51; J. Scharbert, Bibl 39 (1958) 17-26; íd., *Solidarität in Segen und Fluch im AT und in seiner Umwelt* (1958); A. Murtonen, *The Use and the Meaning of the Words lebarek and b*[e]*raka*[h]*:* VT 9 (1959) 158-177; C. Westermann, *Der Segen in der Bibel und im Handlen der Kirche* (1968); G. Wehmeier, *Der Segen im AT* (1970).

Esta interpretación es fundamentalmente correcta; pero debe tenerse bien en cuenta que esta fuerza salvífica con frecuencia está en estrecha conexión con la *palabra* eficaz, especialmente cuando los hombres bendicen a otros hombres (cf. Horst, *loc. cit.).* Por otra parte, puede preguntarse hasta qué punto tenía todavía vigor (cf. sobre todo Is 65,8) la idea de una *fuerza* salvífica (junto a la actuación divina).

1. *a)* El participio pasivo qal, *bārūk,* designa la situación de posesión de la *b*[e]*rākā* (no el resultado de una bendición previa; esto se expresa por medio del pual, cf. *inf.* III/2*c,* cf. Jenni, HP 216s). Por lo general, *bārūk* aparece empleado como predicado en frases nominales; sólo en dos ocasiones se insertan formas indicativas de *hyh,* «mostrarse» (Gn 27,33; Dt 7,14; en ambos casos se afirma de esta forma el matiz de «mostrarse de hecho como *bārūk*»).

En 63 (de los 71) casos, el empleo de *bārūk* está ligado a fórmulas; concretamente, por lo general, aparece de forma enfática al comienzo de frase (58 ×; además, *y*[e]*hī,* «sea» ... *bārūk:* 1 Re 10,9 = 2 Cr 9,8; Prov 5,18; Rut 2,19; en frase negativa en Jr 20,14). De esos 63 casos, 38 se refieren a Dios (además, el arameo *b*[e]*rīk,* en Dn 3,28) y 25 a los hombres (y a lo que les pertenece: Dt 28,4: feto; v. 5: cesta; 1 Sm 25,33: inteligencia; Jr 20,14: día del nacimiento).

Sobre la forma de bendición israelita y su desarrollo histórico formal, cf. W. Schottroff, *Der altisraelitische Fluchspruch* (1969) 163-177.

Los 8 casos restantes se refieren a los hombres: 3 × en la composición constructa «bendito(s) de Yahvé» (Gn 24,31; 26,29; en plural, Is 65,23) y 5 × en simples constataciones de que alguien es «bendito» (Gn 27,29 y Nm 24,9: «sea bendito quien te bendice»; Gn 27,33: «quedará bendito»; Nm 22, 12: «no debes maldecir al pueblo, pues está ya bendito»; 1 Re 2,45, fórmula de bendición precedida por el sujeto Salomón).

El opuesto normal de *bārūk* es *'ārūr* (→ *'rr;* Gn 9,25s; 27,29; Nm 24,9; Dt 28,3-6, paralelo 16-19; Jr 17,7, paralelo v. 5; 20,14).

b) Usado con referencia a los hombres, *bārūk* aparece frecuentemente con el mismo significado de *'ašrē,* «dichoso» (→ *'šr;* cf. 17,7 con Sal 40,5), y en tiempos tardíos es sustituido por este último término. *bārūk* (traducido en los LXX generalmente por εὐλογημένος) es primariamente una exclamación de agradecimiento y de admiración, así como de augurio (Gn 14,19; 1 Sm 23,21; 25,33; 26,25; 2 Sm 2,5; Rut 2,19s; 3,10; cf. Prov 5,18: «sea tu fuente [= tu mujer] *bārūk*», es decir, sea fuente de alegría). El designado como *bārūk* es creador de una situación salvífica y, por tanto, ocasión de alabanza y agradecimiento. En este contexto se tiende a relacionar al alabado con Dios: *bārūk 'attā lYhwh,* «tú eres bienhechor gracias a Yahvé», es decir, le ha sido otorgada por Dios la fuerza de hacer bien (1 Sm 15,13; en femenino: Rut 3,10; en plural: 1 Sm 23,21; en Sm 2,5; Sal 115,15; en tercera persona: Gn 14,19; Jue 17,2; Rut 2,20; cf. también la composición constructa «bendito de Yahvé», cf. *sup.* 1*a,* además Nm 22,12; Sal 118,26). En Jue 17,2 la exclamación *bārūk b*[e]*nī lYhwh* es una medida de protección tomada por la madre contra una maldición que amenaza a su hijo.

La partícula *l*ᵉ de la expresión *l*ᵉ*Yhwh* ha sido interpretada frecuentemente como *lamed auctoris,* y el pasivo *bārūk* ha sido entendido como un deseo («sea bendito por Yahvé N. N.»). En inscripciones funerarias y memoriales arameas, en cambio, se usan tanto *bryk l como bryk qdm* («bendito es/sea N. N. en») sin que cambie el sentido (cf. RES 1788 con KAI N. 267 y 269; RES 608; 960-962; 1366 con RES 1364; 1368; 1370; 1376 y *passim;* cf. también la expresión *brk l,* «bendecir a alguien en una divinidad» = «encomendar a alguien a una divinidad determinada con el ruego de que ella lo bendiga»; en fenicio, en KAI N. 50, línea 2; en egipcio y arameo, en RHR 130, 17,2s; Hermop. N. 1-6, siempre con el añadido «que ella (la divinidad) me haga ver tu/vuestro rostro en paz» (quizá también en ugarítico, en 2 Aqht [= II D] I, 24, cf. UT N. 517; C. H. Gordon, *Ugaritic Literature* [1949] 86; además, en hebreo *brk* piel *lifnē Yhwh,* Gn 27,7). Esta construcción corresponde probablemente a la expresión veterotestamentaria, de forma que *l*ᵉ ha de considerarse también aquí como una *lamed relationis:* «lleno de bendición ante Yahvé» (cf. J. Scharbert, Bibl 39 [1958] 21s: «NN se convierta para Yahvé en un bendecidor»). A esto corresponde el hecho de que las fórmulas de maldición construidas de forma análoga están también compuestas con *lifnē* (Jos 6,26; 1 Sm 26,19 plural; cf. Nm 5,16; 1 Re 8,13).

bārūk aparece, referido también a los hombres, abriendo la fórmula de Dt 7,14 y 28,3-6 (el v. 5 se refiere a la cesta y a la artesa); esta fórmula designa a los israelitas y a su actividad, presentándolos como acompañados por la fortuna, al menos en la medida en que los israelitas se ajustan a las leyes de Yahvé. Las seis repeticiones de nuestro término en Dt 28,3-6 (cf. las seis correspondientes *'ārūr,* «maldito», en Dt 28,16-19 y los doce *'ārūr* de Dt 27,15-26) manifiestan el carácter eficaz de la palabra que despierta energías (cf. la triple repetición de *bārūk* en 1 Sm 25,32s y la repetición en Gn 14, 19s; cf. además 1 Re 10,8s = 2 Cr 9, 7s con *bārūk* junto al doble *'ašrē).* En estas series, que deben considerarse probablemente como cúlticas, se trata de crear una zona virtual de salvación (o, en el caso de *'ārūr,* una zona de desgracia), que entrará en vigor como respuesta a la conducta de los israelitas. A este contexto pertenece también la fórmula *bārūk* de Jr 17,7 (junto a *'ārūr),* fórmula que se acerca al lenguaje sapiencial (cf. Sal 40,5).

c) Referido a Dios, *bārūk* (traducido en los LXX generalmente por εὐλογητός) constituye también una alegre exclamación de agradecimiento y admiración (Ex 18,9s; 1 Re 5,21; Zac 11,5; cf. J. Hempel, ZDMG 79 [1925] 88s). Por lo general, se da una indicación precisa del motivo de esa alegría; esa indicación puede ir introducida por un *'ašær* (Gn 14,20; 24,27; Ex 18,10; 1 Sm 25,32-39; 2 Sm 18,28; 1 Re 8, 56; 10,9 = 2 Cr 9,8; Sal 66,20; Rut 4,14; Esd 7,27; 2 Cr 2,11); o bien por *šæ-* (Sal 124,6), *kī* (Sal 28,6; 31,22), por un participio (Sal 72,18; 144,1) o por una frase asindética (Zac 11,5). En ocasiones uno se dirige directamente a Dios: «tú eres *bārūk*» (Sal 119,12; 1 Cr 29,10).

Dios es *bārūk,* porque otorga toda clase de cosas provechosas: un rey (1 Re 1,48), concretamente un rey sabio (1 Re 5,21; 10,9 = 2 Cr 9,8), descanso (1 Re 8,56), fuerza (Sal 68,36), ideas buenas (Esd 7,27); porque es fiel (Gn 24,27; Sal 31,22; 66,20; Rut 4,14), concede la victoria (Gn 14,20; 2 Sm 18,28), da una esposa inteligente a un hombre colérico (1 Sm 25,32), se ocupa del justo (1 Sm 25,39), adiestra al guerrero (Sal 10,41), atiende las súplicas (Sal 28,6; 66,20), hace maravillas (Sal 72, 18), cumple las promesas (1 Re 8,15); finalmente, porque ofrece —en apariencia— incluso a un canalla la ocasión de enriquecerse (Zac 11,5). Todo esto se puede resumir, en cierta medida, en la frase lapidaria *bārūk šēm k*ᵉ*bādō* (Sal 72,19).

Una exclamación de este tipo no está necesariamente unida a situaciones cúlticas concretas: brota en los labios siempre que el hombre se encuentra de repente ante una prueba de la fuerza benéfica de Dios. Puede decirse entonces que «se bendice (reverencialmente) a Dios» (Gn 24,27; Sal 135,19-21; 1 Cr 29,9-10) o también se puede decir —significativamente— que «se bendice a los hombres» (Gn 14,19s; 1 Re 1, 47s; 8,14s.55s). Se trata siempre de declarar *bārūk* a Dios, basándose en la concreta manifestación de su poder. Sólo uno de los empleos análogos de *bārūk* mencionados en 1*b* queda completamente descartado para Dios: a Dios no se le puede declarar *bārūk sub conditione.*

2. *a)* *brk* piel presenta diversos matices de significado, especialmente factitivos y declaratorio-estimativos, según quien sea el sujeto: Dios (cf. *inf.* 2*d)* o los hombres (teniendo por objeto a otros hombres, cf. *inf.* 2*b;* teniendo por objeto a Dios, cf. *inf.* 2*c);* el pual (cf. *inf.* 2*c)* y el hitpael (cf. *inf.* 2*f)* tienen los significados pasivos y reflexivos correspondientes.

De los 233 casos, 97 se refieren a la bendición por parte de Dios (incluidos Gn 48,16: un ángel; Gn 32,27.30: hombre; Gn 49,25: *ʾēl šadday,* texto enmendado) y 136 se refiere a la bendición por parte de los hombres (incluidos Sal 103,20-22: seres celestiales, seres creados). En verbos conjugados, Dios aparece como sujeto en 87 casos (además, 4 × de imperativo, 4 × de infinitivo absoluto, 2 × de infinitivo constructo); los hombres aparecen como sujeto 85 × (incluido Job 31,20: los riñones del pobre; además, en 26 × de imperativo, 5 × de infinitivo absoluto, 15 × de infinitivo constructo y 5 × de participio).

Deben mencionarse además 6 × en que *brk* piel es empleado eufemísticamente con el sentido de «maldecir» (1 Re 21,10.13; Job 1,5.11; 2,5.9). Debe señalarse que en el AT Dios no es nunca positivamente objeto de un verbo que signifique «maldecir» (cf. la prohibición en Ex 22,27; Lv 24,15; además, Is 8,21; 1 Sm 3,13, texto dudoso), cf. J. Hempel, ZDMG 79 (1925) 91; cf. también Schottrof, *loc. cit.,* 165.

Fuera del AT y de los textos influidos por éste, las formas conjugadas del verbo *brk* se emplean exclusivamente con una divinidad como sujeto. La idea de que un hombre bendice (= pronuncia una fórmula de bendición) podría estar documentada, a lo más, en el texto ugarítico de 1 Aqht (= ID) 194 (Pǵt pide a su padre o a los dioses la bendición). El significado de «alabar (a Dios)» está totalmente ausente. En ugarítico aparece claro el significado primario de «dotar con energía vital», pues *brk* se usa en paralelo a *mrr,* «robustecer» (1 Aqht 194s; 2 Aqht I, 24s.35s; 128 = III K II, 14s.19s). En un texto púnico aparece *ḥnn,* «mostrar paciencia», como paralelo de *brk* (CIS I, 5891, líneas 2s); en CIS I, 196, línea 5, *ḥnn* sustituye a nuestro verbo en la petición conclusiva de una inscripción sagrada, es decir, en una fórmula donde regularmente aparece *brk.*

Por lo general, no se indica cuál es el contenido de la bendición; éste está incluido ya en el mismo verbo. En los pocos casos en que —excepcionalmente— se indica, o bien se emplea un doble acusativo (Gn 49,25; Dt 12,7; 15,14; Is 19,25; cf. KAI N. 26 A III, 2s) o bien se introduce el contenido por medio de la partícula *b*ᵉ (Sal 29,11; cf. KAI N. 26 C III, 16s); en todos los demás casos esta preposición indica el lugar en que dicha bendición es otorgada (Gn 24,1; Dt 2,7; 14,29; 15,4.10. 18; 16,15; 23,21; 24,19; 28,8; 30,16; distinto J. Scharbert, Bibl 39 [1958] 21, nota 5).

b) En el lenguaje cotidiano israelita, *brk* piel (sujeto: los hombres; objeto: los hombres) significa en primer lugar «saludar» (Gn 47,7; 1 Sm 13,10; 25,14; 2 Sm 6,20; 2 Re 4,29; 10,15; Prov 27,14; 1 Cr 16,43), «despedir (se)» (Gn 24,60; 28,1; 32,1; 47,10; Jos 22,6s; 2 Sm 13,25; 19,40; cf., en ugarítico, 128 [= III K] III, 17) o también «felicitar» (Ex 39,43; 2 Sm 8, 10 = 1 Cr 18,10; 1 Re 1,47; Neh 11, 2; «felicitarse»: Sal 49,19), «desear suerte» (Jos 14,13), también «agradecer» (Dt 24,13; 2 Sm 14,22; Job 31, 20) u «honrar en agradecimiento» (Prov 30,11). El verbo aparece con frecuencia empleado como término de exquisita cortesía: lo más correcto sería traducirlo por la perífrasis «declarar a alguien *bārūk*» (cf. el árabe *barraka* y los también árabes *kabbara,* «declarar a Alá *akbar*»; *sallama,* «declarar a alguien *salām*»; cf. D. R. Hillers, *Delocutive Verbs in Biblical Hebrew:* JBL 86 [1967] 320-324), es decir, originalmente, declarar a alguien como bienhechor y poseedor de fuerza salvífica. Se usaban las expresiones «*bārūk 'attā*» o «*bārūk Yhwh*» (cf. 1 Re 1,47s) o también «*y^ebāræk^ekā Yhwh* = ¡Yahvé te bendiga!» (Jr 31,23) o «*Yhwh 'imm^ekā* = ¡Yahvé esté contigo!» (Rut 2, 4). En ocasiones se habla de besar al que se despide *(nšq,* Gn 32,1; 2 Sm 19,40), postrarse en tierra ante un superior (2 Sm 14,22); en caso de despedida, al partir para contraer matrimonio, se procede a pronunciar una larga bendición (Gn 24,60).

Dichas afirmaciones *bārūk,* «saludo», «despedida» y «felicitación» se daban también en el contexto de encuentros cúlticos o de encuentros con personas «sagradas». Deben mencionarse aquí el «saludo» de Melquisedec a Abrahán (Gn 14,10, que presenta una perfecta fórmula «*bārūk*») o la «despedida» del sacerdote Elí a Elkaná (1 Sm 2,20, con una fórmula de deseo). Al comienzo de las asambleas cúlticas se «saludaba» a los participantes en ella (Jos 8,33; 1 Re 8,14s; durante una procesión en Sal 118,26); al final se les «despedía» con una fórmula de bendición (Lv 9, 22; 2 Sm 6,18; 1 Re 8,55; Sal 129,8). Las fórmulas empleadas eran: *bārūk Yhwh* (1 Re 8,15.56), *b^erūkīm 'attæm* (Sal 115,15), *birkat Yhwh 'alēkæm* (Sal 129,8) o *y^ebāræk^ekā Yhwh* (Nm 6,24, que presenta la fórmula completa de la bendición sacerdotal, con sus tres partes y la doble invocación del «rostro de Yahvé», es decir, de su presencia salvífica). En estos contextos cúlticos se mantiene más vivo que en ningún otro el carácter salvífico propio de la declaración *bārūk.*

El que pronuncia la fórmula «se coloca» ante la comunidad (1 Re 8,55; Jos 8,33), «extiende los brazos sobre ella» (Lv 9,22) y «pronuncia con voz clara» (1 Re 8,55). Así «pone el nombre de Yahvé sobre la gente» (Nm 6, 27). Quizá deba mencionarse aquí el único pasaje en que aparece un profeta «bendiciendo» una comida cúltica (1 Sm 9,13). Probablemente Samuel no bendice la comida, sino a los participantes en el banquete sacrificial, cf. J. Scharbert, Bibl 29 (1958) 24; contra J. Hempel, ZDMG 79 (1925) 35; F. Horst, EvTh 7 (1947-1948) 25; A. Murtonen, VT 9 (1959) 163.

Durante la asamblea cúltica se daba la posibilidad de incluir también a los ausentes en la «petición de felicidad» (Ex 12,32; cf. *pll* hitpael *b^e'ad,* «pedir por», como expresión paralela de *brk* piel en Sal 72,15).

En la perícopa de Balaán aparece una felicitación cúltica de tipo especial (Nm 22-24). En lugar de «maldecir» *('rr,* Nm 22,6; 24,9; *qbb,* 23,11.25; 24,10; *z'm,* 23,7s) el hombre de poderes extraordinarios se ve obligado a declarar *bārūk* a Israel, pues —como lo ha señalado Dios desde el comienzo— Israel es ya irrevocablemente *bārūk* (22,12).

Para el oriental, la «despedida» de un hombre antes de su muerte es algo que reviste gran importancia (Gn 27; 48; 49; Dt 33). Cuando se trata de esta «despedida» y «felicitación», *brk* tiene probablemente un sentido factitivo (cf. Jenni, HP 216s): por medio de la declaración *bārūk* se convierte al destinatario de la misma en *bārūk;* ésta es, por lo menos, la intención original de la costumbre. A eso se deben las medidas que se toman para aumentar la «fuerza» que se debe transmitir (la comida de Isaac), así como la importancia que se da a la exacta identificación del receptor de la bendición (Gn 27,24; 48,8s; cf. la detallada mención de hijos y tribus en Gn 49 y Dt 33), el abrazo (Gn 27,26s) y la imposición de manos (Gn 48,14). Pero la elección de las fórmulas pronunciadas muestra que no se trata simplemente de una transmisión de la fuerza; son fórmulas que aluden, como es lógico, a la fertilidad, al bienestar y a la victoria sobre los enemigos.

c) En 40 casos (de ellos 27 en Sal) se dice que los hombres (o la creación, Sal 103,20-22) «bendicen» a Dios, es decir, le declaran *bārūk* (cf. también, en arameo, Dn 2,19; 4,31; cf. además el empleo eufemístico de *brk* piel, cf. *sup.* 2*a* e Is 66,3: «adorar a un ídolo»). Las expresiones paralelas muestran que se trata en primer lugar de una «acción de gracias» laudatoria: *hll* piel, «alabar» (Sal 145,2; cf. Sal 135,1.19-20), proclamar la alabanza *(tᵉhillā)* (Sal 66, 8; 145,21; cf. 34,2), *ydh* hifil, «alabar» (Sal 100,4; 145,10), invocar el nombre de Yahvé (Sal 63,5), *šīr*, «cantar», y *bśr* piel, «anunciar» (Sal 96,2), ensalzar a Yahvé (Sal 145,1), no olvidar sus beneficios (Sal 103,2).

Puesto que éste es el significado esperado del piel declarativo («designar a Dios como *bārūk*», cf. Gn 24,27, *bārūk Yhwh,* con referencia a v. 48, «y yo bendije a Yahvé»), se hace innecesario suponer que el verbo designaba al principio una situación referida al aumento de la fuerza divina (así, por ejemplo, S. Mowinckel, *Psalmenstudien* V [1924] 27-30; S. H. Blank, HUCA 32 [1962] 85-90). Esto es más cierto aún si se piensa que este empleo lingüístico no se da en ninguna otra lengua semítica y se basa en un desarrollo semántico propio de la lengua hebrea. A partir de este empleo, *brk* piel puede tener también otros objetos (Sal 10,3: «él alaba el provecho», texto enmendado; 49,19: «él se alaba a sí mismo»; Is 66,3: «él adora a un ídolo»).

En estas «bendiciones» la persona se postra ante Yahvé (Gn 24,48; Neh 8, 6; 1 Cr 29,20) o se alza (Neh 9,5), toma posición en el templo (Sal 34,2: en cualquier momento; 134,1: de noche), en medio de la asamblea (Sal 26, 12; 68,24), al unísono con toda la creación (Sal 145,10; 103,20-22), clamando *bārūk Yhwh* (Gn 24,27; Sal 135,18-21; 1 Cr 29,9s). El motivo de esta acción de gracias y alabanza lo constituyen las experiencias personales (Gn 24,48), la experiencia de la victoria sobre los enemigos (Jos 22,33; Jue 5,2.9) o —en los salmos— todo aquello que impulsa al israelita a dar gracias a Dios.

d) En 80 de los 97 casos en que Dios es sujeto de *brk* piel se afirma que Dios «bendice» o «quiere bendecir» a los hombres (Gn 25 ×, Dt 19 ×, Sal 14 ×); en 17 × la bendición de Dios se dirige a animales (Gn 1,22; Dt 7,13) y cosas (el sábado: Gn 2,3; Ex 20,11; la casa y el campo, el trabajo y la cosecha, y semejantes: Gn 27,27; 39,5; Ex 23,25; Dt 7,13b; 28,12; 33,11; Jr 31,23; Ag 2,19; Sal 28,9; 65,11; 132, 15.15; Job 1,10; Prov 3,33): Dios hace *bārūk* a hombres y objetos; les otorga la fuerza de la fecundidad y prosperidad; envía vida, fortuna, éxito.

En estos textos aparece con frecuencia en paralelo a *brk* piel toda una serie de verbos como «hacer fecundo, numeroso» (Gn 17,20 y *passim),* «amar, hacer numeroso» (Dt 7,13), «dar vida, hacer numeroso» (Dt 30,16), «custodiar, iluminar el rostro, elevar el rostro, dar → *šālōm*» (Nm 6,23-27), pero sobre todo → *ntn,* «dar» (hijos y riqueza, Gn 17,16; 24,35; 28,3s; 48,3s; Sal 29,11); también otras expresiones como «derramar gracia» (Sal 45,3), «ayudar» (Gn 49,25), «asegurar las puertas» (Sal 147,13), «estar contigo» (Gn 26, 3.24), etc. Como fórmula que resume la bendición divina aparece la expresión «dar *šālōm*» (Sal 29,11; cf. Hempel, *loc. cit.*, 51ss, pero también Westermann, *loc. cit.*, 33).

Hay que tener en cuenta que, con frecuencia, esta bendición divina aparece como deseo formulado por los hombres, es decir, como deseo de dicha y bendición; así, por ejemplo, formulado por Isaac (Gn 28,3), Jacob (Gn 48,16; 49,25), Moisés (Dt 1,11; cf. 33,11), o también por cualquier persona en el saludo normal de la vida cotidiana (Rut 2,4); también, finalmente, en el culto (Sal 29,11; 67,2.7s; 115,12s; 128,5; 134,3; Nm 6,24); a veces como oración dirigida directamente a Dios (Sal 5,13; 28,9; 109,28; Dt 26,15; 33,11). Esto demuestra que existe una estrecha relación entre la «bendición» de Dios y la palabra del hombre: la intervención divina puede ser conseguida por medio de la palabra humana, puede ser provocada por ella.

Muchos textos indican, por ende, que la actuación salvífica de Yahvé puede entenderse de hecho como respuesta a la palabra y actuación humanas: puede tratarse de atender a una oración (Gn 17,20; cf. 32,27.30) o de cumplir la bendición pronunciada por los sacerdotes (Nm 6,27). Además de eso, Dios «bendice» a los que «bendicen» a sus elegidos (Gn 12,3) y en nombre de sus elegidos «bendice» también a otros hombres (Gn 26,24; 30,27; cf. 39,5), es decir, les otorga bienestar y éxito. Ciertamente es Dios el autor de esta acción salvífica, pero el hombre debe dar una respuesta afirmativa a la misma (cf. Sal 109,17).

Es el Deuteronomio (cf. ya Gn 22, 17) el que destaca de forma especial esta estrecha relación entre la acción humana y la actividad salvífica de Dios: si Israel se somete a las instrucciones de Yahvé, éste «bendecirá (a su pueblo) en todas sus empresas», es decir, le dará éxito en todo, en la ciudad, en el campo, al empezar el trabajo, al terminarlo, etc. (por ejemplo, Dt 7,13; 14,29; 15,10.18; 23,21; 24,19; 30,16; cf. 27,1-14). La bendición de Dios, por otra parte, es motivo para cumplir alegremente la ley (12,7; 15,4.6.14; 16, 10.15, etc.).

En este sentido el Salmista confiesa: «tú bendices al justo» (Sal 5,13); del mismo modo Job será premiado abundantemente por su fidelidad (Job 42, 12).

A pesar del efecto recíproco entre palabra y acción divina y humana, tanto la antigua tradición patriarcal (Gn 12,1-3) como el más tardío P (Gn 1,28; 5,2; 9,1; 17,16) enseñan claramente que toda «bendición», es decir, toda fuerza salvífica creadora de fecundidad, victoria y bienestar se debe a una decisión libre de Dios, basada en sí misma, y a su palabra, que convierte en realidad dicha decisión (sobre esto, cf. H. Junker, BEThL 12 [1959] 548-558; C. Westermann, BHH III, 1757s). Se debería incluir también 2 Sm 6,12, donde Yahvé «bendice» a Obededom «a causa del arca», es decir, le otorga bienestar (según 1 Cr 26,4s, ocho hijos) a causa de su propia presencia.

e) El pual es la conjugación pasiva correspondiente al piel. Referido a personas (Nm 22,6; Sal 37,22; 112,2; 128, 4; Prov 20,21; 22,9) o cosas (Dt 33, 13, el país; 2 Sm 7,29b = 1 Cr 17, 27b, la dinastía de David) designa que «alguien (algo) ha sido bendecido». En Nm 22,6 («aquel a quien tú bendices queda bendito»; paralelo *yūʼār,* «recibe la maldición») y 1 Cr 17,27 («pues tú, Yahvé, lo has bendecido», cf. 2 Sm 7, 29: «por tu bendición») se habla expresamente de una bendición realizada previamente. Bien directamente (Dt 33, 13; Sal 37,22) o bien a través del contexto (Sal 112,2; 128,4; Prov 20,21; 22,9) se indica siempre que Dios es el autor de la bendición.

En Sal 113,2; Job 1,21 y Dn 2,20 (arameo) el participio pual desempeña la función que en otros textos desempeña el imperativo plural piel (cf. Sal 113,1, *halᵉlū):* se exige a los hombres que alaben a Dios. En los tres textos se emplea una fórmula de deseo: «sea alabado el nombre de Yahvé (Dios)». En Sal 72,17 (texto enmendado según los LXX) se presupone, probablemente, la misma expresión referida a un rey.

Paralela a la exigencia de una maldición cúltica contra Meroz (Jue 5,23; cf. 21,5) aparece en Jue 5,24.24 también la exigencia de realizar un ritual de bendición en favor de Yael.

f) El hitpael (piel reflexivo con el prefijo *t)* tiene el significado general de «hacerse o declararse *bārūk* a sí mismo». Así aparece claramente en Dt 29,18: uno se autodeclara *bārūk,* «invulnerable», como medida contra la amenaza de maldición (cf. Nm 22,12; 23,8), asegurando «yo tengo *šālōm* (es decir, no me puede pasar nada)». Con frecuencia se emplea la fórmula *brk* hitpael *bᵉ* «hacerse a sí mismo dichoso por medio de (la invocación de alguna persona bendecida o del mismo Dios, empleando un dicho de bendición)»; se invoca a éste como modelo (Gn 22,18;

26,4; Jr 4,2, caso de que deba referirse a Israel, cf. Rudolph, HAT 12,31; Sal 72,17) o como fuente (Is 65,16.16, Dios) de la fuerza salvífica (cf. Gn 48, 20; Prov 10,7). La traducción de A. Murtonen, VT 9 (1959) 172: «considerarse dichoso por» es demasiado débil.

3. El nifal aparece sólo en tres ocasiones dentro de las narraciones patriarcales (Gn 12,3b; 18,18; 28,14). Generalmente ha sido entendido como pasivo (por ejemplo, Zorell, 130a; von Rad, ATD 2, 132s) o en el mismo sentido del hitpael («desearse a sí mismo la bendición», por ejemplo, HAL 153; H. Gunkel, *Genesis* [31910] 165). Pero es probable que el empleo de esta conjugación —en oposición a pual e hitpael— lleve consigo un significado especial. Designa una acción que se refiere al sujeto, pero sin considerar al mismo sujeto (hitpael) o a otra persona (pual) como autor de la misma (cf. H. Junker, BEThL 12/13 [1959] 553). Según eso, *brk* nifal significa «conseguir la bendición, tener parte en la bendición» o semejantes (cf. J. Schreiner, BZ 6 [1962] 7; O. Procksch, *Die Genesis* [31924] 96s).

Gn 12,3 significa, por tanto, «en ti alcanzarán la bendición todas las familias de la tierra». En Gn 18,18 sólo este sentido es posible; el monólogo divino insertado por el Yahvista en la narración viene a explicar por qué Yahvé quiere hacer partícipe de sus secretos a Abrahán; la hace porque Abrahán desempeña un papel importante en su plan de salvación: «por él alcanzarán la bendición todas las familias de la tierra». En Gn 28,14 se renueva la misma promesa referida a Jacob y su descendencia.

4. *a)* El sustantivo *berākā* tiene, lo mismo que *brk* piel, diversos significados. En el AT no se da ningún caso en que *berākā* sea empleado sin referir el término a una acción de Dios, es decir, nunca designa (como el árabe *baraka,* cf. *sup.* 1*a)* simplemente la fuerza del desarrollo y de la prosperidad; cf., en todo caso, Is 65,8.

En este texto se expresa la intención divina de no aniquilar por completo a su pueblo, haciendo uso de la imagen de la viña: el proverbio empleado hace alusión a la segunda poda (Dalman, AuS IV, 312-330s), en la que los sarmientos que no dan fruto son cortados; pero los que prometen fruto no deben cortarse: «como cuando se encuentra mosto en el racimo y se dice: 'no lo eches a perder, porque en él hay fuerza vital'».

b) En unos 25 casos *berākā* designa la eficaz declaración *bārūk* expresada por hombres en favor de otros hombres (Gn 27,12-41, 6 ×; Dt 11,26.27.29; 23,6 = Neh 10,6.7; 11,11.26; 24,25; también, quizá, Gn 49,28), es decir, la palabra salvífica de bendición (cf. la frase programática de Prov 11,11: «con la declaración '*bārūk*' de los justos, la ciudad se eleva»).

En Gn 27,17 el doble concepto *berākā* y *qelālā* designa tanto el dicho de bendición y maldición como su influjo en el éxito y en el fracaso: «entonces me atraje (palabra y fuerza de) maldición y no (palabra y fuerza de) bendición». El mismo significado doble debe atribuirse a los demás casos de *berākā* en el contexto de Gn 27 (vv. 35-38.41). La comprensión objetiva de la bendición que aparece acuñada en este texto (v. 35: «tu hermano ha tomado la bendición»; cf. v. 36b: «¿no has reservado alguna bendición para mí?») se remonta probablemente a un estrato preisraelítico de la narración recogido aquí (cf. E. A. Speiser, JBL 74 [1955] 252-256).

Probablemente tienen también su lugar aquí los textos de 2 Re 18,31 = Is 36,16: «haz una *berākā* conmigo = intercambiemos entre nosotros palabras de bendición» (cf. A. Murtonen, VT 9 [1959] 173s; según J. Scharbert, Bibl 39 [1958] 19, *berākā* debe entenderse aquí como «respeto», cf. 2 Sm 14,22; 1 Re 1,47); se trata de una invitación a un acuerdo oficial de paz.

c) En 6 o 7 lugares *berākā* designa un regalo. Se trata de una declaración *bārūk* en forma de un don; los derivados de la raíz *brk* son empleados con gran frecuencia en estrecha relación con la idea de «dar».

Caleb lega a su hija una *b^erākā* (Jos 15,19 = Jue 1,15), Jacob lleva a Esaú una *b^erākā* (Gn 33,11), y lo mismo Abigail a David (1 Sm 25,27), David a los ancianos de Judá (1 Sm 30,26), Naamán a Eliseo (2 Re 5,15). En Prov 11,25 la *næfæš b^erākā* designa probablemente a una persona que da regalos. En 1 Re 10,8-10, las declaraciones *bārūk* aparecen unidas expresamente con la entrega de regalos.

d) En Neh 9,5 y 2 Cr 20,26.26, *b^erākā* designa la palabra de agradecimiento y alabanza dirigida por los hombres a Dios, la laudatoria declaración *bārūk* (Neh 9,5: «alaben [*brk* piel] el nombre glorioso, pues supera toda alabanza [*b^erākā*] y todo honor [*t^ehillā*]»; en 2 Cr 20,26 el nombre de lugar *ʿēmæq b^erākā* es «explicado» aludiendo a la alabanza que en dicho lugar se proclama). Este empleo lingüístico se ha formado secundariamente partiendo del uso de *brk* piel en el sentido de «alabar» (cf. *sup.* 2c). Más tarde, en el judaísmo, esta forma de empleo del vocablo se ha convertido en la más frecuente: *b^erākā* = «bendición» (cf. el tratado misnaico Berakot).

e) En 23 casos, *b^erākā* está en relación con Yahvé, como resumen de su acción salvífica («Yahvé otorga la bendición» o semejantes, Gn 28,4; Ex 32, 29; Lv 25,21; Dt 28,8; Is 44,3 paralelo a *rūaḥ*, «espíritu»; Jl 2,14; Mal 3, 10; Sal 21,4; 133,3 paralelo a *ḥayyīm*, «vida»; «de Yahvé», Sal 24,5, paralelo a *ṣ^edāqā*, «justicia»; «bendición de Yahvé» o semejantes, Gn 39,5; Dt 12, 15; 16,17; 33,23, paralelo a *rāṣōn*, «fortuna»; 2 Sm 7,29; Sal 3,9, paralelo a *y^ešūʿā*, «salvación»; 129,8; Prov 10,22; por medio de diversas fuerzas naturales, Gn 49,25 3 ×; Ez 34,26b; Sal 84,7). En algunos casos se resalta de forma especial la comunicación de la fuerza (*ṣwh* piel, «ordenar», Lv 25,21; Dt 28,8; Sal 133,3; «derramar», Is 44, 3; cf. Mal 3,10); en otros casos son sus efectos los que aparecen en primer plano, es decir, la fertilidad de los campos y el bienestar entre los hombres (Gn 39,5; Dt 12,15; 16,17; 32,23; Jl 2,14; Mal 3,10; Sal 21,4; Prov 10,22), la posición del receptor de la promesa (Gn 28,4), así como la del sacerdote (Ex 32, 29) y la duración de la dinastía (2 Sm 7,29). El hecho de que en algunos textos se hable de que Yahvé «derrama» la *b^erākā* se debe quizá a que en ocasiones la *b^erākā* aparece como lluvia fertilizante, como rocío, etc. (Gn 49, 25a; Ez 34,26b; Sal 84,7). En un país como Palestina la acción salvífica de Dios se experimenta, entre otras cosas —como es natural—, en la abundancia de lluvias; pero esto no debe hacernos pensar que en dicho elemento está el «sentido central» de la palabra.

f) Teológicamente interesantes, aunque no fáciles de interpretar, son los cinco casos (más Ez 34,26a, texto dudoso), donde unos hombres aparecen como *b^erākā* (Sal 21,7, plural) para otros hombres: Gn 12,2 (Abrahán para los pueblos); Is 11,24 (Israel en medio de la tierra); Zac 8,13 (Israel entre los pueblos); Sal 37,26 (los descendientes del justo para sus prójimos); Sal 21,7 (el rey para el pueblo). En Sal 37,26, ese ser *b^erākā* para otros se consigue con la acción del justo; en todos los demás casos, por medio de la palabra y acción salvífica de Dios. Los hombres designados como *b^erākā* son de hecho *b^erūkīm*, es decir, encarnación del provecho y del bienestar (cf. Sal 21,7); por eso, por una parte, son fuente del bienestar para otros (así, H. Junker, BEThL 12/13 [1959] 553; contra J. Scharbert, Bibl 39 [1958] 25: ejemplo proverbial en una palabra de bendición), y por otra, son encarnación de la palabra de bendición «por medio de la cual» se declara uno a sí mismo y declara a los demás *bārūk*.

g) En algunos pasajes, *b^erākā* (o su plural) designa la situación causada bien porque el hombre ha declarado a alguien *bārūk*, bien porque Dios ha hecho a alguien *bārūk*; es decir, designa la «felicidad».

Según Prov 28,20, el hombre que actúa con lealtad es *rab b^erākōt*, «rico en bienestar» (o ¿«rico en palabras de bendición»?; su contrapuesto es «el que se hace rico aprisa, no quedará impune»; cf. Prov 28,27, donde «rico en maldición» se opone a «sin indigencia»). En Sal 109,17, el término se emplea de su doble sentido: «El que no quiere *b^erākā* (= palabra de bendición) se queda sin ella (es decir, sin la *b^erākā* como bienestar conseguido por medio de la palabra de bendición)». Probablemente también en Gn 49,26.26 las *b^erākōt* de Jacob deben entenderse como el bienestar logrado por medio de la declaración *bārūk* (cf. v. 25).

IV. Para estudiar el empleo teológico de esta raíz en los diversos estratos del AT debemos distinguir tres apartados, siguiendo los tres principales modos de empleo de la misma: la bendición de Dios (IV/1, cf. *sup.*, especialmente III/1*a.2ade.*3.4*e),* la bendición por medio de los hombres (IV/2, cf. *sup.* III/1*a.2bf.*4*bc)* y la alabanza de Dios (IV/3, cf. *sup.* III/1*c.2ce.* 4*d).*

1. *brk,* referido a la bendición de Dios, aparece en primer lugar en las tradiciones preyahvísticas recogidas por el AT (1*a);* después, en las promesas patriarcales del Gn en J y en P (1*b),* en el Dt (1*c)* y en los libros sapienciales (1*e),* mientras que en la literatura profética pasa sensiblemente a segundo plano (1*d).*

a) En algunos pasajes se ha mantenido vivo el recuerdo de que la bendición no es una manifestación específicamente israelita, sino que aparece también en los pueblos vecinos a Israel (cf., sobre todo, Nm 22-24, y especialmente Nm 22,6). El AT recoge con toda naturalidad un material en que se deja reconocer que la bendición era entendida originariamente como una sustancia eficaz en sí misma (Gn 27: el padre moribundo pasa a su hijo su propia fuerza vital; Gn 32: Jacob arrebata al numen la bendición). Con todo, estos textos han sido reelaborados y aparece con toda claridad que, según la concepción veterotestamentaria, el Dios de Israel es la única y verdadera fuente de toda bendición (así, en Gn 27, que habla de la bendición lograda astutamente por Jacob, los vv. 27-29 interpretan dicha bendición como un don de Dios; según Gn 32,30, la divinidad bendice porque así lo ha decidido libremente; Balaán debe actuar con respecto a Israel conforme al encargo expreso de Yahvé, Nm 22,18; 24,13 J; 22,38 E; las palabras de bendición formuladas impersonalmente en Dt 7,14 y 28,3-6 son referidas a la acción de Dios por medio de frases verbales, 7,13; 28,7-14). Esta concepción aparece no sólo en los pasajes en que Yahvé es mencionado expresamente como dispensador de la bendición; también en los demás pasajes el tema de la bendición está integrado en la fe de Israel: toda bendición viene de Yahvé.

Sorprendentemente, sobre el modo de comunicar la bendición se dice muy poco. La bendición se experimenta en el proceso natural de crecimiento y desarrollo, en el éxito y la fortuna. También en estas manifestaciones la fe ve a Yahvé en acción, sin que sea necesario, sin embargo, que se le nombre expresamente. Lo primero que falta en los textos —contra lo que frecuentemente se afirma— es la indicación de que la bendición sea efecto de la palabra de Dios. Sólo en dos casos, en todo el AT, se pone la bendición en relación con la palabra divina: en la narración sacerdotal de la creación («Dios bendijo diciendo», Gn 1,22.28; 9,1; cf. 35,9s; 48,3s) y en Is 19,25 («Yahvé de los ejércitos ha bendecido diciendo»). En el primer caso, el tema de la bendición está subordinado a la concepción sacerdotal de la creación por medio de la palabra; en el segundo, podría tratarse de un simple reflejo del modo de hablar profético. De todos modos, estas excepciones no hacen sino confirmar la regla de que la bendición es entendida en el AT como una acción directa de Yahvé.

b) El concepto de bendición, originalmente natural y trasladado luego al estrecho círculo de la familia (cf., por ejemplo, Gn 24,34-36: bendición de Abrahán = «Sara le ha engendrado a su edad un hijo»), ha sido puesto en relación con la acción del Dios que actúa en la historia de su pueblo: esto ocurrió, en primer lugar, al integrar esta palabra de bendición en las promesas patriarcales (Gn 12,2s; 17,16. 20; 22,17; 26,3.24; 28,14): el Dios que sostiene y acrecienta la vida de su pueblo en el país en que éste se ha instalado no es distinto de aquel que salvó a Israel de Egipto (sobre la diferencia entre la acción de Dios como impartidor de bendición y su acción salvífica, cf. C. Westermann, *Der Segen in der Bibel und im Handlen der Kirche* [1968] 9-22 y *passim).*

Se debe fundamentalmente al trabajo teológico del yahvista el que esta visión de las cosas se haya impuesto como decisiva en el AT (cf. H. W. Wolff, *Das Kerygma des Jahwisten:* EvTh 24 [1964] 73-98 = GesStud 345-373). El centro de interés en la promesa de bendición, según lo ve el Yahvista, reside en el tema de la gran descendencia (Gn 12,2: «te convertiré en un gran pueblo y te bendeciré; 26,24: «yo estaré contigo, te bendeciré y multiplicaré tu descendencia»). De todas formas, con el crecimiento y conversión de Israel en un pueblo grande y numeroso no se ha alcanzado todavía la meta de Yahvé. Esta consiste —como lo muestra claramente la estructura del texto, en Gn 12,2s (cf. A. Murtonen, VT 9 [1959] 159s; H. Junker, BEThL 12/13 [1959] 554; H. W. Wolff, EvTh 24 [1964] 80s)— en que «en ti serán benditas todas las familias de la tierra» (Gn 12,3b; cf. 18,18; 28,14). Con la vocación de Moisés la posibilidad de obtener la bendición de Dios viene a sustituir a la maldición que pesaba sobre la humanidad (Gn 3-11: 5 ×, *ʾrr,* «maldecir»).

P relaciona la promesa de bendición con los dos elementos más importantes dentro de las promesas patriarcales: las promesas de la gran descendencia y de la tierra (cf. Gn 17,4-8; 28,3s; 35,11s; 48,3s). La bendición de Dios se dirige, ya desde el comienzo de la creación, no sólo a Israel, sino a la humanidad entera. Dicha bendición consiste en que Dios otorga a los hombres y a todos los seres vivos el poder de ser fértiles y multiplicarse (cf. la frecuente unión de *prh* y *rbh;* en qal: Gn 1,22.28; 8,17; 9,1.7; 35,11; 47,27; Ex 1,7; en hifil: Gn 17,20; 28,3; 48,4; Lv 26,9; fuera de P esta unión aparece sólo en Jr 23, 3; y en orden inverso, en Jr 3,16; Ez 36,11); las genealogías, típicas del P, reflejan de qué manera se ha realizado la bendición (cf. Westermann, BK I, 23s).

También en el pasaje en que se habla de la bendición sobre el sábado (Gn 2,3a; la bendición de Dios sobre cosas e instituciones aparece también en Gn 27,27; 39,5; Ex 20,11; 23,25; Dt 7,13; 28,12; 33,11; Jr 31,23; Sal 65,11; 132,15; Job 1,10; Prov 3,33) parece que se mantiene la comprensión de la bendición característica de esta fuente: al separar *(qdš* piel) el día festivo, Dios le asigna una fuerza que lo convierte en «fructífero» para la humanidad (cf. Westermann, BK I, 230-238).

El don de la tierra es la «bendición de Abrahán» en sentido propio (Gn 28,4; cf. la repetición de la promesa, dirigida a Jacob, Gn 48,4).

c) En el Dt no es el don de la tierra, en cuanto tal, el que es puesto en relación con la bendición (normalmente unido con el «juramento» de Yahvé), sino el mantenimiento y fomento de la vida en la misma (cf. las promesas de bendición en Dt 7,13; 14,29; 15,4.10.18; 16,15; 23,21; 24,19; 28,8. 12; 30,16; cf. Ex 23,25). Cuando entren en la tierra deberán colocar la bendición sobre el monte Garizim y la maldición sobre el Ebal (Dt 11,29); esta ley indica que con la conquista de la tierra comienza una nueva época en la historia de la salvación: antes, Dios intervenía con actos salvíficos esporádicos; ahora, su actuación por la bendición se ha hecho permanente (cf. Jos 5,11s: al disfrutar ya de los productos del país se hace innecesario el maná). La relación de Israel con Dios se decide ahora según la actitud del primero ante los productos de la tierra: ¿son entendidos éstos como don de los dioses de la fertilidad cananeos o se reconoce a Yahvé como el único dispensador de toda bendición? Cuanto más serenamente goce Israel los bienes de la bendición (es decir, la fecundidad de hombres, de animales y del campo, cf. Dt 7,13; 28,3-6) tanto más honra a Yahvé (cf. von Rad I, 242).

También desde este punto de vista existe una estrecha relación entre la promesa de bendición y la exigencia de obediencia, relación que queda reflejada en una característica repetición de fórmulas: por una parte, la promesa de bendición ocurre de forma incondicionada (Dt 16,15; 28,8.12); por otra, aparecen frases que exigen el cumplimiento de la ley «para que Yahvé, tu Dios, te bendiga» (14,29; 23,21; 24, 19; cf. 15,10.18) o que son formuladas condicionalmente: «si tú..., entonces Yahvé, tu Dios, te bendecirá» (30, 16; cf. 7,12s; 15,4s). Incluso en el caso en que Yahvé envía libremente la bendición se exige que sea reconocido su poder único de bendición.

El receptor de la bendición es el pueblo en su totalidad. De ahí que la idea de la bendición contenga la verdadera base para las «leyes humanitarias» del Dt: hasta que incluso el miembro más débil de la comunidad haya logrado participar de la bendición de Dios, la promesa está todavía por cumplirse (cf. G. von Rad, *Das Gottesvolk im Dtn* [1929] 42-49; Eichrodt II, 232).

A los anuncios de bendición divina en Gn y en Dt corresponden las afirmaciones sobre su cumplimiento (cf. Gn 24,1.35; 25,11; 26,12; 30,27.30; 32,30; 35,9; 48,3; Dt 2,7; 12,7; 15,6. 14). Fuera de estos estratos literarios se hacen más raras las referencias a la bendición de Dios. De todos modos, se nota una mayor frecuencia en las confesiones de confianza «Yahvé bendecirá» o semejantes (cf. Sal 29,11; 67, 7.8; 128,5; 134,3a; también 115,12a; en estilo de oración, Sal 5,13; 65,11; 109,28), así como en las palabras de bendición «que Dios bendiga» o semejantes (cf. Nm 6,24; Sal 67,2; 115, 12b-14; Rut 2,4, como fórmula de saludo). Por otra parte, frases correspondientes aparecen en contextos bastante diferentes (piel: Ex 20,24; Nm 6,27; Jos 17,14; Jue 13,24; 2 Sm 6,11s = 1 Cr 13,14; 2 Sm 7,29; cf. 1 Cr 17,27; Is 19,25; 51,2; 61,9; Sal 45,3; 107,38; 147,13; Job 42,12; 1 Cr 4,10; 26,5; 2 Cr 31,10; pual: 2 Sm 7,29; cf. 1 Cr 17,27; Sal 37,22; 112,2; 128,4; Prov 20,21; 22,9; sobre el nombre, cf. III/ 4*e,* menos directamente también Dt 28, 2; Is 19,24; Ez 34,26a; 44,30; Mal 2, 2; Sal 21,7; Prov 10,6; 24,25; 28,20; 1 Cr 5,1s, texto enmendado).

d) En los libros proféticos el tema de la bendición pasa sensiblemente a segundo plano, ya que los profetas están interesados propiamente en la actividad salvífica y judicial de Dios. La raíz *brk* no aparece nunca en textos preexílicos. Sólo a partir de DtIs se hace uso de este término (cf. Is 44,3; 51,2; Ez 34,26; Joel 2,14; Ag 2,19; Zac 8,13; N Mal 3,10) para referirse a una actuación futura de Dios, actuación que no se agota en una única acción salvífica, sino que acompañará permanentemente la vida del hombre y se experimentará en el proceso natural de crecimiento y multiplicación (cf. ya, sin embargo, Os 2,20-25, sin *brk).* El lenguaje de bendición domina también las «descripciones de salvación» (cf. C. Westermann, *Der Segen in der Bibel und im Handeln der Kirche* [1968] 36s, con bibliografía), aunque dentro de este contexto *brk* aparece sólo en Is 65,23.

e) La literatura sapiencial no experimenta la acción de Dios —en contraste con los profetas— en sus grandes gestas salvíficas, sino en el discurrir regular y cotidiano de la vida, dentro del ámbito de la casa, del campo y de la aldea, es decir, en el sector al que la bendición está normalmente orientada. La bendición consiste —como siempre en el AT— en tener una descendencia numerosa (Sal 112,2; 128,3s; Job 42, 13), en poseer la tierra (Sal 37,22), mucho ganado (Job 1,10; 42,12), bienes (Sal 112,3; Prov 10,22; 24,25; 28, 20), larga vida (Sal 133,3) y memoria imperecedera (Prov 10,7). En ocasiones asoma la idea de la transitoriedad de los bienes terrenos (por ejemplo, Prov 11,28; 23,4s), y partiendo de ahí se llega a establecer la diferencia entre los bienes que se reciben como don de Dios y los bienes que el hombre consigue por sí mismo; el que quiere asegurar la vida por sí mismo no hace sino perder la felicidad (Prov 10,22; 20,21). Pero fundamentalmente se mantiene firme la convicción de que el justo debe esperar bendición (Sal 37,25s; 112,2; Prov 3,33; 10,6.7) y el impío, por el contrario, desdicha y fracaso. El criterio de esta «justicia» lo constituyen tanto la relación con Dios (Sal 112,1s; 128,4; Prov 28,20) cuanto el comportamiento con respecto al prójimo (Prov 11,26; 22,9; 24,25).

2. La bendición impartida por los hombres en el culto, público o privado, no depende propiamente de las facultades espirituales del que la imparte, ni de la receptividad del que la recibe (así, por ejemplo, Pedersen, *Israel* I-II, 182s; S. Mowinckel, *Psalmenstudien* V [1924] 10s), ni de la fuerza propia de la palabra pronunciada (por ejemplo, F. Horst, RGG V, 1649-1651; E. J. Bickermann, RB [1962] 524). Los que imparten la bendición funcionan, más bien, como mediadores; pero es Dios el que, por medio de ellos, bendice. Esto se ve especialmente en aquellos textos en que, en unión con *brk,* se cita una fórmula de bendición (bendición patriarcal: Gn 27,27-29; 48,15s. 20; cf. 28,1-3s; bendición de la novia: Gn 24,60; cf. Rut 4,11; Tob 10,11; bendición sacerdotal: Nm 6,23-27; cf. Sal 67,2; 115,12-15). Las palabras de bendición consideran, por lo general, expresamente a Dios como el impartidor de la bendición. Esto se pone de especial relieve en la bendición aaronítica: cuando los sacerdotes ponen el nombre de Yahvé sobre el pueblo, es decir, pronuncian la fórmula de bendición citada anteriormente (Nm 6,24-26), es Yahvé mismo el que bendice a su pueblo (v. 27). Lo mismo indica la expresión —usada sólo para la bendición sacerdotal— *brk b^e^šem Yhwh,* «bendecir pronunciando (invocando) el nombre de Yahvé» (Dt 10,8; 21,5; 2 Sm 6,18 = 1 Cr 16,2, donde David funciona como sacerdote; Sal 129,8b, bendición conclusiva del salmo que no pertenece a la bendición del segador; 1 Cr 23,13; cf. H. A. Brongers, ZAW 77 [1965] 8s).

La idea de que impartir la bendición es un privilegio de los sacerdotes se puede documentar sólo en estratos relativamente tardíos del AT (los aaronitas: Nm 6,23; 1 Cr 23,13; los sacerdotes levíticos: Dt 21,5; 2 Cr 30,27; la tribu de Leví: Dt 10,8. Dt 10,8 y 21,5 son secundarios, cf. von Rad, ATD 8, 56.97). La más antigua de las tradiciones no menciona la bendición sacerdotal en absoluto, para dejar claro que la vida y la prosperidad no deben ser creadas cada vez por un nuevo acto de culto, sino que son impartidas a los hombres en virtud de la decisión libre de Dios (Gn 8,22 J). Tampoco el Dt insiste en presentar la bendición sacerdotal como un privilegio; según 27,12 (cf. 11,29; Jos 8,33), todos los miembros de las doce tribus son llamados a bendecir y maldecir. Aun cuando se deba entender esta acción (análogamente a Dt 27,14-26) en el sentido de que el pueblo respondía «amén» a las fórmulas recitadas (cf. 1QS 2,1-10; *Soṭa,* 7,5), de todas formas es significativo el que se destaque fundamentalmente la responsabilidad de toda la comunidad en la impartición de la bendición y la maldición.

Aunque el estrato base del escrito sacerdotal no considera todavía la impartición de la bendición como un privilegio de los sacerdotes (también bendicen Isaac, Gn 28,1.6; Jacob, 49,28; Moisés, Ex 39,43 [Lv 9,23a es secundario]), en el trazado de la obra histórica se le atribuye a la bendición un papel mucho más importante (cf. K. Elliger, ZThK 49 [1952] 134): según Lv 9,22, tras la presentación del primer sacrificio, Aarón pronuncia la bendición sobre el pueblo; la teofanía que sigue legitima tanto la praxis sacrificial como la institución de la bendición sacerdotal.

La tradición de Gn 14,18-20 —vecina a P— podría tener un significado semejante: la bendición de Melquisedec sobre Abrahán presenta la bendición del sacerdote como parte esencial del culto «según el orden de Melquisedec» (cf. W. Zimmerli, FS Rost [1967] 255-264).

La bendición del sacerdote se dirige por lo general a una comunidad grande. Pero también se alude, en 1 Sm 2,20, a la impartición de la bendición sobre una persona particular (cf. Sal 91; 121). Cuando en 1 Sm 9,13 se indica que Samuel debe bendecir el «sacrificio», se da a entender que es prerrogativa suya el pronunciar la *b^erākā* durante la comida (cf. 1QS 6,4s; 1QS^a 2,17-20; Mc 8,6s; Lc 9,16).

Los textos no muestran ningún interés en señalar la forma concreta de impartir la bendición. Solamente Gn 48,17 habla, como de paso, de la imposición de manos con relación a la bendición patriarcal; Lv 9,22 indica que el sacerdote alzaba las manos para impartir la bendición.

3. *brk* desempeña una función en el contexto de la alabanza de Dios, especialmente en un grupo determinado de alabanzas y en la exhortación a alabar a Dios.

a) Las alabanzas formadas con *bārūk* (cf. W. S. Towner, CBQ 30 [1968] 386-399; W. Schottroff, *Der altisr. Fluchspruch* [1969] 163ss; cf. *sup.* III/1*c)* siguen siempre el mismo esquema: *bārūk* —el nombre de Dios o un apelativo (seguido frecuentemente de diversos epítetos)—, fundamentación de la alabanza, introducida frecuentemente por una partícula relativa. Estas alabanzas brotan espontáneas, en situaciones de la vida cotidiana, inmediatamente después de haber experimentado la ayuda de Dios (Gn 24,27; 1 Sm 25,32.39; 1 Re 1,48; Esd 7,27); a veces no es la persona que ha experimentado la acción de Dios la que pronuncia la alabanza, sino algún espectador impresionado (Ex 18,10; 2 Cr 2,11; en arameo, Dn 3,28, siempre en boca de no israelitas; Rut 4,14). En relación con determinadas acciones cúlticas se hace uso de la misma fórmula en Gn 9,26; 14,20; 1 Re 8,15 = 2 Cr 6,4; 1 Re 8,56.

En Sal 28,6 y 31,22 (fundamentación introducida por la partícula *kī,* cf. 1 Sm 23,21) la alabanza aparece en cantos de lamentación individual, concretamente en el lugar en que la lamentación se cambia en alabanza (cf. Gunkel-Begrich, 243-247; C. Westermann, *Das Loben Gottes in den Psalmen* [1953] 47-52). Con una función semejante aparece también (usando la partícula *šæ-)* en un canto de acción de gracias del pueblo (Sal 124,6). En Sal 68,20 introduce la descripción de las acciones salvíficas de Dios. De estos empleos de la alabanza se desarrolló una fórmula doxológica que aparece sobre todo como conclusión de diversos salmos (Sal 66,20, con *ʾ^ašær;* 68,36, sin fundamentación; 135,21). Después, esta doxología se emplea como fórmula conclusiva de los primeros cuatro libros de los salmos, insertándola secundariamente en el salmo correspondiente (Sal 41,14; 72,18s; 89,53; 106,48; cf. Kraus, BK XV, pp. XII-XV).

Sal 106,48 parece ser una adaptación de 1 Cr 16,36; por eso, la doxología habrá sido tomada de este texto e insertada en el salmo, convirtiéndose así en conclusión del cuarto libro de los salmos (cf. Rudolph, HAT 21, 121).

En posición inicial de un salmo, la fórmula aparece sólo en Sal 144,1 (seguida por participios). Tampoco en este texto tiene la función de invitar a la alabanza; el salmo empieza directamente con la alabanza de Dios sin un canto previo (en Sal 18 es distinto). Ez 3,12 constituye una exclamación de alabanza completa en sí misma, por lo menos si el texto es auténtico (con frecuencia enmendado a *b^erūm,* por ejemplo, Zimmerli, BK XIII, 12); también Dt 33,20; Zac 11,5.

Las alabanzas formuladas en tercera persona se dirigen en primer lugar a un auditorio humano; los que hablan proclaman la grandeza de Dios para con los oyentes, manifestada en algún hecho concreto (cf., por ejemplo, Ex 18,10: «bendito es Yahvé, que os...»; 1 Sm 25,32: «entonces dijo David a Abigail... que hoy te...»; Rut 4,14: «que te...»). Sólo en dos textos tardíos se emplea el estilo de oración, es decir, la alabanza se dirige directamente a Dios: «bendito eres tú, Yahvé» (Sal 119,12; 1 Cr 29,10, siempre como introducción de una oración o de una petición).

Este modo de empleo es el que se ha hecho corriente en la literatura deuterocanónica (cf. Dn 3,26.52 G; Tob 3, 11; 8,5.15-17; 11,14 y *passim),* en Qumrán (1QS 11,15; 1QH 5,20; 10,14; 11, 27.29.32 y *passim)* y en las oraciones judías (las «Dieciocho bendiciones»). Las doxologías así elaboradas, que aparecen en los textos más antiguos de la liturgia judía y en los últimos estratos del AT, se remontan probablemente a una base común (cf. Towner, *loc. cit.,* 397-399).

b) El imperativo plural de *brk* piel: «alabad a Yahvé» (Sal 96,2; 100,4; 134,1s; cf. Jue 5,2.9) se emplea en ocasiones como invitación introductoria de un himno (junto a las introducciones más frecuentes con → *hll* piel, Sal 113,1; 117,1; 135,1.3 y *passim;* → *yd*ʿ hifil, Sal 33,2; 105,1; 106,1; 107, 1, etc.) La misma función desempeña el participio pual más *yᵉhī* en Sal 113,2; Dn 2,20 (arameo).

En Neh 9,5 la invitación a la alabanza es independiente de la siguiente acción de gracias (cf. 1 Cr 29,20; Sal 68,27, aunque aquí debe leerse el perfecto, cf. Kraus, BK XV, 4 467). En Sal 135 la invitación vuelve a repetirse al final del salmo (vv. 19s), dirigida a los diversos grupos de la comunidad. A veces se amplía a una invitación a la alabanza de Dios por parte de todos los hombres (Sal 66,8; 96,2), la creación entera (Sal 103,22a) y las potencias que rodean al rey celeste (Sal 103,20s).

En los cantos individuales aparece como autoinvitación (Sal 103,1s.22b; 104,1.35) o como declaración de la propia intención (Sal 16,7; 26,12; 34, 2; 63,5; 145,1s).

También aquí, lo mismo que en las alabanzas, parece que la referencia a Dios en 3.ª persona (Sal 16,7; 26,12; 34,2) es anterior a la referencia directa en la oración (Sal 63,5; 145,1s; 26, 12 G). El orante se dirige a un auditorio humano y expone su intención de alabar a Dios (Sal 26,12: «yo quiero alabar a Dios en la asamblea»). Esta declaración aparece significtiavmente en la introducción de los cantos individuales de acción de gracias (Sal 34,2, con *yd*ʿ hifil, por ejemplo, Sal 9,2; 57,10; 138,1s), en las promesas de alabanza que aparecen como conclusión de las lamentaciones individuales (Sal 26,12) y en los cantos de confianza que de ahí se derivan (Sal 16,7; 63,5). Con frecuencia se indica que lo que al orante le interesa es la continuidad de la alabanza de Dios (Sal 34,2; 63,5; 145,1s).

V. En el judaísmo (y en el NT) el empleo del término ha sufrido un cambio: aquí se usa preferentemente en relación con la alabanza de Dios. En el NT, 40 de los 68 casos de εὐλογεῖν y derivados están relacionados con la alabanza de Dios. El concepto mismo de bendición queda modificado por el hecho de que ahora ha adquirido la referencia al acontecimiento Cristo (Hch 3,25s; Gál 3,8s; Ef 1,3). La exhortación a bendecir dirigida a los hombres está subordinada al mandamiento de amar al prójimo (Lc 6,27s; Rom 12, 14; 1 Pe 3,9; cf. 1 Cor 4,12). No se alude nunca a la bendición cúltica; cf., de todos modos, el beso de paz de los discípulos (Mt 10,12s; Lc 10,5s) y la bendición de Jesús (Mc 10,16, bendición de los niños; Lc 24,50, bendición de despedida). Cf. H. W. Beyer, artículo εὐλογέω: ThW II, 751-763; W. Schnek, *Der Segen im NT* (1967); C. Westermann, *Der Segen in der Bibel und im Handeln der Kirche* (1968).

C. A. Keller (I-III)
G. Wehmeier (IV-V)

בשׂר *bśr* piel **Llevar un mensaje**
→ מַלְאָךְ *mal'āk.*

בָּשָׂר *bāśār* Carne

1. El sustantivo **baśar-,* «carne, cuerpo», está documentado con seguridad solamente en el semítico noroccidental (HAL 156b; P. Fronzaroli, AANLR VIII/19 [1964] 170.253.266. 277). Es dudoso que la raíz aparezca también en el acádico *bišru,* «niño pequeño» (AHw 131a; CAD B 270a); cf., sin embargo, el púnico *bšr* (escrito también *bš'r* y *bš'r),* «niño, descendiente» (J. Hoftijzer, *Eine Notiz zum pun. Kinderopfer:* VT 8 [1958] 288-292; DISO 45). Es poco probable que esté relacionada, como a veces se ha afirmado, con el verbo *bśr* piel, «anunciar, llevar un mensaje».

En ugarítico está documentada en 51 (= II AB) II, 5: «los restos mortales»; 77 (= NK), 9: «sangre para su carne»; 128 (= III K) IV, 25; V, 8, referido a la carne de un banquete (cf. UT N. 534; WUS N. 598).

Contemporáneos al AT son los casos de *bsr* arameo (= arameo-bíblico *b^eśar)* en los oráculos de Ajicar, línea 89: «derramar su sangre y comer su carne», y línea 104: «¿por qué ha de discutir la leña con el fuego, la carne con el cuchillo y un hombre con el rey?» (Cowley, 215s).

En árabe, *bašar* significa en sentido alargado «ser humano»; *bašarat,* por el contrario, significa «piel» (cf. *inf.* 3).

2. En el AT, hebreo *bāśār* aparece 270 × y el arameo *b^eśar* 3 × (Dn 2,11; 4,9; 7,5) (en Lisowsky falta Gn 9,15a; D. Lys, *La chair dans l'Ancien Testament, «Bâsâr»* [1967] 15-19, con una estadística detallada desde un punto de vista cronológico). Los casos hebreos se distribuyen de la siguiente forma:

Gn	33	Is	17	Job	18	1 Sm	4	Ag	1	2 Cr	1
Ex	14	Jr	10	Prov	4	2 Sm	3	Zac	4		
Lv	61	Ez	24	Ecl	5	1 Re	4	Mal	—	Total	270
Nm	17	Os	1	Lam	1	2 Re	6	Sal	16		
Dt	13	Jl	1	Dn	2						
Jos	—	Am	—	Neh	2						
Jue	6	Miq	1	1 Cr	1						

3. Se debe partir de los numerosos pasajes en que *bāśār* designa la materia carnal del cuerpo humano o animal, vivo o muerto. Dentro de este amplio campo el significado puede abrirse a matices muy diversos: carne como comida, como materia sacrificial o como objeto de las prescripciones médicosacrales de purificación señaladas en el escrito sacerdotal. A veces aparece *bāśār* junto a otras partes del cuerpo como la parte vital del todo corporal: junto a los huesos (Job 2,5; *'æṣæm* 123 ×, de ellas 20 × con el significado de «él mismo»; cf. Dhorme 9s; L. Delekat, VT 14 [1964] 49-52), junto a la piel y los huesos (Lam 3,4; *'ōr,* «piel, cuero», 99 ×, de ellas 46 × en Lv 13), junto a piel, sangre (→ *dām)* y excremento (Nm 19,5), junto a piel, huesos y tendones (Job 10,11; cf. Ez 37,6.8).

En otros casos, la expresión «(mi/tu/vuestro) hueso y carne» designa el parentesco carnal (Gn 2,23; 29,14; Jue 9,2; 2 Sm 5,1 = 1 Cr 11,1; 2 Sm 19, 13.14; cf. W. Reiser, *Die Verwandtschaftsformel in Gen. 2,23:* ThZ 16 [1960] 1-4). El mismo significado tiene a veces la expresión simple «(tu/nuestra) carne» (Gn 37,27; Is 58,7; Neh 5, 5) y dos veces la composición constructa *š^eēr bāśār* (Lv 18,6; 25,49).

La expresión «carne y sangre», empleada para referirse al hombre como ser pasajero, aparece por vez primera en Eclo 14,18.

Unas 50 × *bāśār* designa el cuerpo, es decir, la parte visible del hombre o también, excepcionalmente, del animal (Job 41,15), lo corporal tomado como un todo, poniendo especial énfasis en lo visual y en lo plástico. Se trata siempre, en estos textos, del cuerpo vivo; *bāśār* no se emplea nunca para designar un cadáver, ni siquiera en Ez 32,5; además, *bāśār* se refiere a lo material y no se emplea nunca en el sentido de «imagen, figura; *bāśār* es *corpus,* no figura. Es significativo, en este sentido, su empleo en oposición a diversos conceptos de la vida espiritual: → *rūªḥ,* «espíritu» (Gn 6,3; Nm 16,22; 27,16; Is 31,3), → *nǽfæš,* «alma» (Gn 9,4; Dt 12,23; Job 14,22), → *lēb,* «corazón» (Ez 44,7.9; Sal 84,3).

Sobre los otros términos usados para designar el «cuerpo», como *gᵉwiyyā* (Ez 1,11.23 y Dn 10,6), el arameo *gᵉšem* (Dn 3,27.28; 4,30; 5,21; 7,11), que han evolucionado hacia el sentido de «ser, él mismo» (*gaf,* Ex 21,3.4; *gᵉwiyyā,* Gn 47,18 y Neh 9,37; cf. el hebreo *ʿæṣæm,* el arameo *garmā,* el acádico *ramānu*) o también hacia el significado de «cadáver» (*gᵉwiyyā,* Jue 14,8,9; 1 Sm 31,10.12; Nah 3,3.; Sal 110,6; *gūfā,* 1 Cr 10,12. 12, cf. 1 Sm 31,12; *pægær* 22 ×; cf. el arameo *pagrā* y el acádico *pagru,* que significan también «cuerpo»; cf. D. Neiman, JBL 67 [1948] 55-60, sobre Lv 26, 30 y Ez 43,7.9; es distinto el caso de *nᵉbēlā,* 48 ×, → *nbl*), cf. Dhorme 7-12; F. Baumgärtel y E. Schweizer, artículo σῶμα: ThW VII, 1042-1046*.

En árabe, *bašarat* significa «piel» (cf. *sup.* 1). En el desarrollo del sentido de «cuerpo» hacia el de «piel» se da un ligero cambio de punto de vista. La piel es la parte exterior y visible del cuerpo. Ambos conceptos son muy vecinos desde el punto de vista semántico, como aparece en diversos pasajes veterotestamentarios en los que ambos significados son igualmente posibles (Sal 102,6; 119,120; Job 4,15). En otros pasajes estos dos conceptos se diferencian claramente (Lv 13,2ss).

El sentido se extiende y se hace más abstracto en la expresión —documentada unas 40 ×— *kol-bāśār,* «toda carne», que se puede referir bien a toda la humanidad (por ejemplo, Dt 5,26; Sal 65,3; 145,21) o a toda la creación, es decir, a hombres y animales (por ejemplo, Gn 6,17; 9,16s; Job 34,15) (cf. A. R. Hulst, *Kol-bāśār in der priesterlichen Fluterzählung:* OTS 12 [1958] 28-68).

En algunos pasajes *(mik)kol-bāśār* se puede traducir por «de todo género, especie» (sobre todo en P: Gn 6,19; 7,15; 8,17; 9,16; Nm 18,15).

En Lv 15,2s; Ez 16,26 y 23,20 *bāśār* tiene el sentido eufemístico de «pene».

El término *šᵉʾēr,* «carne» (Ex 21,10; Jr 51,35; Miq 3,2.3; Sal 73,26; 78,20. 27; Prov 5,11; 11,17, empleado originariamente más en el sentido de carne interior, viva, cf. F. Baumgärtel, ThW VII, 107s; usado en P en el sentido de «consanguíneo»: Lv 18,6.12.13; 20,19; 21,2; 25,49; Nm 27,11; además, Lv 18,7, *šaʾªrā,* texto dudoso; sobre los equivalentes semíticos y los cambios de significado, cf. P. Fronzaroli, AANLR VII/19 [1964] 168.252s.266.277), menos frecuente que *bāśār,* es un perfecto sinónimo suyo en el lenguaje profano, pero no se emplea como vocablo teológico; la razón principal está en que no es usado nunca colectivamente.

4. *bāśār* aparece como vocablo teológicamente importante en aquellos pasajes en que se expresa una valoración cualitativa. Son excepción los casos en que la valoración es positiva: así en Ez 11,19 y 36,26, donde se hace referencia a la renovación religiosa hablando de un corazón de carne que sustituye al corazón de piedra. Normalmente, la valoración es negativa, especialmente en aquellos casos en que la carne, es decir, la humanidad es contrapuesta cualitativamente a Dios, que es espíritu, debido a su transitoriedad e impotencia (Gn 6,3.12; Is 31,3; 40,6; Jr 17, 5; Sal 56,5; 78,39; Job 10,4; 2 Cr 32, 8). Cf. también J. L. Helberg, *A Communication on the Semasiological Meaning of Basar:* OuTWP (1959) 23-28 (cf. ZAW 72 [1960] 284); J. Scharbert, *Fleisch, Geist und Seele im Pentateuch* (1966) 13.25s.40s.48-56; D. Lys, *La chair dans l'Ancien Testament* (1967).

5. En los textos de Qumrán el concepto *bāśār* es empleado con mayor frecuencia y se le asigna una importancia teológica mayor (cf. H. Huppenbauer, *Bśr, «Fleisch» in den Texten von Qumran:* ThZ 13 [1957] 298-300; E. R. Murphy, *Bśr in the Qumran Literature:* «Sacra Pagina» 2 [1959] 60-76; R. Meyer, art. σάρξ: ThW VII, 109-113). En muchos textos se nota un desplazamiento característico del significado con respecto al AT: a la carne pertenece no sólo la transitoriedad, sino tam-

bién la pecaminosidad. Este cambio de sentido se refleja en fórmulas como *rūah bāśār,* «espíritu de carne» (1QH 13,13; 17,25), *beśar 'ašmā,* «la carne culpable» (1QM 12,12), *beśar 'āwæl,* «carne de crimen» (1QS 11,9).

También en el lenguaje rabínico aparecen significativos cambios de sentido con respecto al AT; sobre esto y sobre el NT, cf. R. Meyer y E. Schweizer, art. σάρξ: ThW VII, 113-151; H. Seebass, art. *Fleisch:* ThBNT I (1967) 342-347.

G. Gerleman

בַּת *bat* Hija → בֵּן *bēn*

גאה *g'h* Ser alto

1. La raíz *g'h (*g'w/y)* aparece en semítico noroccidental.

En ugarítico, cf. 2 Aqht (= II D) VI, 44 *gan,* «arrogancia» (paralelo a *pš'* «pecado»; UT N. 548; WUS N. 613); en púnico, Poen. 1027, *gune bel* (DISO 46: «grandezas de Bel»; Sznycer 144); en sirio, LS 99s; en mandeo, Drower-Macuch 72a.76a.89.

En egipcio, la raíz *q'y,* «ser alto», aparece referida a cosas, personas y dioses; también con el sentido lato de «con la espalda alta = arrogante» (cf. Erman Grapow V, 1ss).

Además de la forma qal del verbo existen como derivados nominales los adjetivos *gē', gē'æ, ga'ayōn,* «arrogante», y los sustantivos *gē'ā,* «arrogancia»; *ga'awā,* «altura, arrogancia»; *gā'ōn,* «altura, altitud, orgullo»; *gē'ūt,* «subida, eminencia, altivez», y *gēwā,* «arrogancia, orgullo»; este último aparece también en arameo bíblico, probablemente como un hebraísmo. Cf., además, el nombre propio *Ge'ū'ēl* (Nm 13,15; pero cf. también HAL 161b).

2. *g'h* qal aparece 7 × (además, Ecl en el sentido de «vanagloriarse»), *gē'* 1 × (Is 16,6), *gē'æ* 8 × (excluido Sal 123,4 Q; además, Eclo 10,14; 11,30), *ga'ayōn* 1 × (Sal 123,4 K), *gē'ā* 1 × (Prov 8,13), *ga'awā* 19 × (además Eclo 7,17; 10,6.7.8; 13,20; 16,8), *gā'ōn* 49 × (además, Eclo 10,12; 48,18), *gē'ūt* 8 ×, *gēwā* 3 × (además 1QS 4,9) y 1 × en arameo bíblico (Dn 4,34).

La raíz *g'h* aparece siempre, exceptuados algunos casos de *gā'ōn* en Ez, en textos métricos (también *g'h* qal en Lv 26, 19, cf. Elliger, HAT 4,367). Los casi 100 casos del AT se distribuyen así: la mayor frecuencia corresponde a la literatura profética (Is 24 ×, Jr y Ez 10 ×, Zac 3 ×, Os/Am/Nah/Sof 2 × cada uno, Miq 1 ×); le siguen, con un número de casos aproximadamente idéntico, la literatura sapiencial (Job 11 ×, Prov 7 ×) y la poética (Sal 15 ×, además 5 × en Ex 15,1.7.21 y 2 × en Dt 33,26.29).

3. Todos los significados de la raíz *g'h* con sus derivados se agrupan en torno al significado base de «ser alto, volverse alto»:

a) El significado concreto —no muy frecuente— aparece en Job 8,11 (el papiro crece); Ez 47,5 (el agua creció convirtiéndose en torrente); Is 9,7 (la marcha ascendente del humo es llamada *gē'ūt 'āšān).* En Sal 46,4 y 89,10 (cf. Job 38,11) se habla ciertamente de la «crecida, ebullición» del mar *(ga'awā* o *gē'ūt),* pero el estilo arcaico de ambos salmos, que en la tradición mítica describen la victoria de Yahvé sobre las fuerzas del caos, sugiere el sentido figurado de «altanería, tumulto, ímpetu».

Cuando Jeremías llama a la espesura del Jordán *ge'ōn hayyardēn* (Jr 12,5; 44,19 = 50,44; cf. Zac 11,3), parece que deben tenerse en cuenta tanto el significado literal como el figurado (G. R. Driver, FS Robinson [1950] 59: «crecida del Jordán»; KBL 162: «selva alta»; mejor, Rudolph, HAT 12, 84: «magnificencia»).

b) En sentido traslaticio, la raíz designa la soberbia, altivez y arrogancia del hombre. En sentido positivo, la tierra es *gā'ōn,* «orgullo», de Israel (Sal 47,5; Nah 2,3; cf. Is 13,19, referido a Babilonia); según Is 4,2, el fruto de la tierra es «orgullo» *(gā'ōn)* y ornato *(tif'æræt* → *p'r)* de Israel. Pero en la mayoría de los casos la expresión tiene un sentido negativo.

O. Humbert, *Démesure et chute*

dans l'AT, FS Vischer (1960) 63ss, ofrece una lista de todos los sinónimos hebreos que significan «arrogancia, altivez»; deben mencionarse las raíces → *gbh,* → *gdl,* → *rūm;* además, *yāhīr,* «arrogante, orgulloso» (Hab 2,5; Prov 21,24; cf. J. Blau, VT 5 [1955] 342), *reḥab lēb/næfæš,* «arrogante» (Sal 101, 5; Prov 21,4; 28,25), *sll* hitpael, «comportarse arrogantemente» (Ex 9,17), *zīd* qal, «ser presuntuoso» (Ex 18,11; Jr 50,29), hifil, «comportarse de forma presuntuosa» (Dt 17,13; 18,20; Neh 9, 10.16.29), *zēd,* «presuntuoso, insolente» (Is 13,11 y *passim), zādōn,* «presunción» (Dt 17,12 y *passim).*

Como opuestos pueden considerarse *šefal rūaḥ,* «humilde» (Prov 16,19; 29, 23), *šaḥ ʿēnáyim,* «con los ojos bajos» (Job 22,29); además los verbos *špl hifil,* «humillar, abajar» (Job 22,29; 40,11; Prov 29,23), *knʿ* hifil, «humillar» (Job 40,12), *šḥt* hifil, «destruir» (Jr 13,9), *šbr,* «romper» (Lv 26,19).

c) La literatura sapiencial amonesta contra la actitud del soberbio y arrogante con el lenguaje sapiencial y equilibrado de los proverbios comparativos formados con *ṭōb* (Prov 16,19); señala la continuidad entre arrogancia y fracaso (Prov 16,18); Dios abaja al «orgulloso y arrogante» (Job 22,29, texto enmendado, cf. Fohrer, KAT XVI, 352; cf. Job 40,11.12 y S. Loffreda, *Raffronto fra un testo ugaritico 2 Aqhat VI, 42-45 e Giobbe 40,9-12:* BeO 8 [1966] 103-116), derriba la casa del soberbio (Prov 15,25), paga con creces al que «obra la soberbia» (Sal 31,24).

En los cantos de lamentación del salterio la raíz *g'h* con sus derivados se emplea como característica del → *rāšāʿ,* del «malvado» (por ejemplo, Sal 36, 12; 59,13; 73,6; 94,2; 140,6; de todos modos, no parece que deba aceptarse la idea de que el término *gē'īm* designe a un grupo determinado de personas, es decir, a los saduceos, como opina H. Steiner, *Die Ge'im in den Psalmen* [1925] 22-30). Con el término *gē'ūt* (texto enmendado) se describe en Sal 10,2 la presunción y seguridad del *rāšāʿ,* que maquina planes para derrotar al humilde *(ʿānī,* → *ʿnh).* Son característicos la «orgullosa autosuficiencia» en el hablar (Sal 17,10; cf. 73,9) y el «orgullo» con que sus labios «dicen insolencias *(ʿātāq)* contra el justo» (Sal 31, 19).

4. *a)* Mientras la literatura sapiencial señala que el soberbio fracasa y el humilde es honrado (cf. Prov 29,23), y así invita a los hombres a la resignación, en la literatura profética se da a la raíz un peso teológico importante y se usa para describir la relación falsa, autosuficiente, del hombre para con Dios. Tanto en Israel (Jr 13,9.17; Ez 7,20.24; 16,49.56; 24,21, cf. Lv 26,19; Ez 33,28) como entre los pueblos extranjeros (Is 13,19; 16,6, cf. Is 48,29; Ez 30,6.18; Sof 2,10; Zac 9,6; 10,11) Dios destruye la autosuficiencia. Todo *gā'ōn* que Israel se atribuye arrogantemente será reducido por Dios a su propia nulidad (Am 6,8; Os 5,5: «el orgullo de Israel testifica contra él», cf. 7,10; la *superbia* es aquí el último «testigo de cargo» contra Israel). Según Is 2,12, el «día de Yahvé de los ejércitos» consiste precisamente en que se hará juicio «contra todo lo soberbio y engreído y contra todo lo altivo y elevado» (léase con los LXX) (cf. 13,11). «Isaías no se refiere, como la literatura sapiencial, a lo que es bueno o mejor; se refiere a lo que Yahvé Sebaot ataca con pasión en su reivindicación de ser el único 'alto', el único señor y rey» (Wildberger, BK X, 108).

b) Al *gā'ōn* que el hombre se arroga se opone la *g'h* (Ex 15,1.21), *gā'ōn* (Ex 15,7; Is 2,10.19.21; 24,14; Miq 5,3; Job 40,10), *ga'awā* (Sal 68,35) y *gē'ūt* (Is 26,10; Sal 93,1) de Dios, en cuanto propiedades divinas y predicados de su majestad y eminencia y de su realeza *(hadar ge'ōnō,* «gloriosa majestad», Is 2,10.19.21; sobre esta expresión compuesta, cf. Joüon 438: «nuance superlative»), que el hombre puede pretender para sí sólo movido por su arrogancia impía (cf. Job 40,9-11, ornato real de Dios, Fohrer, KAT XVI, 519s).

El contexto amplio de Sal 68,35 (cf. Sal 104); 93,1 y Dt 33,26 (cf. el púnico *gune bel,* cf. *sup.* 1) indicaría que estos predicados responden a concepciones tomadas originalmente de la religión cananea (el Dios del cielo, rey) y que fueron luego purificadas por las tradiciones de la acción salvífica de Dios con Israel (Ex 15,1-21).

5. Los LXX traducen con frecuencia *gʾh* referido a Dios por δόξα o semejantes; por lo demás, lo traduce preferentemente por ὕβρις o ὑπερηφανία o semejantes, términos que destacan con más fuerza aún que el TM el sentido negativo implícito en el término y el aspecto de abuso objetivo (G. Bertram, ThW VIII, 300; íd., *«Hochmut» und verwandte Begriffe im griech. und hebr. AT:* WdO III/3 [1964] 32-43).

Sobre el judaísmo, el NT y el cristianismo primitivo, cf. G. Bertram, artículo ὕβρις: ThW VIII, 295-307.

H.-P. Stähli

גאל *gʾl* Redimir

1. El verbo *gʾl* es exclusivo del hebreo entre las lenguas semíticas. A partir del AT ha pasado como hebraísmo al samaritano (HAL 162a) y como herencia propia a la lengua del judaísmo posbíblico (cf. ThW IV, 352s y VII, 987s).

Sobre el nombre propio *Gʾlyhw,* que aparece en un sello de Bet-Zur, cf. D. W. Thomas, *Documents from OT Times* (1958) 223s.

En la literatura de Qumrán sólo ha aparecido, hasta el momento, una evidencia: CD 14,16, donde el participio *gōʾēl* es empleado en el sentido de «pariente (próximo)».

El hecho de que el verbo sea exclusivamente hebreo nos cierra el camino para hallar su etimología.

Esta raíz no tiene absolutamente nada que ver, en cuanto al contenido, con su homónimo *gʾl* nifal, «ser hecho impuro (cúlticamente)» (HAL 162s: forma secundaria de *gʿl;* → *ṭmʾ*). Esto es lo que se debe afirmar con Fohrer, KAT XVI, 110, entre otros, y contra A. R. Johnson, *The Primary Meaning of gʾl:* SVT 1 (1953) 67-77, que asigna a los dos verbos *gʾl* el mismo significado fundamental de «cubrir». De este significado fundamental se derivaría para el primer *gʾl* el sentido de «proteger» y para el segundo el sentido de «manchar». Pero es muy discutible partir de *gʾl,* «proteger», para estudiar el verbo que nos ocupa, ya que no corresponde de ninguna forma a su sentido propio; cf. también J. Blau, VT 6 (1956) 244s, que se refiere a Job 3,5.

Del verbo aparecen los modos qal y nifal; también se han derivado los nombres abstractos *geʾullā* (es una forma nominal típica de los términos jurídicos, cf. F. Horst, FS Rudolph [1961] 153: «derecho y obligación a la liberación [al rescate]») y *geʾūlīm* (Is 63,4; según L. Köhler, ZAW 34 [1921] 316 y HAL 161b: «tiempo y situación del *gōʾēl* vengador de la sangre»; sobre la forma nominal, cf. BL 472 y Gulkowitsch 20). Debe citarse también el nombre propio *Yigʾāl* (formado con un imperfecto, cf. Noth IP 28.200).

2. La raíz *gʾl* aparece en el AT en 118 ocasiones (si contamos el nombre propio *Yigʾāl,* en Nm 13,7; 2 Sm 23, 36; 1 Cr 3,22, suman un total de 121 casos). El participio qal *gōʾēl* (46 ×) aparece siempre sustantivado, excepto en Gn 48,16 y Sal 103,4; en la lista que ofrecemos a continuación ocupa un apartado especial (las cifras entre paréntesis indican el número de veces que aparece la expresión *gōʾēl haddām,* «vengador de la sangre»; en Nm 35,12 debe añadirse *haddām).*

	qal	*nifal*	*sustantivado gōʾēl*	*geʾullā (geʾūlīm)*	*Total*
Gn	1	—	—	—	1
Ex	2	—	—	—	2
Lv	13	7	2	9	31
Nm	—	—	8 (6)	—	8

	qal	*nifal*	*sustantivado gō'ēl*	*g*^e^*'ullā (g*^e^*'ūlîm)*	*Total*
Dt	—	—	2 (2)	—	2
Jos	—	—	3 (3)	—	3
2 Sm	—	—	1 (1)	—	1
1 Re	—	—	1	—	1
Is	9	1	13	(1)	24
Jr	1	—	1	2	4
Ez	—	—	—	1	1
Os	1	—	—	—	1
Miq	1	—	—	—	1
Sal	9	—	2	—	11
Job	1	—	1	—	2
Prov	—	—	1	—	1
Rut	12	—	9	2	23
Lam	1	—	—	—	1
Total AT	51	8	44 (12)	14+1	118

Esta lista refleja una determinada distribución de casos: en qal destacan Lv y Rut; en nifal y *g*^e^*'ullā* vuelve a destacar Lv, concretamente los capítulos 25 y 27, que se ocupan del rescate y redención. A esto se debe también la posición que ocupa Rut en la primera columna. La distribución de la expresión *gō'ēl haddām* se explica por el hecho de que la figura del vengador de la sangre tiene su lugar propio en Nm 35, Dt 19 y Jos 20, capítulos que hablan del derecho de asilo. En lo que respecta a *gō'ēl,* de los 13 casos de Is, 10 pertenecen a DtIs, que fue el primero en aplicar a Yahvé el atributo de *gō'ēl* de su pueblo.

3. *a)* La lista anterior muestra que *g'l* qal/nifal es empleado especialmente en la literatura legal. De ahí se deduce que el verbo tuvo su lugar original en el ámbito jurídico y que de ahí pasó a la terminología cúltica y al lenguaje religioso-teológico. Pero, como se mostrará más adelante (cf. *inf.* 4), se mantiene siempre en vigor el antiguo significado acuñado por el derecho.

Sobre la comprensión del verbo en este sentido, cf. O. Procksch, art. λύω: ThW IV, 329-337; J. J. Stamm, *Erlösen und Vergeben im AT* (1940) 27-45; A. Jepsen, *Die Begriffe des «Erlösens» im AT,* FS Hermann (1957) 153-163; N. H. Snaith, *The Hebrew Root g'l:* ALUOS 3 (1961-62) 60-67.

b) El sentido inicial de *g'l* y sus derivados *gō'ēl* y *g*^e^*'ullā* aparece de forma inequívoca en Lv 25. Este capítulo pertenece a la ley de santidad, pero ha tenido un largo proceso de formación (cf. Elliger, HAT 4, 335ss); contiene una serie de determinaciones que tienen por objeto el restablecimiento de las relaciones originarias en Israel, eliminados todos los abusos que con el tiempo han podido producirse. Estas determinaciones se refieren —considerando sólo las secciones más importantes— al año sabático (vv. 1-7) y al año del jubileo, es decir, a la *restitutio ad integrum* de las relaciones de propiedad que tenía lugar cada cincuenta años (vv. 8-55). En el contexto de estas prescripciones, aunque originalmente independientes de ellas (cf. Noth, ATD 6, 165), aparecen en vv. 25-28 (29-30) y vv. 47-49 (50-55) dos secciones sobre la *g*^e^*'ullā.* En la primera, la *g*^e^*'ullā* se refiere a la propiedad (*'*^a^*ḥuzzā)* que un israelita se vio obligado a vender en un momento de necesidad. El pariente próximo designado como *gō'ēl* realiza la *g*^e^*'ullā* «pagando el precio de la venta y recuperando así las tierras vendidas, pero no para poseerlas él mismo, sino para restituirlas a su propietario original» (Noth, *loc. cit.,* 165s).

La segunda sección (vv. 47-49) se refiere a un israelita empobrecido que ha debido venderse a un emigrante o un criado enriquecido. Cuando eso sucede, el *gō'ēl* debe rescatarlo *(g'l).* En vv. 48s se citan los parientes a quienes corresponde realizar dicho rescate: los hermanos, el tío paterno, el primo o algún otro pariente. Para el caso en que un israelita deba venderse no a un extranjero, sino a un miembro de su propio pueblo, la ley (vv. 39-46) no habla de la *g*^e^*'ullā,* sino de la manumisión que tiene lugar sin más el año del jubileo. La ley del jubileo no concuerda en este aspecto con la antigua prescripción sobre la liberación a los seis años del hebreo que ha caído en esclavitud (Ex 21,2-6; Dt 15,12ss).

La *g^e'ullā,* como derecho u obligación de rescatar una propiedad familiar perdida o una persona hecha esclava, no se limita a Israel. También el derecho babilónico conoce esta institución respecto a un terreno o a una persona vendida; el verbo *paṭāru,* «soltar, liberar», ocupa aquí el lugar del *g'l* hebreo. De todos modos, el empleo de *paṭāru* se extiende más que el de *g'l,* ya que se refiere no sólo al rescate (por parte de la familia), sino en general a la liberación, por ejemplo, de un esclavo o de un preso; cf. AHw 849-851.

Rescate de una propiedad: código de Eshnunna § 39 = R. Haase, *Die keilschriftlichen Rechtssammlungen in dt. Übersetzung* (1963) 14; lo mismo en los pactos babilónicos antiguos: M. Schorr, *Urkunden des altbab. Zivil- und Prozessrechts:* VAB V (1913) 119. Liberación de personas vendidas: de personas libres, cf. *Mittelass. Rechtsbuch* § 48 = Haase, *loc. cit.,* 107; de esclavos, código de Hammurabi § 119 y 281 = Haase, *loc. cit., 37.55;* éste es también el objeto de la carta N. 46 en R. Frankena, *Briefe aus dem British Museum:* AbB 2 (1966). La liberación de un soldado hecho prisionero: código de Hammurabi § 32 = Haase, *loc. cit.,* 27.

Lo específico de la *g^e'ullā* israelita frente a la babilónica reside en su relación con Yahvé. El país pertenece a Yahvé y los israelitas lo han recibido de él en feudo; por eso no puede ser vendido para siempre, sino que está sometido a la ley del rescate (Lv 25, 23s). Del mismo modo, según Lv 25, 42, un israelita no puede ser vendido para siempre, ya que desciende de aquellos a quienes Yahvé liberó de Egipto.

c) Del derecho a la liberación tras seis años —derecho que asistía a todos los miembros del pueblo de la alianza— depende el que en el AT la *g^e'ullā* tenga de hecho vigor sólo en el caso de la propiedad y de la venganza de sangre, es decir, en el caso de un compañero de tribu muerto. Jeremías la ejerce (Jr 32,6-15) en el caso de la propiedad. El profeta hereda un campo en Anatot, que su primo se halló obligado a vender por un motivo no precisado. No se trata, pues, de rescatar, sino de comprar por adelantado, cf. Rudolph, HAT 12,209. Cumpliendo la *g^e'ullā* hereda también Booz, según Rut 4, una parcela del difunto Elimélek. El texto de Rut 4,3: «(el campo) que Noemí ha vendido», parece presuponer que Booz ha rescatado para la familia algo que ya había pasado a manos extrañas. Pero, de todas formas, con frecuencia se ha leído el participio *mōk^erā,* «pensaba vender», en lugar del perfecto *māk^erā,* y, por otra parte, también el texto tal como está permite la traducción «Noemí quiere vender», cf. Gerleman, BK XVIII, 38. No se puede, pues, decidir con seguridad si se trata de una compra previa o de un rescate.

d) Pero, según Rut 4, Booz no adquiere sólo el campo; con éste adquiere también a Rut, la viuda de Majlón, «para que el nombre del difunto se perpetúe en su heredad» (4,5.10). Booz contrae con Rut, que aquí sustituye a Noemí, un matrimonio de levirato o entre cuñados. De todos modos, éste es el único caso de este tipo de matrimonio documentado en el AT; no se puede, pues, decidir si el levirato pertenece o no a las obligaciones del *gō'ēl.* Teniendo en cuenta la cercanía existente entre la *g^e'ullā* y el levirato —ambos tienen por finalidad conservar la tribu en su integridad—, la primera posibilidad parece la más probable.

Que la venganza de la sangre pertenecía a la *g^e'ullā* aparece claro en la misma designación *gō'ēl haddām* (→ *dām),* que se aplica al que la realiza. Este es quien busca (→ *bqš* piel, → *drš)* la sangre derramada en el asesino sobre el que ésta pesa y la restituye a la comunidad a la que pertenecía. «Este 'volver a traer' presupone que el asesinado está completamente muerto, pero no así su sangre; ésta encierra todavía en sí una vida oculta», según K. Koch, VT 12 (1962) 410.

El rescate, la venganza de la sangre y, en un caso, el levirato constituyen el vasto quehacer del *gō'ēl*. Este era —según Procksch, ThW IV, 331— el pariente más próximo responsable en los asuntos de la familia.

Con el tiempo se debilitó el sentido de la palabra, de forma que *gō'ēl* llegó a significar «pariente» simplemente; así, 1 Re 16,11; en Qumrán, CD 14,16 y también Nm 5,8.

e) Es claro, por todo lo indicado hasta aquí, que *g'l* con sus derivados es un término propio de la legislación familiar. Koch, *loc. cit.,* 410, recoge ese sentido en la traducción «rescatar lo propio de la tribu del dominio de extraños». Con esto se trasciende lo puramente jurídico y se abarca también el carácter salvífico del concepto, pues la recuperación de los bienes tribales perdidos lleva consigo la liberación y salvación, la renovación de un orden anterior, el restablecimiento de una totalidad perdida; sobre esto, cf. también Jepsen, *loc. cit.* (cf. *sup. 3a)* 159.

4. *a)* El elemento salvífico, que acompaña siempre al antiguo término jurídico, se desarrolla en el lenguaje religioso-teológico. No es casual que *g'l* aparezca aquí en paralelo con → *yš'* hifil, «salvar» (Ex 49,26; 60,16; 63,9; Sal 72,13s; 106,10), → *nṣl* hifil, «salvar» (Ex 6,6), → *'zr,* «ayudar» (Is 49, 14), → *ḥyh* piel, «sanar» (Sal 119,154) y → *nḥm* piel, «consolar» (Is 52,9). Sin embargo, el verbo más cercano a *g'l* es → *pdh,* «soltar, rescatar, liberar». Pero éste, en un aspecto de su empleo, es un término neutro, mercantil, que no incluye la idea de recuperación de lo perdido (cf. Stamm, *loc. cit.,* 7ss; algo distinto, Jepsen, *loc. cit.,* 154s). Aunque siempre se mantiene la diferencia entre ambos verbos (cf. *inf.* 4*f),* sin embargo son muy cercanos, como lo muestra su empleo en Lv 27 (cf. a continuación) y casos paralelos (Os 13,14; Is 15,10s/35,9s; Jr 31,11; Sal 69,19).

b) Dentro del lenguaje religioso su empleo en la terminología del culto ocupa un lugar aparte. Aparece en Lv 27, que trata de los dones presentados voluntariamente y de la posibilidad o imposibilidad de compensarlos mediante el pago de dinero.

En este contexto se usa preferentemente el verbo *g'l* (vv. 13.15.19.20.28.31.33). El verbo *pdh* aparece sólo en v. 29, que habla de la prohibición de liberar a un hombre consagrado al exterminio; vuelve a aparecer, junto con *g'l,* en v. 27, donde se habla del rescate del primogénito de un animal impuro.

Los dones de cuyo rescate se habla en Lv 27 son casi siempre propiedad original de los participantes en el culto; éstos pueden recuperar su propiedad, en los casos en que es lícito, pagando la tasa prescrita. Así se explica el uso preferente de *g'l.* No se puede explicar por qué en v. 29 se usa el verbo neutro *pdh,* extraño a la idea de rescate, mientras no se determine cuál es el significado de «anatema» en este texto tardío. Si se trata, como en tiempos antiguos, de un botín de guerra, entonces el verbo *pdh* indicaría que el que lo rescata no tenía ningún derecho previo al mismo. Pero si también en v. 29, lo mismo que en v. 28, «anatema» se refiere a una parte de la posesión israelita, que debió o pudo ser dejada, entonces *pdh* estaría empleado en un sentido amplio, no muy distinto de *g'l.* Lo mismo vale para v. 27, donde *g'l* y *pdh* aparecen juntos. También con respecto al rescate de una parte de los diezmos (v. 31), que pertenecen sin más a Yahvé y a los que el hombre no tiene derecho, se usa el verbo *g'l* en un sentido extendido.

c) Si clasificamos los casos propios del ámbito religioso-teológico según el tipo de personas que recibe la liberación, y atendiendo al tiempo en que ésta sucede, resulta el siguiente cuadro:

1) Salvación de un *particular:*

a. En el pasado: Gn 48,16; Sal 107,2; Lam 3,58;
b. En el presente: Sal 19,15; 69, 19; 72,14; 103,4; 119,154; Job 3,5; 19,25; Prov 23,11.

2) Salvación del *pueblo:*

a. En el pasado: Ex 6,6; 15,13; Sal 74,2; 77,16; 78,35; 106,10; Is 51,10; 63,9;
b. En el futuro: Os 13,14; Is 35, 9s; Jr 31,11; 50,34; Miq 4,10.

Además, en Deuteroisaías y Tritoisaías: *g'l,* Is 43,1; 44,22s; 48,20; 52,3.9; 62,12; *gō'ēl,* Is 41,14; 43,14; 44,6.24; 47,4; 48,17; 49,7.26; 54,5.8; 59,20; 60,16; 63,16.

Esta clasificación, de la que me he solido servir en alguna ocasión (cf. *loc. cit.,* 7ss), tiene la ventaja de su claridad sinóptica, pero presenta el inconveniente de un esquematismo demasiado rígido que lleva a destacar con excesiva fuerza la diferencia de tiempos y la distinción de personas. Por esta razón ahora prefiero, con Jepsen *(loc. cit.,* 158ss), tratar en primer lugar los casos en que el significado base de *g'l* se mantiene vivo y después aquellos otros en que esto sucede en menor grado.

d) La posición que en una tribu ocupa el *gō'ēl,* en cuanto ayuda del pariente necesitado, es transferida a Yahvé en Prov 23,10 y Jr 50,34, donde se le llama *gō'ēl,* en cuanto ayuda del débil contra un enemigo potente. Job (19,25) afirma que Dios es el último custodio de sus derechos, su *gō'ēl,* término que aquí podríamos traducir por «abogado» o «procurador». Sus amigos lo han decepcionado y Dios lo ha despojado de sus derechos (Job 19,7s; 27,2.5), pero, a pesar de todo, Job vuelve a acudir a Dios, porque le queda siempre viva una sospecha de la auténtica esencia de Dios, deseosa de salvar (cf. Job 16, 18-21).

En conformidad con la mentalidad común del Oriente Antiguo se esperaba que lo característico del *gō'ēl* lo realizaría el rey (Sal 72,13s), que «salva *(yš'* hifil) la vida de los pobres y libra su vida *(yig'al nafšām)* de la opresión y la violencia». El verbo *g'l* incluye, entre otras cosas, la ayuda jurídica por medio de la cual el rey restituye a un súbdito los derechos legales de los que había sido despojado. Este es también el contenido de la oración dirigida a Yahvé en Sal 119,154: «aboga por mi causa y rescátame; dame la vida conforme a tu promesa»; de la confesión: «tú has defendido, Yahvé, la causa de mi alma; tú has rescatado mi vida *(gā'altā ḥayyāy)»* (Lam 3,58), aunque *g'l* permitiría aquí la traducción «tú has restablecido mi vida» (así, Jepsen, *loc. cit.,* 160).

El sentido concreto de *g'l,* «rescatar una posesión perdida», está contenido en una de las frases con que Job maldice el día en que nació (3,5): «lo reclamen las tinieblas y las sombras», es decir, hagan valer las potencias del caos, que son más antiguas que la luz, su antiguo derecho sobre ese día.

e) Con relación a la liberación de Egipto, *g'l* aparece en los textos anteriormente citados (4*c)* de Ex 6,6; 15,13; Sal 74,2; 77,16; 78,35; 106,10 e Is 63, 9, donde además de aquel primer acto salvífico se incluyen también otros actos ulteriores. En Is 51,10 el participio pasivo *g^{e}'ūlīm* designa a los salvados en el Mar Rojo. Los *p^{e}dūyē Yhwh,* «los rescatados de Yahvé», del versículo siguiente (v. 11) son, por el contrario, los que experimentan el segundo éxodo, el éxodo del final de los tiempos (sobre los problemas en torno al contenido del texto, cf. Westermann, ATD 19, 196). Todos estos textos, incluido Ex 15,13, son probablemente exílicos y posexílicos. Nos basamos en la siguiente razón: en la época antigua para referirse a la liberación se empleaban sobre todo los verbos *yṣ'* hifil, «sacar», y *'lh* hifil, «hacer subir» (cf. Stamm, *loc. cit.,* 14s, y P. Humbert, ThZ 18 [1962] 357-361). A éstos se añade en el Deuteronomio (13,6; 15,15; 21,8; 24,18; 7,8; 9,26) el verbo *pdh,* «rescatar, liberar». Esto constituye una novedad de la que dependerá luego el uso semejante de *g'l.* Pero no es necesario que *g'l* pierda su sentido específico de «recuperar un bien perdido» y se haga del todo semejante a *pdh.* Aunque esto último no es imposible (cf. *sup.* 4*a.c),* debe tenerse en cuenta que los documentos tardíos, es decir, los que emplean el verbo *g'l* referido a la liberación de Egipto, presuponen todas las tradiciones patriarcales, aun cuando éstas no mencionen dicha liberación. Así podría hablarse de *g'l* en la época patriarcal y entender la liberación de

Egipto como un rescate de los esclavos para su verdadero señor, como un restablecimiento de su libertad.

f) El Deuteroisaías anuncia el retorno de los exiliados en Babilonia como un segundo éxodo que supera al primero (cf. von Rad II, 256); y si el primero fue un rescate, también el segundo lo será. Es claro que DtIs ha recogido el concepto usado por Dt; sólo que en lugar de *pdh* prefiere emplear el verbo *g'l*. No desconoce, es cierto, la raíz *pdh* con su derivado *pᵉdūt*, «rescate», pero su empleo retrocede sensiblemente, ya que aparece sólo en dos ocasiones (Is 51,11 = 35,10; 50,2). Se puede deducir de ahí la importancia que *g'l* tiene para el profeta.

El empleo de *g'l* en DtIs es tan frecuente como poco variado (cf. los pasajes *sup*. 4*c)*. Se emplea preferentemente la forma qal; una sola vez aparece una forma nifal en el pasaje de autenticidad dudosa, Is 52,3: «pues fuisteis vendidos de balde, y sin dinero seréis rescatados» (cf. Westermann, ATD 11, 200). Este es también el único caso en que se emplea un imperfecto. Y si prescindimos del también raro participio pasivo *gᵉ'ūlīm*, «los rescatados» (Is 51, 10), sólo encontramos el perfecto y el participio activo qal. El primero tiene su lugar propio en los oráculos de salvación (Is 43,1; 44,22) y en los cánticos de alabanza escatológicos (44,23; 48,20; 52,9; cf. C. Westermann, *Forschung am AT* [1964] 157ss). En ambos géneros el llamado perfecto profético se refiere a la salvación inminente pero aún futura, y la considera como algo sucedido ya. Mientras en la promesa de salvación el profeta se dirige a los judíos exiliados, en el cántico de alabanza es el círculo universal de los interpelados el que responde al mensaje que les ha llegado.

La liberación o el rescate, tal como lo ve DtIs, tiene una dimensión complexiva que afecta a los exiliados en Babilonia (48,20), a una diáspora más amplia (43,5s; 49,12.18.22s) e incluso a los pueblos. Como testigos de la absolución con que Yahvé restablece a su pueblo, ellos mismos reconocerán que Yahvé es el que es (41,4s; 45,6; 49,26; 52,10) y tomarán conciencia de la impotencia de sus ídolos (41,11; 42,17; 45,24). ¿Cuál es el significado de esta preferencia del profeta por *g'l* como término propio del rescate? (sobre su empleo de otros verbos de salvación, cf. *sup*. 4*a)*. El sentido aparece claro en el siguiente dato: el profeta llama a Yahvé *gō'ēl;* él es el primero en aplicarle este atributo (cf. los pasajes *sup*. 4*c)*.

DtIs recoge el epíteto *qᵉdōš Yiśrā'ēl*, «el santo de Israel», que había sido introducido por el primer Isaías, y le añade repetidas veces el nuevo epíteto *gō'ēl* (41,14; 43,14; 48,17; 49,7). *gō'ēl* aparece también unido a otros títulos divinos: «Rey de Israel» (44,6), «el Fuerte de Jacob» (49,26) y «formador» *(yōṣēr)* (44,24: «así habla Yahvé, tu redentor, el que te formó desde el vientre materno»). Aquí los conceptos de formar y de rescatar se han hecho prácticamente sinónimos. «Describen una línea común, una historia, la historia de Dios con su pueblo» (Westermann, ATD 19,126). Por medio de la palabra *gō'ēl* DtIs no sólo compara la acción salvífica de Yahvé con la actuación de un liberador terreno, sino que precisamente la equipara con ella; con esto fundamenta el final de la historia de Israel ya en su comienzo. El comienzo se da con la vocación de Abrahán, cuyos descendientes son los judíos exiliados (41,8; 51,2). Y aun cuando sus antepasados y ellos mismos han sido vendidos y rechazados ya desde el comienzo a causa de su apostasía, no se ha dado un divorcio total, pues no ha habido libelo de repudio (50,1). Y puesto que no se ha dado una separación total, el profeta puede emplear el verbo *g'l* para testimoniar que ésta no existe. Pues Yahvé, en cuanto *gō'ēl*, no compra un bien extraño, sino que recupera lo que le pertenecía desde siempre —desde Abrahán—. Yahvé hace uso de su antiguo derecho sobre Israel; hace realidad una pretensión que le corresponde, ya que ha creado a ese pueblo, lo ha elegido y es su rey. Para expresar este mensaje sólo podía servir el verbo *g'l* acuñado en el ámbito jurídico de la familia, y no el neutro *pdh.*

En la palabra de salvación de Is 43, 1-7, *g'l* parece ser interpretado en un sentido comercial estricto: Yahvé entrega otros pueblos al emperador Ciro como indemnización por la liberación de Israel. Esta comprensión del texto presupone que los vv. 3 y 4, prescindiendo del v. 2, son la explicación del v. 1, pero esto es dudoso (cf. Jepsen, *loc. cit.,* 161). Además, aunque así fuera, sigue siendo verdad que, según el profeta (43,15), Ciro cumple su misión «sin rescate ni recompensa».

g) También el Tritoisaías, siguiendo al Deuteroisaías, llama a Yahvé *gō'ēl.* En Is 59,20 y 60,16 esta designación aparece en un contexto escatológico; en 63,16, donde *gō'ēl* aparece junto a *'āb,* «padre», esta designación tiene un sentido amplio que incluye la liberación de Egipto, la salvación presente y la salvación futura.

La confesión de Sal 19,15: «Yahvé, mi roca y mi redentor», expresa una confianza para el futuro; lo mismo vale para el pasaje antes citado (*4d*) de Jr 50,34, que se refiere a la liberación de los esclavos en Babilonia: «nuestro redentor es fuerte, Yahvé de los ejércitos su nombre».

Como ya hemos visto anteriormente (*4e*), el *g*[e]*'ūlīm* de Is 51,10 designa a los salvados en el Mar Rojo. El Tritoisaías vuelve a recoger la expresión (62,12), pero la emplea para designar a los miembros del pueblo que han vuelto de la dispersión (cf. v. 11). El autor del apocalipsis de Is 34-35, apoyado también en el Deuteroisaías, se sirve del mismo término *g*[e]*'ūlīm* en 35,9b.10a; los rescatados vuelven a ser aquí los que vuelven de la diáspora por un camino milagroso: «los rescatados lo recorrerán, los redimidos de Yahvé volverán». El retorno a casa significa siempre el restablecimiento de una situación perdida y constituye algo esencial en el contenido de *g'l.* Se puede, pues, decir que también en estos últimos pasajes se ha mantenido vivo el antiguo sentido del verbo. Quizá no se han recogido todas sus conexiones legales, pero ciertamente se mantiene en vigor un aspecto importante del verbo *g'l:* el restablecimiento liberador de la situación original.

h) No es éste el caso (según Jepsen, *loc. cit.,* 161) de los ocho pasajes siguientes: Gn 48,16; Os 13,14; Miq 4, 10; Jr 31,11; Sal 69,19; 103,4; 106, 10; 107,2. En todos estos textos, con la única excepción de 69,19, el verbo *g'l* aparece acompañado por la preposición *min,* «de»; en tres casos está junto al verbo *pdh* (Os 13,14; Jr 31,11; Sal 69,19). Estos dos detalles indican que *g'l* no significa aquí el restablecimiento de una situación anterior, sino la liberación del poder de algún enemigo: un enemigo político (Miq 4,10; Jr 31,11; Sal 106,10), un enemigo personal (Sal 69,19), una situación de necesidad (Gn 48,16; Sal 107,2), la amenaza de muerte (Os 13,14), una enfermedad que lleva a la muerte (Sal 103,4).

De entre esos pasajes, Sal 106,10 y Gn 48,16 merecen un comentario. Sal 106,10: «él los liberó del poder del enemigo» se refiere, según lo indica el contexto, a la liberación de Egipto; por eso lo hemos citado anteriormente (*4e*). Pero ya que, por otra parte, presenta la expresión *g'l min,* «liberar de», pertenece a la serie de textos que ahora nos ocupa. En Gn 48,16, bendición del moribundo Jacob (según E), la expresión *hammal'āk haggō'ēl 'ōtī mikkol-rā'* debe traducirse con Jepsen (*loc. cit.,* 161) por «el ángel que me ha protegido de todo mal». Este significado de *g'l* es derivado y no original, como opinaba Johnson (cf. *sup.* 1).

i) Este mismo sentido lato de *g'l* es el que aparece en el nombre propio *Yig'āl* (cf. *sup.* 1 y 2): «él (Yahvé) ha liberado»; es decir, ha protegido al niño así llamado de todo mal, especialmente de la enfermedad. Este nombre debe entenderse de forma semejante al nombre babilónico *Ipṭur-Sīn:* «Si ha 'soltado' (el mal)» (cf. Stamm, AN

191), compuesto con el verbo *paṭāru* (cf. *sup. 3b).*

5. En la literatura posterior al AT *g'l* sigue siendo empleado en tres sentidos: referido a las intervenciones salvíficas de Dios en general, a la liberación de Egipto y a la liberación de Israel (al final de los tiempos) (cf. ThW IV, 352, y VII, 987s).

Los LXX traducen *g'l* bien por λυτροῦσθαι, bien por ῥύεσθαι (cf. ThW IV, 333, y VI, 1000), pero no por σῴζειν.

Hay que hacer notar las siguientes excepciones: en Is 44,23, LXX^A, en lugar de ἐλυτρώσατο lee ἠλέησεν; en Jr 31,11 (38,19), donde *pdh* y *g'l* están en paralelismo, se ha elegido para el segundo verbo una forma de ἐξαιρεῖσθαι (ἐξείλατο).

gō'ēl haddām es traducido en los LXX por ὁ αγχιστεύων, «el que ejerce el derecho del pariente próximo». El correspondiente sustantivo ἀγχιστεύς/ἀγχιστευτής, «pariente próximo», traduce a *gō'ēl* en 2 Sm 14,11; 1 Re 16,11 y Rut; en Rut, además, *g'l* es traducido por el verbo ἀγχιστεύειν. El abstracto *g^e'ullā,* «derecho/obligación de rescate», es traducido en Rut 4,6s por ἀγχιστεία; en Lv 25,24.26. 51.52 por λύτρα. Traducciones especiales aparecen en Jr 32,7s; Ez 11,15 y Job 3,5.

El NT ha recogido los dos verbos usados por los LXX, pero éstos quedan muy por detrás de σῴζειν. Este aparece 106 ×; λυτροῦσθαι, sólo 3 ×, y ῥύεσθαι, 16 ×. A λυτροῦσθαι deben añadirse los derivados λύτρον, λύτρωσις, etc., de los que aquí no nos ocuparemos (cf. F. Büchsel, art. λύω: ThW IV, 337-359).

El empleo neotestamentario de λυτροῦσθαι y ῥύεσθαι presenta dos diferencias con respecto al AT: por un lado, falta la referencia a la liberación de Egipto; por otro, se pone a Jesús junto a Dios como autor de la salvación. Esto aparece en los tres pasajes de λυτροῦσθαι (Lc 24,21; Tit 2,14; 1 Pe 1,18). Los tres se refieren a la salvación definitiva realizada por Jesús.

También ῥύεσθαι es empleado como término propio de la salvación definitiva: se la atribuye a Dios (Mt 6,13; Rom 11,26; Col 1,13) y a Jesús (1 Tes 1,10). En conformidad con el *g'l* veterotestamentario también ῥύεσθαι se refiere a la liberación del poder de potencias enemigas. Estas potencias son: la muerte (Mt 27,43; Rom 7,24 y 2 Cr 1,10), los enemigos (Lc 1,74; cf. 2 Tim 4,17), hombres rebeldes, malos, desviados (Rom 15,31; 2 Tes 3,2), tentaciones (2 Pe 2,9) y persecuciones o acechanzas (2 Tim 3,11; 4,18). El tema de la salvación antigua, tan importante en el AT, no aparece aquí más que en la alusión a la salvación de Lot (2 Pe 2,7).

J. J. STAMM

גבה *gbh* Ser alto

1. La raíz *gbh* (con *h* consonántica), «ser alto», aparece casi exclusivamente en hebreo.

Fuera de la Biblia debe mencionarse la presencia de *gbh,* «altura», en la línea 6 de la inscripción de Siloé: «la altura de la roca llegaba a 100 codos por encima de la cabeza de los mineros» (KAI N. 189).

El arameo emplea → *rūm.* Fuera del AT deben citarse los siguientes casos arameos de *gbh:* Ah., línea 107 (Cowley, 216.223: «a king is like the merciful?: even his voice is high...»), y *gbh,* ideograma de Pehlevi (HAL 163b).

Cf. también el árabe *ǧabhat,* «estrella»; sobre la relación de las raíces *gbh* y *gbḥ,* «ser calvo», cf. P. Fronzaroli, AANLR VIII/11 (1964) 165-167 («rideterminazione espressiva»).

En el AT, además de las formas qal, «ser alto, elevado, altivo», y hifil, «hacer alto», aparecen los derivados *gābō^ah,* «alto, elevado, altivo», *gōbah,* «altura, crecimiento, altitud, arrogancia», y *gabhūt,* «arrogancia».

El adjetivo aparece 4 × en estado constructo en la forma *g^ebah,* que pertenece a **gābē^ah* o, mejor quizá, a *gābō^ah,* cf. W. Baumgartner, FS Eissfeldt (1958) 31; en 1 Sm 16,7 aparece *g^ebō^ah* (en Mandelkern 245c es vocalizado como infinitivo).

2. La mayoría de los 94 casos de la raíz (qal 24 ×, hifil 10 ×, *gābō^ah*

41 ×, *gṓbah* 17 ×, *gabhūt* 2 ×) aparece en la literatura profética (Ez 22 ×, Is 14 ×, Jr 7 ×), en los salmos (7 ×) y en la literatura sapiencial (Job 8 ×, Ecl 5 ×, Prov 4 ×).

3. Todos los significados de *gbh* y derivados se agrupan estrechamente en torno al significado base «ser alto».

a) La forma qal designa el crecimiento de un árbol (Ez 31,10.14), de una rama (Ez 19,11), la altura del cielo sobre la tierra (Is 55,9, *gbh min* = «sobresalir»; Sal 103,11), de las nubes sobre los hombres (Job 35,5): Saúl llevaba la cabeza a todo el pueblo (1 Sm 10,23).

El hifil causativo, «hacer alto», aparece en 2 Cr 33,14 (muro); Ez 17,24 (dejar que un árbol crezca alto); Jr 49, 16 (el nido; cf. Abd 4); Job 5,7 (volar alto, junto a *'ūf,* «volar»; Job 39, 27, sin *'ūf);* Sal 113,5 (habitar alto, referido a Dios); Prov 17,19 (puerta; según Gemser, HAT 16,73, y Ringgren, ATD 16/1,74, se referiría a la boca, cf. Miq 7,5; Sal 141,3; en ese caso, el proverbio atacaría la fanfarronería).

El adjetivo *gābōᵃh* en sentido objetivo se emplea para describir las altas montañas (Gn 7,19; Is 30,25; 40,9; 57,7; Jr 3,6; Ez 17,22; Sal 104,18), colinas (1 Re 14,23; 2 Re 17,10; Jr 2, 20, 17,2), puertas (Jr 51,58), terrazas (Sof 1,16), torres (Is 2,15), horcas (Est 5,14; 7,9), cuernos (Dn 8,3), árboles (Is 10,33; Ez 17,24; cf. 31,3, junto a *qōmā:* «planta alta»). Referido a hombres designa su alta estatura (1 Sm 9,2; 16,7).

El sustantivo *gṓbah* designa la altura, el crecimiento de los árboles (Ez 31, 10.14; Am 2,9); se usa como término propio de las indicaciones de medida (cf. Ez 40,42, altura de una mesa, junto a *'ṓræk,* «largura», y *rṓḥab,* «anchura»; 41,22, texto enmendado, altura del altar; 2 Cr 3,4, altura de los atrios; 1 Sm 17,4, altura de Goliat; cf. también la línea 6 de la inscripción de Siloé, *sup.* 1). En Ez 41,8, en lugar de *gṓbah* debería leerse, con BH³ *gabbā,* «pavimento», cf. Γαββαθά, Jo 19,13; Zimmerli, BK XIII, 1031.

En las indicaciones de medida el término más frecuente para señalar la altura es *qōmā* (→ *qūm:* Ex 25,10.23 y *passim;* 1 Re 6-7; 2 Re 25,17 y *passim;* cf. Rudolph, HAT 21,207, referido a 2 Cr 4,1).

b) Del significado base se derivan sin más los siguientes sentidos traslaticios indicadores de una valoración positiva o negativa.

Ecl 5,7: «Sobre un alto vigila otro más alto y otro más alto aún vigila a ambos», se refiere a «personalidades eminentes» (Zimmerli, ATD 16/1, 191: indica «que en la estructuración de posiciones estatales o judiciales, y debido a la estratificación de las mismas, siempre hay alguien que acecha y espía a otro intentando desbancarlo»).

En Is 52,13, que habla de la futura exaltación del siervo de Dios en contraposición a su actual humillación (v. 14), *gbh* designa la eminencia del siervo de Dios (cf. los conceptos paralelos → *rūm* y → *nś').*

En sentido negativo, *gbh* designa el sentimiento arrogante y soberbio de los hombres. Además de los casos en que la raíz aparece en forma independiente (cf. Is 3,16; Ez 16,50), deben mencionarse los siguientes compuestos:

gbh lēb, «el corazón es soberbio» (HAL 163b: «la mente se eleva»; Ez 28,2.5.17; Sal 131,1; Prov 18,12; 2 Cr 26,16; 32, 25). El único pasaje que habla en sentido positivo de un «corazón elevado» —su traducción debe acercarse a «ufano»— es 2 Cr 17,6: Josafat está «ufano» de seguir a Yahvé y por eso aleja de Judá los santuarios y las Aserás;

gᵉbah lēb, «arrogante» (Prov 16,5); *gᵉbah rūᵃḥ,* «altivo» (Ecl 7,8); *gᵉbah 'ēnáyim,* «de mirada orgullosa, altivo, despectivo» (Sal 101,5; cf. el concepto paralelo *rᵉḥab lēbāb,* «corazón ancho, arrogante», así como Is 2, 11: *'ēnē gabhūt,* «ojos arrogantes», y Sal 131,1: *lō rāmū 'ēnay,* «mis ojos no miraban altivos»);

gṓbah lēb, «arrogancia» (2 Cr 32,26; cf. Ez 31,10); *gṓbah rūᵃḥ,* «arrogancia» (Prov 16,18); *gṓbah 'af,* «arrogancia» (Sal 10,14);

dbr piel *g^e^bōhā,* «hablar altiva, arrogantemente» (1 Sm 2,3).

Como conceptos paralelos que aparecen en el mismo contexto mencionemos especialmente las raíces → *gʾh,* → *nśʾ* y *rūm* (cf. Is 2,11.12.17; Jr 13, 15 con 17; 48,29; Prov 16,18 y otros), *ʿātāq,* «arrogante» (1 Sm 2,3); como opuestos aparecen las raíces *špl,* «ser bajo, humilde» (Is 2,11; 5,15; cf. 10, 33; Ez 17,24; 21,31); *šḥḥ,* «inclinarse» (Is 2,17; cf. 5,15); *knʿ,* «humillarse» (2 Cr 32,26). Es claro que *gbh* está estrechamente unido a *gʾh, nśʾ* y *rūm* en el campo semántico de la arrogancia; no se puede establecer una clara diferencia de significado entre ellos y muchas veces son al parecer perfectamente intercambiables.

c) La literatura sapiencial amonesta contra la mente arrogante y altiva (insolente) en Prov 16,18 (junto a → *gʾh);* 18,12; Ecl 7,8 (en un proverbio compuesto con *ṭōb,* contrapuesto a *ʾǽrǽk rūᵃḥ,* «indulgente»); todo arrogante es un horror para Dios y no quedará sin castigo, Prov 16,5 (cf. Sal 131, 1, declaración de lealtad del *ṣaddīq).*

4. El empleo teológico del término se deduce de lo dicho anteriormente.

a) La literatura sapiencial se ocupa primariamente de la simple constatación (cf. Prov 16,18), aunque en Prov 16, 5 se señala ya la relación con Dios (cf. aquí el «voto de lealtad del rey» en Sal 101, donde el rey, como representante de la autoridad jurídica de Yahvé sobre Israel [Kraus, BK XV, 691], se dirige en el v. 5 contra el *g^e^bah ʿēnáyim);* de todos modos, los siguientes pasajes se refieren a la altivez del hombre como actitud arrogante que desprecia a Yahvé (Jr 13,15; 1 Sm 2,3; Sal 10,4), como sentimiento arrogante que se equipara a Dios (Ez 28,2). Por eso es humillado el alto y ensalzado el humilde (Ez 21,31; cf. Job 36,6.7; en lenguaje figurativo, en Ez 17,22-24); por eso tiene lugar el juicio contra la *gbh* del hombre (cf. Sof 3,11s: la nueva actitud es aquí la del *dal* y *ʿānī,* del «pequeño» y «desgraciado»; Jr 49,16, el nido de águilas como imagen de la arrogante soberbia con que Edom mira sus inasediables fortalezas; Ez 31,10). Según Is 2,12-17 (→ *gʾh* 4*a),* el día de Yahvé viene como juicio contra todo lo alto y altivo (cf. Gn 2,12, las raíces que aparecen en paralelismo: *gʾh, rūm, nśʾ* y, según LXX, *gbh;* cf. 2,17 con 2, 11; 5,15, un añadido posterior de estilo isaiano: *ʿēnē g^e^bōhīm,* «los ojos de los arrogantes»). Sobre su origen histórico-tradicional exacto, cf. Wildberger, BK X, 105-108.

b) El significado de «ser alto, altivo» es empleado teológicamente en algunos pasajes en referencia a la majestad de Dios (cf. Job 40,10: *gōbah* junto a *gāʾōn* como atributo de la realeza de Dios), con especial referencia a su distancia infinita, a su incomparabilidad como superior absoluto (Sal 113,5, cf. Job 22,12; Sal 103,11; Is 55,9; Job 11, 8), que mira también hacia abajo para ayudar, para inclinarse sobre el pobre y desamparado (cf. Sal 113,5s).

5. Los LXX emplean diversos vocablos para traducir *gbh:* los más frecuentes son ὕψος y ὑψηλός; ὕβρις, por el contrario, no aparece nunca. En Qumrán (cf. CD 1,15; 2,19) y en el judaísmo tardío (cf. StrB II, 101ss) sigue vivo el empleo veterotestamentario de *gbh* y también en el NT (cf. G. Bertram, art. ὕψος: ThW VII, 600-619).

H.-P. STÄHLI

גבר *gbr* Ser superior

1. La raíz *gbr,* «ser superior, fuerte», aparece en todas las lenguas semíticas; el sustantivo con el significado de «hombre» se limita al semítico noroccidental (P. Fronzaroli, AANLR VIII/19 [1964] 245).

En acádico sólo están documentados el verbo *gapāru,* «ser superior», y el correspondiente adjetivo verbal *gapru,* «superior» (AHw 281; sobre la intercambiabilidad *b/p,* cf. la lista de M. Weippert, *Die Landnahme der isr. Stamme in der neueren wissenschaftlichen Diskussion* [1967] 78-81).

En fenicio, por el contrario, sólo aparece el sustantivo *gbr,* «hombre» (KAI N. 24, línea 8; N. 30, línea 2); en neopúnico, quizá *gbrt,* «accion(es) violenta(s) (?)» (KAI N. 145, línea 6); también en la estela de Mesa aparecen sólo los sustantivos *gbr,* «hombre», y *gbrt,* «mujer» (KAI N. 181, línea 16). En ugarítico la raíz está documentada sólo en nombres personales (cf. Gröndahl 126).

En arameo la raíz desempeña un papel importante: el verbo (KAI N. 223 B, línea 19) y sobre todo el sustantivo *gbr,* «hombre» (frecuentemente en el sentido de «cualquiera»), aparecen ya con gran frecuencia desde el arameo antiguo (DISO 47; LS 102s; cf. también *gbrth,* «su fuerza», en KAI N. 214, línea 32).

En etiópico el verbo *gbr* ha derivado hacia el sentido genérico de «hacer, trabajar» (Dillmann 1159-1167).

El verbo, además de la forma qal, presenta las formas piel, hifil e hitpael; los derivados nominales son *gǽbær, gᵉbūrā, gᵉbīr, gᵉbīrā* y *gibbōr;* en arameo bíblico, *gᵉbar, gᵉbūrā* y *gibbār.*

Deben añadirse los nombres propios *Gæbær* (1 Re 4,13-19), forma abreviada de *Gabrīʾēl* (Dn 8,16; 9,21; Noth, IP 190: «Dios se ha mostrado fuerte»; cf. C.-H. Hunzinger, RGG II, 1185) y los nombres de lugar *Gibbār* (Esd 2,20) y *ʿæṣyōn Gæbær* (BHH I, 461s).

2. El verbo *gbr* aparece en el AT 25 ×: 17 × qal, 3 × piel, 2 × hifil, 3 × hitpael. Las cifras correspondientes a los sustantivos son: *gǽbær* 66 × (Job 15 ×, Sal 10 ×, Jr 9 ×, Prov 8 ×), *gᵉbūrā* 61 × (Sal 17 ×, 2 Re e Is 7 ×), *gᵉbīr* 2 × (Gn 27,29.37), *gᵉbīrā* 15 ×, *gibbōr* 159 × (1 Cr 31 ×, Jr 19 ×, 2 Sm 16 ×, Sal y 2 Cr 12 ×).

El arameo bíblico *gᵉbar* aparece 21 × (Dn 17 ×), *gibbār* 1 × (Dn 3,20), *gᵉbūrā* 2 × (Dn 2,20.23). En total, la raíz aparece 352 ×, distribuida ampliamente por todo el AT.

3. *a)* Todos los matices que el verbo tiene en su forma qal se agrupan en torno al significado base «ser/hacerse superior, fuerte».

gbr puede ser construido absolutamente con el comparativo *min* (Gn 49, 26; 2 Sm 1,23), con *ʿal* (2 Sm 11,23) o *bᵉ* (1 Cr 5,2). Así es empleado cuatro veces en Gn 7,18-20.24 con referencia al crecimiento de las aguas del diluvio (7,18 paralelo a *rbh,* «multiplicarse»). En contexto de guerra *gbr* significa «mantener la supremacía» sobre el enemigo (Ex 17,11; 2 Sm 11,23; Lam 1,16).

En piel el verbo debe traducirse por «hacer fuerte» (Zac 10.6.12; Ecl 10,10, junto a *ḥᵃyālīm,* «emplear la fuerza»); en hifil transitivo interno, por «mostrarse fuerte» (Sal 12,5; Dn 9,27, texto dudoso); en hitpael, por «mostrarse superior» (Is 42,13; «vanagloriarse», Job 15,25; 36,9).

No existe un opuesto fijo de nuestro verbo; en la narración del diluvio aparecen en oposición a *gbr* los verbos *škk,* «menguar» (Gn 8,1), y *ḥsr,* «disminuir» (8,3.5).

b) El significado base de *gᵉbūrā* es cercano al del verbo: «superioridad, vigor, fuerza».

Con frecuencia se trata de la «fuerza guerrera» (Is 3,25; Jr 49,35; Ez 32,29s; junto a *milḥāmā:* 2 Re 18,20 = Is 36, 5; Is 28,6). En las secciones marginales deuteronomísticas, *gᵉbūrā* es empleado en el sentido más general de «habilidad» (siempre unido a *ʿśh,* «hacer»: 1 Re 15,23; 16,5.27; 22,46 y *passim). gᵉbūrā* puede designar el «brío del caballo» (Sal 147,10; Job 39,19) o, en sentido metafórico, el «esplendor» del sol (Jue 5,31).

No existe en este campo semántico ningún opuesto fijo.

c) El segolado *gǽbær* (cf. H. Kosmala, *The Term geber in the OT and in the Scrolls:* SVT 17 [1969] 159-169) está documentado especialmente en la literatura veterotestamentaria tardía (Sal, Job, Prov). El significado fundamental se ha debilitado: *gǽbær* significa por lo general lo mismo que → *ʾīš,* «hombre».

Así, *gǽbær* puede aparecer en paralelo a *ʾīš* (Jr 22,30; Miq 2,2); a *zākār,* «hombre» (Jr 30,6); a *ʾᵆnōš,* «hombre» (Job 4,

17), o a *'ādām,* «hombre» (Job 14,10). Como conceptos opuestos aparecen *'iššā,* «mujer» (Dt 22,5; en una serie «hombres/mujeres/niños», Jr 43,6, cf. 44,20), y *neqēbā,* «mujer» (Jr 31,22, cf. Rudolph, HAT 12,198s). Lo mismo que *'īš, gæbær* puede significar también (y es aquí donde el término se aleja claramente del significado base de la raíz) «niño» (Job 3,3) o convertirse en el simple pronombre «cualquiera» (Joel 2,8 y *passim;* cf. el empleo en arameo, cf. *sup.* 1).

d) La forma intensiva *gibbōr* tiene un sentido cercano al de la raíz.

gibbōr puede traducirse como adjetivo por «fuerte» (1 Sm 14,52, «hombre fuerte», junto a *bæn-ḥayil,* cf. 2 Sm 17,10; Sal 112,2, descendencia; Gn 10,9, «cazador violento»; en Prov 30,30, *gibbōr* se emplea en referencia a un animal).

El significado base del sustantivo corresponde a los anteriores: «el fuerte»; existen conceptos paralelos como *'addīr,* «potente» (Jue 5,13); *ḥāzāq,* «fuerte» (Am 2,14), y *'ārīṣ,* «violento» (Is 49,25). *gibbōr* es el «fuerte (hombre)» en oposición a la (débil) mujer (Jos 1,14; cf. Jr 48,41; 49,22; 51,30) o simplemente al débil (Jl 4,10, *ḥallāš)* o tambaleante (1 Sm 2,4, *kšl);* basándose en este significado fundamental, *gibbōr* debe traducirse en Gn 10,8 = 1 Cr 1,10 como «poderoso». En la literatura sapiencial el sabio puede oponerse al fuerte (Prov 21,22; cf. Jr 9,22).

En la mayoría de los casos *gibbōr* designa al «héroe guerrero», a veces formando la composición *gibbōr ḥáyil* (o plural). Esta composición aparece 4 × en Jos y 27 × en 1/2 Cr, entre otros. Los paralelos que aparecen en este campo semántico indican claramente que *gibbōr* desempeña una función militar (composiciones como *'īš milḥāmā* o semejantes: Jos 6,2s; 10,7; 2 Sm 17,8; 2 Re 24,16; Is 3,2; 42,13; Ez 39,20; Jl 2,7; 4,9; 2 Cr 17,13, *'anšē haḥáyil:* 2 Re 24,16; Is 5,22; Jr 48,14; Nah 2, 4). Pero *gibbōr ḥáyil* puede también tener el significado general de «hombre hábil» (1 Sm 9,1; 1 Re 11,28; 2 Re 5, 1; 1 Cr 9,13; 26,6). Sobre los *gibbōrē ḥáyil* como clase social de los (propietarios) obligados al servicio militar, cf. las opiniones (en parte divergentes) de E. Würthwein, *Der 'amm ha'arez* (1936) 15-28; J. van der Ploeg, RB 50 (1941) 120-125; íd., OTS 9 (1951) 58s; de Vaux I, 110; Noth, BK IX, 257.

e) *gebīr* (sólo en Gn 27,29.37), que mantiene el significado base, designa al «señor, dueño» ante quien los siervos (v. 37) se inclinan (v. 29).

Su femenino es *gebīrā,* «señora, dueña» (con el concepto opuesto *šifḥā,* «sierva», en Gn 16,1ss; Is 24,2; Sal 123,2). *gebīrā* se emplea en la corte real como título honorífico de la reina (1 Re 11,19, paralelo a *'iššā,* «mujer») o de la madre del rey (1 Re 15,13, paralelo a *'ēm,* «madre»; cf. Jr 13,18 y *passim).* Sobre la función de la *gebīrā* → *'ēm 4b.*

4. *a)* El tema de la fuerza de Yahvé *(gebūrā)* tiene su lugar propio en los salmos, especialmente en los siguientes contextos: en la alabanza de la fuerza de Yahvé (Sal 65,7; 66,7; 89,14; 145, 11; cf. Jr 10,6; Job 12,13; 1 Cr 29,11s; 2 Cr 20,6), en la lamentación que pregunta por la fuerza de Yahvé (Is 63,5), en la oración dirigida a la fuerza de Dios (Sal 54,3; 80,3), en el voto de alabanza (Sal 21,14; 71,18) y en el salmo histórico (Sal 106,8). También en la profecía se habla 3 veces de la *gebūrā* de Yahvé: en el anuncio de juicio (Is 33,13; Jr 16,21) y en el anuncio de salvación mesiánica (Is 11,2).

En el campo semántico de la *gebūrā* de Yahvé aparece toda una serie de conceptos paralelos: *'ōz,* «fuerza» (Sal 21,14); *yešū'ā,* «ayuda» (Sal 80,3); *qin'ā,* «celo» (Is 63, 15); *zerōa',* «brazo» (Sal 71,18; cf. 89,14); *yād,* «mano» (Jr 16,21); *gedullā,* «grandeza», y *tif'æræt,* «esplendor» (1 Cr 29,11); *kōaḥ,* «fuerza» (1 Cr 19,12; 2 Cr 20,6). En Ecl 9,16, *gebūrā* y *ḥokmā,* «sabiduría», son opuestos; en Job 12,13 y Prov 8,14, por el contrario, son conceptos paralelos.

b) En las frases de alabanza el verbo (en qal) expresa que la → *ḥæsæd,* «gracia», de Yahvé es grande y fuerte (Sal 103,11; 117,2). El hecho de que el hombre, a diferencia de Dios, no es fuerte por su propia fuerza *(kōaḥ)* —y por eso los impíos son aniquilados (1 Sm 2,9)— constituye un motivo de confianza. Pero junto a esto las lamentaciones denuncian la dura experiencia de que los enemigos (Sal 12,5 hifil; Lam 1,16) y los impíos (Job 21,7) son fuertes e incluso se sienten superiores a Dios (*gbr* hitpael, en Job 15,25; 36,9).

c) El concepto *gibbōr* se usa también en diferentes contextos para afirmar que Yahvé es «fuerte» (Dt 10, 17 = Neh 9,32, junto a *gādōl,* «grande», y *nōrā'* «terrible»; Jr 32,18, junto a *gādōl;* cf. Is 10,21) o «héroe» (Is 9, 5; Jr 20,11; Sof 3,17).

d) En ocasiones se habla en los salmos de los *g^e^būrōt* de Yahvé. En ese campo semántico aparecen conceptos como *t^e^hillā,* «hazaña», y *niflā'ōt,* «maravillas» (Sal 106,2, en el contexto de una narración de las acciones históricas de Yahvé; cf. Sal 71,16s; 145,4ss). De estos *g^e^būrōt* se habla en la introducción de los salmos de alabanza (Sal 145, 4ss; 150,2) o en las declaraciones de confianza dentro de la lamentación (Sal 20,7; 71,16; cf. 106,2; Dt 3,24); su significado se acerca a «gestas históricas poderosas de Yahvé», pero el orante no piensa en hechos concretos, sino en el conjunto de las actuaciones históricas de Yahvé.

e) En las narraciones de los libros históricos sobre la guerra de Yahvé se afirma frecuentemente que es Yahvé mismo el que lucha contra los enemigos (*lḥm* nifal, Ez 14,14 y otros) y los dispersa (*ḥmm,* Jr 10,10 y otros), pero nunca aparece en estas narraciones la palabra *gbr.* En los salmos y en la literatura profética, en cambio, la raíz se emplea para designar la fuerza guerrera de Yahvé. Así, en la liturgia de Sal 24, 8, donde Yahvé es designado como *'izzūz w^e^gibbōr,* «fuerte y héroe», y además, en paralelismo, como *gibbōr milḥāmā,* «héroe en la batalla»; y lo mismo en el canto escatológico de alabanza de Is 42,13, donde aparecen el verbo en hitpael y *gibbōr* (paralelo a *'īš milḥāmā).* Con el mismo significado aparece *gibbōr* todavía en la lamentación de Jr 14,9 (¿«por qué eres como un guerrero que no puede ayudar?») y en el salmo histórico tardío, Sal 78,65.

f) En cambio, el concepto *gǽbær,* en su significado genérico de «hombre», no es aplicado nunca a Yahvé; al contrario, Yahvé y su actuación son precisamente diferenciados del *gǽbær* (Job 10,5; 22,2; 33,29; Prov 20,24).

5. Los LXX traducen los términos de esta raíz por medio de muy diversos vocablos; tampoco en el NT hay un correspondiente único de *gbr;* sobre el uso posterior al AT de *gǽbær* (especialmente en Qumrán), cf. Kosmala, *loc. cit.,* 167-169.

J. Kühlewein

גָּדוֹל *gādōl* **Grande**

1. La raíz *gdl,* «ser grande», aparece sólo en hebreo y ugarítico. Existe una tendencia general a crear neologismos para las designaciones adjetivales valorativas: por esa razón no existe una expresión semítica común con el significado de «grande». Los vocablos usados en las demás lenguas semíticas con el significado de «grande» (en acádico, *rabû;* en fenicio, *'dr;* en arameo, *rab;* en árabe, *kabīr;* en etiópico, *'abīy)* existen también en hebreo, pero con otro significado (→ *rab,* «mucho, numeroso»; → *'addīr,* «espléndido»; *kabbīr,* «fuerte, violento»; *'bh,* «ser gordo»).

Es muy problemática la relación de *gādōl* con la raíz (semítica común) *gdl* II, «girar, tejer» (en hebreo, *gādīl,* «borla», Dt 22,12; 1 Re 7,17; en acádico, *gidlu,* «lazos»; en aremo, *g^e^dīlā,* «cordón», etc.; sobre el árabe, cf. J. Blau, VT 5 [1955] 339) (GB 130b; J. L. Palache, *Semantic Notes on the Hebrew Lexicon* [1959] 18s; M. Dahood, Bibl 45 [1964] 397, propone innecesariamente *gdl* II para Sal 12,4 y 41,10).

En ugarítico (WUS M. 632; UT N. 562) es más frecuente *rb* (→ *rab)* que *gdl* para expresar la idea de «grande».

En hebreo aparece el verbo en las formas qal, piel, hifil y hitpael y los derivados nominales *gādōl* y *gādēl* (adjetivo verbal), «grande»; *gōdæl* y *g^e^dullā (g^e^dūlā),* «grandeza», así como *migdāl,* «torre» (en nombres de lugar también *Migdōl),* que existe también en ugarítico, moabita (DISO 142), arameo y, como extranjerismo, en árabe (Fraenkel, 236s), copto y bereber (GB 396a).

Deben mencionarse también los nombres propios *Gᵉdalyā(hū), Yigdalyāhū* y *Giddēl* (forma abreviada, cf. *Gdwl* en los textos de Elefantina, BMAP 149), mientras que *Giddaltī* (1 Cr 25,4.9; cf. Rudolph, HAT 21,167s) y *Haggedōlīm* (Neh 11,14; cf. Rudolph, HAT 20,184) son textualmente inseguros.

2. *gdl* aparece 54 × en *qal* (incluido Est 9,4, infinitivo abstracto, que Lisowsky considera adjetivo), 25 × en piel, 1 × en pual, 39 × en hifil, 4 × en hitpel; *gādōl* aparece 525 × (incluido 1 Sm 6,18; excluidos Est 9,4 y Neh 11,14, cf. *sup.)* con la siguiente distribución: Jr 48 ×, Dt 44 ×, Ez 36 ×, 1 Sm 35 ×, Gn 33 ×, Sal 30 ×, 2 Re 29 ×, Neh y 2 Cr 27 ×, Jos 26 ×, 1 Re 22 ×, 2 Sm 18 ×, Ex y Dn 15 ×, Is y Jon 14 ×, Jue 12 ×, 1 Cr 11 ×, Zac 10 ×, Nm y Est 8 ×, Ag, Job y Esd 6 ×, Mal, Prov y Ecl 4 ×, Jl 3 ×, Lv, Sof y Nah 2 ×, Os, Am, Miq y Lam 1 ×, Abd, Hab, Rut y Cant 0 ×. *gādēl* aparece 4 × (Gn 26,13; 1 Sm 2,26; Ez 16,26; 2 Cr 17,12), *gṓdæl* 13 × (Dt 5 ×), *gᵉdullā* (Est 6,3, *gᵉdūlā)* 12 × (1 Cr 4 ×, Sal y Est 3 ×, además 2 Sm 7,21.23), *migdāl* 49 × (excluidos 2 Sm 22,51 Q, *migdōl* y los nombres de lugar).

3. *a)* Los diversos modos de empleo de *gādōl,* «grande», bien en sentido dimensional concreto, bien en sentido metafórico abstracto, con referencia a personas o cosas (cf., por ejemplo, la clasificación que presenta HAL 170b), corresponden con bastante exactitud a los del español «grande». Su significado es algo más amplio, ya que *gādōl* significa también «anciano (el anciano, el mayor)» (cf. *qāṭān/qāṭōn,* «pequeño» y «joven, el joven/el más joven», por ejemplo, en Gn 29,16: «la mayor se llamaba Lía, la menor Raquel»; 44,12: «empezó con el mayor y terminó con el menor») y «rico, acaudalado» (por ejemplo, 2 Sm 19,33; 2 Re 4,8), así como «célebre, famoso» (con frecuencia sustantivado: en singular, Lv 19,15; 2 Sm 3,38; Jr 52,13; en plural, 1 Sm 17,14; 2 Sm 7,9; 2 Re 10,6; Jr 5,5 y *passim);* también expresiones como *qōl gādōl,* «voz alta» (Gn 39,14; Dt 5,22 y *passim), 'ōr gādōl,* «luz clara» (Is 9, 1), o también *'ōd hayyōm gādōl,* «todavía es muy de día» (Gn 29,7), se alejan un poco de nuestros empleos lingüísticos. Pero, por otro lado, es algo más reducido, ya que para referirse a determinadas dimensiones se prefiere a *gādōl* el concepto → *rab,* «mucho, numeroso» (por ejemplo, con *rᵉkūš,* «haberes», en Gn 13,6; con *māqōm,* «espacio» en 1 Sm 26,13; con *dǽræk,* «camino», en 1 Re 19,7; con → *tᵉhōm rabbā,* «el gran océano original», en Gn 7,11; Is 51,10; Am 7,4; Sal 36,7).

qāṭān, «pequeño, joven, menor» (47 ×), o *qāṭōn* (54 ×, documentado sólo en masculino singular, semejante a la forma *gādōl,* cf. BL 466), es el opuesto normal de *gādōl* en sus diversos sentidos; cf., por ejemplo, Gn 1,16; Ex 18,22; Dt 25,13.14; 1 Cr 12,15.

ṣā'īr, «pequeño, joven menor» (23 ×, incluido Dn 8,9, de ellas 8 × en Gn), no aparece como opuesto de *gādōl,* sino como opuesto de *bᵉkōr/bᵉkīrā,* «primogénito(a)» (Gn 19,31-38; 29,26; 43,33; 48,14; Jos 6, 26; 1 Re 16,34), *rab,* «el más anciano» (Gn 25,23), *'addīr,* «famoso» (Jos 14,3), y *'āṣūm,* «fuerte» (Is 60,22).

Es muy frecuente la expresión —corriente también en otras lenguas— «grandes y pequeños» con el significado de «todos» (cf. P. Boccaccio, *I termini contrari come espressioni della totalità in ebraico:* Bibl 33 [1952] 173-190; A. M. Honeyman, *Merismus in Biblical Hebrew:* JBL 71 [1952] 11-18; H. A. Brongers, *Merismus, Synekdoche und Hendiadys in der bibel-hebr. Sprache:* OTS 14 [1965] 100-114; sobre el egipcio, cf. A. Massart, FS Robert [1957] 38-46). Esta expresión aparece 32 veces: 25 se refieren a personas y las restantes a animales (Sal 104,25) o (casi simpre en forma negativa) a cosas (Nm 22,18; 1 Sm 20,2; 22,15; 25,36; 30,19; 2 Cr 36,18).

La expresión presenta formas gramaticales muy diversas. Junto a *qāṭōn* (20 ×) aparece también *qāṭān* (12 ×, en Est 1,5.20; 2 Cr 31,15; 34,30 también en masculino singular); también el orden de los términos varía (24 × pequeño-grande, 8 × grande-pequeño). La construcción más frecuente es *min-w*[e]*ʿad,* «de-a» (17 ×; *miqqāṭōn w*[e]*ʿad-gādōl,* Gn 19,11; 1 Sm 5,9; 30, 2; 2 Re 23,2; 25,26; Jr 8,10; 42,1.8; 44, 12; 2 Cr 15,13; con artículo o sufijos, 1 Sm 30,19; Jr 6,13; 31,34; *miggādōl w*[e]*ʿad qāṭān,* Est 1,5.20; 2 Cr 34,30; con sufijos, Jon 3,5); también aparecen las siguientes construcciones: el simple *w*[e], «y» (1 Sm 25,36; 1 Re 22,31 = 2 Cr 18,30, texto enmendado; Jr 16,6; Job 3,19; 2 Cr 36, 18); *k*[e]*-k*[e], «tanto-como» (Dt 1,17; 1 Cr 25, 8; 26,13; 2 Cr 31,15); *ʾo,* «o» (Nm 22, 18; 1 Sm 20,2; 22,15), e *ʿim,* «junto con» (Sal 104,25; 115,13).

b) Los sustantivos *gṓdæl* y *g*[e]*dullā* no son simples sinónimos: *gṓdæl* designa el «ser grande» en abstracto (referido a Dios: Dt 3,24; 5,24; 9,26; 11,2; 32,3; Sal 150,2; a su gracia: Nm 14, 19; a su brazo: Sal 79,11; a la arrogancia del corazón: Is 9,8; 10,12; al faraón comparado con un cedro: Ez 31, 2.7.18), mientras que *g*[e]*dullā/g*[e]*dūlā* designa especialmente la «alta posición, dignidad, majestad» (de Dios: 2 Sm 7, 21.23; cf. 1 Cr 17,19.19.21, dos veces en plural; Sal 145,3.6); el plural de este último significado se expresa en los demás casos por medio del femenino plural sustantivado de *gādōl (g*[e]*dōlōt,* «grande, gestas grandes», referido a Dios: Dt 10,21; Jr 33,3; 45,5; Sal 71, 19; 106,21; Job 5,9; 9,10; 37,5; referido a Eliseo: 2 Re 8,4; hablar arrogante: Sal 12,4; tener que ver con cosas grandes: Sal 131,1).

c) En el verbo no aparecen significados fundamentalmente distintos de los del adjetivo. *gdl* qal no significa sólo «*hacerse* grande = crecer» (referido a los niños: Gn 21,8.20; 25,27; 38, 11.14; Ex 2,10.11; Jue 11,2; 13,24; 1 Sm 2,21; 3,19; 1 Re 12,8.10 = 2 Cr 10,8.10; 2 Re 4,18; Ez 16,7; Job 31, 18, cf. Fohrer, KAT XVI, 423; Rut 1, 13; referido a un cordero: 2 Sm 12,3; a un cuerno: Dn 8,9.10) y «hacerse grande = rico» (Gn 24,35; 26,13.13; 1 Re 10,23 = 2 Cr 9,22; Jr 5,27; Ecl 2,9), sino también «*ser* grande, mostrarse grande» (referido a Dios, a su fuerza, a su nombre, a su obra: Nm 14, 17; 2 Sm 7,22.26 = 1 Cr 17,24; Mal 1,5; Sal 35,27; 40,17 = 70,5; 92,6; 104,1; un grito: Gn 19,13; esplendor: Zac 12,7; lamentación: Zac 12,11; dolor: Job 2,13; culpa: Lam 4,6 y Esd 9, 6) y «ser grande = importante, poderoso, valioso» (un rey = Gn 41,40; 2 Sm 5,10 = 1 Cr 11,9; Mesías: Miq 5,3; Mardoqueo: Est 9,4; Efraín y Manasés: Gn 48,19.19 = la vida: 1 Sm 26,24.24); la frase verbal se diferencia de la frase nominal compuesta con *gādōl* como predicado (algo más de 50 ×) en que describe (analíticamente) una situación pensada objetivamente y no (sintéticamente) una toma de posición subjetiva ante un fenómeno (compárese la confesión de Is 12,6: «grande es en medio de ti el Santo de Israel», que, en cuanto nuevo conocimiento, es formulada con un adjetivo predicativo, con la declaración de confianza de Mal 1,5, que, presuponiendo ya conocida la grandeza de Dios, es expresada verbalmente: «vosotros mismos diréis: 'grande es Yahvé más allá de los límites de Israel'», cf. Jenni, HP 26.29-33).

El piel de *gdl* es de ordinario factitivo: «hacer grande» (Gn 12,2; Nm 6, 5; Jos 3,7; 4,14; 1 Re 1,37.47; Est 3, 1; 5,11; 10,2; 1 Cr 29,12.25; 2 Cr 1,1; como reflexivo en hitpael: «manifestarse grande», Ez 38,23) y «criar, educar» (2 Re 10,6; Is 1,2; 23,4; 44,14; 49,21; 51,18; Ez 31,4; Os 9,12; Jon 4,10; Dn 1,5; pasivo en pual: Sal 144,12; cf. Jenni, *loc. cit.,* 58s); más raramente aparece como declarativo: «declarar = alabar como grande» (Sal 34,4; 69,31; cf. en 1 Cr 25,4.9 el nombre propio formado de una cita de los salmos; cf. Jenni, *loc. cit.,* 40-43) o como estimativo: «considerar grande» (Job 7,17; reflexivo en hitpael: «darse importancia», Is 10,15; Dn 11,36.37).

gdl hifil es normal-causativo: «hacer que algo sea grande, se manifieste como grande» (Gn 19,19; 1 Sm 12,24; 20,

41, texto dudoso; 22,51 K = Sal 18, 51 Q; Is 9,2; 28,29; 42,21; Ez 24,9; Jl 2,20.21; Am 8,5; Abd 12; Sal 41, 10; 126,2.3; 138,2; Ecl 1,16; 2,4) o causativo interno: «hacerse a sí mismo grande = darse importancia» (Is 48,26. 42; Ez 35,13; Sof 2,8.10; Sal 35,26; 38,17; 55,13; Job 19,5; Lam 1,9; sobre la delimitación con respecto al hitpael, cf. Jenni, *loc. cit.*, 46-49) o «convertirse en grande = hacerse grande, grandioso» (Dn 8,4.8.11.25; 1 Cr 22,5).

De los conceptos opuestos, relativamente raros, *qṭn* qal, «ser pequeño» (Gn 32,11; 2 Sm 7,19 = 1 Cr 17,17), hifil, «hacer pequeño» (Am 8,5), y *ṣʿr,* «ser pequeño, menor» (Jr 30,19; Zac 19,7; Job 14,21), sólo el primero aparece en oposición a *gdl.*

4. *a)* Si se repasan los pasajes en que *gādōl* tiene un sentido teológico, se observa que la afirmación «Yahvé es grande» o semejantes aparece sobre todo en textos hímnicos de la tradición de Sión (Sal 48,2: «grande es Yahvé y muy digno de alabanza en la ciudad de nuestro Dios»; 77,14: «¿qué dios hay grande como nuestro Dios?», cf. Kraus, BK XV, 532; 95,3: «porque Yahvé es un Dios grande, un rey grande sobre todos los dioses», cf. 47,3: «un rey grande sobre toda la tierra»; 96, 4 = 1 Cr 16,25: «porque grande es Yahvé y muy digno de alabanza, más temible que todos los dioses»; 147,5: «grande es nuestro Señor y de gran fuerza»; también pertenecen a la teología de Jerusalén Is 12,6: «grande es en medio de ti el Santo de Israel», y, como motivos hímnicos de una lamentación individual, Sal 86,10: «pues eres grande y haces maravillas»). En muchos textos aparece claramente que Yahvé era considerado grande en cuanto contrapuesto a los demás dioses (Sal 77, 14; 95,3; 96,4; 135,5); este modo de entender la grandeza de Dios se comprende fácilmente si se piensa que ha sido tomada de la tradición cultual preisraelítica de Jerusalén en torno a *ʾēl* → *ʿælyōn,* «el Dios Altísimo» (cf. el epíteto → *ʾaddīr,* propio también de Canaán, y → *rab,* que aparece también en Ugarit como un predicado de Dios; sobre la designación divina egipcia *Wr,* «el Grande», cf. S. Morenz, *Äg. Religion* [1960] 156s). La grandeza de Dios, unida con frecuencia al título de rey, es afirmada a veces también con referencia a los pueblos de la tierra (Sal 47,3; 86,9s; 99,2; cf. también Jr 10,6s: «grande eres tú y grande es tu nombre en poderío»; Mal 1,14: «yo soy un rey grande»; Ez 38,23: «me manifestaré grande y santo ante los ojos de muchos pueblos», con *gdl* hitpael), o sin una referencia especial (Sal 48,2; 145,3; 147,5; cf. también Sal 104,1: «Yahvé, Dios mío, qué grande eres», con *gdl* qal).

Pero también en otros contextos diversos pueden formarse predicados divinos con *gādōl* o con *gdl* qal; así, concretamente, en las confesiones (Ex 18, 11, Jetró: «ahora sé que Yahvé es más grande que todos los dioses»; 2 Sm 7, 22, David: «por eso eres grande, Yahvé, Señor mío»; 2 Cr 2,4, Salomón: «y la casa que yo edificaré será grande; pues nuestro Dios es más grande que todos los dioses») y en las declaraciones de confianza propias de los cantos de lamentación y de los cantos de súplica (Sal 35,27; 40,17 = 70,5; cf. Mal 1,5; todos estos pasajes con *gdl* qal). Se puede reconocer otra tradición en las series deuteronómicas de epítetos divinos (Dt 7,21: «Yahvé... un Dios grande y temible»; 10,17: «el Dios grande, fuerte y temible»), que son recogidas con preferencia en el lenguaje de la comunidad cultual posexílica (Jr 32,18; Neh 1,5; 8,6; 9,32; cf. 4,8; Dn 9,4, todos estos textos con *gādōl).*

Desde la época deuteronómica se habla también en forma abstracta de la «grandeza» de Dios *(gṓdæl,* Dt 3,24; 5,24; 9,26; 11,2; 32,3; Sal 150,2; *g*^e^*dullā,* 1 Cr 29,11, en una larga serie de expresiones semejantes), mientras que los nombres propios *G*^e^*dalyā(hū)* y *Yigdalyāhū* («Dios es grande») se han formado en época anterior (Sof 11,1 o Jr 38,1).

En el libro de Job no se usa *gdl* para

designar la grandeza de Dios (con respecto a los hombres o a la creación), sino *rbh* qal (Job 33,12: «Dios es más grande que el hombre») y *śaggī'*, «excelso» (36,26: «mira, Dios es excelso, no lo podemos abarcar»; cf. también 37,23: *śaggī' kōaḥ*, «grande en poder»); en 36,5: *'ēl kabbīr*, «Dios poderoso», debe ser un error textual.

También el Mesías recibe, en cuanto representante e instrumento, el predicado «grande» en Miq 5,3: «pues será grande (*gdl* qal) hasta los confines de la tierra».

b) De estos predicados divinos deben diferenciarse los innumerables pasajes que hablan de la grandeza de una propiedad, manifestación o actividad divina. Deben mencionarse, sobre todo, el nombre de Dios (→ *šēm; gādōl:* Jr 7, 9; 1 Sm 12,22; 1 Re 8,42 = 2 Cr 6, 32; Jr 10,6; 44,26; Ez 36,23; Mal 1, 11; Sal 76,2; 99,3; *gdl* qal: 2 Sm 7, 26 = 1 Cr 17,24; *gdl* piel: Sal 34,4; 69,31; *gdl* hifil: Sal 138,2, texto dudoso) y el día de Yahvé (→ *yōm;* Jr 30,7; Joel 2,11; 3,4; Sof 1,4; Mal 3, 23; cf. Os 2,2: «el día de Yizreel»).

También otras cualidades de este tipo son caracterizadas por *gādōl: 'af*, «ira» (Dt 29,23.27); *zerōa'*, «brazo, poder» (Ez 15,16; cf. Sal 79,11 con *gōdæl*); *ḥēmā*, «cólera» (2 Re 22,13 = 2 Cr 34,21; Jr 36, 7); *ḥæsæd*, «gracia» (1 Re 3,6 = 2 Cr 1,8; Sal 57,11 = 108,5; 86,13; 145,8; cf. Nm 14,19 con *gōdæl;* Gn 19,19 con *gdl* hifil); *kābōd*, «gloria» (Sal 21,6; 138,5); *kōaḥ*, «fuerza» (Ex 32,11; Jr 27,5; 32,17; Nah 1,3 y *passim;* Nm 14,17 con *gdl* qal); *ma'aśæ*, «obra» (Sal 111,2 y *passim;* Sal 92,6 con *gdl* qal); *neqāmōt*, «venganza» (Ez 25,17); *'ēṣā*, «consejo» (Jr 32,19); *raḥamīm*, «misericordia» (Is 54,7, por lo demás, siempre con → *rab*); *tōrā*, «instrucción» (Is 42,21 con *gdl* hifil).

La literatura deuteronómico-deuteronomística y posterior presenta con frecuencia, en contextos relacionados con la tradición del éxodo (cf. Ex 14,31: «el gran poder» con → *yād*), expresiones compuestas con *gādōl*, que hablan de las grandes acciones, señales, actos terribles, etc., realizados en la historia antigua del pueblo (Dt 4,32.34.36.37; 6,22; 7,19; 9,29; 11,7; 26,8; 29,2; 34, 12; Jos 24,17; Jue 2,7; 2 Re 17,36; Jr 32,21; Neh 1,10; cf. en P Ex 6,6 y 7,4 referido a un suceso de la época salomónica, 1 Sm 12,16).

Deben mencionarse finalmente las expresiones referentes a las grandes gestas de Yahvé que aparecen en los más diversos contextos (*gedullā:* 2 Sm 7,21. 23; cf. 1 Cr 17,19.19.21; Sal 145,3.6; *gedōlōt:* Dt 10,21; Jr 33,3; 45,5; Sal 71,19; 106,21; Job 5,9; 9,10; 37,5; *gdl* hifil: 1 Sm 12,24; Jl 2,21; Sal 126, 2.3).

c) En la gran mayoría de los casos, pues, *gādōl* es un concepto completamente positivo; esto vale también por lo que se refiere a su aplicación al pueblo de Israel, que, según las promesas patriarcales, debe convertirse en un «pueblo grande» (→ *gōy*) (Gn 12,2; 17, 20; 18,18; 21,18; 46,3; Dt 26,5; cf. también Ex 32,10; Nm 14,12; Dt 4,6. 7.8; con → *rab:* Gn 50,20; Ex 1,9). Es relativamente raro, por el contrario (a diferencia de lo que sucede con → *g'h*, → *gbh*), el empleo de la raíz *gdl* en sentido negativo, referido a la arrogancia del hombre (con *gedōlōt*, Sal 12,4; con *gōdæl*, Is 9,8 y 10,12; con *gdl* hitpael, Is 10,15 y Dn 11,36.37; con *gdl* hifil, cf. los pasajes citados *sup. 3c*).

Como correctivo de la excesiva valoración de la grandeza humana aparecen en el AT algunos pasajes en los que se ensalza precisamente al menor, al más joven, o también la pequeñez o baja posición de una familia o un pueblo (Benjamín, Gedeón, Saúl, David, Belén-Efratá, y también el mismo Israel). Sobre estas «declaraciones de pequeñez o humildad» (con *qāṭōn*, Gn 42,13.15.20.32.34; 43,29; 44,26; 1 Sm 15,17; Is 60,22; con *qāṭān*, Gn 44,20; 1 Sm 16,11; 17,14; con *ṣā'īr*, Gn 43, 33; Jue 6,15; 1 Sm 9,21; Is 60,22; Miq 5,1, texto enmendado; Sal 68,28; con *me'aṭ*, Dt 7,7: «no porque seáis el más numeroso de todos los pueblos se ha ligado Yahvé a vosotros y os ha elegido, pues sois el menos numeroso de todos los pueblos, sino porque os ama...»), cf. O. Bächli, *Die Erwählung des Geringen im AT:* ThZ 22 (1966) 385-395.

5. En la lengua de Qumrán, que apenas se aleja del empleo lingüístico veterotestamentario, aparece un nuevo término *gwdl* con el significado de «dedo pulgar» (1QM 5,13; cf. *qōṭæn,* «dedo meñique», en 1 Re 12,10 = 2 Cr 10,10).

Sobre los LXX, la literatura intertestamentaria y el NT, cf. W. Grundmann, art. μέγας: ThW IV, 535-550; O. Michel, art. μικρός: ThW IV, 650-661.

E. Jenni

גוי *gōy* **Pueblo** → עַם *ʿam*

גור *gūr* Residir como forastero

1. La raíz *gūr,* que en el significado de «residir como forastero» está documentada con seguridad sólo en el semítico noroccidental, aparece fuera del hebreo casi exclusivamente como sustantivo «huésped, protegido, cliente».

El acádico *gurru,* que CAD G 140b pone en relación con *gēr,* recibe una explicación distinta en AHw 287a.

Son completamente inciertos los casos ugaríticos de 2,27 y 1 Aqht (= I D) 153 (WUS N. 690.691; UT N. 567; Gray, *Legacy* 122.243).

El fenicio-púnico *gr* (KAI N. 37 A/B, línea 16 o 10; es un elemento frecuente en los nombres propios, Harris, 92s; cf. Stamm, AN 264, sobre *Ubārum)* significa «protegido, cliente»; también en moabita (KAI N. 181, líneas 16s), donde aparece también el femenino (KAI II, 176).

Los casos arameos comienzan con el nabateo y el palmireno *gr* «cliente» (DISO 53), ya que el arameo antiguo *gūr,* «ser enviado al exilio» (así, DISO 49, según Dupont-Sommer), cae fuera de este contexto (según lo indican, por razones distintas, KAI II, 263, y K. R. Veenhof, BiOr 20 [1963] 142-144, a quien sigue R. Degen; *Altoram-Grammatik* [1969] 19.71). En los dialectos arameos posteriores se desarrolla el sentido debilitado de *gūr,* «cometer adulterio» *(gayyārā,* «adúltero»).

Se han solido presentar algunos equivalentes en el semítico meridional (en especial el árabe *ǧār,* «vecino», cf. el etiópico *gōr),* pero no aportan nada al esclarecimiento de la raíz hebrea.

En hebreo aparece el verbo *gūr* (qal e hitpael), «vivir como forastero»; el sustantivo *gēr,* «forastero, protegido», y las formas abstractas derivadas de éste: *gērūt* (Jr 41,17 en un nombre de lugar, según Alt, KS III, 358s: «feudo de refugio») y *m*ᵉ*gūrīm,* «carácter de forastero».

2. Después de separar los homónimos *gūr* II, «atacar», y *gūr* III, «temer», que corresponden a Lisowsky, 319s, quedan para *gūr* qal 81 casos (incluidos Jue 5,17; Is 54,15b; Jr 13 ×, Lv 11 ×) y para hitpael 3 × (1 Re 17, 20; Jr 30,23, texto dudoso; Os 7,14, texto dudoso). Aunque *gūr* está documentado ya antes del exilio (Gn 12,10; 19,9; 20,1, etc.), su mayor frecuencia corresponde a la literatura exílica y posexílica (en la ley de santidad, Lv 17-26, 10 ×; en Jr 42-50, 12 ×).

gēr aparece 92 × en el texto masorético (Dt 22 ×, Lv 21 ×, Ex 12 ×, Nm 11 ×, Ez 5 ×, Sal 4 ×), *m*ᵉ*gūrīm* 11 × (excluida la forma singular de Sal 55,16; Gn 6 × y Ex 1 ×, textos pertenecientes a P; además, Ez 20,38; Sal 119,54; Job 18,19; Lm 2,22), *gērūt* 1 ×.

Se ve, pues, que el término *gēr* era empleado ya desde antiguo (código de la alianza 6 ×, 2 Sm 1,13), pero que fue hacia fines del Estado de Judá (de Vaux I, 118) o después del exilio cuando se empleó con mayor frecuencia. Esto se explica adecuadamente por los acontecimientos de entonces (pérdida de población, emigración, dificultades económicas) y por motivos teológicos (preocupación de la comunidad por mantener su unidad frente a los pueblos vecinos, objetivo para el que se aplica, entre otros medios, la integración del «forastero dentro de sus murallas»; a eso se debe la importancia que los textos legales de origen sacerdotal atribuyen a este problema, cf. Elliger, HAT 4, 227).

3. *a)* El *gēr* se diferencia del extranjero en general, es decir, del *nokrī* y del → *zār;* aquél es el extranjero residente, el que se ha establecido por un cierto tiempo en el país y a quien, por eso mismo, se reconoce un *status* especial. Junto al *gēr* aparece con frecuencia el *tōšāb,* «huésped» (Gn 23,4; Lv 25,23.35 y *passim),* de quien se habla especialmente en los textos sacerdotales posexílicos (14 ×, de ellas 8 × en Lv). Su posición social es comparable, aunque no idéntica, a la del *gēr.* Junto al *gēr* deberían colocarse el espartano περίοικος o el ateniense μέτοικος.

El *gēr,* solo o en grupo, ha abandonado su patria debido a circunstancias políticas, económicas o por otros motivos, y busca protección en otra comunidad; así, Abrahán en Hebrón (Gn 23,4). Moisés en Madián (Ex 2,22 = 18,3), Elimélec de Belén y su familia en Moab (Rut 1,1), un efraimita en la región de Benjamín (Jue 19,16); así también los israelitas en Egipto (Ex 22,20 = 23,9 = Lv 19,34 = Dt 10,19; Lv 25,23). Se deberían considerar también las relaciones entre los levitas, que no tenían propiedades, y los *gērīm:* Jue 17,7ss; 19,1; Dt 14,29; 26,11.13 y *passim.*

El *gēr* no disfruta de todos los derechos de un israelita; entre otras cosas, no posee tierra alguna (según Ez 47,22, esta limitación será eliminada en el futuro Israel). Generalmente está al servicio de un israelita que es a la vez su señor y protector (Dt 24,14). Por lo general, el *gēr* es pobre (cf., sin embargo, Lv 25,67) y es contado entre los «económicamente débiles» que tienen derecho a la ayuda, igual que las viudas y los huérfanos.

Les asiste el derecho a la rebusca (Lv 19,10; 23,22; Dt 24,19-21 y *passim);* están bajo la protección divina (Dt 10,18; Sal 146,9; Mal 3,5); los israelitas deben amarlos como a sí mismos (Lv 19,34; Dt 10, 19), recordando que también ellos fueron forasteros en Egipto (Ex 22,20 y *passim);* deben cuidarse de explotar al *gēr* (ya en el código de la alianza, Ex 22,20-23; 23,9) que tiene iguales derechos que los propios ciudadanos (parte en los diezmos, Dt 19, 29; año sabático, Lv 25,6; ciudades de refugio, Nm 35,15). Según Lv 20,2; 24,16. 22; Dt 1,16, tanto el israelita como el *gēr* están sometidos a la misma legislación; en pocas palabras: en la vida cotidiana no existe ninguna diferencia entre los *gērīm* y los israelitas (de Vaux I, 117).

b) Desde el punto de vista religioso vigen las mismas prescripciones para los israelitas y para los *gērīm* (Ex 12, 49; Nm 15,15s): también el *gēr* debe observar el sábado (Ex 20,10 = Dt 5, 14), el ayuno del día de la expiación (Lv 16,29) y la pascua (Nm 9,14 y *passim),* a condición de que esté circuncidado (Ex 12,48). Puede ofrecer sacrificios (Lv 17,8; 22,18; Nm 15,15s y *passim)* y participar en las fiestas (Dt 16,11.14). También está obligado a observar las leyes sobre la pureza (Lv 17, 8-16; 18,26 y *passim;* cf. Lv 17,15, distinto de Dt 14,21). Así, pues, también en este ámbito se asemeja más o menos al israelita.

No tiene, por tanto, nada de extraño que los LXX traduzcan generalmente el concepto hebreo por προσήλυτος y conciban al *gēr* como prosélito en sentido técnico, es decir, como uno que se ha adherido al judaísmo por medio de un acto de ingreso (la circuncisión) (lo mismo significa el hebreo medio *gēr* y el arameo *gīyā/ōrā,* cf. DISO 53 e *inf.* 5). En los LXX aparece 77 × προσήλυτος, 11 × πάροικος (Gn 15, 13; 23,4 y *passim* es decir, cuando se excluye la comprensión especial como prosélito), 1 × ξένος (Job 31,32) y 2 × γ(ε)ιώρας (Ex 12,19; Is 14,1).

c) La posición del *gēr* fue cambiando con el tiempo, como lo demuestran las fuentes. Los textos legales muestran una tendencia cada vez más clara a acercar el *gēr* al israelita (el término técnico para designar al ciudadano nativo es *'æzrāḥ,* 17 × en Ex, Lv, Nm, Jos 8,33; Ez 47,22; fuera de Lv 23,42 y Sal 37,35, texto enmendado, aparece siempre contrapuesto al *gēr),* especialmente en el aspecto religioso. Originalmente un extranjero asentado en Israel, o en una de sus tribus, era colocado, en cuanto tal, bajo la protección de Yahvé (código de la alianza); en el Dt recibe ya un trato especial, junto a las viudas y huérfanos; la razón hay que buscarla en la historia de la salvación: también Israel había sido *gēr*. La tradición sacerdotal, finalmente, al asignar a los extranjeros prescripciones precisas, los convierte prácticamente en miembros de la comunidad.

Sobre la historia del concepto y su trasfondo, cf. A. Bertholet, *Die Stellung der Israeliten und der Juden zu den Fremden* (1896); E. Neufeld, HUCA 26 (1955) 391-394; P. Grelot, VT 6 (1956) 177s; de Vaux I, 116-118; F. Horst, RGG II, 1125s, con bibliografías; K. G. Kuhn, ThW VI, 727-745; Th. M. Horner, *Changing Concepts of the «Stranger» in the OT:* AThR 42 (1960) 49-53; L. M. Muntingh, *Die Begrip ger in die OT:* NedGerefTTs 3 (1962) 534-558.

4. Son teológicamente interesantes las siguientes observaciones:

a) Yahvé mismo es quien se ocupa de los forasteros que hay en Israel. El Dios de Israel es su protector y ordena a su pueblo no sólo que no los oprima, sino incluso que los ame (Lv 19,33s; Dt 10,19; →*'hb* IV/1).

b) Las exigencias éticas con respecto al *gēr* son relacionadas, especialmente por el Dt (Ex 22,20b; 23,9b son secundarios; Lv 19,34b se ha desarrollado a partir de Dt 10,19), con la estancia de Israel en Egipto como forastero.

c) Y además, en algunos pasajes, Israel (lo mismo que su antepasado Abrahán, presentado como tipo, Gn 23, 4) es considerado *gēr* (y *tōšāb)* en el mismo Canaán, que es propiedad de Yahvé (Lv 25,23: «tu tierra me pertenece; vosotros sois forasteros y huéspedes míos»; Sal 39,13: «pues yo soy huésped tuyo, forastero ante ti, como lo fueron nuestros padres»; 119,19: «soy huésped en la tierra»; 1 Cr 29,15: «pues nosotros somos huéspedes y forasteros ante ti como nuestros padres»). Sobre esta concepción (espiritualizada) y sobre su origen histórico-tradicional —donde desempeña un papel importante, entre otros, la función de asilo del santuario (cf. Sal 15,1 con *gūr;* también los nombres propios teofóricos egipcios formados con *gēr)*—, cf. K. L. Schmidt, *Israels Stellung zu den Fremdlingen und Beisassen und Israels Wissen um seine Fremdling- und Beisassenschaft:* Judaica 1 (1945) 269-296; íd., ThW V, 844-846; H. Wildberger, EvTh 16 (1956) 417-420.

5. En la época helenística se acentúa mucho el aspecto religioso del concepto *gēr*. Ya no designa sólo a los extranjeros asentados en el país, sino a todo gentil recibido en la comunidad judía, es decir a todo prosélito (que se diferencia, tanto en el judaísmo como en el NT, del σεβόμενος, del «temeroso de Dios»; cf. Hch 13,50 y *passim).* Cf. K. G. Kuhn, art. προσήλυτος: ThW VI, 727-745; K. L. y M. A. Schmidt - R. Meyer, artículo πάροικος: ThW V, 840-852; W. Grundmann, art. παρεπίδημος: ThW II, 63s.

R. Martin-Achard

גּוֹרָל *gōrāl* **Suerte**

1. *gōrāl,* «suerte», está documentado sólo en hebreo; es probable que esté relacionado con el árabe *ǧarwal,* «piedrecita» (HAL 195a).

2. *gōrāl* aparece en el AT hebreo 77 × (sin contar Prov 19,19 K, *legendum* Q *gdl);* la mayoría de estos casos corresponde a textos tardíos (está ausente en Gn, Ex, Dt, 1/2 Sm, 1/2 Re, Am, Os, las secciones originales de Is, etcétera) y concretamente, de acuerdo con su significado cúltico-legal, a contextos sacerdotales (5 × en Lv 16,8-10; 7 × en Nm; 26 × en Jos 14-21; 13 × en 1 Cr, y de 0 a 3 × en los demás libros).

No es seguro que en Is 8,1 deba leerse, con Galling, ZDPV 56 (1933) 213, *gōrāl* en lugar de *gādōl* y que *gil-*

yōn gōrāl deba traducirse por «rollo (para escribir en él) las parcelas de irrigación».

3. *a)* En su significado concreto, *gōrāl* designa la suerte que se echa para decidir algún asunto (en Lv 16,8-10, para elegir los machos cabríos destinados a Yahvé y a Azazel; en Jue 20,9, para el ataque a Guibeá; para la repartición del botín, en Abd 11; de los hombres, en Nah 3,10; del pueblo, en Jl 4,3; de vestidos, en Sal 22,19 [cf. Mc 15,24 y paralelos]), para acabar las disputas, como en Prov 18,18, etc. (más ejemplos en HAL 178a; J. Lindblom, *Lot-Casting in the OT:* VT 12 [1962] 164-166).

Todavía no se ha podido conocer con exactitud cuál era la técnica empleada para echar a suertes (como tampoco el significado exacto de los Urim y los Tummim, así como el del Efod) (cf. A. Musil, *Arabia Petraea* III [1908] 293s; Dalman, AuS II, 43s; StrB II, 596s; R. Press, ZAW 51 [1933] 227-231; BHH II, 1103; Lindblom, *loc. cit.*, 169-178). Probablemente se emplearon distintas técnicas en los distintos lugares, tiempos y circunstancias. De Prov 16,33 se pueden entresacar algunas indicaciones en torno al término *gōrāl:* este texto indica que la suerte era agitada en el bolsillo del pecho; también pueden ser indicativos los verbos que acompañan a *gōrāl* como sujeto o como objeto (*ʿlh,* «subir»; *yṣʾ,* «salir»; *hyh lᵉ* y *npl ʿl/lᵉ,* «caer sobre», o bien *ṭūl* hifil, *ydd, yrh, npl* hifil, *ntn, šlk* hifil, «echar»).

Como términos de significado parecido deben mencionarse *pūr* (sólo en Est) y *qsm/qǽsæm.*

En Est 3,7 y 9,24 el término *pūr* (acompañado del verbo *npl* hifil, «echar»; el acádico, *pūru,* «suerte», cf. L. Dürr, OLZ 38 [1935] 297; J. Lewy, «Revue Hittite et Asianique» 5 [1939] 117-124) es explicado o interpretado como *gōrāl,* y 9,26 hace derivar de ahí el nombre de la fiesta de los Purim (*pūrīm* también en 9,28s.31s; cf., entre otros, Ringgren, ATD 16/2.115s; Bardtke, KAT XVII/5, 243ss, con bibliografía; BHH III, 1532).

qsm significa, según KBL 844b, «consultar el oráculo de las suertes» (20 ×); a esa raíz pertenecen los nombres *qǽsæm,* «oráculo de las suertes» (11 ×), y *miqsam,* «consulta al oráculo de las suertes»: Wildberger, BK X, 93.98s (refiriéndose a Is 2, 6, texto enmendado) propone el significado genérico de «vaticinar».

b) Según Nm 26,55s; 33,54; 34, 13; 36,2s; Jos 14,2, etc., tras la conquista de la tierra se debía echar a suertes para asignar a cada tribu su región. Alt, KS I, 328, nota 1, llega incluso a sospechar que cada siete años se realizaba un nuevo sorteo (cf. también KS III, 373-381, refiriéndose a Miq 2,1-5).

Y según eso, la misma propiedad de una tribu o de una familia puede ser llamada metonímicamente *gōrāl* (Jos 15,1; cf. 16,1; 17,1.14.17; Jue 1,3 y *passim*). *gōrāl* se convierte así en paralelo de *naḥᵃlā,* «posesión» (→ *nḥl*); *ḥḗlæq,* «porción» (→ *ḥlq*); *ḥǽbæl,* «lo asignado»; *yᵉruššā,* «propiedad» (→ *yrš*); *ʾᵃḥuzzā,* «propiedad» (→ *ʾḥz*); → *šᵉgullā,* «propiedad»; *miqnǣ,* «adquisición» (→ *anb*); → *ʾǽræṣ,* «tierra», y semejantes.

La ausencia de *gōrāl* en el Dt debe explicarse por el hecho de que este libro se interesa no de cada tribu en particular, sino únicamente del país en su totalidad (cf. G. von Rad, *Das Gottesvolk im Dtn* [1929] 43).

c) Lo mismo que *naḥᵃlā, ḥḗlæq* y *ḥǽbæl,* también *gōrāl* es empleado en sentido traslaticio con el significado genérico de «porción, suerte, fortuna».

El paso del significado propio al traslaticio se observa mejor en *ḥḗlæq* y en *naḥᵃlā* que en *gōrāl.* De entre los varios ejemplos posibles, citemos el de Nm 18,20: «Yahvé dijo a Aarón: tú no tendrás heredad (*nḥl*) ninguna en su tierra; no habrá porción (*ḥḗlæq*) para ti entre ellos; yo soy tu porción (*ḥḗlæq*) y tu heredad (*naḥᵃlā*) entre los hijos de Israel».

Los principales textos donde aparece este empleo traslaticio son los siguientes: Is 17,14 (paralelo a *ḥḗlæq*), 34,17 (paralelo a *ḥlq* piel); 57,6 (paralelo a *ḥḗlæq*); Jr 13,25 (paralelo a *mᵉnāt,* «porción», cf. Wagner N. 175); Sal 16, 5s (paralelo a *mᵉnāt, ḥḗlæq* y *ḥǽbæl*);

quizá también Sal 125,3; Dn 12,13: «te levantarás para recibir tu suerte al fin de los días».

Sobre este tema, cf. J. T. E. Renner, *A Study of the Word Goral in the OT*, tesis de teología presentada en Heidelberg (1958) (dactilografiada).

4. Teniendo en cuenta que el echar las suertes equivale, tanto en la Antigüedad en general como concretamente en Israel, a recibir una comunicación por parte de Dios, *gōrāl* puede considerarse como término teológico en todos sus empleos. Esto aparece claramente en el empleo traslaticio del término, ya que se indica que Yahvé determina o incluso que él es la suerte y la porción del hombre. Hay un pasaje en el que no se da esta sobrentendida identificación de suerte y decisión divina (incluso parece ponerse polémicamente en duda): Prov 16,33: «agitan la suerte en el pecho, (pero) de Yahvé viene la decisión *(mišpāṭ)*.

5. En Qumrán el concepto ha sufrido un nuevo cambio de significado. Designa a la vez: *a)* una decisión o una resolución; *b)* el rango o el cargo ocupado en el marco de la comunidad; *c)* un partido o agrupación; *d)* la fortuna conseguida (por medio de la remuneración), *e)* (en 1QM) incluso una formación militar (cf. F. Nötscher, *Zur theologischen Terminologie der Qumran-Texte* [1956] 169-173).

El NT continúa la línea de los LXX, que traducen *gōrāl* la mayoría de las veces (62 ×) por κλῆρος; en el NT es usado preferentemente en sentido traslaticio. Cf. W. Foerster y J. Herrmann, art. κλῆρος: ThW III, 757-786.

H. H. Schmid

גיל *gīl* Gritar de alegría

1. *gīl,* «gritar de alegría», aparece fuera del hebreo sólo en ugarítico, donde en 125 [= II K], 15.99, el significado parece asegurado por el paralelo *śmḥ,* «alegrarse» (hebreo → *śmḥ).*

Sobre su supuesta relación con el árabe *ǧāla,* «girarse, volverse», cf. P. Humbert, *Laetari et exsultare dans le vocabulaire religieux de l'AT:* RHPhR 22 (1942) 213 = «Opuscules d'un hébraïsant» (1958) 144; distinto, L. Kopf, VT 9 (1959) 249s (árabe *gll)*. De todas formas, los verbos semítico-meridionales aportados (cf. también HAL 182a) no son decisivos para el significado de *gīl* en el AT.

El hebreo ha formado junto al verbo (qal) los nombres verbales *gīl* y *gīlā*. Sobre el nombre propio *ʾabīgáyil,* cf. J. J. Stamm, FS Baumgartner (1967) 316.

2. El verbo aparece 45 × (Sal 19 × [de ellas hay que descartar 2,11, que debe ser enmendado], Is 11 ×, los doce profetas menores 8 ×, Prov 5 ×, además Cant 1,4 y 1 Cr 16,31 [= Sal 96, 11]); el sustantivo *gīl* aparece 8 × (Sal 3 ×, profetas 4 × y Job 3,22, texto dudoso), *gīlā* 2 × (Is 35,2; 65,18).

En Sal 43,4 es discutible la atribución a *gīl* I, «juventud (?)», o a *gīl* II, «júbilo» (HAL 182a).

3. Este grupo de palabras aparece, pues, casi exclusivamente en los profetas y en el salterio; pero gran parte de los casos pertenecientes a los profetas contienen formas de los salmos. Según esto, *gīl* pertenece al contexto del culto; su lugar propio está en la alabanza de Dios. Es muy rara su presencia en contextos profanos (Is 9,2b; 16, 10 = Jr 48,33; Hab 1,15; Sal 45,16; Prov 2,14; 23,24.25; 24,17; Cant 1,4). En Is 16,10 = Jr 48,33; Os 9,1 y 10, 5, la palabra se emplea en el contexto de la acusación profética.

El paralelo más frecuente de *gīl* es *śmḥ,* «alegrarse» (más de 30 ×); siguen *śūś/śīś,* «alegrarse»; *rnn,* «gritar de alegría»; *rūaʿ* hifil, «gritar»; *ʿlz,* «regocijarse», y otros; cf. la lista en Humbert, *loc. cit.,* 206 o 137s.

En consecuencia: *gīl* pertenece al campo semántico de nuestro término «alegría». Este campo se halla mucho más desarrollado en hebreo que en nuestras lenguas modernas, puesto que por alegría se entiende no tanto un sentimiento, sensación o estado anímico cuanto su manifestación externa, algo que se realiza en la comunidad. Ahora bien, la alegría puede ser manifestada de palabra o con gestos de formas muy variadas; de acuerdo con esta variedad de formas existen en hebreo muchos vocablos que no pueden ser traducidos con total exactitud a nuestras lenguas. Cuando traducimos *gīl* por «gritar de alegría» o «gritar de júbilo», damos una traducción aproximativa. Teniendo en cuenta que *gīl* aparece en más de la mitad de los casos en paralelo a *śmḥ,* su sentido general queda asegurado, aun cuando no pueda determinarse su matiz exacto.

Lo mismo que *śmḥ,* también *gīl* puede referirse a la manifestación de alegría en un contexto profano: en una boda (Sal 45, 16, el sustantivo; cf. Cant 1,4), alegría de los padres en su hijo (Prov 23,24.25), alegría en el reparto del botín, en la cosecha, alegría por la desgracia ajena, etc. (Is 9,2b; 16,10 = Jr 48,33; Hab 1,15; Prov 2,14; 24,17). No puede establecerse, de todos modos, una neta distinción entre el empleo profano y el cúltico; en Jl 2,23, la alegría por la lluvia es también «alegría en Yahvé». El empleo de este término descubre claramente que existió un estadio en el que no se distinguía entre suceso profano y suceso sacro.

b) Sujetos de *gīl* son los siguientes: 1) *los hombres:* un particular (Is 61, 10; Hab 3,18; Sal 9,15; 13,6; 16,9; 31,8; 35,9; 43,4, texto dudoso; 51,10; Prov 23,24.25; 24,17), el pueblo (Sal 14,7 = 53,7; 48,12 y *passim),* los pueblos (Is 25,9; cf. 66,10), los pobres y los justos (Is 29,19; Sal 32,11), los enemigos (Sal 13,5; cf. Hab 1,15), los malvados (Prov 2,14), los sacerdotes de los ídolos (Os 10,5), el rey (Sal 21, 2); 2) *la naturaleza:* la tierra (Is 49,13; Sal 96,11 = 1 Cr 16,31; Sal 97,1), la estepa y el desierto (Is 35,1.2), una colina (Sal 65,13, con *gīlā);* 3) *Dios* (Is 65,19; Sof 3,17).

El hombre es, pues, el sujeto más frecuente de este verbo. La mayoría de las veces se trata del pueblo o de un particular ante Dios. Y puesto que la alabanza de Dios tiende siempre a ampliarse y desarrollarse, también el grupo de los que se alegran va creciendo hasta llegar a incluir a la creación. En dos textos tardíos es Dios el sujeto de esta alegría.

El verbo (intransitivo) se emplea fundamentalmente en forma absoluta. Se usa también con cierta frecuencia con *bᵉ* (la mayoría de las veces referido a Dios, por ejemplo, Sal 118,24, o a su actuación, por ejemplo, Sal 9,15); en dos ocasiones aparece con *ʿal* (Os 10,5; Sof 3,17); cf. Humbert, *loc. cit.,* 205 o 137.

4. *a)* La mayoría de los textos pertenecen a la alabanza de Dios. En la invitación a la alabanza suena la exclamación imperativa de alabanza: Sal 32, 11: «¡alegraos en Yahvé y exultad, oh justos!»; son semejantes Is 65,18; 66, 10; Jl 2,21.23; Zac 9,9. En Sal 149,1s la exclamación imperativa de alabanza se amplía con un yusivo: «¡Cantad a Yahvé un cántico nuevo... alégrese Israel en su hacedor, los hijos de Sión exulten en su rey!»; también son yusivos Is 35,1.2; Sal 96,11 = 1 Cr 16,31; Sal 97,1. En Sal 118,24 aparece una invitación a la alabanza en primera persona (en forma cohortativa): «éste es el día que hizo el Señor; alegrémonos y gocemos en él»; son semejantes Is 25, 9; Sal 31,8. Una variación profética aparece en la llamada a la alabanza propia de los «cánticos escatológicos de alabanza»: Is 49,13; 61,10; 66,10; Zac 9,9. La alabanza y el júbilo son consecuencia de la acción divina: Sal 9,15: «para que yo narre... (para que) yo me alegre en tu ayuda»; cf. Is 29,19; 41, 16; Zac 10,7; Sal 14,7 = 53,7; 16,9; 21,2; 48,12; 51,10; 65,13; 89,17; 97, 8; con el sustantivo: Is 9,2a, texto enmendado; Sal 43,4, texto dudoso; a esto corresponde la alegría de Yahvé en Is 65,19; Sof 3,17. Dentro de un voto de alabanza aparece *gīl* en Sal 35, 9: «¡pero yo exultaré en Yahvé y me alegraré en su ayuda!»; cf. Hab 3,18; Sal 13,6.

Dentro del género de súplica aparece el siguiente motivo: «que mis enemigos no se alegren», Sal 13,5. En la lamentación se expresa la queja (Jl 1,16) por la desaparición de la alegría y el júbilo (de la casa de Yahvé); en las palabras de juicio se anuncia dicha desaparición (Is 16,10 = Jr 48,33).

En todos estos grupos de pasajes el proceso fundamental es el mismo. Se trata de la reacción alegre y jubilosa ante un acontecimiento, por lo general ante una intervención de Dios salvífica o liberadora (Sal 9,15; 35,9). Normalmente se trata de una actuación de Dios en la historia del pueblo o de algún particular, pero la historia incluye también la actividad creadora de Dios: Jl 2,21.23. Se comprende, pues, que incluso los pasajes que nosotros llamamos «profanos» no afirman fundamentalmente otra cosa, pues incluso la alegría de los padres en sus hijos (Prov 23, 24s) presupone una acción divina y, desde este punto de vista, viene a ser alegrarse en una acción divina.

e) Por eso resulta más fuerte el contraste con los dos textos de Oseas en que *gīl* tiene un matiz negativo: 9, 1: «¡no te alegres, Israel; no exultes (léase *'al-tāgēl* en lugar de *'æl-gīl)* como los pueblos! Pues te has prostituido lejos de tu Dios» (seguimos la traducción de H. W. Wolff), y 10,5: «exultan por su gloria» (texto dudoso). Sobre 9, 1 afirma Wolff, BK XIV/1,197: «Oseas emplea por primera vez el par de palabras *śmḥ-gīl*. El muestra también que dicho par de palabras pertenecía originalmente al carácter dionisíaco del culto cananeo de la fertilidad...». Debe aceptarse, ciertamente, la presencia de *gīl* en los cultos de fertilidad cananeos, y en 10,5, si el texto es correcto, está documentado directamente. Pero de ahí no se sigue que la actitud correspondiente a *gīl* o el mismo *gīl* «pertenecía al carácter dionisíaco del culto cananeo de la fertilidad» (Wolff, *loc. cit.).* El júbilo como manifestación de alegría, especialmente en el culto, es un fenómeno común a la mayoría de las religiones que conocemos. En Os 9,1, en cambio (igual que en Am 5,23), se condena la alegría y el júbilo *de Israel* en *su* culto, y no porque toman su origen de los cultos de fertilidad cananeos, sino porque no son respuesta a la acción del Dios de Israel: «pues tú te prostituyes lejos de tu Dios».

5. *gīl* es traducido normalmente en los LXX por ἀγαλλιάομαι, más raramente por χαίρω. En Qumrán (cf. Kuhn, *Konk.,* 44c) y en el NT continúa la línea veterotestamentaria. Cf. R. Bultmann, art. ἀγαλλιάομαι: ThW I, 18-20.

C. Westermann

גלה *glh* Descubrir

*1. El hebreo *glh* en sentido transitivo, «descubrir», tiene correspondientes sobre todo en el área del semítico noroccidental (DISO 50; HAL 183b, donde se hace referencia también al árabe *ǧalā,* «clarificar/clarificarse»): en fenicio, en la inscripción de Aḥiram (KAI N. 1, línea 2) *wygl 'rn zn,* «... y descubre este sarcófago»; en arameo imperial, en Aḥ, línea 141: «no descubras tus secretos *('l tgly)* ante tus enemigos», y en Cowley N. 37, línea 8: «si hubiéramos aparecido *(glyn 'npyn)...»,* así como en arameo tardío (cf., por ejemplo, LS 115s).

Un segundo significado, intransitivo, aparece en ugarítico, donde es empleado como verbo de movimiento (M. H. Pope, *El in the Ugaritic Texts* [1955] 64; WUS N. 652: *gly,* «moverse hacia»; UT N. 579: «to leave»), en hebreo y en arameo tardío, «marchar, ir al exilio» (como arameísmo aparece también en acádico: *galû,* cf. AHw 275b), así como en árabe *(ǧalā,* «vagar»).

Según se ha sugerido con frecuencia (GB 139s; HAL 183s; Pope, *loc. cit.),* estos dos significados deberían relacionarse de la siguiente forma: en el significado de «marchar, vagar = dejar al descubierto (la tierra)», el objeto «tierra» queda siempre elíptico. Esta explicación, sin embargo, es problemática y es preferible dejar abierta la cuestión de la etimología y contar, desde el punto de vista semántico, con dos verbos (cf. Mandelkern, 262s, y Zorell, 151s): el transitivo *glh* I, «descubrir» (cf. *inf.* 4), y el intransitivo *glh* II, «marchar, ser llevado al exilio» (cf. *inf.* 3).

glh aparece en el AT en los siete modos verbales (fenómeno que se repite sólo en los verbos *bqʿ,* «hendir»; *ḥlh,* «estar débil, enfermo»; → *ydʿ,* «reconocer»; *yld,* «engendrar», y *pqd,* «visitar»); la distribución de estos modos verbales entre los dos verbos es la siguiente: *glh* I, «descubrir», aparece en qal, nifal, piel pual e hitpael; *glh* II, «marchar», en qal, hifil y hofal (Is 38,12 nifal es textualmente inseguro). De los nombres, *gillāyōn* «tabla» (Is 8,1; sobre Is 3,23, cf. HAL 185b), debe asignarse probablemente a *glh* I, mientras que *gōlā,* «desterrados, destierro», y *gālūt,* «expulsión, expulsados» (el primero con un significado secundario abstracto y el segundo con un significado secundario concreto), pertenecen a *glh* II.

En arameo bíblico aparecen *glh* I qal, «descubrir», y *glh* II hafel, «llevar al destierro», así como el sustantivo *gālū,* «expulsión».

No es segura la derivación del nombre propio *Yoglī* (Nm 34,22) a partir de *glh* I (cf. Noth, IP 244).

2. El verbo aparece en hebreo 187 × (Mandelkern añade Jr 52,29, siguiendo a algunos manuscritos y ediciones) y en arameo 9 ×. La distribución por modos verbales es la siguiente: qal 50 × («descubrir» 21 ×, «marchar» 29 ×, caso de que, contra Mandelkern, Prov 27,25 sea asignado a *glh* II), nifal 32 × (Is 8 ×, 1 Sm 6 ×, Ez 5 ×, 2 Sm 4 ×), piel 56 × (excluido Sal 119,22, que, contra Lisowsky, se asigna a *gll* piel; Lv 24 ×, Is 6 ×), pual 2 ×, hitpael 2 ×, hifil 38 × (Jr 13 ×, 2 Re 12 ×), hofal 7 ×; en arameo, qal 7 × (Dn), hafel 2 × (Esd). Si distribuimos el total de casos entre los dos verbos, 112 casos corresponden a *glh* I (además, 7 × en arameo) y 75 casos a *glh* II (incluido Is 38,12 nifal; además, 2 × en arameo).

gōlā aparece 42 × (Esd 12 ×, Ez 11 ×, Jr 10 ×), *gālūt* 15 × (Jr 5 ×, Ez 3 ×) y el arameo *gālū* 4 ×.

3. Ez 12,3.3, donde el profeta recibe la orden: «¡emigra!», y la lamentación de 1 Sm 4,21.22: «la gloria ha sido desterrada de Israel», muestran cuál es el significado fundamental de *glh* II. Idéntico, o semejante, significado aparece en Is 24,11; 38,12, texto dudoso (nifal); Os 10,5; Job 20,28 (paralelo a *ngr* nifal, «fluir, derramarse»); Prov 27,25 (paralelo a *ʾsp* nifal, «reunirse»); Lam 1,3. En los demás pasajes el verbo en qal significa «ser llevado al destierro» (20 ×): Jue 18, 30 (?); 2 Sm 15,19; 2 Re 17,23 (paralelo a *sūr* hifil, «alejar»); 24,14; 25,21; Is 5,13; 49,21 (paralelo a *sūr,* «retirarse»); Jr 1,3; 52,27; Ez 39,23; Am 1,5; 5,5.5; 6,7.7; 7,11.11.17.17; Miq 1,16. A estos se añaden 39 casos de hifil, «expulsar (al destierro)», y 7 casos de hofal (pasivo, con un significado semejante al del modo qal). El verbo ocupa un puesto especial en el anuncio profético de juicio que se lee en Amós (1,5; 5,5.27; 6,7; 7,11.17) y Jeremías (13,19; 20,4; 22,12; 27,20); el anuncio de juicio aparece una sola vez en Isaías, en los inicios de su actividad (5,13). La mayoría de los casos corresponde —en los más diversos contextos— a narraciones; una vez aparece también en una lamentación en boca de los afectados (Lam 1,3).

Llama la atención el hecho de que muy pocos textos, y la mayoría de éstos proféticos, presenten a Yahvé como aquel que envía a Israel (Judá) al destierro: Jr 29,4.7.14; Ez 39,28; Am 5, 27; Lam 4,22; 1 Cr 5,41 (otros pueblos: 2 Re 17,11); sujeto del verbo es, en la mayoría de los casos, el pueblo que lleva a Israel al exilio o sus gobernantes. Para el anuncio profético de juicio es claro que el exilio se debe al juicio de Yahvé; pero, por otra parte, sobre la situación designada por medio de *glh* cae todo el peso de un acontecimiento político concreto que se opone a una teologización completa. Sólo en una ocasión, y ésta relativamente tardía, se conceptualiza explícitamente la mutua implicación entre la acción de Yahvé y el acontecimiento político: «Yahvé por medio de Nabucodonosor» (1 Cr 5,41). Cf., por el contrario, las referencias de Ezequiel al exilio: este profeta emplea preferentemente los verbos de por sí apolíticos *pūṣ* hifil y *zrh,* «dispersar» (*glh* qal/hifil sólo en Ez 39,23.28; cf. 12,3), y pone normalmente como sujeto a Yahvé (5,10.12; 11, 16; 12,14s; 20,23; 22,15; 36,19).

El hecho de que Yahvé envíe al exilio a su propio pueblo encuentra su explicación en la historia: al comienzo de la historia aparecen la promesa de la tierra y la conducción del pueblo a la misma; después viene el juicio de Yahvé, que consiste en retirar el don de la tierra al pueblo que se mantiene en rebeldía a pesar de todas las advertencias (cf. en 2 Re 17,11 el paralelismo entre la expulsión de los pueblos cuando la conquista de la tierra y la expulsión de Israel; son semejantes Dt 7,22; 8,19s).

Llama la atención el hecho de que *glh* no sea empleado nunca de esa forma en el Pentateuco, ni siquiera en el Dt, donde precisamente la expulsión constituye una amenaza grave e importante para el caso de desobediencia (en su lugar aparece *ʾbd mēʿal hāʾāræṣ,* «desaparecer de la tierra», Dt 4,26; 11, 17; cf. 8,19s; *pūṣ* hifil, «dispersar», 4, 27; 28,64). En cuanto al empleo de *glh,* «marchar», se puede pensar quizá que en un principio podía designar la costumbre, antiguamente tan extendida, de expulsar a un individuo (2 Sm 15,11) y que sólo en un segundo tiempo se especializaría como «ser llevado al exilio» con referencia a las deportaciones de enteras comunidades que tuvieron lugar en Israel al servicio de una política de conquista; se debe pensar sobre todo en las grandes deportaciones y traslados masivos del Imperio neoasirio, sin olvidar tampoco los de Urartu (Wolff, BK XIV/2, 183s). Este sentido específico del verbo fue asumido después por la profecía del siglo VII (especialmente por Amós), pero no se impuso en todos los ambientes, como lo demuestra el Dt; el lenguaje deuteronomístico fue el que lo impuso definitivamente como término principal para designar el exilio. A esto se debe el que los nombres *gōlā* y *gālūt,* «exilio, exiliados», aparezcan sólo en los profetas que proclamaron el juicio y en las obras históricas posteriores.

Un proceso diverso experimentó *šbh,* «llevar preso»: *šbh* se refería originalmente al botín de presos (especialmente mujeres y niños) conseguidos en las correrías guerreras (Gn 34,29; 1 Sm 30,2s y *passim);* a partir de la deportación de Samaría se da una ampliación del significado base (Abd 11), de forma que también el exilio puede ser designado por medio de *šbh* (1 Re 8,46ss; Jr 13,17; Ez 6,9).

4. *a)* *glh* I, «descubrir», en qal se refiere normalmente a los órganos sensoriales: «descubrir = abrir» el oído (con el hombre como sujeto: 1 Sm 20, 2.12.13; 22,8.8.17; Rut 4,4; con Dios como sujeto: 1 Sm 9,15; 2 Sm 7,27 = 1 Cr 17,25; Job 33,16; 36,10.15); «desvelar = abrir» el ojo (Nm 24,4.16; cf. el piel en Nm 22,31 y Sal 119,18). *glh* es usado también en referencia a la presentación pública de un documento (Est 3,14; 8,13); el participio pasivo *gālūy* aparece sustantivado para designar un documento de compra abierto (en oposición al documento sellado) (Jr 32,11.14). Finalmente, también *sōd,* «secreto», puede ser objeto de *glh* qal (Am 3,7; Prov 20,19; cf. además Prov 11,13 y 25,9 con *glh* piel; cf. Jenni, HP 202s).

b) En nifal la acción recae sobre el sujeto mismo; se puede traducir como pasivo «ser descubierto» (la desnudez: Ex 20,26; Is 47,3; Ez 16,36.57, texto enmendado; 23,29; las faldas: Jr 13, 22; los fundamentos: 2 Sm 22,16 = Sal 18,16 paralelo a *rʾh* nifal, «dejar a la vista»; Ez 13,14, cf. Miq 1,6 piel; la culpa, la maldad: Ez 21,29; Os 7,1; Prov 26,26; «darse a conocer», Is 23,1; «hacerse público», Dn 10,1 [una palabra]) o como reflexivo, «descubrirse»

(3 × en 2 Sm 6,20), «mostrarse, revelarse» (los hombres: 1 Sm 14,8.11; las puertas de la muerte: Job 38,17 paralelo a *rʾh* nifal; Dios: Gn 35,6; 1 Sm 2,27.27; 1 Sm 3,21; Is 22,14; su brazo: Is 53,1; su majestad: Is 46,5; su justicia: Is 56,1; su palabra: 1 Sm 3,7). El imperativo de Is 49,9 puede ser entendido como tolerativo: «podéis salir al descubierto = salid a la luz». El participio plural *hanniglōt* se refiere a la revelación del Sinaí y no debe ser traducido por «lo que está revelado», sino (entendido de forma no resultativa) por «lo que ha sido revelado (y vale eternamente para nosotros y para nuestros hijos)».

c) El piel designa siempre el descubrimiento de algo que normalmente está oculto («poner al descubierto», cf. Jenni, HP 202s). Tiene un significado en parte paralelo al de la forma qal: «abrir los ojos» (Nm 22,31; Sal 119,18 junto *nbṭ* hifil, «mirar»), «haber conocido, descubrir, revelar» (Jr 11,20; 20, 12; 33,6; Sal 98,2), «delatar» (Is 16, 3; Prov 11,13; 25,9). Ulteriores significados: «descubrir, encontrar» lo oculto (Jr 49,10; Job 12,22 paralelo a *yṣʿ* hifil *lāʾōr,* «sacar a la luz»; Miq 1,6, los fundamentos), «descubrir, acusar, castigar» la culpa (Job 20,27; Lam 2, 14; 4,22 paralelo a *pqd,* «castigar»; Is 26,21: «homicidio»). Pero el empleo principal del piel se refiere al ámbito sexual prohibido (40 × se refiere al descubrimiento de las vergüenzas o de lo que las oculta: faldas, velos, cubiertas en Dt 23,1; 27,20; Is 22,8; 47,2.2; 57,8, texto enmendado; Nah 3,5; Job 41,5; Rut 3,4.7). De este significado, 24 casos corresponden a Lv 18 y 20. Se trata de prescripciones legales en torno a las relaciones sexuales prohibidas; «descubrir las vergüenzas» es una perífrasis que se refiere a las relaciones sexuales. En muchos lugares significa «prostituir».

Este grupo de pasajes es interesante para el significado del verbo en general, ya que hacen que el verbo suene negativamente: con el objeto *ʿærwā,* «vergüenzas, desnudez», *glh* se convierte en algo prohibido, algo que debe evitarse. Esto está relacionado con la concepción israelita según la cual el vestido es algo que pertenece al hombre, es un don del creador (Gn 3,21) y el desnudarse ofende a la dignidad de los hombres.

Junto a Lv 18 y 20 aparece el empleo de *glh* piel en las denuncias proféticas que reprochan a Israel su falta de lealtad para con Yahvé (Is 57,8; Ez 23,18.18; cf. Ez 16,36.57 nifal) y en los correspondientes anuncios de juicio: Israel ha sido deshonrada por sus amantes (Os 2,12; Nah 3,5; Ez 16,37; 22,10; 23,10; cf. Jr 13,22 nifal; contra Babilonia en Is 47,2.2).

El pual significa en participio «abierto, franco» (Prov 27,5, corrección; Nah 2,8, texto dudoso), el hitpael «desnudarse» (Gn 9,21, Noé; Prov 18,2, «corazón»).

d) Relativamente pocos pasajes presentan a Dios como sujeto de *glh* I; su empleo propio corresponde al ámbito de lo profano. No puede ser considerado, de ningún modo, como término teológico: más bien sonaba a los oídos de los hebreos como un verbo referido siempre a sucesos intramundanos, que en algunas —aunque raras— ocasiones podía hacer alusión a una *actio Dei,* especialmente en dos grupos de pasajes: 1) lo mismo que del hombre, también de Dios puede decirse que ha descubierto (abierto) los oídos a alguien, y 2) lo mismo que un hombre se abre a otro hombre, también Dios puede abrirse (revelarse) a alguien.

1) En 1 Sm 9,15: «pero Yahvé había... abierto el oído a Samuel», la revelación consiste en una indicación de Dios al mediador con respecto a la unción del rey. La expresión «abrir el oído» aparece en el mismo contexto en Is 22,14: «pero Yahvé Sebaot me reveló al oído»; la fórmula aparece en el lugar de la fórmula de mensaje y es el único pasaje de este tipo en la profecía preexílica. En 2 Sm 7,27 = 1 Cr 17, 25, David formula así su oración: «tú has abierto el oído de tu siervo». Pero aquí no se trata de una revelación directa, sino de una revelación por medio de los profetas.

En Job 33,16; 36,10.15 (pertenecientes al discurso de Elihú) se hace referencia a una revelación de Dios al hombre normal; en 33,16 tiene lugar por medio de un sueño o de una visión nocturna; en 36,10.15 se trata de una amonestación o corrección divina que no sucede como revelación directa, sino a través de experiencias difíciles. Por tanto, aquí —ya en el AT— la palabra «revelar» aparece sin un carácter trascendente especial; indica algo que todo hombre puede experimentar en los sucesos normales de su vida.

2) En Gn 35,7, la frase «pues allí se le había mostrado Dios» se refiere a la teofanía de Gn 28. Este pasaje muestra que el verbo puede designar una teofanía; pero esto sucede sólo en este pasaje, nunca en las narraciones de las teofanías. En la narración de la infancia de Samuel la palabra aparece tres veces: un hombre de Dios recuerda a Elí: «Así dice Yahvé: yo me manifesté a la casa de tu padre, cuando todavía estaban en Egipto» (1 Sm 2,27), y 1 Sm 3,21 sueña así: «Yahvé se manifestó a Samuel» (cf. también 1 Sm 3, 7: «todavía no se había manifestado la palabra de Yahvé»). Aquí, por tanto, una revelación de estilo profético es designada por medio del término *glh.* Lo mismo sucede en Am 3,7, en la frase programática: «Yahvé no hace nada... sin descubrir (revelar) su plan a sus siervos, los profetas». La frase no pertenece a Amós, sino que es una reflexión posterior sobre la obra del profeta. Los pasajes de 1 Sm 2 y 3 (y 9,15) junto con Am 3,7 muestran que el verbo *glh* puede servir *posteriormente,* mediada la reflexión, para designar la recepción profética de la palabra. Pero también esto sucede en un grupo muy pequeño de pasajes (a los que debe añadirse el pasaje tardío de Dn 10,1). Esto indica claramente que, en el AT, ni las teofanías ni la recepción profética de la palabra en cuanto tal son designadas por medio de *glh.*

Deben mencionarse también los pasajes de la perícopa de Balaán en los que el vidente es descrito como «el de ojos caídos y abiertos» (Nm 24,4.16; cf. 22, 31). Aquí, por medio del verbo *glh* se describe una forma específica de revelación: se le abren al vidente los ojos para que vea algo que de otra forma no podría ver y que sólo él ve. Sólo en este texto pertenece *glh* necesariamente al proceso de la visión del vidente; aquí se ve con claridad que la descripción de dicha visión constituye un ámbito original del empleo del verbo *glh* dentro de los fenómenos de «revelación» (cf. H. Haag, *«Offenbaren» in der hebräischen Bibel:* ThZ 16 [1960] 251-258; además, W. Zimmerli, *«Offenbarung» im AT:* EvTh 22 [1962] 15-31, con bibliografía; R. Schnackenburg, *Zum Offenbarungsgedanken in der Bibel:* BZ 7 [1963] 2-22).

Con la frase conclusiva de Dt 29,28: «las cosas secretas pertenecen a Yahvé, nuestro Dios, pero las cosas reveladas nos atañen a nosotros y a nuestros hijos para siempre», se quiere indicar que la palabra de Dios, sus leyes y promesas son asequibles. A esta accesibilidad de la palabra de Dios con respecto a los israelitas apunta el verbo *glh* en los casos en que tiene a Dios como sujeto.

En Is 40,5: «... y se revelará la gloria de Yahvé», la palabra tiene el siguiente sentido: «se hará manifiesta, reconocible»; la frase que sigue lo confirma: «toda carne la verá». En este texto no se piensa en una relación específica, sino en la actuación de Dios en la historia; la gloria de Dios se hará manifiesta en la actuación salvífica de Dios para con Israel. El mismo sentido tiene el verbo en Is 56,1. La pregunta de Is 56,1: «¿a quién se revelará el brazo de Yahvé?», significa lo siguiente: «¿a quién se le aparecerá con claridad la obra de Yahvé?». En estos tres pasajes, por tanto, *glh* se refiere a la actuación de Dios en la historia.

e) Si repasamos los pasajes en que Dios es sujeto de *glh,* observamos que *glh* no se ha convertido en el AT en término propio de la revelación. No se puede señalar un empleo fijo, claro y bien delimitado del verbo. *glh* puede designar un automanifestarse o autorrevelarse de Dios a través de la palabra o de alguna acción, pero esto ocurre raramente y como resultado de la reflexión del autor. El verbo aparece tan poco ligado a revelaciones específicas que, además de la revelación de la palabra a los profetas (en contadas ocasiones) o de la aparición de Dios (sólo en Gn 35,7), designa también la actuación de Dios en la historia y en la vida de un hombre. Todas estas formas tan diversas de la autorrevelación de Dios son designadas por un único verbo, *glh* —usado, es verdad, pocas veces en este sentido—; esto indica indirectamente que en Israel todas estas diversas posibilidades de revelación eran consideradas relativamente cercanas y no como contrapuestas entre sí. Debe señalarse finalmente que el verbo *glh* no ha dado lugar en este sentido a ninguna forma nominal.

5. Los dos significados diversos señalados en el hebreo se han reflejado también en la traducción de los LXX: *glh* II es traducido preferentemente por ἀποικίζειν y menos frecuentemente por μετοικίζειν y derivados. Junto a estas traducciones aparece también la versión αἰχμαλωτεύειν o semejantes, que corresponde más bien al hebreo *šbh,* aunque ya en hebreo se dan algunas interferencias entre ambos verbos. El significado base aparece también tras la versión ἀπέρχεσθαι.

glh I es traducido preferentemente por ἀποκαλύπτειν; referido al ámbito sexual y a los órganos sensoriales, este verbo corresponde exactamente al verbo hebreo. También pueden aparecer en ocasiones otros verbos referentes al quitar (por ejemplo, ἐκπίθημι) o al reconocimiento (ἐπιφαίνειν, φανεροῦν). Por tanto, tampoco los LXX han entendido *glh* como un término específico en el sentido de «revelar».

En Qumrán ya es distinto. También aquí aparecen, ciertamente, las expresiones tradicionales: «abrir» *(glh* II aparece sólo en CD 7,14s como cita de Am 5,7) el oído (1QH 1,21; 6,4; 18. 4s, CD 2,2 y *passim),* el corazón (1QH 12,34; 18,24), los ojos (1QH 18,19; CD 2,14); pero, junto a esto, aparece ya un empleo técnico específico del verbo: la revelación del final de los tiempos contenida en la torá y en los profetas, que debe conocerse por medio del estudio de las escrituras *(drš)* y de la interpretación *(pǣšær)* (1QS 1,9; 5, 9.12; 8,1.15.16; 9,13.19; cf. 1QpHab 11,1; 1QH 5,12; CD 3,13; 15,13; cf. D. Lührmann, *Das Offenbarungsverständnis bei Paulus und in paulinischen Gemeinden* [1965] 84-87, con bibliografía).

Sobre el NT, cf., además de la monografía anteriormente indicada, A. Oepke, art. καλύπτω: ThW III, 558-597. No existe relación entre el concepto neotestamentario de revelación, donde el peso principal recae sobre lo revelado (el contenido de la revelación), y el empleo de *glh* en el AT; pero hay una línea común en el empleo del término como designación de la acción salvífica de Dios o de la visión de algún particular, que pasa al NT a través de la apocalíptica (Rom 3,21; 1 Cr 14,6); cf. Lührmann, *loc. cit.* Una diferencia esencial entre el empleo veterotestamentaria de *ghl* y el concepto neotestamentario de revelación reside en el hecho de que aquí no se da la estrecha correlación entre revelación y fe; en el AT por medio de *glh* se designa una automanifestación de Dios que puede ser experimentada.

C. Westermann
R. Albertz

גמל *gml* Hacer, retribuir

1. La raíz *gml* está documentada con seguridad como original sólo en acádico, hebreo y árabe; pero el significado de la raíz en dichas lenguas presenta grandes diferencias.

El acádico tiene *gamālu,* «tratar con amabilidad, cuidar, salvar» (AHw 275s; CAD G 21-23), y numerosos derivados, especialmente *gimillu,* «retribución favorable (raramente negativa)» (AHw 288s), y *gitmālu,* «perfecto» (AHw 294; CAD G 110s, sin embargo, prefiere no asignarlo a *gamālu,* debido a la diferencia de significado).

Los casos de arameo judaico, samaritano y hebreo medio (HAL 189) responden a un lenguaje puramente bíblico y carecen, por tanto, de una fuerza probativa original.

En árabe aparecen dos conceptos diversos: *ǧamala,* «reunir», y *ǧamula,* «ser hermoso» (con derivados, por ejemplo, *ǧumlat,* «totalidad, suma»). Sobre el problema de la etimología, cf. L. Kopf, VT 8 (1958) 168s.

Puede pensarse en una relación con la raíz *gmr* (documentada en acádico, ugarítico, hebreo, arameo, etc.).

En hebreo aparece sólo en qal con el significado «acabarse, acabar» (Sal 7,10; 12,2; 57,3; 77,9; 138,8; cf. el arameo bíblico *g^emīr,* «perfecto», en Esd 7,12). M. Dahood, *The Root GMR in the Psalms:* ThSt 14 (1953) 595-597, y Bibl 45 (1964) 400, sugiere para Sal 7,10; 57,3; 138,8 el significado «vengar» (y HAL 190a: «pagar, castigar»), correspondiendo al ugarítico *gmr* (WUS N. 664; UT N. 592) y propone la fusión *gmr/gml;* O. Loretz, *Das hebr. Verbum GMR:* BZ 5 (1961) 261-263, defiende la postura contraria. La versión de los LXX en Sal 57,3, donde *gomer* es traducido por εὐεργετήσας, muestra que la raíz *gmr* podía ser entendida en el sentido de *gml.*

En el AT aparecen sólo el qal y el nifal («ser destetado»); los derivados nominales son: *g^emūl* y *g^emūlā,* «acción, retribución», y *tagmūl,* «obra buena»; a éstos se añaden los nombres propios *gāmūl, g^emallī* y *gamlī'ēl* (Noth, IP 182).

2. El verbo *gml* qal aparece 34 × (23 × en el significado de «retribuir»; 11 ×, «destetar, llegar a la madurez»); *gml* nifal, «ser destetado», 3 × (Gn 21, 8.8; 1 Sm 1,22). *g^emūl* aparece 19 × (sólo en Sal 103,2 en plural), *g^emūlā* 3 × (2 Sm 19,37 en singular; Is 59,18 y Jue 51,56 en plural), *tagmūl* 1 × (Sal 116,12 en plural, con un sufijo arameo).

Del total de 60 casos de esta raíz, 15 pertenecen a Sal, 12 a Is, 6 a 1 Sm y 5 a Prov.

3. Resulta difícil determinar un significado base válido para todos los derivados. El significado de la raíz debe haberse desarrollado a partir del significado «terminar, realizar (hasta el final), completar» (cf. GB 144a: «completar», donde se hace referencia al árabe *kml,* «ser perfecto», y semejantes). De ese significado se ha podido pasar a «realizar», bien algo bueno (1 Sm 24,18b; Prov 11,17; 31,12), bien algo malo (Gn 50,15.17; Dt 32,6; 1 Sm 24,18b; Is 3,9; Sal 7,5; 137,8; Prov 3,30; 2 Cr 20,11), lo que a veces da lugar al matiz de «retribución, restitución» (2 Sm 19,37). Cf. también el doble significado del acádico *turru gimilla* (AHw 289a; cf. *sup.* 1). También se emplea cuando una relación desequilibrada vuelve a nivelarse y perfeccionarse (cf., por ejemplo, Sal 7,5). Asimismo, *gml* puede ser empleado también en unión con *šlm* piel, «retribuir» (Jl 4,4; Sal 137,8). Por otro lado, el significado original señalado antes lleva el sentido de «completar = destetar (un niño)» (1 Sm 1,23s; 1 Re 11,20; Is 11,8; 28, 9; Os 1,8; Sal 131,2) y «madurar» (Nm 17,23, almendras en el bastón de Aarón; Is 18,5, uvas).

El sustantivo *g^emūl* aparece sólo en el sentido de restitución, retribución (Is 3,11; Prov 12,14; 2 Cr 32,25) o de acción buena o mala (Jl 4,4.7; semejante es *g^emūlā* en 2 Sm 19,37), que puede recaer sobre el que la hace (Jue 9,16; Abd 15; Sal 28,4; 94,2; Lam 3, 64). Lo mismo que el verbo, también *g^emūl* puede aparecer unido a la raíz *šlm* (Is 59,18; 66,6; Jr 51,6; Jl 4,4; Sal 137,8; Prov 19,17; con *šūb* hifil, «restituir», Jl 4,4.7; Sal 28,4; 94,2; Prov 12,14; Lam 3,64).

4. También para describir la actitud de Dios para con los hombres (2 Sm 22,21 = Sal 18,21) y viceversa (Jl 4,4) se emplean derivados de la raíz *gml.* Los textos destacan especialmente las acciones benéficas de Dios (Is 63,7; Sal 13,6; 103,10; 116,7; 119,17; 142, 8), pero sin que pueda hablarse en este ámbito de un matiz de significado propio. El sustantivo designa las acciones divinas (Sal 103,2) que responden a un

comportamiento humano correspondiente (Is 35,4). Es unido con frecuencia a *šlm* piel (cf. *sup.* 3; Is 59,18, aquí también *gemūlā;* 66,6), con lo cual se manifiesta el significado original «completar, restablecer (hasta llevar al final)» (cf., sobre todo, Prov 19,17). En ese sentido Dios puede ser llamado *'ēl gemūlōt,* «Dios de la retribución» (Jr 51,56 contra Babilonia, paralelo a «pagará» con → *šlm* piel).

5. *gml* es conocido en los escritos de Qumrán en el sentido de «obrar», también *gemūl* (Kuhn, *Konk.,* 45s). Los LXX, junto a otras traducciones, usan preferentemente el verbo ἀνταποδίδωμι o semejantes; esta traducción recoge sólo el significado de «retribuir»; sobre este vocablo en el NT, cf. F. Büchsel, ThW II, 170s.

G. Sauer

גער *gʿr* Reprender

1. El verbo *gʿr,* «reprender», aparece en el AT sólo en la forma qal; de él se han derivado dos sustantivos femeninos: *geʿārā* y *migʿæræt* (HAL 192a y KBL 494a, con el suplemento 164). La raíz aparece también en ugarítico (UT N. 606; WUS N. 681; Gröndahl 125) y en otras lenguas vecinas (arameo, árabe, etiópico; aplicado a veces al bramido de bueyes o caballos, cf. en ugarítico, texto 56,23), pero está ausente del acádico (cf. HAL 192a).

2. En el AT el verbo aparece 14 ×, el sustantivo *geʿārā* 15 × y el sustantivo *migʿæræt* 1 × (Dt 28,20).

De todas formas, Mal 2,3 debe corregirse a *godēaʿ,* siguiendo a Horst, HAT 14, 26; HAL y otros; el cambio de *rgʿ* a *gʿr* que H. Gunkel, *Schöpfung und Chaos* (1896) 94, nota 8, propone para Is 51,15 y Jr 31,35 no ha sido aceptado.

Prov 13,8 debe ser corregido, siguiendo a Gemser, HAT 16,48 (contra F. M. Seely, *Note on gʿrh with Special Reference to Proverbs 13 : 8:* «The Bible Translator» 10 [1959] 20s); en Is 30,17, el segundo *geʿārā* es suprimido por muchos exegetas (por ejemplo, O. Procksch, *Jesaja* I [1930] 394).

3. Según Joüon, *gāʿar et geʿārāh:* Bibl 6 (1925) 318ss y Seely, *loc. cit.,* 20s, el significado base de *gʿr* es «dar voces, gritar» (cf. también A. A. Macintosh, *A Consideration of Hebrew gʿr:* VT 19 [1969] 471-479). En relación a los muchos verbos que significan «gritar» (cf. KBL suplemento 73; → *ṣʿq),* presenta la diferencia de que se limita al sentido de «gritar reprendiendo, reprender». La reprensión o increpación es «una maldición o un anatema domesticado y esterilizado» (C. Westermann, *Grundformen der profetischen Rede* [1960] 48; van der Leeuw, 463s); pretende censurar severamente a alguien. Ia raíz *gʿr* aparece en Sal 119, 21 y Dt 28,20 junto a formas de → *'rr.* En muchas ocasiones está documentada la fuerza destructora de *gʿr* (J Pedersen, *Der Eid bei den Semiten* [1914] 82; Seely, *loc. cit.,* 20s); por esta razón, no parece conveniente la traducción «amenazar» (como lo hacen HAL y otros) (cf. Westermann, *loc. cit.,* 46s: «amenazar» designa primariamente un gesto, deja en suspenso el cumplimiento de la amenaza y presenta con frecuencia un matiz condicional; cosas todas ellas que no corresponden a *gʿr).* Los pasajes sapienciales de Prov 13,1; 17, 10; Ecl 7,5 deben entenderse en el mismo sentido. Sujeto de *gʿr* es el padre o el maestro de sabiduría. Si en Ugarit Baal reprende a los dioses por su cobardía (137 [= III AB, B] 24), y Anat a Baal por su excesivo celo en la lucha contra Yam (68 [= III AB, A] 28), si en Jr 29,27 el jefe de la policía del templo no reprende a Jeremías y en Rut 2,16 los siervos de Booz no reprenden a Rut, es porque la reprensión pretende evitar algo (Gunkel, *loc. cit.,* 59, nota 2). En Is 30,17, *gʿr* designa una acción militar, pero no debe de tratarse del «grito de guerra de los asirios» (B. Duhm, *Das Buch Jesaja* [⁵1968], 221; J. Jeremias, *Theophanie* [1965], 33, nota 2, que afirma

que éste es el significado fundamental), sino de una invectiva que precede a la lucha (cf. Gunkel, *loc. cit.*, 113), como las que encontramos en la *Ilíada* de Homero (por ejemplo, XVII, 11ss) (cf. 1 Sm 17,41ss; *Enūma Eliš* IV, 76ss). El grito de guerra es designado en hebreo por medio de *t*ᵉ*rūʿā* o *ṣǽrah*. Según eso, la idea de Is 30,17 sería la siguiente: los israelitas huyen ante la simple reprensión.

A este último aspecto responde la construcción de *gʿr* (casi siempre) con la preposición *b*ᵉ (= «contra» en sentido hostil, BrSynt § 106h) y de *g*ᵉ*ʿārā* con *min* junto a verbos pasivos (por ejemplo, en Sal 18,16; 76,7; 80,17) o junto a «huir» (Is 30,17; Sal 104,7).

4. El empleo específicamente teológico del término enlaza especialmente con la reprensión en la batalla. *gʿr* aparece con frecuencia en las alusiones a la lucha de Yahvé contra el caos (Sal 104,7; Job 26,11; Nah 1,4; Sal 68,31; 106,9; 18,16 = 2 Sm 22,16; Is 50,2; cf. Gunkel, *loc. cit.*, 68.106.111; Jeremias, *loc. cit.*, 20.31ss.67ss.90ss.146; contra Ph. Reymond, *L'Eau, sa vie et sa signification dans l'AT:* SVT 6 [1958] 188s, debe señalarse que la lucha contra el caos y, por tanto, el verbo *gʿr* no pertenecían originariamente a la idea de la creación, cf. Westermann, BK I, 43). Los efectos del *gʿr* son: el mar, el agua, el océano, el Mar Rojo huye, se retira o se seca; las columnas del cielo se tambalean. *gʿr* aparece en paralelo a la «ira» de Dios (*záʿam*, → *ʾaf*, → *ḥēmā*, Nah 1,4ss) o a *rgʿ*, «excitar»; *mḥṣ*, «derribar a golpes»; *ḥll* polel, «traspasar» (Job 26,11). Junto con el motivo de la lucha contra el caos aparece *gʿr* en las epifanías (C. Westermann, *Das Loben Gottes in den Psalmen* [1953] 69ss). Quizá dependa también del motivo de la lucha contra el caos el empleo de *gʿr* en la lucha de Yahvé contra los pueblos (Is 17,13; Sal 9,6; Is 66,15, epifanía del juicio del mundo; Sal 80,17; 76,7 en el Mar Rojo) y contra los espíritus de Belial (1QM 14,10). También en los casos en que Israel es objeto de la reprensión divina (Is 51,20; 54,9) aparece como trasfondo la concepción de Yahvé guerrero. En Mal 3,11, la reprensión de Yahvé debe evitar la plaga de la langosta (Horst, HAT 14, 273); en Zac 3,2, la oposición de Satán contra la majestad de Yahvé (Horst, BK XVI, 13s).

5. Qumrán continúa el empleo teológico del AT. Sobre los LXX y NT, cf. E. Stauffer, art. ἐπιτιμάω: ThW II, 620-623; Joüon, *loc. cit.*, 320s; H. Hause, art. λοιδορέω: ThW IV, 295-297; H. C. Kee, NTS 14 (1967) 232-246.

G. Liedke

גֵּר *gēr* Forastero → גור *gūr*

דבק *dbq* Adherirse

1. La raíz *dbq* aparece sólo en hebreo y arameo, así como en árabe, tomado probablemente del arameo (Fraenkel 120s); cf. el etiópico *ṭbq*.

Del verbo están documentados los modos qal, pual, hifil (normal-causativo, «hacer unirse», y transitivo interno, «adherirse, dar alcance») y hofal; a éstos se añaden el adjetivo verbal *dābēq*, «apegado, afecto», y el sustantivo *dǽbæq*, «soldadura» (Is 41,7), «apéndice» (1 Re 22,34 = 2 Cr 18,33).

Fuera de la Biblia y cercanos en el tiempo al AT se pueden citar los casos del arameo *dbq* qal en los papiros de Elefantina (siglo v a. C.; DISO 54), empleado en tratados sobre delimitación de tierras, edificios, etc. (por ejemplo, en BMAP 9 : 9, *ʿlyʾ lh byt Qnḥnty dbq lh ʾgr bʾgr*, «por encima de él limita con la casa de Q., muro contra muro»); también en el Génesis apócrifo de Qumrán con el significado de «alcanzar» (empleado con frecuencia en forma estereotipa, por ejemplo, 21,1: *ʿd dy dbqt lbyt ʾl*, «hasta que llegue a Bétel»).

2. En el AT la raíz aparece 60 × en hebreo y 1 × en arameo, con una

distribución normal *(dbq* qal 39 ×, arameo qal 1 ×, pual 2 ×, hifil 12 ×, hofal 1 ×, *dābēq* 3 ×, *dǽbæq* 3 ×).

3. Todos los significados de la raíz se unen estrechamente al significado base «estar pegado a»; aquí mencionaremos los más importantes:

a) En sentido objetivo, el qal (conjugado como neutro) designa la situación: «estar adherido, pegado, arrimarse, lindar con»; en estos casos el verbo es empleado, excepto en Gn 19,19, como intransitivo junto con la preposición *b^e^, l^e^, 'æl, ʿim* y *'aḥ^a^rē*. A este sentido corresponde el hifil causativo «hacer, adherirse» con *b^e^* o *'æl*.

b) Referido a personas, el qal significa «adherirse (voluntariamente), unirse, aferrarse», etc., mientras que el hifil (transitivo interno), «mantenerse pegado a», significa en contextos militares «alcanzar, llegar a, seguir» (con objeto o con *'aḥ^a^rē)*.

En arameo, el qal incluye también en parte los significados de «alcanzar» y «seguir» (Génesis apócrifo, palestino-cristiano y sirio); sobre este cambio de significado, cf. *dbq* con *'aḥ^a^rē* en Jr 42,16.

c) El verbo más cercano en cuanto al significado es *ḥšq* qal, «adherirse (con amor)» (2 ×), que se emplea para designar la relación entre hombre y mujer (Gn 34,8; Dt 21,11), hombre y Dios (Sal 91,14), Dios y hombre (Dt 7,7; 10,15), así como con el significado general de «hallar gusto en (una actividad)» (1 Re 9,19 = 2 Cr 8, 6, con el sustantivo correspondiente *ḥēšæq,* «gusto, placer», 1 Re 9,1.19 = 2 Cr 8,6). *ḥšq* piel, «unir» (Ex 38,28, también el pual Ex 22,17; 38,17, así como *ḥiššūq,* «[unión = radio de la rueda», 1 Re 7,33), y *ḥāšūq,* «unión» (8 × en Ex 27,10; 36, 38; 38,10-19), tienen un sentido técnico específico.

d) Como opuestos de *dbq,* «estar adherido», pueden mencionarse *ʿzb,* «abandonar» (Gn 2,24; Rut 1,14.16); *sūr,* «retirarse» (2 Re 3,3; 18,6), y *ʿlh me'aḥ^a^re,* «separarse de» (2 Sm 20,2).

4. El empleo teológico de *dbq,* «estar adherido (a Dios)», enlaza sin más con el empleo del verbo señalado en 3*b*. Excepto Sal 63,9, «mi alma está adherida a ti», todos los pasajes pertenecen al lenguaje deuteronómico-deuteronomístico: Dt 4,4; 10,20; 11,22; 13,5; 30,20; Jos 22,5; 23,8.(12); 2 Re 18,6. Cf. también la imagen distinta de Jr 13, 11 y *ḥšq* qal, «adherirse (con amor)», en Sal 91,14. Puede quedar abierta (N. Lohfink, *Das Hauptgebot* [1963] 79) la cuestión sobre cuál es la idea que resuena con mayor fuerza en el lenguaje deuteronómico-deuteronomístico, a saber: el término paralelo → *'hb,* «amar» (cf. Dt 11,22; 30,20; Jos 22,5; 23,11s; *'hb* aparece unido a *dbq* también en Gn 34,3; 1 Re 11,2; Prov 18, 24) o la idea de adhesión fiel (cf. 2 Sm 20,2 y W. L. Moran, CBQ 25 [1963] 78; *dbq* junto a *ʿbd* en Dt 10,20; 13,5; Jos 22,5; 23,7s). El verbo aparece como uno más en las largas series de verbos referentes a la recta relación con Dios (listas en Lohfink, *loc. cit.,* 303s). A diferencia de los deuteronómicos → *'hb,* «amar», y *ḥšq,* «adherirse por amor» (Dt 7,7; 10,5), *dbq* nunca tiene a Dios por sujeto.

5. El empleo teológico deuteronómico no ha tenido continuación en Qumrán ni en el NT (excepción hecha, quizá, de 1 Cor 6,17); mayor papel ha desempeñado, por el contrario, Gn 2, 24 (cf. K. L. Schmidt, art. κολλάω: ThW III, 822s).

E. JENNI

דָּבָר *dābār* **Palabra**

I. 1. Los lexicógrafos distinguen en el hebreo *dbr* dos raíces distintas: I, «estar detrás, volver la espalda», y II, «palabra, cosa». Mientras la más bien rara raíz I cuenta con una serie de derivados *(d^e^bīr,* «sala posterior»; *dṓbær,* «camino del ganado»; *dōb^e^rōt,* «balsa»; *midbār,* «estepa»), la raíz II aparece extrañamente aislada y se limita a los frecuentes vocablos *dābār,* «palabra, cosa», y *dbr* piel, «hablar, decir». Junto a la forma piel aparecen las formas qal, nifal, pual e hitpael, aunque mucho más débilmente desarrolladas. Etimológicamente dependientes de *dbr* II, son también *dibrā*, «cosa», forma secundaria de *dābār,* y *dibbēr,* rara forma nominal del verbo; también, como *nomen instrumenti, midbār* (II), «órgano del habla, boca».

M. Dahood, Bibl 33 (1952) 47s, considera que la expresión proposicional *ʿal-dibrat* (Ecl 3,18; 7,14; 8,2) es de formación fenicia; se basa en la desinencia *-t*. Probablemente también el *hapaxlegomenon dabbæræt* (Dt 33,3) deriva de *dbr* piel; cf., sin embargo, I. L. Seeligmann, VT 14 (1964) 80, que lo hace derivar de *dbr* I («detrás de ti»).

Debería estudiarse, también, si *dābār* no estará latente tras el término *dæbær,* «peste bubónica», que, en ese caso, debería considerarse como eufemístico; cf. el empleo de «cosa» en algunas lenguas europeas como eufemismo de «enfermedades, sobre todo cuando éstas van acompañadas de úlceras e hinchazones» (J. y W. Grimm, *Dt. Wörterbuch* II [1860] 1164).

KBL 199b asigna a *dbr* piel, «volver la espalda», los casos de Job 19,18; Cant 5, 6 (2 Cr 22,10, «extirpar»; cf. *dbr* hifil, «arrancar», Sal 18,48; 47,4); HAL añade a ésos los casos de Is 32,7; Sal 75,6; 127, 5. Además en Prov 21,28 se sugiere un *dbr* piel III, «tener descendencia» (HAL 202b). Barr, CPT, 324, presenta una lista de otras sugerencias.

2. Hasta el momento no se ha hallado una etimología convincente de *dābār*.

Una etimología conjunta de *dbr* I y *dbr* II es presentada, por ejemplo, en W. Leslau, «Langage» 25 (1949) 316; J. T. Milik, Bibl 38 (1957) 252; esta unión de raíces es atacada como abusiva por J. Barr, *Bibelexegese und moderne Semantik* (1965) 133-143.

Por lo general, *dbr* II suele ser relacionado con *d^e^bōrā,* «abeja», y explicado como un verbo onomatopéyico con el significado de «zumbar». La opinión de Buhl, quien sugiere que *dābār* es un «asunto tratado en las reuniones judiciales y en las asambleas populares» (F. Buhl, *Über die Ausdrücke für: Ding, Sache u. ä. im semitischen,* FS Thomsen [1912] 33), queda descartada por el hecho de que *dābār* aparece raramente en el lenguaje jurídico y *dbr* piel nunca; cf. *inf.* III/2.

El raro acádico *dab/pāru,* «saciarse» (CAD D 104a), pertenece a un campo diverso al del hebreo *dbr* y queda descartado, por tanto, para la etimología de éste.

El acádico posee, sin embargo, en el término *dabābu* un vocablo fuertemente desarrollado que, curiosamente, corresponde, desde el punto de vista semántico —tanto nominal como verbalmente—, a la raíz hebrea. En cuanto sustantivo, *dabābu* designa, lo mismo que el hebreo *dābār,* «discurso» y «causa judicial»; en cuanto verbo, significa «hablar», en el sentido más general (CAD D 2-19; AHw 146s). También el hebreo conoce la raíz *dbb : dibbā,* «murmuración, calumnia» (9 ×). Debe preguntarse si esta afinidad semántica entre el acádico *dabābu* y el hebreo *dābār/dbr* es simple coincidencia o más bien esconde detrás de sí una relación etimológica. El hecho de que en el semítico noroccidental *dbr* aparezca aislado, desde un punto de vista semántico, nos hace sospechar que sólo aparentemente constituye una raíz propia *dbr;* sugiere que los vocablos de la raíz *dbr* se derivan de un original *dbb* que se ha transformado por analogía con → *ʾmr,* semánticamente vecino y en parte sinónimo. La semejanza fonética entre *dbr* y *ʾmr* no se limita a la tercera consonante de la radical, sino que se da también en la consonante media, que en ambos es labial. Y es conocido que con frecuencia raíces que tienen dos consonantes comunes son idénticas o parecidas también desde el punto de vista semántico (cf. Moscati, *Introduction,* 72s).

3. Fuera del hebreo (cf. también los casos de los óstraca de Laquis y de la inscripción de Siloé, línea 1), la raíz es empleada, no muy frecuentemente, en fenicio-púnico (piel, «hablar», y sustantivo, «palabra, cosa») y arameo imperial (sólo en la expresión *ʿl dbr,* «en relación a»). En arameo bíblico aparece sólo *dibrā,* «ocasión» (Dn 2,30; 4,14; cf. KBL 1063b).

En ugarítico no existe *dbr* II; el significado «hablar» y «palabra» se expresa por medio de la raíz *rgm* (cf. UT N. 2307; WUS N. 2491).

II. El sustantivo *dābār* está documentado 1.440 × y ocupa el décimo puesto entre los sustantivos más frecuentes. En el verbo, el piel, con 1.084 casos, es con mucho el modo verbal más frecuente, por encima de qal (41 ×).

En Lisowsky, en la sección de *dābār* falta 2 Cr 8,14 (1 Cr 17,6; 34,16 en el suplemento); por lo que respecta al verbo, Job 16,4 es clasificado como qal en lugar de piel. En la siguiente lista no se incluyen los casos del nombre propio *lō dābār* (Am 6,13 y *passim)*, ni el *dbr* piel III de Prov 21,28; pero sí se cuentan (contra Jenni, HP 231.282, según HAL 201b) Is 32,7; Sal 75,6; 127,5 (cf. *sup.* I/1). Para la distinción entre el singular y el plural se sigue siempre el Q (singular en Jue 13,17; 1 Re 8,26; 18,36; 22,13; Jr 15,16; Sal 105, 28; 119,147; Dn 9,12; Esd 10,12; plural en Sal 147,19).

	dābār			*dbr*	
	sing.	plur.	total	piel	qal
Gn	31	30	61	72	1
Ex	39	23	62	86	1
Lv	7	1	8	66	—
Nm	24	5	29	115	3
Dt	49	47	96	69	1
Jos	23	9	32	32	—
Jue	18	7	25	27	—
1 Sm	47	31	78	41	—
2 Sm	55	13	68	37	—
1 Re	86	38	124	77	—
2 Re	43	65	108	50	—
Is	33	14	47	46	3
Jr	118	86	204	109	4
Ez	70	12	82	64	—
Os	2	2	4	7	—
Jl	2	—	2	1	—
Am	6	3	9	2	1
Abd	—	—	—	1	—
Jon	5	—	5	1	1
Miq	2	1	3	2	1
Nah	—	—	—	—	—
Hab	—	—	—	1	—
Sof	2	—	2	1	—
Ag	6	1	7	—	—
Zac	13	7	20	7	11
Mal	1	2	3	—	—
Sal	48	21	69	46	9
Job	9	11	20	37	1
Prov	17	19	36	7	2
Rut	3	—	3	3	—
Cant	—	—	—	—	—
Ecl	9	15	24	5	—
Lam	—	—	—	—	—
Est	24	13	37	6	1
Dn	12	9	21	18	1
Esd	10	4	14	1	—
Neh	16	13	29	4	—
1 Cr	20	10	30	10	—
2 Cr	36	42	78	33	—
AT hebr.	886	554	1.440	1.084	41

Deben señalarse además: *dbr* nifal 4 × (Ez 33,30; Mal 3,13.16; Sal 119, 23), pual 2 × (Sal 87,3; Cant 8,8), hitpael 4 × (Nm 7,89; 2 Sm 14,13; Ez 2,2; 43,6), *dibrā* 5 × (Sal 110,4; Job 5,8; Ecl 3,18; 7,14; 8,2), *dibbēr* 2 × (Jr 5,13; 9,7), *dabbǽræt* 1 × (Dt 33, 3); *midbār* 1 × (Cant 4,3); el arameo bíblico *dibrā* 2 × (Dn 2,30; 4,14).

III. 1. *a)* El significado base de *dbr* piel se diferencia bastante claramente del semánticamente vecino y en parte sinónimo → *'mr,* «decir, hablar». En éste es importante la atención que se da al contenido de lo hablado; con *dbr* piel, por el contrario, se designa en primer lugar la acción de hablar, el pronunciar palabras y frases. El verbo *'mr* exige que se indique (por medio de una oración directa) el contenido de lo hablado o, por lo menos, que éste sea caracterizado suficientemente por el contexto (*'mr,* por tanto, no se emplea nunca en forma absoluta); *dbr* piel, por el contrario, puede ser empleado de forma absoluta sin una indicación precisa de lo hablado (por ejemplo, Gn 24,15; Job 1,16; 16,4.6; cf. Joüon, HP 165).

Si se tiene en cuenta el significado preciso de *dbr* piel, no resulta extraño que su sujeto pertenezca a un campo más limitado y unitario que el del sujeto de *'mr.* Este cuenta con una larga serie de sujetos posibles (la tierra, el mar, animales, árboles, la noche, el fuego, una obra, un proverbio, etc.); en *dbr* piel, por el contrario, los sujetos son casi siempre personales (hombres o dioses) o vocablos que designan los órganos del habla: la boca, los labios, la lengua, la voz. También en Job 32,7: «que hablen los días», se piensa en el hombre como sujeto. Otros sujetos de *dbr* piel son: «el espíritu de Yahvé» (2 Sm 23,2) y el «corazón» (Sal 41,7, texto dudoso).

Pero *dbr* piel designa también con frecuencia la comunicación de un contenido concreto. Y, como transitivo, son muchos los objetos que pueden acompañarle. El más frecuente es *dābār* (singular y plural), después vienen términos que designan valores morales e ideales: algo bueno, algo malo, verdad, mentira, fidelidad, deslealtad, sabiduría, estupidez, soberbia, humildad, salvación, desgracia, justicia, error, etc.

Se puede también determinar con más precisión la forma de hablar por medio de expresiones adverbiales: «con osadía» (Dt 18,22), «maliciosamente» (1 Sm 18,22; Is 45,19; 48,16), «inútilmente» (Ez 6,10), «de corazón» (1 Sm 1,13), «insolentemente» (Sal 17,10).

También la indicación de la persona interpelada es distinta con *dbr* piel y con *ʾmr*. Con éste, un simple *l*ᵉ basta para relacionar estrechamente el verbo con su destinatario; *dbr* piel, en cambio, prefiere normalmente la preposición fuerte *ʾæl,* que aparece con este verbo unas diez veces más que *l*ᵉ.

A veces acompañan a *dbr* piel otros verbos complementarios que sirven para aclararlo ulteriormente; así, por ejemplo, → *šmʿ,* «oír» (Is 66,4; Job 42,4); *ʾlm* nifal, «ser mudo» (Ez 24, 27); *ḥšh,* «callar» (Ecl 3,7); → *ʿśh,* «hacer» (Ez 12,25-28).

b) La forma qal tiene un significado algo diverso del piel. El frecuente participio activo designa por lo general a una persona para quien el hablar es algo consuetudinario, a alguien que, por encargo o por su propio ser, dice la verdad (Sal 15,2), la mentira o falsedad (Jr 40,16; Sal 5,7; 58,4; 63,12; 101,7), lo justo (Is 33,15; 45,19; Prov 16,13), la salvación (Est 10,3), estupideces (Is 9,16), insolencias (Sal 31,19); en Zac se aplica este término 11 × al *angelus interpres* del profeta; en Gn 16,13, a *ʾēl rᵒʾī,* el dios especial de Agar, que solía hablar con ésta; en Nm 27,7 y 36,5 se refiere a algo que una persona pronuncia continuamente (Nyberg 221; sobre la diferencia de qal y piel, cf. también Jenni, HP 164-170).

2. *a)* Al igual que la raíz acádica *dbb,* también la raíz hebrea *dbr* desempeña, además de la función verbal, también una función nominal. El significado fundamental del nombre *dābār* corresponde en principio al del verbo: «lo hablado, la palabra».

La diferencia entre *dbr* piel y *ʾmr* vuelve a repetirse cuando se compara *dābār* con *ʾēmær* (→ *ʾmr, 3c).* A pesar de que la frecuente expresión *ʾimrē-pī/pīkā/pīw,* «palabras de mi/tu/su boca», no lo señale claramente, en el término *ʾēmær* el carácter oral es esencial. Es un término de comunicación, un simple medio de comunicarse y entenderse personas alejadas entre sí. *dābār,* por el contrario, sólo excepcionalmente (Jr 9,19; Sal 36,4; Prov 18,4; Ecl 10,12. 13) y por medio de una composición constructa se une a «boca»; se une con frecuencia a vocablos que determinan la «palabra» desde el punto de vista del contenido, especialmente a términos que expresan valores morales y religiosos (cf. *sup.* III/1*a,* lo referente a los objetos de *dbr* piel).

b) Pero el sustantivo *dābār* tiene un significado más amplio que el verbo, aunque el hombre veterotestamentario no se percatase de tal diferencia: *dābār* no sólo designa a la «palabra», es decir, al concepto lingüístico portador de un significado, sino también al contenido mismo. De todas formas, debe hacerse una salvedad importante. Aunque se asigne un doble sentido a *dābār* (es decir, «palabra»-«cosa»), no se debe explicar esta duplicidad semántica refiriéndose a la antigua concepción del mundo que no distinguía estrechamente entre lo espiritual y lo material. *dābār* no significa «objeto» en sentido material, como opuesto a «persona» o como designación de objetos propios de alguien (por ejemplo, *kᵉlī,* «objeto, aparato»), sino que es, por su mismo carácter, una abstracción. En *dābār* queda siempre algo propio de la actividad del verbo: designa algo que puede dar o ser ocasión de alguna reflexión o alguna acción, es decir, «ocasión, suceso, acontecimiento» (por ejemplo, 1 Sm 4,16; 10,16; 21,9; 2 Sm 1,4; 1 Re 12,30; Rut 3,18; Est 1,13; 2,22; 8,5; Esd 10,9). Son características la fórmula *dibrē hayyāmīm,* «los sucesos de los días», en el sentido de «anales» (1 Re 14,19; y otras 32 ×, *sēfær dibrē hayyāmīm,* en 1/2 Re; también Est 2,23; 6,1; 10,2; Neh 12,23; cf. 1 Cr 27,24); las frecuentes composiciones de *dibrē* con un nombre personal, normalmente el de un rey (por ejemplo, 1 Re 11,41: «la historia de Salomón»), y también *hadd*ᵉ*bārīm hā'ēllæ,* «estos sucesos» (Gn 15,1; 22, 1.20 y *passim).*

c) dābār sirve también como palabra suplente a la que se recurre cuando no se tiene a mano una expresión más precisa o cuando se quiere evitar ésta (por ejemplo, Gn 19,8; 1 Sm 20,2; 2 Cr 29,36), sobre todo en unión con una negación (por ejemplo, 1 Sm 20, 21; 22,15) o con *kōl,* «todo» (Nm 31, 23; Jue 18,7; 19,19). En este sentido débil *dābār* llega a asumir la función de un pronombre indefinido; semejante generalización o debilitamiento de sentido se ha dado también en otros nombres, por ejemplo *m*ᵉ*lā'kā,* «trabajo» > «algo» (Ex 36,6; Lv 7,24 y *passim). dābār* recibe sentidos especiales por medio de atributos o genitivos o también haciendo referencia a un suceso o acción concreta.

dābār puede también designar la esencia o la causa de una determinada circunstancia u ocasión (Jos 5,4; 1 Re 11,27), especialmente unido a *'al,* formando preposiciones o conjunciones: «por..., a causa de»; en Ecl 3,18; 7,14 y 8,2 la misma función es desempeñada por *dibrā.*

d) Llama la atención el hecho de que *dābār* sea empleado con escasa frecuencia en el lenguaje jurídico; es problemático incluso su empleo como término jurídicotécnico. Como tal podría mencionarse en todo caso la expresión *bá'al d*ᵉ*bārīm* (Ex 24,14): «el que tiene algún asunto judicial». Pero en todos los demás pasajes no parece que haya de considerarse *dābār* como término técnico del ámbito jurídico (Ex 18,16; 22,8; Dt 1,17; 16,19; 19,15). Probablemente *dbr* aparece aquí como término sustitutivo de la expresión técnica → *rīb.*

*3. En arameo bíblico, *dābār* y *dbr* piel son sustituidos por los correspondientes *millā,* «palabra, cosa» (24 × en Dn), y *mll* pael, «hablar» (5 × en Dn). Del arameo (cf. KBL 1093b. 1094b; DISO 152.154), estos vocablos han pasado también al hebreo (cf. Wagner N. 171-172), donde *millā,* «palabra», aparece 38 × (Job 34 × y 2 Sm 23,2; Sal 19,5; 139,4; Prov 23,9); *mll* qal, «dar señal», 1 × (Prov 6,13), y piel, «hablar, comunicar», 4 × (Gn 21, 7; Sal 106,2; Job 8,2; 33,3; sobre 1 Cr 25,4.26, cf. Rudolph, HAT 21,166s).

Otro sinónimo en arameo es el extranjerismo *pitgām,* «palabra, mensaje», tomado del persa antiguo (KBL 1114b; DISO 238; en arameo bíblico, 6 ×: Dn 3,16; 4,14; Esd 4,17; 5,7.11 = 6, 11), que aparece también en hebreo como arameísmo (Ecl 8,11; Est 1,20; cf. Wagner N. 241).

IV. 1. Dios/Yahvé aparece unas 400 × como sujeto de *dbr* piel. Los textos donde más claramente se manifiesta un empleo teológico fijo son aquellos en los que «hablar» es usado absolutamente, es decir, sin objeto ni complementos adverbiales. La expresión «Yahvé/Dios (o bien la boca de Yahvé) ha hablado» aparece en unos 40 pasajes, casi todos ellos pertenecientes a los profetas; es especialmente frecuente en Ez (18 ×) e Is (12 ×) y más bien raro en Jr (1 ×, en 13,15); fuera de los profetas, en Sal 50,1.7.

El empleo de las preposiciones responde exactamente a lo indicado en III/1*a;* es decir, *'æl* es con mucho la preposición más empleada también en el lenguaje teológico (más de 150 casos). Le siguen de lejos las preposiciones *l*ᵉ y *'al,* ambas al mismo nivel.

2. *a)* *dābār* desempeña un papel mucho más importante dentro del lenguaje teológico; se trata de un concepto teológico de cierta relevancia, especialmente en la expresión *d^ebar Yhwh,* «palabra de Yahvé» (cf., además de las teologías del AT, O. Grether, *Name und Wort Gottes im AT* [1934]; L. Dürr, *Die Wertung des göttlichen Wortes im AT und im antiken Orient* [1938]. W. Zimmerli, RGG VI, 1809-1812). En el sentido de «asunto de Dios», la expresión aparece sólo en 1 Cr 26,32 y 2 Cr 19,11, en ambas ocasiones en paralelo a *d^ebar hammǽlæk,* «asunto del rey». En todos los demás casos, *d^ebar Yhwh* significa «palabra de Yahvé» (24 × en el AT; se incluyen 9 pasajes en los que el nombre divino es distinto) y en casi todos ellos (225 ×) la expresión puede ser término técnico de la revelación profética.

La distribución de los 242 pasajes citados (233 × *d^ebar Yhwh,* excluido 2 Cr 19, 11; *d^ebar ᵓ^adōnāy Yhwh,* en Ez 6,3; 25,3; 36,4; *d^ebar [hā]ᵓælōhīm,* en Jue 3,20; 1 Sm 9,27; 2 Sm 16,23; 1 Re 12,22; 1 Cr 17,3, excluido 1 Cr 26,32; *d^ebar ᵓælōhēnū,* en Is 40,8) señala una fuerte concentración de casos en la literatura profética, incluidos los textos narrativos referentes a los profetas: Ex 60 ×, Jr 52 ×, 1 Re 34 ×, 2 Re 16 ×, Zac 13 ×, Is y 2 Cr 9 ×, 1 Sm 8 ×, 1 Cr 6 ×, Ag 5 ×, 2 Sm 4 ×, Esd 1 ×, es decir, 152 × en Is-Mal y 62 × en 1 Sm-2 Re.

En algo más de la mitad de los casos, *d^ebar Yhwh* aparece como sujeto, cuyo predicado verbal es con frecuencia (118 ×) *hyh ᵓæl,* «venir a» (Gn 15,1; 1 Sm 15,10; 2 Sm 7,4; 24,11; 1 Re 6,11; 12,22; 13,20; 16,1.7; 17,2.8; 18,1.31; 21,7.28; 2 Re 20, 4; Is 28,13; 38,4; Jr 29 ×, cf. H. Wildberger, *Jahwewort und prophetische Rede bei Jeremia* [1942] 19-42; Ez 50 ×, cf. Zimmerli, BK XIII, 88-90; Jon 1,1; 3,1; Ag 1, 1.3; 2,1.10.20; Zac 1,1.7; 4,8; 6,9; 7,1.4. 8; 8,1.18; Dn 9,2; 1 Cr 17,3, *d^ebar ᵓælōhīm;* 22,8; 2 Cr 11,2; 12,7; cf. también Gn 15,4 y 1 Re 19,9 con *hinnē* en vez de *hyh).* Otros predicados que aparecen alguna vez con *d^ebar Yhwh* son *glh* nifal, «ser revelado» (1 Sm 3,7); *yṣᶜ,* «salir» (Is 2,3 = 4,2); *qūm,* «tener consistencia» (Is 40,8).

En 52 ocasiones *d^ebar Yhwh* aparece como objeto; 36 de ellas presentan al verbo *šmᶜ,* «oír», como predicado verbal (incluido 1 Sm 9,27: *d^ebar ᵓælōhīm* con *šmᶜ* hifil); otros predicados empleados en este sentido son: *bzh,* «despreciar» (Nm 15, 31; 2 Sm 12,9); *drš,* «buscar» (1 Re 22, 5 = 2 Cr 18,4); *klh,* «cumplirse» (Esd 1, 1 = 2 Cr 36,22); *mᵓs,* «rechazar» (1 Sm 15,23.26); *mlᵓ* piel, «cumplir» (1 Re 2,27; 2 Cr 36,21), y finalmente, una sola vez cada uno: *bqš* piel, «buscar» (Am 8,12); *yrᵓ,* «temer» (Ex 9,20); *ngd* hifil, «anunciar» (Dt 5,5); *qūm* hifil, «realizar» (1 Sm 15,13); *rᵓh,* «ver» (Jr 2,31, texto dudoso); *šmr,* «observar» (2 Cr 34,21).

Si *dābār* no aparecía en el uso profano como término jurídico fijo, tampoco *d^ebar Yhwh* posee un carácter jurídico. Solamente en siete pasajes se refiere esta expresión con seguridad a la palabra de Dios en cuanto ley: Nm 15, 31; Dt 5,5; 2 Sm 12,9; 1 Cr 15,15; 2 Cr 30,12; 34,21; 35,6; todos estos pasajes, por otra parte, pertenecen a una época tardía.

b) La composición constructa plural *dibrē Yhwh* aparece 17 × (Ex 4,28; 24,3.4; Nm 11,24; Jos 3,9; 1 Sm 8,10; 15,1; Jr 36,4.6.8.11; 37,2; 43,1; Ez 11, 25; Am 8,11; 2 Cr 11,4; 2 Cr 29,15); deben añadirse otros tres casos con *ᵓælōhīm* (Jr 23,36; Esd 9,4; 1 Cr 25,5). Esta expresión plural aparece con más frecuencia que la expresión singular como objeto de verbos referidos al habla: *ngd* hifil, «anunciar» (Nm 11,24; Jr 43,1; Ez 11,25); *ᵓmr,* «decir» (1 Sm 8,10); *qrᵓ,* «llamar» (Jr 36,6.8). También la expresión plural se refiere a la revelación profética, pero no tan exclusivamente como la expresión singular.

c) Fuera de estas composiciones constructas, *dābār/d^ebārīm* es referido más de 300 × a Dios. En cerca de tres cuartas partes de estos textos el pasaje se refiere a la revelación profética; el plural presenta esta referencia con más frecuencia que la composición constructa plural antes mencionada (la relación de singular a plural es, más o menos, de 4 : 5). En una quinta parte de estos pasajes la «palabra» designa leyes divinas, es decir, con mayor frecuencia que la composición constructa. Este empleo de *dābār* se da ya en época predeuteronomística, aunque raramente y con límites muy precisos: aparece sólo en plural y para designar la proclamación de la ley del Sinaí. En el Dt se puede observar una ampliación hacia otras leyes (por ejemplo, Dt 12,28; 15,15; 24,18.22; 28,14; 30,14). Semejante debilitamiento del empleo del término se da también en P (Éx 29,1; Lv 8,36 y *passim*).

En los textos deuteronomísticos y predeuteronomísticos se da también una conexión de *dibrē* (constructo plural) con diversos conceptos de contenido moral, jurídico y cúltico: → *tōrā* (Dt 17,19; 27,3.8.26; 28,58; 29,28; 31,12. 24; 32,46; Jr 8,34; 2 Re 23,24; Neh 8,9.13; 2 Cr 34,19), → *b^e^rīt* (Dt 28,69; 29,8; cf. vers. 18 → *'ālā;* 2 Re 23,3; Jr 11,2.6.8; 2 Cr 34,31), *sēfær*, «libro (de la ley, de la alianza)» (2 Re 22,11. 13.16; 23,2; 2 Cr 34,21.30). El resultado de este debilitamiento del empleo del término es que la diferencia inicial entre *dābār* profético y legal se ha perdido en los textos deuteronomísticos y posdeuteronomísticos.

En la literatura sapiencial (Prov y Eclo), *dābār* sirve, lo mismo que los conceptos emparentados *tōrā* y *miṣwā*, «ley», para designar la doctrina sapiencial y nunca aparece con el significado de «palabra de Dios» (cf. E. G. Bauckmann, ZAW 72 [1960] 33-63).

d) En cuanto término teológico, *dābār* se diferencia claramente en el AT del concepto vecino → *šēm*, «nombre». Nunca aparecen juntos ambos conceptos como sujeto o como objeto de la misma frase, ni siquiera como términos intercambiables o correspondientes en versículos paralelos. Esta separación formal de ambos conceptos corresponde a una diferencia conceptual: «El *šem* en cuanto nombre de Dios designa a éste como persona; tiene que ver, por tanto, con Dios en su totalidad. El *dābār* es expresión del pensamiento y de la voluntad de Dios» (Grether, *loc. cit.*, 169). «El *šem* es intermediario de la presencia de Dios en el mundo; el *dābār* es intermediario de la actividad en el mundo. El primero es la forma representativa de la manifestación de Yahvé, el segundo es la forma voluntativa» (*ibíd.*, 179). Característico de esta diferencia es que sólo una vez (Sal 105,42) se hable de la «palabra santa» de Dios, mientras que a *šēm* se une frecuentemente el concepto de santidad (→ *qdš*).

e) En la discusión sobre las llamadas hipóstasis de las virtudes y atributos divinos, *dābār* ocupa también un lugar importante. La independización y personificación del *dābār*, que alcanza su mayor desarrollo en tiempos posteriores al AT, tiene sus bases ya en el AT (Grether, *loc. cit.*, 150ss; Dürr, *loc. cit.*, 122ss; H. Ringgren, *Word and Wisdom Studies in the Hypostatization of Divine Qualities and Functions in the Ancient Near East* [1947] 157ss). Los casos veterotestamentarios más claros son: Is 9,7: «una palabra ha enviado el Señor contra Jacob y ha caído en Israel»; 55,10-11: «pues igual que la lluvia... es la palabra que sale de mi boca: no vuelve vacía, sino que realiza lo que he decidido y cumple aquello para lo que yo la envío»; Sal 107,20: «a quienes envió su palabra para que los salvara»; 147,15: «el que envía su palabra a la tierra». La discusión falla por el siguiente punto: normalmente se considera la hipóstasis como una aparición histórico-religiosa, como una especie de mitologización; un atributo de una determinada divinidad es separado de la divinidad misma, se le atribuye existencia independiente y se le considera como un ser propio o incluso como una divinidad especial. Pero quizá no sea correcto diferenciar la hipostatización de atributos divinos de la tendencia general —presente en todo el AT— a objetivar y dar vida a conceptos abstractos. Exactamente igual que los atributos divinos, también actividades y afectos humanos son objetivados y vivificados: la maldad, el errar, el miedo, la esperanza, la ira, la bondad, la lealtad, etc. (Sal 85,11; 107,42; Job 5,16; 11,14; 19,10 y *passim;* cf. G. Gerlemann, *Bemerkung zum atl. Sprachstil*, FS Vriezen [1966] 108-114).

3. El término *millā,* «palabra», proveniente del arameo (cf. sup. III/3), se emplea raramente en el lenguaje teológico. Sólo en dos ocasiones aparece como designación de la palabra divina (2 Sm 23,2; Job 23,5; además, Dn 4, 30, en arameo), pero nunca junto a Yahvé o Dios como una composición constructa.

V. En los textos de Qumrán son frecuentes tanto el verbo como el nombre. Kuhn, *Konk.*, 47-49, señala más de 50 casos del primero y más de 90 casos del segundo.

En los LXX, *dbr* piel es traducido normalmente por λαλεῖν (→ *'mr* 5). Con respecto a *dābār* se rompe el empleo unitario del AT hebreo; para traducirlo se emplean dos vocablos griegos: λόγος y ῥῆμα, que se distribuyen en una proporción de 2 : 1 en los pasajes de los libros canónicos (cf. E. Repo, *Der Begriff «Rhema» im Biblisch-Griechischen* I [1951] 188).

El empleo neotestamentario del término corresponde al empleo veterotestamentario del mismo en cuanto que la expresión «palabra de Dios» designa la autocomunicación de Dios en el espíritu y aparece incluso como sinónimo de «evangelio». Además de eso, la palabra, el Logos, está estrechamente unida a la persona de Jesús e incluso se equipara a ella. Numerosas investigaciones sobre λόγος tratan también, con mayor o menor detalle, la prehistoria del concepto en el AT, en el judaísmo palestino y en el helenístico. Se pueden citar: A. Debrunner, H. Kleinknecht, O. Procksch y G. Kittel, art. λέγω: ThW IV, 69-147; G. Stählin, artículo μῦθος: ThW IV, 769-803; V. Hamp, *Der Begriff «Wort» in den aram. Bibelübersetzungen* (1938).

G. Gerleman

דּוֹר *dōr* Generación

1. *dōr,* «generación», pertenece a la raíz semítica común *dwr;* en semítico oriental domina el significado de «duración» y en el occidental el de «generación» (P. Fronzaroli, AANLR VIII/20 [1965] 143.148). Probablemente no debe asignarse a esta raíz, al menos directamente, el grupo de palabras formado por el acádico *dūru,* «muralla circundante» (AHw 178); los hebreos *dōr,* «campamento, morada (circular)» (Is 38,12), y *dūr,* «círculo» (Is 29,3; «¿pelota?», Is 22,18; cf. también *dūr,* «amontonar en círculo», Ez 24,5); los arameos-bíblicos *dūr,* «habitar» (7 × en Dn; KBL 1064a; en Sal 84,11 como arameísmo, cf. Wagner N. 68), *m^edōr* (Dn 4,22.29; 5,21) y *m^edār* (Dn 2,11), y los árabes *dawr,* «círculo, vuelta»; *dāra,* «rodear»; *dār,* «habitación», etc.

Junto a los frecuentes términos acádicos *dāru/dūru,* «larga duración»; *darû,* «durar»; *dārû,* «duradero»; *dārītu,* «duración, eternidad» (AHw 164.178b), aparece una vez en Mari el término *dāru,* extranjerismo tomado del semítico occidental, con el significado de «edad humana» (AHw 164b; CAD D 115b).

El ugarítico *dr dr* corresponde, en su duplicidad, al hebreo *dōr dōr* (Ex 3,15); también aparece la expresión *dr bn il* (paralelo a *mpḫrt bn il),* «reunión de los hijos de los dioses» (cf. WUS N. 785.786; UT N. 697). El fenicio-púnico *dr* significa «familia, generación» (DISO 60); también aquí aparece la expresión *kl dr bn 'lm,* «toda la generación de los hijos de los dioses» (inscripción de Karatepe, KAI N. 26 A, III, línea 19; cf. F. J. Neuberg, JNES 9 [1950] 215-217; M. Dahood, en S. Moscati (ed.), *Le Antiche Divinità Semitiche* [1958] 66).

Los casos arameos extrabíblicos datan de épocas tardías; así, por ejemplo, el sirio *dārā,* «época, generación» (LS 147a).

Las opiniones en torno a la etimología del término están divididas; se discute si *dōr* debe relacionarse o no con el concepto de «círculo».

Si se responde afirmativamente, entonces *dōr* designaría «el espacio de tiempo cerrado circularmente en sí mismo, en el que se completa el ciclo de una generación humana» (C. von Orelli, *Die hebr. Synonima der Zeit und Ewigkeit* [1871] 34; semejante opinión es defendida por W. A. Word, OrNS 34 [1962] 398s, que hace referencia también al egipcio *tr,* «tiempo»).

Pero otros autores rechazan, con razón, toda relación etimológica con «círculo» (cf. también Fronzaroli, *loc. cit.*, 143): ni el acádico *dāru* ni el hebreo *dōr* tienen nada que ver con el concepto «círculo», sino que pertenecen al ámbito de significado de «duración, *continuum*» (CAD D 108b). Una tercera opinión relaciona *dōr* con una raíz *dhr,* «correr de un carro», es decir, **dahru* > **dâru* > *dōr,* propiamente «vuelta en una carrera» y después «ciclo» (W. F. Albright, BASOR 163 [1961] 50s).

En arameo bíblico aparece el término *dār* con igual significado dentro de la composición *dār wᵉdār* (Dn 3,33; 4, 31); también aparece el derivado *tᵉdīr,* «duración» (Dn 6,17.21; KBL 1135s).

2. *dōr* aparece 166 × en el AT (92 × solo y 37 × duplicado); el arameo bíblico *dār* aparece 4 ×. El plural presenta 3 × la forma masculina *dōrīm* (Is 51,8; Sal 72,5; 102,25); en todos los demás casos el plural es *dōrōt* (48 ×).

Este término es especialmente frecuente en el salterio (59 ×, en 21 de los cuales el término aparece duplicado). Dentro de los profetas, *dōr* aparece sólo en Is (17 ×, excluido 38,12), Jr (4 ×) y Jl (5 ×). Por lo que respecta al Pentateuco, debe señalarse lo siguiente: las fuentes más antiguas (Gn 7,1; 15,16; Ex 1,6; 3,15; 17,16; Nm 32,13) y el Dt (11 ×) emplean la forma singular; los estratos sacerdotales emplean el plural (Gn 5 ×, Ex 14 ×, Lv 14 ×, Nm 9 ×).

Sobre la frecuencia del término en el escrito sacerdotal y en los salmos, cf. los acádicos *dār, dūr* y *(ana) dūr, dār,* que se emplean fundamentalmente en el lenguaje poético y jurídico (CAD D 108b).

3. A diferencia de una serie de conceptos colectivos que se refieren al linaje y al parentesco (*zæraʿ,* «descendencia»; *mišpāḥā,* «clan»; *tōlēdōt,* «descendientes»), *dōr* está orientado sobre todo en la línea del tiempo. Cualquiera que sea la explicación etimológica que se dé al término, su significado pertenece a la esfera del tiempo: «duración, *continuum*». Pero, conforme a la visión hebrea del tiempo, no puede pensarse en un período como pura abstracción. Al contrario, éste debe ser percibido siempre en su contenido (von Rad II, 109s). El período de tiempo, designado por medio de *dōr,* es perceptible sólo como duración de los hombres que viven en él. El pasado y el futuro son descritos como la continuidad de muchas generaciones sucesivas.

El contenido semántico del término puede ser muy diverso. A veces aparece claramente en primer plano la idea concreta de la colectividad de hombres que pertenecen a una época concreta (Gn 6,9; 7,1; Ex 1,6; Lv 23,43; Nm 32,13; Dt 1,35; 2,14; 23,3.4.9; 29,21; 32,5. 20; Jue 2,10; Is 41,4; Jr 2,31; Jl 1,3; Sal 12,8; 14,5; 24,6; 78,6.8; Prov 30, 11.12.13.14; Ecl 1,4). En esos casos, *dōr* tiene casi siempre un sentido muy general: «la totalidad de israelitas que viven en una determinada época» (cf. M. Noth, *Überlieferungsgeschichtliche Studien* [1943] 21, nota 3). Muy raras veces se emplea en sentido exclusivo, referido a un grupo limitado dentro del pueblo (Sal 24,6; 112,2; Prov 30, 11-14).

En otros pasajes, la fuerza significativa reside claramente en el aspecto temporal, por ejemplo en Is 51,9. Especialmente en algunas fórmulas fijas, *dōr* sirve para designar una determinada medida de tiempo: *dōr wādōr* (30 ×, de ellas 18 en los salmos); sin conjunción copulativa, en Ex 3,15; 17, 16; Prov 27,24 K; cf. el ugarítico *drdr* y el acádico *dūr dār,* «por siempre». Otras fórmulas dobles empleadas como adverbios son: *dōr lᵉdōr* (Sal 145,4), *dōr dōrīm* (Sal 72,5; precedido por *lᵉ* en Is 51,8; por *bᵉ* en Sal 102,25). La característica y prácticamente única fórmula de P está formada por el plural precedido de *lᵉ* (39 ×); *lᵉdōrōtēkæm*/*lᵉdōrōtām*/*lᵉdōrōtāw,* «por vuestras/sus /tus generaciones», desempeña la función de un adverbio orientado hacia el futuro y es prácticamente sinónima de *lᵉʿōlām* (→ *ʿōlām*).

Sobre Is 53,8, donde G. R. Driver, JThSt 36 (1935) 403, y otros traducen *dōr* por «destino» (recientemente, D. W. Thomas, EThL 44 [1968] 84), cf. Westermann, ATD 19, 214.

4. No se da un empleo teológico especial del vocablo *dōr*. En cuanto adverbio temporal, *dōr* es empleado de forma no escatológica. Es significativa su poca frecuencia en los profetas y en sus anuncios sobre el futuro. Tampoco como designación de una colectividad humana presenta *dōr* aspectos teológicos especiales. La «generación» raramente es objeto de una valoración ética o religiosa (Dt 1,35; 32,5.20; Sal 12, 8; 14,5; 24,6; 78,8; 112,2; Prov 30, 11-14).

5. Kuhn, *Konk.*, 49, señala unos 30 casos en los textos de Qumrán. Su empleo sigue fundamentalmente la línea del AT. Deben señalarse las expresiones *dōrōt mǽṣaḥ* (1QH 1,16) y *dōrōt ʽōlām* (1QH 1,18; 6,11; 4QPB 4), «generaciones eternas» (cf. Is 51,9).

En los LXX, *dōr* es traducido casi exclusivamente por el término γενεά, que hace referencia al linaje y a la descendencia. Sobre el NT, cf. F. Büchsel, art. γενεά: ThW I, 660-663.

G. GERLEMAN

דּין *dīn* Juzgar

1. La raíz *dīn* pertenece al semítico común (cf. HAL 211).

En el entorno del AT la raíz aparece frecuentemente en acádico (AHw 150s. 167s.171s.571s), ugarítico (WUS N. 766; UT N. 657) y arameo (DISO 56s.143), pero no existe en fenicio-púnico (→ *špṭ*).
En el AT el verbo *dīn* aparece en qal y nifal; del verbo se han derivado los siguientes sustantivos: *dīn*, «pleito» (infinitivo sustantivado, BL 452); *dayyān*, «juez» (*nomen agentis*, BL 478); *mādōn* y *midyān*, «querella» (nombres verbales formados con el prefijo *m-*, BL 491; sobre *mid-*

yān, cf. I. Seeligmann, FS Baumgartner [1967] 256), *mᵉdīnā*, «partido judicial, provincia» (*m-* local, BL 492; cf. Wagner N. 152).
También en los nombres personales *Dīnā* (cf. *inf.* 3), *ʼᵃbīdān* y *Dāniyyēl* (HAL 219a), en el nombre personal, geográfico y tribal *Dān*, así como en el nombre de lugar *Mādōn* (Noth, HAT 67s; M. Weippert, *Die Landnahme der isr. Stämme* [1967] 41, nota 1) aparece la raíz *dīn;* sobre los nombres propios extrabíblicos, cf. Stamm, AN 355b; Huffmon 182s; Gröndahl 123).

2. El verbo *dīn* aparece en el AT hebreo 22 × en qal (Sal 8 ×, Jr 4 ×) y 1 × en nifal (2 Sm 19,10, «disputar»); en arameo bíblico aparece 1 × en qal (Esd 7,25). Los sustantivos aparecen: *dīn* 20 × (incluido Job 19,29 K y 35,14; Prov 5 ×, Job y Jr 4 ×), más 5 × en arameo; *dayyān* 2 × (1 Sm 24, 16; Sal 68,6) y 1 × en arameo (Esd 7, 25); *mādōn*/*midyān* 23 × (incluido 2 Sm 21,20; en Prov 19 ×); *mᵉdīnā* 53 × (de ellas 39 × en Est, con frecuencia en duplicaciones distributivas) y 11 × en arameo.

3. En contra de lo que opinan J. van der Ploeg, CBQ 12 (1950) 248, y B. Gemser, SVT 3 (1955) 124, nota 4, que atribuyen a *dīn* un sentido amplio y fluctuante, se puede afirmar que la raíz designa originalmente el *juicio autoritario y vinculante emitido en el proceso*. Este es el sentido que se deduce del empleo de la raíz en el Código de Hammurabi (Driver-Miles I, 73), en ugarítico (WUS N. 766) y del hecho que en el AT *dīn* tiene por sujetos casi siempre a autoridades y especialmente al rey (rey: Jr 21,12; 22,16; Sal 72,2; Prov 20,8; 31,5.8.9; el sumo sacerdote en funciones de rey: Zac 3,7; cf. Horst, HAT 14, 228; el jefe de la tribu de Dan: Gn 49,16); sobre el significado fundamental forense de *dīn*, cf. también H. J. Boecker, *Redeformen des Rechtslebens im AT* (1964) 85, nota 7; Seeligmann, *loc. cit.*, 256. También Dt 17,8 se aclararía perfectamente si junto a *dām*, «delito de sangre», y *nǽgaʽ*,

«ultraje», *dīn* tuviera el sentido preciso de «decisión autoritaria en el litigio».

Según eso, *dīn* se diferencia en su significado base de → *špṭ*, que originalmente se refiere a una decisión en un proceso de arbitraje no autoritario. Pero ambas raíces extienden su significado hasta llegar a ser totalmente sinónimos. Por eso, *špṭ* puede desempeñar en el AT la función dominante que cumplía *dīn* en acádico (B. Landsberger, *Die bab. Termini für Gesetz und Recht,* FS Koshaker [1939] [Symbolae], 223), mientras que *dīn* pasa a desempeñar en el AT un papel secundario. En 1 Sm 24,16; Is 3,13; 10,2; Jr 5,28; 21,12; 22,16; Sal 7,9; 9,5.9; 72,2; 76,9; 140, 13; Prov 31,9; 1QH 1,9, *dīn* aparece junto a *špṭ* (cf., en ugarítico, 2 Aqht [= II D] V, 7s). Además de *ʿam,* «pueblo» (Gn 49,16; Sal 72,2), también los pobres, los miserables, los huérfanos y las viudas son objeto de *dīn* (Jr 5,28; 21,12; 22,16; Prov 31,5.8.9; sobre los paralelos extrabíblicos de esta *iustitia adiutrix miseri,* cf. Wildberger, BK X, 48). *dīn* recibe aquí el sentido de «hacer justicia» o «derecho».

En el sustantivo *m^edīnā* la raíz tiende hacia el sentido de «gobernar» (→ *špṭ); m^edīnā* designa el «partido judicial y administrativo» del reino de Israel (1 Re 20, 14-19), de Judá (Lam 1,1), del Imperio neobabilónico (Dn 3,2 y *passim),* la satrapía del Imperio persa (Est, Esd, Neh); cf. C. C. Torrey, *Medina and Polis:* HThR 17 (1924) 83ss.

El paralelismo (en parte sinonímico) entre *dīn* y *rīb* (Is 3,13, con *dayyān,* 1 Sm 24,16; con *mādōn,* Jr 15,10; Hab 1,3; Prov 15,18; 17,14; cf. 1 QH 5,23.35) indica una nueva ampliación del significado de *dīn.* La raíz *rīb* se desarrolla a partir del sentido fundamental de «disputa» hacia el sentido de «proceso» (→ *rīb).* En Job 35,14; 36,17 y Est 1,13, *dīn* significa «proceso, pleito» (HAL 211b; cf. AHw 172a; PRU III, 223s; DISO 56s). También en los sustantivos *mādōn/midyān,* «pleito, disputa», se asemeja la raíz *dīn* a *rīb* y recibe el significado fundamental de éste (así, Seeligmann, *loc. cit.,* 256s). Es característica la expresión *ʾēšæt midyānīn* o semejantes, «mujer pendenciera» (Prov 19, 13; 21,9.19; 25,24; 27,15; cf. Gemser 16, 81).

El verbo *dīn,* «disputar, procesar», de Ecl 6,10 pertenece a esta raíz (cf. 2 Sm 19, 10, *dīn* nifal, «discutir, pelearse»), lo mismo que el nombre de mujer *Dīnā,* «pleito», que ha sido formado artificialmente para Gn 34 (J. Stamm, FS Baumgartner [1967] 331).

4. Los pasajes en los que Yahvé es sujeto de *dīn* tiene los significados «juzgar, condenar» y «juzgar = defender el derecho» (el sustantivo «derecho legal»): Gn 15,14; 30,6; Dt 32,36 = Sal 135,14; 1 Sm 2,10; 24,16; Is 3,13; Sal 7,9; 9,5.9; 50,4; 54,3; 68,6; 76,9; 96, 10; 110,6 (?); 140,13; Job 19,29; 36, 17. Yahvé «juzga» a los pueblos (Gn 15,14; Sal 7,9; 9,9; 96,10; Job 36,31 [?]) y a su pueblo Israel (Dt 32,26 = Sal 135,14; Is 3,13; Sal 50,4). En estas dos afirmaciones se unen quizá una tradición cultual de Jerusalén de tiempos preisraelíticos (Dios como creador —rey— juez del mundo) y una tradición israelita especial (Kraus, BK XV, 200.376). Yahvé defiende el derecho de los pobres, etc. (Sal 9,5; 54,3; 68,6; 76,9; 140,13; 1 Sm 24,16; de Raquel, Gn 30,6). El nombre de alabanza *Dāniyyēl,* «él es juez» o «él ha juzgado» (Noth, IP 35.92.187; cf. además la bibliografía señalada en HAL 219a y en los comentarios de Dn y Ez 14), la forma abreviada *Dān* (HAL 218b, con bibliografía; BHH I, 317s) y el asimismo nombre teofórico *ʾ^abīdān* (HAL 4b), «(mi) padre ha juzgado», corresponde al empleo de *dīn* en la lamentación (Sal 7,9; 54,3; 140,13) y en la alabanza (Dt 32,36 = Sal 135,14; 1 Sm 2,10; Sal 9, 5.9; 76,9; 1QH 5,13).

5. En los textos de Qumrán (sobre todo en 1QH 5,13) se emplea *dīn* igual que en el AT; sobre *dīn* en el Talmud, cf. Z. W. Falk, JSS 5 (1960) 352; sobre los LXX, el judaísmo y el NT, cf. F. Büchsel y V. Herntrich, artículo κρίνω: ThW III, 920-955.

G. Liedke

דַּל *dal* Pobre → ענה *ʿnh* II

דָּם *dām* Sangre

1. La raíz bilítera **dam-*, «sangre», pertenece al semítico común (GVG I, 344; ugarítico: WUS N. 754).

En hebreo, junto a la forma *dām,* aparece en Dt 32,43 una forma *ʾ^{a}dāmā* con alef prostética; también en acádico existe *adam(m)u* junto al normal *dāmu;* HAL 15b y AHw 10a explican esta forma secundaria a partir de la raíz *ʾdm,* «ser rojo». Sobre los casos dudosos fenicio-púnicos (KAI N. 43, línea 11; N. 103, línea 2) y la afirmación de san Agustín «nam et Punice edom sanguis dicitur» *(Enarratio in Psalmos,* 136, 18), cf. DISO 58; KAI II, 61.114; según J. Hoftijzer, VT 8 (1958) 289, *edom* debe considerarse como una forma errónea del nombre más el artículo. El arameo *ʾedmā,* junto a *d^{e}mā,* debe entenderse como resultado de un simple cambio fonético (GVG I, 217; Nöldeke, NB 118).

2. *dām* aparece en el AT 360 × (singular 288 ×, plural 72 ×).
Está documentado con mayor frecuencia en Lv (88 ×) y Ez (55 ×); siguen Ex (29 ×; en Lisowsky falta Ex 12,22a), Dt (23 ×, más *ʾ^{a}dāmā* en Dt 32,43), Sal (21 ×), Nm e Is (15 × cada uno).

3. *dām* es el único vocablo de que dispone el AT para designar la «sangre»; por eso, su campo de empleo es muy amplio: designa la sangre de hombres y animales, especialmente la sangre derramada violentamente —en guerra o fuera de ella— y la sangre sacrificial. El concepto «derramar la sangre» constituye la base semántica de un proceso natural, documentado también en otras lenguas, que conduce al empleo de *dām* (singular y plural *dāmīm)* en sentido abstracto: «derramamiento de sangre, guerra». A veces aparece *dæbær,* «peste», como concepto paralelo (Ez 5, 17; 28,23; 38,22). En este sentido abstracto, *dām* se ha convertido en un concepto cualificado éticamente: «hecho sangriento» y —prácticamente sinónimo, según la mentalidad hebrea—, «asesinato» (Nm 35,33; Dt 17,18; 19, 10; 21,8; 22,8; Jue 9,24; 1 Sm 25,26. 33; Os 1,4; 4,2; 12,15; Prov 28,17). «Derramar sangre» es con frecuencia, especialmente en Ez, sinónimo de «cometer un asesinato» (Gn 9,6; 37,22; Nm 35,33; Dt 21,7; 1 Sm 25,31; Sal 79,3; Prov 1,16; Ez 16,38; 18,10; 22, 3.4.6.9.12.27; 23,45; 33,25; 36,18).

Se consideran como derramamiento de sangre no sólo el homicidio, sino también el degüello de animales cuya sangre no es llevada al altar (Lv 17,4).

La expresión *bēn dām l^{e}dām,* «entre sangre y sangre» (Dt 17,8; 2 Cr 19,10), se refiere a la distinción entre hechos sangrientos (crimen, asesinato) que deben juzgarse de forma diversa.

Una verdadera metáfora se da sólo en la expresión «sangre de la uva» (Gn 49, 11; Dt 32,14; Eclo 39,26).

En el AT, *dām* se emplea rarísimamente para designar colores. El unico pasaje claro es el de 2 Re 3,22 (cf. Is 63, 1-6 con la palabra *nēṣaḥ,* «chorro de sangre», en vv. 3 y 6).

En el AT, a diferencia del acádico (AHw 158b; CAD D 79b) y quizá del fenicio (DISO 58), *dām* no se emplea nunca para designar la descendencia y la parentela (Dhorme, 11). Este significado se expresa en hebreo por medio de → *bāśār.*

4. *a)* En el lenguaje jurídico-sacral, el término *dām* aparece empleado de varias formas, especialmente en P y en Ez. La curiosa fórmula *ʿmd ʿal-dām,* «presentarse contra la vida de alguien» (Lv 19,16), alude al hecho de presentarse en calidad de acusador, testigo o juez ante la comunidad reunida para un proceso (cf. 1 Re 21; Elliger, HAT 4,258s).

El escrito sacerdotal recoge la evidentemente antiquísima declaración «tabú» de la purificación de la sangre (Lv 12, 7; 20,18; cf. 15,19).

La fórmula «que su sangre caiga sobre él» o «sobre su cabeza» pertenece asimismo al ámbito legal: sirve para determinar la culpabilidad de un condenado a muerte y, al mismo tiempo, la inocencia del que ejecuta la decisión judicial (H. Reventlow, VT 10 [1960] 311-327; K. Koch, VT 12 [1962] 396-

416). En su forma pura (el plural *dāmīm* sufijado, más la preposición b^e sufijada), la fórmula aparece sólo en P (Lv 20,9.11.12.13.16.27); con algunas variantes aparece también en otros escritos (Jos 2,19; 1 Re 2,37; Ez 18,13; 33,45).

b) Mencionaremos a continuación algunas concepciones histórico-religiosas relacionadas con el concepto «sangre»; de esa forma, señalaremos algunos conceptos que aparecen en el AT relacionados estrechamente con *dām.*

Se considera la sangre como sede de la vida (Nm 17,11, «el alma de la carne está en la sangre»; → *næfæš)* o se identifica con ella (Gn 9,4; Lv 17,14; Dt 12,23). Por eso, ninguna sangre debe ser derramada (Lv 3,17; 7,26s; 17,10.12.14; Dt 12,16.23; 15,23), ni tampoco carne alguna, ya que ésta «tiene su sangre en sí» (Gn 9,4; cf. Lv 19, 26; 1 Sm 14,32-34; Ez 33,25). Estas afirmaciones, que originalmente eran entendidas de forma animista (sobre los aspectos histórico-religiosos, cf. W. E. Mühlmann, RGG I, 1327s; J. H. Waszink, RAC II, 459-473), han perdido ese carácter al ser subordinadas a la revelación de la voluntad divina y al ser fundamentadas en ésta (Elliger, HAT 4, 228).

Lo mismo puede decirse con respecto al significado de la sangre como medio expiatorio (Lv 4,5-34; 16,14-19; 17,11 y *passim;* → *kpr)* y como elemento de comunión en la conclusión de la alianza (Ex 24,6.8; → *b^erīt).* La eficacia de la sangre no se debe a un poder expiatorio inherente a sí misma, sino porque Yahvé la ha puesto como medio de expiación (Lv 17,11: «yo os la he dado para el altar, para que os sirva de expiación»; cf. Vriezen, *Theol.,* 250).

La sangre humana está bajo una especial protección divina (Gn 9,5s). Es considerada como propiedad de la tribu; en caso de asesinato, la tribu está obligada a «rescatar» (→ *g'l)* la sangre matando al asesino; está obligada a restituirla a la comunidad familiar *(gō'ēl haddām,* «vengador de la sangre», Nm 35,19-27; Dt 19,6.12; Jos 20,3.5.9; 2 Sm 14,11; cf. Koch, *loc. cit.,* 409-414).

5. Kuhn, *Konk.,* 50, señala 16 testimonios del término en los textos de Qumrán (3 de ellos en plural). Su empleo sigue la línea del AT: derramar la sangre, acto sangriento, sangre sacrificial, sangre de menstruación. Además de las expresiones veterotestamentarias, aparecen también expresiones como «flechas de sangre» (1QM 6,3) y «oír sobre actos sangrientos» *(dāmīm,* 1QH 7,3).

Sobre el judaísmo y el NT, cf. E. Bischoff, *Das Blut im jüdischen Schrifttum und Brauch* (1929); J. Behm, art. αἷμα: ThW I, 171-176; L. Morris, *The Biblical Use of the Term «Blood»:* JThSt 3 (1952) 216-227; *ibid.,* 6 (1955) 77-82.

G. GERLEMAN

דמה *dmh* Parecerse

1. *dmh,* «parecerse», está documentado, además de en hebreo, en arameo (DISO 58; KBL 1066b; LS 156s, que remite a Fraenkel 272: el árabe *dumyat,* «imagen», es un arameísmo). La delimitación de una o más raíces homónimas con el significado de «callar», «aniquilar» o semejantes (HAL 216b; J. Blau, VT 6 [1956] 242s; cf. N. Lohfink, VT 12 [1962] 275-277, es discutible en cada caso concreto.

El verbo aparece en los siguientes modos verbales: qal, «parecerse»; nifal, «hacerse igual»; piel, «comparar, asemejar», y el piel estimativo, «considerar conveniente, proyectar, imaginarse»; hitpael, «compararse». Los nombres derivados son: *d^emī,* «mitad»; *dimyōn,* «semejanza», y *d^emūt,* «imagen, figura».

Este último sustantivo aparece una vez en arameo imperial: BMAP 3,21, *byt bdmwt hytk,* «una casa igual a la tuya».

2. Según Lisowsky, 366, *dmh* qal aparece 13 × (excluido Jr 6,2; cf., sin embargo, Rudolph, HAT 12, 42, y Os 4,5,

cf. Rudolph, KAT XIII/1, 97), piel 13 ×, hitpael 1 × (Is 14,14); además, nifal 1 × en Ez 32,2, según Zimmerli, BK XIII, 763, y HAL 216a. Los sustantivos *d^e^mī* (Is 38,10) y *dimyōn* (Sal 17,12) son *hapaxlegomena; d^e^mūt* aparece 25 ×.

El arameo bíblico presenta dos casos de *dmh* qal (Dn 3,25; 7,5).

3. *a)* *dmh* qal, «parecerse», es usado para introducir comparaciones; con esa función aparece en las lamentaciones (Is 1,9: «igual que Gomorra»; Sal 102,7: «me parezco al pelícano de la estepa»; 144,4: «el hombre se parece a un soplo»; cf. Lam 2,13 piel), en el lenguaje profético figurativo (Ez 31,2. 8.8.18 sobre el Faraón), en cánticos de amor (Cant 2,9.17; 7,8; 8,14; cf. 1,9 piel) y en el lenguaje hímnico (Is 46,5; Sal 89,7; piel en Is 40,18.25; 46,5; cf. *inf.* 4*a*).

Los siguientes verbos, usados en paralelo a *dmh* qal/piel, tienen significados semejantes: 1) *hyh k^e^,* «ser como» (Is 1,9; Ez 31,8; Sal 102,7; cf. Sal 50,21); 2) *šwh* qal, «ser igual» (Is 40,25 piel), hifil, «comparar» (Is 46,5 piel; Lam 2,13 piel); *šwh* qal aparece en total 8 ×, nifal 1 ×, «parecerse» (Prov 27,15), piel, «hacer igual, idéntico, tranquilizar», 5 ×, e hifil, «comparar, equiparar», 2 ×, cf. Jenni, HP 35.111; el arameo bíblico *šwh* qal, «ser igual», Dn 5,21 K (Q pael), hitpael, «ser hecho como», Dn 3,29; 3) *mšl* hifil, «comparar» (Is 46,5); en los demás casos, *mšl* qal, «decir una semejanza, un proverbio», 10 ×; piel, «presentar semejanzas», 1 ×; nifal, «hacerse igual», 5 ×; hitpael, «hacerse semejante», 1 ×; además, *māšāl,* «proverbio», cf. O. Eissfeldt, *Der Maschal im AT* (1913); A. R. Johnson, SVT 3 (1955) 162-169; bibliografía ulterior en Sellin-Fohrer 339; 4) *ʿmm,* «equivaler» (Ez 31, 8; fuera de ese texto, sólo en Ez 28,3); 5) *ʿrk* qal con el significado «comparar, confrontar» (Sal 89,7; Is 40,8 piel; sin ser paralelo a *dmh:* Sal 40,6; Job 28,17. 19; en los demás casos significa «ordenar»).

b) Sobre el abstracto *d^e^mūt,* «igualdad, semejanza», cuya mejor traducción en muchos textos es «algo como» (L. Köhler, ThZ 4 [1948] 20s, debería formularse la siguiente pregunta: ¿indica de hecho una igualdad o solamente, de forma más débil, una cierta semejanza? (Köhler, *loc. cit.;* W. H. Schmidt, *Die Schöpfungsgeschichte der Preisterschrift* [1964] 143; Westermann, BK I, 202s); se debería responder en seguida que la palabra de por sí indica una comparabilidad total y no en grado menor, derivado del anterior, de simple semejanza; pero también hay que decir que es necesario señalar la igualdad sólo cuando no existe tal igualdad sin más.

En algunos pasajes (Is 13,4 y Sal 58, 5 son dudosos desde el punto de vista textual), *d^e^mūt* se refiere a representaciones imaginativas o figurativas (2 Re 16,10, modelo o plan de un altar; Ez 23,15, «frescos murales»; 2 Cr 4,3, figuras de bueyes bajo el mar de metal) y señala su correspondencia con el modelo («copia, reproducción»). De todas formas, *d^e^mūt* se emplea con mayor frecuencia para describir las visiones en Ezequiel (como *nomen regens:* Ez 1, 5.5.10.13 [texto dudoso].16.26.26.28; 10,1.10.21.22; separado de su término relativo: 1,22; seguido de *k^e^marʾē,* «con aspecto de»: 1,26; 8,2) y en Daniel (Dn 10,16), donde la identidad entre lo visto y la realidad divina es solamente insinuada.

Sobre los pasajes que hablan de «imagen» (Gn 1,26; 5,1.3) y sobre Is 40,18, donde *d^e^mūt* asimismo significa «imagen, retrato», cf. *inf.* 4*a* y → *ṣælæm.*

Entre las palabras de parecido significado, la más próxima es *tabnīt,* «imagen, modelo» (20 ×, derivada de *bnh,* «edificar»). Sobre las palabras que significan «figura» (*t^e^mūnā, tōʾar, qæṣæb*) e «imagen» (*maśkīt* y semejantes) → *ṣælæm.*

c) Dentro del campo semántico de la igualdad y la semejanza destaca en hebreo no tanto el uso de verbos o nombres, sino el de la partícula comparativa *k^e^,* «como» (sobre su forma y empleo, cf. GK § 118s-x; Joüon, 274-276.279.407s.510s.527s; BrSynt 96. 104s.126).

La partícula *k^e^* aparece en el AT hebreo algo más de 3.000 × (57 ×, *k^e^mō;* en arameo bíblico, *k^e^* aparece unas 80 ×, incluidos 22 × de *kol-q^{o}-bel,* «igual que»; *k$^{e\varsigma}$an/k$^{e\varsigma}$ǽmæt/k$^{e\varsigma}$æt,* «ahora», 17 ×; *k^{e}dī,* «como», 5 ×); más de 500 × corresponden a la composición *ka'^{a}šær,* «como», y unos 250 a la composición *k^{e}* más infinitivo, que en el Dt debe traducirse normalmente por una frase temporal (su mayor frecuencia se da con *šmᶜ,* «oír», 46 ×; *bō',* «venir», 26 ×; *klh* piel, «terminar», 25 ×; *r'h,* «ver», 25 ×). Lo más frecuente es que *k^{e}* (o *k^{e}mō)* aparezca delante de un sustantivo de significado genérico o abstracto: *kōl/kol-,* «la totalidad, todo» (127 ×, de ellas 75 ×, *k^{e}kōl '^{a}šær,* «conforme a todo lo que»); *dābār,* «palabra» (94 ×); *yōm,* «día» (78 ×); *mišpāṭ,* «prescripción, costumbre» (42 ×); *mar'æ̈,* «aspecto, apariencia» (25 ×); *maᶜ^{a}śæ̈,* «obra», y *ᶜēt,* «tiempo» (22 × cada uno), mientras que la comparación con cosas concretas o con seres vivos es más rara: *'īš,* «hombre», y *máyim,* «agua» (23 ×); *ṣōn,* «cordero» (20 ×); *'ēš,* «fuego» (19 ×); *ḥōl,* «arena» (14 ×).

En la mayoría de los nombres, la unión con *k^{e}* es ocasional: es mucho más frecuente su empleo sin la partícula *k^{e}* (son unos 600 los vocablos hebreos que se unen alguna vez a *k^{e}* y más de la mitad lo hacen sólo una vez); otros nombres, por el contrario, parecen haberse especializado en este empleo comparativo; así, por ejemplo, *mōṣ,* «paja» (8 ×, siempre con *k^{e}).* También en los nombres de animales los casos con *k^{e}* están por encima de la media de su empleo general. Las comparaciones con animales ofrecen la siguiente estadística: *ṣōn* es el más frecuente; le siguen → *'^{a}rī/'aryē,* «león» (16 ×, incluida 1 × en arameo; también otros nombres de león, como *k^{e}fīr* 9 ×, *lābī'* 6 ×, *šáḥal* 3 ×, *gōr* 1 ×), *næšær,* «águila, buitre» (12 ×); *sippōr,* «pájaro» (10 ×); *sūs,* «caballo», y *yōnā,* «paloma» (3 ×); *'ayyāl(ā),* «cierva» (8 ×). Estas cifras se refieren evidentemente a las comparaciones expresadas por medio de *k^{e};* las comparaciones indirectas o empleos metafóricos no son tenidos en cuenta.

De las formas con un pronombre personal como sufijo *(kā-, k^{e}mō-, kāmō-,* algo más de 100 ×), las más frecuentes son *kāmōkā,* «como tú» (31 ×); *kāmōhū,* «como él» (24 ×), y *kāmōnī,* «como yo» (17 ×). Deben mencionarse, finalmente, los casi 60 casos en que *k^{e}* va unido a nombres propios. Entre los nombres personales, los más frecuentes son David (9 ×), los enaquitas y Daniel (3 × cada uno); todos los demás nombres personales (incluidos Moisés y Job) aparecen una sola vez en comparaciones. De los nombres de lugar deben mencionarse el Líbano y Sodoma (4 × cada uno). Gomorra y Siló (2 × cada uno) (todos los demás, incluso Jerusalén, una sola vez). Sobre los nombres divinos, cf. *inf.* 4*b*.

4. *a)* En contextos teológicos, *dmh (d^{e}mūt)* y sinónimos aparecen en las afirmaciones hímnicas sobre la incomparabilidad de Yahvé (cf. C. J. Labuschagne, *The Incomparability of Yahvé in the OT* [1966] 28-30). Junto a Sal 89,7: «porque ¿quién entre los pueblos es comparable *(ᶜrk l^{e})* a Yahvé, quién se parece *(dmh* qal) a Yahvé entre los seres divinos?» (cf. Sal 40,6: «nada hay comparable *[ᶜrk 'æl]* a ti»), deben mencionarse también algunos pasajes de Deuteroisaías: Is 40,18: «¿con quién asemejaréis *(dmh* piel) a Dios, qué semejanza *(d^{e}mūt)* le aplicaréis *('rk)?*»; 40,25: «¿con quién me asemejaréis *(dmh* piel) y seré igualado *(šwh* qal)?»; 46,5: «¿a quién me podréis asemejar *(dmh* piel) o comparar *(šwh* hifil)?, ¿a quién me asemejaréis *(mšl* hifil) para que seamos parecidos *(dmh* qal)?». El contexto muestra que se trata siempre de defender la incomparabilidad de Yahvé frente a los dioses desprovistos de fuerza, su pretensión de unicidad, a diferencia de las frecuentes afirmaciones babilónicas semejantes (con *maḫāru* y *šananu,* «equiparar», cf. Labuschagne, *loc. cit.,* 31-57), que exaltan hiperbólicamente tan pronto a un dios como a otro (cf. J. Hehm, *Die biblische und babylonische Gottesidee* [1913] 99). Por eso se rechaza con fuerza toda pretensión de cualquier potencia a ser equiparada con Yahvé; cf. Is 14,14, donde con lenguaje mítico se caracteriza

la soberbia del rey de Babilonia: «subiré a las alturas del nublado, me asemejaré *(dmh* hitpael) al Altísimo».

Sobre la semejanza del hombre con Dios, que se manifiesta en su dominio sobre el mundo animal (Gn 1,26s; cf. 5,1.3; Sal 8,6-9), pero que se remonta a otras ideas, cf. → *ṣælæm,* concepto al que interpreta y con el que puede intercambiarse frecuentemente *d^e^mūt* (unido a las preposiciones *b^e^* o *k^e^*).

b) Las afirmaciones sobre la incomparabilidad de Dios formuladas por medio de la partícula comparativa *k^e^* (Labuschagne, *loc. cit.,* 8.28) se dividen fundamentalmente en dos grupos, que tienen su correspondiente formal en el lenguaje cotidiano: las frases nominales negativas del tipo *'ēn...k,* «no hay... como...» (Ex 8,6; 9,14; Dt 33,26; 1 Sm 2,2.2; 2 Sm 7,22 = 1 Cr 17,20; 1 Re 8,23 = 2 Cr 6,14; Jr 10,6.7; Sal 86,8; cf. Is 46,9 con la partícula negativa *'æfæs),* y las preguntas retóricas con negación implícita del tipo *mī k^e^...,* «¿quién es como...?» (Ex 15,11.11; Is 44,7; 49,19 = 50,44; Miq 7,18; Sal 35, 10; 71,19; 77,14; 89,9; 113,5; cf. Dt 4, 7). A este último grupo pertenecen también los nombres propios *Mīkāyā(hū), Mīkāy^e^hū, Mīkā'ēl* («¿quién es como Yahvé/Dios?», cf. Noth, IP 144; Labuschagne, *loc. cit.,* 21s.126-129; distinto B. Hartmann, ZDMG 110 [1961] 234).

Las designaciones divinas así empleadas son: YHWH (Ex 8,6; Dt 4,7; 1 Sm 2,2; Sal 113,5; en total, sólo 4 × unido con *k^e^*); *'^æ^lōhīm* (1 Sm 2,2; Sal 77,14; fuera de estos textos, *kēlōhīm* aparece sólo en Gn 3,5 en boca de la serpiente: «que seréis como Dios»; Zac 12,8, en una promesa hiperbólica: «el más flaco será como David y la casa de David será como Dios»; 2 Cr 32,17, referido a los dioses de otros pueblos), *'ēl* (Dt 33,26; fuera de este texto, sólo en Job 40,9: «¿es tu brazo como el brazo de Dios?»; con *k^e^mō,* Job 19,22: «¿por qué me perseguís como Dios?»); también aparecen las expresiones *kāmōnī,* «como yo» (Ex 9,14; Is 44,7; 46,9; Jr 49,19 = 50,44); *kāmōkā,* «como tú» (Ex 15,11.11; 2 Sm 7,22 = 1 Cr 17, 20; 1 Re 8,23 = 2 Cr 6,14; Jr 10,6.7; Miq 7,18; Sal 35,10; 71,19; 86,8; 89, 9), y *kāmōhū,* «como él» (Job 36,22; cf. Job 40,9: «¿truena tu voz como la suya?»).

La afirmación hímnica —en sentido amplio— de incomparabilidad aparece siempre fundamentada, sea por medio del contexto, sea por medio de una fórmula que le sigue inmediatamente; esta fundamentación se refiere normalmente a la eficaz intervención de Dios en la historia como justo salvador (no es casual que esto ocurra precisamente en la tradición de las plagas y del éxodo; en los salmos de lamentación individual 35; 71; 77; 86, como motivación del grito de socorro lanzado por la persona oprimida) o también a su potencia creadora (que el Deuteroisaías une estrechamente a la salvación). Se pueden mencionar las siguientes formulaciones especiales: en el cántico de Ana (1 Sm 2,2), «nadie es santo *(qādōš)* como Yahvé», y en el discurso de Elihú (Job 36,22), «¿quién es maestro *(mōræ)* como él?» (cf. Labuschagne, *loc. cit.,* 64.152; estudia con detalle el contenido y el origen de estas afirmaciones).

5. También en Qumrán aparecen fórmulas que afirman, de modo semejante al AT, la incomparabilidad de Dios (1QH 7,28; 1QM 10,8; 13,13).

Los LXX emplean normalmente ὅμοιος y derivados, más raramente ἴσος (sólo en 2 Mc 9,12, ἰσόθεος, referido a Antíoco y empleado negativamente); para traducir *d^e^mūt* se usan normalmente ὁμοίωμα, más raramente ὁμοίωσις y una vez ὅμοιος (Is 13,4), ἰδέα (Gn 5,3) y εἰκών (Gn 5,1).

Sobre los LXX y el NT, donde 1 Jn 3,2 constituye el correspondiente escatológico de Gn 2,5 y se formula, como nuevo tema, que Jesús es igual a Dios (Fil 2,6), cf. G. Stählin, art. ἴσος: ThW III, 343-356; J. Schneider, art. ὅμοιος: ThW V, 186-188.

E. Jenni

דַּעַת *dáʿat* Conocimiento → ידע *ydʿ*

דֶּרֶךְ *dæræk* Camino

1. La raíz *drk,* «pisar (con los pies)», pertenece al semítico común; a partir de ella se han formado vocablos que presentan diversas diferencias fonéticas y de significado (HAL 221s; P. Nober, Bibl 40 [1959] 196*s).

El acádico *daraggu,* «camino (rastro)» (AHw 163a; CAD D 108b), es un sinónimo raro de los más frecuentes *urḫu* o *ḫarrānu;* cf. también *darāku,* «seguir (?)», y *darku,* «siguiente» (AHw 163a.164a). En ugarítico, el sustantivo femenino *drkt,* «dominio, poder» (WUS N. 792; UT N. 703; Driver, CML 154), aparece como paralelo de *mlk,* «reino» (en el texto RS 24.252, líneas 6s: *bʿlt mlk* paralelo al *bʿlt drkt* de ʿAnat, Ugaritica V, 551), cf. *inf.* 3c. En fenicio-púnico y en arameo antiguo parece que la raíz se emplea sólo como verbo: pisar, aplastar, tensar (el arco)» (DISO 60).

El sustantivo hebreo *dæræk,* «camino» (¿forma *qitl?,* cf. Brømmo, 134), puede emplearse como masculino o como femenino (K. Albrecht, ZAW 16 [1896] 54s). Además del nombre y del verbo (qal e hifil), aparece también el sustantivo derivado *midrāk,* «pisada, huella» (sólo en Dt 2,5).

2. El nombre *dæræk* aparece 706 × en el AT, la mayoría de las veces en sigular (543 ×; Prov 21,29 Q es contado como singular y Jr 17,10 Q como plural). Los dos duales de Prov 28, 6.18 deberían leerse como plurales (cf., entre otros, F. Nötscher, *Gotteswege und Menschenwege in der Bibel und in Qumran* [1958] 56).

	qal	*hifil*	*sing.*	*plur.*	*dual*	*sust.*
Gn	—	—	31	—	—	31
Ex	—	—	12	1	—	13
Lv	—	—	—	1	—	1
Nm	1	—	23	—	—	23
Dt	4	—	37	11	—	48
Jos	2	—	15	2	—	17
Jue	2	1	15	—	—	15
1 Sm	1	—	24	3	—	27
2 Sm	—	—	11	1	—	12
1 Re	—	—	40	6	—	46
2 Re	—	—	21	1	—	22
Is	8	3	33	14	—	47
Jr	7	2	41	16	—	57
Ez	—	—	85	22	—	107
Os	—	—	4	4	—	8
Jl	—	—	—	1	—	1
Am	2	—	3	—	—	3
Jon	—	—	2	—	—	2
Miq	4	—	—	1	—	1
Nah	—	—	2	—	—	2
Hab	1	1	—	—	—	—
Ag	—	—	—	2	—	2
Zac	1	—	—	3	—	3
Mal	—	—	2	1	—	3
Sal	6	4	47	19	—	66
Job	3	1	20	12	—	32
Prov	—	1	52	21	2	75
Rut	—	—	1	—	—	1
Ecl	—	—	3	1	—	4
Lam	3	—	2	4	—	6
Est	—	—	3	—	—	3
Neh	1	—	3	—	—	3
1 Cr	2	—	—	—	—	—
2 Cr	1	—	11	14	—	25
T. AT	49	13	543	161	2	706

3. *a)* A partir del significado base, «camino (pisado y, por lo mismo, consolidado)», el sentido de *dæræk* se ha desarrollado ampliamente tanto en la línea geográfico-espacial como en un empleo metafórico-figurativo. Aquí mencionaremos solamente los modos de empleo más importantes (cf., además de los diccionarios, la detallada exposición de Nötscher, *loc. cit.,* 17-69).

El AT destaca, entre los numerosos caminos en senido geográfico-espacial, aquellos que tienen un nombre especial, ya que se trata de caminos frecuentemente transitados: el «camino real» al oriente del Jordán, que lleva de Damasco a Aqaba (Nm 20,17; 21, 22; cf. HAL 222b; Y. Aharoni, *The Land of the Bible* [²1968] 49-52), el «camino de los nómadas» (Jue 8,11) y el «camino del mar», que lleva al mar o corre a lo largo de él (Is 8,23; cf. Aharoni, *loc. cit.,* 41-49).

El significado concreto «camino» pasa imperceptiblemente al significado de «movimiento a lo largo del camino»: un hombre que camina por una calle dirige su «camino» hacia una meta (por ejemplo, Gn 24,27.48; 32,2 y *passim,* unido frecuentemente a → *hlk,* «ir»; *baddǽræk* = «de camino»).

Todavía se destaca con más fuerza esta idea de viaje en los textos en que *dǽræk* debe traducirse por «viaje», «empresa» o también «expedición militar» (Gn 42,25; 45,21.23; 1 Sm 21,6, *dǽræk ḥōl,* «empresa profana»; cf. también el acádico *ḫarrānu,* «camino, viaje, caravana, expedición», AHw 326s; CAD H 106-113).

Visto desde la meta, el «camino» recibe el significado de «camino recorrido, etapa (entre dos puntos)» (cf., por ejemplo, Gn 31,23: «alejado siete días de camino»).

Una idea semejante aparece también cuando el término *dǽræk* indica la dirección de un movimiento, tanto si éste aparece realizado como si es meramente descrito. La dirección puede ser indicada por medio de los cuatro puntos cardinales (Dt 11,30 y *passim,* especialmente en la descripción del nuevo templo en Ez 40,6ss) o por medio de determinados lugares (Gn 16,7 y *passim).*

b) En sentido metafórico, la vida del hombre puede ser descrita como un camino en el que el hombre se halla (cf. A. Gros, *Le thème de la route dans la Bible* [1957] 17-30); con frecuencia puede ser traducido por «conducta, comportamiento» (por ejemplo, Gn 6, 12). Esta terminología ha adquirido especial relieve en la literatura sapiencial (Prov 1,15 y *passim)* y en el ámbito religioso (cf. *inf.* 4). Si se piensa en la meta de toda vida humana, entonces el término puede referirse al camino de los hombres que lleva a la muerte (Jr 23,14; 1 Re 2,2; sobre Prov 14,12, cf. HAL 223a). «Camino» en sentido de «comportamiento, situación, costumbre, modo, manera» designa de forma genérica determinados hechos fundamentales en la vida del hombre o de la naturaleza (por ejemplo, Prov 30,19s; Gn 19,31, referido a la relación entre los sexos; Gn 31,35, referido al estado de la mujer en la menstruación, cf. Gn 18,11 con *ʾōraḥ,* cf. *inf. 3d).*

c) No es claro que el ugarítico *drkt,* «dominio, poder», pueda servir para aclarar algunos pasajes del AT. Los pasajes que se suelen citar en este sentido (con *drk* qal: Nm 24,17; con *dǽræk:* Jr 3,13; Os 10,13; Am 8,14; Sal 67,3; 110,7; 119,37; 138,5; Job 26,14; 36, 23; 40,19; Prov 8,22; 19,16; 31,3) se pueden entender normalmente sin esa referencia o pueden ser explicados de algún otro modo.

El primero en sugerir esta relación fue Albright con referencia a Nm 24,17; posteriormente, nuevos textos han ido siendo señalados por diversos autores, cf. W. F. Albright, JBL 63 (1944) 219; *íd.,* SVT 3 (1955) 7; *íd.,* FS Robert (1957) 23s; P. Nober, VD 26 (1948) 351-353; S. Bartina, VD 34 (1956) 202-210; J. B. Bauer, VT 8 (1958) 91s; M. Dahood, ThSt 13 (1952) 33; 38 (1957) 320; íd., *Proverbs* 40; *íd.,* UHPh 55, y otros.

Otros autores han adoptado una postura crítica frente a tales opiniones: H. Zirker, BZ 2 (1958) 291-294; Nötscher, *loc. cit.,* 17s.25s; cf. también, por ejemplo, Rudolph, KAT XIII/1, 206, sobre Os 10,13; Fohrer, KAT XVI, 522, sobre Job 40,19.

**d)* Nötscher, *loc. cit.,* 12-17, estudia los sustantivos de significado semejante. Se pueden citar:

1) *ʾōraḥ,* «camino» (57 ×; excepto en Gn 18,11, aparece siempre en textos métricos y en una cuarta parte de los casos paralelos a *dǽræk;* su mayor frecuencia se da en Prov con 19 ×; siguen Sal con 14 ×, Job con 10 ×, Is con 8 ×, Gn y Jue con 2 × cada uno, Jl y Miq con 1 × cada uno; además, *ʾrḥ,* «caminar, viajar», 6 ×, y *ʾōrᵉḥā,* «caravana», 3 ×), y el arameo bíblico *ʾᵃraḥ,* «camino» (Dn 4,34; 5,23), con un campo semántico semejante al de *dǽræk;* cf. el acádico *urḫu* y el arameo *ʾrḥ/ʾorḥā* (DISO 24; KBL 1053b);

2) *hᵃlīkā,* «camino, pista; caravana, procesión; tráfico» (6 ×, → *hlk);*

3) *mᵉsillā* (27 ×) y *maslūl* (Is 35,8), «camino (rellenado)» *(sll* qal, «rellenar»);

4) *maʿgāl,* «carril, pista» (13 ×, en Prov 7 ×; cf. *ʿᵃgālā,* «carro»);

5) *nātīb* (5 ×) y *n*ᵉ*tībā* (21 ×; casi siempre paralelo a *dæræk* u *ʾōraḥ*, «senda»; cf. el ugarítico *ntb* y *ntbt*, «senda», WUS N. 1870; UT N. 1715);

6) *š*ᵉ*bīl*, «senda» (Jr 18,15; Sal 77,20; siempre paralelo a *dæræk*).

Todos estos términos pueden ser empleados en sentido metafórico o figurado.

e) El verbo *drk* qal ha conservado siempre el significado fundamental «pisar» (el país, Dt 1,36; el camino, Is 59,8; el umbral, 1 Sm 5,5, etc.). Solamente en dos casos ha recibido un sentido especial: el guerrero «pisa» su arco para tensarlo (Is 5,28; 21,15 y *passim;* cf. BHH I, 264.267) y el campesino «pisa» el lagar para exprimir la uva (por ejemplo, Jue 9,27; cf. Dalman, AuS IV, 364s, sobre Miq 6,15, cf. Dalman, *loc. cit.,* 207).

drk hifil tiene el sentido causativo «hacer pisar» (Is 11,15 y *passim;* con objeto elíptico, «pies» = «pisar, apisonar», en Jr 51,33; Job 28,8; sobre Jue 20,43, cf. HAL 222a). «Hacer andar por un camino» viene a significar «conducir» (Prov 4,11 y *passim).*

4. *a)* En el ámbito religioso (cf. A. Kuschke, *Die Menschenwege und der Weg Gottes im AT:* StTh 5 [1952] 106-118; F. Nötscher, *Gotteswege und Menschenwege in der Bibel und in Qumran* [1958] 23ss) puede hablarse concretamente del camino o del andar de un dios (1 Re 18,27), de un ser divino (Gn 19,2) o de Yahvé (Dt 1,33; Nah 1,3). Pero sobre todo se habla metafóricamente del comportamiento y planes de Dios (cf. Gros, *loc. cit.,* 30-40) con respecto al pueblo, pero que superan a éste (Is 55,8s; Job 34,27 y *passim).* El pueblo y cada uno de sus componentes deben andar por los caminos de Dios, es decir, conducir su vida en obediencia a Dios (Ex 32,8 y *passim);* así los mandamientos de Dios son guías del camino (por ejemplo, Dt 5,33). Desviarse de ellos (Dt 11,28 y *passim)* significa abandonar los caminos de Dios (Nm 22,32) y adentrarse en otros caminos (propios, Is 53,6; de pecadores, Sal 1,1; de dioses extranjeros, Jr 10,2). Se reprocha esta conducta especialmente a los reyes de Israel que no anduvieron por los caminos de David y, por tanto, de Yahvé (así, en 1 Re 3,14), sino por los de Jeroboán (1 Re 15,26 y *passim).*

b) El verbo *drk* qal puede designar el paso de Dios: por la tierra (Am 4, 13; Miq 1,3; cf. U. Devescovi, Riv Bibl 9 [1961] 235-237), por el mar (Job 9,8; cf. Hab 3,15). En Zac 9,13; Lam 2,4; 3,12; cf. Sal 59,8, se hace mención de la acción de tensar el arco; en Is 63,3.3; Lam 1,5, del lagar.

El hifil describe la dirección de los fieles, etc., por una parte, de Yahvé (Is 48,17; Sal 25,5 y *passim;* Devescovi, *loc. cit.,* 237-242).

5. En la comunidad de Qumrán se ha ampliado el significado del término en la línea señalada en 4a, como corresponde al carácter de los textos. Pero no aparecen puntos de vista esencialmente nuevos; cf. Nötscher, *loc. cit.,* 72-96.

El dualismo de los dos caminos aparecía ya en el AT no con una formulación tan clara como en el NT (Mt 7, 13s), pero sí preparado y formado en cuanto al contenido; cf. B. Couroyer, *Le chemin de vie en Égypte et en Israël:* RB 56 (1949) 412-432; Nötscher, *loc. cit.,* 64-69; Michaelis (cf. *inf.),* 53s.

Sobre el «camino» en el NT y en el cristianismo primitivo, cf. W. Michaelis, art. ὁδός: ThW V, 42-118; Nötscher, *loc. cit.,* 97-122; A. Gros, *Je suis la route* (1961); E. Repo, *Der «Weg» als Selbstbezeichnung des Urchristentums* (1964).

G. Sauer

דרשׁ *drš* Inquirir

1. *drš* es un verbo propio del semítico occidental, que está documentado, además de en hebreo, en ugarítico, arameo, etiópico y árabe.

En siríaco, donde *drš,* «disputar» o semejantes, es probablemente un hebraísmo, la raíz coincide con un término que significa «caminar» (cf. en hebreo y arameo, *drk;* en hebreo medio y arameo judaico, *drs;* en árabe, *drs,* «trillar»; en acádico, *darāsu,* «oprimir»; AHw 163b), pero debe distinguirse de él (cf. Nöldeke, NB 38, nota 4). Sobre un caso dudoso de *darāšu,* «tentar (?)», en acádico, concretamente en el lenguaje hímnico-épico, cf. W. von Soden, ZA 49 (1949) 175s; AHw 163b.

2. En el AT, *drš* está documentado sólo en hebreo: qal 155 × (1/2 Cr 40 ×), nifal 9 ×. El abstracto verbal tardío *midrāš,* «interpretación» (arameo, infinitivo qal, GK § 85h), aparece sólo 2 × (2 Cr 13,22; 24,27; cf. Eclo 51,23).

3. *a)* El campo semántico profano es bastante reducido, especialmente en comparación con el parecido → *bqš* piel; se limita a una cuarta parte del total de los casos. Pero incluso el campo propio de *drš* se diferencia claramente del *bqš* piel. La idea de «indagar acerca de alguien o algo» se expresa sólo en casos aislados por medio de *drš* (Dt 22,2; Job 10,6, donde sigue en paralelo a *bqš;* 39,8, con *'aḥar).* Parecido es el empleo en Sal 109,10: «buscar, pedir (en vano)» con → *š'l* piel como paralelo (cf., sin embargo, BH³).

b) A diferencia de *bqš* piel, *drš* pertenece fundamentalmente a la esfera del conocimiento: «informarse sobre algo, preguntar por algo, investigar». Lo que se investiga no es una situación local, sino la cualidad de una cosa o un suceso. En este sentido, el verbo puede aparecer en muy diversas construcciones: en forma absoluta (Dt 13,15; 17, 4; 19,18; Jue 6,29; Is 34,16; Ecl 1,13), con objeto directo (Lv 10,16; Esd 10, 16, texto enmendado) o con las preposiciones *'æl, bᵉ, lᵉ, ʿal.*

En este ámbito de significado está basado el abstracto verbal *midrāš,* «interpretación» (cf. Rudolph, HAT 21, 238; G. Rinaldi, Bibl 40 [1959] 277).

c) En *drš* se da, con más fuerza aún que en *bqš* piel, un salto de significado hacia el campo emocional. Como objeto aparecen valores cualitativo-ideales, sobre todo positivos: «el derecho» (Is 1,17; 16,5), «lo bueno» (Am 5,14; Est 10,3), «las obras de Yahvé» (Sal 11,2), pero también negativos: «lo malo» (Prov 11,27). Formando parte de la expresión «buscar la desgracia *(rāʿāh)* de alguien», *drš* aparece sólo en Sal 38, 13 (en paralelo a *bqš* piel, que le precede y dirige probablemente el significado) y Prov 11,27 (cf. Jr 38,4). La expresión opuesta «buscar el bien *(šālōm)* de alguien» aparece en cuatro ocasiones (Dt 23,7; Jr 29,7; 38,4; Esd 9, 12; cf. Est 10,3).

A diferencia de *bqš* piel, *drš* nunca rige un infinitivo.

El carácter emocional adquiere más fuerza en los casos en que *drš* significa «preocuparse por algo, tomarse algo bajo la propia protección»; este significado se da sobre todo en el lenguaje teológico, pero también aparece en usos no teológicos (Jr 30,14; Sal 142,5; Prov 31,13; 1 Cr 13,3).

d) En el sentido de «exigir, reclamar», *drš* pertenece al lenguaje teológico. La única excepción sería quizá 2 Cr 24,6 *(drš ʿal),* único pasaje en que el sujeto que presenta la exigencia es un hombre (C. Westermann, *Die Begriffe für Fragen und Suchen im AT:* KuD 6 [1960] 16).

4. *a)* En la gran mayoría de los casos, *drš* aparece como término teológico y cúltico. En el sentido de «exigir, reclamar», el sujeto es, prácticamente siempre, Yahvé (Dios). Como objeto aparecen «la sangre» (Gn 9,5a; Ez 33, 6; Sal 9,13; nifal Gn 42,22), «el alma» (Gn 9,56), «un voto» (Dt 23,22), «un rebaño» (Ez 34,10), «el sacrificio» (Ez 20,40); además, Miq 6,8: «lo que Yahvé exige de ti». En los demás casos, el objeto es una actuación impía y el verbo recibe el sentido de «castigar» (Dt 18,19; Sal 10,4.15; 2 Cr 24,22).

b) En toda una serie de narraciones, *drš Yhwh* constituye una fórmula fija para referirse a la consulta que un profeta hace ante Yahvé (según 1 Sm 9,9, el que consultaba era originariamente un vidente o un hombre de Dios) en una situación de necesidad; todas estas narraciones pertenecen a la época monárquica. Tampoco aquí el fin primario de la consulta es el de lograr una determinada información: lo que las preguntas pretenden es resolver la situación de necesidad en que se halla el que pregunta. Se mencionan únicamente situaciones de necesidad propias del ámbito político (incluso cuando se trata de necesidades personales): 1) peligro de que se pierda la monarquía a causa de la enfermedad del rey (2 Re 8,7-15) o del heredero (1 Re 14,1-6.12-13a.17. 18); cf. 2 Re 1,2ss; 2 Cr 16,12; Gn 25,22; además, sin *drš,* Is 38 y 2 Re 5; 2) peligro para todo el pueblo en una guerra (1 Re 22 = 2 Cr 18; 2 Re 3; cf. Jr 21,1-10; 37,3-21) y 2 Re 22 = 1 Cr 34, que hablan de una amenaza por parte de la ira divina. Las narraciones mencionadas pertenecen a un grupo más extenso; este grupo presenta el siguiente esquema: anuncio por parte del profeta —cumplimiento de lo anunciado; es decir, el interés no reside en la consulta profética, sino en la eficacia de la palabra profética, que interviene en la historia y, por ejemplo, destituye y sustituye reyes (1 Re 14; 2 Re 1; 8). Ez 14,1-11; 20,1-3 eliminan la posibilidad de estas consultas, que son rechazadas expresamente por el profeta.

El proceso es siempre el mismo: el rey, en situación de necesidad, envía un mensajero (se trata siempre de una alta personalidad cercana al mismo rey) a casa del profeta con un regalo para éste, para preguntarle por la solución de la necesidad que les apremia. El profeta contesta con un oráculo divino. Este proceso tiene lugar fuera del ámbito cúltico (Westermann, *loc. cit.,* 18).

El que pregunta es un particular. En las narraciones transmitidas es normalmente el rey quien hace la pregunta, pero también la hacen Rebeca (Gn 25, 22) y los ancianos (Ez 14; 20); y en 1 Sm 9,9 la pregunta «se» hace. Yahvé es siempre objeto *(drš ʾæt-Yhwh);* en 1 Re 22,5 = 2 Cr 18,4 se cambia a *drš ʾæt-d^{e}bar Yhwh.* Normalmente sigue *meʾittō,* «por él», referido al mediador profético. El empleo de la preposición *min* muestra que el profeta es visto como mediador de la palabra proveniente de Dios y no como mero instrumento al servicio del que pregunta. Sigue la pregunta sobre la solución de la necesidad. Pero esta pregunta «lleva implícita una súplica ... a Dios» (Westermann, *loc. cit.,* 18), para que resuelva la necesidad. En Jr 37,3.7 se ruega expresamente al profeta consultado que interceda en favor del que pregunta (cf. Ez 36,37: «me dejaré suplicar por *[l^e]* Israel»). La institución de la consulta iba probablemente unida a la función del profeta como intercesor (Westermann, *loc. cit.,* 21). En un principio la consulta a Dios por medio de un hombre de Dios se hacía únicamente por motivos personales; sólo en un segundo momento se extendería la costumbre para casos de necesidad del pueblo (Westermann, *loc. cit.,* 28). Esto es lo que refleja la glosa de 1 Sm 9,9, aunque se trata de una mención tardía.

En 1 Re 22 la consulta por medio del profeta va unida a elementos de la consulta → *šʾl* por medio del oráculo de las suertes, que está documentada especialmente en la guerra de Yahvé; lo mismo sucede en 2 Re 3 (Westermann, *loc. cit.,* 19), claramente relacionado con 1 Re 22, donde a la amenaza de una potencia enemiga se une un desastre natural (falta de agua para la tropa); a esta doble necesidad corresponden una doble pregunta y una doble respuesta profética. La consulta *šʾl* es una consulta a Dios por medio del oráculo sacerdotal de las suertes. Está documentada sólo en la época anterior a la formación del Estado israelita. En 1/2 Sm se puede seguir claramente su paulatina disolución, que llevó a su total desaparición una vez erigido el reino de David (Westermann, *loc. cit.,* 10-13).

También en la acusación de Is 31,1 (cf. 30,2 con *šʾl)* y en la admonición de Am 5,4 parece estar presente la institución de la consulta a Yahvé por medio del profeta, es decir, «aparecería institución contra institución: Amós opone al acudir a Yahvé en el lugar del culto un acudir a Yahvé que sólo es posible por medio del profeta» (Westermann, *loc. cit.,* 22); además, Is 9, 12; Jr 10,21 y Os 10,12.

En Ex 18,15 se menciona probablemente lo mismo que en Dt 17,9, a saber: la petición de una decisión divina en un caso jurídico difícil.

c) En la consulta a un dios extranjero, Baal Zebub, en 2 Re 1,2.3.6.16, *drš* está construido con b^e; esto se debe quizá a una acción frecuente en el politeísmo: el orante se dirigía a una divinidad menor para que ésta intercediera por él ante un dios superior o incluso ante el dios supremo. Esta interpretación está apoyada también por la expresión de 1 Sm 28,7: «voy a consultarle (es decir, a la nigromante)» (con b^e). Hay dos excepciones aparentes que están condicionadas por la polémica contra la consulta a los dioses extranjeros; se trata de la glosa de 2 Re 1,16: «consultar a la palabra de Yahvé», y de Ez 14,7, donde un israelita adorador de ídolos tiene la osadía de presentarse al profeta para consultar a Yahvé del mismo modo que consulta a sus ídolos.

d) Cuando el objeto de *drš* son los espíritus de los muertos, la construcción suele ser *drš 'æl* (Dt 18,11; Is 8, 19; 19,3; cf. 1 Cr 10,13), que tiene el sentido de «dirigirse a», como el uso de *drš 'æl* referido a una persona (Is 11, 10: el vástago de Jesé) o a un lugar (Dt 12,5: el lugar de culto elegido por Yahvé) lo muestra. Lo característico de estos dos pasajes es que en ambos el acudir se realiza por medio de una peregrinación. Esto nos permite deducir la siguiente conclusión en torno al sentido original de *drš 'æl hā'ōb:* se trataba de una peregrinación hacia el lugar de culto de los difuntos o hacia la tumba de los padres para consultar allí a los muertos.

e) Los dos últimos intentos (rechazados por el profeta) de consultar a Yahvé (Ez 14; 20) son de comienzos del exilio. Con la desaparición de la institución preexílica de la consulta se ha dado un cambio profundo de significado. *drš Yhwh* recibe el sentido genérico de «dirigirse a Yahvé» y no designa ya una acción concreta, sino la actitud de la persona devota.

Este cambio de significado se explica fundamentalmente por dos razones. En la época antigua la consulta a Yahvé por medio de un profeta estaba estrechamente ligada a la lamentación que brotaba de un estado de necesidad (cf. *sup.* 4*b*). Al desaparecer uno de los aspectos, la consulta por medio del profeta, el término se conserva para designar el otro aspecto, es decir, la lamentación. *drš Yhwh* en el sentido de «dirigirse a Yahvé en una necesidad» sólo podía ser empleado en adelante como una lamentación. A esto se añade una segunda razón. La lamentación alcanza su punto máximo en las preguntas dirigidas a Dios: «¿por qué has...» y «¿hasta cuándo vas a...?». Esta lamentación tiene en común con la antigua institución no sólo el hecho de que se pregunta a Yahvé, sino la misma pregunta que antes era formulada por el profeta a Yahvé. La pregunta de 2 Re 8,8 («¿sobreviviré a esta enfermedad?») se acerca en su intención a la pregunta que aparece en las lamentaciones («¿cuánto durará todavía?»).

En algunos pasajes, el hecho de que un particular se dirija a Dios en una lamentación se expresa por medio de *drš* (Sal 22,27; 34,5; 69,33; 77,3; Job 5,8; cf. Lam 3,25; Sal 9,11; 34,11). Todos estos pasajes pertenecen a época tardía, cuando difícilmente podía darse ya la antigua institución; pero la expresión se ha conservado. En su uso posterior, debilitado, *drš* significa en dos ocasiones simplemente «clamar a Yahvé» (1 Cr 21,30 por parte de David; Sal 105,4 = 1 Cr 16,1 en la invitación a la alabanza).

En otros pasajes, *drš* expresa también la lamentación del pueblo. Is 58,2 parafrasea cada uno de los elementos de la lamentación popular, que el v. 3 citará directamente: v. 2a: «desean conocer mis caminos» = «¿hasta cuándo estarás enojado?»; v. 2b: «como un pueblo que practica virtud» = confesión de inocencia; v. 2c: «me preguntan por las leyes justas» = «¿por qué nos has traído esta desgracia?»; v. 2c: «desean la vecindad de Dios» = «¿por qué nos ocultas tu rostro?». El conjunto de estos actos es designado en v. 2a como *drš Yhwh*. La expresión de Sal 78,34: «cuando los mataba, lo buscaban *(drš)*», es explicitado en v. 35, donde se recoge la confesión de confianza propia de la lamentación del pueblo. 2 Re 20,3 es una invitación real a la lamentación del pueblo. Cf. también Jr 29,12s; Is 55,6; 2 Cr 15,2.4 *(drš = bqš)*.

En la época exílica y posexílica, por lo menos hasta la reconstrucción del templo (cf. Lam; Zac 7,3; 8,19; Is 58, 2), el rito de la lamentación ha condicionado la vida cultual, donde incluso una confesión de culpa como la de Sal 79,8 (cf. Sal 106; Is 63,10.17) ha podido formularse como respuesta a la profecía preexílica de juicio (cf. la tendencia de la obra histórica deuteronomística; cf. H. W. Wolff, ZAW 73 [1961] 171-186 = GesStud 308-324). Así, la expresión «acudir a la comunidad y al rito de la lamentación» puede ser sinónimo de «acudir a Yahvé y a sus prescripciones». Este paso se ha completado definitivamente en la teología deuteronomística, donde la conversión y el cumplimiento de las leyes por parte del hombre son el presupuesto necesario para que Dios atienda la lamentación (cf., por ejemplo, 1 Sm 7, 3-4 ante vv. 5ss; también Dt 4,29; Is 55,6s; 58; Jr 29,13; 2 Cr 15,2 y 4). «Aquí una acción única, nacida de una situación concreta, se ha convertido en una postura, en una actitud..., el 'acudir a Dios' se ha convertido en 'adherirse a Dios'» (Westermann, *loc. cit.*, 28).

drš Yhwh se ha convertido, pues, en una designación genérica de la adoración a Yahvé, que con frecuencia aparece en oposición al culto de los ídolos (Is 65,1.10; Jr 8,2; Sof 1,6; Esd 6,21; 2 Cr 15,12.13; 17,3.4; 34,3; cf. Sal 24, 6; Esd 4,2; 2 Cr 25,15.20). Por eso aparece regularmente en el enjuiciamiento de los reyes en Cr (2 Cr 12, 14; 14,3; 17,4; 19,3; 22,9; 26,5; 30, 19). Pero, al mismo tiempo, *drš Yhwh* en Cr es sinónimo de «cumplir la voluntad de Dios» o de «observar las leyes» (1 Cr 22,19; 2 Cr 14,6a; 31,22; también Sal 14,2 = 53,3; 119,2.10); pues aquí aparece como trasfondo no ya la lamentación, sino la promesa de bendición condicionada.

La proclamación de los mandamientos y la promesa de bendición condicionada van individualizándose progresivamente; de ahí que en el Sal 34, en la acción de gracias de un particular (v. 5), a la narración de la salvación sigue no sólo la concreta exhortación de v. 6, sino una promesa genérica de salvación para todos los que siguen fieles a Dios (vv. 9-11) y una exhortación a que se cumplan los mandatos (vv. 12ss). Al igual que en la lamentación del pueblo, también aquí la posibilidad de ser escuchados y salvados depende de que el orante observe los mandamientos.

En algunos pasajes tardíos, también los mandamientos pueden ser objeto de *drš* (Sal 119,45.155; 1 Cr 28,8; en la glosa tardía de Is 34,16, incluso «la escritura» puede serlo. Cf. también *midrāš*, «interpretación, paráfrasis edificante» (cf. *sup.* 2/3*b*).

En los textos tardíos el empleo de las preposiciones no se somete a reglas fijas. Así, junto a *drš bYhwh* (2 Cr 34,26; igual que 1 Cr 10,14) aparece también *drš Yhwh* (2 Cr 34,21), y *drš lēlōhīm* (2 Cr 34,3 igual que 2 Cr 20,3) junto a Job 5,8, *drš ʾæl-ʾēl*.

5. En los textos de Qumrán, *drš* aparece 40 × (Kuhn, *Konk.*, 52s). Al igual que en el AT «buscar a Dios» constituye en muchos pasajes una designación genérica del temor de Dios.

Pero es el sentido cognitivo de *drš* el que más ampliamente está documentado y el que se ha extendido hacia nuevas direcciones, especialmente en el lenguaje teológico: «investigar los mandamientos», «meditar sobre la ley». Llaman especialmente la atención algunas expresiones fijas: *dwrš htwrh*, «investigador de la ley» (CD 6,7; 7,18; 4Q Fil 1,11); *dwršy ḥlqwt*, «creadores de interpretaciones laxas» (1QH 2,32 y *passim)*, fórmula que se usa en Qumrán para designar a los fariseos. Su opuesto aparece en la expresión talmúdica *dōrešē hamūrōt,* «defensor de interpretaciones rigurosas», expresión que usaban los fariseos para designar a los miembros de la secta de Qumrán (cf. C. Roth, RQ 2 [1960] 261-265). Sobre el empleo de *drš* en el Talmud y en el Midrás, cf. también L. Margoulies, «Leshonenu» 20 [1956] 50ss (en hebreo).

Sobre el tema del «buscar» en el NT, cf. H. Greeven, art. ζητέω: ThW II, 894-898.

G. GERLEMAN (1-4a.5)
E. RUPRECHT (4b-e)

הֶבֶל *hǽbæl* Soplo

1. Vocablos emparentados con *hǽbæl,* «soplo», aparecen en arameo y en semítico meridional (cf. HAL 227a). A partir del sustantivo se ha derivado el verbo *hbl* qal, «volverse una nulidad», «ocuparse en cosas inútiles», y hifil, «convertir en inútil, atontar».

Probablemente existe alguna relación con el nombre *Hǽbæl* (= Abel, cf. en Gn 4,2a su forma en pausa), que posiblemente es un apelativo.

2. El sustantivo aparece 73 ×, el verbo 5 × (qal 4 ×, hifil 1 ×). El sustantivo está documentado 41 × en Ecl; también es relativamente frecuente en el lenguaje de los salmos (9 × en Sal; además Is 49,4; Jr 10,3.8.15; 14,22; 16,19; 51,18, Job 7, 16). Otros 6 pasajes corresponden a textos de cuño deuteronomístico (cf. *inf.* 4*a*).

hǽbæl aparece con frecuencia en forma absoluta. Cuando se emplea como nombre, normalmente tiene el significado de ídolo (cf. *inf.* 3*c*). En las composiciones constructas, cuando se usa como *nomen regens* (sobre la forma *hªbel,* cf. Wagner, 134), desempeña por lo general una función superlativa *(hªbel hªbālīm,* Ecl 1,2.2; 12,8); si aparece como *nomen rectum,* debe ser traducido como adjetivo. También puede ser empleado adverbialmente (por ejemplo, Job 9,29, «en vano»). Es típico su empleo en frases nominales dobles (unas 30 ×).

3. *a)* El significado base de *hǽbæl* es «viento, soplo» (sólo en Is 57,13 aparece en paralelo a *rūªḥ,* «viento»); en este sentido se emplea como imagen de lo pasajero e inútil (Sal 62,10; 144,4; Prov 21,6; cf. el acádico *šāru,* J. Hehm, ZAW 43 [1925] 222s; O. Loretz, *Qohelet und der Alte Orient* [1964] 127s).

b) En la mayor parte de los pasajes (frases nominales) desaparece por completo este significado base; *hǽbæl* es simplemente un concepto negativo empleado para calificar las experiencias humanas. La frecuente traducción «nulidad, nulo» resulta a veces excesivamente genérica. El matiz exacto de esta calificación negativa se desprende del contexto: la escala de matices va desde «inconsistente» (paralelo a *kāzāb,* «engaño», en Sal 62,10), «pasajero» (paralelo a *ṣēl,* «sombra», en Sal 144,4; cf. 39,7) e «inútil, vano» (paralelo a *ʾēn yitrōn,* «ningún provecho», en Ecl 2, 11; a *rīq,* «vacío, nulo», en Is 30,7; 49,4) hasta «absurdo, insensato, malo» (paralelo a *ḥºli raʿ,* «plaga dañina», en Ecl 6,2; *rāʿā rabbā,* «gran desastre», Ecl 2,21).

c) El aspecto de «inútil» se ha independizado para designar a los dioses extranjeros. *hǽbæl* designa en este contexto a los ídolos (→ *ʾælīl* 4); cf. las expresiones formularias «irritar a Yahvé con los ídolos» (Dt 32,21; 1 Re 16, 13.26; Jr 8,19) y «seguir a los ídolos» (2 Re 17,15; Jr 2,5).

4. *hǽbæl* aparece fundamentalmente en tres ámbitos:

a) Como designación de los dioses extranjeros en la acusación deuteronomística contra la apostasía de Israel (Dt 32,21; 1 Re 16,13.26; 2 Re 17,15; Jr 2,5; 8,19) y como motivo opuesto en la confesión de confianza: el orante confía en Yahvé y no en los dioses (Sal 31,7; Jr 14,22; 16,19; Jon 2,9; cf. también la polémica posterior contra los ídolos en Jr 10,3.8.15).

b) Como calificación negativa, *hǽbæl* es empleado en las lamentaciones individuales. El orante se lamenta porque su esfuerzo es inútil (Is 48,4) y su vida es pasajera (Job 7,16); ambas ideas forman una expresión típica de la lamentación y se refieren de modo genérico al destino del hombre (Sal 39, 6.7.12). Este carácter limitado del hombre se contrapone en ocasiones a la ilimitada bondad y potencia de Dios (Sal 62,10; 94,11; 144,4).

c) El lugar propio del amplio empleo de hǽbæl en Ecl es el juicio (en frases nominales). Basándose en la experiencia, en la observación y en la reflexión, el Eclesiastés llega siempre a un juicio negativo, por lo general respecto a cosas muy concretas (*[gam] zæ hǽbæl*, «[también] esto es inútil», Ecl 2, 15.19.21.23.26; 4,4.8.16; 5,9; 6,2.9; 7, 6; 8,10.14; cf. 2,1; 11,10); en muy pocas ocasiones se amplía la fórmula (*hakkōl hǽbæl*, «todo es inútil», 2,11. 17; 3,19; cf. 11,8). El lema de 1,2 y 12,8 debe asignarse a un redactor posterior (F. Ellermeier, *Qohelet I*, 1 [1967] 94ss). El Eclesiastés no atribuye el calificativo de hǽbæl simplemente a todo; lo asigna a tres realidades concretas: 1) todos los esfuerzos del hombre, especialmente su trabajo, son infructuosos, inútiles y vanos (2,1.11.19. 21.23; 4,4.8; 5,9; 6,2); aquí, hǽbæl es el exacto contrapuesto de yitrōn, «provecho» (cf. 2,11; así también Ellermeier, *loc. cit.*, 38). El trabajo humano carece de sentido porque Dios, conforme a su voluntad, concede a unos gozar del fruto de su trabajo, mientras que a otros se lo impide (2,24-26), y en definitiva, porque el hombre es mortal y tendrá que dejar a otros cuanto posee (2,18-21; 6,1.2). 2) El ideal sapiencial de dominar la vida, que querría organizar y manipular la conducta humana y su éxito o fracaso, no tiene sentido, ya que los justos acaban por tener el mismo destino que los impíos (8,10-14) y, en último término, los sabios mueren igual que los necios (2,15; 6,7-9). 3) A ese modo de ver las cosas corresponde lo que el Eclesiastés intuye sobre el carácter pasajero del hombre (6,12; 11,8.10; cf. 7,15; 9,9), que es idéntico —según el autor— al de toda criatura (3,19). Ante la amenaza del destino mortal, todo futuro (11,8) y todo acontecimiento son pura vanidad y atrapar vientos (1,14; 2,17). A Dios no se

aplica ciertamente el veredicto de hǽbæl, pero tampoco es presentado como el opuesto polo salvador (así opina Hertzberg, KAT XVII/4, 222ss; Loretz, *loc. cit.*, 234ss); su acción incomprensible constituye más bien la razón última de la limitación humana.

5. Los LXX traducen hǽbæl preferentemente por medio de ματαιότης, μάταιος. Con esto se ha introducido un matiz de tipo moral; no se trata tanto de la limitación creatural cuanto de una deficiencia moral (cf. G. Bertram, ZAW 64 [1952] 30-34). En Qumrán se identifican aún más transitoriedad y pecaminosidad (1QS 5,19; 1QM 4,12; 6,6; 9,9; 11,9; 14,12). Sobre el NT, cf. O. Bauernfeind, artículo μάταιος: ThW IV, 525-530.

R. ALBERTZ

הָדָר hādār Esplendor

1. Sólo en hebreo y arameo puede documentarse con seguridad la existencia de vocablos emparentados con hādār, «gloria, esplendor, majestad».

Sobre el ugarítico hdrt, cf. inf. 3b; sobre el árabe meridional antiguo hdr, «adorno (?)», cf. Conti Rossini, 131b; sobre el egipcio hᵓdrt, cf. H. Donner, ZAW 79 (1967) 331, nota 57.

En ocasiones se ha relacionado nuestra raíz con el hebreo ᵓdr (LS 172a; → ᵓaddīr) o con el árabe hdr, «hervir» (GB 175a), pero esta relación es muy dudosa.

Las formas verbales son claras derivaciones denominativas del sustantivo hādār (W. J. Gerber, *Die hebr. Verba denominativa* [1896] 163s; BLA 273). Junto a hādār (en Dn 11,20, en lugar del normal constructo hᵃdar aparece el segolado hǽdær, cf. BL 552; HAL 230a) aparece también la forma femenina hᵃdārā, «adorno, majestad» (cf. inf. 3b); en arameo bíblico aparecen hᵃdar, «majestad», y hdr pael, «ensalzar».

En arameo imperial están documentados los términos hdr, «majestad» (Ah. línea 108), y hdyr, «majestuoso» (Ah. línea 207) (DISO 63).

2. La raíz está documentada en el AT hebreo 42 × (excluyendo *hadūrīm* en Is 45,2, donde se debe seguir la lectura de 1QIsᵃ, *hărārīm*, cf. HAL 229b; una opinión diversa es defendida, por ejemplo, en Zorell, 185a); en arameo está documentada 6 ×.

El verbo aparece en hebreo 6 ×: 4 × en qal y 1 × en nifal e hitpael (cf. *inf.* 3c). El sustantivo *hādār* aparece 31 × (incluido *hǽdær* en Dn 11,20; plural sólo en Sal 110,3), *hadārā* 5 ×. La mayor frecuencia corresponde a los salmos (15 ×; Is 8 ×; Prov 4 ×; Lv 3 ×); en los textos narrativos no aparece ni una sola vez.

En arameo su presencia se limita a Dn (3 × el nombre y 3 × el modo pael del verbo).

3. *a)* El sustantivo *hādār* designa el esplendor en la naturaleza (Lv 23, 40; Is 35,2a) y la belleza humana (Is 53,2; Sal 8,6; Prov 20,29; 31,25). Referida a Dios, la afirmación de belleza (cf. Is 35,2b con v. 2a) adquiere el sentido de «gloria, majestad, honor» (cf. *inf.* 4). En el sentido de «majestad», *hādār* es también atributo del rey terreno (Sal 21,6; 45,28). El plural de Sal 110,3 debe referirse más bien al ornato del rey (formado por diversas joyas, cf. Widengren, *Sakrales Königtum im AT und in Judentum* [1955] 103, nota 22). Pero *hādār* se aplica también a ciudades (Is 5,14; Ez 27,10; Lam 1,6) o a una tribu (Dt 33,17). Según Dn 11,20, Palestina es *hǽdær malkūt,* «gloria del Imperio».

En varios textos se afirma que Dios o un hombre «se visten» de *hādār* (Yahvé, Sal 104,1; Job 40,10; una mujer, Prov 31,25; Jerusalén, Ez 16,14; participio qal en Is 63,1).

Conceptos paralelos son: → *hōd,* «altura» (Sal 21,6; 45,4; 96,6; 104,1; 111,3; Job 40,10; 1 Cr 16,27); *kābōd,* «gloria» (→ *kbd;* Is 35,2; Sal 8,6; 21,6; cf. Sal 145,5.12); *páḥad,* «terror» (Is 2,10.19.21); → *kōaḥ,* «fuerza» (Sal 29,4); *ʿōz,* «vigor» (→ *ʿzz;* Sal 96,6; Prov 31,25); *tipʾæræt,* «esplendor» (→ *pʾr;* Sal 96,6; Prov 20,29), y *tōʾar,* «distinción» (Is 53,2). También pueden considerarse sinónimos de *hādār* los siguientes términos: *ʾædær* (→ *ʾaddīr* 1), *gāʾōn* (→ *gʾh), ḥæmæd* (5 × → *ḥmd)* y *ṣebī,* «orgullo» (18 ×, en Dn 8,9; 11, 16.41.45 es referido a Jerusalén o Palestina, cf. v. 20).

En arameo, junto a *hadar* aparecen *ḥæsen,* «potencia» (Dn 4,27); *zīw,* «brillo» (Dn 4, 33); *malkū,* «gloria real»; *gebūrā,* «vigor», y *yeqār,* «dignidad» (Dn 5,18).

b) hadārā aparece sólo en estado constructo: cuatro veces en la composición *hadrat-qōdæš* (Sal 29,2; 96,9 = 1 Cr 16,29; 2 Cr 20,21) y una vez en la composición *hadrat-mǽlæk* (Prov 14, 28). En este último pasaje, *hadārā* significa, lo mismo que *hādār* en contextos semejantes, «majestad, pompa, magnificencia», en oposición a *meḥittā,* «ruina, destrucción». Los demás pasajes se suelen entender como «postraos ante Yahvé con pompa sagrada» o algo parecido. Se debe seguir en esta interpretación a H. Donner, ZAW 79 (1967) 331-333 (cf., sin embargo, A. Caquot, «Syria» 33 [1956] 37-41; E. Vogt, Bibl 41 [1960] 24; W. H. Schmidt, *Königtum Gottes in Ugarit und Israel* [²1966] 56); esta interpretación es preferible a la traducción «revelación, aparición» (F. M. Cross, BASOR 177 [1950] 19-21; Kraus, BK XV, 233; UT N. 752; P. R. Ackroyd, JThSt 17 [1966] 393-396), sugerida en base al ugarítico *hdrt* de Krt [= I K] 155, que aparece en paralelo a *ḥlm,* «sueño», y puede significar algo así como «visión, aparición»; los derivados de UT N. 752 y WUS N. 817 son, de todas formas, dudosos.

c) El modo qal del verbo tiene el significado de «honrar el rostro de alguien, honrar a alguien» (Lv 19,32: «ponte de pie ante las canas y honra al anciano»). En la terminología jurídica recibe el matiz de «favorecer (en el juicio)». En Lv 19,15 se exige un juicio imparcial: «no debes favorecer *(nśʾ penē dāl)* al pobre ni dar preferencia *(hdr penē gādōl)* al grande». En este último sentido suele entenderse también el dicho apodíctico de Ex 23, 3 (BH³; HAL 230a; Ex 23,6 corresponde a la primera frase de Lv 19,15).

El arameo pael significa siempre «honrar (a Dios)» (paralelo a *brk* pael en Dn 4,31; paralelo a *śūm* polel en 4, 34; paralelo a *šbḥ* pael en 4,31.34; 5, 23).

El hitpael se refiere al honor que corresponde a uno mismo («ante el rey» en Prov 25,6 es paralelo a «colocarse en el lugar de los grandes»). El nifal debe traducirse por «recibir honra» o semejantes (Lam 5,12).

4. *hādār* desempeña un papel importante en la alabanza de Israel (Sal 96,6; 104,1; 111,3; 145,5.12; 1 Cr 16, 27) como expresión de la dignidad real de Dios (cf. H. Gross, FS Junker [1961] 96; U. Wildberger, ThZ 21 [1965] 48ss). La alabanza hímnica de la «belleza» de Yahvé (von Rad I, 375-379) nace de la experiencia de sus acciones históricas (Sal 11,3; 145,5.12). En ella se basan las súplicas del pueblo (Sal 90,16). La unión entre el esplendor de Dios y su acción en la historia se desarrolla en el tema de la gloria de Dios manifestada en la creación (Sal 104,1). Aunque Israel habla de la majestad de Dios como de algo estático (Sal 96,6; 1 Cr 16,27), se refiere a lo que proviene de él. En esto se manifiesta su esplendor (Is 35,2b; cf. 63,1). También en la actividad judicial de Yahvé se experimenta la «gloria de su majestad» (*hadar ge'ōnō,* Is 2,10.19.21; la unión de dos términos sinónimos equivale a un superlativo, cf. Joüon, 438).

Los elegidos de Yahvé participan de la gloria de éste: el rey de Israel (Sal 21,6; 45,4.5; Prov 14,28), los fieles (Sal 149,9; cf. Miq 2,9), Jerusalén (Ez 16, 14) y Sión (Lam 1,6). También en la creación reconoce Israel la majestad de Dios y alaba al creador (Sal 8,6). Por otra parte, se niega que uno pueda conseguir por sí mismo el esplendor divino (Job 40,10). La belleza perfecta se da sólo cuando Dios otorga la *hādār* (Ez 16,14).

5. Los LXX traducen la raíz *hdr* por medio de 20 vocablos diversos; los más frecuentes son: δόξα, μεγαλοπρέπεια, εὐπρέπεια y τιμή. En las afirmaciones neotestamentarias sobre la gloria de Dios (y de Jesús; cf. Heb 2, 5-10, donde se recoge Sal 8,6) se deja sentir el influjo de *hādār;* cf. G. Kittel y G. von Rad, art. δόκεω: ThW II, 235-258; J. Schneider, art. τιμή: ThW VIII, 170-182.

G. Wehmeier (1-3)
D. Vetter (4-5)

הוד *hōd* **Majestad**

1. *hōd,* «majestad, eminencia», se emplea sólo en hebreo.

No es probable que esté relacionado con el árabe *'awada,* «ser grave»; con el semítico occidental *ydh* hifil, «alabar», ni con el árabe *nahuda,* «ser fuerte, hermoso» (GB 176b; KBL 227b.364a; HAL 231a; Zorell, 186a).

2. El sustantivo aparece 24 × en el AT (Sal 8 ×, Job y 1 Cr 3 ×, Zac y Dn 2 ×, Nm, Is, Jr, Os Hab y Prov 1 ×).

3. El significado principal «eminencia, majestad» aparece claro en el empleo del concepto como atributo del rey (Jr 22,18, cf. Rudolph, HAT 12, 141s; Sal 21,6; 45,4; Dn 11,21; 1 Cr 29,25; en Zac 6,13, referido al sacerdote-rey). Vuelve a aparecer en primer plano cuando *hōd* se refiere a la majestad de Dios (Hab 3,3; Sal 8,2; 148,13; 148, 13; Job 37,22). La expresión se aplica en ocasiones también al hombre (a particulares: Nm 27,20; Prov 5,9; Dn 10, 8; al pueblo: Os 14,7), a animales (Zac 10,3; Job 39,20) y plantas (Os 14,7) —en el sentido de «esplendor»—. En Dn 10,8, *hōd* designa (lo mismo que el arameo *zīw* en Dn 5,6.9.10; 7,28) el brillo del rostro, «el color del rostro»; en Prov 5,9, por el contrario, el vocablo no se refiere al aspecto exterior, sino al «goce de los años de mayor energía vital» (Gemser, HAT 16,34). La expresión significa siempre, con ma-

yor o menor vigor, la experiencia de asombro y alegría.

Sobre los conceptos paralelos, cf. *inf.* 4. En Sal 10,8, *mašḥīt,* «ruina», es el opuesto de *hōd.*

4. El concepto tiene su mayor relevancia en el empleo teológico. La *hōd* de Dios se ha manifestado en Israel en las acciones del Señor de la historia y de la creación. Al hablar de su *hōd,* Israel honra a Yahvé y reconoce su majestad.

Lo mismo expresan los nombres propios —nombres que contienen una confesión— compuestos con *hōd* (o *hūd*) (*Hōdᵉya, Hōdīyyā,* forma abreviada *Hōd*) (Noth, IP 146; sobre *ʾᵃbīhūd, ʾᵃḥīhūd, ʿammīhūd* y *ʾēhūd;* cf., sin embargo, Stamm, HEN 416a.418a).

La palabra aparece en la descripción de la presencia de Dios (Is 30,30; Hab 3,3; cf. Job 37,22). También en los salmos de alabanza se refleja la experiencia que Israel tiene de la majestad de Dios (Sal 111,3; 145,5) y también su admiración ante la gloria de Dios manifestada en la creación (Sal 8,2; 104,1; 148,13). Este motivo, propio de los Salmos (alabanza del creador-alabanza del Señor de la historia), ha determinado la estructura de Job 38-41; aquí la alabanza toma la forma de un discurso divino (cf. C. Westermann, *Der Aufbau des Buches Hiob* [1956] 82-98; *íd.,* ATD 19, 126 sobre Is 44,24-28). En el desarrollo de ambas secciones se repite el término *hōd:* en la alabanza del creador (al describir la tremenda fuerza del caballo: 39,20) y del juez (40,10). Israel no puede referirse al dominio del mundo por parte de Dios más que alabando su majestad (Sal 96,6; 1 Cr 16, 27; 29,11).

La *hōd* de un rey es un don que Yahvé hace de su propia dignidad (Jr 22,18; Zac 6,13; Sal 21,6; 45,4; Dn 11,21; 1 Cr 29,25; cf. Eclo 10,5). Según P, también Moisés y Josué poseen *hōd* (Nm 27,20). Con esto parece indicarse que Moisés al entregar su misión a Josué le ha entregado también algo de su *hōd,* del mismo modo que él había recibido parte de la *hōd* de Yahvé. En otras dos imágenes se atribuye este predicado al pueblo que se ha dirigido a Yahvé. En una ocasión, el Israel renovado por Yahvé es comparado con el «esplendor» del olivo fértil (Os 14, 7); en otra ocasión, Judá desempeña en la acción salvífica de Yahvé el papel de «glorioso» caballo de combate (Zac 10,3).

La conexión con conceptos semejantes ilustra hasta dónde se extiende el significado de esta palabra referida a la gloria y a la majestad de Dios: *hōd* aparece en paralelo con *tᵉhillā,* «honor»; *nṓgah,* «brillo», y *ʿōz,* «vigor», en Hab 3,3s; con *zāhāb,* «(brillo del) oro», en Job 37,22 (quizá deba leerse *zōhar,* «brillo», siguiendo a BH³). *hōd* aparece en una serie de cinco predicados divinos junto a *gᵉdullā,* «grandeza»; *gᵉbūrā,* «poder»; *tifʾæræt,* «gloria», y *néṣaḥ,* «brillo», en 1 Cr 29,11. El par de palabras *hōd wᵉhādār* (→ *hādār*) describe el esplendor real de Yahvé en Sal 96,6; 104,1; 111,3; 145,5 (*hᵃdar kᵉbōd hōdǣkā,* → *kbd*); 1 Cr 16,27; Job 40,10 (paralelo a *gāʾōn wāgṓbah,* → *gʾh,* → *gbh*), pero también la dignidad otorgada al rey (Sal 21,6; 45,4).

5. Los LXX traducen *hōd* por medio de unos doce vocablos diversos; los más frecuentes son δόξα (9 ×) y ἐξομολόγησις (4 ×).

El empleo variado y los diversos significados de *hōd* se dan también en su correspondiente neotestamentario más importante: δόξα se refiere al rey/reino (por ejemplo, Mt 4,8; 6,29), a la creación (por ejemplo, 1 Cor 11,7; 15,40s) y al mismo Dios (cf. G. Kittel y G. von Rad, art. δοκέω: ThW II, 235-258).

D. Vetter

הוֹי *hōy* **Ay**

1. Entre las interjecciones que no se remontan a una raíz verbal (GK § 105; BL 642-654), *hōy,* «ay» —y otras

expresiones relacionadas con *hōy*—, constituyen (lo mismo que *ʾ^ahāh,* «ah») simples exclamaciones; por el contrario, → *hinnē,* «he ahí», y *has,* «¡pst!», junto con los imperativos que se han convertido en simple interjección (→ *hlk,* → *qūm,* → *rʾh,* tienen el carácter de exhortación.

ʾōy, ʾōyā, ʾī y *hō* pueden unirse fonéticamente, y quizá también en cuanto el empleo, con *hōy.* Por el contrario, *hæʾāḥ* (*ʾāḥ*) es independiente y expresa más bien la excitación de alegría.

2. Ch. Hardmeier presenta, en Wolff, BK XIV/2, 285, una estadística exacta de *hōy.* Aparece 51 ×, casi exclusivamente en la literatura profética (Is 21 ×, Jr 11 ×, Hab 5 ×, Zac 4 ×, Ez 3 ×, Am y Sof 2 × y 1 × en 1 Re 13,30; Miq 2,1; Nah 3,1); en tres cuartas partes de los casos aparece como introducción de la declaración profética de desgracia.

ʾōy aparece, con una amplia distribución, 24 × (en Ez 16,23 duplicado); su mayor frecuencia se da en Jr (8 ×; además, Is y Ez 4 ×; Nm, 1 Sm y Os 2 ×; Prov y Lam 1 ×). En Am 5,16 aparece *hō-hō;* en Sal 120,5, la forma larga *ʾōyā;* en Ecl 4,10 y 10,16, la forma *ʾī,* frecuente en hebreo medio (cf. HAL 37b).

hæʾāḥ aparece 12 × (Sal 7 ×, en tres ocasiones duplicado; Ez 3 ×; además, Is 44,16 y Job 39,25). Los pasajes con *ʾaḥ* (Ez 6,11; 18,10 y 21,20) son textualmente dudosos (cf. Zimmerli, BK XIII, 141.393. 472).

3. *hōy,* «¡ah!, ¡ay!», aparece en primer lugar como exclamación introductoria del llanto fúnebre (1 Re 13,30: «¡ay, hermano mío!»; Jr 22,18: «¡ah, hermano mío!, ¡ah, hermana!» y «¡ah, Señor!, ¡ah, su majestad!», cf. Rudolph, HAT 12,142; 34,5: «¡ay, Señor!», siempre unido a *spd,* «hacer la lamentación fúnebre»; cf. Jahnow, 83-87 y *passim);* la misma función es desempeñada por *hō-hō* en Am 5,16 (junto a *mispēd* y *n^ehī,* «llanto fúnebre») y quizá también por *hōy* en Jr 48,1 («por Nebo», con *ʾæl)* y 30,27 (Babilonia, con *ʿal)* en un canto fúnebre profético (G. Wanke, ZAW 78 [1966] 217).

En otros ocho o nueve pasajes, *hōy* aparece en un contexto diverso y funciona como expresión indicadora de una excitación: «¡ah!» (Is 1,24; 17,12; 18, 1; Jr 30,7, texto dudoso; 47,6), o como una invitación intensa: «¡ea!» (Is 55,1; Zac 2,10, duplicado; 2,11).

En los demás pasajes, *hōy* va seguido de un nombre y constituye la introducción de las declaraciones de desgracia (con frecuencia en series: Is 5,8.11.18. 20.21.22 y 10,1, cf. Wildberger, BK X, 175-202; Hab 2,6.9.12.15.19; de otra forma: Is 1,4; 10,5; 28,1; 29,1.15; 30, 1; 31,1; 33,1; 45,9.10; Jr 22,13; 23,1; Ez 34,2; Am 5,18; 6,1; Miq 2,1; Nah 3,1; Sof 2,5; 3,1; Zac 11,17, seguido de la preposición *ʿal* o *l^e* en Ez 13,3.18; cf. *sup.* Jr 48,1; 50,27), cf. *inf.* 4.

ʾōy se distingue de *hōy* en cuanto a construcción y empleo (G. Wanke, ZAW 78 [1966] 215-218). Con excepción de Nm 24,23 y Ez 24,6.9, a *ʾōy* (*ʾōy-nā,* Jr 4,31; 45,3; Lam 5,16; *ʾōyā,* Sal 120,5; *ʾī,* Ecl 4,10; 10,16) sigue siempre una persona concreta o un grupo de personas, introducidas por la preposición *l^e* (pero sin una ulterior determinación por medio de participios, adjetivos o sustantivos), y una frase que fundamenta la exclamación.

Originalmente fue empleada en primera persona, «¡ay de mí!» (Is 6,5; 24,16; Jr 4,31; 10,19; 15,10; 45,3, cf. Sal 120,5) o «¡ay de nosotros!» (1 Sm 4,7.8; Jr 4,13; 6,4; Lam 5,16), como «grito de terror» ante una amenaza repentina (1 Sm 4,7.8; Is 6,5; 24,16; Jr 4,13.31; 6,4; cf. Nm 24, 23), aunque luego pasa insensiblemente a emplearse como «lamentación» en una situación de necesidad no repentina (Jr 10, 19; 15,10; 45,3; Lam 5,16; Sal 120,5).

En la fórmula alocutiva «¡ay de ti!» (Nm 21,29 = Jr 48,46; Jr 13,27; Ez 16, 23; con *ʾī,* en Ecl 10,16), *ʾōy* adquiere un carácter secundario de amenaza (o reprensión), lo mismo que en su empleo con tercera persona (Is 3,9.11; Ez 24,6,9; Os 7, 13; 9,12; con *ʾī,* Ecl 4,10; cf. Prov 23,29 con *ʾōy* sustantivado, «desgracias», paralelo a *ʾ^ahōy,* «ayes»).

4. En los últimos años se han hecho detallados estudios sobre el origen histórico-formal de las declaraciones de desgracia (recientemente y con gran amplitud, Wolff, BK XIV/2, 284-287;

W. Schottroff, *Der altisraelitische Fluchspruch* [1969] 112-120). A pesar de ciertas analogías formales (elaboración en series e inserción de participios, cf. Dt 27,15-26) y de contenido (combatir el comportamiento anticomunitario), *hōy* no puede ser considerado como una fórmula *ʾārūr* (→*ʾrr*) debilitada y la declaración de desgracia no puede considerarse como una variación de la maldición cúltica (S. Mowinckel, *Psalmenstudien* V [1924] 2.119-121; P. Humbert, *Grundformen profetischer Rede* [1960] 137-142; J. L. Crenshaw, ZAW 79 [1967] 47s; cf. también H.-J. Hermisson, *Studien zur isr. Spruchweisheit* [1968] 89s; Wildberger, BK X, 182), ya que las fórmulas de maldición, «a diferencia de las declaraciones *hōy*, no solamente constatan, acentuándolas, las peligrosas consecuencias que son inherentes a una acción determinada y que resultan espontáneamente de ésta, sino que conectan esas consecuencias con la acción en cuestión por medio de la aplicación de la maldición y de este modo las causan en sentido estricto» (Schottoroff, *loc. cit.*, 117; cf. Wolff, *loc. cit.*, 285). La declaración profética de desgracia queda iluminada si la consideramos como derivada de la lamentación fúnebre. «El *hoy*, perteneciente originalmente a la lamentación pública, quiere dejar claro que en determinadas acciones está ya implícito el germen de la muerte» (G. Wanke, *ʾōy* y *hōy:* ZAW 78 [1966] 215-218 [218]; cf. R. J. Clifford, CBQ 28 [1966] 458-464; J. G. Williams, HUCA 38 [1967] 75-91; Schottoroff, *loc. cit.*, 113-117, quien ofrece paralelos tomados del Oriente antiguo sobre el empleo secundario de la declaración de desgracia, propia del canto fúnebre, como amenaza o amonestación). Es posible que los profetas hayan recogido estas declaraciones de desgracia de un lenguaje elaborado anteriormente en el ámbito sapiencial y pedagógico de las tribus (E. Gerstenberg, JBL 81 [1962] 249-263; H. W. Wolff, *Amosʾgeistige Heimat* [1964] 12-23; *íd.*, BK XIV/2, 285-287; Schottoroff, *loc. cit.*, 117-120).

La expresión →*ʾašrē,* «dichoso el que...», no aparece nunca como fórmula paralela a *hōy* (cf. W. Janzer, HThL 58 [1965] 215-226), sino a lo sumo como paralelo a *ʾōy* o *ʾī* en textos de tipo sapiencial: Is 3,10s (debe leerse *ʾašrē* en lugar de *ʾimrū;* Wildberger, BK X, 118-126s; distinto W. L. Holladay, VT 18 [1968] 481-487) y Ecl 10, 16s (cf. Schottoroff, *loc. cit.*, 118).

5. En los LXX, las interjecciones son traducidas normalmente por οὐαί. Sobre el judaísmo posterior (en el Qumrán no están documentadas) y sobre el NT, cf. StrB I, 778s y los comentarios a Lc 6,24-26; C.-M. Dodd, FS Robert (1957) 406s.

E. Jenni

היה *hyh* Ser

1. El verbo *hyh,* «ser, llegar a ser», del AT (a veces arameizado: *hwh;* J. Wagner, N. 72) y de la inscripción de Siloé (KAI N. 189) corresponde al arameo *hwh* (KBL 1068s y *Suppl.* 200; DISO 63s).

Deben tomarse en consideración también el acádico *ewû,* «llegar a ser» (AHw 266s; distinta opinión es defendida, en base a razones de tipo fonético, por P. Fronzaroli, AANLR VIII/19 [1964] 164), y los nombres propios amorreos derivados de la raíz **hwy* (Huffmon, 72s.159s); por el contrario, la comparación con el hebreo *hwh* II, «caer» (sólo en Job 37,6), y el árabe *hawā,* «caer», no ofrece resultados positivos.

Los correspondientes semánticos de *hyh,* «ser», son: en acádico, *bašû;* en ugarítico, fenicio-púnico, árabe y etiópico, verbos de la raíz → *kūn.*

Además de la forma qal, existe también la forma nifal, «suceder»; en hebreo no se ha formado ningún otro derivado; cf., sin embargo, → *Yhwh.*

*2. El verbo *hyh,* con sus 3.540 casos en qal (se excluye Os 13,14: *ʾæhī,* → *ʾayyē* 4; en Lisowsky faltan Gn 42,36; 1 Re 22,33; 2 Re 1,17) y sus 21 casos en nifal, ocupa el segundo puesto entre los verbos más frecuentes en el AT. *hwh,* «ser, llegar a ser», aparece 5 × (Gn 27,29; Is 16,4; Ecl 2,22; 11,3; Neh 6,6); el arameo bíblico *hwh,* 71 × (más de 1 × en Dn 6,11, donde hay que leer con los MSS *hªwa* en lugar de *hu*ʾ).

	qal	Concretamente *wayᵉhi*	nifal
Gn	316	122	—
Ex	234	41	1
Lv	147	1	—
Nm	180	16	—
Dt	169	7	2
Jos	145	63	—
Jue	118	49	3
1 Sm	168	56	—
2 Sm	153	42	—
1 Re	195	78	2
2 Re	120	55	—
Is	211	11	—
Jr	262	43	2
Ez	335	62	2
Os	27	1	—
Jl	10	—	1
Am	10	—	—
Abd	7	—	—
Jon	10	5	—
Miq	18	—	1
Nah	3	—	—
Hab	3	1	—
Sof	11	—	—
Ag	9	2	—
Zac	66	9	1
Mal	11	—	—
Sal	104	4	—
Job	50	10	—
Prov	27	—	1
Rut	21	5	—
Cant	4	—	—
Ecl	47	—	—
Lam	23	—	—
Est	17	6	—
Dn	20	5	3
Esd	5	1	—
Neh	47	14	1
1 Cr	105	27	—
2 Cr	132	46	1
T. AT	3.540	782	21

La frecuencia de la forma *wayᵉhī* en proporción al total de casos de *hyh* constituye un válido criterio para determinar el mayor o menor carácter narrativo de un libro; cf. el orden de frecuencia de las cifras totales (Ez, Gn, Jr, Ex, Is, 1 Re...) con el orden de frecuencia de *wayᵉhī* (Gn, 1 Re, Jr, Ez, 1 Sm, 2 Re...).

3. En hebreo no es necesario emplear el verbo *hyh* para designar la simple frase nominal; por ejemplo, *ʾānōkī Yhwh ʾᵉlōbǣkā,* «yo (soy) Yahvé, tu Dios» (Ex 20,2); *šǽmæš ūmāgēn Yhwh,* «Yahvé es sol y escudo» (Sal 84, 12). Por medio de *hyh* se forman por lo general afirmaciones dinámicas y enfáticas sobre el ser de una persona o cosa que se manifiesta en sus obras y acciones, en su destino y en su comportamiento con los otros.

hyh qal significa no sólo «ser», sino también «llegar a ser, obrar, suceder, comportarse»; acompañan al verbo las más diversas preposiciones que matizan su significado; así, por ejemplo, *hyh bᵉ,* «hallarse, suceder en»; *hyh lᵉ,* «servir para, ser para, pertenecer» (se usa, como en otras muchas lenguas, en lugar del inexistente «tener»; cf. G. Benveniste, *Problèmes de linguistique générale* [1966] 187-207); *hyh ʿim,* «estar al lado»; *hyh ʾaḥªrē,* «seguir a alguien»; es especialmente típica la expresión *hyh ʾæl* en las introducciones narrativas del oráculo profético *wayᵉhī dᵉbar Yhwh ʾæl* (→ *dābār* IV/2a); en esta expresión el verbo *hyh* señala la irrupción de la palabra en la vida del profeta (cf. HAL 233s y, con amplitud de detalles, C. H. Ratschow, *Werden und Wirken. Eine Untersuchung des Wortes 'hayah' als Beitrag zur Wirklichkeitserfassung des AT* [1941] 7-30, de este último depende Th. Boman, *Das hebr. Denken im Vergleich mit dem Griechischen* [⁴1965] 27-37; de todas formas, las consecuencias a las que llega este autor deben ser matizadas; cf. J. Barr, *Bibelexegese und moderne Semantik* [1965] 64-77).

Estos significados son matizados por medio del paralelismo poético, por ejemplo, *ʿmd,* «estar» (Sal 33,9); *kūn* nifal, «consistir» (Sal 89,37s; cf. 90,17 piel); *qūm,* «realizarse» (Is 7,7; 14,24); otros sinónimos y paralelismos antitéticos son presentados en Ratschow, *loc. cit.,* 5s.

En unión con un adjetivo predicativo *hyh* señala la actitud o las propiedades de una cosa o persona: «pero la serpiente se mostró como el más astuto de todos los animales» (Gn 3,1), «no está bien que el hombre esté solo» (Gn 2,18). Unido al infinitivo absoluto indica la duración de un movimiento: «las aguas siguieron menguando» (Gn 8,5; cf. v. 3). En un sentido muy debilitado, *hyh* sirve para ratificar lo ya indicado: «serán macho y hembra» (Gn 6,19), y puede considerarse como simple partícula copulativa (BrSynt 28; BM II, 96). Pero con frecuencia *hyh* conserva su función de describir una situación personal u objetiva: «y ambos, el hombre y su mujer, estaban desnudos» (Gn 2,25). La expresión *way^{e}hī,* «y sucedió», de verbo narrativo ha pasado a ser simple expresión formal. L. Köhler, VT 3 (1953) 304, considera esta fórmula como un caso de «hipertrofia»; hay que decir, sin embargo, que en ella resuena todavía de lejos el *hyh* tratado, *inf.* 4*b*(1).

El nifal aparece sobre todo en textos tardíos (y en Qumrán) en el sentido de «suceder, acontecer» (por ejemplo, Dt 4,32; Jr 5,30; Zac 8,10) y quizá también «haber pasado» (Dn 8,27).

4. Desde el punto de vista teológico, pueden señalarse tres modos de empleo de *hyh: a)* el implícito; *b)* el empleo teológico explícito (en narraciones de milagros, en oráculos proféticos, en prescripciones legales y en la fórmula de alianza), y *c)* el empleo teológico absoluto de Ex 3,14a; cf. Ratschow, *loc. cit.,* 31-86.

a) En los textos de *maldición* y *bendición, hyh* sirve para señalar a qué está destinada la persona maldecida o bendecida; este destino se realiza conforme al poder bueno o malo de su portador: «te convertiré en pueblo grande, te bendeciré, haré famoso tu nombre y serás una bendición» (Gn 12,2); Abrahán ha sido ya bendecido y esta bendición —que pertenece ya a su ser— se manifestará en sus consecuencias. «Y tu descendencia será como el polvo de la tierra» (Gn 28,14): esta descendencia todavía no ha aparecido, pero «existe» ya gracias a la fuerza de la bendición que impulsa hacia su realización. De forma semejante: «aquel hombre será como las ciudades que Yahvé ha destrozado» (Jr 20,16). Estas fórmulas no presentan a Yahvé como directamente actuante; presentan la palabra de bendición o maldición en relación directa con su realización en la historia. *hyh,* normalmente en perfecto, indica aquí la dinámica interna de la bendición o de la maldición, una fuerza que se libera por medio de la palabra y madura inevitablemente sus efectos.

La fe yahvística ha sometido a crítica esta concepción dinámico-realista de la bendición/maldición. Pone en relación directa los efectos de la palabra y la intervención personal de Dios. Por medio de *hyh* en imperfecto la bendición se convierte en promesa y la maldición en amenaza, que Yahvé hará realidad en el futuro. *hyh* designa aquí el cumplimiento histórico de la palabra de Yahvé, la serie de acontecimientos que seguirán a su intervención: «cuenta las estrellas, si puedes contarlas..., así será tu descendencia» (Gn 15,15); «vuestro país se convertirá en estepa y vuestras ciudades en escoria» (Lv 26,33). *hyh* señala aquí la verdad de lo que Yahvé ha anunciado y se convertirá en realidad en los acontecimientos de la historia. En forma débil, la bendición/maldición aparece como deseo y súplica; el hombre pronuncia la palabra, pero su realización la deja implícita a la decisión de Yahvé: «sean como la hierba de tus techos, que se seca antes de arrancarla» (Sal 129,6); «queden sus mujeres sin hijos y viudas» (Jr 18,21). Incluso en las formas de deseo, *hyh* conserva su carácter dinámico; designa la tensión entre lo oculto o lo presente de forma desconocida y lo que se realizará tras la decisión de Yahvé.

b) *hyh* aparece en relación directa con Yahvé en cuatro contextos literarios:

1) Las *narraciones de milagros* emplean diversos verbos de acción, pero en el punto central de la narración apare-

ce *hyh* para designar el acontecimiento maravilloso: «fueron Moisés y Aarón al Faraón e hicieron lo que Yahvé había ordenado: Aarón echó su cayado delante del Faraón y de sus servidores, y se convirtió en serpiente» (Ex 7,10); «la mujer de Lot miró hacia atrás y se convirtió en estatua de sal» (Gn 19, 26); «y Gedeón dijo ...: que quede seco sólo el vellón y que haya rocío por todo el suelo. Y Dios lo hizo así aquella noche» (Jue 6,39s). Por medio de este verbo la narración describe no un simple acontecimiento histórico, sino la verdadera realidad de un acontecimiento que irrumpe en el acontecer terreno y manifiesta la absoluta potencia de Yahvé. El *hyh* del acontecimiento es la prueba del → *ʿśh* («hacer») de Dios; cf. Am 3,6b: «¿cae en una ciudad el infortunio sin que Yahvé lo haya causado?». El mismo significado aparece en las narraciones de la creación (Gn 1, 3; 2,7). En otros lugares la irrupción personal de Dios no es expresada tan claramente. Pero al igual que en las narraciones de milagros, también en cualquier narración sobre un acontecimiento trivial de la historia *hyh* puede designar la dinámica de lo que sucede en las actuaciones de Yahvé, aun cuando el hombre no siempre sea capaz de reconocer en dichos acontecimientos la mano de Dios (Ecl 1,9).

2) Junto a otros empleos más triviales, los profetas usan *hyh* en oráculos proféticos para describir los acontecimientos que contienen la intervención de Yahvé en el juicio y en la gracia: «pues Gaza quedará en desamparo» (Sof 2,4); «por eso, su camino vendrá a ser su despeñadero» (Jr 23, 12), «habrá allí una senda pura» (Is 35,8), etc. Se trata en estos casos de lo que Ratschlow, *loc. cit.,* 67, llama «el empleo profético propio». Aparece con frecuencia en Os (6 ×), Miq (3 ×), Is (28 ×), y con relativamente menor frecuencia en Jr (12 ×) y Ez (29 ×). Cf. el resumen en Ratschlow, *loc. cit.,* 67-74. El peso de estas afirmaciones proféticas está en lo inesperado, lo increíble —aunque cierto y real— de los acontecimientos anunciados. Los profetas forman expresiones paralelas con gran número de imágenes, pero no describen el proceso mismo del acontecimiento; esto muestra que, para ellos, *hyh* no designa el suceso objetivo en cuanto tal, sino la soberana intervención de Yahvé en sus diversas manifestaciones: «sucederá a continuación...» (Is 7,18.21.23, cf. 22). Esta intervención es, tanto si se trata de juicio como de salvación, un milagro; es algo que sale del curso normal de los acontecimientos y que muestra la eficacia de la voluntad divina: «ciertamente, tal como lo había planeado, así fue *(hyh),* y como lo planeé, así se cumplirá *(qūm)*» (Is 14,24).

3) En las *prescripciones legales* por medio de *hyh* se indica al pueblo de la alianza cuál debe ser su relación con Dios y con los demás: «el primer día tendréis asamblea santa (será para vosotros)» (Ex 12,16); «cuanto caiga en anatema en Israel será para ti» (Nm 18, 14); «pero todas las que carezcan de aletas y escamas... serán abominables. Serán abominables para vosotros» (Lv 11,10s). Es de notar en este último ejemplo la presencia, una junto a otra, de una frase nominal y una frase con *hyh;* en esta segunda frase el verbo muestra claramente que se trata no de una simple identidad objetiva, sino de un comportamiento determinado legalmente. Esta realidad legal corresponde al estado de cosas tal como Dios lo ve y tal como él lo ha determinado para el bien del pueblo. Pero se trata de que también el pueblo lo reconozca y le dé lugar en su vida cotidiana. «No tendrás otros dioses junto a mí *(lō yihyæ lᵉkā)*» (Ex 20,3); aquí el verbo está en singular, pues el verbo no pretende negar la existencia de otros dioses, sino exigir que Israel no reconozca a otros dioses. En todos estos textos de la Torá el significado dinámico de *hyh* sirve para describir el movimiento que lleva siempre la voluntad de Dios a inserirse en la vida cotidiana de su pueblo y hace

que Israel sea de verdad lo que, según la voluntad de Dios, debe ser: «sed santos, porque yo (soy) santo, Yahvé, vuestro Dios» (Lv 19,2).

4) Finalmente, debemos señalar el último contexto literario del empleo teológico de *hyh:* el correspondiente a la *fórmula de la alianza* (cf. R. Smend, *Die Bundesformel* [1963]. Las dos partes de la alianza se comprometen recíprocamente a observar un determinado comportamiento. La forma breve suena: «yo seré vuestro Dios, y vosotros seréis mi pueblo» (Jr 7,23; cf. 11,4; 24,7; 31,33; Ez 36,28 y *passim);* Dt 26,17-18 presenta una fórmula bimembre, más alargada: «has hecho declarar hoy a Yahvé que él será tu Dios... y Yahvé te ha hecho declarar que tú serás su pueblo...» (cf. Smend, *loc. cit.,* 7s). Véase también la fórmula de la alianza referida a David: «yo seré su padre y él será mi hijo» (2 Sm 7,14). *hyh* designa aquí el comportamiento mutuo de las partes de la alianza, tanto en el presente como en el futuro, visto en su carácter dinámico y activo: lo que ellos, gracias a la alianza, son el uno para el otro, se renueva en cada acción del uno para con el otro, de forma que ellos son siempre más y siempre mejor lo que ya son. De ahí que la exhortación de la parénesis deuteronómica a que Israel sea el pueblo que ya es, en su «caminar» *(hlk)* y «obedecer» *(šmr).*

En los textos nunca aparece esta llamada dirigida al otro *partner* de la alianza, es decir, a Yahvé. Dt 26,17s une las dos frases de la fórmula de la alianza con la obediencia de Israel. Pero esto no significa que la validez de la alianza dependa exclusivamente de la obediencia de Israel. Al contrario, si la alianza sigue en vigor es porque Yahvé la ha establecido (la fórmula es con frecuencia del tipo llamado «fórmulas yo»); el *hyh* de Dios contiene de por sí las medidas que Yahvé tomará en el futuro para el bien de Israel. El *hyh* de Israel, por el contrario, está amenazado por la desobediencia, el olvido y el silencio de aquellos que creen haber llegado a la meta y por eso debe verificarse siempre por medio de una llamada a la obediencia.

c) En Ex 3,14a, *hyh* es empleado en forma absoluta, sin preposición ni predicado, en una fórmula «yo» de Yahvé: *ʾæhyæ ʾašær ʾæhyæ* (la *Zürcher Bibel:* «seré el que seré»).

El pasaje presenta un problema cuádruple:

1) Un problema *crítico-literario:* los versos 14 y 15 dan una doble respuesta al v. 13: «¿cuál es su nombre?». ¿La respuesta original está contenida en v. 15, donde el tetragrama aparece en su forma normal? En ese caso, el v. 14 sería un comentario teológico que pretende interpretar el sentido del tetragrama y 14b sería una transición redaccional (así, B. D. Erdmans, *Alt. Studien* III [1910] 12-14; Noth, ATD 5,30s). Pero también el v. 14 podría considerarse original; en ese caso, la dificultad del texto habría llevado a un añadido (v. 15) elaborado en formas más tradicionales (así, G. J. Thierry, OTS 5 [1948] 37).

2) Un problema *etimológico:* la fórmula contiene probablemente una alusión al tetragrama. ¿Se trata de una etimología filológica probable o más bien de una simple paranomasia teológica? ¿Cuál es el significado original del tetragrama?

3) Un problema *histórico:* ¿desde cuándo se empleaba el nombre de Yahvé? ¿Tienen razón E y P cuando atribuyen a Moisés el primer empleo de dicho nombre? ¿De dónde proviene el nombre? Sobre estas cuestiones, cf. el artículo → *Yhwh.*

4) Un problema *exegético:* ¿tienen ambos *ʾæhyæ* en v. 14a el mismo significado? No hay ninguna razón decisiva para dudar de ello (E. Schild, VT 4 [1954] 296-302, quiere distinguir el sentido de identidad del primer verbo y el de existencia del segundo: «yo soy el que es»). La repetición del verbo no es tautológica, sino enfática (cf. Ex 33,19). Más: ¿es correcta la sintaxis? Sí lo es, puesto que cuando el sujeto de la frase introducida por *ʾašær* es sujeto o atributo de la frase principal en la forma de un pronombre, entonces el verbo se mantiene en la misma persona (GK § 138d; Schild, *loc. cit.,* 298; cf. Ex 20,2; 1 Re 8,22s; 1 Cr 21,17).

La fórmula ha sido entendida de tres formas diversas:

1) Como afirmación acerca de la esencia de Dios: cf. LXX ἐγώ εἰμι ὁ ὤν, «yo soy el que es»; Lutero: «yo tengo sola la esencia; el que busque otras cosas, que se vaya» *(Weimarer*

Ausgabe, vol. 16, 49). Schild, *loc. cit.,* 301: «se trata de una respuesta positiva en la que Dios se define a sí mismo como el que es, el que existe, el que es real». Cf. también O. Eissfeldt, FuF 39 (1965) 298-300 = KS IV, 193-198. Pero el empleo normal de *hyh* se opone a esta interpretación y muestra que el sentido del pasaje va más allá de una simple afirmación del ser (aseidad) de Dios.

2) Como negativa a revelar el nombre; así, Köhler, *Theol.,* 235, nota 36: «... una afirmación que niega información ... Moisés debe ver quién es Dios en las obras de éste»; cf. Gn 32,30; Jue 13,18. El contexto (respuesta positiva paralela a v. 12, repetición de la expresión en v. 14b) exige una palabra que, sin romper el secreto de Dios, da una respuesta afirmativa a v. 13.

3) Como afirmación sobre la actividad de Dios. La mayoría de los exegetas entiende el pasaje (con matices diversos) como proclamación de la actividad siempre nueva de Dios en la historia; así, Eichrodt I, 118: «yo estoy real y verdaderamente ahí, dispuesto a ayudar y actuar, tal como siempre lo he estado» (cf., entre otros, Th. C. Vriezen, FS Bertholet [1950] 498-512; íd., *Theol.,* 201; von Rad I, 193s; Noth, ATD 5,31). El significado activo y dinámico de *hyh* apoyaría una interpretación en esta línea.

Deben señalarse especialmente tres elementos de la fórmula: 1) No emplea más que formas de 1.ª persona y no sólo por razones sintácticas. Dios es siempre un «yo» soberano y no puede nunca convertirse en un «él» abierto a la curiosidad del hombre. 2) El verbo aparece siempre en imperfecto, el tiempo que indica siempre una acción abierta a nuevas acciones. Dios se da a conocer en la serie de sus acciones históricas. 3) El empleo de *hyh* aparece aquí en la línea de los tres modos de empleo teológico más importantes en las narraciones de milagros, en los profetas y en las fórmulas de alianza: se trata de una acción siempre nueva con la que Dios irrumpe en la historia y se muestra como el Señor leal.

Prescindiendo de Ex 3,14, *hyh* es empleado en forma absoluta sólo en Os 1,9: «yo (soy) *lō ʾahyǣ* (= yo no estoy ahí) para vosotros», es decir, me niego a seguir desempeñando la función que me había asignado a mí mismo en la respuesta dada a Moisés en Ex 3,14.

Muchos autores han sugerido que el texto debe ser corregido de acuerdo con la fórmula de la alianza («yo no soy vuestro Dios»). Pero debe preferirse la *lectio difficilior* (cf. Wolff, BK XIV/1, 7).

De todos modos, no es de extrañar que Ex 3,14 no haya tenido mayor eco. Incluso en ese mismo texto, la fórmula ocupa un lugar secundario; el peso principal del texto recae sobre el v. 15. Para describir la fiel asistencia de Yahvé los textos no emplean *hyh* en forma absoluta, sino más bien la frecuente fórmula *hyh ʿim,* «yo estoy con» (Ex 3,12; cf. Jr 2,18; 1 Sm 18,12), donde la preposición no añade al verbo nada nuevo, sino que subraya este significado activo y dirigido hacia una meta.

5. El judaísmo tardío desarrolla la fórmula de Ex 3,14 destacando sobre todo la eternidad de Dios; así, el Targum Yonatán, Ex 3,14b: «yo soy el que era y será»; de forma semejante, Midrás, Ex 3,14. Pero también se interpreta la fórmula en el sentido de la actividad creadora de Dios, correspondiendo a Sal 33,9; así, Targ. Yon, 3, 14a: «el que habló y surgió el mundo; habló y existió todo», o también en el sentido de la polémica de DtIs contra la inutilidad de los ídolos (Is 43,10s; 44,6), así, Targ. Yon., Dt 34,39: «yo soy el que es y fue; yo soy el que será y no hay más dioses que yo». Incluso allí donde se destaca la eternidad, la concepción de existencia implícita en el verbo *hyh* conserva su carácter activo.

En el NT aparece con frecuencia εἶναι allí donde el hebreo emplea una simple frase nominal (por ejemplo, Mt 26,26, paralelo a «esto es mi cuerpo») o un verbo de situación (Mt 26,38: «mi alma está preocupada», eco de Sal 42, 6 con *šḥḥ* hitpolel). Otras veces asume la función del narrativo *wayᵉhī,* «y sucedió» (por ejemplo, Lc 6,6), o del profético *wᵉhāyā*, «y sucederá» (por ejemplo, Mt 13,42); cf. M. Johanessohn, *Das biblische* καὶ ἐγένετο *und sein Geschichte:* «Zeitschrift für vergleichende Sprachforschung» 53 (1926) 161-212; íd., *Die biblische Einführungsformel* καὶ ἔσται: ZAW 59 (1942-1943) 129-184; K. Beyer, *Semitische Syntax im NT* I (1962) 29-65. Pero εἶναι conserva la tendencia activa del *hyh* teológico en algunos textos cristológicos importantes: «mira, estoy con vosotros todos los días...», Mt 28,18, en la línea del hebreo *hyh ʿim;* debe mencionarse sobre todo el empleo de Juan en el prólogo «al comienzo era el Logos» y en las afirmaciones en que Jesús se aplica a sí mismo el título divino de Ex 3,14: ἐγώ εἰμι, «yo soy» (Jn 8,24.28.58; 13,19). La fórmula trimembre aparece en Ap 1,4.8 referida a Dios: «el que es, el que fue y el que viene» (cf. 4,8; 11,17; 16,5); cf. E. Stauffer, art. ἐγώ: ThW II, 350-352; F. Büchsel, art. εἰμί: ThW II, 396-398; E. Schweizer, *Ego eimi* (1939).

S. AMSLER

הֵיכָל *hēkāl* Templo → בַּיִת *báyit*

הלך *hlk* Ir

1. El verbo *hlk,* «ir», aparece en la mayoría de las lenguas semíticas (en árabe antiguo, con el significado débil de «comportarse», HAL 236a; en árabe, «perecer», Wehr, 916).

Cf. el acádico *alāku* (AHw 31-34; CAD A/1, 300-328); el ugarítico *hlk* (WUS N. 830; UT N. 766); el cananeo *yilaku* (imperfecto en la carta de Amarna, AO 7098, reverso 27; F. Thureau-Dangin, BAAO 19 [1922] 98); fenicio: Friedrich 70; hebreo antiguo y moabita: DISO 65; arameo: KBL 1069; DISO 65; LS 176s; Drower-Mauch 148b.

En hebreo están documentadas las conjugaciones qal, piel, hitpael, nifal e hifil. Como ocurre con los verbos que significan «ir» en muchas lenguas indoeuropeas (F. Rosenthal, Or 11 [1942] 182s), también en semítico la conjugación de *hlk* es bastante irregular. El imperfecto, el imperativo y el infinitivo constructo qal y todas las formas del hifil se forman con los verbos *primae y/w.* Normalmente se suele explicar este hecho como consecuencia de que el perfecto hifil es aparentemente del tipo *primae y/w (hahlaka > hālaka > hōlaka > hōlīk,* BL 213; Meyer II, 142) (GK § 69 x; Bergstr. II, 131; BL 384s); algo distinto, Z. S. Harris, *Development of the Canaanite Dialects* (1939) 33; J. M. Allegro, WdO II/3 (1956) 264-266.

En arameo aparecen formas que parecen remontarse a una raíz **hwk* (en arameo bíblico, el imperfecto peal *yᵉhāk,* infinitivo *mᵉhāk;* cf. BLA 144; DISO 65; R. Degen, *Altaram. Grammatik* [1969] 79; distinto, F. Rundgren, AcOr 21/4 [1953] 304-316). El imperativo *lēk* de las lenguas cananeas permite deducir la existencia de una raíz bilítera **lk* (Meyer II, 142). Uniendo estos dos datos, Gordon sospecha que la raíz trilítera *hlk* ha surgido de la unión de **hk* y de **lk* (UT N. 766). De todos modos, en hebreo, moabita *(wʾhlk,* «y yo fui», KAI N. 181, líneas 14s, junto a *lk* en línea 14) y en fenicio antiguo *(hlk,* KAI N. 27, línea 21, junto a *lkt,* KAI N. 26, II, 4; *wylk* II, 19; cf. Friedrich, 70) el verbo aparece en ocasiones en forma trilítera: *yahᵃlōk,* «él va», Jr 9,3 y *passim; ʾæhᵆlōk,* Job 16,22 y *passim; tihᵃlak,* Ex 9,23; Sal 73,9; el infinitivo *hᵃlōk,* Ex 3,19; cf. Bergstr. II, 131.

En arameo bíblico, el perfecto e imperativo peal de *hlk* es sustituido por formas de *ʾzl* (KBL 1069a). En Dn 3,25; 4, 34 es preferible leer la forma pael en lugar de hafel (BLA 274).

Sustantivos derivados son:

a) *hālīk,* «paso» o mejor «pie», siguiendo a la Vulgata; cf. M. Dahood, Bibl 45 (1964) 404;

b) *hᵃlīkā,* «camino, pista; caravana, procesión; acción y movimiento» (HAL 236a);

c) *hēlæk,* «(ida >) corriente; (visita >) visitante» *(nomen actionis,* BL 460; HAL 238a);

d) *mahᵃlāk,* «marcha, etapa del camino» (BL 490);

e) *tahᵃlūkōt,* «procesión» (BL 497; cf., sin embargo, BH³ en Neh 12,31; KBL 1020a);

f) el arameo bíblico *hªlāk*, «impuesto» (KBL 1069; cf. el acádico *ilku*, una especie de impuesto que los vasallos debían pagar; AHw 37ss; CAD I/J 73-81; H. W. Bailey, «Asia Major» 7 [1959] 18s).

De esta raíz se deriva también el nombre propio femenino *Hammōlækæt* (1 Cr 7,18, quizá también en v. 15; cf., sin embargo, J. Morgenstern, ZAW 49 [1931] 58).

2. El verbo *hlk* aparece 1.547 × en el AT hebreo; 1.412 × en qal, 64 × en hitpael, 45 × en hifil, 25 × en piel y 1 × en nifal. Deben añadirse 7 casos del arameo bíblico (qal 4 ×, pael 1 ×, hafel 2 ×; cf., sin embargo, 1).

En Mandelkern falta Is 55,1b *lᵉkū* (1 Cr 18,13 aparece como un añadido); Zac 3,7, *mahlᵉkīm* debe contarse, según Lisowsky, como *mahªlāk;* Nm 17,11, *wᵉhōlēk* debe contarse como hifil (Lisowsky: qal).

	qal	*nifal*	*piel*	*hifil*	*hitpael*	*Total*
Gn	113	—	—	—	8	121
Ex	70	—	—	2	1	73
Lv	18	—	—	1	1	20
Nm	44	—	—	1	—	45
Dt	48	—	—	4	1	53
Jos	48	—	—	1	2	51
Jue	110	—	—	—	1	111
1 Sm	128	—	—	—	9	137
2 Sm	94	—	—	1	3	98
1 Re	120	—	1	1	—	122
2 Re	93	—	—	5	1	99
Is	56	—	1	4	1	62
Jr	111	—	—	5	—	116
Ez	58	—	1	5	3	67
Os	21	—	—	1	—	22
Jl	4	—	—	—	—	4
Am	8	—	—	1	—	9
Abd	—	—	—	—	—	—
Jon	6	—	—	—	—	6
Miq	12	—	—	—	—	12
Nah	2	—	—	—	—	2
Hab	2	—	1	—	—	3
Sof	1	—	—	—	—	1
Ag	—	—	—	—	—	—
Zac	10	—	—	1	6	17
Mal	2	—	—	—	—	2
Sal	38	1	12	3	14	68
Job	20	—	2	2	5	29
Prov	30	—	3	1	4	38
Rut	18	—	—	—	—	18
Cant	7	—	—	—	—	7
Ecl	25	—	3	2	—	30
Lam	4	—	1	1	—	6
Est	3	—	—	—	1	4
Dn	3	—	—	—	—	3
Esd	3	—	—	—	—	3
Neh	13	—	—	—	—	13
1 Cr	20	—	—	—	3	23
2 Cr	49	—	—	3	—	52
T. AT	1.412	1	25	45	64	1.547

Los sustantivos aparecen: *hālīk* 1 × (Job 29,6), *hªlīkā* 6 × (Nah 2,6; Hab 3,6; Sal 68,25.25; Job 6,19; Prov 31,27), *hēlæk* 2 × (1 Sm 14,26; 2 Sm 12,4), *mahªlāk* 5 × (Ez 42,4; Jon 3,3.4; Zac 3,7; Neh 2, 6), *tahªlūkōt* 1 × (Neh 12,31), arameo *hªlāk* 3 × (Esd 4,13.20; 7,24).

3. *a)* El significado del verbo está claramente recogido por nuestro «ir» y varía muy poco de contexto a contexto, por ejemplo, cuando no se habla de hombres (Gn 9,23 y *passim),* sino que se expresa el automovimiento de animales o cosas: las serpientes se arrastran (Gn 3,14), las raposas merodean (Lam 5,18, piel), los barcos navegan (Gn 7,18; Sal 104,26, piel), los presentes van delante (Gn 32,21), etc. También el agua «va», es decir, «fluye» (Gn 2,14; 8,3 y *passim;* cf. también la línea 4 de la inscripción de Siloé), y el sonido de la trompeta «resuena» (Ex 19,19).

En algunos casos el infinitivo absoluto *hālōk* se añade a otras formas verbales para dar mayor énfasis al carácter duradero de la acción designada por las mismas (por ejemplo, Gn 8,3.5; 17,9; Jue 14,9; 2 Re 2,11; cf. GK § 113a; BrSynt 82-84). De forma semejante, también las formas finitas de *hlk* pueden tener una función aclaratoria; así, por ejemplo, en unión a *lqḥ,* Gn 27, 14; *npl,* Gn 50,18; *šlḥ,* 2 Re 3,7; *ʾmr,* Is 2,3 (HAL 236b).

Tampoco las formas imperativas *lēk, lᵉkā* y *lᵉkū* son empleadas únicamente como expresión de una orden simple; muchas veces se unen a otros verbos imperativos para dar mayor énfasis a la orden que de éstos emana; en dichos casos pueden traducirse por «¡ea!, ¡vamos!» (Gn 37,13.20; Ex 4,19 y *passim).* Concretamente, *l^e^kā,* con frecuencia, «se ha convertido en interjección y puede, como tal, dirigirse a un sujeto femenino (Gn 19,32) o plural (Gn 31, 44)» (BL 385).

El verbo adquiere un matiz especial cuando se trata de describir el camino que lleva a una meta; así, por ejemplo, el fin de la lluvia (Cant 2,11), del rocío (Os 6,4), del viento (Sal 78,39), de las nubes (Job 7,9), del dolor (Job 16,6). Referido a la vida humana, recibe el sentido de «ir a la muerte, morir» (Gn 15,2; Jos 23,14; 1 Re 2,2; Sal 39,14; 58,9; Job 10,21; 14,20; 16,22; 19,10; 27,21; Ecl 1,4; 3,20; 6,4.6; 9,10; 1 Cr 17,11).

El mismo sentido tiene el hifil de Sal 125,5, el piel de Hab 3,11 (sol y luna) y el nifal (único en todo el AT) de Sal 109,23.

Cuando el verbo acompaña la partícula *ʾaḥar* y *ʾaḥ^a^rē,* «detrás», adquiere el significado de «seguir, perseguir» (Gn 24,5.8; 32,20 y *passim),* significado muy usado en contextos religiosos (cf. *inf.* 4*b).*

El hifil de *hlk* tiene significados más o menos claramente causativos («hacer ir, conducir, llevar», etc.). Sobre *hlk* piel, «vagar, ir de aquí para allá», cf. Jenni, HP 151-153. El hitpael, «pasear, caminar de aquí para allá», tiene también, lo mismo que el qal y el piel, el significado de «caminar» en el sentido de comportarse (cf. *inf.* 4*b).*

Los demás verbos de movimiento, semánticamente vecinos, tienen todos algún significado especial; así, *rūṣ,* «correr»; → *bōʾ,* «venir, entrar»; → *yṣʾ,* «salir»; → *ʿlh,* «subir»; → *šūb,* «volver», etc. En cambio, → *yšb,* «quedarse», y → *ʿmd,* «estar», tienen el significado opuesto.

b) Los sustantivos de la raíz *hlk* tienen diversos significados (cf. *sup.* 1), pero todos ellos se relacionan de algún modo con el significado base «ir». Sobre Hab 3,6 (caminos de las estrellas), cf. los paralelos acádicos y ugaríticos señalados en HAL 236a (1 Aqht [= ID] 52.56.200). El significado traslaticio «cambio» *(h^a^līkōt,* Prov 31,27) se da también en el acádico *alaktu,* plural *alkakātu* (AHw 31.36b; CAD A/1, 297-300).

4. *a)* En el ámbito religioso llama poco la atención el hecho de que, al igual que los dioses (Sal 115,7, piel), también Yahvé sea presentado como alguien «que camina». Recuérdese el caminar de Yahvé por el jardín del Edén (Gn 3,8, hitpael) o su marcha después de haber visitado a Abrahán (Gn 18, 33). Yahvé puede también caminar sobre las nubes (Sal 104,3, hifil) o andar por el cielo (Job 22,14, hitpael). Ante él marcha la justicia (Sal 85,14, piel).

Más importantes que estas concepciones antropomórficas son las afirmaciones en las que el andar de Yahvé se presenta bajo el aspecto específico de venir a salvar o castigar a su pueblo (2 Sm 7,23 = 1 Cr 17,21) y es experimentado como ayuda (Sal 80,3; Zac 9, 14; también 5,14s). En la gran mayoría de los casos estas intervenciones de Yahvé son vistas como un cumplimiento de la función de jefe que le corresponde desde los tiempos en que Israel caminaba por el desierto (Ex 33,14.15. 16; 34,9; cf. Lv 26,12, hitpael; Dt 20, 4; 23,15, hitpael, 31,6.8; 2 Sm 7,6s, hitpael = 1 Cr 17,6; en el nuevo éxodo: Is 45,2; 52,12); a eso se refiere, en lenguaje figurativo, el tema de la nube y la columna de fuego (Ex 13,21; Nm 14,14; Dt 1,30.33).

En este contexto debe entenderse también la función del arca de Yahvé, que marcha delante del pueblo como símbolo visible de la presencia de Dios y que más tarde, en las procesiones, reúne en torno a sí a todos los participantes en la acción cúltica, aun cuando el uso de *hlk* no esté aquí introducido de forma fija (Jos 3,6; 6,9; 1 Sm 6,12; cf. Nm 10,33.36; Jue 4,14; 2 Sm 5, 24; 6,5). Cuando el pueblo se hace dioses que desempeñen esta misma función, apostata de Yahvé (Ex 32,1.23; cf. 1 Re 12,28-30). Y cuando el pueblo se muestra rebelde, Yahvé debe dirigirse contra el pueblo (Lv 26,24.28.41; Nm 12,9).

b) A este caminar de Dios hacia su pueblo, junto con su pueblo y ante él, corresponde por parte del hombre el obediente seguimiento de Yahvé (cf. F. J. Helfmeyer, *Die Nachfolge Gottes im AT* [1967]). La expresión *hlk ʾaḥarē* es una fórmula de fácil comprensión para el israelita familiarizado con el sistema de vida nómada y puede servir para describir el comportamiento general del pueblo y de los particulares. De todas formas, los textos veterotestamentarios referentes a la actitud de seguir a Yahvé no son numerosos; el tema aparece especialmente en los textos deuteronómicos (Dt 13,5; 1 Re 14, 8; 2 Re 23,3 = 2 Cr 34,31; además, Jr 2,2, donde aparece la imagen del noviazgo; Os 11,10; cf. también 1 Re 14,20s: «seguir a un profeta»; sobre expresiones sinónimas, cf. Helfmeyer, *loc. cit.,* 93.122). Con mucha mayor frecuencia aparecen los temas de la apostasía y del seguimiento de dioses extranjeros (Baal, etc.: Dt 4,3; 6,14; 8, 19; 11,28; 13,3; 28,14; Jue 2,12.19; 1 Re 11,5.10; 18,18; 21,26; 2 Re 13,2; 17,15 = Jr 2,5; Jr 2,8.23.25; 7,6.9; 8,2; 9,13; 11,10; 13,10; 16,11; 25,6; 35,15; Ez 20,16; cf. N. Lohfink, *Das Hauptgebot* [1963] 76s) o los de las imágenes caprichosas y engañosas (Jr 3, 17; 16,12; 18,12; Ez 13,3; 33,31). El seguir a otros dioses implica necesariamente la apostasía de Yahvé, como lo muestran claramente los pasajes de 1 Re 9,6; 18,21; Jr 5,23. Sobre sinónimos de nuestra expresión referidos al seguimiento de dioses extranjeros, cf. Helfmeyer, *loc. cit.,* 152-179.

Junto al tema de la apostasía abierta que se manifiesta en el seguimiento de dioses extranjeros, se dan también otras numerosas expresiones que describen el comportamiento alejado de Dios y señalan lo arbitrario en el comportamiento humano: seguir el engaño o semejantes (Jr 6,28; 23,14; Job 31,5), caminar según los propios planes o según planes malos (Jr 7,24; Sal 1,1; Job 34,8), según el propio corazón (Jr 11,8; 23,17) o en la oscuridad (Is 59,9, piel; Ecl 2,14).

El hecho de que se hable con mayor frecuencia del seguimiento de dioses extranjeros que del seguimiento de Yahvé se debe quizá a que el tema «seguir» proviene del ámbito cúltico de las procesiones paganas (HAL 237a; Lambert, BWL 38s). Israel, por tanto, habría evitado esta expresión (P. Volz, *Der Prophet Jeremia* [²1928] 18; G. Kittel, ThW I, 212; sobre todo lo referente a este tema, cf. E. G. Gulin, *Die Nachfolge Gottes:* StOr 1 [1925] 34-50). A la luz de los documentos antes presentados debe descartarse la opinión de los que piensan que esta expresión es aplicable sólo a los dioses y no a Yahvé, porque el israelita conducía su vida «ante» Yahvé y no «detrás» de él (H. Kosmala, *Nachfolge und Nachahmung Gottes,* II: *Im Judischen Denken:* ASTI 3 [1964] 65 a 69). Por otra parte, Helfmeyer *(loc. cit.)* atribuye excesiva importante a la fórmula «ir tras Yahvé» al no intentar explicar la menor frecuencia de su empleo. En su opinión (por ejemplo, *loc. cit.,* 202), la concepción proviene de la guerra santa y ha sido trasladada al lenguaje teológico por los círculos deuteronómicos y deuteronomísticos.

Debe señalarse, de todas formas, que el comportamiento del israelita fiel al yahvismo se dirige primariamente a seguir los mandatos de Yahvé. En el AT existen numerosas expresiones para describir esta actitud, algunas de las cuales hablan de caminar por los caminos (→ *dæræk),* las leyes y prescripciones de Yahvé, etc. (así también, Helfmeyer, *loc. cit.).* Se puede, ciertamente, aludir a la apostasía por medio de la idea de caminar tras los dioses extranjeros; pero debe precisarse, sin embargo, que para un israelita los caminos de Yahvé estaban claramente señalados por los mandamientos, mientras que la apostasía es caracterizada precisamente por la negación de los mandamientos. En la época del desierto y de la conquista de la tierra, la idea de caminar tras el Señor aparece en primer plano; pero una vez conquistada la tierra, esta idea es eliminada por la certeza de la presencia de Yahvé en medio de su pueblo. Según eso, toda apostasía equivalía a apartarse de Yahvé y caminar tras los dioses extranjeros. La idea de caminar *con* Yahvé no se puede expresar por medio de *hlk* (sin *ʾaḥarē)* si éste no va acompañado de términos como *ṣᵉdāqōt* (Is 33,15: «en justicia»), *haṣnēaʿ* (Miq 6,8: «humildemente») o *tāmim* (Sal 15, 2: «impecablemente»). Es el hitpael sobre todo el que sirve para expresar esta relación. El fiel camina «con Dios» (P: Gn 5,22.24; 6,9) o «ante él», es decir, en responsabilidad y confrontación con él (Gn 17,1; 24,40; 48,15; 1 Sm 2,30; 2 Re 20,3 = Is 38,3; Sal 26,3; 56,14; 101,2; 116,9; Prov 6,22; 20,7; en qal: 1 Re 2,4; 3,6; 8,23.25. 25; 9,4).

c) En la mayoría de los casos de hifil Yahvé es el sujeto del verbo (en 24 de los 45 casos de hifil). El puede «hacer apartarse» el agua del mar (Ex 14,21) o conducir a ciegos (Is 42,16 y *passim),* pero el objeto normal de la dirección divina es Israel (Lv 26,13; Dt 8,2.15; 28,36, al exilio; 29,4; Jos 24,3; Is 48,21; 63,13; Jr 2,6.17, texto dudoso; 31,9; Os 2,16; Am 2,10; Sal 106,9; 136,16).

5. Sobre el empleo lingüístico de la comunidad de Qumrán debe señalarse que también allí *hlk* es empleado ciertamente en el sentido de «ir» (por ejemplo, referido a la partida de bandas guerreras, 1QM 7,3s). Es mucho más frecuente, de todas formas, de acuerdo con el carácter de los textos, su empleo referido al caminar ético-religioso (por ejemplo, CD 2,15.17; 3,2.5; 7,7; 1QS 1,6; 4,5s; 5,4; 8,2; 1QSa 1,1; 1QH 15,18).

En el judaísmo tardío y en el NT el verbo «ir» es tan frecuente como *hlk* en el AT; cf. F. Hauck y S. Schulz, art. πορεύομαι: ThW VI, 566 a 579; G. Kittel, art. ἀκολουθέω: ThW I, 210-216. Sobre el tema del seguimiento e imitación, H. Kosmala presenta un material más amplio que el del ThW *(Nachfolge und Nachahmung Gottes,* I: *Im griechischen Denken:* ASTI 2 [1936] 38-85; II: *Im jüdischen Denken:* ASTI 3 [1964] 65-110). M. Hengel, *Nachfolge und Charisma* [1968] (con bibliografía), muestra lo estrechamente que está ligada la idea neotestamentaria del seguimiento a su modelo veterotestamentario. Finalmente, la raíz *hlk* ha dado pie al sustantivo Halaká, que designa la totalidad de las doctrinas judeo-rabínicas sobre el recto comportamiento (cf. Levy, I, 471s; Jastrow, I, 353; UJE V, 172-175; JE VI, 163; BHH II, 626s).

G. Sauer

הלל *hll* piel **Alabar**

1. El verbo *hll* piel, «ensalzar, alabar», verbo claramente onomatopéyico, tiene correspondientes en la mayoría de las lenguas semíticas (entre otros, el acádico *alālu* Gt, «cantar un cántico de alegría»; Š, «gritar de júbilo», AHw 34; el ugarítico *hll,* «gritar de júbilo (?)», UT N. 709; cf., sin embargo, WUS N. 832, «luna creciente», cf. *hēlēl,* Is 14,12; más datos en HAL 238b).

El verbo aparece sólo en los modos piel (Jenni, HP 246), pual y hitpael. Como derivados deben citarse *hillūlīm,* «fiesta de alabanza» (Lv 19,24, en ocasión de la fiesta de la cosecha; Jue 9,27, en ocasión de la fiesta de la vendimia en Siquén); *mahᵃlāl,* «alabanza, reconocimiento, fama» (Prov 27, 21), y sobre todo *tᵉhillā,* «honra, alabanza». A éstos se añaden los nombres propios *Hillēl, Yᵉhallæʾēl* y *Mahᵃlalʾēl* (distinto, Noth, IP 169.184.205: los atribuye a *hll* I, «iluminar»).

2. *hll* piel aparece 113 × (Sal 75 ×, 2 Cr 12 ×, 1 Cr 7 ×, Prov 4 ×), pual

10 × (Sal 6 ×), hitpael 23 × (Sal 8 ×, Jr 7 ×, Prov 4 ×), *hillūlīm* 2 × (cf. *sup.*), *mahᵃlāl* 1 × (cf. *sup.*), *tᵉhillā* 57 × (Sal 30 ×, Is 11 ×, Jr 6 ×).

Del total de 206 pasajes (196 corresponden al verbo y 60 son formas nominales), dos tercios pertenecen a los salmos o a motivos propios de los salmos y una séptima parte a la obra cronística. Sigue un pequeño grupo de pasajes en Prov (10 ×) y otro pequeño grupo en la literatura profética, especialmente en los anuncios de salvación. Bastan estas consideraciones generales para observar que *hll* tiene su lugar original en el culto. En el culto se realiza lo que la invitación a la alabanza solicita; todos los pasajes de la obra cronística se refieren a la alabanza cúltica.

3. El verbo y el nombre designan un proceso que ocurre entre hombres y que debe traducirse la mayor parte de las veces por «elogiar/gloria». Se elogia la hermosura de un hombre (piel, Gn 12,15; 2 Sm 14,25; Cant 6,9; pual, Sal 78,63) o su inteligencia (Prov 12,8, pual). Los nombres son usados especialmente con referencia a la gloria de un Estado (en los oráculos de los pueblos: Jr 48,2; 49,25; 51,41; Ez 26,17, pual, habla de Tiro, la famosa ciudad costera). También la sabiduría habla de alabanza y autoalabanza: la mujer prudente es elogiada (piel, Prov 31,28.31; hitpael, 31,30); «no se alabe el que se ciñe como el que se desciñe» (1 Re 20, 11); cf. también Jr 9,22s; Prov 20,14; 25,14; 27,1; piel 27,2. Se alaba al rey (2 Cr 23,12s) o se gloría uno del rey (Sal 63,12).

4. En la mayoría de los casos es Dios el alabado (Jue 16,24, el dios de los filisteos): en los salmos (4*a-c*), en la obra cronística (4*d*) y en los discursos proféticos (4*e*); cf. Westermann, *Das Loben Gottes in den Psalmen* (1954; ⁴1968). F. Crüsemann, *Studien zur Formgeschichte von Hymnus und Danklied in Israel* (1969).

a) El empleo del verbo y del nombre *tᵉhillā* en los salmos puede dividirse en dos grandes grupos: el grupo principal lo constituyen las *invitaciones a la alabanza.* La mayoría de los pasajes de los salmos presenta la siguiente forma imperativa de la invitación a la alabanza: «alabad, siervos del Señor, alabad el nombre del Señor»: Sal 113,1.1; además, Sal 22,24; 117,1; 135,1.1; 148,1.1.2.2.3.3.4.7; 150,1.1.2. 2.3.3.4.4.5.5.6; Jr 20,13; 31,7, además, *halᵉlū(—)Yāh* 24 × (→ *Yhwh* 2); con *tᵉhillā,* Sal 100,4; 149,1; cf. Sal 66,2.8; Is 42,10; parafraseado en hitpael en Sal 105,3 = 1 Cr 16,10.

Este empleo del verbo es el más frecuente, con mucho, como se puede ver cuando se analiza toda la serie de verbos paralelos que presentan esta invitación imperativa a la alabanza (el más importante es → *ydh* hifil; además, entre otros, → *rnn,* → *šīr,* → *brk* piel, «alabar»; → *gdl* piel, «ensalzar»; → *rūm* polel, «ensalzar»); *zmr* piel, «cantar, tocar, alabar», aparece 45 × (Sal 41 ×, además Jue 5,3; 2 Sm 22,50; Os 12,5; 1 Cr 16,9), de ellas 19 × en imperativo plural, 20 × en singular y 1 × en plural voluntativo, 4 × en yusivo, 1 × en infinitivo (Sal 12,2). Cf. también el arameo bíblico *šbḥ* pael (6 ×: Sal 63, 4; 117,1; 145,4; 147,12; Ecl 4,2; 8, 15; hitpael, «alabarse», Sal 106,47 = 1 Cr 16,35), que es un arameísmo (Wagner N. 299-302).

¿Cuál es el sentido de esta invitación a la alabanza? La invitación se hace necesaria porque la alabanza rendida nunca será suficiente; se proclamará siempre de nuevo, incansablemente, continuamente, porque esa alabanza a la que se invita es reconocida como algo vitalmente necesario, como fundamento de la existencia y base de la comunidad y porque en la comunidad existe un fuerte impulso para poner en obra esa alabanza. Este fuerte impulso, la convicción de que el *hll* piel debe realizarse, es el primer elemento que determina la invitación a la alabanza. Esta debe realizarse para que Dios sea reconocido, afirmado y confirmado en su ser divino, en la totalidad de su ser divino. Pero éste es sólo un aspecto; los numerosos verbos paralelos, que designan la alegría y el júbilo (→ *gīl,* → *rnn,*

→ *śmḥ),* muestran que esta alabanza de Dios sólo puede realizarse con alegría, ya que es expresión de la alegría que se dirige a Dios. No puede, pues oírse la invitación veterotestamentaria a la alabanza de Dios sin oír a la vez una invitación a la alegría. En el NT se distinguen la llamada a la fe y la invitación a la alegría; en el AT aparecen unidas.

Como segundo elemento se señala la mayor frecuencia de las formas plurales. La invitación a la alabanza se da prácticamente sólo en plural (singular sólo en Sal 146,1: «alaba, alma mía, a Yahvé»; 147,12: «alaba, Sión, a tu Dios» se dirige a una colectividad). El hecho de que la invitación a la alabanza se dirija casi exclusivamente a una comunidad muestra que la alabanza de Dios ha tenido su lugar propio en la asamblea de la comunidad; ésta forma un coro, es decir, está formada por muchas voces (cf. Is 46,10, que mira al pasado: «tu templo santo, donde nuestros padres te alabaron»). En la alabanza de Dios la comunidad expresa su autocomprensión, su ser frente a Dios. A esto corresponde el hecho de que en la invitación a la alabanza se hable tan frecuentemente de los instrumentos musicales que la acompañan; también éstos tienen su lugar en la comunidad. Con esto, *hll* piel queda determinado como un elemento esencial del culto veterotestamentario.

Existe además un tercer elemento: esta invitación a la alabanza no se dirige sólo a los hombres. No se ha concedido suficiente atención a este hecho. La alabanza es un acto dirigido a Yahvé en el que pueden participar todas las criaturas; el hombre participa en ella como una criatura entre criaturas. De ahí se deduce —para entender correctamente el sentido de *hll* piel— que el sujeto de este acto no es propiamente el hombre según su racionalidad, el hombre con sus opiniones y sus convicciones, sino el hombre en su totalidad creatural, el hombre en lo que tiene de común con las demás criaturas. Dicho brevemente: no es la inteligencia la que alaba a Dios, sino el hombre que respira, se alegra y canta. Se trata de una relación existencial con Dios, que no podría darse partiendo únicamente de la razón. La frase entusiasta que cierra el Sal 150 y, por lo mismo, todo el salterio —«todo lo que respira alabe al Señor» (v. 6)— ha dado con el verdadero sentido de la alabanza a Dios.

La invitación a la alabanza formulada en imperativo corresponde a un género determinado de los salmos, al género de los cánticos de alabanza o de los himnos. Los elementos antes señalados son característicos de este género. La necesidad de repetir continuamente la invitación a la alabanza presupone la continuidad del culto realizado con regular periodicidad. El conocimiento —implícito en la invitación a la alabanza— de la vital importancia de la alabanza a Dios se refleja en la estructura del cántico de alabanza: Dios es presentado en la totalidad de su ser y de su actuar (cf. Westermann, *loc. cit.,* 87ss). Por medio de *hll* piel se hace una afirmación llena de alegría del ser divino de Dios; al hacerla, la comunidad reunida en el culto se sitúa conscientemente frente al Dios que no es sólo Señor de Israel, sino también creador y rey de la historia; por eso se invita a los pueblos y a los reyes, y a todas las criaturas, a que participen en esta alabanza (Sal 148; 150).

De todos modos, no puede limitarse *hll* piel a este género al que pertenecía originalmente, ya que, debido a la tendencia a multiplicar los verbos de alabanza y júbilo, se van perdiendo los límites rígidos entre los diversos verbos de alabanza y se van asemejando, más o menos, los unos a los otros. Aunque es cierto que los textos delatan todavía que *hll* piel es el verbo más normal en la invitación a la alabanza y en el cántico de alabanza.

La invitación a la alabanza formulada en imperativo puede ampliarse por medio de un yusivo: «alaben» (clarísimo en Sal 148,5.13; cf. también en Sal 22,27; 69,35; 107,32; 149,3; gramaticalmente en singular: 150,6). El yusivo vuelve a aparecer, referido a la alabanza, como conclusión de la lamentación individual (Sal 74,21; 102,19; *t^ehillā,* Sal 102,22 y 149,1).

b) Junto a esta invitación imperativa a la alabanza, el vocablo se emplea también de otra forma importante: en modo *cohortativo.* Este modo cohortativo sirve para que un individuo se presente a los demás y les manifieste su intención de alabar a Dios. Aparece en el voto de alabanza que cierra el cántico de lamentación individual y en la introducción al cántico de acción de gracias individual. De todas formas, el vocablo propio de estas formas no es *hll* piel, sino → *ydh* hifil; *hll* piel aparece aquí como vocablo sustitutivo o de complemento: al final de la lamentación individual, Sal 22,23; 35,18; 69, 31; 109,30; al comienzo de un canto de alabanza, sólo en 145,2 y 146,2; además, inserido dentro del salmo, en Sal 56,5.11.11. También Sal 119,171 puede citarse aquí. Es significativo que también aquí aparezca el significado especial de *hll* piel: incluso cuando se trata de la alabanza hecha por un particular, el ámbito donde ésta se realiza es la comunidad (como expresamente lo señalan Sal 22,23: «te alabaré en medio de la asamblea»; 35,18 y 109,30). La expresión «te alabaré» es sustituida con frecuencia por una expresión nominal: Sal 119,171: «mis labios proclaman tu alabanza»; 145,21: «que mi boca proclame la alabanza de Yahvé»; además, Sal 9,15; 22,26; 35,28; 71,6. 8.14; 109,1; Jr 17,14.

La relación de esta forma «yo te alabaré» (las denominaciones «voto de alabanza» o «anuncio de alabanza» son insuficientes) con la forma «alabad» es clara: el *hll* piel es aceptado y afirmado por un particular. También en esta forma se puede observar la importancia vital de la alabanza: es tan importante, que la decisión de proclamarla y la alegría que la acompañan deben manifestarse expresamente: «su alabanza estará siempre en mi boca» (Sal 34, 2). Lo mismo que uno escucha la invitación a la alabanza, así también debe proclamarla ante los demás: ¡yo también tomo parte en ella! Todos estos pasajes delatan que quien pronuncia el sí a la alabanza ve en este sí una afirmación de vida, se ve a sí mismo como participante en un suceso vital. De esta forma, aparece con toda claridad la diferencia que existe entre este empleo y el empleo en la obra cronística (cf. *inf. d):* la institucionalización de la alabanza de Dios hace que esa respuesta afirmativa y esa decisión de alabar a Dios sea algo que ocurre necesariamente; la alabanza estaba ya organizada, dirigida, y funcionaba según unas normas establecidas. El *hll* piel de los salmos, por el contrario, responde a un impulso personal, le acompaña necesariamente el carácter de espontaneidad; sólo si proviene de ese impulso personal es verdadera alabanza a Dios.

El carácter especial de *hll* piel aparecerá aún más claramente si consideramos un pequeño grupo de pasajes que no pertenecen a ninguna forma literaria especial; son textos que presentan una reflexión sobre la alabanza de Dios y así, en la reflexión, nos hacen ver dónde está lo específico de ésta. En esta reflexión, Dios y la alabanza de Dios se acercan considerablemente: «a ti se te debe la alabanza» (Sal 65,2; cf. 147,1). Jeremías puede decir en una de sus confesiones: «pues tú eres mi alabanza» (Jr 17,14). Sal 109,1 se dirige a Dios en estos términos: «dios de mi alabanza»; y en Dt 10,21 se afirma «él es tu alabanza y tu Dios». Es curioso el texto de Sal 22,4: «pues tú moras sobre la alabanza de Israel». Por otra parte, se acercan también considerablemente la existencia humana y la alabanza de Dios: «viva mi alma para alabarte» (Sal 119,175). En la afirmación «no son los muertos los que alaban a Yahvé» (Sal 115,17; Is 38,18) se expresa lo mismo en forma negativa: la alabanza de Dios pertenece a la existencia; es más: es una forma de existencia. Cuando termina, ha terminado también propiamente la vida. Al que participa en la plenitud de la existencia se le declara dichoso: lo mismo se hace con el que alaba a Dios (Sal 84,5). *hll* piel es la alegría existencial que se dirige a Dios y prorrumpe en cánticos dirigidos a Dios.

c) La palabra tiene un significado algo diverso —lo suficiente para constituir un grupo distinto— en aquellos pasajes en que se aplica a Dios el significado profano «glorificar/gloria» (cf. *sup.* 3). Esto vale especialmente para *hll* hitpael y *tᵉhillā*. El gloriarse normal de la vida cotidiana o el gloriarse sapiencial son llevados al ámbito de la relación con Dios, de forma que puede decirse: «gloriaos de su santo nombre» (Sal 105,3 = 1 Cr 16,10) o «mi alma se gloría en Yahvé» (Sal 34,3). Como lo demuestra la forma literaria (Sal 105, 3 pertenece a la invitación a la alabanza y Sal 34,3 al anuncio de alabanza), *hll* hitpael, con Dios por objeto, presenta un significado semejante y sustitutivo de «alabar». Así, en la conclusión de un salmo puede aparecer en paralelo a *śmḥ,* «alegrarse» (Sal 64, 11).

De forma semejante puede hablarse de la gloria de Dios: «la tierra está llena de tu gloria» (Hab 3,3). Así, *tᵉhillā* puede aparecer en paralelo a *kābōd,* «gloria» (Is 42,8), o a *šēm,* «nombre» (Sal 48,11; cf. Is 48,9). La gloria de Dios es anunciada (Is 42,12; 60,6), contada (Sal 78,4; 79,13), repetida (Sal 71,14).

En algunos de estos pasajes aparece el plural *tᵉhillōt* (Ex 15,11; Sal 78,4; Is 60,6; 63,7), que podría traducirse por «hechos gloriosos». Es típico del hebreo que el plural indique no la pluralidad de las aclamaciones de gloria (cf. Sal 22,4), sino la pluralidad de las gestas divinas que suscitan la alabanza y la glorificación. La glorificación y lo que se proclama como glorioso son vistos como una totalidad. Esta particularidad lingüística tiene también un aspecto teológico: este grupo de pasajes en el que *hll* piel, con Dios por objeto, es empleado en el sentido de «glorificar», y *tᵉhillā,* en el sentido de «gloria», presupone que el ser divino de Dios no es entendido en el AT como un ser-en-sí o como un ser trascendente; Dios no es Dios más que en su obrar, y este obrar no se realiza fuera de la experiencia humana, que debe responder dando la correspondiente gloria.

d) Después del libro de los Salmos hay un segundo grupo de textos que emplean nuestra raíz: el grupo formado por los pasajes de la *obra cronística.* Existe una curiosa diferencia con respecto al grupo anterior: en casi todos los pasajes cronísticos se comunica o afirma algo sobre la alabanza de Dios; en los salmos, en cambio, el término es usado sólo para dar inicio a la alabanza (en la invitación imperativa a la alabanza), para anunciarla (voluntativo) o para indicar que debe realizarse (yusivo); en los salmos raramente encontramos narraciones o afirmaciones sobre la alabanza. Llama la atención, por otra parte, no sólo la frecuencia de la raíz en la obra cronística, sino también la singular importancia de *hll* piel: aparece frecuentemente en los momentos centrales de un determinado acontecimiento y es acompañado de un énfasis especial (por ejemplo, 2 Cr 5,13; 7,6; 29, 30; Esd 3,10s). Este énfasis es articulado de forma especial: «con voz alta» (2 Cr 20,19), «con toda fuerza» (30,21, texto enmendado), «con alegría» (29, 30) y especialmente desarrollado en 2 Cr 5,13: «se hacían oír al mismo tiempo y al unísono los que tocaban las trompetas y los cantores, alabando y celebrando a Yahvé». Es claro que la alabanza de Dios era algo decisivo y central no sólo para entender el culto, sino incluso para entender todo tipo de relación con Dios. Al mismo tiempo constituía también el centro de la existencia del que se dirigía a Dios para alabarle; cada una de sus palabras era una auténtica toma de posición. La alabanza de Dios debía expresar de forma especial lo que para esos hombres era la realización de su existencia. Se puede, pues, pensar que quien aquí habla es la clase sacerdotal.

De ahí se deduce el segundo aspecto, aún más marcado, del carácter institucional de esta alabanza de Dios: 1) Es presentado como una institución, es decir, la alabanza de Dios se realiza en un acto específico creado con ese fin (2 Cr 18,4); dicha institución se remonta hasta la época de David (2 Cr 7,6; 8,14; Neh 12,46), se realiza «según las prescripciones de David» (Esd 3,10). 2) La alabanza de Dios se desarrolla según una ordenación cúltica precisa (Neh 12,24), que regula hasta los más mínimos detalles; los cantores son «de oficio» y llevan ornamentos especiales (2 Cr 8,14; 20,21; Esd 3, 10); lo hacen respondiendo a un encargo (1 Cr 16,4). Esta ordenación regula incluso el tiempo: «tenían que estar presentes todas las mañanas y todas las tardes para celebrar y alabar a Yahvé» (1 Cr 23,30); esto pertenece a sus obligaciones (2 Cr 8,14; 31,2). 3) Se hace, pues, evidente el cambio que se ha producido con respecto a la época preexílica: la alabanza de Dios se ha convertido en asunto del coro del templo. La comunidad puede, ciertamente, mostrarse solidaria con dicha alabanza (Esd 3,11) o puede responder con un «amén» (1 Cr 16,36; Neh 5,13); pero en la gran mayoría de los pasajes que hablan de la alabanza de Dios se menciona expresamente a los sacerdotes y levitas como sujetos de la misma.

No hay duda de que el cultivo de la música cultual, que incluía música vocal e instrumental, alcanzó un alto grado; debemos reconocer que la música del templo jerosolimitano en la época persa y griega había llegado a constituir un alto valor cultural. Tampoco se puede dudar de que la música del templo, cultivada por sacerdotes y levitas, era cosa de todo el pueblo y constituía un elemento esencial del culto de la comunidad, que participaba en ella de cuerpo y alma. Pero debe también reconocerse el profundo cambio que ha sobrevenido al institucionalizarse la alabanza de Dios. A la institucionalización acompañan necesariamente una objetivación o tecnificación de la alabanza de Dios, como aparece claramente en algunos de los textos antes citados; lo mismo aparece en los muchos pasajes que presentan el contenido de la alabanza de Dios con el siguiente estribillo: «dad gracias al Señor, porque es bueno...» (2 Cr 5, 13; 7,6; 20,21; Esd 3,10.11), que se ha cristalizado como fórmula fija. Lo mismo se desprende del hecho de que los salmos citados en la obra cronística son partes de salmos diversos enlazados mecánicamente; la estructura original de los salmos no parece tener ya ninguna importancia. Para la comprensión de *hll* piel en la obra cronística es significativa la siguiente frase: «... que supera toda bendición y toda alabanza» (Neh 9,5). Esta frase pretende expresar una alabanza de Dios especial; pero, de hecho, lo único que consigue es quitar el nervio vital a dicha alabanza. En los tiempos antiguos, Dios no está por encima de toda alabanza; su majestad está precisamente en la alabanza que sube a él desde Israel (Sal 22,4).

e) Otro tercer grupo, relativamente pequeño, de textos pertenece a textos proféticos. Los salmos y la obra cronística hablan únicamente de la alabanza presente de Dios; en los pasajes proféticos, por el contrario, especialmente en el contexto de los anuncios de salvación, se habla de una alabanza futura de Dios y de una gloria futura. Esto aparece, primariamente, en los textos en los que la raíz se emplea nominalmente. El objeto de la *t^ehillā* aquí es Israel. Es significativo que cuando se hace referencia al presente y al pasado se habla de la gloria de Babilonia, Tiro, etcétera, pero nunca de la *t^ehillā* de Israel. De ésta se hablará sólo tras el profundo impacto causado por la desgracia que ha acompañado a la caída de Judá, tal como aparece en las Lamentaciones. Sólo entonces hablan los profetas de que Israel y Sión recobrarán su gloria, su *t^ehillā*. Pero esto será obra de Dios: «hasta que convierta (a Sión) en alabanza de la tierra» (Is 62,7); «a tus murallas llamarás 'salvación' y a tus puertas 'alabanza'» (60,18; cf. 61, 11; Jr 13,11; 33,9; Sof 3,19.20; también Dt 26,19).

Pero también las formas verbales

presentan, en el lenguaje profético, una perspectiva futura: en los pequeños cánticos de alabanza, con los que el Deuteroisaías concluye cada una de sus secciones, aparece la invitación a la alabanza transformada: el profeta llama ya desde ahora a la alabanza y al júbilo por el acontecimiento salvífico anunciado, que llevará a Israel a su patria. Aquí, de todos modos, fundamentalmente aparecen términos de alegría y júbilo (*t^ehillā* sólo aparece en Is 42, 12). Esta forma literaria del cántico que alaba la acción salvífica del futuro resuena también en Jr 20,13; 31,7 (piel). En Is 62,9 y Joel 2,26 la alabanza de Dios es respuesta a la bendición divina anunciada para el tiempo de salvación.

5. Los LXX traducen *hll* piel normalmente por αἰνεῖν o semejantes; también por ὑμνεῖν y ἐξομολογεῖσθαι; *hll* hitpael lo traducen por ἐγκαυχᾶσθαι, ἐπαινεῖν y ἐνδοξάζεσθαι y otros. El sustantivo es traducido normalmente por αἴνεσις o también por ὕμνος. La traducción cubre, pues, bastante bien todo el campo del significado de la palabra hebrea. La fórmula *hal^e-lū-Yāh* se ha convertido en fórmula fija, que los LXX transcriben como suena: ἀλληλουϊά. También en Qumrán están documentados tanto el nombre como el verbo (Kuhn, *Konk.*, 60.230). Los pocos pasajes del NT se mueven en la línea de la tradición veterotestamentaria, cf. H. Schlier, art. αἰνέω: ThW I, 176-177; íd., art. ἀλληλουϊά: ThW I, 264; G. Delling, art. ὕμνος: ThW VIII, 492-506.

C. Westermann

המם *hmm* Confundir

1. El verbo *hmm* y su forma abreviada *hūm,* que significan «causar confusión», aparecen sólo en hebreo y en muy pocos casos de arameo.

Pertenecen quizá, junto a *hmh,* «hacer ruido», y *nhm,* «ladrar, gruñir», a una raíz bilítera *hm,* «hacer ruido, estar inquieto, asustar» o semejantes, que aparece con sentido intransitivo —a veces en forma duplicada— en semítico meridional.

hmm aparece en arameo targúmico, *hūm* en arameo antiguo en la forma etpeel, «estar fuera de sí, confuso, lamentarse» (KAI N. 226, línea 6: *hwm ʾthmw;* DISO 64). Cf. también el ugarítico *nhmmt,* «confusión, preocupación» (así, WUS N. 846; CML 156a; distinto en UT N. 778.1621).

En Jr 51,34 aparece la raíz *hmm* II, que, según un correspondiente árabe, debe traducirse por «chupar», de acuerdo con el paralelo *ʾkl,* «comer» (cf. HAL 241a).

Las formas nifal pueden derivarse de *hmm* o de *hūm.* Las formas hifil de *hūm* son textualmente muy problemáticas. De *hūm* ha derivado el sustantivo *m^ehūmā,* «confusión, pánico».

2. *hmm* qal aparece 12 × (excluido Jr 51,34, cf. *sup.*), *hūm* qal 1 × (Dt 7,23), nifal 3 × (1 Sm 4,5; 1 Re 1,45; Rut 1, 14), hifil 2 × (Miq 2,12 y Sal 55,3, que HAL 232b corrige como formas de *hmh* y de *hūm* nifal, respectivamente). *m^ehūmā* aparece 12 ×.

3. El significado base de *hmm* es «alarmar, confundir». En cien casos el sujeto es Yahvé (o bien la mano de Yahvé en Dt 2,15); el término es empleado, pues, casi exclusivamente en sentido religioso (ése es el caso de *hūm* qal y, con excepción de Am 3,9, «barullo», y Prov 15,16, «inquietud», el de *m^ehūmā,* cf. *inf.* 4*b*).

Hay algunas excepciones a esta norma: en Est 9,24 el sujeto es Amán (*hmm,* «revolver», paralelo a *ʾbd* piel, «destruir»; cf. Bardtke, KAT XVII/5, 344) y en Is 28, 28 lo es «el labrador» (objeto: «la rueda de la carreta»); el significado de este texto podría ser «agitar, empujar»).

Los pasajes de nifal (cf. *sup.* 2) pueden ser traducidos por «agitarse, excitarse».

4. *a)* El empleo religioso del término tiene su lugar original en las narraciones de la guerra santa (Ex 14,24, salida de Egipto; Jos 10,10, la batalla de Gabaón; Jue 4,15, la batalla de Débora; 1 Sm 7,10, la victoria de Ebeneser; cf. G. von Rad, *Der Heilige Krieg im alten Israel* [1951] 12). La idea es la siguiente: al inicio de la batalla, Yah-

vé envía la confusión al ejército enemigo. Se señala expresamente que es Yahvé, y no el ejército de Israel, el autor de esa confusión; todo ello sucede «ante los ojos de los israelitas» (Jos 10,10) o «ante Baraq» (Jue 4,15). Según 1 Sm 7,10, Yahvé crea la confusión por medio de una tempestad de truenos. Dt 7, 23 describe todo el proceso, según su desarrollo ideal, conforme a la visión deuteronómica y referido a la conquista de la tierra (cf. Ex 23,27).

En Dt 2,15 las ideas y el vocabulario son semejantes a los de los pasajes mencionados, pero el objeto de la confusión es el mismo Israel, que sufre el «pánico de Dios» en pago a su rebeldía. Se trata de una interpretación original del viejo motivo, realizada por el autor del primer discurso de introducción al Dt, cf. 2 Cr 15,6.

Quedan, finalmente, 2 Sm 22,15 = Sal 18,15 (Yahvé en su teofanía produce confusión entre las fuerzas del caos) y Sal 144,6 (la teofanía de Yahvé en la guerra entre los pueblos); se trata de pasajes propios de la tradición específicamente jerosolimitana en torno al caos y a los pueblos; ambas corrientes de tradición comenzaron muy pronto a influir en Jerusalén.

b) También en la ideología de la guerra santa, especialmente en su elaboración escatológica dentro de la literatura profética, concretamente en el motivo del «día de Yahvé» (cf. von Rad II, 129-133), tiene su lugar propio el sustantivo *m*ᵉ*hūmā* (Dt 7,23; cf. *sup.;* 28,20, amenaza de maldición; cf. Dt 2, 15 y 2 Cr 15,5; 1 Sm 5,9.11: el arca llevada a Filistea produce un «pánico de Dios»; 14,20, en la guerra de los filisteos; en los profetas: Is 22,5, paralelo a *m*ᵉ*būkā,* «confusión»; Ez 7,7; 22, 5; Zac 14,13; → *yōm).*

El AT posee también otras expresiones para referirse al pánico de Dios:

1) *ḥ*ᵃ*rādā* o *ḥærdat* ᵓ*ᵆlōhīm:* 1 Sm 14, 15.15, que se manifiesta acompañado por un terremoto.

2) ᵓ*ēmā:* Ex 15,16; 23,27; Jos 2,9 (referido a la conquista de la tierra); Dt 32, 25, como amenaza de maldición; de forma distinta, en Gn 15,12 (el terror cae sobre Abrahán).

3) *pāḥad:* Ex 15,16; Dt 2,25; 11,25 (referido a la conquista de la tierra); Is 2, 10.19.21 (junto al tema del día de Yahvé); según 1 Sm 17,7, el terror de Yahvé cae sobre el pueblo por orden de Saúl.

4) *ḥittat* ᵓ*ᵆlōhīm:* Gn 35,5 (durante la «peregrinación» de Jacob desde Siquén hasta Betel, las poblaciones que va atravesando se ven afectadas por el terror de Dios).

¿Qué puede deducirse de todo esto acerca del pánico de Dios? Este consiste en un «hallarse fuera de sí» (que en principio es neutro), un éxtasis producido por Dios y que impide cualquier clase de actividad. Puede tener carácter positivo (Gn 15,12; 1 Sm 11,7); ahora bien, en la guerra santa afecta a los enemigos, que así caen impotentes ante los israelitas. Esta idea está unida, lo mismo que la concepción de la guerra santa en general, con el arca (1 Sm 5,9.11) y se remonta a los tiempos en que Israel llevaba una existencia nomádica y tribal (concepciones semejantes se dan en las tribus beduinas, en las que el dios del clan —identificado con Alá— es el señor de la guerra y combate al enemigo representado por un santuario portátil; cf. A. Musil, *Manners and Customs of the Rwala Beduins* [1928] 571ss).

La concepción deuteronómica de la guerra santa cualifica la victoria de Israel sobre sus enemigos como obra exclusiva de Yahvé (cf. G. von Rad, *Der heilige Krieg im Israel* [1951] 68-78). Su lema de fondo suena, pues, *soli deo gloria.*

En el NT desaparecieron los motivos aquí tratados.

F. Stolz

הִנֵּה *hinnē* **He aquí**

1. En casi todas las lenguas semíticas existen interjecciones y partículas comparables a *hēn* o (en forma alargada) *hinnē,* «he aquí».

En el área vecina al AT, cf. el ugarítico *hn* (UT § 12.7 y N. 782), el acádico *annû* en EA (AHw 53b; CAD A/II, 138; cf. también A. Salonen, AfO 19 [1959-60] 157b), el fenicio-púnico *hn* (Friedrich, 120; Sznycer, 77s.89.106s).

En arameo *hn* significa «si» (DISO 66; el arameo bíblico *hēn* aparece 15 ×; KBL 1069s), mientras que para la interjección «he aquí» se emplea *hʾ* (DISO 62; en arameo bíblico, *hāʾ*, Dn 3,25) o *hlw* (DISO 65; en arameo bíblico *ʾa͏lū*, Dn 2,31; 4,7. 10; 7,8.8; KBL 1050b; junto a *ʾa͏rū*, Dn 7, 2.5.6.7.13; KBL 1053b) (Leander, 128; BLA 266).

En el hebreo del AT, *hēʾ*, «he aquí», aparece dos veces (Gn 47,23; Ez 16,43, texto dudoso), cf. el arameo *hʾ*. Debe indicarse también que, según algunos autores, hay una serie de textos en los que *hēmmā* debe considerarse no como el pronombre personal «ellos» (3.ª persona, masculino plural), sino como equivalente de *hinnē* (cf., recientemente, T. T. McDaniel, Bibl 49 [1968] 33s, comentando Lam 1,19; sobre el ugarítico *hm,* cf. WUS N. 837).

2. *hinnē* aparece (según Mandelkern) 1.057 × en el AT *(hinnē* 446 ×; *wᵉhinnē* 360 ×, incluido Jr 18,3 Q; *wᵉhinnᵉnī* 181 ×, duplicado en Is 65,1; con otros sufijos, 70 ×, entre ellos, 37 × *wᵉhinnām);* aparece en todas las secciones del AT, con especial frecuencia en Jr (138 ×), Gn (125 ×), Ez (114 ×), 1 Sm (84 ×), Is (77 ×), Os-Mal (63 ×), 1/2 Re (55 × cada uno), 2 Sm (46 ×), Jue (44 ×), Ex (41 ×), 2 Cr (40 ×), es decir, en la literatura profética y narrativa.

La presencia de *hēn* (100 ×) se limita a algunos libros (Job 32 ×, Is 27 ×, Gn 12 ×, Ex y Sal 5 ×, Nm y Dt 4 ×, Lv 3 ×, Jr, Prov y 2 Cr 2 ×, Ez y Ag 1 ×).

3. *hinnē (hēn, hēʾ)* puede ser reconocido todavía como parte de una expresión imperativa, que sirve para introducir el mandato (por ejemplo, Gn 47,23b; cf. BrSynt 3). Estas interjecciones tienen una doble función: por una parte, pueden ser una llamada o proclamación; por otra, pueden servir para caracterizar temporalmente un acontecimiento o una situación. Y en esta doble función pueden referirse tanto a personas como a cosas. Seguidas de un nombre forman una frase (por ejemplo, Gn 12,19; 15,17), o introducen una frase nominal completa (por ejemplo, Gn 28,15) o sustituyen a una frase (por ejemplo, Gn 22,1.7; 30,34; Job 9,19). Más raramente sirven para acompañar a una frase verbal y dar énfasis al predicado (por ejemplo, Gn 12,11). Sobre la sintaxis y estilística de *hēn/hinnē*, cf. GK § 116, página 147b; BrSynt 3.52.56; K. Oberhuber, VT 3 (1953) 5.10; L. Alonso-Schökel, Bibl 37 (1956) 74-80; J. Blau, VT (1959) 132s.

El imperativo de *rʾh,* «ver» (cuando no va unido por medio de la conjunción *wᵉ*), puede perder su significado verbal propio (que aparece, por ejemplo, en Gn 37,14; 1 Sm 24,12; 26,16; 1 Re 12,16; Ez 40,4 y *passim)* y desempeñar una función semejante a la de nuestras interjecciones, es decir, puede servir para llamar la atención o como partícula demostrativa (ése es el caso en una tercera parte de los pasajes, por ejemplo, Gn 27,27; 31,50; 41,41; Ex 7,1; 31,2; 33,12; Dt 1,8.21 y *passim;* femenino en 1 Sm 25,35; plural en Gn 39, 14; Ex 35,30; Jos 8,48; 23,4; 2 Sm 15, 28); cf. 2 Sm 7,2, *rᵉʾē*, con el paralelo 1 Cr 17,1, *hinnē;* cf. también Lande 15s.53.

En algunos pasajes (no siempre reconocibles con facilidad, debido a que el significado va cambiando), *hēn* ha adquirido el significado «si», por influjo del arameo (por ejemplo, Ex 8,22; Is 54,15; Jr 3,1; Ag 2,12; 2 Cr 7,13; cf. Wagner N. 74).

4. Dentro del empleo teológico debe señalarse el uso frecuente de *hinnē* como introducción del anuncio profético de juicio, en el que se anuncia una intervención divina. En esta función, la interjección se une al pronombre personal de la persona, propio de los discursos divinos, y forma la expresión *hinᵉnī* seguida de participio (cf. P. Humbert, *La formule hébraïque en «hineni» suivi d'un participe:* REJ 17 [1934] 58-64 = *Opuscules d'un hébraïsant)* [1958] 54-59; K. Koch, *Was ist Formgeschichte?* [²1967] 259s); cf. también la llamada «fórmula de desa-

fío» *hinᵉnī ʾēlǣkā,* «he aquí lo que quiero de ti» (P. Humbert, ZAW 51 [1933] 101-108 = *Opuscules,* 44-53). A la fórmula sigue por lo general la fundamentación (cf. H. W. Wolff, ZAW 52 [1934] 26); con frecuencia aparece en el inmediato contexto de la fórmula del mensajero (por ejemplo, Jr 6,21; 9,6; 10,18); cf. C. Westermann, *Grundformen prophetischer Rede* [1960] 107; R. Rendtorff, ZAW 74 [1962] 176s). Frecuentemente, la fórmula va seguida de un perfecto consecutivo. A veces, aunque es más raro, en lugar de *hinᵉnī* aparece la fórmula *hinnē ʾānōkī/ʾanī* (por ejemplo, Am 2,13; sobre esto y sobre el empleo de *hinnē* en Amós, cf. Wolff, BK XIV/2, 173). A veces el simple *(wᵉ)hinnē* introduce el anuncio de juicio (raramente con el verbo en 1.ª persona, por ejemplo, Jr 7,20; Ez 22,13; más frecuentemente en 3.ª persona referida a Dios, por ejemplo, Am 9,8; Is 3,1; y más frecuentemente con una perífrasis referida a la acción de Dios, por ejemplo, Am 4,2; Jr 7,32) o incluso, alguna vez, la fundamentación de dicho juicio (por ejemplo, Jr 6,10; Ez 22,6).

hinnē pasó a la palabra profética de juicio desde las narraciones proféticas de visiones (por ejemplo, Am 7,1.4.7; Jr 4,23.26; Ez 1,4; 2,9; cf. H. W. Wolff, *Frieden ohne Ende* [1962] 38ss). En estas narraciones la partícula ocupa siempre el mismo lugar que en los oráculos de los videntes o en las narraciones de sueños, géneros que constituyen la prehistoria de las narraciones proféticas de visiones. En los oráculos de los videntes la partícula demostrativa se une a un verbo que significa «ver» e introduce la comunicación por parte del vidente de lo que sólo él ha percibido (cf., por ejemplo, Nm 23,9). En las narraciones de sueños *wᵉhinnē* sigue al verbo *ḥlm,* «soñar» (Gn 28,12; 37,6s.9; 41,1.5; Jue 7,13), o al sustantivo *ḥalōm,* «sueño» (Gn 40,9.16; 41,22; *hinᵉnī* con participio en Gn 41,17). Introduce la descripción de lo visto y marca, al mismo tiempo, su importancia para el oyente.

Por el contrario, la función interpretativa de la partícula en los anuncios proféticos de salvación (por ejemplo, Is 38,5) y en los anuncios de señales, que dependen de los anteriores (por ejemplo, 1 Re 11,31; 13,3; Is 38,8; cf. Jos 3,11), se explica fácilmente a partir de una situación en la que Dios responde positivamente a una interpelación (por ejemplo, en la guerra de Yahvé: Jue 1,2; 1 Sm 24,5; cf. G. von Rad, *Der heilige Krieg im alten Israel* [1952] 7s; cf. también la fórmula de designación, por ejemplo, 1 Sm 9,17 con Is 42,1; 52,13).

5. En los LXX, ἰδού corresponde en la gran mayoría de los casos a las interjecciones hebreas; en las narraciones de visiones (especialmente en Ezequiel) se emplea también εἶδον καὶ ἰδού.

La interjección «he aquí», usada para llamar la atención, llega hasta la apocalíptica (por ejemplo, Dn 8,3.5; 10,5) y hasta el NT en sus narraciones de visiones (por ejemplo, Mt 17,3; Ap 4, 1) y sus anuncios de las intervenciones divinas (por ejemplo, Lc 1,31; 2,10, cf. W. Michaelis, art. ὁράω: ThW V, 315-381; P. Fiedler, *Die Formel «Und siehe» im NT* [1969]).

D. Vetter

הַר *har* Monte → צִיּוֹן *Ṣiyyon*

זכר *zkr* Recordar

1. *a)* La raíz semítica común *zkr* recibe en hebreo, en acádico, en la mayoría de los dialectos semíticos noroccidentales y en etiópico la forma fonética *zkr.*

En ugarítico (en nombres personales: UT N. 724; Gröndahl, 71.196), en árabe meridional antiguo y en árabe aparece en la forma *ḏkr;* en algunos nombres personales de diversos dialectos del semítico occidental antiguo (W. L. Moran, FS Albright [1961] 68, nota 34; cf. Huffmon, 187) y en los dialectos arameos más recientes (en primer lugar en arameo bíblico) aparece en la forma *dkr.* Sobre el fenicio-púnico *skr* (aunque no aparece así en el nombre personal hipocorístico *zkr* escrito en una punta de flecha, KAI N. 22, del s. XI/X a. C.), cf. GVG I, 164; Friedrich, 20.

La raíz posee en árabe meridional antiguo y en árabe un doble significado: «recordar» y «mencionar»; en hebreo y en las inscripciones semítico-noroccidentales (DISO 76s) el primero, «recordar», es el que constituye el significado base de *zkr.* Por el contrario, el acádico *zakāru,* «decir, hablar, nombrar, jurar» (CAD Z 16-22), es un simple *verbum dicendi* (W. Schottroff, *«Gedenken» im Alten Orient und im AT* [²1967] 1-106, ofrece un detallado estudio sobre *zkr* en las lenguas semíticas).

En acádico y en ugarítico, donde todavía no se ha podido determinar cuál es el significado de *ḏkr,* «recordar» se expresa por medio de *ḫasāsu* (CAD H 122-125; AHw 329s) o *ḫss* (UT N. 986; WUS N. 1060), respectivamente.

P. A. H. de Boer, *Gedenken und Gedächtnis in der Welt des AT* (1962), especialmente en 44.63s, afirma que el significado del hebreo *zkr* coincide con el del acádico *zakāru;* contra esa opinión basta citar la carta de Amarna EA 228, hallada en Hazor, cuya glosa cananea en la línea 19 *(li-iḫ-šu-uš-mi/ia-az-ku-ur-mi,* «recuerde el rey, mi señor, todo lo que se ha hecho contra Hazura...») muestra claramente que en el cananeo meridional, antecesor del hebreo, *zkr* era identificado completamente con acádico *ḫasāsu,* «recordar».

No hay ninguna base sólida para relacionar etimológicamente nuestra raíz con el homónimo *zākār,* «varón, masculino» (en ugarítico, *dkr:* WUS N. 740, o también *da-ka-rum:* C. F. A. Schaeffer, AfO 19 [1959-60] 194) (cf. Schottrof, *loc. cit.,* 4-8.372; P. Fronzaroli, AANLR VIII/19 [1964] 244).

b) Además del qal, «recordar», aparecen en hebreo el hifil, que corresponde al acádico *zakāru,* «mencionar, nombrar», y el nifal, pasivo del qal y hifil (cf., de todas formas, J. Blau, *Reste des i-Imperfekts von «zkr», qal:* VT 11 [1961] 81-86), que significa «ser recordado, ser mencionado». Las formas nominales de la raíz documentadas en el AT son las siguientes:

1) el segolado *zēkær,* «recuerdo, mención, nombre», que ha sido analizado como *nomen actionis* de la forma *qitl* también en acádico *(zikru,* «decreto, sentencia, nombre», CAD Z 112-116), fenicio-púnico y arameo *(zkr,* DISO 77), árabe meridional antiguo *(ḏkr,* RES 2693, línea 7) y árabe;

2) el nombre abstracto *zikkārōn,* «recuerdo», formado con la desinencia (*-ān* >) *-ōn,* que aparece también en fenicio *(skrn),* arameo *(zkrn, dkrn, dkrwm,* DISO 78) y árabe meridional antiguo *(dkrn,* G. Ryckmans, «Muséon» 71 [1958] 127 N. 4) (cf. Ecl 1,11; 2, 16 con la forma arameizada *zikrōn;* el arameo bíblico **dokrān, *dikrōn,* cf. BLU 195; J. Cantineau, *Le Nabatéen* I [1930] 47s);

3) el término sacrificial *'azkārā* (cf. R. Rendtorff, *Studien zur Geschichte des Opfers im Alten Israel* [1967] 185-187), que se relaciona con el empleo sacrificial técnico del hifil (Is 66, 3; Sal 38,1; 70,1) y debe traducirse quizá como «invocación (del nombre)», correspondiendo a la aclamación de la divinidad durante el sacrificio, documentada en acádico (cf. Schottroff, *loc. cit.,* 27s.328-338) y arameo (estatua de Hadad en Zincirli, KAI N. 214, línea 16: *yzbḥ.hdd.wyzkr.'šm.hdd...,* «... presenta víctimas sacrificiales a Hadad y aclama el nombre de Hadad») (cf. R. Dussaud, *Les origines cananéennes du sacrifice israélite* [²1941] 93-95; D. Schotz, *Schuld- und Sündopfer im AT* [1930] 55);

4) el participio hifil *mazkīr,* «orador, heraldo», que traduce el título egipcio *wḥm.w* y se emplea como sustantivo para designar un oficio de la corte jerosolimitana (J. Begrich, ZAW 58 [1940-41] 1-29 = GesStud 67-98; R. de Vaux, RB 48 [1939] 394-405; distinto, H. Reventlow, ThZ 15 [1959] 161-175; cf., por el contrario, H. J. Boecker, ThZ 17 [1961] 212-216);

5) el adjetivo verbal *zākūr,* «recordado» (GK § 50s; Meyer, II, 28).

Se discute si el hifil debe entenderse como denominativo de *zekær* (B. Jacob, ZAW 17 [1897] 48s; J. Begrich, *Studien zu Deuterjesaja* [[2]1963] 33, nota 94; íd., GesStud 79, nota 29; B. S. Childs, *Memory and Tradition* [1962] 12) o como causativo de qal (J. J. Stamm, ThZ 1 [1945] 306; P. A. H. de Boer, *loc. cit.*, 15s.63) y si *ʾazkārā* debe considerarse como sustantivo con el *ʾ* prefijada y significado concreto, lo mismo *ʾalmānā,* «viuda» (G. R. Driver, JSS 1 [1956] 99s), o como una forma abstracta elaborada a imitación del infinitivo hafel (Meyer II, 33) o infinitivo afel (GK § 85b; Wagner 133).

Los dos derivados arameos de la raíz, *dokrān* (Esd 4,15) y *dikrōn* (Esd 6,2), tienen el significado de «protocolo», que aparece frecuentemente en papiros arameo-imperiales de Egipto (DISO 78); el mismo significado ha adquirido, por influjo del arameo, el hebreo *zikkārōn* en Ez 17,14; Mal 3,16; Est 6,1 (Wagner N. 76a; sobre *zikkārōn,* en Is 57,8, cf. Schottrof, *loc. cit.*, 319-321).

Sobre los nombres de persona compuestos con *zkr,* cf. *inf.* 4*a.*

2. En el texto masorético del AT, la raíz aparece en total 288 ×: qal 171 × (Sal 44 ×, Dt 15 ×, Jr 14 ×, Ez 10 ×, Neh 9 ×, Job 8 ×, DtIs 7 ×), hifil 31 × (Sal 6 ×), nifal 20 × (Ez 8 ×), *zēkær* 23 × (Sal 11 ×), *zikkārōn* 24 × (sólo en escritos exílicos y posexílicos, P en Ex-Nm 14 ×), *ʾazkārā* 7 × (P en Lv-Nm), *mazkīr* 9 ×, *zākūr* 1 × (Sal 103,14); además, el arameo bíblico *dikrōn* y *dokrān* 1 ×. La raíz no aparece en Jl, Abd, Sof, Ag, Rut, Dn.

Crítica textual: Ex 34,19, léase *hazzākār,* siguiendo a las versiones; Is 63, 11, léase *wayyizkᵉrū;* Jr 23,36, léase *tazkīrū,* siguiendo a los LXX; Ez 16, 22.43, léase *zākart,* según Q; Nah 1, 14 se propone la lectura *yizzākēr* (cf. BH³); Nah 2,6 se propone la lectura *yizzākᵉrū* (cf. LXX; BH³, y E. Sellin, *Das Zwölfprophetenbuch* [1930] 365. 368); Sal 77,12a, léase *ʾæzkōr,* siguiendo a Q y versiones; Sal 89,48, léase *zᵉkor-ʾᵃdōnāy;* 1 Cr 16,15, léase *zākar* (cf. Sal 105,8).

3. *a)* *zkr* no puede entenderse como un concepto primariamente cúltico (F. Schwally, ZAW 11 [1891] 176-180; H. Gross, BZ N. F. 4 [1960] 227 a 237; distinto, B. Jacob, ZAW 17 [1897] 48-80), jurídico (H. Reventlow, ThZ 15 [1959] 161-175; distinto, H. J. Boecker, ThZ 17 [1961] 212-216; íd., *Redeformen des Rechtslebens im AT* [1964] 106-111) o un concepto elaborado según ideas mágicas antiguas (J. Pedersen, *Israel* I-II [1926] 106s. 256s; P. A. H. de Boer, *Gedenken und Gedächtnis in der Welt des AT* [1962] 64; distinto, B. S. Childs, *Memory and Tradition* [1962] 17-30). Los diversos empleos de la raíz en el AT sugieren que la raíz ha tenido varios lugares de origen. El significado fundamental del qal (y, por tanto, del correspondiente pasivo nifal) es «pensar en...». Es instructivo en este sentido el empleo del verbo en oposición a *škḥ,* «olvidar» (13 ×), y *mḥh,* «borrar, anular» (Is 43, 25; Sal 109,14; Neh 13,14), y en paralelo a verbos y expresiones que se refieren al pensamiento, tales como *bīn,* «atender, comprender, entender» (Dt 32,7; Is 43,18), *hgh,* «pensar (murmurando)» (Sal 63,7; 77,7, texto enmendado; 143,5), *ḥšb,* «considerar, pensar» (2 Sm 19,20; cf. Sal 77,6s), *śīᵃḥ,* «reflexionar» (Sal 77,7; 143,5), *ʿlh ʿal lēb,* «venir a la mente» o semejantes (2 Sm 19,20; Is 46,8; 47,7; 57,11; 65,17; Jr 3,16; 44,21; 51,50), así como el matiz ocasional de pensar para reconocer (Miq 6,5; Ez 6,7-10).

Estos términos —y más claramente aún otros conceptos paralelos y opuestos, como *gzr* nifal, «estar incomunicado» (Sal 88,6); *brk* piel, «bendecir» (Sal 115,12), que aparece también en ámbito semítico en paralelo a *zkr* (especialmente en los grafitos nabateos del Sinaí, cf. Schottroff, *loc. cit.*, 71s); *ʿśh hæsæd,* «mostrar adhesión» (Gn 40,14; Jue 8,34s); *pqd,* «preocuparse de» (Jr 3,16; 14,10; 15,15; Os 8,13 = 9,9; Sal 8,5; 106,4; cf. Is 23,17)—, la semejanza con *šmr,* «observar, guardar» (cf. Ex 20,8 con Dt 5,12; también Sal 103,18; 119,55), v la orientación final del pensamiento hacia alguna acción *(zkr lᵉ* + infinitivo constructo «pensar hacer algo», Ex 20,8; Sal 103,18; 104, 16, o *zkr kī* + una frase objetiva, Job 36,24; cf. Nm 15,39) muestran que *zkr* implica una relación dinámica del pensamiento hacia el objeto, tendencia que supera el mero pensar (Pedersen, *loc. cit.*, 106s.256s; cf. Childs, *loc. cit.*, 17-30; Schottroff, *loc. cit.*, *passim).*

b) No se puede constatar una evolución en el significado de la raíz. De todas formas, pueden iniciarse diversos campos semánticos y diversas construcciones en los que la raíz presenta matices especiales.

Así, cuando en el campo semántico de *zhr* aparecen expresiones de lamentación (Nm 11,4s; Sal 42,5.7; 137,1; Lam 3,20), el verbo expresa una enfática participación en ella. En otros pasajes el matiz es diverso: en Neh 4,8, donde *yr'*, «temer», constituye el concepto opuesto a *zkr,* el verbo expresa una actitud de confianza; en Ez 23,27, donde *nś' ʿēnáyim,* «levantar los ojos», es el paralelo de *zkr,* el verbo expresa un sentimiento de codicia.

La presencia del verbo entre los vocablos empleados para la alabanza hímnica de Dios (Sal 105,1-5 = 1 Cr 16,8-12; cf. Sal 63,6s) o su empleo dentro de la invitación a la oración (Jon 2,8; cf. Sal 119, 55) muestra que la raíz puede tener en ocasiones el sentido de «proclamación» (B. Jacob, ZAW 17 [1897] 63; cf. también de Boer, *loc. cit.*, 14s).

Cuando *zkr* es acompañado del *dativum commodi (incommodi)* de persona y del acusativo de objeto (por ejemplo, Jr 2,2; Sal 79,8; Sal 98,3; Neh 13,22) —también si, en lugar del objeto, sigue una expresión preposicional con *kᵉ,* «según» (Neh 6,14, cf. Sal 25,7), o con *ʿal,* «a causa de (determinados hechos)» (Neh 13,14-29), o si se indica la dirección del pensamiento por medio de *lᵉṭōbā,* «en beneficio» (Neh 5, 19; 13,31; cf. *bṭb* en los grafitos nabateos del Sinaí y *lṭb* en las inscripciones arameas de Hatra, Schottroff, *loc. cit.*, 68-78.83-85)—, entonces *zkr* posee una intención salvífica o de desgracia: «pensar en el bien (mal) de alguien...».

c) Con todo, la construcción más normal es la de *zkr* más acusativo de cosa o persona (en los pasajes tardíos introducido por *lᵉ,* por influjo del arameo: Ex 32,13; Dt 9,27; Sal 25,7; 136,23; BrSynt 87) o también *zkr* más frase objetiva introducida por *kī, 'ēt, 'ašær, mā.* El recordar se refiere a acontecimientos del pasado que la memoria actualiza debido a su interés para el momento presente (Gn 42,9; Nm 11,5; 2 Re 9,25), a lugares o circunstancias que afectan a quien los recuerda (Jr 3, 16; 17,2; Sal 42,5-7; 137,1-6) o también a fenómenos presentes que determinan decisivamente la existencia (Is 54,4; Job 11,16; Prov 31,6s; Ecl 5,18s; Lam 1,7; 3,19s) o exigen la atención obligatoriamente (Nm 15,38-40; Jos 1, 13-15; Mal 3,22; también Am 1,9, cf. el empleo de *zkrn* con referencia al contenido de un pacto político: KAI N. 222 C, líneas 2s).

El verbo es empleado de forma fija en los siguientes contextos:

1) se aplica *zkr* a hechos accesibles a la experiencia, que en la literatura sapiencial son sometidos a una consideración crítica para sacar de ellos las consecuencias y usarlos como punto de partida para algunas exhortaciones (Job 4,7; 40,32 bis; 41,1; Ecl 11,8; Eclo 7, 11,16; 8,5.7; 9,12; 14,11s; 31,12s; 41,3; cf. también Jue 9,2; Job 21,6s e Is 47,7; Lam 1,9); Job 13,12 parece designar estas consideraciones críticas y exhortativas en el nombre de *zikkaron;*

2) cuando, dentro del estilo de corte, se designa la relación que une al superior con un inferior (Gn 40,14.23; 1 Sm 25,31; cf. Ecl 9,15); este modo de emplear el verbo está documentado también fuera de la Biblia (óstracon de Laquis N. 2 = KAI N. 192, línea 4, cf. ANET 322; Ah. 53, Cowley, 213. 221, cf. ANET 428). A este contexto, propio del lenguaje cortesano (Schottroff, *loc. cit.*, 43s.116s.164.384s) —que no comporta, sin embargo, un empleo jurídico específico de *zkr* (como opina H. J. Boecker, *Redeformen des Rechtslebens im AT* [1964] 106-111)—, pertenece el motivo referente a que el Señor recuerde (carta de Amarna EA 228, líneas 18-25; Est 2,1; cf. también Est 6,1-11) o no recuerde (2 Sm 19,20; 2 Cr 24,22) los actos de lealtad o des-

lealtad realizados para con él. Este recordar se manifiesta en actos de misericordia o en una actitud soberana que decreta el castigo.

d) Respecto a los demás modos verbales y a las formas nominales de la raíz, deben señalarse las siguientes particularidades: respecto al significado de *zkr* hifil, «mencionar, nombrar», cuando se emplea junto a *qr'*, «llamar», resultan decisivos su paralelismo con diversos *verba dicendi* (cf. Ex 23,13; Is 43,26; 49,1; Jr 4,16; 23,35s) y su oposición a verbos que significan «callar» (Is 62,6; Am 6,10) —lo mismo debe decirse de su correspondiente pasivo nifal—; respecto a *zēkær* es decisiva la semejanza con *šēm,* «nombre» (Ex 3,15; Is 26,8; Sal 135,13; Job 18, 17; Prov 10,7; cf. también Os 12,6; Sal 30,5; 97,12 y B. Jacob, ZAW 17 [1897] 70; distinto de Boer, *loc. cit.*, 17s), semejanza que se puede observar también en acádico y en fenicio (cf. CIS I, 7 = KAI N. 18, líneas 6-8: *lkny ly lskr wšm nʿm tḥt pʿm ʾdny bʿl šmm lʿlm,* «que me sirva de recuerdo y buen nombre a los pies de mi señor Baalsamen para siempre»); respecto a *zikkārōn* es decisivo el paralelismo con *ʾōt,* «memorial» (Ex 13,9; Jos 4,6s).

Se deben señalar los siguientes empleos fijos:

1) el hifil, el nifal (cuyo objeto, o sujeto gramatical, con frecuencia es *šēm)* y los nombres *zēkær* y *zikkārōn* (así como los fenicios *skr, skrn,* los arameos *zkr, dkr[w]n* y el árabe meridional antiguo *dkrn* en inscripciones funerarias) se emplean para designar la memoria que los vivos conservan de los muertos por medio de la continua mención y alabanza de sus nombres (sobre el acádico, cf. F. R. Kraus, JNES 19 [1960] 127-131; en este contexto aparece *za-kar šu-me* en un sentido especial, como invocación de los espíritus en los sacrificios por los difuntos, cf. A. L. Oppenheim, BASOR 91 [1943] 36-39). El nombre del difunto debe conservarse en su hijo (2 Sm 18,18) o por medio de una estela *pro memoria* (cf. Is 56,5 y el fenicio *mṣbt skr bḥym,* «estela memorial entre los vivos», CIS I, 116 = KAI N. 153, línea 1 y *passim;* cf. W. F. Albright, SVT 4 [1956] 242-258, K. Galling, ZDPV 75 [1959] 1-13). Al justo le espera un recuerdo imperecedero (Sal 112,6; Prov 10,7); al malvado y al enemigo le espera el olvido total, equiparable a una desaparición completa (Is 26,14; Sal 9,7; 34, 17; Job 24,20); eso es lo que amenazan las maldiciones y las palabras de juicio (Ex 17,14; Dt 25,19; 32,26; Jr 11, 19; Ez 21,37; 25,10; Os 2,19; Zac 13, 2; Sal 83,5; 109,15). El Eclesiastés (1, 11; 2,15s; 9,4s) afirma que todos los muertos, sin excepción, caerán en el olvido;

2) el hifil se emplea en el ámbito jurídico acompañado de objeto personal como *terminus technicus* de la denuncia judicial (Is 43,26, cf. J. Begrich, *Studien zu Dtjes* [1963] 33; no es éste, sin embargo, el caso de Gn 40,14) o también acompañado de *ʿāwōn,* «culpa» (Nm 5,15; 1 Re 17,18; Ez 21,28s; 29, 16; no es éste, sin embargo, el caso de Gn 41,9, donde al verbo acompaña el objeto *ḥ^a ṭāʾay,* «debo recordar mis transgresiones»), como designación de la prueba de culpabilidad manifestada por medios irracionales (Nm 5: ordalía; Ez 21: el oráculo de la flecha) o por medio de la cualidad numinosa que acompaña al hombre de Dios (1 Re 17; cf. Schottroff, *loc. cit.,* 264 a 270; distinto, H. Reventlow, ThZ 15 [1959] 161-175; H. J. Boecker, ThZ 17 [1961] 212-216; íd., *Redeformen...,* 106-108, que entienden el *zkr* hifil *ʿāwōn* como actividad del denunciante en el juicio y que, junto con el participio hifil *mazkīr,* le asignan una función de denuncia);

3) *zēkær* (Sal 6,6; 111,4; 145,7) y *zkr* hifil aparecen también en contexto cúltico; el hifil se emplea, lo mismo que la forma qal, formando parte de diversas series de términos sinónimos en aclamaciones hímnicas de alabanza (Is 12,4-6; Sal 71,16; cf. 1 Cr 16,4). Ambos términos designan la alabanza hímnica de Dios. A la autopresentación de Dios, que legitima el culto de un deter-

minado santuario (Ex 20,24; cf. J. J. Stamm, ThZ 1 [1945] 304-306; H. Cazelles, *Études sur le Code de l'Alliance* [1946] 40-43), responde la confesión del hombre (en Jos 23,7; Is 48,1 junto con otras confesiones) manifestada por medio de la expresión *zkr* hifil *(b^{e})šēm ᵓᵆlōhīm,* «aclamar el nombre de Dios (en el culto)» (Ex 23,13; Is 26,13; Am 6,10; Sal 20,8; cf. H. A. Brongers, ZAW 77 [1965] 17s, y el empleo análogo del acádico *šuma zakāru,* «aclamar el nombre [de una divinidad]», CAD Z 17s). En el curioso pasaje de Neh 2,20, *zikkārōn* designa de forma genérica la participación en el culto (del templo jerosolimitano) (cf. F. Horst, RGG II, 1405).

4. En su empleo teológico, *zkr* se refiere a la relación recíproca entre Yahvé e Israel o entre Yahvé y cada israelita en particular.

a) Según el AT, Dios se acuerda de sus fieles. Este motivo se remonta a concepciones antiguas elaboradas en el entorno religioso de Israel, como lo demuestran los equivalentes semíticos noroccidentales y meridionales del nombre teofórico veterotestamentario *Z^{e}karyā(hū),* «Yahvé se ha acordado» —o sus variantes y formas abreviadas (cf. Noth, IP 186s; Schottroff, *loc. cit.,* 96-106.382-384)—, o una afirmación, propia de un fundador, que aparece en Lapethos, Chipre (KAI N. 43, línea 16: «que me acompañen la salvación y la dicha a mí y a mi descendencia y que Melkart se acuerde de mí»). La expresión «Dios se acuerda» designa la intervención de Dios que acude a ayudar al hombre (cf. Nm 10,9; *zkr* nifal paralelo a *yšᶜ* nifal, «ser ayudado»); esta actitud divina es experimentada, por ejemplo, por los padres que no tienen hijos al recibir el don de uno (Gn 30,22; 1 Sm 1,11.19, como trasfondo del nombre de acción de gracias) o también en cualquier situación de necesidad y, en general, siempre que se recibe una bendición divina (Sal 115,12). Los muertos no son incluidos en este recuerdo divino (Sal 88,6; cf. C. Barth, *Die Errettung vom Tode* [1947] 67-76); Job 14,13-15 constituye una excepción y afirma que el recuerdo de Dios, entendido como una restauración de la vida y la salvación por él otorgadas (cf. Gn 8,1; lo contrario, en Lam 2,1), puede afectar también a una persona que se halla en el Seol.

1) *zkr* aparece también, desde antiguo, en imperativo como término fijo del lenguaje religioso empleado en las oraciones (Jue 16,28; cf. 1 Sm 1,11) y sobre todo en las oraciones de las lamentaciones individuales (Jr 15,15; Sal 25,7) y colectivas (Sal 74,2; 106,4); de forma correspondiente aparece en indicativo en el canto de acción de gracias que responde a la ayuda divina experimentada en un momento de necesidad (Sal 136,23; cf. 115,12) y en los himnos de alabanza (Sal 8,5; 9,13). Más frecuente todavía que este empleo de *zkr* con objeto personal es su empleo en oraciones que quieren recordar a Yahvé la caducidad de la vida humana (Sal 89,48; Job 7,7; 10,9), la ignominia del orante (Sal 89,51; Lam 5,1), la ofensa hecha a Yahvé por sus opositores (Sal 74,18.22), pero también su promesa (Ex 32,13; Dt 9,27; Sal 119, 49; Neh 1,8), la alianza por él concedida (Jr 14,21) y su misericordia (Hab 3,2; Sal 25,6s); al recordarlo, Yahvé intervendrá en favor del orante. A esta oración responden las alabanzas de los himnos y cánticos de acción de gracias que afirman que Dios se acuerda de la caducidad humana (Sal 78,39; 103,14), de sus promesas (Sal 105,8 = 1 Cr 16, 15; 106,45; 111,4). Un tercer grupo de oraciones pide a Yahvé que se acuerde de las buenas acciones de sus fieles (2 Re 20,3 = Is 38,3; Jr 18,20; cf. también Sal 20,4; 132,1; 2 Cr 6,42) o que no recuerde sus faltas (Is 64,8; Sal 25,7; 79,8) y acuda en actitud salvífica; del enemigo, por el contrario, Dios debe acordarse para castigarlo (Sal 137, 7; cf. Sal 109,14, nifal).

2) Este último empleo de *zkr* aparece, sobre todo, al final de diversos capítulos del libro de Nehemías, en las oraciones de Nehemías que pide a Yah-

vé que se acuerde de sus acciones, para que le vaya bien (Neh 5,19; 13,14.22. 31), y de las acciones del enemigo, para que sobre éste caiga el mal (Neh 6,14; 13,29).

3) Prescindiendo de Jr 31,20, donde el objeto de *zkr* es Israel, y de Ez 16,60, donde el objeto es la alianza otorgada por Dios a Israel, en todos los demás textos proféticos que usan *zkr* referido a Dios el objeto son siempre las acciones de los hombres (Is 43,25; Jr 2,2; 14,10; 31,34; 44,21; Os 7,2; 8,13; 9,9; nifal, Ez 3,20; 18,22.24; 33,13.16). De estos textos, sólo en Jr 2, 2s tiene *zkr* un sentido salvífico, donde, en respuesta al reproche de Israel de que Yahvé no se ha ocupado suficientemente de él (cf. Jr 2,5), se menciona la lealtad que Israel manifestó en su juventud y se señala que éste es el motivo que empujó a Yahvé a adoptar una actitud salvífica para con su pueblo. Oseas y Jeremías (14,10; 44,21) amenazan diciendo que Yahvé se acordará y tomará el pecado de Israel como medida de su acción punitiva. En Ezequiel, *zkr* nifal (cf. Sal 109,14 y quizá también el empleo del qal en Sal 20,4; pero sobre este pasaje, cf. E. Kutsch, *Salbung als Rechtsakt* [1963] 11-13) se acerca estrechamente a *ḥšb,* el concepto que se emplea en las declaraciones cúlticas que consideran la justicia como vida y la injusticia como muerte (cf. von Rad, GesStud 130-135.225-234; Zimmerli, GO 178-191; H. Reventlow, *Wächter über Israel* [1962] 95-134). Ezequiel recurre a esta concepción cúltica para combatir el fatalismo judicial de la generación del exilio e inculcar la responsabilidad de cada uno ante sus propias acciones. Con referencia a la salvación futura, DtIs (43, 25) y Jr 31,34 (cf. S. Herrmann, *Die prophetischen Erwartungen im AT* [1965] 179-185.195-204) anuncian que Yahvé no se acordará de la culpa de Israel, sino que le perdonará.

4) Para K. Koch, ZThK 52 (1955) 20s, el empleo de *zkr* referido a hechos humanos designa la puesta en vigor por parte de Dios de la relación entre acción y sus consecuencias (cf., sin embargo, H. Reventlow, ThZ 15 [1959] 161.175; E. Pax, «Liber Annuus» 11 [1960-61] 74-77; cf. también F. Horst, *Gottes Recht* [1961] 286-291, y RGG VI, 1343-1346); por el contrario, H.-J. Boecker, *loc. cit.,* 106-111 (cf. Childs, *loc. cit.,* 31-33, y, sobre los pasajes de Nehemías, U. Kellermann, *Nehemia, Quellen, Überlieferung und Geschichte* [1967] 6-8.76-88), considera que el empleo de *zkr* con acusativo de objeto y dativo de persona pertenece al ámbito jurídico: «recordar... en defensa de... para acusar a...». De todos modos, parece que se trata más bien de un lenguaje propio de las inscripciones orientales antiguas de fundadores (K. Galling, ZDPV [1950] 134-142; Schottroff, *loc. cit.,* 217-238.392-395).

5) El *zikkārōn,* de Zac 6,14 y especialmente de P (Ex 28,12.29; 30,16; 39,7; Nm 10,10; 31,54; cf. K. Koch, ZThK 55 [1958] 44; Childs, *loc. cit.,* 67s) refleja el lenguaje de las inscripciones de fundadores tal como aparece fuera de la Biblia; por ejemplo, en la inscripción consecratoria N. 14 de M. Dunand-R. Duru, *Oumm el-ʿAmed, Texte* (1962) 193 (líneas 1s: «[esto es] lo que ha jurado tu siervo Abdosir, hijo de Ariš, como memorial *[skrn]»;* cf. también el arameo *dkr w n ṭb l...,* «buena memoria de...», por ejemplo en nabateo: J. Cantineau, *Le Nabatéen* II [1932] 11-13; Dura-Europos: A. Caquot, «Syria» 30 [1953] 245s); también es característico de este empleo el uso del verbo para designar la ejecución de la alianza por parte del *partner* divino (Gn 9,15s; Ex 2,24; 6,5; Lv 26,42.45; cf. W. Elliger, *Kleine Schriften zum AT* [1966] 174-198; Zimmerli, GO 205-216; Childs, *loc. cit.,* 42-44).

b) Al recuerdo de Israel por parte de Yahvé corresponde el recuerdo de Yahvé y su acción salvífica por parte de Israel.

1) *zkr* aparece en el salterio para designar la actitud de confianza en Yahvé, actitud que proclaman como propia los orantes en sus cánticos de lamentación y acción de gracias (Sal 42,7; 63,7; 77,4; 119,55; cf. también Is 64,4; Jon 2,8 y Jr 20,9); en espe-

cial se refiere al recuerdo actualizador de las acciones salvíficas de Yahvé (Sal 77,6s.12s; 119,52; 143,5; en la invitación a la alabanza actualizadora: Dt 32,7; Sal 105,5 = 1 Cr 16,12; en los salmos históricos se presenta como una acción emprendida por Israel, aunque por lo general luego abandonada: Sal 78,34s.42; 106,7; Is 63,11; Neh 9,17; cf. también Jue 8,34). Este recordar no puede entenderse como un simple reflejo de la actualización cúltico-dramática del pasado (S. Mowinckel, *Psalmenstudien* II [1920]; A. Weiser, *Glaube und Geschichte im AT* [1961] 280-290.303-321); se trata, más bien, de un actualizar el pasado con fines de recuerdo y alabanza y con una conciencia clara de la distancia temporal que lo separa del presente; la razón de esta actualización está en su significado para el momento presente (cf. H. Zirker, *Die kultische Vergegenwärtigung der Vergangenheit in den Psalmen* [1964]; C. Westermann, *Forschung am AT* [1964] 306-335; W. Beyerlin, ZAW 79 [1967] 208-224).

2) En la parénesis deuteronómica la actualización de determinados motivos de la tradición histórico-salvífica constituye la base para exigir el cumplimiento de los mandatos de Yahvé (Dt 5,15; 7,18; 8,2.18; 9,7; 15,15; 16,3.12; 24,9.18.22; 25,17). El esquema fijo de esta parénesis (cf. N. Lohfink, *Das Hauptgebot* [1963] 125-136; Schottroff, *loc. cit.*, 117-125.385-388), a saber: mandato, exhortación a recordar seguida de una nueva exigencia de cumplir lo mandado, se explica a partir de la predicación levítica; el trasfondo de esta predicación levítica lo constituye el formulario de la alianza, particularmente en lo que se refiere a la idea de que la obligación nace de los beneficios proporcionados por quien otorga la alianza (K. Baltzer, *Das Bundesformular* [²1964] 40-47; N. Lohfink, *loc. cit.;* D. J. McCarthy, *Treaty and Covenant* [1963] 109-140; von Rad, ATD 8, 13-16; W. Beyerlin, FS Heitzberg [1965] 9-29; cf., sin embargo, Schottroff, *loc. cit.*, 385-388). En el Dt (16,3), en la obra deuteronomística (Ex 13,3-9; Jos 4,7) y en los demás escritos exílicos y posexílicos (P: Ex 12,14; Lv 23,24; Nm 17,5; además, Neh 2,20; Est 9,28), *zkr* y *zikkārōn* son empleados también con referencia a fiestas y acontecimientos cúlticos, que de esa forma aparecen historizados y puestos al servicio de una actualización de determinadas tradiciones histórico-salvíficas. Tampoco aquí designa *zkr* una participación en la actualización cúltico-dramática; se trata, más bien, de inserirse en la cadena de sucesos recordando acontecimientos del pasado que son actualizados por medio de la predicación o de diversos signos (cf. M. Noth, EvTh 12 [1952-53] 6-17; Childs, *loc. cit.*, 45-65.74-89; N. W. Porteous, FS Weiser [1963] 43-105; von Rad II, 108-121; S. Herrmann, FS Rost [1967] 95-105; J. M. Schmidt, EvTh 30 [1970] 169-200).

3) En la literatura profética *zkr* es empleado de forma semejante a partir del s. VIII a. C. La palabra de juicio de Miq 6,3-5 exige al pueblo que se acuerde de las acciones salvíficas de Yahvé con el fin de que reconozca que sus reproches contra Yahvé son insostenibles. Is 17,10 fundamenta la amenaza de castigo en el hecho de que Israel no se ha acordado de Yahvé. En este sentido, *zkr* aparece también en palabras de amenaza de tiempos tardíos (Is 57,11; Ez 16,22.43; 23,19; cf. también Is 47,7). En la profecía exílica y posexílica, sin embargo, *zkr* aparece sobre todo en oráculos de salvación (Is 44,21s; 46,8; Jr 51,50; Ez 6,9; 16,61.63; 20,43; 36,31; Zac 10, 9) en estrecha unión con la llamada a la conversión (sobre esto, cf. Wolff, GesStud 130-150), especialmente en relación con el anuncio de una nueva acción salvífica de Yahvé que supera a la antigua (Is 43,18; 46,9; 54,4; 65, 17; cf. C. R. North, FS Robinson [1950] 111-126; von Rad II, 254-260; Zimmerli, GO 192-204; S. Herrmann, *Die prophetischen Heilserwartungen im AT* [1965] 298-304).

5. Sobre el judaísmo y el NT, cf. J. Behm, art. ἀνάμνησις: ThW I, 351s; O. Michel, art. μιμνῄσκομαι: ThW IV, 678-687; G. Schmidt, FS Meiser (1951) 259-264; K.-H. Bartels, *Dies tut zu meinem Gedächtnis* (tesis en Maguncia [1959]); M. Thurian, *Eucharistie. Einheit am Tisch des Herrn?* (1963); P. A. H. de Boer, *loc. cit.*, 44-62.

W. SCHOTTROFF

זנה *znh* Prostituirse

1. Además de en hebreo, esta raíz aparece en arameo (posterior al AT), árabe y etiópico.

En Jue 19,2 debe aceptarse una raíz *znh* II, «enfadarse» (G. R. Driver, WdO I/1 [1947] 29s; HAL 264; Barr, CPT 286.326), correspondiente del acádico *zenû,* «estar airado».

Los derivados nominales son *z^e nûnîm* (cf. D. Leibel, «Lešonenu» 20 [1956] 45s), *z^e nût* y *taznût*. El verbo aparece en qal (con el participio femenino sustantivado *zōnā,* «prostituta») y además en pual (sólo en Ez 16,34) y hifil (causativo; sobre Os 4,10.18; 5,3, cf. Rudolph, KAI XIII/1,105.116).

2. El verbo aparece en qal 83 × (sin contar Jue 19,2, cf. *sup.;* 33 × corresponden al sustantivado *zōnā;* Ez 21 ×, Os 10 ×), en pual 1 ×, en hifil 9 × (Os 4 ×, 2 Cr 3 ×). *z^e nûnîm* está documentado 12 × (Os 6 ×), *z^e nût* 9 × (Jr y Ez 3 ×) y *taznût* 20 × (en Ez 16 aparece 23 ×).

Del total de 134 casos, 47 corresponden a Ez (42 de ellos en Ez 16 y 23), 22 a Os, 9 a Lv y Jr, 5 a Jue e Is, 4 a Gn, Jos y Prov.

3. *a)* El significado base en qal es «fornicar, prostituirse» (referido a la mujer; Nm 25,1 se refiere al hombre). El verbo se emplea o bien en forma absoluta (Gn 38,24 y *passim,* aproximadamente en la mitad de los casos) o bien unido a *'aḥ^a rē,* «detrás de...» (Ex 34,15s y *passim;* es una construcción relativamente frecuente), con un simple acusativo (Jr 3,1), *'æl* (Nm 25,1; Ez 16,26.28), *'æt* (Is 23,17), *b^e* (Ez 16, 17); en el sentido de «prostituirse abandonando a (Yahvé)» el verbo va acompañado de *táḥat* (Ez 23,5) o *mittáḥat* (Os 4,12), *mē'al* (Os 9,1) o de *min* (Sal 73,27).

La forma pual que aparece en Ez 16,34 es el pasivo de la forma qal («ser prostituido»). El hifil de Os 4,10-18 es entendido normalmente como causativo interno y traducido como el qal (cf., por ejemplo, Wolff, BK XIV/1, 101); en los demás casos se lo traduce como causativo «inducir a la fornicación» (cf. *sup.* 1).

No existe ningún sinónimo directo de *znh.*

b) Originariamente, *znh* designa sencillamente todo tipo de relación sexual irregular e ilegal entre hombre y mujer. En paralelo a *znh* aparecen vocablos como *ḥll* piel, «profanar» (Lc 19,29; 21,9); *bgd,* «traicionar» (Jr 3,8); *m'l,* «traicionar» (1 Cr 5,25), *ṭm'* nifal, «quedar impuro» (Ez 20,30; 23,30; Os 5,3; Sal 106,39), o *n'p* piel, «adulterar» (Os 4,13s).

El que se prostituye comete una infamia en Israel (Lv 19,29, *zimmā;* Dt 22,21, *n^e bālā).* Por tanto, la prostitución es castigada: el que se prostituye es quemado (*śrp* nifal, Gn 38,24; Lv 21,9) y arrancado de Israel (*krt* hifil, Lv 20,6; *b'r* piel, Dt 2,21; *ṣmt* hifil, Sal 73,27).

4. El lenguaje teológico emplea *znh* en sentido metafórico figurado referido al apartarse de Yahvé para acudir a otros dioses. Este empleo aparece en cuatro puntos principales:

a) En la profecía de *Oseas:* aquí el sujeto no es una mujer cualquiera, sino Israel (el reino del Norte) (9,1) y el país (1,2), presentados figurativamente como esposa de Yahvé; actúa deslealmente con Yahvé y «se prostituye abandonando a Yahvé» (4,12; 9,1). Con esta concepción, tomada del culto cananeo de Baal, que incluía la prostitución sagrada, se combate precisamente la tendencia pro-cananea de Israel. «Prostituirse abandonando a Yahvé» es sinónimo de adulterio (4, 13s) y de la veneración de Baal como esposo y provoca, por tanto, el anuncio profético de juicio (cf. Wolff, BK XIV/1, 15).

b) Este lenguaje figurativo es recogido después por *Jeremías.* Tampoco aquí se acusa de prostitución a una persona particular, sino a Judá/Israel (2,20; 3,1.6.8). Como lugares de prostitución se citan (lo mismo que en Os 4,13) las altas colinas, los montes y los árboles frondosos (2,20; 3,6), que eran probablemente lugares cúlticos de la religión de Baal.

c) El empleo de *znh* en *Ezequiel* se concentra clarísimamente en los capítulos 16 y 23, es decir, en dos capítulos que recogen las imágenes de Os 1-3 y Jr 3 (sólo en Ez 16 y 23 aparece el concepto *taznūt).* También aquí se trata de determinados lugares cúlticos (altozanos, 16,16) o circunstancias cúlticas (imágenes humanas, 16,17), en los que Israel cultiva su idolatría. Los dioses extranjeros son designados como ídolos *(gillūlīm,* 6,9; 23,30) o abominaciones *(šiqqūṣīm,* 23,30). Israel se prostituye tras ellos, aunque ellos no se ocupan en absoluto de ella (16,34).

Se debe señalar además lo siguiente: 1) en 16,26.28 y 23,5, la acusación hecha a Israel de que se ha prostituido con dioses extranjeros se amplía e incluye la acusación de que se ha prostituido también con pueblos extranjeros, es decir, de que políticamente se ha esclavizado. 2) Según 23,3.19, Israel no se ha prostituido sólo tras la conquista de la tierra y el contacto con la religión cananea de Baal, sino ya en su historia antigua, en Egipto. 3) 6,9 habla en sentido metafórico de un «corazón fornicador».

d) La imagen de Oseas ha tenido continuación sobre todo en la teología *deuteronomística,* especialmente en la fórmula estereotipa «prostituirse detrás de los dioses (extranjeros) (de la tierra)» (Ex 34,15s; Dt 31,16; Jue 2,17; 8,27.33; cf. Nm 25,1; Sal 106,39; 1 Cr 5,25).

5. Sobre el lenguaje neotestamentario en relación con el contexto del NT, cf. F. Hauck y S. Schulz, art. πόρνη: ThW VI, 519-598.

J. Kühlewein

זעם *zʿm* **Imprecar** → קלל *qll*

זעק *zʿq* **Gritar** → קרא *qrʾ*

זָר *zār* **Extranjero**

1. *zār,* «extranjero, extraño», es el adjetivo verbal (con frecuencia sustantivado) de la raíz *zūr* II, «apartarse» (en hebreo aparece en qal, nifal, hofal; tiene correspondientes en semítico meridional y arameo; cf. L. A. Snijders, OTS 10 [1954] 1-21).

Debe distinguirse esta raíz de *zūr* I, «oprimir» (Jue 6,38; Is 59,5; Job 39,15), y *zūr* III, «oler mal, ser repugnante» (Job 19,17; HAL 256b). A esta última raíz (**ḏīr,* cf. el árabe *ḏāra)* pertenece el acádico *zêru,* «odiar» *(zāʾiru,* «hostil, enemigo»; CAD Z 14s.97-99; cf., sin embargo, P. Wernberg-Møller, VT 4 [1954] 322-325).

Términos correspondientes a *zār* aparecen no sólo en semítico noroccidental (DISO 80), sino también en semítico meridional; sobre los significados ulteriormente desarrollados, cf. HAL 268a (en hebreo medio, «laico»; en árabe, «peregrino»).

2. *zār* aparece 70 × en el AT (excluido Prov 21,8, *wāzār,* cf. HAL 249b), con especial frecuencia en Prov (14 ×), Is (9 ×), Nm (8 ×), Jr y Ez (7 ×). La mayor frecuencia corresponde a los profetas (29 ×), a la literatura sapiencial (17 ×) y a la sacerdotal (Ex-Nm 15 ×).

3. *zār* tiene, tanto en su empleo como adjetivo como en su empleo como sustantivo, significados muy diversos (cf. la detallada investigación de L. A. Snijders, *The Meaning of «zar» in the Old Testament:* OTS 10 [1954] 1-154); se avecina a → *nēkār,* «país extranjero»/*nokrī,* «extranjero, extraño» (cf. P. Humbert, *Les adjectifs «zār» et «nŏkrī» et la femme étrangère des Proverbes bibliques,* FS Dussaud [1939] I, 259-266 = *Opuscules d'un hébraïsant* [1958] 111-118), pero debe distinguirse de *gēr,* «forastero residente» (→ *gūr).*

a) El significado más normal, especialmente en los profetas, es el de «extranjero» en sentido étnico o político, es decir, por lo general, «no israelita». *zārīm* designa a los pueblos extranjeros con los que Israel está relacionado, especialmente a sus enemigos políticos: los asirios o egipcios (Os 7,9; 8,7; Is 1,7), los inmediatos vecinos de Judá (Lam 5,2), los babilonios (Jr 51,51; Ez 28,7.10; 30,12; 31,12 y *passim). zār* se aproxima, pues, a → *ṣar,* «enemigo»; el extranjero es a la vez enemigo.

Aquí tienen su puesto también las designaciones de los dioses «extranjeros», es decir, de los dioses que pertenecen a los pueblos extranjeros (Dt 32, 16; Is 17,10; Jr 2,25; 3,13; Sal 44, 21; 81,10; cf. Jr 5,19).

b) Especialmente en la literatura sapiencial *zār* aparece en el sentido neutro de «otro, perteneciente a otro» (Prov 6,1; 11,15; 14,10; 20,16 y *passim),* pero la expresión puede incluir también el matiz de hostilidad (Job 19,15, cf. v. 17; cf. G. R. Driver, Bibl 35 [1954] 148s; cf., sin embargo, Barr, CPT 256s.326), ilegitimidad (Os 5,7: «hijos bastardos») o semejantes. El otro es el *outsider,* cuyo comportamiento pone en peligro la existencia del propio grupo porque se coloca a sí mismo al margen de las leyes de la comunidad. Deben citarse aquí *ʾiššā zārā,* «la mujer extranjera», de Prov 1-9 (2,16; 5,3.20; 7,5), que aparece no tanto como extranjera en sentido étnico o como seguidora de un culto de Astarté (cf. G. Boström, *Proverbiastudien* [1935]) cuanto como esposa (israelita) de otro o como mujer adúltera; el sabio pone en guardia a sus discípulos ante tal mujer (cf. Humbert, *loc. cit.;* íd., «Revue des Études Sémitiques» [1937] 49-64; Snijders, *loc. cit.,* 88-104; Gemser, HAT 16,25s). Así, pues, *zār,* «otro», puede recibir un sentido negativo («peligroso, hostil»).

c) Especialmente en la tradición sacerdotal posexílica, *zār* designa lo que que se opone a lo sacro o a una determinada prescripción cúltica (Elliger, HAT 4, 137); así, por ejemplo, puede designar a alguien que no pertenece al sacerdocio aaronita (Ex 29,33; Lv 22, 10.12.13; Nm 3,10.38; 17,5; 18,4.7) o a los levitas (Nm 1,51) o a la comunidad cultual (Ex 30,33). En muchos casos, pues, *zār* significa algo así como «laico, incompetente» («profano» en sentido cúltico). También en las oblaciones de incienso se puede llamar *zār,* «ilegítimo, prohibido», al fuego (Lv 10,1; Nm 3,4; 26,61) o al incienso (Ex 30,9), porque no corresponden a las prescripciones cúlticas (Snijders, *loc. cit.,* 111-123).

d) Debe señalarse finalmente el significado de «raro, inaudito», que aparece en Is 18,21 describiendo la actitud de Yahvé (semejante a Prov 23,33: «extraño»); sólo aquí es usado *zār* como predicado.

4. En términos generales, Israel se comporta de forma muy reservada ante aquel a quien califica como *zār.* El extraño constituye siempre una amenaza, algo que pone su existencia en peligro, especialmente desde el punto de vista deuteronomístico-sacerdotal. Los *zārīm* son los «paganos» con los que no debe establecerse ninguna alianza (Dt, Esd, Neh; cf. A. Bertholet, *Die Stellung der Israeliten und der Juden zu den Fremden* [1896]). El *zār* no puede unirse con Yahvé; cf., sin embargo, la nueva posición que aparece en el DtIs, Jonás y en el judaísmo helenístico y también la actitud frente al *gēr* (→ *gūr).*

5. Sobre *zār,* «extranjero», en el judaísmo tardío y en el NT, cf. F. Büchser, art. ἄλλος: ThW I, 264-267; G. Stählin, art. ξένος: ThW V, 1-36.

R. Martin-Achard

זְרוֹעַ $z^e r\bar{o}^{a\varsigma}$ **Brazo**

1. Términos correspondientes al hebreo $z^e r\bar{o}^{a\varsigma}$, «brazo», y pertenecientes a la misma raíz aparecen sólo en semítico noroccidental y meridional (HAL 269a).

Según P. Fronzaroli, AANLR VIII/19 (1964) 259.279, *_ḏirāʿ-_ pertenece al semítico común, aunque en semítico oriental ha sido sustituido por *yad- > idu, «brazo», que, por su parte, ha cedido el puesto a la palabra qātū en el sentido de «mano»; en semítico occidental el significado originario de *yad-, «mano-brazo», ha sido limitado por *_ḏirāʿ_ al significado de «mano» (→ yād). En árabe, el significado de _ḏirāʿ_ se ha limitado a «antebrazo» y ha sustituido a la palabra semítico-común *ʾammat- (hebreo ʾammā, acádico ammatu), «codo, antebrazo», tanto en su significado anatómico como en su empleo como unidad de medida.

Sobre la posible relación con *_ḏrʿ_, «sembrar» (hebreo zrʿ), cf. Fronzaroli, loc. cit., 259; UT § 5.4).

Si el neoasirio _durāʾu_ pertenece a esta raíz (CAD D 190s; cf., sin embargo, AHw 177b), habría que pensar que se trata de un extranjerismo tomado del semítico occidental. El término zuruḫ, cananeo antiguo, está documentado en las glosas de las cartas de el-Amarna, 287,27 y 288,34. En el ugarítico _ḏrʿ_ (WUS N. 2723; UT N. 733), la originaria _ḏ_ se ha conservado y no ha cambiado, como en las demás lenguas, a d, cf. UT § 5.3).

En arameo bíblico, junto a dᵉrāʿ (Dn 2, 32; cf. DISO 61) aparece también ʾæḏrāʿ (Esd 4,23; sobre la vocalización, cf. BLA 215) con alef prostética. A partir de ahí debe explicarse también el hebreo ʾæzrōaᶜ (Jr 32,21; Job 31,22), que sería una forma arameizante (HAL 28).

2. De los 92 casos del AT (incluidos 2 × ʾæzrōaᶜ; además, 2 × en arameo), 39 corresponden a la literatura profética (de ellos, 17 a Is y 13 a Ez), 14 a Sal, 9 a Dt, 7 a Job y 6 a Dn.

El plural se forma 19 × con desinencia femenina y 4 × con desinencia masculina.

3. El significado estricto de zᵉrōaᶜ es «brazo», especialmente «antebrazo» del hombre (por ejemplo, Is 17,5; 44, 12; Ez 4,7). El masculino plural designa ocasionalmente los «hombros» (2 Re 9,24); en el ámbito cúltico el singular designa también la espaldilla de los animales sacrificados (Nm 6,19; Dt 18,3).

En sentido metafórico (Dhorme, 140), la palabra designa, lo mismo que → yād, la violenta (Job 38,15; cf. 22, 8), poderosa (Jr 48,25) y benéfica (Sal 83,9) «energía, fuerza» de su dueño. Lo mismo que en Ez 17,9 zᵉrōaᶜ gᵉdōlā, «brazo poderoso», corresponde a un «pueblo numeroso» y el acádico emūqē, «fuerzas (armadas)», puede alternar con idā(n), así también en Dn 11,15.22 (zᵉrōᶜim, 11,31; singular, 11,6; sobre el texto, cf. Plöger, KAT XVII, 155, y P. Wernberg-Møller, JSS 3 [1957] 324s) zᵉrōᶜōt designa un ejército (cf. también Ez 22,6, aunque muchos intérpretes, por ejemplo A. M. Honeyman, VT 1 [1951] 222, leen zarᶜō, «su simiente»).

En el texto hímnico, Dt 33,27, zᵉrōᶜōt ᶜōlām, «brazos eternos», aparece en paralelo a «dioses antiguos (?)», cf. I. L. Seeligmann, VT 14 (1964) 78.87s.

En paralelo a zᵉrōaᶜ aparecen frecuentemente → yād, «mano», y yāmīn, «mano derecha», y, en sentido metafórico, conceptos como → kōaḥ, «fuerza», y gᵉbūrā, «energía» (→ gbr).

4. De acuerdo con el uso profano, zᵉrōaᶜ se emplea en diversos géneros literarios antropomórficamente para designar la poderosa (especialmente en los himnos: Sal 89,14; 98,1; Ex 15, 16; en cánticos de alabanza, Sal 71,18), benéfica (Sal 44,4; 77,16; 79,11; 84, 22; Is 33,2; 40,11; Os 11,33) y punitiva (Is 30,30) fuerza de Dios (P. Biard, La puissance de Dieu [1960]). El aspecto de ayuda es señalado especialmente por medio de la fórmula estereotipa «con mano fuerte y brazo extendido». Pero esta fórmula se limita al Deuteronomio (Dt 4,34; 5,15; 7, 19; 11,2; 26,8) y a la literatura influida por el Dt (Jr 32,21; Sal 136,12) y se refiere siempre a la acción salvífica de Dios en el éxodo de Egipto (sin una referencia explícita en la consagración del templo de Salomón, 1 Re 8,42 = 2 Cr 6,32). En Ez 20,33s, la fórmula se refiere al nuevo éxodo de la diáspora. La idea de juicio referida a Israel, que suena en este texto, está ausente

en el DtIs, donde la fuerza salvífica de Yahvé en la creación y en la historia (Is 51,9s) se acentúa enfáticamente por medio de la expresión «brazo de Yahvé» y es interpretada «escatológicamente» (Is 51,5.9; 52,10; 53,1; cf. H. L. Ginsberg, *The Arm of YHWH in Isaiah 51-63 and the Text of Isa 53, 10-11:* JBL 77 [1958] 152-156). En el Tritoisaías el brazo de Yahvé aparece incluso como una especie de hipóstasis (con referencia al éxodo de Egipto, en Is 63,12; en general, en 59,16; 63,5; cf. también 62,8, donde se habla de que Dios jura por su brazo; cf. G. Pfeifer, *Ursprung und Wesen der Hypostasenvorstellung im Judentum* [1967] 17). La expresión «con gran fuerza y brazo extendido» se refiere en Dt 9, 29 y 2 Re 17,36 (deuteronomístico) al éxodo de Egipto, pero en Jr 27,5 y 32,17 alude a la creación (presentada como un combate).

En el AT no se lee nunca, o casi nunca, un elogio de brazos humanos (Gn 49,24, aunque unido al «Fuerte de Jacob»). Al contrario, se emplea la expresión «brazo de carne» como designación de la caduca fuerza humana; dicha expresión sirve de contrapunto a la fuerza de Dios (2 Cr 32,8; cf. Jr 17,5; Sal 44,4), que puede quebrar los brazos humanos (Ex 30,21s.24b; cf. Sal 10,15) y arrancarlos (1 Sm 2, 31, Mal 2,3, texto enmendado), pero también fortalecerlos (Ex 30,24a.25).

5. En el NT sólo se habla del brazo de Dios en el sentido de fuerza salvífica; cf. H. Schlier, art. βραχίων: ThW I, 638.

A. S. VAN DER WOUDE

חָדָשׁ *ḥādāš* Nuevo

1. La raíz **ḥdṯ* aparece en todas las lenguas semíticas con el mismo significado (Bergstr., *Einf.,* 191).

En hebreo aparecen *ḥdš* piel, «renovar»; hitpael, «renovarse», y las formas nominales *ḥādāš,* «nuevo» (en el nombre de lugar *Ḥ*ᵃ*dāšā,* Jos 15,37, y en el arameo *Ḥāṣōr Ḥ*ᵃ*dattā,* Jos 15, 25; cf. Wagner N. 88), y *ḥōdæš,* «luna nueva, mes» (sobre el nombre propio femenino *Ḥōdæš* en 1 Cr 8,9, cf. J. J. Stamm, FS Baumgartner [1967] 322).

Al hebreo *ḥādāš* corresponden el acádico *eššu* (cf. *eddēšû,* «renovándose siempre»), el ugarítico *ḥdṯ* (WUS N. 908; UT N. 843), el participio púnico *ḥdš* (en el nombre de la ciudad de Cartago *Qrtḥdšt:* «ciudad nueva») y el arameo *ḥ*ᵃ*dat* (DISO 83; KBL 1074a), que aparece una vez en Esd 6,4 como error textual.

El nombre de lugar *Ḥodšī,* de 2 Sm 24, 6, debe descartarse por error textual.

2. *ḥdš* piel aparece 9 ×, el hitpael 1 × (Sal 103,5), *ḥādāš* 53 × (Is 40-66 10 ×, Sal 6 ×, Ez 5 ×), *ḥōdæš* 283 × (Nm 38 ×, Ez 27 ×, Est 24 ×).

ḥādāš aparece 20 × en textos narrativos (a los que hay que añadir Dt 32,17 y Jue 5,8, texto dudoso), 19 × en textos proféticos, 6 × en Sal, 2 × en Job y Ecl, 1 × en Cant y Lam.

3. *a)* Ni el verbo *ḥdš* piel, «renovar», ni *ḥādāš,* «nuevo», tienen sinónimos propios; muchas veces aparecen como opuestos de «antiguo, anterior»: se renueva, es decir, se restablece el templo (2 Cr 24,4.12, paralelo a *ḥzq* piel, «mejorar»), un altar (2 Cr 15,8), ciudades (Is 61,4, paralelo a *bnh,* «reconstruir»); se renueva también el reino (1 Sm 11,14). Se pide a Dios que restablezca la anterior fortuna y salvación (Lam 5,21: «¡renueva nuestros días como antaño!»), que renueve la energía vital (Sal 51,12, junto a *brʼ,* «crear»; cf. L. Kopf., VT 9 [1959] 254s); se le alaba porque renueva la faz de la tierra (Sal 104,30, junto a *brʼ)* y se preocupa de que la fuerza de la juventud sea restaurada (Sal 103, 5, hitpael). Sólo en Job 10,17 («renovar los testigos» = «presentar siempre nuevos testigos») aparece «nuevo» en oposición a «ya preexistente».

b) Especialmente en los textos narrativos aparece el empleo cotidiano de *ḥādāš,* «nuevo», tanto en oposición a «viejo» como en el sentido de «todavía no existente». En el ámbito de lo creado se habla de la nueva cosecha (Lv 26,10, junto a *yāšān,* «antiguo, añejo») en el contexto de la ofrenda de las primicias (Lv 23,16; Nm 28,26) y también de los nuevos (frescos) frutos (Cant 7,14, junto a *yāšān);* en el ámbito de lo fabricado se habla de nuevas casas (Dt 20,5; 22,8), nuevos odres (Jos 9,13, cf. *bālæ,* «antiguo, usado», en vv. 4s; Job 32,19), nuevos cordeles (Jue 15,13; 16,11.12), nuevos carros (1 Sm 6,7 = 1 Cr 13,7; 2 Sm 6,3.3), una nueva espada (2 Sm 21,16), un nuevo manto (1 Re 11,29.30), una nueva olla (2 Re 2,20), el atrio nuevo (2 Cr 20,5). En los textos proféticos aparecen además: un trillo nuevo (Is 41,15), la puerta nueva del templo (Jr 26,10; 36,10; cf. la puerta antigua en Neh 3,6; 12,39). Referido a personas, «nuevo» se aplica a la mujer que un hombre acaba de tomar por esposa (Dt 24,5; sobre los paralelos acádicos y ugaríticos, cf. HAL 282b), también al nuevo rey de Egipto (Ex 1,8) y a los nuevos dioses, es decir, aquellos que Israel ha conocido al entrar a Canaán (Dt 32,17: «nuevos, recién llegados»).

Los adjetivos *ṭārī,* «fresco, húmedo» (Jue 15,15, huesos; Is 1,6, heridas), y *laḥ,* «todavía húmedo, fresco» (Gn 30, 37; Nm 6,3; Jue 16,7.8; Ez 17,24; 21,3; el sustantivado *lēaḥ,* «frescos», Dt 34,7; sobre la raíz *lḥḥ,* cf. A. van Selms, FS Vriezen [1966] 318-326), son paralelos en parte a *ḥādāš* en cuanto al significado.

Atendiendo a estos textos, llama la atención que el vocablo aparezca tan raramente. Sólo hay un grupo relativamente amplio: aquel en el que se habla de lo nuevo que debe hacerse manualmente. Si se tiene en cuenta la gran frecuencia del vocablo «nuevo» en las lenguas europeas modernas y también en griego y latín, llama más aún la atención su escasa frecuencia en el AT. Lo mismo aparece también en el escaso número de derivados que se han formado de esta raíz. Compárese con el español: nuevo, novedad, novedoso, renovar, renovación, novísimo, neo-... Probablemente los contextos en los que algo sucede son experimentados con un vigor tal, que lo que a nosotros parece nuevo no es experimentado por ellos como algo nuevo; al menos no lo designan como nuevo. Es éste un campo para una investigación ulterior. Una cosa es segura: la sensación de novedad entre los israelitas abarca un campo de experiencia muy limitado; los israelitas hablan en muy pocas ocasiones de algo «nuevo».

4. *a) ḥādāš* aparece en los textos proféticos sólo durante el exilio o en torno al exilio (DtIs 5 ×, TrIs 5 × en tres pasajes; Jr 4 ×, Ez 5 × en tres pasajes; se discute la datación de Jr 31,22.31, cf. Sellin-Fohrer, 434, con bibliografía). Es un dato significativo: solamente en la época del exilio se habla de algo nuevo en la historia de Dios con Israel; en ninguna otra época aparece esta idea. Este hecho aparece aún más claramente cuando se analizan con más detalle los textos: si prescindimos de los textos que presentan un empleo cotidiano de la raíz (Is 41,15; Jr 26,10; 36,10), existen tres contextos en los que los profetas exílicos e inmediatamente posteriores al exilio hablan de algo nuevo: 1) Is 42,9.10; 43,19; 48,6 (DtIs): lo antiguo y lo nuevo; 2) Jr 31,31 y Ez 11,19; 18,31; 36,26 (cf. Jr 31,22): nueva alianza y nuevo corazón; 3) Is 65,17; 66,22 (TrIs; cf. 62,2): nuevo cielo y nueva tierra.

1) El grupo de textos en los que el DtIs habla de lo «nuevo» es el grupo teológicamente más importante, ya que en él se contrapone expresamente lo nuevo a lo antiguo; lo «nuevo» se convierte expresamente en tema de reflexión teológica (cf., sin una contraposición explícita, Jr 31,22: «pues Yahvé ha creado una novedad en la tierra»; Is 62,2: «te llamarán con un nombre nuevo»). De los cuatro pasajes, tres corresponden al anuncio de salvación (42,9; 43,19; 48,6) y el cuarto es respuesta de alabanza (42,10): a la nueva

acción de Dios corresponde un nuevo cántico.

Cuando lo nuevo, que ahora se anuncia, se opone a lo anterior que ya ha sucedido *(rīšōnōt,* 42,9; 43,18), lo «antiguo» designa la actuación salvífica de Dios ya realizada (especialmente en 43,18) y también el anuncio de juicio (42,9). De lo nuevo, que ahora se anuncia, se afirma lo siguiente: «ahora te hago saber cosas nuevas, secretas, que tú no conocías» (48,6).

Todo esto no puede deducirse con claridad únicamente a partir de los tres pasajes en que aparece el término «nuevo». Para todo su sentido debe recurrirse a los oráculos de juicio contra los pueblos, en los que lo «nuevo» es conocido como lo «futuro» *(habbā᾽ōt,* → *bō᾽)* (41,21-29, sobre todo v. 22: «lo antiguo» - «lo futuro»; cf. 46,9-13) y también el anuncio salvífico del DtIs en general, que es el que nos dará a entender por qué la acción salvífica de Dios constituye propiamente algo «nuevo». Frente a esto «nuevo», toda la anterior historia de Israel es vista como algo «antiguo». Lo «nuevo» consiste en que la salvación del exilio, que ahora se anuncia, no se realizará ya por medio de los ejércitos de Israel ni por medio de un jefe «carismático» elegido por Yahvé, sino por medio del rey persa Ciro (44,24-45,7), es decir, consiste en que la salvación de Israel es independiente de la fuerza de Israel y se basa en el perdón (43,22.28); por tanto, también los pueblos pueden ser invitados a la nueva salvación de Yahvé (45,20-25). Debe señalarse nuevamente que esta explicación de lo «nuevo» en los tres pasajes citados (42,9; 43,19; 48,6) sólo es posible a partir del mensaje total del DtIs. A partir de este mensaje general se llega a comprender que sólo aquí, en toda la historia de salvación, se llama «nuevo» a lo que se anuncia.

2) En el pasaje de Jeremías que habla de la nueva alianza (31,31-34) ésta es contrapuesta —lo mismo que en los textos del DtIs— a lo antiguo: «no como la alianza que establecí con vuestros padres...». Al igual que en DtIs, también aquí la nueva alianza se basa en el perdón (v. 34b). Jr 31, 31-34, en cambio, presenta como distinto y característico la idea de que esta nueva alianza se basa en una transformación de cada individuo particular (v. 33). Esto es precisamente lo que afirman los pasajes de Ezequiel que hablan de lo «nuevo»: Ez 11,19; 18,31; 36,26. Hablan de un nuevo corazón y un nuevo espíritu que Dios crea al hombre y coloca en su interior (Sal 51,12 está quizá influido por estos textos).

El texto jeremiano (cf. también Jr 31,22) y los tres pasajes de Ezequiel son muy vecinos tanto en cuanto al contenido como en cuanto al tiempo; también Jr 31,31-34 debe pertenecer al exilio. La diferencia con respecto a los textos del DtIs consiste en que, aunque lo «nuevo» debe ser experimentado por Israel —como decía ya el DtIs—, el peso de la afirmación recae en una transformación de las personas particulares.

3) La promesa de un nuevo cielo y una nueva tierra en Is 65,17 (que vuelve a aparecer en 66,27, añadido posterior) viene a ser una ampliación en la línea cósmica de la promesa de algo «nuevo» que proclamó el DtIs. De Jr 31,31 y Ez 11,19; 18,31; 36,26 no puede afirmarse con seguridad que hayan sido influidos por DtIs; en Is 65,17, en cambio, ese influjo es cierto. Aquí se da por supuesto que Yahvé va a realizar con Israel un acto salvífico nuevo con respecto a toda la historia anterior. Ya DtIs había transferido esa promesa al ámbito de la creación en la descripción de la vuelta del exilio, en la que el desierto se convertía en jardín; de todos modos, la promesa de salvación del DtIs estaba limitada al ámbito de los sucesos históricos. Con Is 66,22, que promete la creación de un nuevo cielo y una nueva tierra, se da ya el paso a un lenguaje apocalíptico que trasciende la historia. No puede decirse que esto se dé ya en 65,17; si debe traducirse «yo hago nuevos el cielo y la tierra» (Westermann, ATD 19, 322), entonces se hablaría únicamente de una maravillosa renovación de todo, renovación que no incluiría necesariamente la aniquilación de todo

lo anterior. Pero la expresión ha sido entendida más tarde, como lo indica 66,22, en forma apocalíptica; aquí es donde lo nuevo —que Dios crea— rompe la continuidad histórica con la verdad presente y la trasciende.

b) En los salmos, *ḥādāš* aparece en un único contexto: el del «cántico nuevo». El imperativo «cantad a Yahvé un cántico nuevo» aparece en Sal 33,3; 96,1; 98,1; 149,1; en cohortativo aparece en 144,9; en primera persona y en una narración de alabanza aparece en 40,4: «puso en mi boca un cántico nuevo, una alabanza a nuestro Dios».

Las fórmulas imperativas de estos salmos suenan igual que Is 42,10 para exigir una alabanza que responda a la nueva acción salvífica de Yahvé; teniendo esto en cuenta y considerando que también Sal 86 y 98 parecen influidos por DtIs (Kraus, BK XV, 665s. 677s; C. Westermann, *Das Loben in den Psalmen* [1953] 104-111), es posible que el tema de «cantar un cántico nuevo», que aparece en todos estos textos, tenga su origen en el DtIs. Y aun cuando no pueda probarse con la idea del «cántico nuevo», tiene en dichos textos el mismo sentido que en Is 42,10, es decir, que es entendido como un eco a la nueva acción de Yahvé.

El cántico no es «nuevo» porque un nuevo texto o una nueva melodía sustituyan a la letra o melodía antiguas; nada más lejano de los salmos. El cántico es «nuevo» porque algo nuevo ha sucedido por parte de Dios y el cántico responde a esa nueva acción de Dios; es «nuevo» porque esa nueva acción de Dios resuena en el cántico.

c) Deben mencionarse todavía algunos pasajes de la tercera sección del Canon. Lam 3,23: «cada mañana se renueva tu misericordia», constituye un texto único donde la continuidad de la misericordia de Dios es descrita de forma análoga a la nueva cosecha o al vestido nuevo. Es una idea que se acerca mucho a nuestra concepción de las cosas. Pero en el AT este tema no es típico; aparece única y exclusivamente en este texto. Sólo en otra ocasión «nuevo» se refiere a los hombres en el sentido de «no usado»: Job 29, 20: «mi gloria se mantiene nueva en mí».

Teniendo en cuenta el empleo general del vocablo, resultará fácilmente comprensible que al final del AT la sabiduría escéptica del Eclesiastés pueda afirmar: «no hay nada nuevo bajo el sol» (Ecl 1,9.10). Pero esta misma frase muestra ya una valoración de lo nuevo en la experiencia cotidiana, superior al valor que se le atribuye en los demás textos.

5. Finalmente, puede señalarse un empleo denso y conciso del término «nuevo» en el AT, que se basa en la concentración de los pasajes proféticos en un punto de la historia y en el «cántico nuevo» de los salmos como eco que responde a una determinada acción de Dios en la historia: se trata de lo «nuevo» anunciado tras la caída de Israel/Judá, el fin de la monarquía y la destrucción del templo. Ahora bien, ya que no se puede hablar en el AT de esto nuevo —que se basa en el perdón divino—, ni de la salvación de Israel independiente de su fuerza, ni de la llamada a la salvación dirigida a todos los pueblos, como de una realidad histórica que ya ha sucedido (nunca se describe en forma narrativa la nueva alianza, o la nueva salvación, o la nueva configuración del pueblo de Dios), cuando el NT habla de lo nuevo que ha sucedido en Cristo, responde exactamente a la línea del término veterotestamentario.

Sobre el NT, cf. J. Behm, art. καινός: ThW III, 450-456; íd., art. νέος: ThW IV, 899-904.

C. Westermann

חוה *ḥwh* hištafel **Postrarse**

1. La forma *hištaḥ^{a}wā* era considerada tradicionalmente como hitpalel de la raíz *šḥh* (forma secundaria de

šūaḥ y *šḥḥ)* (cf., por ejemplo, GK § 75 KK; BL 420; Joüon, 164; KBL 959); pero ahora, en base al ugarítico (raíz *ḥwy),* debe considerarse como forma derivada de la raíz *ḥwh* y explicarse como forma šafel con *t* reflexiva (WUS N. 912; UT 83 y N. 847; Moscati, *Introduction,* 128; HAL 283b, con bibliografía; Meyer II, 126.162s). Además de en hebreo y en ugarítico, la raíz está documentada también en árabe: *ḥawā,* «juntar, reunir»; II, «enrollarse» (Wehr, 198a).

Debe distinguirse entre esta raíz *ḥwh* II y la raíz *ḥwh* I piel, «anunciar» (que aparece en hebreo como un arameísmo, cf. Wagner N. 91/92; J. A. Soggin, AION 17 [1967] 9-14).

2. Los 170 casos de *ḥwh* hištafel están abundantemente representados en los libros narrativos (Gn 23 ×, Sal 17 ×, 2 Sm e Is 13 ×, 1 Sm y 2 Re 12 ×, Ex, 1 Re y 2 Cr 11 ×, Dt y Jr 8 ×, Jue y Ez 4 ×, Jos, Sof, Est, Neh y 1 Cr 3 ×, Nm y Zac 2 ×, Lv, Miq, Job y Rut 1 ×; en Lisowsky, 1421b, falta Zac 14,17).

3. Como significado de *ḥwh* hištafel resulta (cf. ugarítico y árabe) el de «inclinarse, doblarse profundamente». En las secciones arameas de Dn aparece como sinónimo el verbo *sgd* (Dn 2,46; 3,5-28 11 ×), presente también en Is 44,15.17.19; 46,6, junto a *ḥwh* hištafel (el arameo *sgd* aparece como extranjerismo en hebreo, árabe y etiópico, cf. Wagner N. 195).

ḥwh hištafel puede ser completado por *ʾárṣā,* «hasta el suelo» (Gn 18,2; 24,52 y *passim; ʾæræṣ,* Is 49,23), o *ʾappáyim ʾárṣā,* «rostro a tierra» (Gn 19,1; 42,6 y *passim;* con *le*, Gn 48,12; con *ʿal,* 2 Sm 14,33), de forma que resulta la expresión «inclinarse, doblarse, postrarse hasta el suelo» o «inclinarse rostro a tierra, dar con el rostro en tierra» (referido a algo o a alguien: con *le* de persona o cosa; raramente *ʿal,* Lv 26,1, o *ʾæl,* Sal 5,8).

En el campo semántico de *ḥwh* hištafel aparecen los verbos *qdd* (solamente unido a *ḥwh* hištafel como acción preparatoria a la inclinación), «agacharse (en postura de humildad), arrodillarse» (Gn 24,26; Ex 34,8; 1 Sm 24,9 y *passim;* cf. KBL 821b), *npl,* «caer» (2 Sm 1,2; 9,6.8 y *passim), krʿ,* «arrodillarse, doblar la rodilla» (Est 3,2.5; en Sal 95,6, unido a *brk* qal «arrodillarse»); otros verbos de significado parecido son: *kpp* qal, «inclinar»; nifal, «inclinarse» (Is 58,5; Sal 57,7; 145,14; 146,8; nifal, Miq 6, 6); *šḥḥ* qal/nifal, «agacharse» (Is 2, 9.11.17 y *passim;* hifil, «agachar a alguien», Is 25,12; 26,5), y *šḥh* qal, «inclinarse» (Is 51,23; hifil, «doblar», Prov 12,25), y también *hbr* qal en Is 47,13 (cf. J. Blau, VT 7 [1957] 183s; E. Ullendorf, JSS 7 [1962] 339s; HAL 227b).

Las formas *ušḫeḫin* y semejantes, que aparecen en acádico en las cartas de Amarna y en los textos de Ugarit, y que se han solido poner en relación con el hebreo *šḥḥ/šḥh* (KBL 959s), son formas que se derivan del acádico *šukênu,* «postrarse», y que han pasado al cananeo a través del hurrita (GAG 158).

En ugarítico aparece siempre la misma expresión estereotipa: *lpʿn il thbr wtql tštḥwy wtkbdnh,* «ella (Anat) se echó a los pies de El y se arrodilló, se humilló y le rindió honor» (Texto 49 [= I AB] I, 8-10 y *passim;* cf. J. Aistleitner, *Die mythologischen und kultischen Texte aus Ras Schamra* [1959] 18).

El gesto descrito por medio del verbo *ḥwh* hištafel se acerca, pues, al *suǧūd* mahometano descrito por E. W. Lane: «He next drops gently upon his knees... places his hands upon the ground, a little before his knees, and puts his nose and forehead also to the ground (the former first) between his two hands» (citado por D. R. Ap. Thomas, VT 6 [1956] 229; cf. las diversas formas en ANEP N. 355; también N. 45.46). Sobre el postrarse «desde lejos» en Ex 24,1, cf. S. E. Loewenstamm, *Prostration from Afar in Ugaritic, Accadian and Hebrew:* BASOR 188 (1967) 41-43.

Uno se postra ante los superiores para expresarles veneración y respeto extremos; así, por ejemplo, ante huéspedes forasteros (Gn 18,2), en actitud suplicante ante un poderoso (Gn 33,7; 2 Sm 16,4), Moisés ante Jetró (Ex 18, 7, con *nšq,* «besar»), Abigaíl ante David (1 Sm 25,23.41), ante el sacerdote (1 Sm 2,36), el profeta (2 Re 2,15; 4, 37), el rey (2 Sm 14,4.33; 24,20; 1 Re 1,16.23; 2 Cr 24,17; Sal 45,12 y *passim),* figurativamente los pueblos o los reyes ante Israel (Gn 27,29; Is 45,14; 49,23; 60,14).

4. De forma semejante, en el ámbito cúltico *ḥwh* hištafel designa también la adoración y veneración *(proskínesis)* de las estrellas (Dt 4,19; Jr 8, 2), del monte santo (Sal 99,9), del templo (2 Re 5,18), del ángel de Yahvé (Nm 22,31), de Yahvé (Gn 24,26.48, 52 y *passim),* de dioses extranjeros (cf. *inf.;* la estrecha unión entre actitud cúltica y *proskínesis* queda confirmada también, entre otros detalles, por la frecuente unión entre *ḥwh* hištafel y *'bd,* «servir»). *ḥwh* hištafel describe la actitud frecuentemente adoptada por el orante (seguido de un *pll* hitpael, «orar», en Is 44,17; 1 Sm 1,28; con mención de la oración en Gn 24,26. 48; Ex 34,8; sobre otros gestos del orante, cf. BHH L, 521; de Vaux II, 351s) o el orar mismo (raramente aparece junto a *ḥwh* hištafel un *verbum proprium* en el sentido de «orar», cf. J. Herrmann, ThW II, 786). *ḥwh* hištafel no designa, pues, meramente el gesto externo de «postrarse», sino que «se ha convertido más bien en expresión de una actitud religiosa» (Herrmann, *loc. cit.)* y puede con frecuencia traducirse por «orar, rezar».

ḥwh hištafel no debe considerarse como un concepto que pertenece específicamente al culto o a la fe yahvista. Gran parte de los pasajes pertenece precisamente a textos que atacan la apostasía de Israel y el culto a dioses extranjeros e ídolos (cf. Is 2,8.20; Jr 1,16; 8,2). En los escritos deuteronómicos y deuteronomísticos, *ḥwh* hištafel unido a *'bd,* «postrarse y dar culto», se ha convertido en frase fija, no documentada en ningún otro lugar, que designa el culto rendido a dioses extranjeros (según W. Zimmerli, *Das zweite Gebot,* FS Bertholet [1950] 553 = GO 237, en total 27 pasajes; cf., entre otros, Dt 4,19; 5,9 = Ex 20,5; Dt 8,19; 11,16; Jue 2,19; 2 Re 17,16; 2 Cr 7,19.22; Jr 13, 10; cf. también N. Lohfink, *Das Hauptgebot* [1963] 74s.99s.178). Únicamente en Dt 26,10 (sin *'bd)* tiene *ḥwh* hištafel el sentido positivo de postrarse ante Yahvé y recoge una antigua tradición cúltica (cf. von Rad, ATD 8, 113). No sucede lo mismo en los salmos (exceptuados Sal 81,10; 106,19); estos hablan de *ḥwh* hištafel como de un acto de adoración rendida a Yahvé, el Dios (rey) que reina sobre Sión y se remontan a una antigua tradición cúltica de Jerusalén (de origen cananeo) (Sal 22,28; 29,2; 86,9; 95,6; 96, 9; cf. 1 Cr 16,29; Sal 97,7; 99,5.9; 132,7; cf. también Zac 14,16s; Is 27, 13).

5. Los LXX traducen la raíz por προσκυνεῖν. Sobre el NT, cf. J. Herrmann y H. Greeven, art. εὔχομαι: ThW II, 774-808; H. Greeven, art. προσκυνέω: ThW VI, 759-767.

H.-P. Stähli

חזה *ḥzh* Mirar

1. El hebreo *ḥzh,* «mirar», probablemente ha sido tomado del arameo (Wagner N. 93-98; distinto, por ejemplo, Ginsberg y Dahood, cf. *inf.),* donde *ḥzh* es el término normal para designar la idea de «ver» (en hebreo → *r'h)* (KBL 1074b, *Supplément* 201a; DISO 84s; > árabe *ḥāzin,* «vidente», Driver, CML 138, nota 18).

Cf. también el fenicio *ḥzh,* «ver», que aparece en la inscripción de Kilamuwa del s. IX, KAI N. 24, líneas 11.12; cf., en Lidzbarski, KI N. 38, del s. IV (DISO 84s).

Sobre el arameo antiguo *ḥzh* pael, cf.

Fitzmyer, *Sef.*, 40; R. Degen, *Altaram. Grammatik* [1969] 78.

H. L. Ginsberg, FS Baumgartner (1967) 71s, une el hebreo-fenicio-arameo **ḥzw*, «ver», con el árabe *ḥḏw*, «estar frente a»; el autor rechaza (cf. *ibíd.*) la existencia del verbo *ḥdh* II, «ver», que había sido propuesta por M. Dahood, Bibl 45 (1964) 407s (y también HAL 280), basándose en la igualdad de nuestra raíz con el ugarítico *ḥdy* (distinto, WUS N. 905; con reservas, UT N. 839).

En hebreo y arameo bíblico *ḥzh* aparece sólo en qal; las formas nominales derivadas son: *ḥōzǣ*, «vidente»; *ḥōzǣ* II, «pacto» (cf. *inf.* 3b y → *b^erīt* I/2d); *mæḥ^æzā*, «ventana», y las numerosas expresiones que significan «visión» o semejantes: *ḥāzōn, ḥāzūt, ḥ^azōt, ḥizzāyōn, maḥ^azǣ* y las arameas *ḥ^æzū/ḥæzwā* y *ḥ^azōt* (BLA 185). Son también numerosos los nombres propios formados con *ḥzh*: *Ḥ^azā'ēl, Yaḥ^azī'ēl*, etc. (HAL 289a; cf. *inf.* 4c).

2. *ḥzh* y derivados aparecen 175 × en el AT (en hebreo 130 ×, en arameo 45 ×, sin contar los nombres propios); concretamente el verbo aparece en hebreo 55 × (Is 12 ×, Ez, Sal y Job 9 ×, Prov 3 ×, Ex, Nm, Miq, Cant y Lam 2 ×, Am, Hab y Zac 1 ×) y en arameo 31 × (Dn 30 ×, de ellas una corresponde al participio pasivo *ḥ^azē* con el sentido de «adecuado, usual»; Esd 1 ×); los sustantivos aparecen: *ḥōzǣ* 17 × (2 Cr 7 ×, Is [incluido 28,15] y 1 Cr 3 ×, 2 Sm, 2 Re, Am y Miq 1 ×), *ḥāzōn* 35 × (Dn 12 ×, Ez 7 ×, Is, Jr y Hab 2 ×), *ḥ^azōt* 1 × (2 Cr 9,29), *ḥāzūt* 5 × (Is 3 ×, Dn 2 ×), *ḥizzāyōn* 9 × (Job 4 ×, Is 2 ×, 2 Sm, Jl y Zac 1 ×), *maḥ^æzǣ* 4 × (Nm 2 × Gn y Ez 1 ×), *mæḥ^æzā* 4 × (1 Re 7,4s), el arameo *ḥ^æzū/ḥæzwā* 12 × y *ḥ^azōt* 2 ×, en Dn. Las mayores frecuencias se dan, pues, en Dn (54 = un tercio del total de casos), Is y Ez (22 × y 17 ×, respectivamente; los demás profetas, 17 ×), Job (13 ×).

3. *a)* El verbo hebreo significa en 32 ocasiones «tener una visión» (cf. *inf.* 4a); en 32 ocasiones tiene el sentido de «ver» (incluso en Ex 18,21 y Miq 4,11) y como tal aparece en las tradiciones literarias más recientes (Sal, Job, Prov, Cant, secciones posexílicas de Is). De estos 32 textos, 21 corresponden a textos más o menos teológicos (cf. *inf.* 4b-d) y 11 a un lenguaje profano (cf. *inf.* 3b). A excepción de los sustantivos citados en 3b, todos los demás pueden explicarse como derivados del significado «mirar». Es decir, que tres cuartas partes del total de los casos de esta raíz reflejan este significado (cf. A. Jepsen, *Nabi* [1934] 43ss). Este significado fundamental recibe un nuevo matiz cuando se afirma que Israel o algún individuo particular «ve» a Dios y a su obra en la historia y en la creación (16 ×, cf. *inf.* 4b) y más raramente cuando se dice que Yahvé «ve» (cf. *inf.* 4c). Sólo en la última fase de su desarrollo aparece el verbo como «sinónimo poético» (GB 220b) de → *r'h*, «ver».

b) El empleo profano distingue entre «ver» (sobre Job 8,17, cf. BH[3]; Horst, BK XVI/1, 125s.134) en el sentido de «experimentar» (Sal 58,9; cf. Ecl 7,1), «contemplar con alegría» (Cant 7,1.1; cf. Prov 23,31) o con el matiz de alegrarse por el mal ajeno (Miq 4,11; cf. Abd 12s; BrSynt 96), «conocer (racionalmente)» (Prov 22, 29; 29,20; cf. 1 Sm 25,17), «experimentar, captar» (Job 15,17; 27,12; Prov 24,32; cf. Ecl 1,16), «mirar con atención, observar» (Is 47,13; cf. Ex 1,16).

A este sentido de «ver» pertenecen también los sustantivos de empleo profano *mæḥ^æzā*, «ventana» (1 Re 7,4s); *ḥōzǣ* y *ḥāzūt* = *b^erīt* («designar» > «disponer») (Is 28,15.18; cf. bibliografía en A. R. Johnson, *The Cultic Prophet in Ancient Israel* [[2]1962] 13s, nota 3; → *b^erīt* I/2d: «echar de ver» > «disponer») y *ḥāzūt*, «apariencia» (Dn 8,5.8).

c) La raíz aramea parece haber sufrido el mismo proceso en cuanto al significado. A partir del empleo primario en el sentido de «visión», se formó el empleo normal de *ḥzh* en el sentido de «contemplar» (Esd 4,14; Dn 3,25. 27; 5,5.23), «examinar, experimentar» (Dn 2,8), «ser adecuado» (participio pasivo, Dn 3,19), y el de *ḥ^æzū/ḥæzwā* en el sentido de «figura» (Dn 7,20). Por el contrario, *ḥazōt*, «mirada», tiene un empleo exclusivamente profano (Dn 4,8.17).

4. *a)* *ḥzh* y sus derivados designan primariamente la contemplación de visiones. Nm 24,4.16 constituye un testimonio original en este sentido (W. F. Albright, *The Oracles of Balaam:* JBL 63 [1944] 207-233). *ḥzh* y *maḥ*ª*zæ̈* aparecen en estos textos en la introducción a un oráculo que contiene la autopresentación acompañada de la fórmula *n*ᵉ*'ūm Bil'ām,* fórmula de legitimación como vidente. Balaán contempla las visiones que le vienen de Dios y las transmite con palabras propias. Como lo muestra la construcción del genitivo → *n*ᵉ*'ūm* seguido de un nombre propio, los profetas recogen el lenguaje propio de los oráculos de los videntes. De todas formas, nunca emplean *ḥzh* para transmitir una visión, mientras que → *r'h* entra precisamente (lo mismo que en el oráculo de un vidente en Nm 23,9.21; 24,17) en las narraciones proféticas de visiones (por ejemplo, Am 7,1.4.7; Is 6,1; Jr 4,23ss; Ez 1,4; 2,9). *ḥzh* se refiere en general a la recepción de una revelación (cf. Wildberger, BK X, 5s; Wolff, BK XIV/2, 154). Aparece fundamentando el anuncio de juicio que Israel cita (Is 30,10.10; Ez 12,27), en las palabras de juicio contra los falsos profetas que, con sus «falsas visiones», provocan la acción divina (Ez 13,6-9.16 [cita del pueblo].23; 21,34; 22,28; Zac 10,2), así como la arcaica tradición de Ex 24, 9.11 (v. 11b), que habla del establecimiento de la alianza por medio de la narración de una visión.

La equiparación de vidente y profeta (Am 7,12.14; Miq 3,7; cf. v. 5; Is 29,10; 2 Re 17,13; cf. 2 Cr 9,29; 12, 15 con 13,22; cf. S. Mowinckel, *Psalmenstudien* III [1923] 9ss; H. Junker, *Prophet und Seher in Israel* [1927] 77ss; especialmente A. Jepsen, *Nabi* [1934] 43ss; R. Hentschke, *Die Stellung des vorexilischen Schriftpropheten zum Kultus* [1957] 150; S. Lehming, ZThK 55 [1958] 163, nota 3; A. Gunneweg, ZThK 57 [1960] 6) refleja un proceso histórico (1 Sm 9,9; cf. O. Plöger, ZAW 63 [1951] 157 a 192; J. Lindblom, *Prophecy in Ancient Israel* [³1965] 87ss). Junto con las formas de experiencia y expresión específicas del vidente, los profetas se aplican a sí mismos también las antiguas designaciones de éstos. El concepto *ḥōzæ̈* designa, en un empleo especial, una función carismática (quizá la del «vidente») para la que no todo *nabí* está cualificado (Am 7,12.14; cf. Wolff, BK XIV/2, 359 a 361; I, 28,7; 30,10: *rō'īm* y *ḥōzīm* en paralelo, cf. Wildberger, BK X, 5).

Se han solido explicar *ḥzh* y *r'h* como verbos contrapuestos aplicados al «verdadero» y al «falso» profeta (F. E. König, *Der Offenbarungsbegriff des AT* II [1882] 29ss.72s; cf., por el contrario, J. Hänel, *Das Erkennen Gottes bei den Schriftpropheten* [1923] 7ss) o a la diversa función de los *nebiim* y de los profetas escritores (A. Jepsen, *loc. cit.,* 53ss; cf., por el contrario, A. R. Johnson, *loc. cit.,* 12, nota 2); o se les ha considerado, también, como verbos sinónimos (J. Lindblom, *loc. cit.,* 90). De todos modos, la idea de que *ḥzh* se refiere más a audiciones que a visiones se aproxima bastante al empleo del verbo y de sus derivados. Así, la autopresentación de Balaán emplea *ḥzh* y *maḥ*ª*zæ̈* (Nm 24,4.16 muestra que ambos provienen del oráculo de los videntes) junto a la expresión «oír palabras divinas»; en consecuencia, ya desde tiempos antiguos las formas de esta raíz se han referido a experiencias que incluyen visión y audición. El significado de *ḥāzōn* como «visión» aparece claro en las narraciones de Lm 8-11 (la mayoría de las veces unido a *r'h* qal/nifal); quizá sea también el caso de Is 29,7; Ez 7,26; 12,22-24.27; 13,16 (distinto, A. R. Johnson, *loc. cit.,* 7.14.37s). En todos los demás pasajes el sustantivo aparece como expresión sinónima de → *dābār,* «palabra» (por ejemplo, 1 Sm 3,1; Os 12,11; Miq 3, 6s; Sal 89,20); esta línea de significado aparece ya en el empleo antiguo de la raíz en Nm 24,4.16 y luego en la tradición profética se desarrolla aún más: cf. la unión de *ḥzh* qal con *ḥāzōn* (A. R. Johnson, *loc. cit.,* 14, nota 1: «to make an observation», Is 1,1; Ez 12,27; 13,16), con *dābār* (Is 2,1; Am 1,1; Miq 1,1), *maśśā'* (→ *nś':* Is 13,1; Hab 1,1; Lam 2,14.14); y también probablemente *ḥāzūt* (Is 29,11, y singular *ḥ*ᵃ*zōt,* 2 Cr 9,29) = *dābār,* aunque en Is 21,2 debe pensarse en una visión. *ḥizzāyōn* (junto a *ḥāzōn,* en Is 29,7; Dn 1,17; cf. 1 Sm 3,1; Miq 3, 6) señala la proximidad entre la experiencia del sueño y la de la visión (Jl 3,1; Job 7,14; 20,8; 33,15; cf. Job 4, 13; en un nombre de lugar, en Is 22, 1.5); en el sentido de *dābār* aparece en 2 Sm 7,17.

b) «Ver» a Yahvé o a su obra significa: experimentar la irrupción de Dios en la historia del pueblo o de los pueblos (cántico de Sión, Sal 46,9; oráculo de salvación para el final de los tiempos, Is 33,17.20; en la apocalíptica isaiana, Is 26,11.11; sobre Is 48,6, cf. Westermann, ATD 19,158) o en la existencia de la persona individual (todos los casos pertenecen al contexto de la lamentación individual: Sal 17, 15, modificado; 58,11, sustituyendo a un voto de alabanza; C. Westermann, *Das Loben Gottes in den Psalmen* [1953] 51s, notas 23s; en Job 23,9 aparece como súplica que sigue a la acusación divina: 24,1 es una acusación divina indirecta, cf. C. Westermann, *Der Aufbau des Buches Hiob* [1956] 54s; Job 19,26s es una confesión de confianza: Westermann, *loc. cit.,* 81s; Sal 11,7; 27,4; 63,3 forman parte de salmos de confianza). En una ocasión, *ḥzh* aparece en un texto de alabanza del creador (Job 36,25, junto a *nbṭ* hifil, «mirar»).

c) Lo contrario suena «Dios ve»: Dios interviene en favor de alguien; así, en Sal 17,2 (súplica introductoria de un salmo de lamentación individual) y Sal 11,4 (salmo de confianza).

Este doble empleo de «ver» se refleja también en los nombres personales formados con *ḥzh.* Corresponden, o a la súplica de la lamentación para que Dios intervenga («que Yahvé/Dios vea»), o a la alabanza («Dios ha visto»); cf. Noth, IP 186.198.

d) Deben mencionarse finalmente algunos significados especiales: *ḥzh,* «ver» = «llegar a la comprensión» (Job 34,32, confesión de los pecados), «deleitarse» (Is 57,8, fundamentación de un anuncio de juicio; distinto, G. R. Driver, FS Eilers [1967] 54), «designar = elegir para un cargo» (Ex 18, 21).

e) El verbo arameo es usado en contextos de visión, lo mismo que *ḥzh* (por ejemplo, Dn 2,26) y *r'h* (por ejemplo, Dn 4,7.10). El derivado *ḥæzwā* (estativo enfático) aparece sólo en contextos de sueño (por ejemplo, Dn 2, 28) y se asemeja en eso a los hebreos *ḥāzōn* y *ḥizzāyōn.*

5. Sobre la traducción de los vocablos hebreos y arameos en los LXX, cf. W. Michaelis, ThW V, 324-328.

Las diversas líneas de significado de *ḥzh* y derivados resuenan todavía en el NT: referidos formalmente a una visión aparecen βλέπω (por ejemplo, Ap 1,11), εἶδον (por ejemplo, Hch 9, 12; Ap 1,2), así como ὅραμα (por ejemplo, Hch 9,10-12) y ὅρασις (por ejemplo, Hch 2,17; Ap 9,17); también en el sentido de la experiencia histórica de la actuación divina aparece βλέπω (por ejemplo, en Mt 13,16); en el sentido metafórico de «percibir» aparecen εἶδον (por ejemplo, Mt 5,16), βλέπω (por ejemplo, Rom 7,23), θεωρέω (por ejemplo, Hch 4,13) y en el de «vivir» aparece θεωρέω (por ejemplo, Job 8,51); cf. W. Michaelis, art. ὁραω: ThW V, 315-381.

D. Vetter

חזק *ḥzq* Estar firme

1. La raíz verbal *ḥzq* está documentada en hebreo, en arameo y en árabe (en arameo judaico, mandeo y árabe aparece también *ḥrzq).*

El texto de Is 22,21 y Nah 2,2 (piel) junto con el árabe *ḥazaqa* (cf. el siríaco *ḥᵉzaq*), «atar» (Lane II, 560), apoya la tesis de J. L. Palache, *Semantic on the Hebrew Lexikon* [1959] 29, que asigna a *ḥzq* el significado base de «atar, ceñir». Con razón afirma, por tanto, Wagner N. 99 que *ḥzq* piel en el sentido de «ceñir» no es un arameísmo (contra G. R. Driver, SVT 1 [1953] 30).

No es seguro que el acádico *ešqu*, «masivo», se derive de la misma raíz (cf. AHw 257). Es seguro, por el contrario, que *iz/šqātu*, «cadena», es un arameísmo pasado al acádico (AHw 408b; W. von Soden, AfO 20 [1963] 155). Lo mismo debe decirse, quizá del acádico *ḫazīqatu*, «venda», que Palache presenta como testimonio en favor de su tesis, aunque sólo aparece en neobabilónico y asirio tardío (AHw 339a).

De la raíz se han derivado los adjetivos *ḥāzāq* y *ḥāzēq*, y los sustantivos *ḥēzæq*, *ḥōzæq*, *ḥæzqā* y *ḥōzqā*, que significan «fuerte» y «fuerza», respectivamente (*ḥæzqā*, «reforzamiento», y *ḥōzqā*, en 2 Re 12, 13, «reparación», funcionan como infinitivos).

Sobre los nombres propios *Ḥizqī*, *Ḥizqiyyā(hū)*, *Yᵉḥizqiyyā(hū)* y *Yᵉḥæzqēl*, cf. Noth, IP N. 474s.659s.

2. De los 290 casos del verbo (qal 81 ×, piel 64 ×, hifil 118 ×, hitpael 27 ×), 98 corresponden a la literatura cronística (1 Cr 12 ×, 2 Cr 39 ×, Esd 5 ×, Neh 42 ×). Los demás casos pertenecen sobre todo a los escritos deuteronómicos y deuteronomísticos (Dt 9 ×, Jos 8 ×, Jue 12 ×, 1 Sm 6 ×, 2 Sm 18 ×, 1 Re 9 ×, 2 Re 15 ×), a los profetas mayores (Is 21 ×, de ellos 13 pertenecen al DtIs, Jr 15 ×, Ez 12 ×) y Dn (13 ×). El empleo del verbo en los tres profetas posexílicos Ag (3 ×), Zac (5 ×) y Mal (1 ×) supera al de los demás profetas menores (Os 1 ×, Miq 2 ×, Nah 3 ×). Las demás cifras son: Gn 6 ×, Ex 15 ×, Lv y Nm 1 ×, Sal 5 ×, Job 7 ×, Prov 4 ×. Por tanto, *ḥzq* está documentado sobre todo en la literatura deuteronomística y cronística y en los escritos tardíos del AT.

El mismo cuadro presenta el empleo del adjetivo *ḥāzāq* (56 ×; Dt y Ez 10 ×, Ex 7 ×, 1 Re y Jr 4 ×). *ḥāzēq* aparece sólo 2 × (Ex 19,19; 2 Sm 3, 1), *ḥēzæq* 1 × (Sal 18,2), *ḥōzæq* 5 × (de ellos 3 × *bᵉḥōzæq yad*, «violentamente», en Ex 13,3.14.16), *ḥæzqā* 4 × y *ḥozqā* 6 × (5 × *bᵉḥozqā*, «con fuerza», además 2 Re 12,13, donde quizá deba leerse el infinitivo piel, cf. HAL 292b).

3. Del significado base del qal, «ser/hacerse fuerte, firme», se han derivado los más importantes significados de las demás formas verbales: piel, «fortalecer»; hifil, «agarrar, sujetar», y hitpael, «manifestarse fuerte, valiente» (HAL 290-292; cf. Jenni, HP 283), sin una separación fundamental entre la fuerza física y la psíquica.

Son sinónimos → *ʾmṣ*, «ser fuerte», y → *ʿzz*, «tener fuerza», así como los sustantivos *ʿōz*, «fuerza», y → *kōªḥ*, cf. también → *yād*, «mano», y → *zᵉrōªʿ*, «brazo».

El qal se refiere especialmente a la fuerza superior de un pueblo (Jue 1, 28; Jos 17,13; 2 Sm 10,11; 1 Re 20, 23), al poder de un rey (2 Cr 26,15), a la gravedad de una derrota (2 Re 3, 26) y sobre todo a una grave carestía (Gn 41,56.57; 47,20; 2 Re 25,3; Jr 52,6). Unido a *yād*, «mano», el qal significa «ser animoso, animarse» (2 Sm 2,7; Ez 22,14), el piel, «animar, alentar», referido a otra persona (1 Sm 23, 16; Jue 9,24; Is 35,3; Jr 23,14; Job 4,3) o a sí mismo (Neh 6,9, infinitivo absoluto en vez de 1.ª persona). También sin *yād* puede *ḥzq* tener ese mismo significado (qal 2 Sm 16,21; piel 2 Sm 11,25). *ḥzq* piel aparece en Esd 1,6 seguido de *bᵉyād* en el sentido de «ayudar»; con el mismo significado aparece en Esd 6,22 seguido de *yād*, pero sin *bᵉ*; lo mismo, sin *bᵉyād*, en 2 Cr 29,34 (también el hifil en Ez 16, 49; Lv 25,35). En sentido militar-defensivo el piel designa la fortificación de determinadas ciudades (2 Cr 11, 12), torres (2 Cr 26,9) o gobiernos monárquicos (2 Cr 11,17), y el hifil, el fortalecimiento de una guardia (Jr 51, 12). Para referirse a la reparación de edificios se emplea en 2 Re 12,6-15; 22,5s; 1 Cr 26,27; 2 Cr 24,5.12; 29,3; 34,8.10 la forma piel de *ḥzq;* en Neh 3,4-32 (34 ×), por el contrario, se emplea la forma hifil para referirse a la reparación de las murallas de la ciudad (con una sola excepción: 3,19 piel; cf. Jenni, HP 103s). La forma hifil en el sentido de «agarrar» puede tener los siguientes sujetos: el «terror» (Jr 49, 24), el «espanto» (Jr 8,21), el «sufrimiento» (Jr 6,24; 50,43) y los «dolores» (Miq 4,9). También la forma hifil puede unirse a *yād* (con *b^eyād,* «tomar en la mano», Gn 19,16; Jue 16,26 y *passim;* con *yād,* «ayudar», Ez 16,49; Job 8,20; cf. Gn 21,18 con *yād* y *b^e,* «poner la mano sobre alguien para ayudarle»).

Especial mención merecen también las expresiones con *dābār,* «palabra» (como sujeto de *ḥzq* qal), y *ʿal* seguido de nombre personal (2 Sm 24,4 = 1 Cr 21,4: «prevaleció la orden del rey sobre...»; Mal 3,13: «decís palabras duras contra mí»), así como la fórmula de la narración de visión en Ez 3,14 (→ *yād):* «la mano de Yahvé pesaba duramente sobre mí».

4. En el ámbito teológico el piel designa el fortalecimiento por parte de Yahvé (Ez 30,25 hifil, detrás de v. 24 piel; cf. Jenni, HP 89). Se refiere sobre todo a las fuerzas militares defensivas (Jue 3,12; Ez 30,24; Os 7,15; Sal 147,13). Pero también Sansón pide en el último momento la fuerza divina (Jue 16,28) y en una ocasión Dios «cura» las ovejas abandonadas por el mal pastor (Ez 34,16, cf. v. 4).

Para designar la «obstinación» el yahvista emplea formas de → *kbd;* E y P emplean *ḥzq* qal para designar la auto-obstinación; *ḥzq* piel para designar la obstinación causada por Dios (F. Hesse, *Das Verstockungsproblem im AT* [1955] 18s). En Ex el objeto es siempre → *lēb,* «corazón» (cf. también Ez 2,4, con adjetivo). Por el contrario, en Jr y Ez aparece también la composición con *pānīm,* «cara» (Jr 5,3 piel), y *mēṣaḥ,* «frente» (Ez 3,7-9, adjetivo). Esta obstinación debe ser explicada desde un punto de vista histórico-salvífico como «un paso en la acción judicial de Dios orientada escatológicamente» (J. Moltmann, RGG VI, 1385) más que a partir de una «aporía teológica» (el AT no podía atribuir la obstinación a fuerzas demoníacas) o de leyes de comportamiento religioso o psicológico (cf. von Rad II, 158-162; E. Jenni, ThZ 15 [1959] 337-339).

El imperativo de *ḥzq* (singular y plural qal) y las expresiones ampliadas (*ḥzq* junto a *ʾmṣ,* «sé valiente y firme», Dt 31,7.23; Jos 1,6.7.9.18; 1 Cr 22, 13; plural, Dt 31,6; Jos 10,25; 2 Cr 32,7; junto a *ʿśh,* «y actúa», en diversas composiciones, Esd 10,4; 1 Cr 28, 10.20; 2 Cr 19,11; 25,8; qal junto a hitpael 2 Sm 10,12 = 1 Cr 19,3; imperativo qal repetido en Dn 10,19) aparecen como fórmulas de ánimo en el oráculo de salvación (originalmente empleado ante una guerra: Dt 31,6.7. 23; Jos 1,6.9; 10,25; 2 Sm 10,12; 2 Cr 32,7) y en general en las promesas divinas de asistencia, como lo indican las expresiones «no temas» (Dt 31, 7; Jos 1,9; 10,25 y *passim)* y la fórmula de asistencia «yo estaré contigo» (Dt 31,8.23; 1 Cr 28,20; 2 Cr 19,11; cf. H. D. Preuss, «*... ich will mit dir sein!*»: ZAW 80 [1968] 139-173), que, con frecuencia, le siguen. En la literatura deuteronomístico-cronística la fórmula (que aparece de diversas formas) se refiere al cumplimiento de la ley (Jos 1,7; 1 Cr 22,13; 2 Cr 15,7; cf. Esd 10,4; 2 Cr 19,11; Dt 12,23) y en Ag 2,4 y 1 Cr 28,10.20 a la construcción del templo. La composición con *ʿśh,* por el contrario (cf. *sup.* y Ag 2,4), se limita a Ag y 1-2 Cr (W. A. M. Benken, *Haggai-Sacharja 1-8* [1967] 53-60, quien, lo mismo que N. Lohfink, *Die dtr. Darstellung des Übergangs der Führung Israels von Moses auf Josua:* «Scholastik» 37 [1962] 32-44, considera la fórmula de ánimo como parte del género de instalación en un cargo). *ḥ^azaq waḥ^azaq* aparece sólo una vez en una narración de visión (Dn 10,19). Cf. también → *ʾmṣ* 4.

La fórmula *beyād ḥazāqā*, «con mano fuerte», se refiere en Nm 20,20 (J) a Edom, pero en todos los demás casos (especialmente en Dt, donde la expresión se amplía frecuentemente: «con mano fuerte y brazo extendido») se refiere a la acción salvífica de Dios en la liberación de Egipto (cf., sin embargo, → *yād* y → *zerōac*; B. S. Childs, *Deuteronomic Formulae of the Exodus Tradition*, FS Baumgartner [1967] 30-39).

5. El empleo de *ḥzq* en los escritos de Qumrán se asemeja al del AT; únicamente faltan el empleo del piel en el sentido de «endurecer» y la expresión «con mano fuerte» referida al éxodo. Sobre el NT, cf. W. Michaelis, artículo κράτος: ThW III, 905-914; W. Grundmann, *Der Begriff der Kraft in der ntl. Gedankenwelt* [1928].

A. S. VAN DER WOUDE

חטא *ḥṭʾ* Errar, pecar

1. La raíz **ḥṭʾ*, «errar», pertenece al semítico común (Bergstr., *Einf.*, 190; P. Fronzaroli, AANLR VIII/20 [1965] 252s.263.268): acádico *ḫaṭû*, «errar, pecar» (AHw 337s.350; además, entre otros, *ḫiṭu/ḫiṭītu*, «falta, pecado»); ugarítico *ḥṭʾ*, «pecar» (WUS N. 1019; UT N. 952); arameo *ḥṭʾ*, «pecar» (DISO 85; KBL 1075a; el verbo falta en arameo bíblico; la evidencia más antigua es la de Aḥ 50 *ḥṭʾyk*, «tus faltas», con tercera radical ʾ, después > *y*); árabe *ḫaṭiʾa*, «cometer una falta» (Wehr, 220s); etiópico *ḫaṭʾa*, «no encontrar» (Dillmann, 619s).

En el AT el verbo aparece en qal «errar (un objetivo), cometer una falta»; en hifil normal-causativo, «hacer pecar», o causativo interno, «equivocarse, cometer una falta» (Jenni, HP 267); en piel estimativo-declaratorio, «deber reconocer algo como errado» (Gn 31,39), o denominativo, «purificar del pecado» (privativo de *ḥēṭʾ*), o «presentar como sacrificio por el pecado» (resultativo-productivo de *ḥaṭṭāʾt*); en hitpael reflexivo-privativo, «purificarse del pecado» (sobre Job 41,17, «retirarse», cf. Hölscher, HAT 17,96).

Para designar el «pecado» y semejantes aparecen el sustantivo masculino segolado *ḥēṭʾ* (< **ḥiṭʾ-*, cf. el acádico *ḫiṭu*) y cuatro femeninos: *ḥæṭʾā* (sólo en Nm 15,28, texto dudoso), *ḥaṭāʾā* (BL 463), *ḥaṭṭāʾā* (sólo en Ex 34,7; Is 5,18; BL 477) y *ḥaṭṭāʾt* (BL 611.613). A éstos se añade el *nomen agentis* *ḥaṭṭāʾ*, «pecador» (como sustantivo y como adjetivo) (BL 479).

El arameo bíblico tiene los sustantivos *ḥaṭāy*, «pecado» (Dn 4,24), y (como hebraísmo) *ḥaṭṭāyā*, «sacrificio por el pecado» (Esd 6,17 K; Q, *ḥaṭṭāʾā*).

2. Los 595 casos de la raíz en el AT (verbo 237 ×, formas nominales 356 ×, en hebreo, y 2 × en arameo; en Lisowsky falta Nm 29,25, *ḥaṭṭāʾt*) están recogidos en la siguiente lista («otros» se refiere a *ḥæṭʾā* [1 × en Nm], *ḥaṭṭāʾā* [1 × en Ex e Is] y *ḥaṭāʾā*):

	qal	*piel*	*hifil*	*hitpael*	*ḥēṭʾ*	*ḥaṭṭāʾ*	*Otros*	*ḥaṭṭāʾt*	*Total*
Gn	7	1	—	—	1	1	1	4	15
Ex	8	1	1	—	—	—	4	8	22
Lv	25	5	—	—	4	—	—	82	116
Nm	8	1	—	8	4	2	1	43	67
Dt	5	—	1	—	8	—	—	4	18
Jos	2	—	—	—	—	—	—	1	3
Jue	3	—	1	—	—	—	—	—	4
1 Sm	14	—	—	—	—	1	—	6	21
2 Sm	4	—	—	—	—	—	—	1	5
1 Re	13	—	10	—	—	1	—	18	42
2 Re	3	—	15	—	2	—	1	15	36
Is	5	—	1	—	4	3	1	12	26
Jr	13	—	1	—	—	—	—	13	27
Ez	3	5	—	—	1	—	—	24	41
Os	5	—	—	—	1	—	—	5	11
Am	—	—	—	—	—	2	—	1	3
Miq	1	—	—	—	—	—	—	6	7
Hab	1	—	—	—	—	—	—	—	1
Sof	1	—	—	—	—	—	—	—	1
Zac	—	—	—	—	—	—	—	3	3
Sal	8	1	—	—	3	6	3	13	34

	qal	*piel*	*hifil*	*hitpael*	*ḥēṭʾ*	*ḥaṭṭāʾ*	*Otros*	*ḥaṭṭāʾt*	*Total*
Job	11	—	—	1	—	—	—	6	18
Prov	6	—	—	—	—	3	—	7	16
Ecl	6	—	1	—	1	—	—	—	8
Lam	3	—	—	—	2	—	—	3	8
Dn	4	—	—	—	1	—	—	3	8
Esd	—	—	—	—	—	—	—	1	1
Neh	5	—	1	—	—	—	—	5	11
1 Cr	2	—	—	—	—	—	—	—	2
2 Cr	7	1	—	—	1	—	—	9	18
AT	181	15	32	9	33	19	11	293	593

Más de una cuarta parte de todos estos casos pertenece al lenguaje de las tradiciones sacerdotales (Lv, Nm, Ez). Otra cuarta parte aparece en los libros históricos (sobre todo en 1 Sm-2 Re); muchos de estos casos —especialmente las formas hifil— están condicionados por las tradiciones lingüísticas deuteronómicas y deuteronomísticas, en los que hay que incluir también a Os y Jr. Los profetas que (en parte) no pertenecen a ninguno de los grupos antes citados no emplea nunca la palabra, o la emplean poquísimas veces.

Los casos más antiguos aparecen en J (11 ×) y E (10 ×), en los estratos más antiguos de los libros de Samuel, en Is, Os, así como en Dt y Jos. En total constituyen aproximadamente una cuarta parte del total de casos.

De las formas nominales, casi una tercera parte pertenece al ámbito lingüístico sacerdotal (P, Ez, cf. también Sal, DtIs y TrIs). También el lenguaje deuteronómico-deuteronomístico está sensiblemente representado: unos 50 casos. El sustantivo *ḥaṭṭāʾt* tiene en dos quintas partes del total de casos el significado de «sacrificio por el pecado» (sobre la estadística, cf. R. Knierim, *Die Hauptbegriffe für Sünde im AT* [1965] 19s.

3. *a)* El significado base, «errar (un objetivo)», aparece claro en Jue 20,16 (hifil): «capaces todos ellos de lanzar una piedra con la honda contra un cabello sin errar el tiro»; en Prov 19,2: «el que se precipita, se extravía», aparece claro el paso del significado literal al empleo metafórico en el sentido de comportamiento equivocado. Más importante aún es la constatación de que la raíz —prescindiendo de algunas pocas excepciones (cf. Prov 8,34 con el opuesto *mṣʾ*, «encontrar», en v. 35; Job 5,24: «así no echaste de menos nada»)— se empleó casi exclusivamente para designar contenidos religiosos. En este campo el término se usa sólo metafóricamente para calificar negativamente determinadas acciones. El hecho de que el término califique una acción —no precisada ulteriormente— formal y objetivamente como extravío y error, lo convierte en un término genérico para designar el «pecado» en general. Así, tanto el significado base como el campo de empleo de los derivados en sus diversos contextos aluden a la realidad objetiva de la falta (cf., por ejemplo, qal en Gn 39,9; 40,1; 42,22; 1 Sm 2,25; *ḥaṭṭāʾ*, en Gn 13,13; *ḥēʾṭ*, en Lv 19,17 y otros).

Estas son las razones por las que la raíz *ḥṭʾ* se emplea en el AT con preferencia sobre cualquier otra para designar el «pecado». Entre todos los verbos que significan «pecar», éste ocupa con mucho el primer lugar. También los sustantivos ocupan, tomados en su conjunto, el primer lugar, aunque seguidos de cerca por → *ʿāwōn*. Solamente el adjetivo *rāšāʿ* (→ *ršʿ*) supera sensiblemente a su correspondiente *ḥaṭṭāʾ*.

b) El término se emplea en gran medida en expresiones hechas. Estas expresiones hechas y las composiciones fijas de palabras con sus correspondientes *Sitz im Leben* señalan una amplia distribución de campos, en los que Israel estaba abierto a la experiencia de la falta (cf. Knierim, *loc. cit.*, 20-55.257s). Se hablaba de pecado en contextos institucionalizados como la palabra condenatoria de Yahvé en el acto cúltico-judicial, la torá sacerdotal, la predicación, el acto de sumisión (política o jurídica), la confesión (cúltica o político-jurídica) del individuo o del pueblo. Esto y las constantes implicaciones jurídicas en el empleo del término dan a entender que se da prueba y se lo juzga oficial (institucional) y objetivamente con ayuda de categorías racionales y de validez universal y que así lo debe confesar el convicto.

En el verbo destacan los siguientes empleos: 1) la antigua y oficial confesión individual de pecado; en este sentido, *ḥāṭāʾtī,* «yo he pecado», constituye la fórmula principal de confesión en el AT (30 ×); aparece sobre todo en la confesión que sigue a la declaración judicial (sacral o profana) de culpabilidad (Jos 7,20; 1 Sm 15,24; 2 Sm 19,21; 24,10; Sal 41,5; 51,6) y en la protesta de inocencia tras una acusación (Jue 11,27; 1 Sm 24,12); 2) la confesión de pecado del pueblo *ḥāṭāʾnū,* «hemos pecado» (24 ×), que aparece en actos y oraciones penitenciales, constituye el presupuesto para la superación de una situación de necesidad y está en conexión íntima con la eliminación de los dioses extranjeros y el cántico de lamentación del pueblo (cf. Nm 14,40; 21,7; Jue 10,15.15; 1 Sm 7,6; 12,10; Jr 3,25; 8,14; 14,7.20; Dn 9,5ss; Neh 1,6); 3) las fórmulas de acusación o de convicción (3.ª persona singular o plural del perfecto qal), que aparecen en situaciones profanas (Gn 40,1; 1 Sm 19,4) o sacras o en el lenguaje propio de éstas (Ex 32,31; Os 4, 7; Sal 78,32; Sof 1,17); sirven para descubrir una falta o para fundamentar un juicio; 4) este mismo género aparece en 2.ª persona singular o plural en la alocución directa y acusatoria del predicador profético o deuteronómico (por ejemplo, Ex 32,30; Nm 23,23; Dt 9,16.18; Jr 40,3; Os 10,9).

Por lo que se refiere a las formas nominales se deben señalar 15 modos de empleo (Knierim, *loc. cit.,* 43-54), que, en los más diversos contextos, se refieren a todo tipo de faltas (jurídicas, cúlticas, sociales, etc.); cf. un ejemplo de cada modo de empleo: 2 Sm 12,13; Jr 16,10; Os 8,13; Gn 41,9; Lv 16,16; Miq 3,8; Sal 59,4; 32,5; Lam 4,22; Sal 51,4; Jr 36,3; Sal 85,3; Is 44, 22. Deben mencionarse especialmente: 1) *nśʾ ḥēṭʾ,* «cargar con una falta» (17 ×), traducido con frecuencia por «perdonar»; pero la fórmula se refiere al proceso elemental, según el cual la falta es algo con lo que debe cargarse, mientras que la pregunta de si se trata de perdón o de castigo del pecador puede recibir respuesta sólo del contexto, que habla del «cargar con la falta» por parte del pecador o por parte de algún otro sustituto (cf. Lv 19,17; 22,9; 20,20 junto a Ex 34,7 y Gn 50,17; Ex 32,32; 1 Sm 15,25); 2) la unión de la raíz *ḥṭʾ* con *mūt,* «morir» (11 ×); cf., entre otros, Dt 22,26 (pecado mortal) y Am 9,10; Dt 21,22; 24,16; 2 Re 14,6; Ez 18,4.20.

c) La etimología del término («errar un objetivo») y los contextos muestran que el criterio de la «falta» no son unas leyes determinadas, sino la lesión de una relación comunitaria: un hombre falta contra otro hombre o contra Dios (cf. las afirmaciones programáticas de 1 Sm 2,25; Jr 16,10-12; 1 Re 8,46). Pero en cuanto que una relación comunitaria implica determinadas normas de comportamiento, al violar la relación se violan también las normas. En este sentido aparecen las normas cuando se habla de «faltas»; así, por ejemplo, en casos de violación de la ley del exterminio (1 Sm 14,33ss), de adulterio (2 Sm 12,13) o pecados sexuales (Lv 20,20), de robo (Gn 31,36), de faltas contra sangre inocente (2 Re 21,27), contra el ungido de Yahvé (1 Sm 24,12), de culto idolátrico (Dt 12,29s), de faltas de tipo social (Miq 3,8; 6,6-8 y *passim).* Oseas abarca indistintamente faltas jurídicas, ético-sociales y cúlticas (Os 4,1.6-8).

Es importante también el empleo de la palabra en la esfera denominada jurídico-profana, por ejemplo en la confesión de rebeldía de Ezequías (2 Re 18,14) o en el incumplimiento de las obligaciones profesionales por parte del panadero y del copero del Faraón (Gn 40,1); cf. también Gn 42,22; 43,9. Además de la conocida imposibilidad de separar estrictamente entre el ámbito profano y el ámbito sacral, este empleo del término muestra que se podía hablar de «pecado» en todas las esferas de la vida y no sólo en el sector religioso.

Para calificar una actitud como «falta» no tiene importancia el que la acción haya sido realizada consciente o inconscientemente. En muchísimos pasajes esta distinción no tiene ningún relieve: lo que se califica como falta no es el motivo o el sentimiento, sino la acción en sí. En Gn 20,9; Nm 22, 34; Lv 4 y 5; Sal 38,4.19; 41,5 (cf. Knierim, *loc. cit.,* 68) se mencionan faltas inconscientes. El hombre es responsable también de las faltas inconscientes. Esta categoría objetiva y no psicológica muestra que el pecador depende del juicio que le viene de fuera. Por otra parte, pasajes como Gn 4,7; Dt 15,9 y 22,26, en los que se acentúa la actitud personal, y Gn 20,7.17; 1 Sm 14,45; Nm 22; Ex 21,13 y otros, en los que se perdonan las faltas involuntarias, muestran que existe una tendencia creciente a tomar en cuenta la responsabilidad subjetiva y sobre todo a hacer al hombre cada vez más consciente de la falta.

El término se emplea claramente en el contexto de una comprensión dinámica de la existencia («esfera de lo real que provoca la puesta en marcha del destino») y atendiendo concretamente a la conexión entre falta y juicio y entre comunidad e individuo. «El pecador morirá por su propio *ḥēṭ'*» es una frase empleada durante siglos (cf. Nm 27,3; Dt 19,15; 24,16; 2 Re 14,16; Sal 51, 7; Dn 9,16). Aquí, al igual que en otros pasajes, aparece clara la interacción entre la esfera de lo jurídico y la esfera de lo real, cuyo objetivo es justificar la unión entre falta y juicio (por medio de la idea de la esfera de lo jurídico, así como la unidad de ambas categorías jurídicas (por medio de la idea de la esfera de lo real).

La concepción corporativa o de totalidad está arraigada también en el contexto del «pecado» (cf. Gn 9,22; 20,9; 26,10; Jos 7,11; 2 Sm 24,16; Os 7,1; 8,5; 10,5.7; 14,1). Pero bajo el influjo de una múltiple experiencia ha sufrido modificaciones y se ha quebrado en varios puntos. Algunos tipos de esta modificación aparecen: 1) en Ex 20,51; Jr 32,18: se destaca la superioridad de la gracia sobre el juicio en atención a una comunidad (cf. Ex 34,6s; Nm 14,18); 2) en Gn 18,17ss: se pregunta si el destino de una comunidad depende de la minoría de los justos o de la mayoría de los pecadores; 3) Jos 7: se disculpa al pueblo y se carga con la culpa a una familia (cf. 2 Sm 24,17); 4) Nm 16,22: «Dios de los espíritus de toda carne, si un (único) hombre peca, ¿vas a enojarte contra toda la comunidad?». Aquí, en la distinción entre pecadores y justos, se descubre al individuo. Cf. el paso a la cláusula de Ez 18; Dt 24,16; Jr 31,20. Claramente, pues, el descubrimiento del individuo ha tenido su lugar en la distinción entre justos y pecadores, usual en la práctica de la torá sacerdotal.

d) La raíz *ḥṭ'* es el concepto principal dentro de la amplia terminología veterotestamentaria para designar el pecado (cf. Knierim, *loc. cit.,* 13, notas 1 y 19). La mayoría de los términos tiene originalmente un significado objetivo especial; *ḥṭ', rā'ā* (→ *r''*), → *'āwōn* y *pæša',* por el contrario, son conceptos formales empleados preferentemente como conceptos genéricos para designar el «pecado» en general. Entre ellos, *rā'ā,* «maldad, mal», ocupa un lugar propio, mientras que los otros tres son empleados complementariamente, como lo muestra el hecho de que en 14 casos aparecen juntos en un contexto inmediato o amplio: Ex 34,7; Lv 16,21; Nm 14,18; Ez 21,29; Sal 32,1.5; 59,4; Dn 9,24, así como Is 59,12; Jr 33,8; Miq 7,18s; Sal 51,3-7; Job 7,20s; 13,23 (cf. Is 1,2.4; Ez 33, 10.12). Aunque este trío de vocablos es formulario y expresa sistemáticamente la multitud de todas las faltas posibles, no debe pensarse que son simplemente sinónimos. Cada uno de ellos califica el «pecado» a su modo. Pero cuando se emplean juntos como fórmula, incluyen intencionalmente todos los demás conceptos que significan «pecado».

4. *a)* Si prescindimos de algunas pocas expresiones, el concepto *ḥṭ'* es empleado en todos sus derivados en el contexto de afirmaciones teológicas. Además constituye, después de *rā'ā,* el término teológico para designar el «pecado» más frecuentemente empleado en el AT (sobre este tema general, cf. las teologías veterotestamentarias y Th. C. Vriezen, RGG VI, 478-482, con bibliografía; además, Knierim, *loc. cit.,* y Š. Porúbčan, *Sin in the Old Testament* [1963]). Califica teológicamente ciertos hechos o formas de comportamiento; es decir, por medio de este concepto se califica una acción o una actitud como condenadas por Yahvé. La calificación se expresa de múltiples formas y en diversos contextos, pero todos ellos implican como comprensión previa la acción condenatoria de Yahvé y con ello un motivo específicamente teológico. El carácter teológico de la comprensión de «falta» no se basa, pues, sólo en la comprensión formal y psicológicamente poco profundizada del significado de la palabra, sino que depende de si Yahvé se interesa y cómo se interesa de una falta. En este sentido, «falta» tiene una importancia idéntica a la de cualquier otro tipo de «pecado». La valoración estadística de los conceptos empleados de distinta forma en las diversas fuentes del AT apoya esta constatación (cf. Knierim, *loc. cit.,* 245ss).

b) Los ámbitos principales en los que aparece la calificación de «falta» como juicio de Yahvé son los siguientes: 1) cuando Dios expresa su juicio en el oráculo profético o en la predicación y cuando el pecador, en respuesta a esa predicación, confiesa su pecado (cf. las fórmulas *sup. 3b).* En estos contextos es donde aparece con mayor claridad que la confesión de «pecado» surge de un acto revelador previo (cf. también Lam 2,14; 4,22b; Miq 3,8; Is 58,1); 2) allí donde *ḥṭ'* implica alguna actuación contra Yahvé o contra los mandatos de Yahvé o contra personas que están bajo la protección de Yahvé; 3) cuando al violar las normas de Yahvé se atenta contra determinados privilegios o contra una relación comunitaria protegida por él; 4) cuando, en la concepción objetiva de la culpa, Yahvé sale al encuentro del hombre como juez que escapa a todo control humano y cuando el hombre, por su parte, como muestra de su responsabilidad subjetiva, descubre la inevitabilidad de su confrontación con Dios; 5) cuando la mentalidad jurídica y la objetiva son medios con los que Yahvé castiga la «falta» (cf. Knierim, *loc. cit.,* 82ss; cf., por ejemplo, Os 5, 12.14; Am 3,6b); 6) allí donde Yahvé determina de forma soberana, modifica o elimina graciosamente la estricta unidad entre el «pecado» y el juicio en la historia, en la vida de los individuos y en la vida de la comunidad.

5. En los textos de Qumrán aparece el verbo (4 ×), así como las formas nominales *ḥēṭ'* (1 ×) y *ḥaṭṭā't* (15 ×, Kuhn, *Konk.,* 70). Es característico su frecuente empleo formulario, que continúa la línea de las expresiones veterotestamentarias.

Los LXX presentan un panorama significativo: los cerca de 26 términos existentes en hebreo para designar el «pecado» son traducidos por sólo 6 conceptos griegos, lo que demuestra que en el área lingüística griega se ha dado una fuerte tematización y teoretización de la comprensión veterotestamentaria del pecado; cf. G. Quell, ThW I, 268s. Según esto, todos los derivados de *ḥṭ'* son traducidos constantemente en los LXX por ἁμαρτάνω, ἁμαρτία, etc.; en muy pocas ocasiones se traduce por ἀδικέω, ἀδικία, y sólo en los modos verbales derivados recibe una traducción distinta. Con respecto al NT esto significa que *ḥṭ'* tiene ciertamente su correspondiente principal en ἁμαρτία, pero también que *ḥṭ'* no es el único correspondiente hebreo de ἁμαρτία —y esto prescindiendo de la nueva comprensión ontológica y hamartiológica del NT— (cf. G. Quell, G. Bertram, G. Stählin y W. Grundmann, artículo ἁμαρτάνω: ThW I, 267-320). En un pasaje, sin embargo, parece que la concepción veterotestamnetaria se refleja en el NT; es un pasaje que habla de «cargar con la culpa» *(nś' 'āwōn/ḥēṭ')*: Jn 1,29; cf. 1 Pe 5,7; Gál 6,2.

R. Knierim

חיה *ḥyh* Vivir

1. *a)* La raíz *ḥyy/ḥwy*, «vivir», se ha desarrollado ampliamente en el semítico occidental, pero falta en el acádico, que cuenta con el equivalente *balāṭu* (P. Fronzaroli, AANLR VIII/19 [1964] 248s.263; VIII/23 [1968] 280.291.300; *plṭ).* Ya en las inscripciones semíticas antiguas aparecen diversos testimonios de esta raíz (cananeas: EA 245,6; cf. CAD H 32b; ugaríticas: WUS N. 911.916; UT N. 856; Gröndahl, 137; fenicio-púnicas, hebreas y arameas: DISO 86s; HAL 295s).

En ugarítico y fenicio-púnico aparece también la *w* como segunda radical (cf. también los nombres amorreos en Huffmon, 71s.191s); sobre el imperativo *ave* usado como fórmula de saludo en los escritos púnicos y tomado luego por el latín, cf. Friedrich, 17.78.120.

No se ha encontrado todavía una etimología satisfactoria. Ni «respirar» (Gesenius, *Thesaurus* I, 467s) ni «contraerse» (H. J. Fleischer, *Kleinere Schriften* I [1885] 86) aclaran el problema.

Existe una segunda raíz *ḥwh* que tiene los siguientes derivados en el AT: *ḥawwā*, «campamento»; *ḥay*, «estirpe» (1 Sm 18, 18; según L. Delekat, VT 14 [1964] 27s, también Sal 42,9), y *ḥayyā*, «banda» (2 Sm 23,11.13; Sal 68,11), cf. HAL 284a. 296b.297b.

b) En hebreo el verbo aparece en qal y también en piel y hifil. La 3.ª persona masculina singular del perfecto qal presenta a veces, en especial en el Pentateuco, el aspecto de un verbo *mediae geminatae* (BL 423).

Entre las formas nominales derivadas del verbo aparece en primer lugar el sustantivo y adjetivo *ḥay*, «vida» y «vivo», respectivamente, así como su femenino *ḥayyā*, empleado a veces como abstracto, «vida», pero más frecuentemente como colectivo en el sentido de «seres vivientes». El *plurale tantum ḥayyīm*, en el sentido de «vida», es entendido normalmente como un plural abstracto («plural de duración»).

Según Brockelmann, se trataría de una interpretación abstracta del adjetivo *ḥay*: *bᵉḥayyīm*, «entre los vivos» > «en la vida» (BrSynt 16; *bḥym* puede significar en una inscripción fenicia de finales del s. VI [KAI N. 13, línea 7] «entre los vivos» o «en la vida»). También se ha solido entender *ḥayyīm* como formado artificialmente por analogía: se trataría de una formación secundaria de un estado absoluto del estado constructo singular *ḥē* entendido falsamente como plural (J. Barth, ZDMG 42 [1888] 344; Nyberg, 202).

Como abstractos verbales aparecen el nombre *miḥyā* (de la forma *ma-)*, «sustento», y el *hapaxlegomenon ḥayyūt* (formado con la desinencia de abstracto *-ūt)*, «el tiempo de vida» (2 Sm 20,3; cf. BL 505). También es *hapaxlegomenon* el término *ḥāyōt*, adjetivo plural femenino, «robustas» (Ex 1,19; cf. BL 465; distinto, G. R. Driver, ZAW 67 [1955] 246-248).

Como parte de nombres personales, la raíz aparece en muy pocas ocasiones; concretamente aparece en los dos nombres teofóricos *Yᵉḥī'ēl* y *Yᵉḥiyyā*, «Dios/Yahvé vive» (yusivo con significado de indicativo).

En el arameo bíblico aparecen el qal y el hafel y las formas nominales *ḥay*, «vivo»; *ḥayyīn*, «vida», y *ḥēwā*, «animal».

2. Las frecuencias de los diversos vocablos (siguiendo a Lisowsky, que no coincide con Mandelkern, pero considerando Sal 18,47 y 2 Sm 22,47 como

adjetivo) aparecen en la siguiente lista (II = *ḥayyā* en el sentido de «vida»):

	qal	*pi.*	*hi.*	*ḥay*	*ḥay-yā*	*II*	*ḥay-yim*	*Tot.*
Gn	49	4	6	26	20	—	20	125
Ex	3	4	—	3	2	—	4	16
Lv	3	—	—	23	9	—	1	36
Nm	5	1	2	6	1	—	—	15
Dt	15	3	—	8	1	—	12	39
Jos	3	1	4	2	—	—	2	12
Jue	1	1	1	1	—	—	1	5
1 Sm	2	3	—	22	1	—	2	30
2 Sm	4	1	1	15	1	—	4	26
1 Re	6	2	—	22	—	—	4	34
2 Re	16	1	5	18	1	—	2	43
Is	7	1	3	8	6	1	4	30
Jr	9	1	—	16	3	—	4	33
Ez	43	4	1	24	31	2	2	107
Os	1	2	—	2	4	—	—	9
Am	3	—	—	2	—	—	—	5
Jon	—	—	—	—	—	—	3	3
Hab	1	1	—	—	—	—	—	2
Sof	—	—	—	1	2	—	—	3
Zac	3	—	—	1	—	—	—	4
Mal	—	—	—	—	—	—	1	1
Sal	11	20	—	13	8	3	26	81
Job	5	2	—	5	5	6	7	30
Prov	4	—	—	1	—	—	33	38
Rut	—	—	—	2	—	—	—	2
Cant	—	—	—	1	—	—	—	1
Ecl	3	1	—	8	—	—	13	25
Lam	1	—	—	1	—	—	2	4
Est	1	—	—	—	—	—	—	1
Dn	—	—	—	1	1	—	1	3
Neh	4	2	—	—	—	—	—	6
1 Cr	—	1	—	—	—	—	—	1
2 Cr	2	—	—	4	1	—	—	7
AT	205	56	56	236	97	12	148	777

A éstos hay que añadir *miḥyā* 8 × (textos, cf. *inf. 3f), ḥāyǣ* y *ḥayyūt* 1 ×; no se ha tenido en cuenta el nombre de lugar *Beʾēr-laḥay-rōʾī* (en Lisowsky, Gn 16,14, es contabilizado erróneamente como *ḥay).*

En arameo bíblico aparecen: qal 5 ×, hafel 1 ×, *ḥay* 5 ×, *ḥayyīn* 2 ×, *ḥēwā* 20 ×.

De los aproximadamente 800 casos de la raíz, las mayores frecuencias se dan en Gn (126 ×), Ez (107 ×) y Sal (81 ×). Llama la atención la ausencia de *ḥayyīm* en Cr/Esd y Neh y su escaso empleo en los profetas (14 ×).

3. En todos estos casos el significado se relaciona más o menos estrechamente con el concepto de «vida». Es, pues, conveniente partir del verbo y considerar después las diversas formas nominales abstractas y colectivas.

a) El significado fundamental y más frecuente del qal es «estar vivo, conservar la vida», en cuyo trasfondo suena siempre de algún modo la oposición a «morir/estar muerto» (→ *mūt),* aunque no se exprese explícitamente. Esta oposición aparece con frecuencia expresamente; así, por ejemplo, en la expresión «vivir y no morir» (Gn 42,2; 43, 8; 47,19; Dt 33,6; 2 Re 18,32; Ez 18, 21.28; 33,15; Sal 89,49; 118,17) o en la expresión «morir y no vivir» (2 Re 20,1 = Is 38,1).

El sentido se debilita algo cuando *ḥyh* se precisa más concretamente por medio de complementos de lugar o tiempo («fijar la residencia en un lugar»: Gn 47,28; Lv 25,35s; Lam 4, 20; de tiempo: especialmente en las genealogías del sacerdotal en Gn 5 y 11, además en Gn 47,28; 2 Re 14, 17 = 2 Cr 25,25; Jr 35,7; Job 42,16; Ecl 6,3.6; 11,8).

Un significado algo distinto aparece en los pasajes en los que no se habla de una situación duradera, sino de un suceso momentáneo: «revivir» (1 Re 17,22; 2 Re 13,21; Is 26,14.19; Ez 37,3.5s.9s.14; Job 14,14). Los israelitas no hacían apenas distinción entre estos pasajes y otros parecidos en los que *ḥyh* aparece en el sentido de «sanar, curarse de una enfermedad» (Gn 45,27; Nm 21,8s; Jos 5,8; Jue 15,19; 2 Re 1,2; 8,8-10.14; 20,7; Is 38,9.21). Ahora bien, si la curación puede ser considerada como un revivir o un volver a la vida, quiere decir que la enfermedad representa una vida disminuida, es decir, que la plenitud de vida se da propiamente sólo en la persona sana. Aquí aparece, pues, con toda claridad que la «vida» en el AT no designa sólo el mero estar vivo físicamente, sino la vida sana y plena.

El significado cambia en otra dirección cuando se acentúa el aspecto duro de la vida corporal (Gn 27,40; Dt 8,3; 2 Re 4,7).

Además de sujetos personales, el verbo puede tener los siguientes sujetos: *lēbāb,* «corazón» (Sal 22,27; 69,33); *næfæš,* «alma» (Gn 12,13; 19,20; 1 Re 20,32; Is 55, 3; Jr 38,17.20; Ez 13,19 plural; 47,9; Sal 119,175); *rūaḥ,* «espíritu» (Gn 45,27); *ᶜaṣāmōt,* «huesos» (Ez 37,3.5).

Ni las plantas ni, curiosamente, tampoco los animales aparecen nunca como sujetos de *ḥyh.*

En la aclamación *yeḥī hammælæk* (1 Sm 10,24; 2 Sm 16,16; 1 Re 1,25.31.34.39; 2 Re 11,12 = 2 Cr 23,11; cf. Neh 2,3) el verbo probablemente es un yusivo con sentido de indicativo: «el rey vive, posee plenamente el poder real» (P. A. H. de Boer, VT 5 [1955] 225-231; cf., sin embargo, Dn 2,4; 3,9; 5,10; 6,7.22, con imperativo).

b) El piel y el hifil significan «mantener con vida, prolongar la vida» y se diferencian en que el piel acentúa la oposición a «morir/estar muerto»; mientras que en el hifil se da más bien expresión a la idea de «duración» (Jenni, HP 37.58.61-64).

En algunos pasajes la forma piel presenta un sentido más amplio y aparentemente técnico: 2 Sm 12,3; Is 7,21: «criar (animales)»; Os 14,8: «cultivar (trigo)»; 1 Cr 11,8: «restaurar (una ciudad)»; este último sentido también aparece en fenicio (KAI N. 4, línea 2).

c) *ḥay* significa tanto «viviente» como «vivo», tanto *vivus* como *vivens,* y tiene una función adjetiva y sustantiva. Se aplica a hombres y animales y también a Dios, pero nunca a las plantas, que en el AT nunca son consideradas como seres vivos (E. Schmitt, *Leben in den Weisheitsbüchern Job, Sprüche und Jesus Sirach* [1954] 116). La expresión *ḥay* puede añadirse a *næfæš,* «alma» (Gn 1,20.21.24.30; 2,7. 19; 9,10.12.15.16; Lv 11,10.46; Ez 47,9), y *bāśār,* «carne» (Lv 13,10.14-16 referido a la úlcera de una herida; 1 Sm 2,15 referido a la carne cruda de animales). Un empleo más amplio aparece en la expresión «agua viva (es decir, corriente)» (Gn 26,19; Lv 14,5.6. 50-52; 15,13; Nm 19,17; Jr 2,13; 17,13; Zac 14,8; Cant 4,15).

Sobre la expresión *kāᶜēt ḥayyā,* «el año que viene por estas fechas» (Gn 18,10.14; 2 Re 4,16.17), cf. el acádico *ana balāṭ,* «el año que viene» (AHw 99a; R. Yaron, VT 12 [1962] 500s; O. Loretz, Bibl 43 [1962] 75-78: «*ḥayyā* no 'vida', sino 'el año que viene'»).

La fórmula superlativa *ḥy ḥym,* «el vivo de los vivos», aparece como título real de una inscripción funeraria neopúnica (KAI N. 161, línea 1).

ḥay aparece como sustantivo sólo en la fórmula de juramento: *ḥē X,* «por la vida de X» (M. Greenberg, JBL 76 [1957] 34-39). El *nomen rectum* de la composición constructa es casi siempre Dios/Yahvé; en ese caso el *nomen regens* suena *ḥay.* En los casos más bien raros en que se jura por un hombre la fórmula suena normalmente así: *ḥē-nafšekā* y aparece la mayoría de las veces unido a otro juramento por Dios: «vive Dios y vive tu alma»; sin *nǽfæš* aparecen sólo *ḥē-ʾadōnī* (2 Sm 15,21) y *ḥē-Farᶜō* (Gn 42,15s). En *ḥay-ʾánī,* «por mi vida», *ḥay* es adjetivo (cf. pasajes en HAL 295).

El adjetivo femenino *ḥayyā,* «viva», aparece tanto en singular como en plural como designación de los «seres vivos» simplemente, es decir, fundamentalmente como designación de los «animales» (cf. el griego ζῷον). El término se refiere casi siempre a los animales salvajes en estado de libertad en oposición a los animales domésticos (*behēmā;* Gn 8,1; Ez 14,15; 33,27; Sof 2, 15; Sal 148,10; Job 37,8). A veces se limita ulteriormente el significado: animales terrestres en oposición a pájaros y peces (Gn 1,28; 8,19; Lv 11,2). Excepcionalmente, *ḥayyā* puede designar también los animales domésticos (Nm 35,3) o los animales de carga (Is 46,1).

ḥayyā tiene también el sentido abstracto de «vida», especialmente en Sal y Job (5 × en los discursos de Elihú), donde es sinónimo de → *nǽfæš.*

e) Como vocablo genérico en el sentido de «vida» aparece el plural *ḥayyīm.* Su campo de significado queda marcado, lo mismo que en el verbo, por la contraposición con «muerte».

Dicha contraposición aparece expresada explícitamente sobre todo en el Dt, pero también, por ejemplo, en 2 Sm 1,23; 15,21; Jr 8,3; Jon 4,3.8; Prov 18,21.

El sentido debilitado de «duración de la vida» aparece cuando *ḥayyīm* se emplea en indicaciones temporales, especialmente en las expresiones *y^e^mē ḥayyīm,* «días de la vida» (Gn 3,14.17 y *passim,* unas 30 ×), *(y^e^mē) š^e^nē ḥayyīm* (Gn 23,1; 25,7.17 y *passim,* unas 15 ×). También fuera de estas expresiones puede aparecer *ḥayyīm* como un concepto temporal, por ejemplo, en Gn 7,11; Lv 18,18; Jue 16,30; Ecl 3,12; 6,12.

Si no se destaca específicamente el aspecto de duración, *ḥayyīm* puede tener un sentido genérico y designar simplemente «existencia»; así, por ejemplo, en Gn 27,46; Ex 1,14; Ecl 2,17; 9,9; 10,19.

Hay pasajes en los que *ḥayyīm* y → *nǽfæš* aparecen como conceptos intercambiables. El concepto de «todo viviente» puede expresarse tanto por medio de *kol-ḥay* como por medio de *kol-hannǽfæš;* así, por ejemplo, en Jos 10,28.30.32.35.37; cf. además Sal 21, 5; 64,2 *(ḥayyīm)* con Job 31,39; Est 7, 7 *(nǽfæš).* En la mayoría de los casos, sin embargo, la diferencia es clara; dicha diferencia reside al parecer en el alto grado de objetivación que parece tener el concepto *ḥayyīm;* a diferencia de *nǽfæš, ḥayyīm* no es considerado como un principio de vida inherente, unido al cuerpo, sino como una posesión o más exactamente como un don salvífico (cf. *inf.* 4*b).*

f) El abstracto verbal *miḥyā* tiene un campo de empleo bastante específico y refleja de diversas formas la acción o el proceso del verbo, bien del qal: «un revivir» (Lv 19,10.24, como término médico-sacral referido al brotar de la carne en una herida; 2 Cr 14,12; Esd 9,8s, referido al reanimarse, al revivir de un esclavo), bien del causativo: «conservación de la vida» (Gn 45,5; cf. Eclo 38,14). *miḥyā* puede designar también algo concreto: «alimentos» (Jue 6,4; 17,10). Prov 27,27 emplea *ḥayyīm* en el mismo sentido.

4. *a)* Los casos en que se habla del «Dios vivo» corresponden en primer lugar y fundamentalmente a la fórmula de juramento «por la vida de Yahvé/Dios» (cf. M. R. Lehmann, ZAW 81 [1969] 83-86, con paralelos del Oriente antiguo). La fórmula más frecuente es *ḥay Yhwh* (41 ×, de ellas 30 × en Jue-2 Re; también *ḥay ᵓ^a^dōnāy Yhwh,* Jr 44,26; *ḥay hāᵓ^æ^lōhīm,* 2 Sm 2,27; *ḥay-ᵓēl,* Job 27,2). La fórmula aparece también en los óstraca de Laquis (KAI N. 193, línea 9: *ḥyhwh;* N. 196, línea 12: *ḥy Yhwh).* Como autoafirmación divina, *ḥay-ᵓǎni (ḥay ᵓānōkī,* Dt 32,40), «por mi vida», el juramento aparece 23 × (Nm 14,21. 28; Dt 32,40; Is 49,18; Jr 22,24; 46,18; Sof 2,9, y 16 × en Ez).

Fuera de la fórmula de juramento sólo en 14 pasajes se habla de Dios como *ḥay: ᵓ^æ^lōhīm ḥayyīm,* Dt 5,26; 1 Sm 17,26.36; Jr 10,10; 23,36; *ᵓēl ḥay,* Jos 3,10; Os 2,1; Sal 42,3; *ᵓ^æ^lohīm ḥay,* 2 Re 19,4.16 = Is 37,4.17: *ḥay Yhwh,* «Yahvé vive», 2 Sm 22, 47 = Sal 18,47. Llama la atención el hecho de que todos estos pasajes se parecen mucho en cuanto al contenido, especialmente los textos de 1 Sm y 2 Re, que forman parte de amenazas dirigidas contra algún enemigo extranjero que ha ofendido al Dios de Israel. También el texto de Jr 10,10 se parece a estos pasajes, ya que contiene una polémica contra los dioses extranjeros. La oposición a los dioses extranjeros es el motivo dominante también en Jos 3,10: el Dios vivo de Israel expulsará a los cananeos, a los hititas, etcétera. Evidentemente se trata en todos estos pasajes de un lenguaje convencional. El «Dios vivo» es mencionado preferentemente en el contexto de la polémica contra los pueblos y dioses extranjeros.

L. Delekat, VT 14 (1964) 27s, sospecha que el *ḥay* de la expresión *ᵓēl ḥay* significaba originalmente «tribu» (cf. 1 Sm 18,18) y que el *ᵓēl ḥay* estaba ya desde el principio en oposición a los dioses extranjeros.

Da la impresión de que existe una cierta reserva a hablar del «Dios vivo»; esta impresión queda confirmada cuando se estudian más de cerca los pasajes *ḥayyīm.* Nunca se presenta la vida/vitalidad como un atributo divino; más bien son descritos como resultado de la acción salvífica de Dios. Cuando el sujeto es Dios, la «vida» aparece como objeto de los siguientes verbos: *ntn,* «dar» (Dt 30,15.19; Mal 2,5; Job 3, 20); *g'l,* «redimir» (Sal 103,4; Lam 3, 58); *nṣr,* «conservar» (Sal 64,2); *ṣwh* piel, «ordenar» (Sal 133,3); *'sh,* «hacer» (Job 10,12). Dios es «fuente de la vida» (Sal 36,10); el temor de Dios lleva a la vida (Prov 19,23). Se le puede pedir la vida (Sal 21,5) y también que no arrebate la vida al orante (Sal 26,9). Es lógico, pues, que en las afirmaciones referidas a Dios se empleen los modos verbales factitivo/causativos. De los 56 casos de piel, 26 tienen a Dios por sujeto (19 casos en los salmos). De los 23 casos de hifil, 9 tienen a Dios por sujeto (nunca en los salmos).

Del estudio del material lexicográfico se deduce que el AT no daba mayor importancia a la presentación de Yahvé como «vivo». La vida y la vitalidad no son presentados casi nunca como atributos propios de Dios. Se destaca la idea de que Yahvé da la vida y decide sobre ella; no se insiste tanto en que él participe en ella. En este sentido, el lenguaje veterotestamentario se diferencia del lenguaje de los otros pueblos del antiguo Oriente que hablan con toda normalidad de la vida y vitalidad de sus divinidades (Chr. Barth, *Die Errettung vom Tode in den individuellen Klage- und Danliedern des AT* [1947] 36-41; cf. también L. Dürr, *Die Wertung des Lebens im AT und im antiken Orient* [1926]). En los diversos contextos lingüísticos aparecen diversas concepciones de Dios: por una parte, la energía vital es divinizada, lo cual implica de hecho una identidad entre dios y la vida; por otra, se establece una clara distancia entre el creador y las fuerzas vitales de la creación.

b) ḥayyīm, «vida», a diferencia de *næfæš,* no constituye un distintivo natural del ser humano, sino que es un don de Dios.

Esto aparece claramente en el «salmo de Ezequías» de Is 38,9-20, donde la vida otorgada al convaleciente es presentada como vida frente a Dios, como vida en alabanza: v. 19: «la vida, la vida te alaba, como yo hoy». Esta frase, en oposición a v. 18: «... la muerte no te alaba...», muestra que *ḥayyīm* es entendido como vida plena, como vida otorgada por Dios (cf. C. Westermann, *Das Loben Gottes in den Psalmen* [⁴1968] 120-122, donde cita a Chr. Barth, *loc. cit.,* 15s: «Pero debe observarse que la alabanza de Yahvé funciona al mismo tiempo como signo de vitalidad»).

La vida es don de Dios, puesto que el hombre ha sido creado para la vida, es decir, como *næfæš ḥayyā* (Gn 2,7). El carácter vital del hombre coincide con su carácter creatural; en su carácter de ser vivo se manifiesta como criatura de Dios. Pero, ya que la vida está siempre en peligro, se abre la posibilidad de una nueva promesa que asegura contra esa amenaza y ese peligro, como se puede ver en el discurso conclusivo de Dt 30,15-20. Aquí se da una estrecha unión entre la promesa de vida y la proclamación de la ley. Por medio de la ley se promete la vida a Israel. Esto sucede primariamente en el culto (Lv 18,5; Dt 30,15. 19). G. von Rad, *«Gerechtigkeit» und «Leben» in der Kultsprache der Psalmen,* FS Bertholet [1950] 418-437 = GesStud 225-247, ve en esta unión entre proclamación de la ley y promesa de vida un elemento constitutivo de la fe yahvista (p. 427 = 235). Concretamente la obediencia a las leyes divinas va unida en el Dt y también en otros textos a la vida (Dt 4,1; 5,33; 8,1; 11,8s; 16,20; 22,7; 25,15; cf. Ex 20,12; Job 36,11; sobre Ez 20 y 33, cf. W. Zimmerli, ThZ 13 [1957] 494-508 = GO 178-191).

También la literatura sapiencial presenta la vida como un don sapiencial y concretamente unida a la escucha de las exhortaciones del maestro de sabiduría o a la escucha de la llamada a seguir a la sabiduría personalizada (Prov 3,1s; 4,10.13.22s; 7,2; 8,35; 9, 6; cf. Ch. Kayatz, *Studien zu Proverbien 1-9* [1966] 102-107, que ofrece paralelos egipcios). Aquí el don de la vida se ha independizado del culto y no se dirige a Israel como un todo, sino a los particulares (von Rad I, 45ss).

c) ¿Conoce el AT la vida después de la muerte? La pregunta ha recibido diversas respuestas. La respuesta depende sobre todo de la comprensión de determinados salmos que hablan de una preservación de la muerte y de una salvación del Seol, especialmente Sal 27; 49; 73. Según Barth, *loc. cit.*, 165s, «salvar de la muerte» viene a significar «salvar de una muerte hostil, amenazadora y justiciera», pero no se refiere a una prolongación de la vida tras la muerte. G. von Rad I, 419s, por el contrario, encuentra, especialmente en Sal 49 y 73, «un fuerte esfuerzo teórico, que no se reduce a una situación de necesidad concreta», sino que apunta fundamentalmente hacia una vida más allá de la muerte. En estas afirmaciones de los salmos, sin embargo, no se habla de una esperanza general en el más allá; quieren decir, más bien, que el fiel se agarra a la fe de que la comunidad de vida con Yahvé debe ser indestructible, incluso más allá de la muerte.

La esperanza de una resurrección general de los muertos aparece por primera vez en la apocalíptica. El apocalipsis de Isaías habla de una resurrección de los fieles (Is 26,19), mientras que Dn 12,1-3 espera una resurrección universal, que para unos será «para oprobio eterno» y para otros «para vida eterna».

5. En los textos de Qumrán aparecen tanto las formas verbales cuanto las nominales. El sustantivo *ḥäyyīm* aparece con frecuencia como *nomen regens* en audaces composiciones constructas metafóricas, como «prudencia, luz, fuente, árbol, lápiz de la vida».

Sobre los LXX y la continuación de las diversas líneas en el NT, cf. G. von Rad, G. Bertram y R. Bultmann, art. ζάω: ThW II, 833-877; H. J. Kraus, *Der lebendige Gott:* EvTh 27 (1967) 169-200.

G. Gerleman

חַיִל *ḥáyil* **Fuerza** → כֹּחַ *kōaḥ*

חכם *ḥkm* **Ser sabio**

1. La raíz *ḥkm* aparece en la mayoría de las lenguas semíticas (además de GB 229b, cf., sobre todo, HAL 301a; ugarítico: WUS N. 924; UT N. 859; H.-P. Müller, UF 1 [1969] 89, nota 81; fenicio: KAI N. 26 A I, 13; arameo: DISO 84; KBL 1075b), aunque se ha discutido mucho sobre la originalidad del acádico *ḫakāmu,* «entender, comprender» (HAL 301a, con bibliografía; CAD H 32s; AHw 309a; cf. también A. Finet, AIRHOS 14 [1954-57] 132, y CAD A/II, 345a).

Junto al verbo *ḥkm,* «ser/hacerse sabio» (qal, piel, pual, hifil, hitpael), aparece en hebreo el nombre *ḥākām,* «experto, inteligente; sabio», y los abstractos *ḥokmā,* «sabiduría» (sólo singular, pero cf. *inf.),* y *ḥokmōt,* que puede considerarse como plural abstracto de *ḥokmā* (GVG II, 59; Joüon 211.236.417; G. Fohrer, ThW VII, 476, nota 85) o como una forma singular tardía (GK § 86s; BL 506; W. F. Albright, SVT 3 [1955] 8) (cf. HAL 302a).

En arameo bíblico existen la designación personal *ḥakkīm,* «sabios» (sólo en plural), y el abstracto *ḥokmā,* «sabiduría».

2. En la siguiente lista aparece con toda claridad la concentración de casos en los escritos sapienciales:

	Verbo	*ḥā-kām*	*ḥok-mā*	*ḥok-mōt*	*Total*
Gn	—	3	—	—	3
Ex	1	9	8	—	18
Dt	1	5	2	—	8
Jue	—	1	—	—	1
2 Sm	—	4	2	—	6
1 Re	1	3	17	—	21
Is	—	9	5	—	14
Jr	—	11	6	—	17
Ez	—	3	5	—	8
Os	—	2	—	—	2
Abd	—	1	—	—	1
Zac	1	—	—	—	1
Sal	4	2	6	1	13
Job	2	8	18	—	28
Prov	13	47	39	3	102
Ecl	4	21	28	—	53
Est	—	2	—	—	2
Dn	—	—	3	—	3
1 Cr	—	1	1	—	2
2 Cr	—	6	9	—	15
AT	27	138	149	4	318

El verbo aparece 19 × en qal (Prov 12 ×), 3 × en piel, 2 × en pual, 2 × en hitpael y 1 × en hifil.

Los casos de Ex pertenecen todos a P; los de Ez aparecen todos en Ez 27s; los de Dn en Dn 1.

El arameo *ḥakkīm* aparece 14 × (en Dn), *ḥokmā* 8 × (Esd 7,25, y 7 × en Dn). En todo el AT, pues, la raíz aparece 340 ×.

3. El significado principal es «ser sabio/sabio/sabiduría», según la etimología que se acepte. Con esto aparece, como es lógico, el carácter común y específico de este campo semántico (cf. H.-J. Hermisson, *Studien zur isr. Sprachweisheit* [1968] 11s.187-192, contra J. Fohrer, ThW VII, 476; cf. también H. H. Schmid, *Geschichte und Wesen der Weisheit* [1966] 18ss y sobre todo G. von Rad, *Weisheit in Israel* [1970] 18ss). De todos modos, el análisis semántico debe fijarse —atendiendo a las diversas derivaciones de la raíz— en las diferencias del campo de empleo y en la extensión del significado de las palabras.

a) El *verbo* en el modo qal designa primariamente el hecho de «ser sabio», presentado como algo constatable objetivamente, cuya presencia eficaz (aunque sólo sea pensada, cf. Dt 32,29; Prov 9,12.12) posibilita otras actividades y cuya ausencia cierra el paso a otros hechos (cf. Jenni, HP 27ss): cf., además de los pasajes citados, Zac 9,2 (irónico-concesivo); Prov 23,15; Ecl 2, 15.19 (todos en perfecto), así como 1 Re 5,11 (imperfecto consecutivo); cf. Job 32,9 (con imperfecto en la llamada frase nominal compuesta). Cuando, por el contrario, en los restantes pasajes de Prov (cf. HAL 301a, que sin razón incluye aquí todos los pasajes de Prov) se usa como predicado un imperfecto (Prov 9,9; 13,20 Q; 19,20; 20,1; 21, 11) o un imperativo (Prov 6,6; 8,33; 23,19; 27,11; cf. también Ecl 7,23 con cohortativo), el verbo adquiere un sentido ingresivo: «hacerse sabio», con lo cual el «ser sabio» es presentado como un suceso futuro, como un efecto o consecuencia de otro fenómeno; al hablar de «otro fenómeno» nos referimos a los distintos modos posibles de hacerse sabio, a saber: por medio de la experiencia (Prov 6,6; 13,20) o del aprendizaje (cf. 9,9; 21,21), pero, sobre todo, por medio de una «escucha» obediente que lleva a la acción (8,33; 23, 19; en especial, 19,20: «oye el consejo *[ʿēṣā]* y la corrección *[mūsār, → ysr]*»). El «hacerse sabio» supone educación; los imperativos son llamadas a aceptarla.

La actuación correspondiente al ser sabio es expresada por medio del piel factitivo: «hacer sabio» (Sal 105,22; 119,38; Job 35,11; el verbo presenta los siguientes sujetos: José, los mandatos de Dios, Dios). El correspondiente participio pual se refiere al resultado, y precisamente en un sentido técnico: ser (de alguna forma) «experto» (Sal 58,6; Prov 30,29; cf. HAL 301a; Jenni, HP 162s). Por medio del hitpael se expresa la autorrealización del ser sabio (Ex 1,10; Ecl 7,10); con el participio hifil (que sólo aparece una vez: Sal 19,8; cf. Jenni, HP 73s. 85) se da expresión al origen del ser sabio.

Entre los verbos sinónimos, o al menos paralelos del nuestro, deben citarse: → *bīn,* «comprender» (Job 32,9), aunque en Dt 32,29 *bīn* (paralelo a *śkl,* «entender») designa más bien el resultado del ser sabio (aun cuando este último verbo no aparece en el texto); también *lqḥ dáʿat,* «tomar conocimiento» (Prov 21,11); *ysp* hifil *læqaḥ,* «avanzar en la enseñanza» (Prov 9,9; cf. 1,5); característico de Ecl es *ʿml,* «esforzarse» (Ecl 2,19); paralelo a *ḥkm* piel aparece *ʾlp* piel, «enseñar» (Job 35,11). En Ecl 7,16 la frase «no seas demasiado justo» aparece en paralelo al hitpael de nuestro verbo. Como opuestos pueden citarse: *līṣ,* «ser arrogante» (Prov 9,12; cf. 20,1; 21,11), y *rʿʿ,* «hacerse malo» (Prov 13,20).

b) El «ser sabio» se expresa nominalmente por medio de *ḥākām* (masculino singular, 78 ×; femenino, 34 ×; masculino plural, 54 ×; plural, 3 ×), empleado a veces como adjetivo (cf. *ʾīš ḥākām,* «hombre sabio», por ejemplo, 2 Sm 13,3; 1 Re 2,9; Prov 16,14; *bēn ḥākām,* «hijo sabio», Prov 10,1; 13,1; 15,20; *mælæk ḥākām,* «rey sabio», Prov 20,26) y también 15 × como predicado (Jenni, HP 26, donde ofrece una lista de pasajes), aunque la mayoría de las veces aparece como sustantivo («el sabio»). A excepción de Prov 30,24, donde se emplea como predicado referido a los animales, y de Is 31,2, donde se aplica a Dios (cf. Job 9,4; también Jr 10,7 y 2 Sm 14,20), el nombre se refiere siempre a hombres como un concepto que los califica en un sentido determinado.

Este «ser inteligente o experto» del hombre tiene un amplio campo de posibilidades de realización; en general, *ḥākām* es «alguien que entiende y domina algún asunto» (G. Fohrer, ThW VII, 483ss). En primer lugar se trata de capacidades de tipo técnico; así, por ejemplo, en lo que se refiere al trabajo manual de las mujeres (Ex 35,25), pero sobre todo de los hombres (Jr 10,9; cf. BH³ en Is 3,3; en los textos tardíos este concepto aparece sobre todo referido a la construcción del templo: Ex 28,3; 31,6; capítulos 35-36; 1 Cr 22, 15; 2 Cr 2,6.12s; en Is 40,20: *ḥārāš ḥākām,* «maestro experto», en la fabricación de ídolos). En la lamentación de las mujeres esta actividad experta tiene un objeto no concretado ulteriormente (Is 9,16s); lo mismo puede decirse de la magia y múltiples formas de brujería (Is 3,3; cf. Sal 58,6, participio pual), relacionadas especialmente con los extranjeros (sobre todo el plural, cf. Ex 7,11; Is 44,25; Est 1,13; también la mayoría de los pasajes arameos de Dn, cf. KBL 1075b; también Fohrer, *loc. cit.,* 483; una exposición detallada, que incluye material ugarítico, aparece en H.-P. Müller, *Magischmantische Weisheit und die Gestalt Daniels:* UF 1 [1969] 79-94), así como del consejo real, propio del ámbito cortesano (→ *yʿṣ;* cf. P. A. H. de Boer, SVT 3 [1955] 42-71; W. McKane, *Prophets and Wise Men* [1965] 15ss; con referencia a los pueblos vecinos, cf. Gn 41,8; Is 19,11s; Jr 50, 35; 51,57; Ez 27,8s; Est 6,13; Dn 2, 27), donde también la astucia femenina puede resultar útil (2 Sm 14,2; 20, 16ss). El consejo real forma parte de un gobierno prudente y justo; el primero en tenerlo debía ser el rey mismo (cf. Prov 20,26; Ecl 4,13); en ese sentido, Salomón, el *ʾīš ḥākām* (1 Re 2, 9) e «hijo sabio» de David (1 Re 5,21; 2 Cr 2,11), se ha convertido en tipo del rey sabio a quien se ha otorgado una sabiduría que supera toda medida (1 Re 3,12; 5,11ss) (cf. también Prov 1,1; 10,1; Ecl 1,1.16; 2,3ss; Alt, KS II, 90 a 99; Noth, GesStud 99-112; R. B. Y. Scott, SVT 3 [1955] 262-279; también N. W. Porteous, *ibíd.,* 247ss). En todos estos textos se trata de personas particulares y grupos de hombres, que son expertos en aspectos especiales de carácter profesional; lo mismo vale para José (Gn 41,33.39; cf. G. von Rad, *Josephsgeschichte und ältere Chokma:* SVT 1 [1953] 120-127 = GesStud 272-280) y para el «príncipe de Tiro», descrito con colores míticos y de quien se dice que es «más sabio que Daniel» (Ez 28,3; cf. Zimmerli, BK XIII, 661ss; también Dn 1,4.17.20; cf. *inf.,* 3c).

Además de eso, los textos —en especial los de los escritos sapienciales— presentan un tipo propio de *ḥākām/ḥakāmīm,* que no se relaciona directamente con otra profesión, sino que tiene en cuanto «sabio» una función propia junto a la de los sacerdotes y los profetas (Jr 18,18, donde, sin embargo, aparece también un aspecto político y cortesano, cf. W. McKane, *loc. cit.,* 42.128, nota 1). El «sabio» es ante todo un hombre de la palabra, que da consejos (Jr 18,18), que crea y recopila proverbios (Prov 22,17; 24,23; Ecl 12,9-11; cf. Prov 1,6; Ecl 9,17), cuyas palabras encuentran buena acogida (Ecl 10,12), aunque también pueden anunciar amenaza y corrección (Ecl 7, 5; cf. Prov 15,12.31), cuya lengua (Prov 15,2) y cuyos labios distribuyen conocimiento (Prov 15,7) y salvación (Prov 12,18), cuyas palabras —finalmente— proceden de un «corazón sabio» (Prov 16,21.23; cf. 1 Re 3,12). Junto a la autoridad propia que le viene de su «corazón sabio» y de la experiencia adquirida —puesto que se trata de un «investigador» que quiere «indagar» y «entender el sentido de las cosas» (cf. Ecl 8,1.5.17; 12,9; además, Hertzberg, KAT XVII/4,215ss; también Job 15,7ss)— el sabio dispone de la tradición recibida de los padres (cf. Job 8,8-10; 15,18; además, Fohrer, *loc. cit.,* 492s); se deja adoctrinar (Prov 9, 9; 12,15; 21,11) y él mismo administra una enseñanza *(tōrā)* que es «fuente de vida» (Prov 13,14). El «sabio», por tanto, no es sólo consejero, sino también maestro y educador (cf., por ejemplo, Prov 11,30; 15,31; 18,15; 22,17; Ecl 12,9; además, W. Zimmerli, ZAW 51 [1933] 181ss; W. Richter, *Recht und Ethos* [1966] 147ss; Hermisson, *loc. cit.,* 113ss).

Si calificamos este empleo del término —que en sentido propio (y, de algún modo, profesional) designa *al* «sabio»— como empleo estricto, nos queda todavía un sentido más amplio, según el cual también otros grupos de personas pueden calificarse como «sabios» —según hemos visto ya en los textos citados anteriormente—; de todos modos, los límites entre sentido amplio y estricto son muy imprecisos. «Sabia» en general es la persona que atiende a los «consejos» (Prov 12,15) y ama la «disciplina» (Prov 13,1; cf. los comentarios; 19,20; 29,15). Constituye la alegría de su padre (10,1; 15, 20; 23,24). Es un hombre fuerte (cf. Prov 21,22; Ecl 7,19) y paciente, que domina la ira (Prov 29,8.11); es humilde y no se considera a sí mismo sabio (Prov 3,7; 26,12; Is 5,21; Jr 9, 22). Hombre de corazón sabio, sabe aceptar las leyes (Prov 10,8), es temeroso y evita lo malo (14,16).

En estos últimos textos es perceptible un aspecto ético-religioso (cf. *inf.,* 4); lo mismo sucede cuando en Prov aparece *ṣaddīq,* «justo», como sinónimo de *ḥākām* (Prov 9,9; 11,30; 23,24; cf. Ecl 9,1). Pero el sinónimo más frecuente es *nābōn,* «inteligente» (→ *bīn;* Gn 41,33.39; Dt 4,6; 1 Re 3,12; Is 3,3; 5,21; 29,14; Os 14,10; Prov 1,5; 18,15; 16,21, donde aparece la definición siguiente: «al de corazón sabio se le llama inteligente»; cf. 28,11b). Otros sinónimos son: *ʾīš dáʿat,* «hombre inteligente» (Prov 24,5); *ʾanšē lēbāb,* «hombres inteligentes» (Job 34, 34); *yōdeʿīm,* «conocedores» (Job 34, 2; cf. Ecl 8,1); *niftālīm,* «astutos» (Job 5,13). El cuadro del «sabio» queda complementado finalmente por la contraposición con los opuestos: su opuesto principal es el «necio» (especialmente → *kesīl,* 21 × con especial frecuencia en Prov y Ecl; además, → *ʾæwīl,* 7 ×; → *nābāl,* Dt 32,6; *sākāl,* Ecl 2, 19), pero también el «arrogante» *(lēṣ,* Prov 9,8; 13,1; 15,12; 21,11; *ʾanšē lāṣōn,* Prov 29,8) y el «perezoso» *(ʿāṣēl,* Prov 26,16).

La contraposición expresada por medio de los opuestos se refiere no sólo al «sabio» en sentido estricto, sino también al sabio en sentido amplio. A este empleo lingüístico amplio pertenecen los textos en que se llama necio al pueblo (Dt 32,6) o donde Oseas amenaza a Efraín llamándole «hijo insensato» (Os 13,13).

La cuestión sobre cuál es el ámbito propio del «sabio» no ha recibido todavía una respuesta suficientemente clara; es lógico, de todos modos, pensar, por una parte, en la corte, y por otra, en algún tipo de escuela (cf., por ejemplo, L. Dürr, *Das Erziehungswesen im AT und im antiken Orient* [1932] 104ss; McKane, *loc. cit.*, 36ss; Hermisson, *loc. cit.*, 97ss; G. von Rad, *Weisheit in Israel* [1970] 28ss; en cambio, E. Gerstenberger, *Wesen und Herkunft des «apodiktischen Rechts»* [1965] 128-130, y H. W. Wolff, *Amos' geistige Heimat* [1964] 60s, ponen el acento sobre la educación y la sabiduría tribal). Sobre la crítica que acompañó al pensamiento y a la doctrina del «sabio», cf. *inf.*, 4.

c) El empleo de los abstractos *ḥokmā* y *ḥokmōt* corresponde al del término personal *ḥākām*/*ḥ^a^kāmīm*. Así, *ḥokmā* puede significar conocimiento técnico y capacidad profesional de diverso tipo (en la construcción del templo: Ex 28-36; cf. *sup.*; 1 Re 7,14; cf. 1 Cr 28,21; en la guerra: Is 10,13; pericia marinera: Sal 107,27), pero sobre todo capacidad y experiencia política de corte (en los pueblos vecinos: Is 47,10; Jr 49,7; Dn 1,4.20; en Israel: cf. 2 Sm 20,22; Is 29,14; también Jr 8,9) y la especial aptitud del monarca. En las obras históricas se habla a veces de la sabiduría de José y de David (Dt 34,9; 2 Sm 14,20), pero la mayoría de los pasajes se refieren a Salomón (1 Re 2,6; 3,28; 5,9s. 14.26; 10,4ss; 11,41; 2 Cr 1,10-12; 9,3ss.22s). Ez 28,4s.7.12.17 hablan de la gran sabiduría del rey de Tiro.

En los numerosísimos casos de Prov y Ecl, así como de Job (cf. *sup.* 2), *ḥokmā*/*ḥokmōt* significa en especial la «sabiduría» de los «sabios» en sentido estricto, sabiduría que se refiere primariamente —lo mismo que en el ámbito de corte— al conocimiento adquirido (cf. Fohrer, *loc. cit.*, 485; también von Rad, *loc. cit.*, 202, nota 12), aunque tampoco aquí falte un empleo más amplio del término; pues la «sabiduría» tiene por objeto, entre otras cosas, la educación. Así, por una parte, se alaba con frecuencia la «sabiduría», que para los necios es «demasiado alta» (Prov 24,7) y es buscada inútilmente por los arrogantes (14,6): es mejor que los corales y las piedras preciosas (Prov 8,11; Job 28,18), su posesión es mejor que el oro (Prov 16,16); es mejor que la fuerza y las armas (Ecl 9,15s.18), es buena como la hacienda (Ecl 7,11); con ella se edifica una casa (Prov 24,3); ilumina el rostro del hombre (Ecl 8,1); gracias a ella el inteligente conoce su camino (Prov 14,8), tiene futuro y esperanza (24,14) y se mantiene en la vida (Ecl 7,12, cf. *inf.* 4). Y, ya que es una cosa tan preciosa, un «placer» para el «hombre que entiende» (Prov 10,23), es fácil comprender que se oigan continuas exhortaciones a adquirirla (Prov 4,5.7; 23,23), a fijarse en ella (5,1), a prestarle oído (2,2; 5,1), a apreciarla y «abrazarla» (4,7s; cf. los comentarios), a llamarla hermana (7, 4); hay que conocerla (Ecl 1,17; 8,16; cf. Prov 24,14) y buscarla (Ecl 7,25). Hay que adquirirla por medio de la «vara y la reprensión» (Prov 29,15), es decir, por medio de la educación; se encuentra en aquellos que se dejan aconsejar (Prov 13,10). Constituye el «arte del timón» (G: κυβέρνησις para *taḥbūlōt,* Prov 1,5) para los asuntos de la vida práctica; conviene «emplearla rectamente» (Ecl 10,10b, cf. Zimmerli, ATD 16/1, 235). La «sabiduría» «descansa en corazón inteligente» (Prov 14,33; también, 2,10; Sal 51, 8; 90,12), en el centro del hombre, lo cual supone una total posesión del hombre, de forma que éste se manifiesta en su vida y en su pensamiento como un *ḥākām;* ahora bien, esto no es religiosamente neutro, sino que incluye aspectos ético-religiosos (cf. *inf.*, 4).

La orientación práctica de la palabra aparece, pues, en primer plano, especialmente en los proverbios de mayor antigüedad (cf., por ejemplo, von Rad I, 430-454); pero también se deja notar en el abstracto *(ḥokmā)* la voluntad de un conocimiento orientador (cf. von

Rad, *loc. cit.,* 455ss; también, y sobre todo, íd., *Weisheit* [1970] *passim),* lo cual es teológicamente muy importante (cf. *inf.,* 4). A diferencia de la abundante literatura sapiencial de los pueblos vecinos, con la que está unida en muchos aspectos la sabiduría veterotestamentaria (véase, por ejemplo, la *maʿat* egipcia: cf., entre otros, H. Brunner, HdO I/2 [1952] 93-95; H. Gese, *Lehre und Wirklichkeit in der alten Weisheit* [1958] 11ss; por lo demás, no podemos entrar más en este trasfondo; cf., sin embargo, Fohrer, *loc. cit.,* 477ss; H. H. Schmid, *loc. cit.;* H. Preuss, EvTh 30 [1970] 393 a 417, con un detallado índice de textos y literatura secundaria), parece que el abstracto *ḥokmā* se ha convertido en un concepto central e importante de la doctrina sapiencial.

No debe olvidarse, sin embargo, que *ḥokmā* puede ser apoyado también por diversos sinónimos e incluso ser intercambiado con ellos (cf. von Rad, *loc. cit.,* 18ss.26s); en este sentido hay que mencionar sobre todo → *bīn,* la raíz principal entre las que significan «conocimiento»: *bīnā,* «inteligencia» (16 ×, de ellas, 7 × en Prov, 5 × en Job y además Dt 4,6; Is 11,2; 29,14; Dn 1,20 *[ḥokmat bīnā];* ausente en Ecl); *tᵉbūnā,* «inteligencia» (11 ×, de ellas, 7 × en Prov, además Job 12,12s; Jr 10,12; Ez 28,4), así como *tᵉbūnōt,* «sagacidad» (Sal 49,4, paralelo a *ḥokmōt);* en segundo lugar deben mencionarse *dáʿat,* «conocimiento, saber» (→ *ydʿ;* 14 ×, de ellas, 6 × en Ecl, 4 × en Prov; además, Is 11,2; 33,66; 47,10; Dn 1,4; ausente en Job); *maddāʿ,* «comprensión» (2 Cr 1,10-12; Dn 1,4; cf. 1,17, así como el arameo *mandaʿ,* «razón», Dn 2,11); *śḗkæl,* «inteligencia» (Sal 111,10). Deben señalarse además: *ʿēṣā,* «consejo» (Is 11, 2; Jr 49,7; Job 12,13; Prov 21,30); *mūsār,* «corrección» (Prov 1,2.7; 23,23); *ʾæmæt,* «verdad» (Sal 51,8); *mišpāṭ,* «justicia» (Sal 37,30); *tōrat-ḥæsæd,* «instrucción bondadosa» (Prov 31,26, cf. Gemser, HAT 16,110). Llama la atención que donde menos se emplean los sinónimos y los paralelos es en la sección deuteronomística (sólo en Dt 4,6) y donde más es en la sección más tardía de Prov (caps. 1-9); cf. también, en arameo, las series de Dn 5,11.14. Los opuestos no son numerosos; aparecen con mayor frecuencia en Ecl: *hōlēlōt,* «insensatez, obcecación» (1,17; 2, 12; 7,25); *siklūt,* «insensatez» (2,12s; 7, 25 = *śiklūt,* 1,17); *kæsæl,* «insensatez» (7, 25), y finalmente *ʾiwwælæt,* «insensatez» (Prov 14,8.33, texto enmendado).

4. *a)* El aspecto ético-religioso de la raíz *ḥkm* recibe su expresión en las secciones antiguas de Prov (caps. 10ss), especialmente por medio del paralelismo entre *ḥākām* y *ṣaddīq,* «justo», así como por el contraste «sabio-necio», paralelo a la contraposición «justo-pecador». Se trata no tanto de una polarización casual cuanto del reconocimiento de un comportamiento conforme o disconforme con las normas (cf. U. Skladny, *Die ältesten Spruchsammlungen in Israel* [1962] 7ss y *passim;* también, por ejemplo, H. H. Schmid, *Gerechtigkeit als Weltordnung* [1968] 157ss; y también Hermisson, *loc. cit.,* 73ss). La insensatez trae al insensato desgracia y perdición (→ *ʾæwīl,* 4; cf. von Rad I, 441); la sabiduría, por el contrario, lleva a los «senderos de la rectitud» (Prov 4,11); es «fuente de vida» (cf. 13,14; 16,22; también 14, 27) y sirve para dominar y asegurar la vida humana (16,17; 28,26); por medio de ella se evita «el mal» (14,16) y los «lazos de la muerte» (13,14); así, pues, en la sabiduría se da una conjunción salvífica de acción y consecuencias (cf. K. Koch, ZThK 52 [1955] 1-42; también, por ejemplo, Schmid, *loc. cit.,* 175ss; G. von Rad, *Weisheit in Israel* [1970] 140ss.165ss).

Ahora bien, la sabiduría ha recibido de Dios su poder y su función salvífica; la referencia ético-religiosa de la raíz *ḥkm* es sobre todo una referencia a Yahvé, el Dios de Israel. El es «sabio» (Is 31,2; Job 9,4) y tiene la sabiduría «en sí mismo» (Job 12,13); sólo él —y no los hombres— conoce la «sede» de la sabiduría y «el sendero que conduce a ella» (Job 28,23, cf. vv. 7.12. 20). La sabiduría aparece especialmente unida con la actividad creadora de Dios (Jr 10,12 = 51,15; Sal 104,24; Job 28 y 38; Prov 3,19, cf. *inf.* sobre 8,22ss). Pero él puede comunicar al hombre el «secreto de la sabiduría» (Job 11,6), es decir, «el modo secreto de la actuación divina» (Fohrer, KAT XVI, 226). Puede también «impartir» la sabiduría (a Salomón: 1 Re 5,9.26; 2 Cr 9,23; además, Ex 31,6; 36,1s P; Prov 2,6; Ecl 2,26; arameo, Dn 2,21), «llenar del espíritu de la sabiduría» (Ex 28,3; cf. 31,3 P; también Dt 34,9 referido al carisma de Josué) o «enseñarla» *(yd'* hifil, Sal 51,8; cf. 90,12).

b) Esta referencia de la sabiduría a Dios se ha desarrollado ulteriormente, en primer lugar en línea positiva: el «temor de Yahvé» *(yir'at Yhwh,* → *yr')* es «fuente de vida» (Prov 14, 27, cf. *sup.),* pero también es «comienzo» (o «suma», *rēšīt)* de la sabiduría (cf. 1,7; 9,10; 15,33; Sal 111,10). La sabiduría ha tenido además un empleo histórico-salvífico (cf. Sal 107,43; Dt 32,6.29) y profético, incluso en los anuncios de juicio (Os 13,13; Is 5,21; 29,19; Jr 8,8s; 18,18; además, Is 10, 13; 19,11s; 47,10; Jr 49,7; 50,35; 51, 57; Ez 28,4ss; Abd 8; Zac 9,2; cf. Os 14,10; Jr 9,11.22), así como escatológico-salvífico (Is 33,6) y mesiánico (Is 11,2; cf. Dt 34,9; 1 Re 3,28; 5,26). Pero también se ha dado una elaboración crítico-negativa: cuando Is y Jr atacan la arrogante sabiduría de sabios o señores israelitas (cf. Is 29,14; Jr 18, 18) o extranjeros y la contraponen a la maravillosa actuación de Yahvé (Is 29, 14) o a su sabiduría (Is 31,2) o a su palabra (Is 8,9), se refieren a la sabiduría como arte de gobierno o consejo político, que falla cuando se dirige contra Yahvé (cf. también Prov 21,30s).

Además, en las confrontaciones del libro de Job y en la crítica del Eclesiastés ha tenido lugar una corrección desde dentro de los círculos sapienciales; se intenta salvar la «idea del orden» del riesgo de la «dogmatización», es decir, de «independizarse como un orden autónomo»; de ese modo, se salvan los límites de la sabiduría y la libertad soberana de Dios (cf. la exposición detallada de Zimmerli, GO 300-315; H. H. Schmid, *Wesen und Geschichte der Weisheit* [1966] 173ss; Fohrer, *loc. cit.,* 496; sobre todo, von Rad, *loc. cit.,* 130ss).

c) Se debe mencionar, finalmente, una doble repercusión que la referencia ético-religiosa de la sabiduría ha tenido en el AT, especialmente en su fase más reciente. Por una parte, la sabiduría es referida de una forma progresiva a los mandamientos y a la ley de Dios (cf. ya Dt 4,6; además, J. Malfroy, VT 15 [1965] 49-65; cf. también Sal 19,8; 119,98; J. Fichtner, *Der altorientalische Weisheit in ihrer isr.-jüd. Ausprägung* [1933] 81ss, donde el lector encontrará una lista de textos). Por otra parte, es independizada y —en parte— personificada con respecto a Dios (se discute hasta qué punto puede hablarse aquí de hipóstasis: cf. H. Ringgren, *Word and Wisdom* [1947] 89ss; R. Marcus, HUCA 23/1 [1950-51] 157-171; Fohrer, *loc. cit.,* 490s); esto sucede especialmente en Prov 1-9 (cf. también Job 28; cf. C. Kayatz, *Studien zu Proverbien 1-9* [1966]; también R. N. Whybray, *Wisdom in Proverbs* [1965]; von Rad, *loc. cit.,* 189ss, con bibliografía). Así, la *ḥokmā* personificada aparece «por un lado como mediadora de revelación, ya que interviene con su proclamación lo mismo que un profeta y, al igual que éste, se atribuye a sí misma la máxima autoridad, y por otro lado, como revelación de la voluntad divina con respecto al hombre, ya que ofrece al hombre la vida e indica que su aceptación equivale a la aceptación de la voluntad divina» (Fohrer, *loc. cit.,* 494).

5. Tanto la tendencia nomística como la tendencia a la personalización continúan en la literatura posterior al AT (cf., sobre todo, en Eclo; cf. E. G. Bauckmann, ZAW 72 [1960] 33-63; J. C. H. Lebram, *Nachbiblische Weisheitstraditionen:* VT 15 [1965] 167-237; von Rad, *loc. cit.,* 309ss).

Por lo que respecta a la literatura de Qumrán (según Kuhn, *Konk.,* 72, *ḥākām* aparece 5 × y *ḥokmā* 13 ×), donde preferentemente se emplea el concepto → *śkl* (cf. J. A. Sanders,

ZAW 76 [1964] 66), así como a los LXX, donde *ḥkm* es traducido normalmente por σοφός/σοφία, se pueden citar —lo mismo que para el rico material judaico tardío, gnóstico y neotestamentario— los trabajos de U. Wilckens y G. Fohrer, art. σοφία: ThW VII, 465 a 529; cf. también U. Wilckens, *Weisheit und Torheit* [1959]; F. Christ, *Jesus Sophia. Die Sophia-Christologie bei den Synoptikern* [1970].

M. Sæbø

חלה *ḥlh* Estar enfermo

1. El hebreo *ḥlh*, «estar enfermo, débil» (forma secundaria *ḥl'*), no tiene correspondientes directos en las demás lenguas semíticas (se han solido sugerir etimologías semítico-meridionales en HAL 302.303b y otros; cf. también D. R. Ap-Thomas, VT 6 [1956] 239s).

En Mari aparece el acádico *ḫalû* como cananeísmo (CAD H 54a; AHw 314b).

G. R. Driver (JThSt 29 [1928] 392; *id.*, FSKahle [1968] 98-101; cf. Barr, CPT 326) ha encontrado en 1 Sm 22,8 una nueva raíz *ḥlh*, cuyo significado es «ocuparse de» (cf. el etiópico *ḥly*, *«cogitare, versare in animo»*, o semejantes, Dillmann, 577s). Quizá deba suponerse la misma raíz también en Jr 5,3 («preocuparse por», paralelo a *lqḥ mūsār*, «dejarse corregir») y en nifal en Am 6,6, «ocuparse de».

Zorell 242b asigna la expresión *ḥlh* piel *panim*, «calmar», no a *ḥlh* I, sino a *ḥlh* II, «ser dulce, agradable» («hacer agradable el rostro de alguien»); en Ap-Thomas, *loc. cit.*, se presentan otras posibilidades.

ḥlh es el único verbo intransitivo documentado en el AT en los siete modos verbales (cf. → *glh* 1). Con el significado de «enfermedad» aparecen los siguientes derivados: *ḥºlī, maḥªlǣ, maḥªlā, maḥªlūyīm* y —de la raíz *ḥl'*— *taḥªlū'īm*. Sobre el nombre propio (¿artificial?) *Maḥlōn* (junto a *Kilyōn*), en Rut 1,2.5; 4,9s; cf. Noth, IP 10 (en contra, Rudolph, KAT XVIII/1, 38).

2. Incluidos *ḥl'* (2 Cr 16,12 qal; Is 53,10 hifil) y los pasajes que probablemente deban asignarse a *ḥlh* I, el verbo aparece en total 74 ×: qal 36 × (siguiendo a Lisowsky, contra Mandelkern, 1 Sm 31,3; Jr 5,3 y 1 Cr 10,3 deben asignarse a *ḥīl* I, «temblar»), nifal 10 ×, piel 17 × (según Lisowsky, Sal 77,11, corresponde a *ḥll* II qal, «ser traspasado»), pual 1 ×, hifil 3 ×, hofal 3 × y hitpael 3 ×.

Las cifras correspondientes a los sustantivos son: *ḥºlī* 24 × (2 Cr 6 ×, 2 Re e Is 4 ×), *maḥªlǣ* 2 ×, *maḥªlā* 4 ×, *maḥªlūyīm* 1 ×, *taḥªlū'īm* 5 ×.

Del total de 110 presencias de la raíz, 16 corresponden a 2 Cr (qal, piel, hofal y los cinco nombres), 12 a Is, 11 a 2 Re, 9 a 1 Re y Jr. La distribución de estas presencias no presenta características especiales; la raíz aparece raramente en el Pentateuco, pero se trata de una simple casualidad.

3. *a)* A excepción de la expresión *ḥlh* piel *panim* (cf. *inf. b)*, la raíz designa siempre una situación de debilidad corporal (cf. J. Scharbert, *Der Schmerz im AT* [1955] 36-40; J. Hempel, *Heilung als Symbol und Wirklichkeit im biblischen Schriftum:* NAW 6 [1958] 3, 237-314, en especial página 238, nota 1).

Como sinónimos deben tenerse en cuenta las raíces **dwy*, «estar débil, enfermo», y **mrḍ*, «estar enfermo, tener dolores» (P. Fronzaroli, AANLR VII/19 [1964] 250.263s) —raíces que, a diferencia de *ḥlh*, pertenecen al semítico común—: de la primera raíz se han derivado los adjetivos *dāwǣ* y *dawwāy*, «enfermo» (Lam 1,13; 5,17, e Is 1,5; Jr 8,18; Lam 1,22, respectivamente), y *madwǣ*, «enfermedad, epidemia» (Dt 7,15; 28,60), mientras que *dwh* qal (lo mismo que *dāwā*, «indispuesto», en Lv 15,33; 20,18; Is 30,22) es empleado eufemísticamente para referirse a la menstruación; de la segunda raíz aparece *mrṣ* nifal, «sufrir dolores» (1 Re 2,8; Miq 2,10; Job 6,25), y hifil, «enfermar» (Job 16,3).

El verbo en la forma qal significa en primer lugar «estar/volverse débil»

(Gn 48,1 se refiere a la debilidad propia de los ancianos; Jue 16,7.11.17 hacen alusión a la debilidad como situación normal del hombre en comparación con la fuerza del carismático Sansón; Is 57,10, texto dudoso, se refiere a la debilidad sexual). Pero con frecuencia el verbo se refiere a la debilidad en el sentido de «estar enfermo» (1 Sm 19,14; 30,13; 1 Re 14,1.5; 17,17; 2 Re 8,7; 20,12 = Is 39,1; Is 38,9; Sal 35,13, sin una indicación más precisa del tipo de enfermedad). Puede también tratarse de una herida (2 Re 1,2; heridas de guerras: 2 Re 8,29; 2 Cr 22,6; de una paliza: Prov 23,35). A veces se describe la enfermedad con mayor lujo de detalles: puede tratarse de una enfermedad de los pies (1 Re 15,23) o de una enfermedad mortal (2 Re 13,14; 20,1 = Is 38,1 = 2 Cr 32,24). El verbo puede referirse también a los animales (Mal 1,8, paralelo a *pissēᵃḥ,* «cojo»; dichos animales enfermos —se piensa en taras externas— no pueden ser presentados en el culto como víctimas, cf. también Mal 1,13). La imagen de Ez 34 (cf. especialmente vv. 4.16) muestra que el pastor debe ocuparse muy especialmente de los «débiles y enfermos» de su rebaño. El cuidado que presta a Israel su jefe o el mismo Yahvé es ilustrado por medio de esta imagen.

El verbo se emplea también con referencia a penas anímicas; así, por ejemplo, la «enfermedad de amor» (Cant 2,5; 5,8) y, en sentido metafórico, en la expresión *rāʿā ḥōlā,* «una maldad maligna» (Ecl 5,12.15; 6,1, texto enmendado).

El nifal tiene un significado semejante al del qal: «estar/hacerse débil» (Jr 12,13, paralelo a *bōš,* «estar confundido», opuesto a *yʿl* hifil, «tener éxito») y «enfermar» (Dn 8,27). El participio sustantivado designa al «enfermo» (Ez 34,4.21; cf. *sup.);* la expresión *yom naḥᵃlā,* «día de la enfermedad» (Is 17,11, paralelo a *kᵉʾēb ʾānūš,* «dolor inaplacable»), ha recogido la terminología propia de la maldición para describir el juicio próximo de Yahvé. La expresión *makkā naḥlā,* «herida gravísima», es una fórmula fija (Jr 10,19; 14,17; 30,12; Nah 3,19); probablemente pertenecía al vocabulario de la lamentación en la descripción de una necesidad (algunos elementos formales aparecen en Jr 10,19; 14,17; cf. también Sal 41,4) y luego fue trasladada por los profetas a otros contextos.

En Dt 29,21 el piel significa «hacer enfermar» (con *taḥᵃlūʾīm,* en el contexto de amenazas de maldición; semejante es también el empleo de *ḥᵒlī* en Dt 28,59.61). El pual significa «ser hecho enfermo» (Is 14,10, referido al paso al reino de los muertos), y el hitpael, «sentirse enfermo» (2 Sm 13,2, penas de amor; 13,5s, «fingirse enfermo»).

El hifil, «hacer enfermar» (Prov 13, 12, teniendo por objeto a «corazón», referido a penas del alma; en Is 53,10; Os 7,5; Miq 6,3, texto inseguro); el hofal, «estar extenuado» (1 Re 22, 34 = 2 Cr 18,33; 2 Cr 35,23, referido siempre a heridas).

Está claro, pues, que *ḥlh* se refiere siempre, en los diversos modos verbales, a situaciones de debilidad corporal o anímica; lo mismo vale para los derivados (con referencia a la situación anímica se emplea *ḥᵒlī,* por ejemplo, en Ecl 5,16; 6,2; también en Is 1,5). Para curar las enfermedades se recurre a prácticas religiosas (aquí parece haberse dado a veces una concurrencia entre religión israelita y religión cananea, cf. 2 Re 1,1ss) y a medios médicos (cf. P. Humbert, *Maladie et médecine dans l'A. T.:* RHPhR 44 [1964] 1-29; J. Hempel, *Ich bin der Herr, dein Arzt:* ThLZ 82 [1957] 809-826).

b) El piel aparece también en una expresión fija que presenta un nuevo significado posible de la raíz *ḥlh* (cf. *sup.* 1): *ḥlh* piel *pānīm* significa «aplacar»; el objeto puede ser un hombre (Sal 45,13; Job 11,19; Prov 19,6, «halagar») o también Dios (en este caso se trata de un *terminus technicus* del lenguaje cúltico). El contenido de la acción puede ser un sacrificio (1 Sm 13,

12; Mal 1,9), una oración (Ex 32,11; 1 Re 13,6; 2 Re 13,4; Jr 26,19; Zac 7,2; 8,21s paralelo a *bqš* piel *Yhwh,* «buscar a Yahvé»; Sal 119,58; 2 Cr 33,12) o el cambio de conducta (Dn 9, 13).

4. Puede afirmarse, en resumen, que la enfermedad reviste una importancia especial para la fe veterotestamentaria en cuanto experimentada como una necesidad que empuja a la lamentación (cf. en los diversos contextos, por ejemplo, Is 38,9; 1 Re 8, 37 = 2 Cr 6,28; 2 Cr 16,12) o en cuanto concebida como un efecto de la maldición divina (cf. Dt 28,59.61; 29, 11; Is 1,5; Jr 10,19; 12,13; 2 Cr 21, 15.18s; perdón: Ex 15,26; 23,25; Dt 7,15; *ḥºlī* es palabra clave también en Is 53,3.4.10). En los tiempos posteriores las voces veterotestamentarias proclaman la esperanza de que Yahvé proporcionará un futuro sin enfermedad (Is 33,24; cf. 1QH 11,22).

5. Este último aspecto de la enfermedad adquiere un valor esencial en el NT, ya que Jesús hace presente ese futuro sin enfermedad (cf., sobre todo, Mt 11,2ss); sobre el NT, cf. G. Stählin, art. ἀσθενής: ThW I, 488-492; A. Oepke, art. νόσος (μαλακία): ThW IV, 1084-1091.

F. Stolz

חלל *ḥll* piel **Profanar**

1. El hebreo *ḥll* piel, «profanar», así como los demás modos verbales —correspondientes a aquél en cuanto al significado (hifil, «profanar», sólo en Nm 30,3 y Ez 39,7; nifal y pual, «ser profanado»; sobre las formas, cf. BL 436)— y las formas nominales *(ḥōl,* «profano», y, caso de que no haya que asignarlo con HAL 307b a *ḥll* II, «traspasar», *ḥālāl,* «profano, profanado», en Lv 21,7.14 y Ez 21,30; también *ḥālīlā,* «¡lejos de!»), pertenecen a una raíz muy extendida en todas las lenguas semíticas, cuyo significado original es «liberar, soltar» (cf. J. L. Palache, *Semantic Notes on the Hebrew Lexicon* [1959] 31s); el significado que más tarde se impondría es el de «profanar, degradar» (en el hebreo tardío y posbíblico se convierte en un concepto claramente definible y decisivo para el pensamiento de la época, cf. Levy II, 58s; E. Ben-Yehuda, *Gesamtwörterbuch der alt- und neuhebr. Sprache* II [1960] 1580-1583). En hifil destaca, junto a «profanar», el significado de «comenzar» (además, el hofal, «ser iniciado», y *tᵉḥillā,* «comienzo»); la unión de ambos grupos de palabras aparece con claridad en el empleo de *ḥll* piel en el sentido de «tomar para un uso profano» (Dt 20,6.6; 28,30; Jr 31,5, donde se habla de comenzar a aprovechar los frutos de un viñedo después de transcurrido un tiempo en el que estaba prohibido el cultivo en provecho propio, cf. Lv 19,23-25, y Pedersen, *Israel* III-IV, 271).

En acádico, *elēlu* significa en el modo G «ser claro» o «ser cúlticamente puro» (personas, labios, juramentos) y «estar libre» (de reclamaciones); en el modo D significa «purificar» (a sí mismo, la boca y las manos, el cuerpo de los dioses), «consagrar purificando» (las hijas) y «hacer libre» (esclavos), cf. AHw 197s. También en árabe está documentado *ḥll* en el sentido de «liberar, estar permitido» (Lane I/2, 619ss). A pesar de ciertos contactos (especialmente en árabe), no parece cierto que exista una relación original con *ḥll (*ḫll)* «(tras)pasar, herir». No es seguro que el verbo esté documentado en los antiguos textos semíticos noroccidentales (cf. WUS N. 928; DISO 89). Las lenguas y dialectos semíticos posteriores han sufrido el influjo del judaísmo y se ha impuesto en ellos el modo de empleo veterotestamentario de los tiempos preexílicos (cf. LS 231; Dillmann, 66; Littmann-Höfner, 52s; Driver-Macuch, 148b).

2. El verbo aparece 134 × en el AT: piel 66 × (Ez 22 ×, Lv 14 ×, Is y Sal 5 ×), hifil 56 × (sólo en 2 ocasiones, «profanar»; en todos los demás casos, «empezar»: 2 Cr 11 ×; Jue 8 ×, Dt 7 ×, Gn 6 ×, Nm y 1 Sm 4 ×); también están

documentados los modos nifal 10 × (Ez 7 ×), pual 1 × y hofal 1 ×. Sólo 2 de los 75 pasajes en que el verbo está empleado en el sentido de «profanar» (piel 62 ×, hifil 2 ×, nifal y pual) son claramente preexílicos: Gn 49,4 y Ex 20,25 (sobre Am 2,7, cf. Wolff, BK XIV/2, 163; sobre Sof 3,4, cf. Sellin-Fohrer 502). Casi dos tercios de estos casos aparecen en Ez (31 ×) y en la Ley de Santidad (16 ×). En casos aislados aparece en P, DtIs (también en Is 23,9; 56,2.6), Jr, Mal, Sal, Lam, Dn y en la obra histórica cronística.

ḥōl aparece 7 × (1 Sm 21,5s y —siempre en expresa oposición a *qōdæš*— Lv 10,10; Ez 22,26; 42,20; 44,23; de forma correspondiente, en 48,15: «región profana para viviendas»), *ḥālāl* 3 × (cf. *sup.* 1), *ḥālīlā* 21 × (1 Sm 8 ×, Gn 4 ×, 2 Sm 3 ×, Jos y Job 2 ×, 1 Re y 1 Cr 1 ×, en 2 Sm 20,20 duplicado), *teḥillā* 22 × (Gn 4 ×, Jue, 2 Sm y Dn 3 ×).

3./4. *a)* Donde con mayor seguridad pueden captarse las diversas concepciones que acompañan al concepto *ḥll* piel, «profanar», es en la *Ley de Santidad*. La santidad (→ *qdš*) de Yahvé y de lo que a él pertenece, especialmente el sacerdocio, debe ser salvaguardada de toda profanación. Los mandamientos correspondientes presentan casi siempre la forma *lō* + imperfecto y representan el saber profesional de los sacerdotes (J. Begrich, *Die priesterliche Tora:* BZAW 66 [1936] 85-87 = GesStud 256-258; R. Kilian, *Literarkritische und formgeschichtliche Untersuchung des Heiligkeitsgesetzes* [1963] 84-103, donde, tratando de Lv 21s, asigna las prescripciones *ḥll* a su estrato II de la ley de santidad original). El sacerdote queda profanado cuando su hija se prostituye (21,9; cf. 18,29), cuando se acerca al cadáver de una hermana casada (21,4); el cadáver de una hermana *no* casada y de otros parientes cercanos no lo profanan: sólo lo impurifican (→ *ṭm'*; Elliger, HAT 4, 288s). El sumo sacerdote no debe acercarse a ningún cadáver; de lo contrario, profanaría el santuario (21,17); lo mismo sucedería también si el sacerdocio fuera desempeñado por alguno que estuviera afectado por un defecto (21,23). La descendencia del sumo sacerdote sería profanada si éste se casara con una viuda, divorciada, violada o prostituida (21,15). En la perícopa, Lv 22, 1-16 (cf. H. Reventlow, *Das Heiligkeitsgesetz formgeschichtlich untersucht* [1961] 92-103; C. Feucht, *Untersuchungen zum Heiligkeitsgesetz* [1964] 44s), se exige al sacerdote que trate con máximo respeto las ofrendas, para que el nombre de Yahvé y la ofrenda misma no resulten profanadas (22,2. 9.15); una indicación semejante aparece en P (Nm 18,32). También los demás israelitas son amonestados contra la profanación del nombre de Yahvé; esto sucedería al sacrificar niños (Lv 18,21; 20,3), al comer carne sacrificial antes de que hayan pasado tres días desde que fue presentada en sacrificio (19,8), al jurar en falso (19,12) y, en general, al despreciar y no observar los mandamientos (22,32).

No es fácil determinar con seguridad las ideas que acompañaban al temor de profanar el nombre de Yahvé. Merece consideración la explicación de que la profanación llevaba consigo la desacralización y, con eso, el debilitamiento del nombre (H. A. Brongers, ZAW 77 [1965] 11). Pero ésta es, con todo, una consecuencia que difícilmente pueden ratificar los creyentes yahvistas. Los testigos tienen ante sí en cada caso la realidad de una ofensa punible y funesta.

b) A diferencia de la Ley de Santidad, donde el concepto aparece en un mundo de ideas cerrado en sí mismo, en *Ezequiel* adquiere una mayor dimensión. Aquí se habla con frecuencia de la profanación (la mayoría de las veces ya sucedida) de Dios o de su nombre (11 ×), del sábado (7 ×) y del templo (7 ×). Los culpables son siempre los israelitas, aunque no siempre es fácil determinar en qué consisten la culpa y la profanación. Se señala expresamente que Yahvé es profanado por las prácticas de magia que se hacían entre los deportados a Babilonia (13,19; Zimmerli, BK XIII, 296s). En 36,20-23 se ataca cinco veces la profanación del nombre de Dios. La profanación del nombre se da cuando los paganos lo ofenden llamándolo impotente —basándose en que Israel ha sido alejado de la tierra prometida—. Aunque esta profanación debida a la «situación» de Israel debe separarse de la profanación por el «comportamiento» de Israel, la culpa sigue recayendo sobre Israel, ya que su apostasía fue la que finalmente exigió su expulsión de la tierra (Fohrer, HAT 13, 109s; Zimmerli, BK XIII, 446.457.875-878); precisamente Yahvé había estado antes perdonando el castigo merecido para evitar la profanación de su nombre (20, 9.14). Y ahora debe ocuparse de que no vuelva a suceder en el futuro una profanación de su nombre (20,39; 39, 7). En la «historia de los pecados» del Exodo se destaca, junto al reproche por el culto de los ídolos y por la violación de los mandamientos, la profanación del sábado (Ex 20,13.16.21.24; cf. 22, 8; 23,38). En esto coinciden Ex 31, 14 P; Is 56,2.6 y Neh 13,17s. La profanación del templo o de lo que es santo para Yahvé por parte de Israel o de sus sacerdotes (Ez 22,26, por despreciar las diferencias entre lo sacro y lo profano; 23,39, por sacrificar niños; 44,7, por dejar a los extranjeros entrar en el templo) significa la profanación del mismo Dios santo (22,26) y será castigada con la destrucción del templo y de los santuarios; así, la catástrofe del 587 es una profanación (7, 21s.24; 25,3) y puede decirse que Dios mismo ha profanado su santuario (24, 21). Con esto se abre una comprensión más general del término, como se muestra en el capítulo de Tiro: profanación es también el castigo de Tiro por medio de enemigos poderosos (28, 7) y la caída de su arrogante rey (28, 16; cf. Is 23,9) que había profanado (28,18) sus santuarios (Fohrer, HAT 13, 163: «mi santuario»).

c) También en Is 43,28; 47,6; Sal 74,7 y Lam 2,2 se considera el desastre del 587 como una profanación; DtIs, a diferencia de los salmos, atribuye el acontecimiento a Dios. En Sal 89,40, sin embargo, la profanación del rey de Judá es considerada también como obra de Dios. En DtIs la conjetura de Is 52, 5 (*y*^{e}*ḥull*^{e}*lū* en vez de *y*^{e}*hēlīlū*) supone un nuevo caso de *ḥll* (cf. S. H. Black, *Is 52,5 and the Profanation of the Name:* HUCA 25 [1954] 1-8). Más tarde, el castigo del templo por obra de Antíoco Epífanes es considerada por el autor del libro de Daniel como una profanación (Dn 11,31).

d) En los profetas del s. VIII no aparece nunca la palabra, si es que hay que considerar Am 2,7 como un añadido (Wolff, BK XIV/2, 160.163); aquí se afirma que el nombre de Yahvé ha sido profanado, porque padre e hijo acuden (juntos) a una misma prostituta. Según Jeremías, el país ha sido profanado por el culto a los ídolos (Jr 16,18) y el nombre de Yahvé lo ha sido por la vuelta a la esclavitud de los esclavos que ya habían recobrado su libertad (34,16); Sofonías ataca como profanación el empleo egoísta de lo sacro por parte de los sacerdotes (Sof 3,4); Malaquías ve profanación tanto en la falta cúltica como en la moral (Mal 1,12, sacrificios despreciados; 2,10, la deslealtad humana es considerada una profanación de la alianza de los padres; 2,11, matrimonio con extranjeros). La ruptura de la alianza o de la palabra dada es considerada en dos ocasiones como «profanación» (Sal 55,21; Nm 30,3 P); y Dios no quiere profanar su → *b*^{e}*rīt* dejando sin cumplir sus promesas (Sal 89,35).

e) En todo el primer medio milenio de la literatura israelita *ḥll* piel aparece sólo en dos pasajes: en la bendición de Jacob y en el libro de la alianza. Rubén ha violado la estancia de su padre al acostarse con Bilhá (Gn 49,4, citado en 1 Cr 5,1); las piedras del altar quedan profanadas al ser trabajadas con cinceles de hierro (Ex 20, 25). La acción de Rubén representa una irrupción prohibida en la esfera íntima de su padre y constituye un peligro para la paz de la familia (de Vaux I, 179; W. Elliger, ZAW 67 [1955] 8-12 = KS 239-244; *íd.*, HAT 4, 238-

240). La prohibición de tallar altares de piedra solía ser explicada antes como un deseo de evitar la expulsión del *numen* que habitaba en la piedra (K. Marti, *Geschichte der isr. Religion* [⁴1903] 100; B. Baentsch, *Exodus-Leviticus-Numeri* [1900] 188; G. Beer, *Exodus* [1939] 106). Debe pensarse, más bien, que se trata de una tradición y una norma nomádica que se manifiesta contraria a todo lo que supone civilización, especialmente en las instituciones cúlticas (de Vaux II, 282).

f) Mientras *ḥālāl* aparece sólo en Lv y Ez, *ḥōl* aparece también dos veces en la antigua narración de 1 Sm 21: el sacerdote Abimelek no tiene ningún pan destinado al consumo profano *(lǽḥæm ḥōl);* sólo dispone de pan sagrado. David asegura que los cuerpos de su gente están puros (1 Sm 21, 5s), aunque se trate de una empresa profana *(dǽræk ḥōl). ḥōl* es, por tanto, ya en este primer testimonio lo contrario de *qādōš* (→ *qdš),* «santo», igual que en Lv 10,10 y en Ez. Estos pasajes de Samuel, así como la presencia de la interjección *ḥālīlā* en textos antiguos (BL 654; cf. M. Held, JCS 15 [1961] 21; M. R. Lehman, ZAW 81 [1969] 82s), «¡lejos de!», propiamente «¡a lo profano (con ello)!», muestran que este grupo de palabras debe entenderse desde su relación con la concepción veterotestamentaria de → *qdš* (cf. BHH I, 415; *Bibel-Lexicon²*, 398s).

5. En los numerosos casos de Levy y Ben-Yehuda aparece clara la importancia que el concepto ha adquirido en el hebreo medio (cf. *sup.,* 1). La delimitación minuciosa de lo «profano» es uno de los quehaceres decisivos de la literatura rabínica; el tratado IV/3 de la Misná y el Talmud tiene el título de *Ḥullin.*

De Qumrán y escritos emparentados deben citarse los casos del documento de Damasco en los que *ḥll* aparece en unión con la ley del sábado (CD 11, 15; 12,4; cf. Kuhn, *Konk.,* 72).

En el NT se supera la anterior concepción de lo profano y se elimina la distinción de lo sacro y lo profano establecida en el judaísmo contemporáneo (F. Hauck, art. βέβηλος: ThW I, 604s; *id.,* art. κοινός: ThW III, 789-810; *id.,* art. μιαίνω: ThW IV, 647-650).

F. Maass

חלק *ḥlq* Dividir

1. La raíz *ḥlq* en el sentido de «dividir, repartir» aparece sólo en hebreo y arameo (DISO 89s; KBL 1076a). En general se la suele relacionar con el árabe *ḥalaqa,* «medir, formar», y con otros verbos semíticos meridionales (HAL 309b, en *ḥlq* II). No se ha aclarado todavía si el ugarítico *ḫlq,* «arruinarse»; el acádico *ḫalāqu,* «escapar, perecer»; el etiópico *ḫalqa,* «desaparecer» (HAL 31, en *ḥlq* III; → *'bd),* y, por otra parte, el hebreo *ḥlq,* «ser llano» *(ḥalag,* «llano»); el árabe *ḥalaqa,* «allanar», etc. (HAL 309b, en *ḥlq* I) tienen alguna relación con «dividir».

En hebreo el verbo aparece en todos los modos verbales excepto en hofal; los derivados nominales son los siguientes: *ḥēlæq,* «porción»; *ḥælqā,* «parcela»; *ḥᵃluqqā,* «distribución», y *maḥᵃlōqæt,* «porción, división». En arameo bíblico están documentados: *ḥᵃlāq,* «porción», y *maḥlᵉqā,* «división».

2. La raíz aparece 188 × en hebreo y 4 × en arameo (sin contar los nombres propios): el verbo 56 × (Jos 7 ×, Is y 1 Cr 5 ×); 17 × en qal, 8 × en nifal (1 Cr 23,6 y 24,3 deben entenderse probablemente como qal, cf. Rudolph, HAL 309b), 26 × en piel, 3 × en pual, 1 × en hitpael y 1 × en hifil; *ḥēlæq* 66 × (Jos 9 ×, Dt y Ecl 8 ×, Sal 6 ×, Job 5 ×), *ḥælqā* 23 × (2 Re 6 ×, 2 Sm 5 ×, excluida la designación geográfica de 2 Sm 2, 16, cf. HAL 311b), *ḥᵃluqqā* 1 × (2 Cr 35,5), *maḥᵃlōqæt* 42 × (1 Cr 26 ×, 2 Cr 11 ×, Jos 3 ×, Ez y Neh 1 ×); el arameo *ḥᵃlāq* 3 × y *maḥlᵉqā* 1 ×.

3. *a)* El verbo en el modo qal significa «dividir, repartir» y el sentido

va más en la línea de repartir y distribuir que en la de dividir. Puede referirse a la división/partición del botín (Jos 22,8; 1 Sm 30,24), de un campo (2 Sm 19,30), de plata (Job 27,17), de la herencia (Prov 17,2), de las provisiones (Neh 13,13); también puede referirse a la repartición con el ladrón (Prov 29,24), a la distribución de la gente en grupos (1 Cr 24,4.5; 2 Cr 23,18; a este modo de empleo específico de la obra cronística debe asignarse también el empleo de *maḥ^{a}lōqæt* y *ḥ^{a}luqqā* como «distribución», que, asimismo, aparece únicamente en la literatura cronística) o también —en el cuadro de la narración de la conquista de la tierra— a la división y reparto del país o de las posesiones (Jos 14,5; 18,2; cf. Neh 9,22 con Dios como sujeto; de forma correspondiente aparece el pasivo nifal en Nm 26,53. 55.56).

En 2 Cr 28,21, donde el verbo debe traducirse por «saquear» o semejantes (cf. LXX y 2 Re 16,8), debe leerse *ḥillēṣ* en lugar de *ḥālaq* (cf. Rudolph, HAT 21,292).

Sobre Dt 4,19; 29,25; Job 39,17, cf. *inf.*, 4.

b) El modo nifal tiene un sentido reflexivo (excepto en Nm 26,53.55.56, antes citados): «dividirse» (Gn 14,15, Abrahán y su gente; 1 Re 16,21, el pueblo de Israel; Job 38,24, texto dudoso, la luz o el viento, cf. Fohrer, KAT XVI, 492).

El piel puede traducirse casi siempre por «distribuir» (sobre su diferencia con respecto al qal, cf. Jenni, HP 126-130). Objeto de la división/distribución pueden ser cosas (botín, Gn 44, 27; Ex 15,9; Jue 5,30; Is 9,2; 53, 12aβ; Sal 68,13; Prov 16,19; pual pasivo, Zac 14,1; pelos, Ez 5,1; alimentos, 2 Sm 6,19; 1 Cr 16,3; vestidos, Sal 22,19, cf. Mc 15,24 paralelos) o la (posesión de) la tierra (Jos 13,7; 18,10; 19,51; 1 Re 18,6; Ez 47,21; Joel 4,2; Miq 2,4, texto dudoso; Sal 60,8 = 108,8; Dn 11,39; hitpael, «repartirse entre sí», Jos 18,5); cuando el sujeto es Dios, el objeto de la repartición puede ser el destino o semejantes (Is 34,17; 53,12a; Job 21,17). En Gn 49,7 y Lam 4,16 la traducción correcta es «destrozar».

En Jr 37,12 el hifil significa «realizar el reparto de una herencia» (cf. Rudolph, HAT 12, 238).

c) A estos sentidos del verbo corresponde el empleo del nombre *ḥélæq,* «parte, participación» (en el botín: Nm 31,36; 1 Sm 30,24; cf. Gn 14,24; en el sacrificio: Lv 6,10; cf. Dt 18,8).

Como vocablos emparentados deben mencionarse *mānā* (12 ×) y *m^{e}nāt* (9 ×, arameísmo, cf. Wagner N. 175) de la raíz *mnh,* «contar», y *mišḥā* (Lev 7,35) y *mošḥā* (Nm 18,8) de la raíz *mšḥ* II, «medir».

ḥélæq aparece con frecuencia —en cuanto paralelo de → *naḥ^{a}lā,* → *gōrāl, ḥæbel,* «cuerda» (para medir), > «terreno» (medido) y semejantes— como «parte en la tierra» (Jos 15,13; 19,9; Ez 45,7; 48,8.21 y *passim;* cf. Zac 2,16; además, J. Dreyfus, RScPhTh 42 [1958] 3-49; F. Horst, FS Rudolph [1961] 135-156). En sentido estricto, *ḥélæq* es el terreno o parcela que corresponde a cada uno en la tierra de posesión (Am 7,4; Os 5,7); lo mismo significa el término *ḥælqā* (2 Sm 23,11s; Rut 2,3; 4,4, etc.), que acaba por significar simplemente «parcela» (Gn 33,19; Jos 24,32, etc.).

BL 567 y otros sugieren que *ḥélæq,* «porción», se ha mezclado aquí con otra palabra: **ḥælæq* (o *ḥæqæl),* «campo» (cf. el acádico *eqlu,* el arameo *ḥaqlā,* el árabe y el etiópico *ḥql;* cf., en contra, GVG I, 277).

Cuando se afirma que Aarón o los levitas no deben tener parte en la posesión de la tierra, ya que Yahvé es su «porción», se abre paso el empleo metafórico de *ḥélæq* (paralelo a *naḥ^{a}lā)* (Nm 18,20; Dt 10,9; 12,12; 14,17.29; 18,1; Jos 14,4; 18,7; cf. *inf.* 4). El empleo metafórico de *ḥélæq* para referirse a lo que uno recibe o a donde uno pertenece es frecuente en diversas expresiones. En ocasiones puede designar el «destino» (Is 17,14 paralelo a *gōrāl,* juego de palabras con el doble significado de «parte en el botín/

destino»; cf. Is 57,6; Job 20,29; 27, 13; 31,2 y *passim)* o la participación en la casa paterna (Gn 31,14), en Yahvé (Jos 22,25.27), en David (2 Sm 20,1; 1 Re 12,16 = 2 Cr 10,16).

Mención especial merece el empleo de *ḥēlæq* en Qohelet. Su pensamiento se dirige una y otra vez a la cuestión de cuál será su «parte», su «retribución», lo que le quedará *(yitrōn) (ḥēlæq:* Ecl 2,10.21; 3,22; 5,17.18; 9,6. 9; cf. 11,2). No se trata tanto de lamentarse, porque el hombre sólo puede tener una parte y no la totalidad (W. Zimmerli, *Die Weisheit des Predigers Salomo* [1936] 37; *id.,* ATD 16/1, 138 y *passim),* cuanto de la pregunta sobre la «parte», es decir, el lugar que le corresponde al hombre en el mundo (H. H. Schmid, *Wesen und Geschichte der Weisheit* [1966] 187s).

4. La concepción que aparece en Dt 32,8, de que el Altísimo *(ʾēl ʿælyōn)* asignó Israel a Yahvé como su porción (v. 9, *ḥēlæq)* es de gran antigüedad. De modo semejante se habla en Dt 29,25 de dioses que Yahvé no ha asignado a Israel; a un ámbito semejante pertenece Dt 4,19, donde se dice que Yahvé ha asignado las estrellas a todos los pueblos (cf. también Job 39, 17, la distribución de la inteligencia).

Se puede hablar de un sentido específicamente teológico de estas palabras, cuando Yahvé aparece como «porción» de un grupo de personas o de un particular. Anteriormente (*3c*) se han mencionado los pasajes en que Yahvé es presentado como «porción» de Aarón y de los levitas. En Jr 10,16 = 51,19 Yahvé es la «porción de Jacob», y en las Lamentaciones —en el contexto de → *gōral,* → *naḥªlā, ḥæbæl* y otros— se confiesa: «Yahvé es mi porción» (Sal 16,5; 73,26; 142,6; Lam 3,24; cf. H.-J. Hermisson, *Sprache und Ritus im alt-israelitischen Kult* [1965] 107-113). Cf. también el nombre propio *Ḥilqiyyā(hū),* «Yahvé es mi porción», y la forma abreviada *Ḥēlæq* y *Ḥælqāy* (Noth, IP 163s).

Se entiende sin más la afirmación de Sal 119,57: «la parte» del poeta es observar los mandatos de Yahvé. Y lo mismo vale para la idea que aparece en el texto poético de Job: la «parte» del malvado vendrá de Dios (Job 20, 29; 27,13; cf. 31,2).

5. No puede hablarse de un desarrollo posterior de estos términos. Los pocos casos de Qumrán se insertan simplemente en el empleo veterotestamentario de la raíz. El griego no posee ningún equivalente exacto: los LXX traducen *ḥlq* preferentemente por μερίζειν y compuestos o por κληρονομία o κλῆρος. Sobre el empleo neotestamentario de κλῆρος, cf. W. Foerster y J. Herrmann, art. κλῆρος: ThW III, 757-786.

H. H. Schmid

חמד *ḥmd* Codiciar

1. La raíz **ḥmd,* «codiciar», está muy extendida en las lenguas semíticas occidentales (en arameo meridional, en el sentido de «alabar», cf. *Muḥammad,* «el alabado»).

Los testimonios más antiguos proceden del ugarítico (cf. WUS N. 936; UT N. 872), del cananeo (EA 138,126, participio pasivo *ḥa-mu-da,* «deseable», cf. CAD H 73b), del fenicio (KAI N. 26 A III, líneas 14s: *yḥmd ʾyt hqrt z,* «él desearía poseer esta ciudad»; línea 17: *bḥmdt,* «por codicia») y del arameo de Egipto (BMAP N. 7, línea 19: *ḥmdyh,* quizá *ḥªmīdīn,* «objetos de valor»); cf. también Huffmon, 196.

En hebreo son frecuentes, junto al qal, «codiciar», y al piel, «considerar deseable» (Jenni, HP 220s), el participio pasivo qal y el participio nifal, así como diversas formas nominales (formas segoladas: *ḥæmæd* y *ḥæmdā;* con la preformativa *m-: maḥmād* v *maḥmōd;* el plural abstracto *ḥªmūdōt),* empleadas normalmente para designar el objeto codiciado. Como nombre propio aparece *Ḥæmdān* (Gn 36,26).

2. El verbo es relativamente raro. La razón puede estar en que el hebreo

posee muchas posibilidades para expresar deseos y sentimientos (modos, tiempos, partículas, etc.). El verbo *ḥmd,* en sus tres modos, aparece sólo 21 × (qal 16 ×, nifal 4 ×, piel 1 ×). La literatura narrativa está representada por Gn 2,9; 3,6; Jos 7,21; en todos los demás casos se trata de textos sapienciales, legales, litúrgicos y proféticos. Las formas nominales (*ḥǽmæd* 5 ×, *ḥæmdā* 16 ×, *ḥamūdōt* 9 ×, *maḥmād* 13 ×, *maḥmōd* 1 ×) se fueron introduciendo en los escritos exílicos y posexílicos; *maḥmād,* cf. Lam 1,10.11; 2,4; Ez 24,16.21.25; *ḥamūdōt,* cf. Dn 9,23; 10,3.11.19; 11,38.43.

3. Tratando de *ḥmd* conviene distinguir: *a)* el empleo activo que califica al sujeto, y *b)* el empleo pasivo que describe al objeto apetecido; las formas nominales se refieren a este último sentido.

a) En cuanto actitud activa, *ḥmd* (qal y piel; causativo hifil sólo en Eclo 40,22) designa la búsqueda decidida de algo, la acuciante exigencia de poseer un determinado objeto (cf. J. Herrmann, FS Sellin [1927] 69-82; J. J. Stamm, ThR 27 [1961] 301-303). Esta exigencia puede tener muy distintos motivos y muy diversa intensidad («codiciar», «estar ansioso de», «ansiar»), pero se trata siempre de una necesidad del sujeto y de una atracción de algo externo; también el deseo sexual entra en este campo semántico, lo mismo que en → *'wh.* Los enemigos quieren hacerse con el país (cf. Ex 34,24); Yahvé quiso ocupar el monte de Dios y ahora lo habita (Sal 68,17); el necio desea la mujer seductora, ya casada (Prov 6,25). El deseo legítimo puede ser cumplido (cf. Cant 2,3, piel), la codicia prohibida es circunscrita por medio de prohibiciones (Ex 20,17; 34,24; Dt 5,21; 7,25; Prov 6,25), porque lleva a la destrucción (Job 20,20) y perjudica a los copaisanos y a la comunidad (cf. Jos 7,21; Miq 2,2).

b) Lo que no es atractivo no encuentra aceptación (Is 53,2); lo que despierta el deseo y la codicia puede expresarse por medio del participio nifal (Gn 2,9; 3,6; Sal 19,11; Prov 21,20). Estos objetos tienen valor, como es lógico, para los interesados (Is 44,9; la obra del escultor, participio pasivo qal; cf. Job 20,20 y el empleo como adjetivo, después como sustantivo, de *ḥamūdōt,* «precioso», «tesoro»). El atractivo del objeto aparece claramente en la expresión *maḥmad ʿênáyim,* «lo apreciado» (1 Re 20,6; Ez 24,16.21.25; Lam 2,4); el enamorado canta: *kullō maḥamaddīm,* «todo en él es delicioso» (Cant 5,16; cf. también Is 64,10; Os 9,6.16; Joel 4,5; Lam 1,10.11; 2 Cr 36,19). *ḥǽmæd,* siempre en composiciones constructas, designa la hermosura del campo (Is 32,12; cf. Am 5,11), la elegancia de las figuras humanas (Ez 23,6.12.23). De forma semejante, *ḥæmdā* es un término general para «hermosura, dignidad, gracia, importancia» (cf. 1 Sm 9,20, la grandeza de Israel; Ag 2,7, los objetos preciosos de todos los pueblos; Dn 11,37, el ídolo de las mujeres, probablemente *Tammuz;* 2 Cr 21,20, Jorán murió sin dignidad = ¿sin que le hicieran duelo?); también *ḥæmdā* es usado con preferencia como *nomen rectum:* Is 2,16; Jr 3,19; 12,10; 25,34; Ez 26,12; Os 13,15; Nah 2,10; Zac 7,14; Sal 106,24; Dn 11,8; 2 Cr 32,27; 36,10.

4./5. En el AT el término no tiene todavía un significado específicamente teológico. Lo mismo que → *'wh,* y a diferencia de las expresiones claramente definidas, desde el punto de vista ético (cf., por ejemplo, → *śn',* «odiar»; *gnb,* «robar»), *ḥmd* abarca todos los aspectos del «desear»; todavía no se ha independizado ningún aspecto particular para constituir una expresión teológica técnica. En el judaísmo tardío se dará por primera vez la separación y conversión del deseo sexual en tema tabú. A partir de las prohibiciones del decálogo (la prohibición de robar de Ex 20,15 ha podido llevar a la falsa consecuencia de que en Ex 20,17 se habla de «pecado de pensamiento») se ha llegado a calificar como tentación o como un deseo contrario a Dios todo deseo «material» de algo externo (cf. ἐπιθυμία, *concupiscentia;* Mt 5,28; Rom 7,7; además, StrB III, 234ss; IV/1, 466ss; J. J. Stamm, *Der Dekalog im Lichte der neueren Forschung* [²1962] 55-59, traducido y ampliado en M. E. Andrew, *The Ten Commandments in Recent Research* [1967] 101-107); → *'wh.*

E. GERSTENBERGER

חֵמָה *ḥēmā* Cólera

1. El sustantivo *ḥēmā* (**ḥim-at-*, BL 450) se deriva de la raíz *yḥm* (**wḥm*) (Barth, 94), que a su vez está relacionada con la raíz *ḥmm* (en árabe también *ḥmw/y*), «estar caliente».

En el significado de «veneno» el sustantivo pertenece al semítico común (Bergstr., *Einf.*, 187; P. Fronzaroli, AANLR VIII/19 [1964] 250.264.276): acádico *imtu,* «saliva, veneno» (AHw 379b; CAD I/J 135-141); ugarítico *ḥmt,* «veneno» (documentado frecuentemente en los recientes RS 24.244 y RS 24.251, cf. Ugaritica V, 599a); hebreo *ḥēmā* (Dt 32,24.33; Sal 58, 5.5; 140,4; Job 6,4); arameo *ḥimtā/ḥemtā* (documentado sólo en los dialectos recientes); árabe *ḥumat,* «veneno (de insectos)» (*i* > *u* ante labial, GVG I, 199); etiópico *ḥamōt,* «hiel» (Dillmann 77s). El significado «cólera, ira» (< «saliva, espuma», o quizá derivado directamente de la raíz «estar caliente, excitado», antes señalada), está documentado sobre todo, además de en hebreo, en arameo (inscripción de Hadad KAI N. 214, línea 33: *ḥm';* Aḥ 140: *ḥmt[']*; arameo bíblico, *ḥ^ămā,* Dn 3,13.19; siríaco, etc.).

2. El verbo *yḥm* qal/piel, «estar en celo», aparece sólo 6 × en el AT (qal: Gn 30,38.39; piel: Gn 30,41.41; 31,10; Sal 51,7); el sustantivo *ḥēmā,* por el contrario, aparece 125 × (incluidos los pasajes antes citados, donde el significado es «veneno»; con el significado «cólera, ira» aparece 119 ×; de ellas, 2 × son casos del plural *ḥēmōt,* Sal 76,11, texto dudoso, y Prov 22,24, como forma abstracta, «ira», GVG II, 59); la mayor frecuencia se da en Ez (33 ×), Jr (17 ×), Sal (15 ×), Is (13 ×).

Lo mismo que → *'af,* también *ḥēmā* es aplicado con mayor frecuencia a la ira divina (89 ×, descartados Sal 76,11b, texto enmendado, y Job 19,29, texto enmendado) que a la ira humana: en el sentido de excitación humana aparece 9 × en Prov, 6 × en Est, 2 × en Sal, Is y Ez, 17 × en Jr, 11 × en Is, 9 × en Sal, 5 × en 2 Cr, 3 × en Dt, 2 × en 2 Re, Nah y Lam, 1 × en Lv, Nm, Miq, Zac, Job y Dn.

3. Del significado de la raíz podemos deducir que el significado base de *ḥēmā* es «el estar caliente (de excitación)», es decir, la «agitación» y después la «ira»; cf. Os 7,5, donde se habla de los efectos del vino. La diferencia con respecto a → *'af* consistiría en lo siguiente: este término designa el estado de excitación corporal y visible del hombre airado, del hombre cuya respiración incluso resulta agitada; *ḥēmā,* por el contrario, designa más bien el sentimiento interior, la cólera y agitación interiores. De todas formas, no se aprecia una diferencia esencial de significado o de empleo con respecto a *'af;* en unos 20 casos, *ḥēmā* aparece precisamente unido a *'af* (Dt 9,19; 29, 22.27; Is 42,25; 66,15; Jr 7,20; 21, 5; 32,31.37; 33,5; 36,7; 42,18; 44,6; Ez 5,15; 22,20; 25,14; 38,18; Miq 5, 14; Dn 9,16; en expresiones paralelas: Gn 27,44s; Is 63,3.6; Ez 5,13; 7,8; 13, 13; 20,8.21; Nah 1,6; Hab 2,15; cf. HAL 313a; Sal 6,2; 37,8; 78,38; 90, 7; Prov 15,1; 21,14; 22,24; 27,4; 29, 22; Lam 4,11).

También aparece unido a: derivados de la raíz → *qṣp,* Dt 9,19; 29,27; Is 34,2; Jr 21,5; 32,37; Sal 38,2; *g^e'ārā,* «reprensión», Is 51,20; 66,15; *tōkáḥat,* «corrección», Ez 5,15; 25,17; la raíz → *qn',* Ez 16,38.42; 36,6; Nah 1, 2; Zac 8,2; Prov 6,34; a → *nqm,* Nah 1,2; a *zá'am,* «imprecación», Nah 1,6.

La ira puede encenderse (*yṣt* nifal, 2 Re 22,13.17) o subir (*'lh,* 2 Sm 11, 20; Ez 38,18; 2 Cr 36,16); puede aplacarse (*škk,* Est 7,10); uno puede ser abandonado por ella (*ʿzb,* Sal 37, 8) o alejarla (*šûb* hifil, Nm 25,11; Is 66,15; Jr 18,20; Sal 106,23; Prov 15,1).

La *ḥēmā,* «cólera», se apodera del rey cuando oye una mala noticia (2 Sm 11,20; Est 1,12; 2,1; 7,7), o de un hombre contra su hermano (Gn 27,44) o contra un rival (Est 3,5; 5,9). La sabiduría de los proverbios muestra con gran riqueza de imágenes cuántos perjuicios puede traer la cólera (Prov 6,34; 15,1; 19,19; 22,24; 27,4; 29,22). La paciencia (Prov 15,18) y la sabiduría (Prov 16,14) protegen de la cólera, pero también ayuda en este sentido un regalo hecho a tiempo (Prov 21,14). Otros ejemplos de la *ḥēmā* en los hombres aparecen en 2 Re 5,12; Is 51,13. 13; Os 7,5; Sal 37,8; 76,11.11; Est 7,10; Dn 8,6; 11,44. Una cólera (santa) puede apoderarse también del profeta, cuando éste es asido y arrebatado por el espíritu de Yahvé.

Sobre el texto y traducción de Is 27, 4; Hab 2,15; Job 36,18 (y Jr 25,15), cf. HAL 313 y G. R. Driver, *On ḥemah «hot anger, fury» and also «fiery wine»:* ThZ 14 (1958) 133-135.

4. La *ḥēmā,* «ira», de Dios se dirige contra particulares (Sal 6,2 = 38, 2; 88,8; 90,7; Job 21,20), pero especialmente contra su pueblo, en el contexto del juicio condenatorio (Jr 4,4 y *passim;* Ez 5,15 y *passim;* Lv 26,28; Dt 9,19; 29,27; 2 Re 22,13.17; Sal 78, 38; 89,47; 106,23; Lam 2,4; 4,11; Dn 9,16). También los demás pueblos se hallan bajo la ira divina; así, por ejemplo, Sodoma y Gomorra (Dt 29,22), Edom (Is 63,3.5.6; Ez 25,14), los filisteos (Ez 25,17), Egipto (Ez 30,15) y todos los pueblos extranjeros (Is 34,2) y enemigos de Yahvé (Sal 59,14; 79, 6).

Una concepción especial aparece en la imagen de la copa de la ira que Yahvé da a beber a sus enemigos (Is 51, 17.22; Jr 25,15; cf. Rudolph, KAT XVII/3, 255, refiriéndose a Lam 4, 21).

5. En los escritos de Qumrán, *ḥēmā* aparece en pocas ocasiones (cf. Kuhn, *Konk.,* 73); una vez unido a *rgz,* «cólera» (1Q XX, 1,2), y una vez en la expresión «derramar saña» (*špk,* 6Q X, 2,4, cf. Ez 20,8 y *passim).*

Sobre el NT, cf. G. Stählin, artículo ὀργή: ThW V, 419-448; R. Hentschke, BHH III, 2246-2248 (con bibliografía); H. Reinelt, BLex² (1934-1936, con bibliografía).

G. Sauer

חמל *ḥml* Compadecerse

→ רחם *rḥm*

חָמָס *ḥāmās* Violencia

1. El grupo de palabras *ḥms* qal, «actuar violentamente»; nifal, «sufrir violencia», y *ḥāmās,* «violencia», no tiene correspondientes muy directos fuera de los textos dependientes del AT; deben mencionarse el yaúdico *ḥms,* «acción horrenda» (KAI N. 214, línea 26, en un texto fragmentario), y el arameo imperial *śhd ḥms,* «testigo que obra la injusticia» (Aḥ 140 = hebreo *ʿēd ḥāmās).* Caso de que *ḥms* deba relacionarse con la raíz *ḥms* II (hebreo *ḥmṣ* qal, «oprimir», Sal 71,4; sustantivo *ḥāmōṣ,* «opresor», Is 1,17, texto dudoso, léase *ḥāmûṣ,* «oprimido», cf. Wildberger, BK X, 34), habría que añadir equivalentes arameos, acádicos (y etiópicos).

HAL 316a analiza el verbo en Job 21,27 como *ḥms* II, «imaginar, idear».

2. El modo qal (excluyendo Job 21,27) aparece 6 × (Jr 22,3; Ez 22, 26; Sof 3,4; Prov 8,36; Lam 2,6; en Job 15,33, referido a la acción de sacudir los frutos), el nifal 1 × (Jr 13,22). El nombre es más frecuente: 60 × (excluido Ez 9,9, donde algunos manuscritos leen *ḥāmās* en lugar de *dāmîm;* Sal 14 ×, Prov 7 ×, Ez y Hab 6 ×, Gn y Jr 4 ×).

3. *a)* *ḥāmās* aparece la mayoría de las veces en singular; las formas plurales de 2 Sm 22,49 (Sal 18,49, en singular); Sal 140,25 (v. 12, en singular); Prov 4,17 forman determinaciones atributivas (hombre, vino «de *ḥāmās*»), que son construcciones ampliadas de formas singulares (*ʾîš ḥāmās* y otros, cf. Prov 3,31; 16,29). Los genitivos que acompañan al nombre designan por lo general el objeto de la violencia (Jue 9,24; Jl 4,19; Abd 10; Hab 2, 8.17; con sufijo pronominal, Gn 16,5; Jr 51,35), y menos frecuentemente al autor de la violencia (Ez 12,19; con sufijo pronominal, Sal 7,17).

En el lenguaje profético aparece con frecuencia como sinónimo de *ḥāmās* el término *šōd*, «mal trato, estrago» (Is 60,18; Jr 6,7; 20,8; Ez 45,9; Am 3,10; Hab 1, 3; 2,17; *šōd* aparece en el AT 25 × y siempre, con excepción de Sal 12,6; Job 5,21.22; Prov 21,7; 24,2, en textos proféticos; además, *šdd* qal, «asolar, hacer violencia», 32 ×, nifal 1 ×, piel 2 ×, pual 20 ×, polel 1 ×, hofal 2 ×, casi exclusivamente en los profetas, raramente en Sal, Job y Prov, sólo una vez en Jue 5,27). La diferencia estriba quizá en que *šōd* designa la acción misma en su aspecto activo, mientras que *ḥāmās* se fija en la esencia y en las consecuencias de la acción.

b) No se ha de distinguir estrictamente entre empleo religioso y profano, ya que *ḥāmās*, incluso cuando tiene lugar entre los hombres, viola un orden establecido y garantizado por Dios (von Rad I, 170). Pero sí se pueden reconocer diversos aspectos del concepto.

La palabra está arraigada primeramente en la esfera jurídica (R. Knierim, *Cht und Chms. Zwei Begriffe für Sünde in Israel und ihr Sitz im Leben.* Tesis presentada en Heidelberg [1957] 125ss), pero ya en ese ámbito presenta diversas posibilidades de empleo.

Von Rad I, 170, Knierim, *loc. cit.*, 129ss, y H. J. Boecker, *Redeformen des Rechtslebens im AT* (1964) 60s, ven en el grito «*ḥāmās*» (Hab 1,2; Job 19,7; sobre Jr 20,8, cf. *inf.)* una invocación de protección jurídica hecha por la comunidad (apertura del proceso). Pero ya que en ambos casos el grito se dirige a Yahvé, se trata más bien de un grito espontáneo de ayuda (del mismo modo, *šmʿ* nifal debe traducirse en Is 60,18 y Jr 6,7 por «oír de» [contra Knierim, *loc. cit.*, 131], ya que *ḥāmās* está unido en Jr 6,7 con *šōd* y en Is 60,18 se refiere a la opresión extranjera).

La expresión *ʿēd ḥāmās* (Ex 23,1; Dt 19,16) designaba originalmente al acusador en un caso de *ḥāmās* (y no al testigo que actúa contra la justicia; el hecho de que la acusación sea falsa se indica en Dt 19,19, tras una investigación eficaz, por medio del término *šæqær*, «engaño»); después se aplica genéricamente al «testigo violento, injusto». *ḥāmās* debió, pues, designar originalmente el delito que pesa como un objeto sobre el país y que disturba su relación y la de sus habitantes con Dios, de forma que todo aquel que conoce dicho delito debe comparecer como acusador ante la comunidad para evitar las consecuencias (cf. H. H. Stoebe, WuD N. F. 3 [1952] 121ss; sobre → *ʿēd* como «acusador», cf. también B. Gemser, SVT 3 [1955] 130; distinto, Knierim, *loc. cit.*, 127s, quien señala con razón la concepción inherente al concepto de una esfera de lo real que actúa automáticamente; *loc. cit.*, 135). La ley de Dt 19,15-19 pertenece asimismo a las prescripciones acerca de los casos de muerte provocados por mano desconocida (Dt 21,1-9) y a las series de maldiciones (Dt 27,15.26; cf. Lv 5,1), como lo deja entender, por otra parte, una praxis jurídica desarrollada con su preocupación por lograr una seguridad jurídica (Dt 19,15).

Esta concepción de *ḥāmās* como una entidad objetiva se muestra especialmente válida en los textos en que *ḥāmās* va unido a *mlʾ*, «estar lleno» (la tierra, la ciudad, secundariamente también el templo; Gn 6,11.13; Ez 7,23; 8,17; 28,16; Miq 6,12; Sof 1,9). Cuando el país está lleno de *ḥāmās*, se siguen para sus habitantes castigo y destrucción. En Gn 6,13 se ve con toda claridad lo exacto de dicha afirmación; a pesar de tratarse de un testimonio tardío (P), no es un teologúmeno ulterior (distinto, Knierim, *loc. cit.*, 134), sino la consecuencia directa del significado original.

Lo mismo sucede cuando los efectos de *ḥāmās* recaen sobre el autor de la misma (Jue 9,24, con *bō'*, «venir»; Sal 7,17, con *yrd*, «bajar»), o cuando *ḥāmās* va unido a *ʿal*, «sobre» (Gn 16, 5 J; Jr 51,35; Mal 2,16; el pasaje de 16,5 es antiguo: la consecuencia del *ḥāmās* que recae sobre Sara es la falta de hijos; recae también sobre Abrahán y caracteriza la gravedad de la acción de Hagar [cf. Knierim, *loc. cit.*, 134]; von Rad, ATD 3, 162).

4. El contenido de *ḥāmās* es, hasta la época profética, el derramamiento de sangre (Gn 49,5s; Jue 9,24; Is 59, 6; Jr 51,35; Ez 7,23; Jl 4,19; en Jr 27,3, *ḥms* qal) y probablemente otros delitos morales (a los que sólo se alude en Jr 13,22), que manchaban igualmente el país (Lv 18,28; 20,22) y estaban castigados por la ley con la pena de muerte (por ejemplo, Lv 20,11-18).

Según una sugerencia de J. Benidge, *Prophet, People and the Word of Yahweh* (1970) 152-154 (cf. también S. Marrow, VD 43 [1965] 241-255), Jr 20,8 podría estar influido por la precedente metáfora de la violación: *ḥāmās* sería el grito de auxilio de la muchacha (cf. Dt 22,24) y no el grito para obtener protección jurídica. También Prov 26,6 debe entenderse quizá en ese sentido (cf. Gemser, HAT 16,94), pero el estado dudoso del texto hace imposible toda conclusión definitiva.

Ahora bien, la «esfera de lo real que actúa automáticamente» se puede delimitar en el AT sólo en teoría y no con toda precisión, ya que la concepción mágica que se oculta tras esta idea ha sido tomada de otras mentalidades y, por tanto, no constituye por sí misma la esencia de la mentalidad veterotestamentaria, sino que ha sido vaciada en nuevos moldes (cf. N. H. Ridderbos, GThT 64 [1964] 226ss). La revelación propia del AT tiene como punto de mira en la relación Yahvé-pueblo la responsabilidad del hombre. Esto implica que el peso de la palabra recae sobre el autor de la acción y sobre su culpa individual. Esto no vale tanto de las formulaciones (Is 59,6; Ez 12,19; Jon 3,8; Miq 6,12; Mal 2,16; Job 16,17; 1 Cr 12,18, con frecuencia con *yād/kaf*, «mano», en la que hay *ḥāmās*, podrían unirse —aunque con reservas— a los textos antes citados) cuanto para el ámbito a que pertenecen los hechos. La unión con *bgd*, «ser desleal» (Sof 3,4; Mal 2,16; Prov 13,2, semejante también con *ptḥ* piel, «engañar»), caracteriza a *ḥāmās* como violación de las obligaciones para con el prójimo, como una restricción de sus derechos y de su ámbito vital e incluye la totalidad de los actos antisociales (Am 3, 10), contrarios al derecho y a la justicia (Jr 22,3; Ez 45,9). Tales son el orgullo (Sal 73,6) y la mentira (Sof 1,9), en el hablar (Miq 6,12; cf. Prov 10,6.11 y, por otro lado, el título honorífico del siervo de Dios en Is 53,9) y finalmente el proceso injusto (Sal 55,10; Hab 1,3, texto dudoso).

En Ez 22,26 y Sof 3,4 se habla de faltar a la torá de Yahvé (*ḥms* qal; sujeto con los sacerdotes). Así, es Yahvé mismo el que se dirige contra el *ḥāmās*, a quien odia (Sal 11,5) y de quien protege a los demás (2 Sm 22, 3.49 = Sal 18,49; Sal 140,2.5; cf. Sal 72,14, donde el rey actúa por encargo de Yahvé), por causa del cual se clama a Yahvé (Hab 1,2; Sal 25,19) y a quien Yahvé castiga (Ez 7,23; 8,17s; 12,19; 28,16; Sof 1,9). Pero si el *ḥāmās*, en una paradójica conversión, viene del mismo Yahvé (Job 19,7), entonces no hay ayuda que valga contra él.

ḥāmās termina por convertirse en expresión genérica para designar el pecado (Ez 7,11; Jon 3,8; cf. también la expresión *'īš ḥāmās/ḥ*ª*māsīm*, cf. *sup. 3a)*. Se debe señalar también que *ḥāmās* se realiza no sólo en Israel (Jl 4,19; Abd 10; Hab 1,9; 2,8.17). A este desarrollo del significado se debe el que en el lenguaje de los salmos las expresiones *ʿēd šæqær*, «testigo falso», y *ʿēd ḥāmās* coincidan en el significado (Sal 35,11; cf. 27,12, → *kzb 3a)*, aunque en un principio no fuera así (cf. *sup. 3b)*.

5. En los textos de Qumrán, *ḥāmās* aparece raramente (Kuhn, *Konk.*, 73c). Sobre los LXX y sobre el NT,

cf. G. Schenk, art. ἄδικος: ThW I, 150-163; W. Guthod, art. ἀνομία: ThW IV, 1077-1079.

H. J. Stoebe

חנן *ḥnn* Ser compasivo

1. La raíz *ḥnn,* «ser compasivo para con alguien, otorgarle el propio favor», pertenece al semítico común (ausente en etiópico); aparece como verbo y en diversas formas nominales con idéntico significado al del hebreo; así, en acádico *(enēnu,* AHw 207.219; CAD E 162-164), en amorreo en nombres propios (Buccellati, 134; Huffmon, 200), en ugarítico (WUS N. 947; UT N. 882; Gröndahl, 135s), como término semítico occidental en las cartas de Amarna (EA 137,81; 253, 24; cf. CAD E 164s), en fenicio-púnico (DISO 91s; nombres propios como Hanno, Hannibal, etc.; Harris, 102s), en arameo (DISO 91s; KBL 1076b), en árabe (Wehr 189b).

Se supone que la raíz está relacionada con *ḥnh,* «inclinarse, acampar» (por ejemplo, GB 243b; sobre *ḥannōt,* en Sal 77, 10, cf. GK § 67r y Nyberg 142: infinitivo qal de *ḥnn;* distinto, HAL 319b: infinitivo piel de *ḥnh* II), o con una raíz bilítera *ḥn,* que precedería a las dos formas antes señaladas (D. R. Ap-Thomas, JSS 2 [1957] 128).

El *hapaxlegomenon ḥnn* II, «ser maloliente» (Job 19,17), se remonta a una raíz documentada en siríaco y árabe cuya primera radical es *h*.

Prescindiendo de los casos en que *ḥnn* forma parte de un nombre propio (por ejemplo, *ʾelḥānān, Hannīʾēl, Ḥananyā[hū], Ḥannā* y otros, cf. Noth, IP 187), la raíz está documentada en el AT en forma verbal en los modos qal, piel, hitpael y poel; como formas nominales aparecen los sustantivos *ḥēn,* «favor, gracia», y *ḥanīnā,* «misericordia» (sólo en Jr 16,13), los abstractos *teḥinnā* y *taḥanūnīm,* «súplica» (BL 495.497), derivados del modo reflexivo, el adjetivo *ḥannūn,* «gracioso, amable», y el adverbio *ḥinnām,* «inmerecida, gratuita, inútilmente».

La aparente forma nifal *nēḥantī,* de Jr 22,23, es una forma de *ʾnh,* «suspirar», escrita defectuosamente, cf. BL 351; la aparente forma hofal *yūḥan,* de Is 26,10 y Prov 21,10, debe considerarse como pasivo qal; cf. BL 286 y el nombre *Ḥānūn.*

La desinencia *-ām* de *ḥinnām* no debe explicarse como la mimación del acusativo adverbial (así la explican GVG I, 474; Meyer II, 39; cf. UT § 11,4), sino que representa un sufijo de 3.ª masculino plural que ha perdido su valor original (BL 529; cf. también H. J. Stoebe, VT 2 [1952] 245).

2. El verbo *ḥnn* aparece 78 × en el AT: 55 × en qal (de ellas, 30 × en Sal, incluidos Sal 77,10; Is 5 ×, Gn, Job y Prov 3 ×), 17 × en hitpael, 2 × en poel y hofal, 1 × en nifal y piel. De los sustantivos, el más frecuente es *ḥēn,* con 69 casos (Gn 14 ×, Prov 13 ×, Ex 9 ×, 1 Sm y Est 6 ×; la mayor frecuencia se da en los libros narrativos con 15 ×; en los salmos [2 ×] y en los profetas [5 ×] la palabra es poco frecuente); siguen *teḥinnā* (25 ×, de ellas, 9 × en 1 Re y 5 × en Jr y 2 Cr), *taḥanūnīm* (18 ×, de ellas, 8 × en Sal) y *ḥanīnā* (1 ×). *ḥannūn* aparece 13 × (6 × en Sal), *ḥinnām* 32 × (Sal y Prov 6 ×, Job 4 ×).

En arameo bíblico aparecen 1 × qal y 1 × hitpael (Dn 4,24 y 6,12, respectivamente).

3. El empleo no teológico será estudiado en las siguientes secciones: *ḥēn (a-c), ḥannūm (d),* verbo *(e-f), teḥinnā/taḥanūnīm (g).* Sobre el tema, cf. W. F. Lofthouse, *Hen and Hesed in the Old Testament:* ZAW 51 (1933) 29-35; W. L. Reed, *Some Implications of Hen for Old Testament Religion:* JBL 73 (1954) 36-41; D. R. Ap-Thomas, *Some Aspects of the Root HNN in the Old Testament:* JSS 2 (1957) 128-148; K. W. Neubauer, *Der Stamm CHNN im Sprachgebrauch des AT* (Tesis presentada en Berlín [1964]).

a) El sustantivo *ḥēn* aparece sólo en singular. La expresión *mṣʾ ḥēn beʿēnē...,* «hallar gracia a los ojos de...», constituye una fórmula frecuente especialmente en los textos narrativos. La expresión muestra claramente que se trata no tanto de una acción concreta cuanto de la actitud general que la acción presupone.

Por eso el sustantivo no recibe ningún determinativo, si no es en raras ocasiones: en Prov 31,30 le acompaña el artículo (pero en este texto, *ḥēn* significa «elegancia»); en Gn 39,21, un sufijo pronominal; en Ex 3,21; 11,3; 12,36, un *nomen rectum* (aquí la fórmula es *ntn ḥēn beᶜênē...»*, «hacer gracia a los ojos de...»; el sujeto del verbo es Yahvé y la acción *ḥēn* es recibida por hombres, por los guardianes, por los egipcios). Una mezcla de los límites lingüísticos originales se da en la expresión *nś' ḥēn beᶜênē...* (Est 2,15. 17; 5,2) (cf. también «ante él» en Est 2,17).

La citada fórmula (cf. Lande, 95-97) se refiere normalmente a una relación interhumana, incluso en Gn 18,3; 19, 19; Jue 6,17, donde ciertamente se habla con Dios o un ángel, pero sin abandonar el estilo de narración legendaria. Raramente aparece Yahvé explícitamente como sujeto de la *ḥēn;* estos pasajes se limitan por lo general a caracterizar la relación en que se encuentra Moisés con respecto a Yahvé (Ex 33-34; Nm 11).

Aquel a cuyos ojos se halla *ḥēn* es siempre un superior, nunca al revés (el rey: 1 Sm 16,22; 27,5; 2 Sm 14,22; 16,4; 1 Re 11,19; Est 5,2-8; 7,3; el copríncipe: 1 Sm 20,3.29; el visir: Gn 47,25). La fórmula probablemente tuvo su origen en el lenguaje de corte, aunque con el paso del tiempo pudo sufrir una democratización y ser aplicada a cualquiera que fuese considerado como superior frente a otro más débil (un oficial: Gn 39,4.21; el hombre más fuerte: Gn 32,6; el rico propietario: Rut 2,2.10.13). Finalmente, la palabra no tiene por qué significar más que el interpelado puede otorgar algo que el que ruega desea para sí completamente independiente del anterior (Gn 34,11; Nm 32,5; 1 Sm 25,8). Aunque los límites son poco precisos, la fórmula no llega nunca a convertirse en mera expresión de cortesía.

En Gn 50,4 José puede pedir la mediación de los cortesanos, ya que él, impurificado por la muerte de su padre, no podía acudir al Faraón (así, H. Holzinger, HSAT I, 96). En Gn 47, 29 la formulación de la súplica de Jacob está condicionada por la alta posición de su hijo.

Que la expresión se deriva del ámbito cortesano queda ulteriormente probado por los términos de respeto que le acompañan en las frases alocutivas y en la autopresentación (cf. *'ādōn,* «señor», Gn 18,3; 32,6; 33,8. 15; 47,25; 2 Sm 14,22; 16,4; *ᶜæbæd,* «siervo», Gn 19,19; Nm 32,5; *šifḥā,* «muchacha», 1 Sm 1,18; Rut 2,13). El haber hallado *ḥēn* es condición necesaria para formular una súplica (Gn 18, 3; 47,29; 50,4; Ex 33,13; Jue 6,17; 1 Sm 20,29; 27,5); por otra parte, una súplica escuchada o un don inesperado indican que se ha hallado gracia en el dador del mismo (2 Sm 14,22; 16,4; Rut 2,13).

Como actitud de un superior, *ḥēn* lleva consigo sin duda el aspecto de condescendencia, favorecimiento (N. H. Smith, *The Distinctive Ideas of the OT* [²1957] 127s). Es de notar que en la fórmula *mṣ' ḥēn beᶜênāw* el acento recae sobre «en sus ojos» y no sobre «encontrar» (contra Lofthouse, *loc. cit.,* quien en el «encontrar» ve lo característico de esta expresión). Así resulta claro que la demostración de *ḥēn* incluye una apreciación de la relación mutua, de forma que ambos —sujeto y objeto— son tomados en consideración y ambos participan —cada uno desde su puesto— en la realización de la *ḥēn* (cf. H. J. Stoebe, VT 2 [1952] 245). Esto queda acentuado cuando se completa la fórmula con una expresión que indica la percepción de la dualidad y que puede unirse a la anterior de un modo amplio y no estricto (Rut 2,10: *nkr* hifil; Est 2,15: *r'h;* Zac 12,10: *nbṭ* hifil).

Esta apreciación puede constatar la aptitud para determinadas tareas. En Gn 39, 4 no se le oculta a Putifar que la bendición que lleva José lo destina para el servicio; en 1 Sm 16,22, Saúl mantiene a David en la corte, porque conoce las aptitudes de éste (la inclinación y afecto espontáneo es indicado en v. 21 por medio de *'hb,* «amar», cf. 18,1); en 1 Sm 25,8, Nabal debe reconocer la favorable postura de la gente de David. Donde más claramente aparece todo esto es en la ley de derecho matrimonial de Dt 24,1: el matrimonio puede romperse cuando el hombre descubre en la mujer «algo odioso», es decir, cuando constata en ella algo que hace que no encuentre *ḥēn* en él y que, según él, constituye un impedimento para el matrimonio.

Por otra parte, puede ocurrir que sean precisamente la debilidad y la miseria lo que deba tenerse en cuenta (también el cuidado del desamparado es tarea del rey); en Gn 33,8 la visión de las mujeres e hijos de Jacob debe cambiar la actitud de Esaú. En este mismo contexto debe leerse también Zac 12,10. El pasaje resulta difícil, porque no se conocen los acontecimientos que le han precedido. La unión con *taḥ^anūnīm* no significa que este término sea la correspondencia del hombre a la *ḥēn* de Dios. La *ḥēn* es la emoción, el impacto que produce la visión del mártir, emoción e impacto que llevan a la *taḥ^anūnīm,* «súplica».

Ya que la *ḥēn,* en el empleo original del término, proviene del rey, entre cuyas obligaciones está la de proteger al desdichado y cuyo interés en la calificación de un súbdito puede ser por otra parte muy diverso, se sigue que en el término resuena siempre el tono de una graciosa condescendencia, pero no resulta posible establecer límites precisos. No se puede, pues, decir con seguridad que *ḥēn* signifique un acto gracioso espontáneo (Lofthouse, *loc. cit.,* que acentúa demasiado unilateralmente la relación entre súbdito y superior; se le opone, con razón, Reed, *loc. cit.,* 39) ni tampoco puede hablarse de una actitud comunitaria vinculante en el sentido de una exigencia jurídica que se derive de la buena conducta del *partner* (Neubauer, *loc. cit.).* La calificación de «comunitario» es ya en principio inapropiada, ya que todo lo que sucede entre hombres tiene de alguna manera carácter de comunitario; por eso, con la expresión citada no se indica nada especial en un caso determinado.

En el modo de empleo estudiado hasta aquí *ḥēn* debería ser traducido por «favor» o mejor incluso por «consideración», «afecto». Con estos tres conceptos se circunscribe el ámbito del significado de la palabra: la idea de un súbdito que, bien por el reconocimiento de una acción, bien por una actitud benévola del señor no precisada ulteriormente, surge de entre una masa anónima y recibe la consideración personal del Señor (cf. «yo te conozco», Ex 33,12, → *yd'*).

b) En el curso de una evolución, que tiene lugar especialmente en el lenguaje sapiencial, la unión con *b^e'ēnē,* «a los ojos de», pierde el carácter de una relación recíproca concreta; con eso el peso de la afirmación recae unilateralmente sobre el receptor, que se convierte en el poseedor. El concepto adquiere un significado más general y se hace estático.

Incluso allí donde aún aparece la fórmula, como en Prov 3,4, se pierde toda relación concreta al ampliarse con la indicación «ante Dios y ante los hombres»; la debilitación de la fórmula se manifiesta también en la expresión *śēkæl ṭōb,* coordinada con *ḥēn,* que debe entenderse como «inteligencia portadora de éxito» y no como «aprobación» *ad hoc.* Más claramente aún presenta Prov 13,15 *ḥēn,* sin ninguna determinación, como la consecuencia de tal *śēkæl tōb;* en 22,21, *ḥēn tōb* designa un bien apetecible junto a un buen nombre; en Sal 84,12 aparece como paralelo *kābōd,* «gloria». *ḥēn* es, pues, el aspecto objetivo que ya no se encuentra a los ojos de otro, sino que uno mismo disfruta. Este desarrollo aparece ya en Ex 3,21; 11,3; 12,36. En este sentido de algo disponible debe entenderse la expresión *'æbæn ḥēn,* el talismán de Prov 17,8, expresión que de otra forma resulta difícil de explicar. Aquí tiene su puesto también la forma verbal *yūḥan* de Is 26,10; el contexto, que debe ser entendido sin correcciones como una frase condicional abreviada (GK § 159c), no puede significar que el impío encuentra gracia en Yahvé (lo cual sería ofensivo para Dios), sino que se refiere al prestigio que goza un impío y que podría llevar a dudar de la justicia de Dios.

c) Este cambio de énfasis llega a su última conclusión lógica cuando se entiende *ḥēn* como una propiedad objeto perceptible visualmente y adquiere el sentido de «elegancia, gracia» con la posible connotación de «éxito, fortuna». Este sentido aparece preferentemente, aunque no exclusivamente, en Prov 1-9, la colección más reciente del libro (1,9; 3,22; 4,9; cf. 11,16).

ḥēn śᵉfātāw, «hermosura de sus labios» (Prov 22,11), se refiere a la elocuencia del sabio. En la misma línea se hallan Nah 3,4 y Zac 4,7. Si *ḥyn (ḥīn)* de Job 41,4 fuera un *ḥēn plene scriptum* (König, 107a), habría que incluirlo aquí; pero parece más bien que se trata de una palabra desconocida.

d) El adjetivo *ḥannūn,* «gracioso», es aplicado al hombre sólo en Sal 112, 4, e incluso allí no claramente (cf. Kraus, BK XV, 770); en cualquier caso debe entenderse a partir del empleo sacral (cf. *inf.,* 4*b).*

e) El verbo *ḥnn* qal, «mostrar *ḥēn* a alguien», no es muy corriente en el lenguaje ordinario. La traducción tradicional aceptada en el título del presente artículo, a saber: «ser compasivo» es la apropiada para los casos en que Dios es el sujeto de esta manifestación de *ḥēn* (cf. *inf.* 4*c),* pero en el lenguaje ordinario debe tenerse en cuenta todo el campo semántico de *ḥēn,* «favor, atención, inclinación», aunque la mayoría de las veces el objeto de esta *ḥēn* sean los débiles y miserables (Lam 4,16, ancianos, paralelo a *nś' pānīm,* «atender a alguien»; Dt 28,50, muchacho; Sal 109,12, huérfano).

Job no espera, en Job 19,21, gracia o compasión de parte de sus amigos, pues éstos no pueden ya cambiar el destino de su enfermedad, pero sí podrían mostrar consideración con él y acabar con sus discursos.

Dt 7,2 se halla más en la línea de una apreciación positiva. Aquí *ḥnn* no es presentado como la consecuencia y el contenido de la alianza antes prohibida (así lo entiende Neubauer, *loc. cit.,* que de esa forma ve confirmada su comprensión de *ḥnn* como un comportamiento comunitario); más bien indica que no se debe concluir ninguna alianza con los habitantes del país ni se les debe prestar un reconocimiento especial, ya que son grandes y poderosos (v. 1).

Sobre el difícil pasaje de Jue 21,22, cf. W. Rudolph, FS Eissfeldt (1947) 212 (léase *ḥannōnū 'ōtām,* «nos daban lástima»); G. R. Driver, ALUOS 4 (1962-63) 22.

En Sal 37,21.26; 112,5 el participio qal *ḥōnēn* (paralelo a *ntn,* «dar», y *lwh* hifil, «prestar», respectivamente) fue traducido ya desde antiguo correctamente por «otorgar». Pero no debe pensarse en la compasión en sentido estricto (así, por ejemplo, Tholuck), sino en la generosidad como virtud (cf. Sal 112,4).

En Prov 14,31 y 19,17 (indirectamente también en 26,8) el comportamiento exigido para con el prójimo es fundamentado en la obligación que el hombre tiene para con Dios. De este modo, la comprensión se acerca al empleo sacral de *ḥēn.* Como objeto son mencionados aquí los pobres (*'æbyōn,* 14,31; *dal,* 19,17; 28,8; cf. *'ānī,* 14,21, poel).

f) De los modos verbales derivados, *ḥnn* piel, «hacer agradable», y poel —de significado semejante al qal— son empleados sólo en ámbitos profanos, y *ḥnn* hitpael, «pedir gracia, consideración», por el contrario, es empleado la mayoría de las veces en contextos teológicos.

Prov 26,25 piel, «hacer agradable (su voz)», recuerda el empleo de *ḥēn,* «hermosura, elegancia», en Prov 1,9; 3,22; 4,9; 22,11. Así, pues, también el verbo participa de la riqueza de significados del nombre (algo distinto, Jenni, HP 269).

En Sal 102,15, poel, se trata no de hombres, sino de los escombros de Jerusalén, que duelen (paralelo a *rṣh,* «amar») a los siervos de Yahvé. Al igual que en los pasajes con participio qal, también en Prov 14,21, «dichoso el que tiene piedad de los pobres», se puede observar que el significado de *ḥnn* ha sido extendido para designar un bien ético y un ideal de vida.

El hecho de que *ḥēn/ḥnn* no está orientado sólo hacia aquel que otorga su favor queda ratificado por el modo reflexivo que nunca significa «mostrarse compasivo» (cf. *ḥsd* hitpael). En efecto, este modo expresa en primer lugar una súplica de atención y consideración y, en sentido amplio, de gracia. El contenido concreto de tal súplica queda determinado por la situación especial, posición y posibilidades del interpelado.

En Est 4,8 y 8,3 es al rey a quien se pide ayuda y, en definitiva, gracia contra los ataques de un visir hostil a los judíos. Gn 42,21 espera la liberación del pánico. En 2 Re 1,13 Abdías pide respeto por su vida y por la de su gente. En Job 19,16 la elección de la expresión caracteriza la inversión de las relaciones: el señor habituado a ordenar debe ahora rogar. De esta misma inversión, pero en un asunto jurídico, se lamenta Job 9,15; de todos modos, aquí suena con fuerza un tono de gracia, ya que el contrario en el proceso es el mismo Dios.

g) En consecuencia, los nombres derivados del modo verbal reflexivo, a saber, *t^eḥinnā* y *taḥ^anūnīm* tienen el significado fundamental de «súplica»; aparecen mayormente en el ámbito sacral y más raramente referidos a la relación interhumana.

En Prov 18,23, *taḥ^anūnīm* recibe su sentido por su oposición a *ʿazzōt* (→ *ʿzz*): el pobre pide con humildad. Lo mismo se puede decir de Job 40,27 (paralelismo sinonímico). No resulta fácil entender con exactitud el *t^eḥinnā* de Jos 11,20. Es traducido únicamente por «misericordia»; Neubauer, *loc. cit.*, 53, lo explica como obligación que emana de la alianza. Pero éste sería un significado que se aleja del sentido normal (cf. Ap-Thomas, *loc. cit.*, 130, quien, por esa razón, piensa que debe enmendarse en *ḥ^anīnā*, «piedad»). Debe preguntarse si no suena también aquí con fuerza el significado de «súplica». La oposición es entre lucha/ataque y súplica. Yahvé ha dispuesto las cosas de tal forma que ellos proceden militarmente y no les queda lugar para discusiones (súplicas). El trasfondo teológico de esta concepción subraya fuertemente el aspecto de gracia dentro de la amplitud semántica del concepto; de todos modos, Esd 9,8, al que se suele apelar con frecuencia, es algo diverso debido al contexto. En Jr 37,20; 38, 26; 42,9, *t^eḥinnā* viene a ser una insistente súplica a alguien que puede atenderla.

4. Cuando una de las partes es Dios, aparece en primera línea del concepto el matiz de gracia espontánea, ya que la diferencia entre Dios y el hombre es inconmensurable. La concepción de Dios a la luz de la fe no está determinada por lo que se piensa acerca de *ḥēn;* al contrario, lo que se cree y espera de Dios determina el contenido de *ḥēn (a), ḥannūn (b), ḥnn* qal *(c), ḥnn* hitpael *(d), t^eḥinnā* y *taḥ^anūnīm (e).*

a) El empleo de *ḥēn* en sentido teológico no es muy frecuente. Si excluimos a Jeremías, está totalmente ausente de los profetas (sobre Nah 3, 4 y Zac 4,7, cf. *sup., 3c;* sobre Zac 12, 10, cf. *sup., 3a).* Quizá no les pareciera que el concepto estuviese suficientemente matizado desde un punto de vista teológico.

Ya que no se indica ninguna razón por la que Noé deba recibir la gracia que recibe, se deduce que el peso de la afirmación de Gn 6,8 recae directamente sobre el que la otorga (v. 9 P no constituye la fundamentación de v. 8 [J]). En Gn 19,19 el énfasis recae sobre la → *ḥæsæd* que Lot ha experimentado cuando le ha sido salvada la vida sin ningún mérito propio y en la que reconoce que ha hallado *ḥēn,* lo cual le permite hacer una nueva súplica. En 2 Sm 15,25 la gratuidad de la gracia es subrayada por el opuesto «no me has agradado» (v. 26). En Ex 33,12ss es significativo el hecho de que se pida la presencia del mismo Dios en el camino; *ḥēn* significa, pues, la impartición total de su gracia. Así se explican fácilmente los diversos matices de *ḥēn* en Ex 3,21; 11,3; 12,36 (cf. *sup. 3a).* En Jr 31,2 el texto es difícil; pero *ḥēn* es demasiado claro en el contexto para que pueda pensarse en corregirlo (Rudolph, HAT 12,193). La mayoría de los exegetas piensa que está relacionado intencionalmente con Ex 33; pero aun aceptando que tal interpretación sea correcta, no querría decir que habría que entender *ḥēn* como un comportamiento propio de una relación comunitaria estable (así, Neubauer, *loc. cit.*, 69). Más bien se trata de una promesa de gracia, gratuita y sin límites. Gn 19,19 presenta, junto a aspectos diferentes, considerables coincidencias con Ex 33 (cf. *ḥæsæd* en v. 3). A esto se debería el hecho de que *ḥ^anīnā,* que sólo aparece una vez en el AT (Jr 16, 13), se acerque en cuanto al contenido a → *ḥæsæd,* o por lo menos a *raḥ^amīm,* «misericordia».

b) El aislado *ḥannūn,* «compasivo» (Ex 22,26), cae dentro de la idea de que el rey debe abrir el oído a las lamentaciones de sus súbditos. Lo mismo ocurre cuando a *ḥannūn* sigue *ṣaddīq,* «justo» (Sal 116,5); Sal 112,4 es dudoso en cuanto al texto y en cuanto al contenido, pero pertenece de un modo genérico a este contexto. Por lo demás, su unión con *raḥūm* es estereotipa; se trata de una fórmula litúrgica fija, que aparece por primera vez en la predicación de Ex 34,6 (*ḥanūn,* en primera posición: Jl 2,13; Jon 4,2; Sal 111,4; Is 2,4, texto inseguro; 145,8; Neh 9,17.31; 2 Cr 30,9; cf. Sal 116,5; *ḥanūn,* en segunda posición: Sal 86,15; 103,8). En dicha fórmula, el ser de Dios para con el hombre es descrito —tanto por su polaridad como por la promesa que contiene— bajo la figura de un señor (rey) y la de un padre (→ *rḥm).*

Para poder entender el concepto debe mencionarse también Mal 1,9. La afirmación aquí es independiente de la predicación en cuanto que se subraya más fuertemente la exigencia que de ella se deduce para los hombres (cf. también Sal 103,12).

c) La misma idea aparece en Ex 33,19, donde el nombre de Yahvé es ampliado, tanto en su contenido como en la soberanía de su actuación, por medio de formas conjugadas del modo qal. También está presente en 2 Re 13, 23 y en Is 30,18 (en v. 19, *ḥnn* aparece sólo como respuesta a la lamentación) y también, por fin, en forma atenuada en Is 27,11, donde los sujetos «su creador» y «el que lo formó» amplían el ámbito de la concepción original (cf. también Sal 102,14).

El imperativo seguido de sufijo es empleado con frecuencia en el lenguaje litúrgico de los salmos. Se comprende fácilmente que aquí el significado se haga más general y que se diluyan los límites del mismo; de todos modos, también aquí resulta iluminador el contexto. Si a *ḥonnēnī,* «ten piedad de mí», sigue una súplica concreta (Sal 4,2; 6,3; 9,14; 27,7; 30,11; 41,5.11; 51,3s; 86,16), entonces adquiere mayor vigor la idea de afecto como presupuesto de la súplica. Son muy distintas e independientes de las anteriores las composiciones en las que el imperativo viene detrás de alguna de esas súplicas especiales, es decir, composiciones en las que *ḥnn* es usado de forma absoluta (25,16; 26,11; 27,7; 30, 11; 86,16). De modo semejante deben entenderse los pasajes en los que la petición de *ḥēn* constituye una súplica propia e independiente (31,10; 56,2; 57,2; 86,3; cf. 123,2s plural). El desarrollo que ha sufrido el concepto aparece de forma palpable en Sal 119,29.

Difícilmente puede entenderse la expresión *w^etōrāt^ekā ḥonnēnī* como donación de la torá (A. Deissler, *Psalm 119 und seine Theologie* [1955] 124s; 123: «séme gracioso»); se trataría de un lenguaje sapiencial, que no puede aplicarse así a Dios. Aquí la torá es la suma del autocomunicarse y agraciarse. Desde el mismo punto de vista deben entenderse también los vv. 58 y 132.

En la fórmula de bendición de Nm 6, 25, «que él te sea gracioso», se ejemplifica y resume el deseo de ser atendido por Yahvé (también, independiente del anterior, Sal 67,2). Es significativo que con frecuencia se da una fundamentación de la oración, una indicación de la aptitud del orante, introducidas sea por la partícula *kī,* «pues» (Sal 25,16; 31,10; 41,5; 57,2; 86,3; 123,3), o también asindéticamente (Sal 4,2; 9,14; 26,11; 27,7; 56,2; cf. Is

33,2). El contenido de la fundamentación consiste en una alusión a la situación de necesidad (Sal 4,2; 6,3; 9,14; 25,16; 56,2; también Sal 102,14: «es tiempo»); también se hace alusión, aunque con menor frecuencia, a la piedad personal del orante (Sal 26,11; 27,7 [?]; 57,2; 86,3; 119,58; cf. Is 33,2 y Mal 1,9). Sal 41,5: «he pecado contra ti», es un caso aparte; aquí se ha sacado la última consecuencia: ser atendido por Yahvé significa ser perdonado.

No es necesario corregir el texto (cf. BH^3, distinto en BHS), ya que en Sal 51,6 vuelve a aparecer la misma idea (cf. también Sal 103,3). Aquí se manifiesta con toda claridad lo que estaba implícito en la fórmula *ḥannūn w^eraḥūm* (cf. *sup.* 4*b*).

Fuera de este empleo litúrgico los contextos son quizá más claros aún. En 2 Sm 12,22 se manifiesta la esperanza de que el niño vivirá gracias a la penitencia de David (distinto, Hertzberg, ATD 10, 254). El mismo «quizá» aparece en Am 5,15, donde el «ser compasivo» del v. 14 corresponde a «Yahvé estará con vosotros». Y, en cualquier caso, queda a salvo la soberanía de la decisión divina. En Gn 33, 11 *ḥnn* no es simplemente «regalar»; también aquí la inesperada riqueza designa la especial atención por parte de Yahvé. Job 33,24 se aparta de esta línea, pero sólo formalmente y no en cuanto al contenido. Gracias a la intervención indicadora de un mediador (*mal'āk mēlīṣ*, v. 23) llega el juez divino a una decisión positiva; la traducción «se apiada» no es del todo correcta.

El verbo aparece en Gn 43,29 como simple término de saludo, correspondiente a nuestro «¡adiós!» (cf. *ḥæsæd wæ'æmæt*, 2 Sm 15,20).

d) Al igual que en el empleo profano, el contenido del hitpael se determina en razón del poder de aquel a quien son dirigidas las súplicas (cf. en Dt 3,23 la alusión a las anteriores pruebas del poder de Yahvé). *ḥnn* hitpael aparece con frecuencia junto con *pll* hitpael (cf. también Sal 30,9, donde va unido a *qr'*, «llamar», y 142,2, donde va unido a *z'q*, «gritar») para expresar de modo genérico la súplica dirigida a Dios («a ti», 1 Re 8,33; «ante ti», 9,3), poniendo el énfasis en el perdón esperado. A veces la posibilidad de hacer dichas súplicas aparece ligada a determinados presupuestos (1 Re 8,33. 47; 2 Cr 6,24.37 (conversión).

Esto es lo que se oculta tras la exhortación —teológicamente correcta desde un punto de vista escolástico— de Bildad en Job 8,5: el buscar sincero y las súplicas van de la mano, disposición y sinceridad son condición para ser escuchados. Os 12,5 es, en cierto sentido, un texto oscuro. Prescindiendo de la cuestión acerca de si Oseas ofrece aquí una tradición diversa a la de Gn 32 (cf. Th. C. Vriezen, OTS 1 [1962] 46-78), puede afirmarse que en la traducción normal «venció, lloró y suplicó» (distinto, Wolff, BK XIV/1, 274s) *ḥnn* hitpael está determinado por el contraste. Llorar y suplicar no es la actitud propia del vencedor, sino la del vencido.

e) Sólo en una ocasión se emplea *t^eḥinnā* para designar una oración escuchada (Esd 9,8; cf. Ap-Thomas, *loc. cit.*, 131, y *sup.*, 3*g*). En los demás casos se trata en general de una súplica que Dios oye (1 Re 8,30.45 y *passim;* 2 Cr 6,35.39; Sal 6,10), de la que se ocupa (1 Re 8,28; 9,3), a la que no se cierra (Sal 55,2) y que llega hasta él (Sal 119,170). Tampoco aquí es rara la unión con la raíz → *pll* (1 Re 8, 28.30; Sal 6,10; 55,2 y *passim*).

Es característico el lenguaje de Baruk en Jr 36,7; 37,20; 38,26; 42,2.9 (cf. *sup.* 3*g*); cf. también Dn 9,20 (v. 18, *taḥ^anūnīm*). La unión con *npl* hifil, «hacer caer», parece indicar una súplica especialmente insistente; se podría preguntar si aquí se da una asociación externa con *t^efillā*. Lo mismo vale para *taḥ^anūnīm;* en alguna ocasión aparece en paralelo a *t^efillā* (Sal 86,6; 143,1; Dn 9,3.17; 2 Cr 6,21). En los salmos aparece, con frecuencia seguido de un sufijo, como genitivo de *qōl*, «voz», y depende en ese caso de una expresión referida a la audición (Sal 28,2.6; 31,23; 86,6; 116,1; 130,2; 140,7; 143,1). Con esto se subraya el aspecto de insistencia e intensidad de la súplica, lo mismo que Jr 3,21 por medio de la unión con *b^ekī,* «llanto».

En Jr 31,9, por el contrario, se debe leer *b^etanḥūmīm* con los LXX (cf. Rudolph, HAT 12,195); sobre Zac 12,10, cf. *sup.* 3*a*.

5. Los LXX traducen generalmente *ḥēn,* aunque no exclusivamente, por χάρις; *ḥnn, por* ἐλεεῖν o, más raramente, por οἰκτίρειν. No se trata de una traducción exacta y precisa; ahí se ve cómo se han ido acercando los contenidos de las diversas afirmaciones de gracia. Con esos conceptos se ha anunciado en el mensaje neotestamentario la plenitud de la gracia divina en Jesucristo (cf. sobre todo R. Bultmann, art. ἔλεος: ThW II, 474-483).

H. J. Stoebe

חנף *ḥnp* Ser perverso

1. La raíz es corriente en el área del semítico occidental (ugarítico *ḥnp,* «despiadado», WUS N. 1053; UT N. 981; sustantivo y verbo aparecen como cananeísmos en EA 288, línea 8: «la maldad que ellos cometieron», y 162, línea 74: «el que conoce la maldad», cf. AHw 320.321a; CAD H. 76b.80f; sobre los dialectos más tardíos, cf. HAL 322).

En hebreo, la raíz aparece en qal intransitivo y en hifil causativo, también aparece el adjetivo verbal *ḥānēf* y dos formas nominales abstractas, el nombre segolado *ḥṓnæf* y la forma femenina *ḥ^anuppā* (BL 467).

2. Los 26 casos aparecen exclusivamente en textos de lenguaje poético o elevado: qal 7 × (Is 24,5; Jr 3,1. 1,9; 23,11; Miq 4,11; Sal 106,38), hifil 4 × (Nm 35,33.33; Jr 3,2; Dn 11,32), *ḥānēf* 13 × (8 × en Job, 3 × en Is y además Sal 35,16, Prov 11,9), *ḥṓnæf* 1 × (Is 32,6), *ḥ^anuppā* 1 × (Jr 23,15).

3. A partir del árabe *ḥanifa,* «tener un pie torcido», y *ḥanafa,* «dirigirse a un lado», puede deducirse para nuestra raíz el significado concreto de «estar torcido, desviado» (sugerido en Sal 35,16; *b^eḥanfī,* «en mi cojear», por G. R. Driver, ThZ 9 [1953] 468s, cf. HAL 322b y BHS; quizá influya este significado todavía en Miq 4,11: «que (Sión) sea desviada/profanada»); por lo demás, domina el significado traslaticio: en qal, «ser perverso»; en hifil, «pervertir» (cf. el hebreo medio y el arameo judaico «fingir», el siríaco *ḥanpā,* «impío, pagano»; el etiópico *ḥōnāfī,* «pagano, hereje», etc.).

El significado de «ser perverso» (hifil, «pervertir») aparece en todos los casos del verbo (Dn 11,32, llevar a la apostasía; Jr 23,11 profeta y sacerdote; Miq 4,11, Sión; en los demás casos la tierra es el sujeto u objeto del verbo en expresiones típicas de la teología sacerdotal). La perversión es de orden jurídico: delito de sangre (Sal 106,38; Nm 35,33), inobservancia de las leyes (Is 24,5, cf. el contexto, vv. 3s, donde se afirma que la disolución del orden del mundo es consecuencia de la perversión del país); puede ser más compleja (jurídico-social-cúltica), como, por ejemplo, en Jr 3,1.2.9, donde *ḥnp* designa la perversión de una relación de comunidad —que puede ser considerada jurídicamente—: la tierra pertenece a dioses extranjeros en lugar de pertencer a Yahvé, igual que cuando una mujer pertenece a un hombre distinto del propio marido. Lo mismo sucede en 35,33: el destino de la tierra está pervertido siempre que un delito de sangre quede sin expiar.

También los sustantivos tienen el mismo significado fundamental de «perversión»: en Jr 23,15b, *ḥṓnæf* aparece en un texto de fundamentación de juicio, semejante en carácter al anuncio; en Is 32,6, «hacer *ḥ^anuppā*», es paralelo a «hablar torcido *(tō^cā)*».

Por lo que se refiere al adjetivo, los casos de Is tienen el sentido de «perverso» (Is 9,16; 10,6; 33,14; cf. también Prov 11,9); por el contrario, en Sal 35,16, texto dudoso, y sobre todo en los casos de Job (8,13; 13,16; 15,

34; 17,8; 20,5; 27,8; 34,30; 36,13) el término aparece en contextos más amplios (cf., de todos modos, 15,34, donde *ḥānēf* aparece junto a «tiendas de seducción»). En el caso del adjetivo, pues, el significado fundamental viene a constituir únicamente el trasfondo, ya que se emplea en un sentido negativo genérico. De las traducciones corrientes, la más adecuada parece quizá la de «inicuo, iniquidad» (no la de «impío, criminal»), ya que el significado base de «perverso» no da el sentido exacto pedido por el contexto.

4. La palabra tiene en todos los casos, más o menos directamente, el matiz de un juicio teológico. Da lo mismo que la perversión tenga lugar en el ámbito jurídico (cf. *sup.)*, social (Prov 11,9), cúltico (Is 24,5), moral o político (Job 34,30), es igual que se dé de palabra (Sal 35,16; Prov 11,9) o de obra (Is 9,16; 32,6): se trata siempre de una distorsión del orden establecido. Esta dimensión ontológica de lo recto, sano y verdadero, que aparece detrás de la idea de perversión, es la que le confiere el grave aspecto de distorsión del orden del mundo. A partir de esta precomprensión se debe entender también la fórmula de la «perversión del país», que tiene lugar como consecuencia de determinadas acciones. Ahora bien, ya que para la mentalidad antigua y bíblica Dios está vinculado a la conservación del orden del mundo, cada fenómeno de «perversión» lleva consigo la disolución del orden del mundo en sentido definitivo, es decir, el fin de la importante presencia divina en él. De ahí se deduce que es Dios mismo el que invierte la tierra, después de que ésta ha sido completamente pervertida por los hombres (Is 24,5). Al referirse a este fenómeno con el término *ḥnp* se incluye ya la condena de una grave ofensa contra Dios.

5. El empleo de *ḥōnæf* en 1QS 4, 10 en la enumeración de las propiedades del «espíritu de la maldad» recuerda más la «perversión» psicológica que la impiedad.

Los LXX no supieron cómo tratar el concepto hebreo, como se manifiesta no sólo en la traducción siempre deficiente, sino sobre todo en el gran número de conceptos sustitutorios que emplea.

R. Knierim

חֶסֶד *ḥæsæd* **Bondad**

I. 1. La raíz aparece sólo en hebreo y arameo. En hebreo domina el sentido positivo *(ḥæsæd,* «bondad, gracia») y el negativo *(ḥæsæd,* «oprobio») aparece sólo en Lv 20,17 y Prov 14,34 (cf. también Eclo 41,22; 1QM 3,6; *ḥsd* piel, «injuriar», Prov 25,10; Eclo 14,2; sobre Sal 52,3, cf. C. Schedl, BZ 5 [1961] 259); en siríaco, en cambio, domina el sentido negativo (LS 245; lógicamente, en el palestino-cristiano se dan ambas posibilidades, cf. F. Schulthess, *Lexicon Syropalaestinum* [1903] 67s).

No está, sin embargo, claro si se trata de un mutuo influjo lingüístico (hebraísmo o arameísmo) (así opina, por ejemplo, F. Schulthess, *Homonyme Wurzeln im Syr.* [1900] 31; Nöldeke, NB 93; Wagner N. 105/106) o si ya desde el principio tanto el hebreo como el arameo tenían ambos sentidos (U. Masing, *Der Begriff ḤESED im alt. Sprachgebrauch,* FS Kopp [1954] 32), como tampoco es claro si se trata de un desarrollo diverso de una única raíz (en sentido opuesto) (Nöldeke, *loc. cit.,* 93; cf. también R. Gordis, JQR 27 [1936-1937] 58) o si han coincidido dos raíces distintas de sentido casualmente opuesto (Schulthess, *loc. cit.,* 32).

La etimología es oscura. Es posible que la raíz esté relacionada con el árabe *ḥašada,* «reunirse para prestar auxilio» (Schulthess, *loc. cit.,* 32; N. Glueck, *Das Wort Ḥesed...* [1927] 67s = íd., *Ḥesed in the Bible* [1967] 106s; HAL 323a), pero no es seguro que deberían deducirse de ello consecuencias semánticas (cf. las consideraciones de Schulthess, Nöldeke, Masing y la indicación de que un continuo error gráfico entre la *ṡ* [que corresponde a la *š* árabe] y la *s* sería una cosa extraña).

2. Además del sustantivo *ḥǽsæd* aparece en el AT el adjetivo *ḥāsīd* (documentado una vez también en púnico: KAI N. 145, línea 7; DISO 93; sobre la forma nominal, cf. *inf.* IV/6*b)* y *ḥ^a sīdā* (Lv 11,19; Dt 14,18, en una lista de animales impuros; Jr 8,7; Zac 5,9; Sal 104,17; Job 39,13), traducido normalmente como «cigüeña» debido a las propiedades normalmente atribuidas a dicho animal (cf. F. S. Bodenheimer, *Animal and Man in Bible Lands* [1960] 61; también G. R. Driver, PEQ 87 [1955] 17; también aparece el verbo denominativo *ḥsd* hitpael, «comportarse como un *ḥāsīd*» (2 Sm 22,26 = Sal 18,26).

Como nombres propios aparecen *Ḥǽsæd* (1 Re 4,10), forma abreviada de *Ḥ^a sadyā* (1 Cr 3,20, cf. Noth, IP 183; HAL 323b); sobre *Yūšab-Ḥǽsæd* («que la gracia sea devuelta»), cf. Rudolph, HAT 21,29s (distinto, Noth, IP 245).

II. 1. *ḥǽsæd* aparece 245 × en el AT, distribuidas de la siguiente forma: Sal 127 ×, 2 Sm 12 ×, Gn 11 ×, Prov y 2 Cr 10 ×, Is 8 ×, Jr y Os 6 ×; además, 5 × en 1 Re, Neh, 1 Cr; 4 × en Ex, 1 Sm; 3 × en Dt, Jos, Miq, Job, Rut, Esd; 2 × en Nm, Jue, Jon, Lam, Est, Dn; 1 × en Jl y Zac.

De los 8 casos de Is, 4 corresponden a DtIs y 3 a TrIs. Por otra parte, Is 16,5 no puede considerarse auténtico, ya que, a pesar de su intención mesiánica (cf. Is 9,6) tiene en su formulación un carácter sapiencial (cf. Prov 20,28).

En Ex 20,6; 34,6.7; Dt 5,9s aparece una fórmula fija cuya influencia se deja notar en Nm 14,18.19 y también en Jl 2,13; Jon 4,2; Miq 7,18; Neh 9,17 y, modificada, en Dn 9,4; Neh 13,22 (también resuena, aunque fuertemente abreviada, en Miq 7,20).

Por lo que respecta a la obra cronística, 1 Cr 17,13; 19,2.2; 2 Cr 1,8; 6,14 y 24, 22 corresponden al texto base (Sam/Re). Los pasajes de 1 Cr 16,34.41; 2 Cr 5,13; 6,42 (cf. Is 55,3); 7,3; 20,21 tienen carácter hímnico (también Esd 3,11).

La palabra tiene, pues, su lugar propio en la literatura narrativa y en la sabiduría, pero sobre todo en el lenguaje de los salmos. Coincide así en cierta medida, aunque no exclusivamente, con su empleo profano o religioso. Está completamente ausente en el escrito sacerdotal y, curiosamente, está muy en segundo plano en los profetas. Un significado importante para la estructura teológica se da sólo en Oseas, Jeremías y también, con signo diverso, en Deuteroisaías.

2. Todo esto vuelve a manifestarse con límites más precisos aún en el empleo de *ḥāsīd* (32 ×, de ellas, 25 en Sal; *ḥsd* hitpael, 2 ×).

28 casos corresponden a la oración de los salmos (incluidos 1 Sm 2,9; 2 Sm 22,26 = Sal 18,26; 2 Cr 6,41). Cerca está también el oráculo de Leví en la bendición de Moisés de Dt 33,8. El concepto aparece una vez en la literatura sapiencial (Prov 2,8) y sólo dos veces en los profetas (Jr 3,12 y Miq 7,2, sólo aquí referido a Dios).

III. La traducción de *ḥǽsæd,* «bondad» (sobre *ḥāsīd,* cf. *inf.* IV/6), aceptada en el título de este artículo es sólo una traducción imperfecta. Su sentido aparecerá claro en el estudio de las composiciones de palabras en que entra *ḥǽsæd* (III/1), del contexto de los diversos pasajes (III/2), en las observaciones gramático-semánticas (III/3) y en las relativas a la historia del significado de *ḥǽsæd* dentro de su campo semántico (III/4), así como en la investigación de su empleo profano (literatura narrativa, III/5; literatura sapiencial y salmos, III/6, y literatura cronística y semejantes, III/7) y en su empleo teológico (IV/1-5).

1. *a) ḥǽsæd* aparece con frecuencia junto a *'^æ mæt,* «fidelidad» (→ *'mn* E III/2.4, IV/2), en la composición *ḥǽsæd wæ'^æ mæt* o semejantes (Gn 24, 27.49; 32,11; 47,29; Ex 34,6; Jos 2, 14; 2 Sm 2,6; 15,20; Sal 25,10; 40,11. 12; 57,4; 61,8; 85,11; 86,15; 89,15; 115,1; 138,2; Prov 3,3; 14,22; 16,6; 20,28). Pero ambas palabras aparecen

también claramente separadas entre sí (Os 4,1; Miq 7,20; Sal 26,3; 57,11; 69,14; 108,5; 117,2), de modo que pueden referirse incluso a sujetos diferentes (1 Re 3,6; Is 16,5); con frecuencia, en lugar de *ʾᵆmæt* aparece, con una unión también débil, el sustantivo de la misma raíz *ʾᵆmūnā* (cf. los textos en → *ʾmn* D III/8). Debe señalarse también que, con pocas excepciones (Os 4,1; Miq 7,20, condicionados por el contenido; Sal 89,25), se conserva fielmente el orden de los términos.

Con menor frecuencia y limitada a un ámbito más estrecho de la literatura veterotestamentaria aparece la unión con → *bᵉrīt.* Se pueden citar Dt 7,9.12 y —dependientes de estos textos— 1 Re 8,23; Neh 1,5; 9,32; 2 Cr 6,14; además, Dn 9,4. Cuando el modelo de fórmula fija desaparece, el orden de los términos de la expresión puede cambiar (Sal 89,29; cf. Is 55,3).

b) Otro aspecto del significado de *ḥæsæd* sale a la luz cuando va unido a *raḥᵃmīm,* «misericordia», en una unión estrecha (Jr 16,5; Os 2,21; Zac 7,9; Sal 25,6; 40,12; 103,4; Dn 1,9) o más amplia (Sal 69,17; Lam 3,22, texto dudoso, cf. v. 32, *rḥm* piel) (→ *rḥm).* Es significativo que también este empleo se limita a un ámbito reducido; está completamente ausente de la literatura sapiencial y narrativa. A pesar de las semejanzas con *raḥᵃmīm* (cf. *inf.* III/4) en cuanto al contenido, se distinguen uno de otro en que *ḥæsæd* no tiene lugar sólo en una dirección (del superior hacia el débil/niño/pecador), sino en dirección recíproca, de forma que en determinadas expresiones teológicas muy matizadas el hombre puede mostrar su *ḥæsæd* para con Dios (cf. *inf.* IV/3; fundamentalmente distinto, A. Jepsen, KuD 7 [1961] 269).

c) A diferencia de → *ḥēn,* «favor», *ḥæsæd* aparece en genitivo seguido de un complemento pronominal o (más raramente) nominal (por ejemplo, 1 Sm 20,14; Sal 21,8; 52,10), referido siempre a la persona de la que parte la *ḥæsæd* (en Sal 59,11.18 se debe corregir el texto [cf., sin embargo, J. Weingreen, VT 4 (1954) 55], así como en Sal 144,2). Por esa razón, estos dos términos no se emplean como sinónimos; incluso allí donde aparecen juntos debe distinguirse entre el estilo de la alocución *(ḥēn)* y el contenido de la súplica *(ḥæsæd)* (distinto, Masing, *loc. cit.,* 50).

Est 2,17, «ella (Ester) consiguió su gracia y su favor», constituye la única excepción; pero se trata aquí de un empleo tardío y más refinado de *ḥæsæd,* como puede observarse ya en el empleo del verbo *nśʾ,* «conseguir, adquirir», en el v. 9, donde *ḥæsæd* aparece solo.

2. *a)* Las mencionadas construcciones con *ʾᵆmæt, ʾᵆmūnā, bᵉrīt* y *raḥᵃmīm,* junto con la clara delimitación de los textos en que estas construcciones —así como el término *ḥæsæd* solo— aparecen, subrayan el carácter teológico del concepto. No es, pues, de extrañar que exista una amplia literatura en torno a *ḥæsæd,* su historia y el desarrollo de su significado. La discusión planteada desde N. Glueck, *Das Wort ḥæsæd im alt. Sprachgemeinschaftsgemässe Verhaltungsweise* (1927, reimpresa en 1961), ha sido presentada con detalle en la edición inglesa de esa misma obra *(Hesed in the Bible* [1967]) por G. A. Larue, *Recent Studies im Ḥesed,* p. 32.

Según Glueck, *ḥæsæd* no designa una amabilidad espontánea y, en definitiva, inmotivada, sino un modo de comportamiento que se deriva de una relación determinada por leyes y obligaciones (hombre-mujer; padres-niños; jefe-súbditos). Cuando se habla de la *ḥæsæd* de Dios, se hace alusión a la realización de las promesas hechas con la alianza. Y si *ḥæsæd* recibe el sentido de amabilidad, esto sucede sólo secundariamente por su asimilación a *raḥᵃmīm* (pp. 47s). Esto indicaría, por otra parte, que la fórmula *ḥæsæd wæʾᵆmæt* debería entenderse como una hendíadis (p. 66).

b) Esta posición, en la que I. Elbogen, *ḥsd, Verpflichtung, Verheissung, Bekräftigung,* FS Haupt (1926) 43-46, había precedido a Glueck, tuvo un gran influjo, debido sobre todo al énfasis puesto en la idea de alianza (cf., por ejemplo, K. Galling, ThLZ 53 [1928] 561s; [1928] 561s; W. F. Lofthouse, *Hen and Ḥesed in the OT:* ZAW 51 [1933] 29-35; Eichrodt I, 150-155; R. Bultmann, ThW II, 475-479; Köhler, *Theol.,* 173.245; íd., KBL 318; J. A. Montgomery, *Hebrew ḥesed and Greek charis:* HThR 32 [1939] 97-102; N. H. Snaith, *The Distinctive Ideas of the OT* [1944] 94-130; A. Neher, *L'essence du prophétisme* [1955] 264-275; A. R. Johnson, FS Mowinckel [1955] 100-112; E. E. Flack, *The Concept of Grace in Biblical Thought,* FS Alleman [1960] 137-154; K. Koch, *Wesen und Ursprung der «Gemeinschaftstreue» im Israel der Königszeit:* ZEE 5 [1961] 72-90; cf. sobre todo los comentarios particulares). Pero no han faltado opiniones divergentes (cf., por ejemplo, F. Asensio, *Misericordia et Veritas, el Hesed y 'Emet divinos, su influjo religioso-social en la historia de Israel* [1949]; independiente del anterior, H. J. Stoebe, *Gottes hingebende Güte und Treue, Bedeutung und Geschichte des Begriffes Hesed,* tesis presentada en Munich [1950]; íd., *Die Bedeutung des Wortes ḥäsäd im AT:* VT 2 [1952] 244-254; R. J. Kahn, «Religion in Life» 25 [1955-56] 574-581; A. Jepsen, *Gnade und Barmherzigkeit im AT:* KuD 7 [1961] 261-271; finalmente, U. Masing, *Der Begriff HESED im Sprachgebrauch:* FS Kopp [1954] 27-63).

c) Es claro que *ḥǽsæd,* en cuanto tiene lugar entre hombres, comporta necesariamente un aspecto comunitario. Pero con esto no se ha dicho todavía nada sobre los presupuestos de su realización ni sobre la esencia de la *ḥǽsæd.* Por otra parte, parece que se ha sobrevalorado formalísticamente la idea de comunidad —riesgo que se da también en otros contextos—, quitándole con ello vitalidad.

Es conveniente señalar que, con la indudablemente necesaria creación de estructuras jurídicas y existenciales en las que se distinguen el pasado y el presente, se delimita sólo un ámbito muy amplio que deberá ser completado con los aspectos humanos en los que lo pasado y lo presente no están claramente diferenciados (cf. Jepsen, *loc. cit.,* 267; Masing, *loc. cit.,* 45). A la base de esto está, de modo inconsciente, pero estructurante, la común convicción humana de que la diferenciación de la vida moderna era antes completamente impensable.

De ahí se deduce que cada texto posee, de hecho, diversos significados, según cual sea la comprensión formal desde la que se hace la interpretación del mismo. Por eso, vista la diversa matización del concepto, debemos intentar hacer ya desde el comienzo algunas consideraciones semánticas objetivas (sobre estas cuestiones, cf. especialmente Stoebe, tesis, 6ss). De estas consideraciones no se pueden esperar naturalmente resultados seguros, pero sí algunos apoyos y puntos de vista útiles para la exégesis.

3. *a)* El nombre aparece tanto en singular como en plural. Las formas plurales —en la medida en que puede establecerse una clasificación cronológica de los textos— son de origen exílico y posexílico (Is 55,3; 63,7.7; 25,6; 89,2. 50; 106,7.45; 107,43; 119,41; Lam 3,22.32; Neh 13,14; 2 Cr 6,42; 32,32).

Gn 32,11 (J), «yo no merecía todas las misericordias (plural de *ḥǽsæd* más artículo) y toda la confianza (*'æmæt*) que has depositado en tu siervo», constituye una excepción. En este pasaje, *ḥǽsæd* no se emplea con carácter de fórmula, aunque sí estrechamente unido a *'æmæt*. No es éste el empleo corriente, pero aquí está condicionado por *kōl*, «toda». La sospecha de que se trata de error ditográfico con el siguiente *ūmikkōl* (O. Procksch, *Die Genesis* [³1924] 191; también Stoebe, tesis, 139) no es convincente. Habría que pensar, más bien, que debido a su carácter de confesión el texto ha sido transformado de acuerdo con concepciones posteriores.

Para explicar este fenómeno del plural hay que pensar que *ḥǽsæd* es una dimensión genérica que se manifiesta concretamente en actos particulares de misericordia. Debe señalarse también que en los salmos, el singular y el plural pueden aparecer juntos (en Sal 106,1.7.45, por ejemplo). Pero esto no quiere decir que *ḥǽsæd* sea una propiedad o un modo de comportamiento. También el singular puede estar determinado por el artículo, lo cual apunta hacia un contenido concreto que es precisamente el presupuesto de las formas plurales.

Entre los pasajes con artículo, Gn 21, 23; 2 Sm 2,5; 1 Re 3,6 y 2 Cr 24,22 hacen referencia a una *ḥǽsæd* manifestada con anterioridad; en Jr 16,5, el artículo sustituye al pronombre posesivo, y Sal 130, 7; Prov 20,28 e Is 16,5 quedan sin precisar. Quizá sea especialmente significativo el hecho de que *ḥǽsæd* aparece con artículo en todos los casos en que va unido a *b^erīt* (Dt 7,9.12 y *passim).*

b) El nombre está frecuentemente construido con el verbo *ʿśh,* «hacer». Esta construcción aparece sobre todo en la literatura narrativa antigua, pero no está totalmente ausente de los profetas y salmos, aunque es menos frecuente (Gn 19, 19; 20,13; 21,23; 24,12.14.49; 32,11; 40, 14; 47,29; Ex 20,6; Dt 5,10; Jos 2,12. 12.14; Jue 1,24; 8,35; 1 Sm 15,6; 20,8. 14; 2 Sm 2,5.6; 3,8; 9,1.3.7; 10,2.2 = 1 Cr 19,2.2; 1 Re 2,7; 3,6 = 2 Cr 1,8; Jr 9,23; 32,18; Zac 7,9; Sal 18,51 = 2 Sm 22,51; 119,124; Job 10,12; Rut 1,8). Esto caracteriza la concreción de la concepción que acompaña al término *ḥǽsæd;* pero por otra parte, la presencia constante de la partícula *ʿim,* «a, con», hace que se supere el hecho concreto. De esa forma, el ámbito del significado de la palabra va más allá del carácter concreto de la fórmula. En la expresión «conservar *(nṣr)* la *ḥǽsæd»* (Ex 34,7; formulado negativamente en 2 Sm 7,15) el peso recae sobre la promesa contenida en una actitud.

Debe señalarse que en esta construcción el término no va nunca unido, como es frecuente en estos contextos, a *ʾ^æmæt.* Aquí deberían mencionarse los pasajes en que se emplea el verbo *šmr,* «mantener» (Dt 7,9.12; 1 Re 8,23 = 2 Cr 6,14; Os 12,7; Sal 89,29 [*šmr* paralelo a *ʾmn* nifal]; Neh 1,5; 9,32).

c) ḥǽsæd puede también designar una actitud; esto ocurre especialmente allí donde, por medio de una preposición, se convierte en criterio de una esperanza (con *k^e,* «conforme a»: Gn 21,23; Sal 25,7; 51,3; 109,26; 119, 88.124.149.159; cf. Nm 14,19: «conforme a su gran bondad»; con *l^emáʿan,* «para»: Sal 6,5; 44,27; con *ʿal,* «por»: Sal 138,2; también *b^e,* «en», Ex 15,13; Sal 31,17; 143,12 tiene aquí su lugar).

Naturalmente estos dos aspectos no deben separarse tan radicalmente como lo hemos hecho aquí por razones de claridad. Una actitud que no se prueba en manifestaciones concretas es pura teoría, y una afirmación que no caracteriza la esencia de lo que se manifiesta es pura coincidencia que no afecta la esfera de lo humano. Algo semejante ocurre con nuestro término «amabilidad». También esta palabra incluye tanto la realización como su presupuesto (cf. Stoebe, tesis 49; Jepsen, *loc. cit.,* 266).

4. *a)* Esta especial riqueza de matices explica también la unión de *ḥǽsæd* con *raḥ^amīm,* «misericordia» (cf. *sup.* III/1*b*): *ḥǽsæd* es el concepto previo (Sal 40,12 es una excepción sólo en apariencia) y la totalidad debe entenderse del siguiente modo: las acciones *raḥ^amīm* son la manifestación de la actitud *ḥǽsæd,* como el paralelismo con *ṣǽdæq ūmišpāṭ,* «justicia y equidad» (Os 2,21), lo muestra. En el mismo sentido de *raḥ^amīm* aparece, en el período tardío, el plural *ḥ^asādīm* (cf. *sup.* III/3*a).* Y en los casos en que el plural va unido a *raḥ^amīm* (Sal 25,6; Is 63,7), éste ocupa el primer lugar. Aunque este detalle sea pequeño, se puede, sin embargo, afirmar que en estos textos *raḥ^amīm* aparece como el concepto más fuerte y significativo.

b) Si puede afirmarse que los límites que separaban a *ḥǽsæd* y *raḥ^amīm* se han diluido, se trata en el caso de *ḥǽsæd* de una limitación más que de una extensión del sentido. Esto puede explicar también el que sean precisamente los textos más recientes los que extiendan y subrayen el contenido de *ḥǽsæd* por medio de *ṭūb,* «bondad», o → *ṭōb,* «bueno» (cf. Ex 33, 19 con 34,6; Is 63,7; en Sal 69,17 debe leerse *keṭūb* por *kī ṭōb,* cf. Kraus, BK XV, 479s). También en Sal 25,7 aparecen ambos conceptos juntos, aunque aquí *ṭūb,* en el sentido de don bueno, no parece reducir el significado de *ḥǽsæd.* Por el contrario, en la fórmula litúrgica regularmente reiterada «pues es bueno *(ṭōb),* no tiene fin su bondad *(ḥǽsæd)»* o semejantes (Sal 100,5; 106,1; 107,1; 118,1. 2.3.4.29; 136,1-26; Esd 3,11; 1 Cr 16,34. 41; 2 Cr 5,13; 7,3.6; 20,21) *ḥǽsæd* se ha convertido en una forma de expresión de la esencia de Dios subordinada a su bondad. Lo mismo viene a indicar el hecho de que, al parecer, la fórmula *leʿōlām ḥasdō,* «su *ḥǽsæd* no tiene fin», ha ocupado, tanto formalmente como en cuanto al contenido, el lugar de *ʾæmæt* en la fórmula *ḥǽsæd wæʾæmæt.*

En el Targum y en la versión siríaca *raḥamīm* es traducido siempre por la misma raíz; en el caso de *ḥǽsæd,* en cambio, el Targum sigue sólo en 50 ocasiones a su texto base (en siríaco sólo unas 12 ×). No es infrecuente su traducción por *raḥamīn* (en el Targum no tan frecuente, en la versión siríaca, 36 ×), pero en la mayoría de los casos, *ḥǽsæd* es traducido por algún derivado de *ṭāb* (unas 130 ×), aunque no pueda hablarse de una norma constante. También aquí aparecen juntas las formas singulares y las plurales, aunque no siempre coincidan en ese punto el texto original y la versión (Stoebe, tesis, 54ss).

5. *a)* Estas observaciones sobre los textos donde aparece el término, sobre su amplitud y limitación, así como sobre los complementos clarificadores que recibe, nos permiten llegar a la conclusión, todavía no muy precisa, de que *ḥǽsæd* designa algo específico del comportamiento recíproco, algo que en cualquier caso supera lo directamente evidente. Los detalles concretos de esta conclusión aparecerán más claros cuando hagamos un estudio de los pasajes en los que la *ḥǽsæd* se realiza en el ámbito interhumano, especialmente en la *literatura narrativa.*

En primer lugar hay que preguntarse si efectivamente se da un empleo propiamente «profano» del término. Se puede emplear el término incluso en textos muy antiguos para referirse a una actitud de Dios para con el hombre, de forma que es posible que existan influjos mutuos entre los campos religioso y profano. Pero esto no significa que se haya aplicado a la esfera de lo puramente humano algo que en un principio sólo podía decirse de Dios (esta parece ser la opinión de Jepsen, *loc. cit.,* 269), ya que precisamente en la obra histórica más antigua domina el llamado empleo profano del término (Stoebe, VT 2 [1952] 248).

De los 11 casos de Génesis, 6 caracterizan una acción humana (Gn 20,13; 21,23; 23,49; 39,21; 40,14; 47,29) y 5 una acción divina (19,19 [?]; 24, 12.14.27; 32,11). Se puede afirmar con relativa seguridad que los últimos pasajes son todos yahvistas.

b) 1 Re 20,31 parece estar relativamente libre de tales influjos. Aquí *ḥǽsæd* designa indiscutiblemente lo inesperado, aquello con lo que propiamente no se puede contar. Posibilita la realización de una alianza, pero no es el punto y la condición de dicha alianza. En la misma dirección apunta también 2 Sm 2,5, una antigua tradición no muy elaborada reflejamente. El mismo hecho de que *ḥǽsæd* esté determinado caracteriza la acción de los yabesitas como algo extraordinario, como algo que supera la mera «reciprocidad» (Glueck, *loc. cit.,* 19); dicha acción, dada su gravedad y el riesgo que comporta, es expresión de una profunda humanidad (como lo indica, con razón, Neher, *loc. cit.,* 266); se basa ciertamente en el agradecimiento, pero no se limita a eso.

El entierro del padre constituye evidentemente un deber filial (L. J. Kuyper, «Interpretation» 18 [1964] 4); de todos modos, en Gn 47,29 Jacob pide un favor que va más allá de esa obligación. Saúl no llama *ḥǽsæd* a la advertencia que hace a los quenitas (1 Sm 15,6); la *ḥǽsæd* de éstos, a la que él se refiere, fue una manifestación de deferencia, no una obligación. También 2 Sm 10,2, donde se emplea el mismo término para ambas partes, no puede significar otra cosa que devolver favor por favor; el hecho de que la actitud de David pueda ser mal interpretada indica lo inesperada que era. En 2 Sm 3,8 Abner califica sus atenciones por el débil Išbaal como puro favor que no era en absoluto exigido por el estado de la situación. En 2 Sm 16,17 se puede preguntar si se trata de una ferviente amistad o lealtad. Pero también aquí el reproche de Absalón debe entenderse en clave irónica: ¡tú eres un amigo fiel! David piensa en su especial amistad con Barzilay (1 Re 2,7) cuando exige *ḥǽsæd* para los hijos de éste. El agradecimiento hacia el padre es tan grande que se manifiesta incluso en amabilidad hacia los hijos. Muy instructivo resulta, en este sentido, Gn 39,21. Yahvé muestra *ḥǽsæd* a José, naturalmente no la suya propia (esto no hubiera sido expresado por medio de *nṭh* hifil), sino la de otros hombres; sus corazones se inclinan hacia José, le otorgan una acogida favorable. Como dato aparte se menciona la especial atención (*ḥēn*, → *ḥnn 3a*) del guarda. Tampoco en Gn 40,14 está obligado el copero a acordarse de José, pues éste con su interpretación del sueño no le ha hecho ningún servicio (como afirma, con razón, Neher, *loc. cit.*, 266). En Gn 20,15 el texto parece indicar que al referirse a la *ḥǽsæd* Abrahán pide a su esposa algo que va más allá de las obligaciones de ésta. Si Abrahán se refiriese sólo a las obligaciones de Sara, todo el texto sería superfluo (análogo en Gn 24,49).

En Jos 2,12 Rajab designa como *ḥǽsæd* lo que ha hecho con los exploradores; si se tratara sólo de las obligaciones de hospitalidad, se daría una fuerte tensión, ya que Rajab está yendo contra los intereses vitales de la ciudad que la acoge y protege. Ella da incluso un fundamento teológico a su comportamiento (vv. 9-11). *ḥǽsæd* designa aquí una ayuda y deferencia que espera ser correspondida (semejante es la situación de Jue 1,24, donde se promete la *ḥǽsæd* como premio). La obligación brota sólo del juramento (¡a posteriori!). También en Gn 21,23 la *ḥǽsæd* generosa de Abimélek constituye el presupuesto del juramento exigido a Abrahán y no a la inversa (así opina también Jepsen, *loc. cit.*, 265).

Indiscutiblemente difícil resulta el pasaje de 1 Sm 20,8, donde *ḥǽsæd* aparece en el contexto de una *beṛīt* de Yahvé (cf. también v. 14: *ḥǽsæd Yhwh*). La misma idea aparece en 2 Sm 9,1.3.7, donde en v. 3 se habla directamente de una *ḥǽsæd ᵃᵉlōhīm*, aunque existe el riesgo de sobrevalorar formalísticamente este texto (Glueck, *loc. cit.*, 12). En definitiva, *ḥǽsæd* designa también aquí la prueba de un sentimiento de cordial amistad. La adición del nombre divino (1 Sm 20,14; 2 Sm 9,3) debe entenderse en relación al ámbito de los medios empleados, que está por encima de las posibilidades humanas (cf. D. W. Thomas, VT 3 [1953] 209ss).

La unión de *ḥǽsæd* con *gdl* hifil, «hacer engrandecer», que aparece en Gn 19,19, es un caso raro. La explicación de que Lot llama grande a un gesto de por sí normal porque había reconocido a sus huéspedes como ángeles (Glueck, *loc. cit.*, 9) no es satisfactoria. Con eso, más bien, se quita a *ḥǽsæd* toda correspondencia con el comportamiento humano. Como trasfondo de la narración aparecen las obligaciones de hospitalidad. También los huéspedes estaban obligados a proteger en la medida de sus posibilidades al dueño de la casa; esta obligación quedó cumplida con la ceguera de los sodomitas. La salvación de una muerte inminente es gracia y se sitúa a otro nivel. En Jue 8,35 no puede decirse que la falta de agradecimiento tenga que ver con determinadas obligaciones. Rut 3,10 es entendido generalmente, aunque no sin discusión (Kuiper, *loc. cit.*, 5), como un acto de amor. Debe señalarse finalmente que en tres pasajes (Gn 24,39; 47,29: Jos 2,14) aparece *ᵃᵉmæt* junto a *ḥǽsæd*, concretamente allí donde la manifestación de esta última es esperada en el futuro o por lo menos hay alguna referencia al futuro.

6. *a*) También la *literatura sapiencial* habla normalmente de *ḥǽsæd* en el contexto de las relaciones entre hombres. La dificultad estriba en que las frases genéricas no dejan reconocer cómo se realizan las situaciones concretas.

Relativamente claro es el texto de Prov 31,26, donde la mujer virtuosa es alabada también porque tiene la

tōrat ḥǽsæd en sus labios (paralelo a
«con sabiduría»). El texto hace alusión,
sin duda, a la magnanimidad de quien
se olvida de sí mismo. La traducción
«palabras agradables» (considerando a
ḥǽsæd semejante a *ḥēn*) —extraña ya
en un texto relativamente reciente—
parece poco probable si tenemos en
cuenta el v. 30; la versión «palabras
afectuosas» es la única posible.

El *ʾīš ḥǽsæd* de Prov 11,17 aparece
en oposición a *ʾakzārī*, «cruel»; se trata
del hombre que respeta y acepta a los
demás, que no busca únicamente el
propio provecho; en 20,6, *ḥǽsæd* aparece junto a *ʾīš ᵃᵉmūnîm*, «hombre
fiel»; muchos hombres hablan de su
propia amabilidad, pero son pocas las
personas realmente fieles que de verdad la poseen (se trata, con toda probabilidad, de una paráfrasis intencionada de *ḥǽsæd wæ̓ᵃᵉmǽt*).

En Prov 19,22 *ḥǽsæd* se refiere precisamente a un corazón sincero y a un
carácter realmente humano. Esto es lo
que se busca en el hombre; por eso, un
pobre que lo posee es mejor que un
mentiroso, que ciertamente no lo posee. No se puede descartar que aquí se
insinúa el egoísmo como raíz de la mentira. En 21,12 aparece la *ṣᵉdāqā* junto
a la *ḥǽsæd*, pero la frase se mantiene
a un nivel genérico. Lo mismo vale,
con mayor razón, para 3,3; 14,22; lo
que es claro es que *ḥǽsæd wæ̓ᵃᵉmǽt* se
refiere a un comportamiento humano
(también 16,1: «con la bondad y la
lealtad se expía la culpa», cae fuera de
todo esquema). En 20,28 (cf. Is 16,5)
la *ḥǽsæd* del rey es ciertamente más
que su justicia; se trata más bien de su
afabilidad, que constituye además una
válida defensa para su trono. La primera mitad del versículo podría referirse a manifestaciones divinas, pero
se trata más bien —también aquí— de
la propia acción hipostatizada.

b) En los textos sapienciales más
recientes (Eclo) *ḥǽsæd* caracteriza casi
exclusivamente fenómenos religiosos.
Las únicas excepciones son Eclo 7,33
y 37,11.

c) También en los salmos es raro

el empleo de *ḥǽsæd* para designar un
comportamiento humano. Los pocos
textos que presentan este empleo son
de marcado carácter sapiencial; así, por
ejemplo, Sal 141,5, donde se afirma
que un castigo no constituye una ofensa si viene de un justo, sino que es,
por el contrario, un acto de caridad.

Sal 109,12 no habla de una gracia
que vaya más allá de la muerte; se refiere, más bien, en paralelismo antitético con «usurero» (v. 11), a un plazo
de gracia, a un crédito caritativo. Y,
dado que la maldición y la omisión o
la obra son recíprocamente correspondientes, la *ḥǽsæd* del v. 16 debe ser
entendida en el mismo sentido del
v. 12.

También Job 6,14 debería mencionarse aquí, a pesar de los muchos puntos oscuros que contiene. Asimismo
aquí se refiere *ḥǽsæd* a un comportamiento humano general (amabilidad,
compasión, disponibilidad a atender a
los demás) que va más allá de los supuestos normales en la vida comunitaria ordenada (temor de Dios).

7. Los pocos textos que se pueden
tomar en consideración en los libros de
las *Crónicas* no aportan nada nuevo.
2 Cr 24,22 recuerda a Jue 8,35; y Esd
7,28; 9,9 a Gn 39,21. Deben mencionarse las formas plurales de 2 Cr 32,
32; 35,26; que contienen un juicio
laudatorio del reinado de Ezequías y
Josías (semejante también, Neh 13,14).

Como es comprensible, los límites
semánticos de *ḥǽsæd* se van haciendo
menos precisos. En cuanto a la construcción, Est 2,9.17 se acerca a *ḥēn* y
Dn 1,9 a *raḥᵃmîm*.

8. No resulta posible traducir con
exactitud el *ámbito del significado* de
ḥǽsæd en su *empleo profano* con un
término de nuestras lenguas. *ḥǽsæd*
no es «gracia»; tampoco «benevolencia», frecuentemente propuesto, es satisfactorio. En primer lugar, *ḥǽsæd* designa algo captable en la situación concreta, pero que supera esa manifestación concreta e incluye también a quien

la hace. En ese sentido el concepto se acerca a nuestra «amabilidad» y a nuestra «bondad» (cf. *sup.* 3c). Y aunque se dé bajo determinadas formas comunitarias, incluso aunque esté determinada por éstas, la *ḥæsæd* no designa nunca lo evidente y lo obligatorio. Se trata de un comportamiento humano que da vida a una forma, un comportamiento que en muchos casos (aunque no siempre) constituye el presupuesto para que surja una relación comunitaria. Jepsen (*loc. cit.*, 269) ha intentado describir el significado del término como buena voluntad que empuja a realizar actos buenos, es decir, como disponibilidad a ayudar a los demás. Esto está ciertamente incluido, pero no es suficiente. Yo quisiera ver en este término una expresión que designa la magnanimidad, la disponibilidad humana de quien se olvida de sí mismo para atender a los demás (tesis 67; VT 2 [1952] 248). Esto implica que *ḥæsæd* tiene siempre que ver de algún modo con la vida de los demás y que quien recibe la *ḥæsæd* debe corresponder con la misma disponibilidad, que, por su parte, va más allá que las meras obligaciones.

IV. Para conocer el empleo religioso de *ḥæsæd* hay que estudiar la literatura narrativa (IV/1), los predicados divinos de Ex 34,6 (IV/2), los profetas (IV/3), el Deuteronomio y escritos influidos por él (IV/4) y finalmente los salmos (IV/5). Seguirá luego el estudio del adjetivo *ḥāsīd* (IV/6).

1. *a)* En la *literatura narrativa* el término se emplea ya desde antiguo para referirse a la actitud de Dios para con el hombre (cf. *sup.* III/5*a*). Pero no hay base suficiente para afirmar con seguridad que éste sea un pensamiento constitutivo de la teología del yahvista (como afirma Stoebe, tesis, 135). Lo que sí es seguro es que es expresión de una experiencia de fe y constituye un riesgo teológico, ya que este término no tiene nada de la base casi metafísica de → *ḥnn* y → *rḥm*, sino que constituye un antropomorfismo en el sentido estricto del término. Pero, sin duda, posibilita las afirmaciones teológicas más densas.

b) Este riesgo y este esfuerzo por asegurar la concepción de Dios aparecen en la unión de *ḥæsæd* con *ʾæmæt*. Esta unión no está del todo ausente en el uso profano (cf. *sup.* III/5*b*, hacia el final, donde se citan Gn 24,49; 47,29; Jos 2,14), pero es más bien rara en comparación con su empleo religioso. En este último, Ex 34,6 (cf. *inf.* IV/2) constituye el texto central; pero no aparece sólo en el lenguaje litúrgico, sino que es frecuente también en el lenguaje corriente ya desde antiguo.

En 2 Sm 15,20 —que pertenece a una tradición antiquísima— *ḥæsæd wæʾæmæt* se emplea como saludo; correspondería a nuestro «vaya con Dios». Este empleo muestra que este giro servía ya desde antiguo para designar una característica esencial de Dios. La brevedad de la fórmula (que es ampliada en los LXX) está condicionada por la situación. 2 Sm 2,6 presenta la fórmula completa. En cualquier caso, el sujeto es Yahvé y no David (como afirma A. B. Ehrlich, *Randglossen zur hebr. Bibel* III [1910] 313, que interpreta la fórmula como un simple «hasta la vista»). Ambos pasajes confirman además que con *ʾæmæt* se desea al otro una disponibilidad de Dios que no se agota en un instante; lo contrario sería un notable antropomorfismo.

En Gn 24 el siervo de Abrahán confía en la asistencia divina para la situación inminente (vv. 12.14, *ḥæsæd*); al llegar ésta, el siervo reconoce que Yahvé no ha demorado (*ʿzb*; cf. *nsr*, «mantener», Ex 34,7) su disponibilidad, ya antes manifestada, a ayudar a Abrahán (v. 27, *ḥæsæd wæʾæmæt*). El hecho de que él solicite *ḥæsæd* de parte del Dios de su señor Abrahán no significa naturalmente que formule una exigencia de dicha *ḥæsæd*. El esclavo se dirige al Dios de los padres, porque éste está dispuesto a mostrar su amabilidad para con el señor de la casa.

En la oración de Jacob de Gn 32,11

(sobre el plural, cf. *sup.* III/3*a)* se expresa algo más que la mera sumisión. Se trata de una confesión hecha a Yahvé, quien, a pesar de los pecados de Jacob, ha estado junto a él durante la estancia de éste en el extranjero y no le ha negado su amparo y asistencia. Los vv. 9-11 se consideran con razón como concepción propia del yahvista (W. Elliger, ZThK 48 [1951] 18; también H. J. Stoebe, EvTh 14 [1954] 470). En ella se expresa su certeza teológica de que Yahvé asiste también, en secreto, al mundo pecador y lo lleva hacia su meta. El concepto *ḥæsæd* aparece como término apropiado para expresar este convencimiento. *ḥæsæd* resume precisamente lo que se expresa en Gn 50,20 (E?): «vosotros lo pensasteis para hacer daño, pero Dios lo pensó para hacer bien».

2. *a)* En la *predicación divina* de Ex 34,6, «Dios misericordioso y clemente, tardo a la cólera y rico en *ḥǽsǽd wæ'æmæt*», nos encontramos con una fórmula litúrgica (cf. J. Scharbert, Bibl 38 [1957] 130-150), ante la que uno podría a lo más preguntarse si ha sufrido una ampliación de influencia yahvista (Stoebe, VT 2 [1952] 250; pero debe tenerse en cuenta la indicación de W. Beyerlin, *Herkunft und Geschichte der ältesten Sinaitraditionen* [1961] 158, nota 5). Nosotros seguimos el análisis de Scharbert y consideramos el v. 6aβ.b como una fórmula independiente de oración (que sigue influyendo, entera o en alguna de sus partes, en Nm 14,18; Jl 2,13; Jon 4,2; Sal 86,15; 103,8; 145,8; Neh 9,17).

raḥūm wᵉḥannūn, «misericordioso y clemente», constituye una afirmación en cierta medida estática sobre la relación de Yahvé con su pueblo; no tiene en cuenta que esta relación puede ser puesta en cuestión por la conducta de los hombres. Por esa razón, las frases que siguen indican que la apertura de Yahvé hacia su pueblo sigue en vigor incluso por encima de los fallos de éste. Así, *ǽræk 'appáyim* designa la «lentitud en enfadarse» de quien no reacciona apasionadamente, sino que espera (sobre el tema, cf. el lenguaje gráfico de Is 42,14). Esta delimitación negativa tiene su correspondencia positiva en la expresión *rab ḥǽsǽd wæ'æmæt,* que expresa la indefectible disponibilidad para con los hombres (sobre este pasaje y sobre el hecho de que en esta unión el término decisivo es *ḥǽsæd,* cf. Asensio, *loc. cit.,* 77s).

El v. 7 continúa curiosamente el tema por medio de la afirmación «mantiene su amor hasta la milésima generación», que no es más que una tautología con respecto a *'æmæt* (cf. Sal 40,12 y 61,8, con un característico cambio de ideas; la *ḥǽsæd wæ'æmæt* que custodian al hombre se han convertido casi en hipóstasis de Dios). Esto podría hacer suponer que a la base de la expresión hay una antigua fórmula independiente de confesión (Scharbert, *loc. cit.,* 137), pero no es posible hacer delimitaciones muy precisas. Más bien habría que contar con la ampliación de un texto base hecha con la intención de formular exhaustivamente la propia convicción de fe. La *ḥæsæd* aquí prometida no puede ignorar la pecaminosidad humana, sino que se basa y consiste en la disposición a perdonar los pecados. Intenta expresar algo que supera la capacidad humana de comprensión. La tensión conceptual aparece en la coletilla «pero no los deja impunes» (v. 7b), que casi anula lo dicho anteriormente.

b) Las diversas partes de la fórmula aparecen en Ex 20,5s y Dt 5,9s significativamente en orden inverso. Con ello se pone de relieve que en la fe israelita ocupa un lugar preponderante la confianza en la gracia y magnanimidad de Dios; más aún, se manifiesta que por medio de *ḥǽsæd* se indica algo que va más allá de las ideas normales respecto al derecho y la obligación.

La relación entre *ḥǽsæd* y perdón (cf. Ex 34,7a) se expresa de diversas formas en la piedad tardía; aparece con especial claridad en los textos que tienen → *slḥ,* «perdonar», como predicado (Sal 86,5; Neh 9,17; cf. Sal 130,7; de forma menos rígida, en Sal 6,5; 25,10.11; 85,8; 103,3.4). En 2 Sm 7,14.15, *ḥǽsæd* incluye el castigo dentro de un ámbito humanamente soportable. Sin duda, la idea está aquí determinada por la imagen padre-hijo (→ *rḥm).*

En un principio no se reflexionó sobre la respuesta que el hombre debía dar a la *ḥǽsæd* de Dios; se incluye implícitamente en la exigencia general de obediencia. Pero ya la frase «a aquellos que me aman» (Ex 20,6; Dt 5,10) avanza algo en este sentido, aunque se trata de una ratificación posterior y no de una aclaración fundamental.

3. *a)* Aquí es precisamente donde se sitúa el mensaje de *Oseas*. Os 2,21 trata de la alianza de Yahvé con su pueblo, descrita, por medio de la imagen del matrimonio, no como una relación natural, sino como una relación comunitaria libremente establecida: «yo te desposaré conmigo en justicia y equidad, en amor y compasión... en fidelidad». Esta postura constituye la dote del novio, ya que redunda en beneficio de la esposa; es propiamente el regalo del novio a la novia. El orden de los conceptos responde a una lógica interna: el comportamiento correcto, el derecho y la moral constituyen el marco que es llenado con *ḥǽsæd wᵉraḥᵃmîm*, la dedicación amorosa y misericordiosa que va más allá de las normas; *ʾæmūnā*, «fidelidad», subraya la continuidad y lealtad expresadas ya en el «para siempre». Estos dones son signo de una entrega espontánea, y en cuanto tal son, en varios sentidos, base de la relación comunitaria. Por esa razón, Dios espera del hombre la misma postura de disponibilidad hacia él *(ḥǽsæd)*, no como pago compensatorio, sino como reconocimiento y agradecimiento por lo que Dios ha hecho, como confirmación y realización de la alianza otorgada por él.

Jepsen, *loc. cit.*, 269, descarta esta posibilidad y aplica toda exigencia profética de *ḥǽsæd* a un ámbito puramente humano. Pero precisamente aquí aparece con toda claridad que si entendiéramos *ḥǽsæd* como simple disponibilidad a ayudar, limitaríamos excesivamente el concepto.

Sobre la cuestión de la reciprocidad de la *ḥǽsæd* habría que referirse en primer lugar a Os 10,12: «sembraos simiente de justicia, recoged cosecha de *ḥǽsæd*». La *ṣᵉdāqā* y la *ḥǽsæd* son, por una parte, don de Dios; por otra, sin embargo, deben ser realizadas por el hombre, de forma que la *ḥǽsæd* de Dios es al mismo tiempo presupuesto y modelo del correcto comportamiento humano para con él; cf. también C. Wiéner, *Recherches sur l'amour pour Dieu dans l'AT* (1957) 20.

También Os 12,7 tiene aquí su puesto. La exigencia: «practica la *ḥǽsæd* y la justicia», está incluida en una llamada a la conversión hacia Dios y debe entenderse a partir de ésta. Aquí parece, ciertamente, que se pone el acento en la relación de los hombres entre sí, pero no se puede separar este aspecto del anterior. Esto es lo que se deduce también de Os 6,6, de la confrontación entre *ḥǽsæd* y sacrificio (cf. 1 Sm 15,22). La alternativa: *ḥǽsæd* para con Dios o sólo entre los hombres, es falsa, ya que para el AT ambas van unidas. La confrontación entre *ḥǽsæd* y sacrificio tiene la siguiente explicación: el sacrificio no debe excluir necesariamente la donación del corazón por parte del hombre, sino que puede entenderse también como cumplimiento de la obligación, lo cual tiene consecuencias para el comportamiento con respecto a otros hombres (cf. Am 8,4-6).

Particularmente interesante resulta, en este sentido, Os 4,1. En la exigencia dirigida a los hombres se ha buscado intencionadamente un orden de conceptos inverso al de 2,21s: forman un clímax descendente. Yahvé discute acerca de sus cosas: si no hay verdad, debería haber por lo menos *ḥǽsæd;* si también ésta falta, debería haber una conciencia de lo que Yahvé ha hecho y ha dado. Estas ideas no son extrañas en los demás textos de Os, como lo demuestra 6,4. Bajo el influjo de la acción punitiva de Dios se ha formado algo así como una actitud de *ḥǽsæd* para con él (distinto, Jepsen, *loc. cit.*, 269). Por lo menos se cuenta con él. Pero tiene tan poca consistencia como el rocío o la nube mañanera.

b) La misma idea aparece, algo modificada, en tiempos muy posteriores en Is 40,6 (sobre este texto, cf. H. J. Stoebe, WuD 2 [1950] 122-128; la traducción de *ḥasdō* por «su hermosura, fuerza», análoga a Sal 103,15s, se basa en una identificación de *ḥǽsæd* y *ḥēn*, poco probable en esta época; cf. *sup.* III/1*c;* cf., sin embargo, Elliger, BK XI, 23s): la predicación carece de sentido, ya que el pueblo ha perdido su disponibilidad para con Dios, su disponibilidad a oírle; pero la palabra de Dios sale vencedora sobre esta profunda resignación.

En 2 Cr 32,32; 35,26 el plural se refiere asimismo a la piedad que los reyes aludidos han manifestado en sus reformas; lo mismo vale para Neh 13,14 y también, aunque no tan seguro, para 2 Cr 6,42. Esta restricción del concepto al ámbito cúltico constituye sin duda una fuerte limitación con respecto a lo que Oseas opinaba.

c) También Miq 6,8 pertenece, a pesar de diversas oscuridades, a este mismo contexto (cf. → *ṣnʿ* hifil y H. J. Stoebe, WuD 6 [1959] 180-194). No es posible establecer una delimitación precisa del ámbito de validez de *ḥǣsæd,* que quizá tampoco ha sido pretendida. En oposición a «practicar el derecho», que, lo mismo que «practicar la *ḥǣsæd*», en Zac 7,9, se refiere a una acción entre hombres, «amar la *ḥǣsæd*» (genitivo objetivo, no acusativo adverbial) designa la *ḥǣsæd* de Dios para con los hombres y el amor es pensado implícitamente como respuesta humana a esta *ḥǣsæd.*

Miq 7,18 (no auténtico) amplía y parafrasea la conocida expresión y no contiene nada especialmente nuevo. El v. 20 presenta una curiosa distribución formal de *ḥǣsæd* y *ʾæmæt* a los patriarcas (quizá haya aquí una intención clara, pues la *ḥǣsæd* ha sido prometida a Abrahán y, sin embargo, le ha sido mantenida a Jacob).

d) Las semejanzas entre *Jeremías* y *Oseas* se manifiestan también en el empleo del concepto *ḥǣsæd.* Jr 2,2 es un pasaje importante; en él la *ḥǣsæd* de la juventud aparece en paralelo al amor del noviazgo. Por eso, *ḥǣsæd* no puede ser traducido aquí por «lealtad» (así lo interpreta, siguiendo a Glueck, Rudolph, HAT 12, 14s; Weiser, ATD 20, 17); designa, más bien, la confianza ilimitada, la donación del corazón, con la que la joven Israel seguía a Yahvé en el desierto. Tampoco aquí es *ḥǣsæd* el presupuesto de una especial relación comunitaria, sino respuesta a una declaración divina.

En Jr 31,3 se expresa con toda claridad que a una *ḥǣsæd* del pueblo precede una *ḥǣsæd* de Dios. También aquí aparecen juntos *ʾahᵃbā* y *ḥǣsæd.* El mantenimiento de la alianza durante los años de la apostasía no tiene otro fundamento que el amor de Dios.

Jr 9,23 recuerda a Os 2,21. También aquí se trata del reconocimiento de Dios, pero se ha cambiado el orden de las ideas. La contraposición con la autoconciencia humana (v. 22) subraya el carácter de don. De aquellos que lo conocen se espera idéntica actitud.

En Jr 16,5 las ideas de *ḥǣsæd* y *raḥᵃmīm* son sintetizadas en el concepto de *šālōm,* «paz, salvación». El hecho de que Dios las haya retirado significa la muerte. La actitud ascética exigida por Jeremías constituye una acción simbólica; en este aspecto, *ḥǣsæd* incluye un matiz de participante disponibilidad.

4. *a)* En el *Deuteronomio* se habla conscientemente de la relación entre alianza y gracia, pero sin llegar a claras concreciones conceptuales. El término *ḥǣsæd* aparece, además de en 5,10 (cf. *sup.* IV/2*b),* en 7,9.12; en estos textos se parafrasean las ideas de 5,10 y Ex 34,6, de forma que *ḥǣsæd* depende, lo mismo que el *bᵉrīt* precedente, de *šmr* (cf. *sup.* III/3*b).* Ahora bien, pensar que por esa razón *ḥǣsæd* designaría una actitud resultante de la alianza (Glueck, *loc. cit.,* 38) sería formalmente correcto, pero excesivamente limitado. Precisamente en las secciones más antiguas del Dt *bᵉrīt* está subordinado al juramento hecho a los padres; se basa, pues, en una libre decisión de Yahvé e incluye un matiz de promesa (G. von Rad, *Das Gottesvolk im Dtn* [1929] 69).

También en 7,8 se antepone el amor de Dios. Aquí, a diferencia de Oseas, *ʾhb,* «amar», se ha hecho equivalente de *ḥǣsæd,* incluso allí donde se habla del amor de los hombres a Dios. Habría que preguntarse si la fórmula «amar de todo corazón, etc.» (cf., por ejemplo, 6,5; 10,12; 11,13; 13,4; 30, 6) no designa también la misma entrega sin reservas que va implícita en el concepto de *ḥǣsæd.*

b) Estas ideas siguen vivas, con diversas limitaciones y reducciones, en la literatura influida por el Deuteronomio. La oración de consagración del templo de 1 Re 8,23 supone un corte: el *berīt* del v. 21 designa el documento de una alianza histórica, lo cual limita la afirmación del v. 23. En la misma línea se sitúa la sustitución de *næᵉmān*, «fiel», de Dt 7,9, por *nōrāʾ*, «terrible», en Neh 1,5; 9,32; Dn 9,4. También habría que colocar aquí la promesa davídica de Sal 89,29. «Mi alianza le será fiel» constituye ciertamente una frase independiente, pero está subordinada desde el punto de vista lógico a «le guardaré mi *ḥǽsæd* por siempre». La alianza prometida se basa en la *ḥǽsæd;* al anuncio de ésta en el v. 3 sigue el establecimiento de la alianza en el v. 4. El carácter de la promesa ilumina también los vv. 25. 34.40.

En Is 55,3b las *ḥᵃsādīm* prometidas a David, que se han ido mostrando válidas a través de los acontecimientos, son traspasadas al pueblo entero como alianza eterna (promesa sin límites). Semejante es también la relación entre la *ḥǽsæd* eterna y la alianza de paz que no fallará (Is 54,8.10). Sobre las formas plurales y su relación con *raḥᵃmīm*, cf. *sup.* III/3a.4a; cf. → *rḥm*. La expresión *ʾanšē ḥǽsæd* de Is 57,1 equivale a *ḥᵃsīdīm* (cf. *inf.* IV/6).

5. *a)* En los salmos, *ḥǽsæd* caracteriza normalmente, aunque no siempre (cf. *sup.* II/6c), una actitud de Dios. El carácter formulario y litúrgico de las expresiones excluye ya en principio toda delimitación rígida de las concepciones. Por otra parte, el constante uso de los salmos en la oración implica la creación de nuevas combinaciones y una ampliación de las ideas. Es característico en este sentido el empleo de la fórmula *ḥǽsæd wæᵉmæt*, que puede presentar ambos términos unidos (Sal 25,10; 40,11.12; 57,4; 61; 8; 86,15; 115,1; 138,2; con *ᵉmūnā:* 89,25; 98,3; como fórmula hecha, pero

sin *ᵉmæt,* en 145,8) o también, con frecuencia, separados (26,3; 36,6; 57, 11; 85,11; 89,34; 92,3; 100,5; cf. también Miq 7,20). Pero si tenemos en cuenta que la fórmula puede aparecer de esa doble forma en un mismo salmo (Sal 57; 89), la diferencia no puede ser fundamental. La elección de los verbos empleados deja reconocer con bastante claridad que *ḥǽsæd* y *ḥǽsæd wæᵉmæt* no deben entenderse ya sólo como apertura y disponibilidad de Dios para con los hombres que se manifiesta en los hechos, sino más bien como una de sus propiedades.

La *ḥǽsæd* llena la tierra (33,5; 119,64), es alta como el cielo (36,6; 57,11; 108,5), viene sobre los hombres y es mayor que ellos (33,22; 86,13; 89,25; 117,2; 119,41), rodea a los que temen a Dios (32,10), sigue al hombre (23,6), le sacia (90,14), es preciosa (36,8); Dios la manda (42,9); la hace oír (143,8); la retira (66,20; 77,9). 2 Sm 22,51 = Sal 18,51 presenta la antigua fórmula convencional con *ʿśh*, «manifestar», *ḥǽsæd*.

b) El desarrollo posterior lleva consecuentemente a hipostatizar la *ḥǽsæd* (así, por ejemplo, en Sal 40,12; 57,4, añadido; 61,8; 85,11; 89,15). Esto se delinea ya en el antiguo empleo de *ḥǽsæd*, pero ahora va más allá y significa una limitación del sentido original. Esta limitación aparece también en el empleo de las formas plurales de *ḥǽsæd* (cf. *sup.* III/3a), y de ella depende también el creciente significado que va adquiriendo *ṭūb* en combinación con *ḥǽsæd* (cf. *sup.* III/4b). Cf. en sentido amplio, Sal 25,7; 86,5; 109,21; 145,8s, pero sobre todo la fórmula litúrgica fija «porque es bueno, porque su amor no tiene fin». El hecho de que *ṭōb* pueda faltar (25,6; 89,2.3.29; 103, 17; 138,8) indica claramente que este desarrollo es muy fluido.

c) No puede, sin embargo, establecerse una neta diferencia. Otras afirmaciones deben entenderse también como donación de Dios; así, cuando se confía en la *ḥǽsæd* (Sal 13,6; 52,10) como en Yahvé mismo o en su nombre (por ejemplo, 9,11; 33, 21), cuando se espera en ella (33,18; 52, 10), se alegra en ella (31,8) o cuando es alabada, ponderada o ensalzada (48,10; 59,17; 88,12; 92,3; 101,1; 107,8.15.21.31). Lo mismo aparece con especial claridad cuando —normalmente, pero no exclusi-

vamente en los cánticos de lamentación—
se pide que Dios actúe por o conforme a
su *ḥǽsæd* (cf. *sup.* III/3c). Este es el
caso, en sentido amplio, de Sal 21,8; 31,
17; 143,12, así como las fórmulas «por/
conforme a la abundancia de tu *ḥǽsæd*»
(5,8; 69,14; 106,45; cf. también Is 63,7;
Lam 3,32).

Lo que se pide al solicitar la *ḥǽsæd* es
siempre algo central: salvación y ayuda,
vida en el sentido más amplio. En este
aspecto es de gran importancia también la
unión con *slḫ,* «perdonar» (cf. *sup.* IV/
2b).

Finalmente debe mencionarse la conexión entre *ḥǽsæd* y los milagros divinos;
ambos conceptos pueden aparecer muy
separados uno de otro (Sal 4,4, texto enmendado; Sal 17,7, texto enmendado; 26,
3.7; 31,22; 77,9.12; 86,5.10; 88,12.13;
89,3s.6; 98,1.3; 106,7; 107,8.15.21; 136,
1-3.4).

d) Son raros, y no claros, los pasajes que caen fuera de este cuadro y
en los que *ḥǽsæd* está fuertemente
arraigada en la conducta de quien la
recibe.

En Sal 62,13, «pues tú pagas a cada
uno según sus obras», la coordinación
puede tener su fundamento en el carácter del proverbio numeral. Cuando
en Sal 33,18; 103,11.17 y 147,11 la
ḥǽsæd se pone en relación con el temor
de Dios, el contexto muestra que éste
no constituye una cualificación previa,
sino una expresión genérica de la piedad
y viene a ser casi idéntico a reconocimiento de Dios (cf. 36,11). Queda todavía el caso curioso de 144,2. En el
caso de que no deba enmendarse el
texto (cf., por ejemplo, Kraus, BK XV,
940s: *ḥosnī,* «mi fuerza»), podría pensarse en la actitud humana de fe (de
modo semejante lo entiende Elbogen,
loc. cit., 46: «mi promesa, mi seguridad»).

6. *a)* El adjetivo *ḥāsīd,* traducido
normalmente por «fiel, piadoso», designa a aquel que practica la *ḥǽsæd*
(sobre los textos, en especial en los salmos, cf. *sup.* II/2). La forma no seguida de genitivo (singular: Jr 3,12; Miq
7,2; Sal 4,4, texto dudoso; 12,2, texto

dudoso; 18,26 = 2 Sm 22,26; Sal 32,
6; 43,1; 86,2; 145,17; plural: Sal 149,
1.5) ocupa un lugar muy reducido con
respecto a otras expresiones propias
del lenguaje de la piedad (por ejemplo, *yāšār, tāmīm*) (distinto, H. A. Bru-
gers, NedThT 8 [1954] 282). Los sufijos pronominales (1.ª, 2.ª o 3.ª persona) se refieren exclusivamente a Yahvé; el hecho de que no se hable de un
ḥāsīd de Yahvé se explica por el carácter de oración de los textos en cuestión.

b) El adjetivo —correspondiendo a
su forma nominal— puede tener sentido activo o pasivo (BL 470; sobre la
importancia del sentido pasivo, cf.
A. Jepsen, *Nabi* [1934] 5), aunque no
resulte posible establecer una exacta
distinción. El sentido es activo con
toda claridad en Jr 3,12: Dios mismo
es *ḥāsīd* (de modo similar también en
Sal 145,17, paralelo a *ṣaddīq,* «justo»;
cf. la expresión *rab ḥǽsæd, sup.* IV/
2a).

c) Fuera de estos casos, *ḥāsīd* es
empleado únicamente para designar una
actitud piadosa por parte del hombre.
A partir del empleo del término,
L. Gulkowitsch, *Die Entwicklung des
Begriffes ḥāsīd im AT* (1934) 22, ha
concluido que *ḥāsīd* era en su origen
un concepto marcadamente colectivo y
designaba la pertenencia a la comunidad de Yahvé. Esto es correcto, ciertamente, pero no en el sentido de que
ḥāsīd fuera originalmente un concepto
neutro que tenía que ser determinado
después por diversos complementos
(*loc. cit.,* 28). Los *ḥᵃsīdīm* son ciertamente conscientes de estar relacionados
especialmente con Yahvé (Brongers,
loc. cit., 291), pero esto vale en principio para todo el pueblo; no se puede,
pues, pensar en un grupo de fieles com-
bativos separados del resto, que se man-
tuvo activo desde el s. VIII/VII hasta la
época de los Macabeos (así opina
B. D. Eerdmans, OTS 1 [1942] 176-
257).

La comunión íntima con Yahvé se
expresa de diversas formas: Yahvé está
junto a ellos (Sal 145,17) o ellos están

junto a él (148,14); le rezan a él (32, 6), confían en él (86,2), le aman (31, 24); se alegran en él y le alaban (Sal 30,5; 52,11; 132,9.16; 145,10; 148, 14; 149,5; 2 Cr 6,41). Yahvé les habla cara a cara (89,20), les perdona (32,5), les ampara (1 Sm 2,9; Sal 37,28; 86,2; 97,10; Prov 2,8), les salva de la muerte (Sal 16,10; 116,15; de forma negativa, en la lamentación 79,2); ellos constituyen su comunidad (149,1), su pueblo (85,9), son sus siervos (79,2; 86,2; cf. 116,15s).

Si se prescinde de las expresiones más bien genéricas propias del lenguaje religioso que aparecen en paralelo a *ḥāsīd* («honrado», Sal 97,10; Prov 2, 8; «justo», Sal 97,10; «fiel», Sal 31, 24; opuesto a «impío», 1 Sm 2,9; Sal 37,28; cf. 43,1), debe afirmarse que el *ḥāsīd* no recibe una especial calificación ética (Gulkowitsch, *loc. cit.*, 22). *ḥāsīd* son los que pertenecen a la comunidad, es decir, aquellos que viven en el ámbito de la gracia divina (aspecto pasivo de la forma nominal); cf. *ḥāsīd* junto a la *ḥǽsæd* de Dios en Sal 31,8.17.22. 24; 32,6.10; 52,10.11; 85,8.9.11; 85, 8.9.11; 86,2.5.13.15; 89,15.20.25.29; 2 Cr 6,41.42. La expresión «compañero de gracia» (Brongers, *loc. cit.*, 294) constituye una correcta traducción de *ḥāsīd*.

d) A partir de aquí se explican los diversos matices que se pueden constatar en el concepto. Así, Miq 7,2 debe interpretarse a partir de 6,8. La disponibilidad divina (*ḥǽsæd*) constituye la base a partir de la cual se hace posible e incluso se debe esperar la *ḥǽsæd* humana como disponibilidad hacia Dios y hacia los demás hombres. Así, *ḥāsīd* viene a ser el fiel que practica él mismo la *ḥǽsæd*. No es necesario ver en ello una dimensión ética específica del concepto (Gulkowitsch, *loc. cit.*, 22) que se manifestaría en las formas no sufijadas del adjetivo (cf. *sup.* 6a). Por una parte, faltan en ellas determinadas características, y por otra, están condicionadas parcialmente por los diversos contextos.

e) El carácter activo del concepto aparece con claridad en Sal 18,26 = 2 Sm 22,26, único pasaje en que se emplea *ḥsd* hitpael, «manifestarse como *ḥāsīd*»: «con el piadoso, tú (Yahvé) te manifiestas piadoso». La actitud de un *ḥāsīd* constituye aquí el presupuesto de la *ḥǽsæd* divina.

f) Es comprensible que un concepto tan denso, desde el punto de vista religioso, haya experimentado una limitación hasta llegar a designar un grupo concreto, a saber: el de los «devotos»; ésos son los Ασιδαιοι de 1 Mc 2,42; 7,13; 2 Mc 14,6, que unen piedad y combatividad (cf. H. W. Huppenbauer, BHH I, 298). El hecho de que el término hebreo haya sido transcrito en un texto griego indica que se ha convertido en la designación propia de un grupo.

V. 1. Kuhn, *Konk.*, 74s, ha contado en los textos no bíblicos de Qumrán, que han sido editados hasta el momento 58 casos de *ḥǽsæd,* de ellos, 15 corresponden a la Regla de la secta, 31 a diversos cánticos de alabanza y 7 al libro de la guerra. Aquí mencionaremos sólo los pasajes en los que se observa un empleo de *ḥǽsæd* que desarrolla los aspectos ya señalados en el AT. Con respecto al AT las formas plurales se han hecho mucho más frecuentes en proporción a las formas singulares (32 × en plural, 26 × en singular); de todas formas, el plural no designa siempre «pruebas de amor», ya que a veces puede constituir un plural abstracto (por ejemplo, 1QH 2, 23; 4,37; 6,9; 9,7; 11,18). *ḥǽsæd* se va alejando de su significado original y va perdiendo su independencia, como lo demuestra el hecho de que a veces aparece como genitivo atributivo de otros sustantivos.

Es característica en este sentido la expresión *ʾhbt ḥsd* de 1QS 2,24; 5,4.25; 8,2; 10,26 (también CD 13,18; cf. Ph. Hyatt, AThR 24 [1952] 232), que a pesar de la semejanza fonética es sintácticamente distinta de Miq 6,8 (P. Wernberg-Møller,

The Manual of Discipline [1957] 57). La expresión se refiere a la actitud que adoptan los miembros de la comunidad entre sí.

En este mismo sentido se explica *bryt ḥsd* 1QS 1,8 (cf. también 1QHf 7,7); aquí se designa también la comunidad en cuanto tal. De esa forma, el sentido de *ḥǽsæd* se hace muy fluido; pero en cualquier caso el significado de *ḥǽsæd* va en la línea de una manifestación divina, como lo prueba la fórmula *hswmr ḥsh lbrytw,* 1QM 14,4, que subraya lo afirmado en Dt 7,9 (cf. también CD 19,1). En la misma dirección apunta la fórmula *bny ḥsd* de 1QH 7,20; quizá es más instructiva aún la fórmula *ʾbywny ḥsd* de 1QH 5,22, que caracteriza a los pertenecientes a la alianza como pobres agraciados (no opina así M. Mansoor, *The Tahnksgiving Hymns* [1961] 135).

2. En los LXX, *ḥǽsæd* es traducido preferentemente por ἔλεος, *ḥāsīd* por ὅσιος. Sobre el influjo de estos conceptos en el NT, cf. R. Bultmann, artículo ἔλεος: ThW II, 474-483; F. Hauck, art. ὅσιος: ThW V, 488-492.

H. J. Stoebe

חסה *ḥsh* Refugiarse

1. El hebreo *ḥsh,* «salvarse», pertenece, con el significado base de «esconderse», a una raíz empleada en las lenguas semíticas con relativa sobriedad; en acádico *(ḫesû,* cf. AHw 342a; CAD H 176s) significa «encubrir, disimular»; en etiópico *(ḫasawa,* Dillmann, 93), «cubrir, ocultar». Sobre los supuestos paralelos árabes y arameos, cf. L. Delekat, VT 14 (1964) 28s (sobre el árabe *ḫasiya,* «tener miedo», cf. también L. Kopf, VT 8 [1958] 173).

El siríaco *ḥasyā,* «piadoso», y sus derivados muestran el posible empleo teológico (LS 245; cf. también DISO 93; palmirano *ḥsy* pael, «consagrar»).

La raíz está representada en el AT por dos términos: el verbo que aparece únicamente en qal y el nombre *maḥsǣ,* «refugio», formado con la preformativa *m-*. El abstracto *ḥāsūt* aparece sólo en Is 30,3, paralelo a *māʿōz,* «refugio», con un significado semejante al de *maḥsǣ.* Los nombres personales *Ḥōsā* (1 Cr 16,38; 26,10.11.16) y *Maḥsēyā* («Yahvé es refugio», Jr 32,12; 51,59; cf. Noth IP 57.62.158) no aportan nada decisivo a la historia del significado.

2. El verbo y el nombre han cristalizado fundamentalmente en el lenguaje litúrgico; el estudio estadístico del término muestra, por tanto, una fuerte concentración de casos en el Salterio: *ḥsh* qal 37 × (Sal 25 ×, Is 3 ×), *ḥāsūt* 1 × (cf. *sup.), maḥsǣ* 20 × (Sal 12 ×, Is 4 ×); del total de 58 casos, 37 pertenecen a los salmos.

3. Siguiendo a Delekat *(loc. cit.,* 28-31), debe afirmarse que el significado base es «ponerse a salvo en/con» (cf. Jue 9,15; Is 14,32). El AT conoce toda una serie de expresiones paralelas muy semejantes, por ejemplo, → *ʿūz bᵉ,* «refugiarse en» (Is 30,2); → *str* nifal *bᵉ,* «ocultarse en» (1 Sm 20,5; Is 28, 15); *mlṭ* nifal o → *nūs ʾæl* (o también seguido de *h* locativa), «huir hacia» (Gn 19,17-22; Ex 21,13; Nm 35,6.32; 1 Sm 22,1); *brḥ ʾæl/lᵉ,* «huir hacia» (1 Re 2,39; Neh 13,10); *pqd* hifil *nǽfæš bᵉyād,* «confiarse a alguien» (Sal 31, 6); → *dbq bᵉ/ʿim,* «adherirse a» (Rut 1,14; 2,8; Dt 10,20); *yšb bᵉ* o *līn* hitpael *bᵉ,* «quedarse en» (Sal 91,1). *ḥsh* aparece con frecuencia en el contexto próximo de estas expresiones y significa, por tanto, objetiva o metafóricamente la búsqueda de un lugar seguro. Excepto en dos casos (Sal 62,8; 73,28) que marcan el paso a una concepción subjetiva (contra L. Delekat, *Asylie und Schutzorakel* [1967] 211, *maḥsǣ* designa directa o figurativamente el escondrijo o lo que da seguridad (cf. Is 4,6; Sal 41,1s.9; 104,18); son sinónimos, entre otros, *ʿōz/māʿōz,* «refugio» (→ *ʿūz); sḗtær/mistōr/mistār;* «escondrijo» (→ *str); miśgāb,* «fortaleza, refugio»; *miqlat,* «refugio, asilo».

4. Los textos cúlticos emplean el verbo y el nombre en proclamaciones de confianza de estilo confesional que reivindican la protección de Yahvé *(a);* el verbo es empleado además, especialmente el participio activo, para designar a la comunidad cultual *(b).*

a) Una de las fórmulas propias de los cánticos de lamentación o de confianza es la siguiente: *b^e kā ḥāsītī* (Yhwh), «yo me refugio en ti (Yahvé)», «yo (me) confío en ti»; así, por ejemplo, en Sal 7,2; 11,1; 16,1; 25,20; 31, 2; 57,2; 71,1; 141,8; cf. *b^e kā bāṭaḥtī,* «en ti confío» (→ *bṭḥ).* En contextos hímnicos la fórmula es: «en él, Yahvé, yo confío» (Sal 18,3; 144,2). La misma función desempeña a veces el imperfecto (Sal 57,2; 61,5; la expresión nominal es: «tú eres (él es) mi (nuestro) *maḥsǣ*» (Sal 46,2; 61,4; 62,8.9; 71,7; 91,2.9; 94,22; 142,6; cf. Is 25,4; Jr 17,17). En Is 28,15 y Jl 4,16 podemos escuchar un eco de la fórmula de confianza.

b) En el empleo descriptivo el verbo no se aplica tanto al orante particular (como es lo normal en las fórmulas de confianza) cuanto a la comunidad necesitada de protección. Sal 64,11 e Is 57,13 aplican a *ḥsh b^e* a un particular; Prov 14,32 sabe que el justo puede confiar en su inocencia (léase con los LXX, *ḥōsǣ b^e tummō).* En los demás casos se trata de una pluralidad de *ḥōsīm,* que son descritos —en paralelo a aquellos que temen a Yahvé (Sal 31, 20), que aman su nombre (5,12), que son sus siervos (34,23)— por medio de fórmulas fijas, frecuentemente por medio de bendiciones (Sal 2,12; 5,12; 17,7; 18,31; 31,20; 34,23; Nah 1,7; Prov 30,5; cf. el empleo de las formas verbales conjugadas en Sal 34,9; 36,8; 37,40; Sof 3,12).

ḥsh puede designar también la búsqueda de un lugar de refugio (el santuario); la declaración concreta «refugiarse bajo las alas de Yahvé» (Rut 2,12) o «a la sombra de las alas» (Sal 36,8; 57,2) apunta hacia un lugar cúltico (→ *kānāf).* Hasta aquí se puede seguir a Delekat, *loc. cit.,* 209ss. Pero esta declaración de confianza no indica sólo la búsqueda objetiva de un lugar de asilo (el que lo afirma está rechazando el carácter litúrgico de los salmos) sino también la postura interna de la comunidad orante. El que se acoge a Yahvé (Sal 61,5; 91,1s) hace suya la experiencia adquirida en el culto por las generaciones precedentes.

El adjetivo siríaco *ḥasyā* parece haber alcanzado el mismo nivel de significado. También el griego 'Εσσαῖοι ('Εσσηνοί), «esenios», tomado del arameo, continúa el empleo comunitario de nuestro término (cf. K. G. Kuhn, RGG II, 701-703).

5. Los LXX y el NT recogen el contenido de *ḥsh* por medio de diversos términos, pero tienden hacia una comprensión espiritual: πεποιθέναι, «confiar»; ἐλπίζειν, «esperar»; σκεπάζεσθαι, «buscar asilo» (cf. R. Bultmann y K. H. Rengstorf, art. ἐλπίς: ThW II, 515-531; R. Bultmann, artículo πείθω: ThW VI, 1-12; *loc. cit.:* «*ḥsh,* buscar asilo, incluye, por tanto, por su mismo contenido, el sentido secundario de confianza»). LXX^B, en Jue 9,15 presenta un sentido local del término. En el nombre (¿dado por extraños?) y en la ideología de los esenios se manifiesta la pretensión de exclusividad de la comunidad fiel.

E. Gerstenberger

חפץ *ḥpṣ* Hallar gusto, agrado

1. La raíz *ḥpṣ* aparece sólo en el semítico occidental (fenicio: *mḥpṣ[?],* Lidzbarski, KI N. 38; *Ḥpṣb'l* como nombre propio, cf. Harris, 104; arameo antiguo: *Sef.* III, línea 8: *kl ḥpṣy,* cf. DISO 94: «tout ce que je desire», Fitzmyer, *Sef.* 97.112: «any of my business»; siríaco: *ḥpṭ,* «esmerarse», LS 249s; árabe *ḥafiẓa,* «custodiar», cf. HAL 326a) y en el AT aparece sólo en hebreo. Para su etimología, L. Kopf, VT 8 (1958) 173, remite al árabe *ḥafiẓa,* «custodiar, proteger».

Del verbo, que aparece sólo en qal, se han derivado dos formas nominales:

ḥāfēṣ, «complacido», que funciona como participio o como adjetivo verbal, y *ḥēfæṣ* —abstracto verbal— «gusto, deseo; ocupación».

En Job 40,17 aparece una segunda raíz *ḥpṣ,* «colgar (?)»; cf. el árabe *ḥafaḍa,* «humillar» (HAL 326b).

2. Si incluimos, con Mandelkern, los casos del participio *ḥāfēṣ* (12 ×, según Lisowsky), el verbo aparece 86 × en el AT (Sal 18 + 6 ×, incluido 111, 2, siguiendo a Lisowsky y a HAL 326c; Mandelkern lo incluye en la sección de *ḥēfæṣ;* Is 12 ×, los restantes profetas, 8 + 1 ×, Est 7 ×); el abstracto verbal *ḥēfæṣ* aparece 38 ×, más 2 × formando parte del nombre personal femenino *Ḥæfṣi-bāh* («hallo placer en ella», 2 Re 21,1; también, como nombre simbólico, en Is 62,4, cf. Noth, IP 223).

3. *a)* En el ámbito profano el verbo seguido de objeto personal (introducido siempre por la partícula *b*ᵉ) designa siempre el afecto de una persona hacia otra (Gn 34,19; 1 Sm 19,1; 2 Sm 20,11); se refiere especialmente al favor que un superior, en el orden jurídico o social, otorga a sus subordinados (Dt 21,14; 1 Sm 18,22; Est 2, 14).

Cuando el objeto no es personal, puede ser introducido por la partícula *b*ᵉ o ser construido simplemente como acusativo de objeto. Con la partícula *b*ᵉ aparecen tanto nombres concretos (Is 13,17; Sal 73,25) como abstractos (Is 66,3; Sal 109,17; Prov 18, 2; Est 6,6.7.9.11). Como acusativos de objeto aparecen sólo nombres abstractos (Os 6,6; Sal 68,31; Job 21,14).

Para determinar claramente el sentido exacto del término es de gran utilidad compararlo con vocablos de parecido significado, especialmente con → *rṣh* y → *'hb.* No siempre pueden trazarse con precisión los límites entre *ḥpṣ* y *rṣh.* Ambos vocablos son empleados como sinónimos en sentido amplio (en Sal 147,10 aparecen en paralelo). Pero los dos han extendido su significado en direcciones diversas. El término *rṣh* es empleado como expresión técnica del ámbito cultual para declarar que el sacrificio es «acepto» (R. Rendtorff, *Die Gesetze in der Priesterschrift* [1954] 74s; E. Würthwein, ThLZ 72 [1947] 147s); *ḥpṣ,* por el contrario, va perdiendo el carácter emocional y se desarrolla en el sentido de «querer, interesarse» (Is 55,11; Jon 1,14; Sal 115,3; Cant 2,7; Ecl 8,3). Con relativa frecuencia, *ḥpṣ* va acompañado de un infinitivo y se emplea, por tanto, como verbo auxiliar (Dt 25,8; Jue 13, 23; 1 Sm 2,25). De forma semejante, *ḥēfæṣ* aparece también en el sentido de «asunto, negocio» (Is 58,3.13; Ecl 3,1.17; 5,7 y frecuentemente en los textos de Qumrán); sobre el empleo de *ḥēfæṣ* en Ecl, cf. W. E. Staples, JNES 24 (1965) 113-115: «business or facts» de la vida; cf. también G. Rinaldi, BeO 9 (1967) 48; Wagner N. 109.

Con respecto a *'hb,* el verbo *ḥpṣ* se diferencia en que el significado de «hallar placer» marca una distinción de nivel entre el sujeto y el objeto —se trata casi siempre del afecto por parte de un superior—, distinción que falta por completo en el verbo «amar»; cf., por ejemplo, la narración de David en la corte de Saúl, donde la bondad de Saúl para con David es expresada por medio de *ḥpṣ* (1 Sm 18,22), mientras que para el afecto mostrado a David por Jonatán (18,1), el pueblo (18,6) y Mikal (18,20) aparece el término *'hb.*

b) Un cuadro semejante aparece cuando se comparan los sustantivos, de significado semejante, *ḥēfæṣ* y *ḥēn* (→ *ḥnn).* Este último tiene el sentido de «popularidad» y aparece normalmente como objeto; en concreto, aparece en construcciones verbales que expresan una estima mostrada desde el exterior, sobre todo en unión a *mṣ'*, «encontrar». En el caso de *ḥēfæṣ,* por el contrario, se trata primariamente de una manifestación activa dirigida hacia el exterior. Es raro que *ḥēfæṣ* aparezca como objeto; eso ocurre sólo en verbos que significan «producir» o «mostrar» (1 Re 5,22s; 10,13 = 2 Cr 9,12; Is 46,10; 48,14).

ḥḗfæṣ designa en primer término un sentimiento subjetivo: el agrado como actitud anímica. Ese es siempre el sentido cuando *ḥḗfæṣ* va acompañado por una preposición *(bᵉ* o *lᵉ).* Pero cuando no sigue ninguna preposición, el sentido se desplaza hacia una dirección objetiva y el aspecto de sentimiento es sustituido por el objeto correspondiente. En lugar del sentimiento de agrado, *ḥḗfæṣ* designa el objeto del agrado: «lo que gusta a alguien, lo atractivo» (2 Sm 23,5; 1 Re 5,24; 9,11; 10,13; Sal 107, 30; Job 31,16); cf. el acádico *migru,* «condescendencia, favor» > «objeto del favor, favorito» (para ulteriores ejemplos, cf. W. Eilers, *Zur Funktion von Nominalformen:* WdO III/2 [1964] 126).

En Prov 3,15; 8,11, donde *ḥḗfæṣ* (en plural, paralelo a *pᵉnīnīm,* «corales») designa con toda claridad objetos preciosos, se da una especial objetivación y concretización. La expresión debe explicarse probablemente como abreviación de *ʾabne ḥḗfæṣ* «piedras preciosas» (Is 54,12; Eclo 45,11; 1QM 5,6.9.14; 12,13); cf. las expresiones semejantes *ʾǽreṣ/dibrē ḥḗfæṣ,* «país/palabras que producen alegría» (Mal 3, 12; Ecl 12,10), y *kᵉlī ʾēn ḥḗfæṣ bō,* «objeto que nadie aprecia» (Jr 22,28; 48,38; Os 8,8).

4. Si tenemos en cuenta que la mayoría de las veces «agrado» designa el afecto mostrado por un superior a sus subordinados, resulta fácil comprender que el término aparezca con frecuencia en el lenguaje teológico y concretamente en expresiones que tienen a Dios como sujeto. Sin embargo, ni el verbo ni las formas nominales son empleados como fórmulas teológicas fijas. Como objeto directo del agrado divino aparecen las siguientes cosas o abstracciones: sangre, sacrificio, amor, camino del piadoso, verdad; objetos introducidos por la partícula *bᵉ:* el piadoso, Israel, Sión, vida, muerte, fuerza del caballo. Las únicas personas, designadas con nombre propio, presentadas como objeto del agrado divino, son las siguientes:

Salomón (1 Re 10,9 = 2 Cr 9,8) y Sadeq (2 Sm 15,26).

El «agrado» humano (a diferencia de *ʾhb)* nunca puede tener por objeto a Dios/Yahvé, pero sí a la «palabra de Yahvé» (Jr 6,10), sus «mandamientos» (Sal 112,1; 119,35), además, «conocimiento de sus enemigos» (Is 58,2; Job 21,14), «razón» (Prov 18,2), «bendición» (Sal 109,17), «acercamiento a Dios» (Is 58,2).

5. Tanto el verbo como el sustantivo están documentados en los escritos de Qumrán (5 y 13 casos, respectivamente, según Kuhn, *Konk.,* 75), pero son mucho menos frecuentes que *rṣh/rāṣōn.* El neotestamentario εὐδοκεῖν enlaza más bien con *rṣh* (cf. G. Schrenk, art. εὐδοκέω: ThW II, 736-748).

G. GERLEMAN

חקק *ḥqq* **Grabar, establecer**

1. La raíz *ḥqq* aparece en el AT y también en la inscripción arameo-antigua de la estatua de Hadad en Zincirli (s. VIII a. C.; KAI N. 214, línea 34: «tú escribirás [?]», cf. Friedrich, 158), en fenicio (DISO 95), en hebreo medio, arameo-judaico, siríaco, árabe y etiópico (HAL 333b; R. Hentschke, *Satzung und Setzender* [1963] 21s).

Junto a *ḥqq* qal aparece en el AT (y en el hebreo medio) la forma secundaria *ḥqh* (pual: 1 Re 6,35; Ez 8,10; 23,14; hitpael: Job 13,27). El participio del modo poel, que sustituye al piel *(mᵉḥoqēq),* se ha convertido en sustantivo independiente («alguien que graba» o «algo que graba»). El sustantivo masculino *ḥōq* es un infinitivo sustantivado de *ḥqq* qal (BL 455); el correspondiente femenino *ḥuqqā* se formó relativamente tarde de modo análogo a los femeninos *tōrā* y *miṣwā* (K. Albrecht, ZAK 16 [1896] 98; Liedke, cf. *inf.,* 176).

2. En el AT el verbo *ḥqq* aparece 12 × (qal 9 ×, pual, hofal y poel 1 ×), la forma secundaria *ḥqh* 4 × (cf. *sup.).*

Los sustantivos aparecen: *meḥōqeq* 7 ×, *ḥōq* 129 × (Sal 30 ×, de ellas, 21 × en Sal 119; Dt 21 ×, Lv 11 ×), *ḥuqqā* 104 × (Lv 26 ×, de ellas, 23 × en la Ley de Santidad; Ez 22 ×, Nm 14 ×, cf. Hentschke, *loc. cit.,* 113, nota 3; Elliger, HAT 4, 223, nota 15; 236s).

Sobre diversas hipótesis y sugerencias, cf. HAL 333; está fuera de dudas que Jue 5,15; Sof 2,2; Sal 74,11; Job 23,12 deben enmendarse.

3. *a)* El verbo *ḥqq (ḥqh)* se ha desarrollado a partir del significado material fundamental, «excavar, grabar, cincelar», en dos direcciones: por un lado significa «grabar, escribir», y por otro, «establecer, determinar» (→ *yʿd 3d).*

Sobre este tema, cf. la siguiente bibliografía: R. Hentschke, *Satzung und Setzender* (1963) (estudio detallado); J. van der Ploeg, *Studies in Hebrew Law:* CBQ 12 (1950) 250-252; S. Mowinckel, *The Hebrew Equivalent of Taxo in Ass. Mos. IX:* SVT 1 (1953) 88-96; Z. W. Falk, *Hebrew Legal Terms:* JSS 5 (1960) 350-354; P. Victro, *A Note on ḥoq in the O. T.:* VT 16 (1966) 358-361; G. Liedke, *Gestalt und Bezeichnung alt. Rechtssätze* (1971) 154ss.

El significado material aparece todavía claro en los siguientes pasajes: en Is 22,16 la acción de excavar una tumba en la roca es designada por medio de *ḥqq* (paralelo a *ḥṣb);* en Ez 4,1 el verbo se refiere a la acción de inscribir el plano de Jerusalén en un ladrillo (cf. A. Jeremias, *Das AT im Lichte des Alten Orients* [³1916] 617.621, que habla del plano de una ciudad grabado en arcilla); en Is 49,16 designa la acción de tatuar el nombre de la persona amada en la mano del amante (P. Volz, *Jesaja II* [1932] 102); en 1 Re 6,35b; Ez 8,10; 23,14, el participio pual *meḥuqqǣ,* «entallado, grabados»; en Job 13,27 las huellas son descritas como señales que quedan sobre el suelo para asegurar la indicación del lugar que Job pisa (Horst, BK XVI, 205). En Is 10,1; 30,8 y Job 19,23 (hofal) *ḥqq* aparece en paralelo a *ktb,* «escribir». Job 19,23 se refiere a la acción de grabar una inscripción en la piedra (según afirma Fohrer, KAT XVI, 317), es decir, se fija más bien en el aspecto técnico de la escritura; por el contrario, Is 30,8, «anotar en un → *sēfær* (quizá en un pergamino)», *ḥqq* es sinónimo de *ktb.* Is 10,1: «escribir decretos de desgracia», apunta ya hacia el sentido de «establecer, determinar».

No puede afirmarse que en este último texto y en Jue 5,9 el participio qal *ḥōqēq* sea el título de un cargo anfictiónico (contra Hentschke, *loc. cit.,* 11ss).

Prov 8,15 (poel) y 31,5 (pual) apuntan, lo mismo que Is 10,1, hacia el ámbito jurídico; *ḥqq* significa «establecer el derecho, gobernar». También en Jue 5,9 debe traducirse *ḥqq* por «determinar (sobre Israel)». En Is 10,1; Prov 8,15; Jue 5,9; Job 13,27 se ve claramente que los sujetos de *ḥqq* son autoridades; *ḥqq* puede, pues, indicar la posición de superioridad en que se halla un señor con respecto a sus subordinados.

b) *meḥōqēq* aparece sobre todo en textos poéticos antiguos, en primer lugar en el sentido material de «vara, cetro», en Nm 21,18 (cántico del pozo) y Gn 49,10 (bendición de Jacob). Estas varas de los «príncipes» *(śārīm)* o del rey son signos de autoridad y dignidad; desempeñan una función en los procesos jurídicos (cf. *Iliada* XVIII, 503ss; cf. en L. H. Grollenberg, *Bildatlas zur Bibel* [1957] 38, figura 121, la reproducción de un cetro en un fresco egipcio). De la designación del cetro de mando se pasa *(pars pro toto)* a la designación de quien lo lleva, es decir, del «jefe, soberano»: Jue 5,14 (cántico de Débora); Dt 33,21 (bendición de Moisés).

No se puede excluir la posibilidad de que *meḥōqēq* haya sido en determinadas épocas o estratos del AT el título de un cargo de la «administración de grupos locales», aunque (contra Hentschke, *loc. cit.,* 11ss) no parece muy probable. En Dt 33, 21 se puede leer también el participio pual *meḥuqqāq,* «determinado, establecido» (cf. Prov 31,5; HAL 334a).

Es seguro en cualquier caso que *meḥōqēq* pertenece a la esfera del mando o del gobierno y que designa el instrumento o la persona del gobernante.

c) El significado más gráfico de *ḥōq* aparece allí donde *ḥōq* designa «lo marcado: la línea limítrofe». En Jr 5, 22; Job 38,10 y Prov 8,29a *ḥōq* designa el límite señalado al mar, límite que no se debe sobrepasar *(ʿbr);* en Sal 148,6 designa el límite del océano celeste. Miq 7,11b promete a Sión la ampliación de su territorio y lo hace por medio de la expresión «tu límite *(ḥōq)* será alejado». En Is 5,14 se dice del monstruoso Seol que dilató su boca sin *ḥōq,* es decir, sin medida, sin límite alguno.

ḥōq y *gᵉbūl,* «frontera», no son idénticos: *gᵉbūl* (originalmente «loma») designa el «límite natural» y *ḥōq* la línea trazada, es decir, la «frontera trazada artificialmente».

El texto de Ez 16,27, que habla de acortar *(grʿ)* el *ḥōq* de Jerusalén en el sentido de disminuir su territorio (cf. O. Eissfeldt, PJB 27 [1931] 58ss), muestra que en el término *ḥōq,* lo mismo que en *gᵉbūl,* en el término latino *finis* y en el griego ὅριον, el significado ha pasado de línea fronteriza al terreno comprendido dentro de la misma. En la misma línea se halla el empleo de *ḥōq* en Ez 45,14 en el sentido de una «cantidad determinada de aceite»; lo mismo, «una cantidad determinada de trigo», en Ex 5,14 (Noth, ATD 5,35) y Prov 31,15. En Job 14, 5,13; 23,14; Prov 30,8 *ḥōq* parece referirse al «tiempo de vida establecido (por Dios)» para el hombre.

En Sal 148,6 *ḥōq* se refiere no sólo al océano celeste, sino también al cielo de los cielos (v. 4), a las estrellas (v. 3), a los enviados y al ejército de Yahvé (v. 2). Esta serie muestra cómo *ḥōq* se va separando de su significado material y va adquiriendo el sentido de «orden, determinación» (cf. también Job 28, 26). También en Gn 47,26 *ḥōq* debe entenderse como «orden»; y lo mismo, con toda seguridad, en Jue 11,39b y 2 Cr 35,25b.

Si observamos quién es el que establece el *ḥōq* (el Faraón, el jefe de tropa del Faraón, la señora de la casa, José como visir, Yahvé) y a quién afecta el *ḥōq* (los sacerdotes egipcios, los jefes de los israelitas, las siervas, los egipcios, Job, Jerusalén, el mar, etc.), podemos concluir que *ḥōq* constituye el límite que el jefe marca a sus subordinados, límite hasta el cual pueden aventurarse y llegar, pero que en ningún caso deben sobrepasar.

Los verbos que característicamente acompañan a *ḥōq* son los siguientes: *śīm* (Jr 5, 22; Prov 8,29), *ntn* (Sal 148,6; Prov 31, 15), → *ʿśh* (Job 28,26), siempre en el sentido de «establecer, dar». Los genitivos que siguen a *ḥōq* se refieren a la autoridad que lo establece.

Así como *mišpāṭ* (→ *špṭ)* designa la «cláusula casuística» (Alt, KS I, 278-332), así también es de esperar que *ḥōq* designe un género concreto, pues la idea de orden y límite deben expresarse en muchos casos por medio de formas literarias concretas. Si investigamos el material legislativo del AT, observaremos que la «legislación apodíctica» (R. Hentschke, *Erwägungen zur isr. Rechtsgeschichte:* «Theologia Viatorum» 10 [1966] 108-133; Liedke, *loc. cit.,* 101ss; Alt señalaba esta forma como «derecho apodíctico», pero no la distinguía de los «mandamientos»; ejemplo: Ex 21, 12) tiene idéntico contexto social que el *ḥōq* (superior-subordinados; cf. Gn 26,11). Se puede, pues, pensar que *ḥōq* era la designación originaria de este tipo de legislación (J. Morgenstern, HUCA 7 [1930] 27; Liedke, *loc. cit.,* 177ss). Pero la legislación veterotestamentaria fue establecida de forma fija en una época en la que los diversos términos *ḥōq, mišpāṭ, tōrā* y *miṣwā* se habían convertido en términos sinónimos del derecho yahvístico (cf. *inf.,* 4*d;* sólo en Lv 18,3.30 y 20,23 se habla de las *ḥuqqōt* de los egipcios, de los cananeos y de los pueblos).

d) *ḥuqqā* es empleado sólo en sentido metafórico. En Jr 5,24b; 33,25; Job 38,33 se emplea en el sentido de «orden(es)»; en los demás casos, como designación de leyes y mandamientos (cf. 1 Re 3,3, *ḥuqqōt,* de David; Miq 6,16, *ḥuqqōt,* de Omri; 2 Re 17,8, *ḥuqqōt,* de los pueblos).

4. *a)* En el ámbito teológico, *ḥqq* o *ḥōq/ḥuqqā* aparecen en primer lugar en una serie de descripciones de la actividad creadora divina en el AT. En Prov 8,27 la sabiduría considera como un título de gloria el haber estado presente cuando Dios «marcó *(ḥqq)* un círculo en la superficie del abismo». De la fijación divina de este círculo, es decir, del horizonte, se habla también en Job 26,10 (que debe leerse *ḥāqaq,* siguiendo a los comentarios). En Jr 5,22; Job 38,10; Prov 8,29a *ḥōq* es el límite que Dios fija al mar. Estas descripciones de la creación han de asignarse a un determinado tipo de lenguaje: al de la creación como separación o distinción (Westermann, BK I, 46-48). El *ḥōq* marcado por Dios separa el océano celeste y la tierra (Prov 8,27; Job 26,10; Sal 148,6; cf. Gn 1,6-7), el mar y la tierra firme (Prov 8,27; Jr 5,22; Job 38,10; cf. Gn 1,9-10). En Jr 31,35 (que debe leerse *ḥōqēq,* siguiendo a los comentarios) *ḥqq* aparece en sentido metafórico dentro de una descripción de la creación: «la luna y las estrellas fijadas para iluminar la noche». También en Jr 31,36 y Job 28,26 *ḥōq* o *ḥuqqīm* significa «orden(es)»; en Jr 5,24b; 33,25; Job 38,33 *ḥuqqōt* designa asimismo el orden (natural) determinado por Dios.

En Sal 60,9 = 108,9, *m^{e}ḥōqēq* designa el cetro (real) de Yahvé, y en Is 33,22 aparece junto a *mælæk,* «rey», y *šōfēṭ,* «juez», como título de Yahvé.

b) En Job 14,5.13; 23,14 y Prov 30,8 se habla del *ḥōq* que Dios establece a los hombres. Si en estos pasajes se puede proponer todavía el sentido gráfico de «tiempo limitado», en Sal 2,7; 94,20; 105,10s; Is 24,5b *ḥōq* es empleado como «orden de Yahvé» en un sentido totalmente metafórico. De ahí se deduce que *ḥōq* en cuanto «orden» no designa sólo la obligación que para el subordinado se deriva del orden impuesto por Dios (Is 24,5b; cf. Jr 31, 36; Job 28,26), sino que también puede incluir la promesa, la obligación del mismo Dios; cf. Sal 105,10s = 1 Cr 16,17s, donde la promesa de la tierra hecha a los patriarcas es designada como → *b^{e}rīt* y como *ḥōq*. También el discutido texto de Sal 2,7 (cf. recientemente G. H. Jones, *The Decree of Yahweh:* VT 15 [1965] 336-344) debe entenderse así; según G. von Rad, *Das judäische Königsritual:* ThLZ 72 (1947) 211-216=GesStud 205-213, *ḥōq* designa aquí el contenido del protocolo real que Yahvé entrega al rey de Judá en el momento de su coronación; la «orden» que Yahvé emana con tal ocasión es la adopción del rey como hijo de Yahvé; es a la vez promesa (Sal 2,7b-9; 2 Sm 7) y obligación para el rey.

c) En la fórmula sacerdotal *ḥoq-ʿōlām* (con frecuencia seguida de «para Aarón y para sus hijos»), *ḥōq* es empleado como *terminus technicus* para designar la parte que corresponde al sacerdote en el sacrificio (Ex 29,28; 30,21; Lv 6,11; 7,34; 10,15; Nm 18, 8.11.19; cf. Lv 6,15; 10,13s y 24,9 [Ley de Santidad]; Hentschke, *loc. cit.*, 33ss). Este sentido de *ḥōq,* todavía en la línea material, debe compararse con el *ḥōq* de Gn 47,22.

La fórmula correspondiente *ḥuqqat-ʿōlām,* empleada en P y en la Ley de Santidad (seguida con frecuencia de «para vuestras generaciones») es una simple fórmula introductoria o conclusiva de determinaciones cultuales (P: Ex 12,14.17; 27,21; 28,43; 29,9; Lv 3,17; 7,36; 10,9; 16,29.31.34; Nm 10,8; 15,15; 18,23; 19,10.21; Ley de Santidad: Lv 17,7; 23,14.21.31.41; 24, 3; cf. Ez 46,14; Hentschke, *loc. cit.*, 42ss.64ss); la fórmula determina la validez eterna e incondicional de la prescripción en cuestión; *ḥuqqā* significa «ritual, ley». Lo mismo en «*ḥuqqā* de la pascua» (Ex 12,43; Nm 9,12.14); también en Nm 9,3.14; 15,15.

En la expresión *ḥuqqat mišpāṭ* (Nm 27, 11; 35,29), *ḥuqqā* designa la autoridad divina y *mišpāṭ* el ámbito de aplicación (la esfera del derecho civil) de la prescripción (Hentschke, *loc. cit.*, 46ss). La expresión *ḥuqqat hattōrā* (Nm 19,2; 31,21) es un pleonasmo que documenta la concurrencia de *tōrā* y *ḥuqqā* en los textos sacerdotales.

ḥuqqā tiene en P «fundamentalmente el mismo ámbito de aplicación» que → *tōrā* (R. Rendtorff, *Die Gesetze in der Priesterschrift* [[2]1963] 73s); se trata de conceptos en gran parte sinónimos.

d) En el Dt, obra deuteronomística, Cr, Ley de Santidad y Ez *ḥōq* y *ḥuqqā,* por lo general en plural, aparecen formando series con otros términos que significan ley y mandato. Todos estos términos se hallan al mismo nivel y designan —todos ellos— la totalidad o parte de las prescripciones y mandatos de Yahvé. En el Dt es característica la unión de *ḥuqqīm* y *mišpāṭīm* (Dt 4,1.5.8.14.45; 5,1.31; 6,1.20; 7,11; 11,32; 12,1; 26,16.17; cf. N. Lohfink, *Das Hauptgebot* [1963] 54-58); esta unión constituye quizá la confluencia de una tradición legal propia del yahvismo y otra lejana a éste (F. Horst, *Das Privilegrecht Yahwes* [1930] 120 = *Gottes Recht* [1961] 150). También la secuencia *ḥuqqōt/miṣwōt* (Dt 6,2; 8,11; 10,13; 11,1; 28,15.45; 30,16; cf. Gn 26,5) es característica del marco literario del Dt. En la obra deuteronomística aparecen los términos *ḥuqqīm/ḥuqqōt/mišpāṭīm/miṣwōt* combinados de las más diversas formas (Dt 30,10; 1 Re 2,3; 3,14; 6,12; 8,58; 9, 4.6; 11,33s.38; 2 Re 17,13.15.19.34. 37; 23,3). Cr, que en sus términos legales se aproxima al Dt (G. von Rad, *Das Geschichtsbild des chronistischen Werkes* [1930] 41ss) presenta también la serie *ḥuqqīm/mišpāṭīm* (Neh 1,7; 9,13; 10,30; 1 Cr 22,13; 2 Cr 7,17; 19,10; 33,8). En la Ley de Santidad y en Ez es típico el par de términos *ḥuqqōt/mišpāṭīm* (Ley de Santidad: Lv 18,4.5.26; 19,37; 20,22; 25,18; 26,14s.43; Ez: Ez 5,6s; 11,20; 18,9.17; 20,11.13.16.19; 37,24; 44,24; Zimmerli, BK XIII, 133s). En el Sal 119 *ḥuqqīm* es uno de los muchos términos empleados en el sentido de «ley» o «palabra de Dios» (Kraus, BK XV, 819).

En Ex 15,25b; Jos 24,25b; 1 Sm 30, 25b; Sal 81,5s; Esd 7,10b, *ḥōq* y *mišpāṭ,* ambos en singular, aparecen juntos. Esd 7,10b es un simple eco de Jos 24,25b; en Sal 81,5s no se puede señalar un sentido fuerte de ambos términos; en 1 Sm 30,25b; Jos 24,25b y Ex 15,25b, en cambio, se puede atribuir a los términos el sentido de «orden *(ḥōq)* delimitativa» y formulación jurídica *(mišpāṭ,* → *špṭ)* (Liedke, *loc. cit.,* 180ss).

5. En los textos de Qumrán, *ḥōq* y *ḥuqqā* son empleados en el sentido de 4*d* (M. Delcor, *Contribution à l'étude de la legislation des sectaires de Damas et de Qumrân:* RB 61 [1954] 539-541; W. Nauck, *Lex insculpta in der Sektenschrift:* ZNW 46 [1955] 138-140; K. Baltzer, *Das Bundesformular* [1960] 116s.124, nota 4); CD 6,3ss se basa en el doble sentido de *m[e]ḥōqēq* para hacer una exégesis alegórica de *m[e]ḥōqēq* en Nm 21,18 referido a una persona («el que investiga la ley»), cf. Mowinckel, *loc. cit.,* 92s; O. Eissfeldt, *Einleitung in das AT* ([3]1964) 883; M. Delcor, RB 62 (1955) 60-66.

Sobre la traducción de *ḥōq/ḥuqqā* en los LXX y sobre el NT, cf. Hentschke, *loc. cit.,* 103ss, y G. Quell y G Schrenk, art. δίκη: ThW II, 176-229, espec. 223-225; G. Delling, art. τάσσω (προστάσσω): ThW VIII, 27-49, especialmente 38s; H. Kleinknecht y W. Gutbrod, art. νόμος: ThW IV, 1016-1084, espec. 1081s.

G. Liedke

חרה *ḥrh* Arder

1. La raíz *ḥrh* está relacionada con *ḥrr,* «estar caliente, quemar»; pero, a diferencia de *ḥrr* (cf. AHw 238b; WUS N. 973), no pertenece al semítico común; se trata de una raíz que se ha desarrollado con cierta amplitud en hebreo y en arameo (árabe *ḥarwat,* «quemadura, acaloramiento», Wehr, 156a).

Los casos arameos más antiguos son los de KAI N. 214, línea 23: «y Hadad derramará cólera» *(ḥr'*, paralelo a *rgz*, «cólera»), y KAI N. 223 B, línea 12: «el día de la ira *(ḥrn)»;* cf. además HAL 337.

El verbo aparece en qal, nifal (participio en Is 41,11 y 45,24; según GK § 75 ×, Bergstr. II, 111, y BL 424, Cant 1,6 pertenece a esta raíz; pero, según G. R. Driver, JThSt 34 [1937] 380s y KBL 3,20: a *nḥr* piel, «resoplar»), hifil (Job 19,11 y Neh 3,20[?]), hitpael y dos veces en formas compuestas con la preformativa *t-* (con el significado de «competir» en Jr 12,5; 22,15; según GK § 55 h, se trata del modo tifel; según J. Blau, VT 7 [1957] 385-388, serían formas del modo *hitafel;* según Barth 279, Meyer II, 127; HAL 337b, serían formas denominativas de *taḥ^e^rā*, «disputa», Eclo 40,5). Hay que añadir los sustantivos *ḥ^o^rī*, «furor (de la ira)», y *ḥārōn*, «ardor (cólera)» (sobre las formas nominales, cf. BL 460s y 499).

2. El verbo aparece 93 × en el AT: 82 × en qal (Gn y Nm 11 ×, 2 Sm 8 ×, Jue y 1 Sm 7 × Ex 6 ×, Dt y Job 5 ×, Jon 4 ×, etc.; es especialmente frecuente en los textos narrativos), 4 × en hitpael (Sal 37, 1.7.8; Prov 24,19), 3 × en nifal (cf. *sup.*, 1), 2 × en hifil y 2 × en tifel (cf. *sup.*, 1). Los sustantivos aparecen: *ḥārōn* 41 × (Jr 9 ×, Sal 6 ×, 2 Cr 4 ×), *ḥ^o^rī* 6 × (Ex 11,8; Dt 29,23; 1 Sm 20,34; Is 7,4; Lam 2,3; 2 Cr 25,10).

La mitad de los casos de qal se refieren a la ira humana y la otra mitad a la ira divina; los demás modos verbales, a excepción de Job 19,11, se refieren a la ira humana; *ḥārōn* se refiere siempre a la cólera divina y *ḥ^o^rī* a la humana, excepto en Dt 29,23 y Lm 2,3.

3. Tanto el verbo como los sustantivos de la raíz *ḥrh* se aplican a la esfera psíquica sólo en sentido traslaticio. En dos tercios de los casos de qal el sujeto es *'af*, «ira» (en Hab 3,8 Yahvé no es sujeto, sino vocativo, cf. W. F. Albright, FS Robinson [1950] 12); aquí *ḥrh* significa «arder» (por ejemplo, Gn 44,18: «no arda tu cólera sobre tu siervo») y no es necesario retroceder al significado base de ambos vocablos (KBL 331b = HAL 337b: su nariz se puso caliente). En los demás casos el verbo aparece sin el sujeto *'af*. Resultan frases de estilo conciso: «se encendió (su cólera)» = «se irritó» (por ejemplo, Gn 4,5.6). En Gn 31,35 y 45,5 en lugar de la preposición *l^e^* aparece la expresión *b^e^ʿēnāw*, «a sus ojos». El objeto o causa de la ira es introducido con frecuencia por la partícula *b^e^* y más raramente por *'æl* (Nm 24,10) o *ʿal* (2 Sm 3,8; Zac 10,3).

Sobre los modos verbales hifil, «hacer arder»; nifal, «irritarse»; hitpael, «acalorarse»; tifel, «competir», cf. HAL 337b.

Los sustantivos *ḥ^o^rī* y *ḥārōn* son empleados —el primero regularmente y el segundo en la gran mayoría de los casos— dentro de una composición constructa en la que *'af* es el *nomen rectum,* de forma que el significado fundamental «ardor, acaloramiento» sigue todavía vivo, aunque sea en sentido metafórico. Unicamente en Ex 15, 7; Jr 25,38bα, texto enmendado; 88,17 (único pasaje en plural); Neh 13,18 aparece *ḥārōn* como término independiente para designar la «cólera».

4. Lo mismo que la ira del hombre, también la ira de Dios puede encenderse (por ejemplo, contra Moisés, Ex 4,14; en total, 37 × de *ḥrh* qal más el sujeto *'af* y a los que hay que añadir Job 19,11 hifil, que con frecuencia se ha corregido y se ha leído como qal; además, Gn 18,30.32; 2 Sm 22,8 = Sal 18, donde aparece sin *'af*, pero con *l^e^*). El objeto de la ira divina pueden ser, igual que en los casos de → *'af*, → *ḥēmā* y otros sinónimos, personas particulares (por ejemplo, Abrahán, Gn 18,30.32), o de forma especial, el pueblo de Israel (Nm 11,1.10.33 y *passim*).

ḥārōn se refiere siempre a la ira divina (si prescindimos de Jr 25,38b y Sal 58,10, que presentan un texto dudoso, suman un total de 39 ×); *ḥ^o^rī* se refiere a la ira divina en Dt 29,23 y Lam 2,3. El furor de la ira se dirige por lo general contra el pueblo de Israel (Ex 32,13 y *passim;* ése es el caso de los dos pasajes de *ḥ^o^rī* antes señalados), pero también contra Babilonia (Is 13,9) o Abimelek (1 Sm 28,18).

En Is 13,13 y Lam 1,12 se habla del «día de su ardiente cólera».

También en las inscripciones de Sefira (s. VIII) aparece esta expresión. Según lo que parece leerse en los textos fragmentarios, los dioses se dirigen «en el día de la ira» contra los usurpadores y contra los que han roto la alianza (cf. KAI II, 261). Cf. también los pasajes de la inscripción de Hadad, prácticamente contemporánea de la anterior (KAI N. 214, línea 23, cf. *sup.*, 1), según los cuales Hadad derrama su ira contra quien quiera usurpar el trono de Panammuwa I de Samal (Zincirli).

5. En los escritos de Qumrán están documentados tanto *ḥrh* como *ḥārōn* (Kuhn, *Konk.*, 77) y *ḥ°rī* (4Q 171, 1-2 I, 14).

Sobre el NT, cf. → *ʾaf 5*, → *ḥēmā 5*.

G. Sauer

חֵרֶם *ḥēræm* Anatema, exterminio

1. La raíz *ḥrm*, «consagrar», aparece en casi todas las lenguas semíticas (P. Fronzaroli, AANLR VIII/20 [1965] 249s.262.267: diferencia entre el semítico oriental *[ḫ]arāmu/erēmu*, «cubrir», y el semítico occidental «prohibir»).

No es seguro que el acádico *ḫarimtu*, «prostituta», se derive de *ḫarāmu* II, «separar» (que aparece sólo en un vocabulario); tampoco se sabe si esta última raíz está relacionada —y cómo está relacionada— con la raíz semítica común *ḥrm* (cf. AHw 323a.325b y CAD H 89s.101s). En Ugarit, hasta el momento, la raíz *ḥrm* ha aparecido sólo formando parte de nombres personales (Gröndahl, 136; cf. también, Huffmon, 204).

En el AT aparece además una raíz *ḥrm* II *(*ḫrm)*, «partir, perforar» (participio pasivo qal, «con la nariz partida», en Lv 21,18; hifil, «cortar», Is 11,15, texto dudoso, según G. R. Driver, JThSt 32 [1931] 251; HAL 340a; pero cf. Barr, CPT 119; además, quizá *ḥēræm* II, «red de arrastre»). G. R. Driver, FS Baumgartner (1967) 56-59, ha sugerido que varios casos de *ḥrm* hifil se derivan de esa raíz.

En el AT, el nombre *ḥēræm*, «anatema», es el que ocupa el lugar más importante entre los derivados de esta raíz. La forma qal del verbo no está documentada; en su lugar se emplea la expresión *hyh (le)ḥēræm*, «dedicar al anatema» (Jos 6,17; 7, 12). Del nombre se han derivado los modos hifil y hofal. En lugar de hifil se emplean también *śīm leḥēræm* (Jos 6,18), *nkh* hifil *ḥēræm* (Mal 3,24) o *ntn laḥēræm* (Is 43,28).

Deben mencionarse también los nombres geográficos *Ḥærmōn* (cf. HAL 341a), *Ḥormā* y *Ḥ°rēm* (según Moth, HAT 7, 146, estos dos últimos nombres pertenecen a *ḥrm* II: «roca-grieta»). Sobre el nombre personal *Ḥārīm*, cf. Noth, IP 136s.216.

2. El nombre *ḥēræm* aparece 29 × en el AT (siempre en singular; Jos 13 ×, Lv 4 ×); *ḥrm* hifil aparece 48 × (Jos 14 ×, Dt 8 ×, 1 Sm 7 ×, incluido Is 11,15) y el hofal 3 ×.

3. La raíz *ḥrm* (sobre el tema, cf. C. H. W. Brekelmans, *De ḥerem in het Oude Testament* [1959]) designa primariamente el objeto que está prohibido, bien porque está maldito y debe ser exterminado *(res exsecranda)*, bien porque es muy santa *(res sacrosancta)*. La raíz ha sufrido un desarrollo semántico diverso en las diversas lenguas semíticas (cf., por ejemplo, J. Chelhod, *La notion ambiguë du sacré chez les Arabes et dans l'Islam*: RHR 159 [1961] 67-79); nosotros nos fijaremos aquí en el desarrollo que ha tenido dentro del AT.

a) El sustantivo *ḥēræm* pertenece en el AT a la esfera de los términos *qōdæš* (→ *qdš)* y *ḥōl* (→ *ḥll)* y designa en primer lugar una cualidad propia de una persona o de un objeto (Lv 27, 21; Dt 7,26; Jos 6,17s; 7,12). Pero también el objeto que posee dicha cualidad es llamado *ḥēræm*; se podría traducir por «anatematizado» o «bienes sujetos al anatema» (Dt 13,18; Jos 6, 18; 7,1.12.13; 1 Sm 15,21), a no ser que se trate de personas humanas (como en Lv 27,29). *ḥēræm* es también una expresión técnica para designar una determinada ofrenda (la «ofrenda del anatema»), como ocurre en Lv 27,28;

Nm 18,14; Ez 44,29. Unicamente en Zac 14,14 es empleado *ḥērӕm* como *nomen actionis* («anatematización»).

También en HAL 340b se acepta que *ḥērӕm* es un *nomen actionis.* Con todo, debe señalarse que las expresiones *'īš ḥӕrmī* de 1 Re 20,42 y *'am ḥӕrmī* de Is 34,5 no deben traducirse como «el hombre/el pueblo que yo he anatematizado» (en ese caso el sujeto sería Yahvé), sino como «el hombre/el pueblo que me pertenece como *ḥērӕm*».

b) Por lo que respecta a *ḥrm* hifil, en dos tercios de los pasajes el sujeto es Israel, una o varias de sus tribus, o también sus jefes militares (Josué, Saúl). En los demás casos, el sujeto es algún pueblo extranjero (los asirios, 2 Re 19,11 = Is 37,11; 2 Cr 32,14; amonitas y moabitas, 2 Cr 20,23; los pueblos causantes de la caída de Babilonia, Jr 50,21.26; 51,3; Antíoco IV, Dn 11,44). En tres textos proféticos el sujeto es Yahvé (Is 11,15, texto dudoso; 34,2; Jr 25,9).

En todos estos casos, *ḥrm* hifil aparece en contexto de guerras. Unicamente en Lv 27,28 aparece en contexto de votos. El *ḥērӕm* de guerra es descrito en las leyes (Dt 7,2; 13,16; 20, 17), anunciado por los profetas (Is 34, 2; Jr 25,9; 50,12.16; 51,3); también puede aparecer en las narraciones (los demás textos). Cuando son los israelitas los que practican el *ḥērӕm,* el objeto del mismo son los pobladores de Canaán (Nm 21,2s; Jos 6,21; 8,26; 10, 1.28 y *passim),* Sijón y Og (Dt 2,34; 3,6; Jos 2,10), los amalequitas (1 Sm 15) o alguna parte de Israel (Dt 13, 16; Jue 21,11). Cuando son los no israelitas los que lo practican, el objeto es Babilonia (Jr 50,21.26; 51,3), Seír (2 Cr 20,23) o, más genéricamente, pueblos/países/objetos diversos (2 Re 19,11 = Is 37,11; Dn 11,44). En algunos textos el objeto del anatema no son sólo los hombres, sino también los animales o todo el botín (Dt 13, 16s; Jos 6,21ss). Con todo, no puede probarse que este sentido radical sea el originario.

c) *ḥrm* hofal aparece sólo en textos jurídicos (Ex 22,19; Lv 27,29; Esd 10,8). Originalmente este modo designaba un determinado tipo de pena de muerte. El verbo se emplea en la sentencia judicial que determina la pena (Lv 27,29; la ejecución se indica por medio de la expresión *mōt yūmāt,* «deberá morir»), pero también para indicar la ejecución de la misma (Ex 22, 19). Más tarde, el verbo indica también un determinado tipo de confiscación de bienes (Esd 10,8).

4. La raíz *ḥrm* presenta en Israel diversos significados ya desde el principio.

a) En la guerra santa, *ḥrm* constituye un acto religioso por el cual los enemigos (incluido el botín) son consagrados a Dios (cf. W. E. Müller, *Die Vorstellung vom Rest im AT* [1939] 4-21; G. von Rad, *Der heilige Krieg im alten Israel* [1951]; F. Horst, artículo *Bann:* RGG I, 860s; Brekelmans, *loc. cit.;* D. Merli, *Le «guerre di sterminio» nell'antichità orientale e biblica:* BeO 9 [1967] 53-67). Los afectados por el anatema quedan fuera de todo uso humano y son dedicados al exterminio. En la estela de Mesa (KAI N. 181, línea 17) el carácter religioso del término se manifiesta claramente en la unión de *ḥrm* hifil con *l'štr kmš,* «pues yo los había consagrado a Astar-Kamos». En el AT se pueden citar en este sentido Nm 21,2s, donde la ejecución del *ḥērӕm* es objeto de un voto; la expresión *kalil leYhwh,* «ofrenda completa a Yahvé», en Dt 13,17, y *hyh ḥērӕm leYhwh,* «ser consagrado al anatema para Yahvé», en Jos 6,17. No se puede, sin embargo, probar con seguridad que *ḥērӕm* haya formado una parte integrante estable de la guerra santa. Según parece, el *ḥērӕm* se promete y practica sólo en determinados casos de necesidad para asegurarse la ayuda de Dios (cf. Nm 21,2s; Jue 1, 17).

En dos ocasiones surge un conflicto en torno al anatema: en Jos 7 (el robo de Akán) y en 1 Sm 15 (Samuel y

Saúl). Samuel ataca al rey Saúl porque no ha cumplido enteramente la orden de entregar a Amalek al anatema; este pasaje es testimonio de la nueva concepción que en tiempos monárquicos terminó con la costumbre del anatema de guerra, aunque los partidarios de las tradiciones antiguas (como es aquí el caso de Samuel) se aferraban a la incondicionada validez de la ley del anatema. En Jos 7 aparece un estado todavía anterior, en el que la validez de la ley del anatema no es puesta siquiera en discusión: aquí se trata de un particular que se apodera del anatema (= los objetos dedicados al anatema) y con ello debilita el poder de Israel. Debe ser matado, para que desaparezca de Israel el daño por él causado (Jos 6,17s; 7,1.11-13.15).

Como expresión paralela de *śīm leḥēræm* aparece en Jos 6,18 el verbo *ʿkr* qal, «llevar a la desgracia», que está condicionado por la explicación etiológica del nombre geográfico del valle de Akor (*ʿākōr)* de 7,25s (*ʿkr* qal, «turbar, confundir, llevar la desgracia», 12 × en el AT; así, entre otros, Gn 34,30; Jue 11,35; 1 Sm 14,29; 1 Re 18,17s; nifal, Sal 39,3; Prov 15,6).

Ambos pasajes muestran claramente —con mayor claridad, Jos 7— que originalmente el empleo cúltico (cf. *inf.*, 4*bc)* y el empleo guerrero de *ḥēræm* estaban unidos; en ambos casos se indica que el anatema, el *ḥēræm,* pertenece a Yahvé y que cualquier violación de este derecho de Yahvé a la propiedad del *ḥēræm* traerá desgracia a la comunidad. Se puede ver todavía que esta incondicionada validez del *ḥēræm* se remonta a un estadio anterior en el que no se distinguía entre suceso cúltico o histórico.

La costumbre del *ḥēræm* de guerra parece haber desaparecido rápidamente al establecerse la monarquía israelita. En los círculos proféticos todavía se aferraban a ella (cf. 1 Re 20,42 junto a 1 Sm 15), pero con el tiempo nunca más volvió a realizarse para consagrar los enemigos a Dios, sino para preservar la religión yahvista de todo sincretismo. En los numerosos pasajes deuteronómicos y deuteronomísticos (especialmente en los resúmenes tendenciosos de los acontecimientos que acompañaron a la conquista de la tierra en Jos 10,11) el *ḥēræm* guerrero no significa otra cosa que el exterminio de los enemigos hecho con la mencionada finalidad religiosa. En los demás contextos no vuelve a aparecer este motivo religioso; aquí *ḥrm* hifil se ha convertido en expresión profana, que significa «exterminar (por completo)» (en parte en los textos proféticos y además en 2 Re 19,11 = Is 37,11; Dn 11,44). Sólo entonces aparecen como sujeto personas no israelitas o el mismo Yahvé.

b) *ḥrm* hofal se emplea para designar una pena de muerte aplicada especialmente en casos de infidelidad para con la religión yahvística. Cuando se pronuncia esta sentencia, queda excluida toda posibilidad de rescate (Lv 27, 29). El culpable está a merced de Dios y debe ser eliminado como *res exsecranda.* Con frecuencia se ha opinado que esta pena exigía un determinado tipo de ejecución (arrojar al fuego). Quizá sea más adecuado pensar únicamente en una proclamación solemne de la pena o en un tipo de maldición.

c) También puede consagrarse algo como *ḥēræm* a Yahvé. Este voto se distingue de los demás votos en sus consecuencias: no se puede rescatar (Lv 27,21-28), porque lo así consagrado es santísimo *(qōdæš qodāšīm)* (Lv 27, 28); pertenece a los sacerdotes (Lv 27, 21; Nm 18,14; Ez 44,29). En Miq 4, 13 se afirma que también el botín de guerra es consagrado de esta forma a Yahvé.

5. En la literatura de Qumrán (1QM 9,7; 18,5; CD 6,15; 9,1) *ḥrm* se emplea en el mismo sentido que en las épocas más tardías del AT. Sobre la traducción de *ḥēræm* por ἀνάθεμα y de *ḥrm* hifil por ἀναθεματίζειν y sobre todo el NT, cf. J. Behm, art. ἀνατίθημι: ThW I, 353-357.

C. Brekelmans

חרשׁ *ḥrš* Callar

1. La raíz **ḫrš,* «ser sordo, mudo», debe distinguirse de las dos raíces del semítico común cuya primera letra es *ḥ:* **ḥrš,* «hacer (manualmente)» (ugarítico: WUS N. 967; UT N. 903; acádico *eršu,* «sabio»; hebreo *ḥārāš,* «artesano»), y **ḥrt,* «arar» (ugarítico: WUS N. 980; UT N. 905; acádico *erēšu;* hebreo *ḥrš* I; cf. S. E. Lowenstamm, J. J. St 10 [1959] 63-65; H. P. Müller, UF 1 [1969] 80). Nuestra raíz no está documentada en ugarítico, aparece raramente en textos semíticos noroccidentales de época veterotestamentaria (DISO 97; Sznycer, 144, tratando de Poenulus, 1027), pero está ampliamente testimoniada en arameo tardío (cf. LS 259) y en árabe *(ḫarisa,* «estar mudo», Wehr, 210b).

F. Delitzsch, *Prolegomena eines neuen hebr.-aram. Wörterbuches zum AT* (1886) 100, supone que nuestra raíz está relacionada con el acádico *ḫarāšu,* «atar» (> «frenar», KBL 337b; distinto AHw 324b); recientemente ha sido documentado el acádico *ḫarāšu,* «estar mudo», en una carta de Mari (G. Dossin, RA 62 [1968] 75s).

El verbo aparece en qal, hifil y hitpael; además aparecen el adjetivc *ḥērēš,* «sordo» (BL 477), y el sustantivo *ḥæræš,* «silencio», que es empleado adverbialmente en Jos 2,1 («sigilosamente»); como nombres propios deben mencionarse *Ḥæræš* (1 Cr 9,15, texto dudoso) y *Ḥaršā* (Esd 2,52; Neh 7,54) (Noth, IP 228).

2. El verbo aparece en el AT 47 ×: qal 7 × (Sal 6 × y Miq 7,16), hifil 39 × (Job 9 ×, Nm 6 ×) y hitpael 1 × (Jue 16,2); *ḥērēš* aparece 9 × (Is 5 ×), *ḥæræš* 1 ×.

3. *a)* Ya que los mudos son con frecuencia también sordos y ambas enfermedades van frecuentemente unidas (en los sordomudos), se emplea la misma raíz para designar ambas cosas. De todos modos, el adjetivo *ḥērēš* es empleado únicamente —tanto en sentido propio como metafórico— con el significado de «sordo» (junto a *'illēm,* «mudo», en Ex 4,11; Is 35,5s; Sal 38, 14 en una lamentación individual: «pero yo soy como un sordo que no oye, como un mudo que no abre la boca»). En Lv 19,14 se prohíbe maldecir al sordo —entendido en sentido propio— o poner obstáculos al camino del ciego (cf. también Sal 58,5: «áspides sordos que cerráis vuestros oídos»). Figurativamente se dice de Israel que en su insensatez es sordo y ciego (Is 42,18s; 43,8; cf. Westermann, ATD 19,90s.99); en las promesas escatológicas se asegura que desaparecerá la sordera (Is 29,18; 35,5).

b) En qal, el significado de «estar sordo» se limita a Miq 7,16: «vuestros oídos estarán sordos». Los demás casos —todos ellos pertenecientes a los salmos— emplean *ḥrš* referido a Dios metafórica y negativamente en el ruego: «no estés callado» (lamentación individual: Sal 28,1 con *min,* «no estés mudo lejos de mí», paralelo a *ḥšh,* «estar callado»; 35,22; 39,13; 109,1; lamentación del pueblo: Sal 83,2) y fuera de este contexto la expresión «nuestro Dios viene y no está callado» (Sal 50,3). Así, pues, «callar» en el contexto de oración viene a significar «quedarse inactivo, indiferente» (cf. Hab 1,13, hifil), significado que queda subrayado por las expresiones paralelas con *d^{o}mī,* «descanso»; *šqṭ* qal, «descansar, quedarse inactivo», en Sal 83, 2, y *rḥq* qal, «alejar», en 35,22.

c) El hifil tiene el sentido causativo «hacer callar» en Job 11,3 (41,4, texto dudoso), pero normalmente tiene el sentido intransitivo (causativo interno) de «callar» (por ejemplo, Gn 34, 5). También puede significar «ser paciente» (Is 42,14 junto a *'pq* hitpael, «contenerse»), y avanzando algo más, «ser tranquilo, conducirse con tranquilidad» (por ejemplo, Ex 14,14; cf. *ḥrš* hitpael en Jue 16,2). Acompañado de la preposición *'æl,* significa «escuchar calladamente a alguien» (Is 41,1); acompañado de *l^{e},* «callarse y dejar hacer» (Nm 30,5.8.12.15; cf. CD 9,6 en lugar de la corrección fraterna, *ykḥ* hifil). En 1 Sm 10,27, «quedarse inactivo», debe corregirse, siguiendo a los LXX, en «tras un mes» (S. R. Driver, *Notes on the Hebrew Text of the Books of Samuel* [²1913] 85).

d) Como sinónimos de *ḥrš* deben mencionarse: 1) *ḥšh* qal, «callar, mantenerse callado» (Is 62,1.6; 64,19, cf. con Hab 1,13; 65,6; Sal 28,1; 107,29; Ecl 3,7 con el opuesto *dbr* piel, «hablar»); hifil, «hacer callar» (Neh 8,11), y «callar» (2 Re 2,3.5; Is 42,14; 57,11; Sal 39,3), «titubear» (Jue 18,9; 1 Re 22,3; 2 Re 7,9);
2) *dmh* qal, «estar callado» (Jr 6,2; 14,17; Lam 3,49; Os 4,5, texto dudoso), nifal, «deber callar», o «ser aniquilado» (13 ×; cf. Wildberger, BK X, 232s, tratando de Is 6,5; sobre *dmm,* «estar inmóvil, callado», cf. N. Lohfink, VT 12 [1962] 275s, con bibliografía);
3) *ṣmt* qal, «acallar» (Lam 3,53; también hifil en 2 Sm 22,41 = Sal 18,41 y otros 7 × en los salmos; piel, Sal 88,17, texto enmendado; 119,139; nifal pasivo, Job 6,7; 23,17);
4) *skt* hifil, «mantenerse callado» (Dt 27,9);
5) *hsh* hifil, «acallar» (Nm 13,30), denominativo de *has,* «¡silencio!» (Jue 3,19; Am 6,10; 8,3; Hab 2,20; Sof 1,7; Zac 2, 17; en los tres últimos pasajes se trata del silencio cúltico ante Yahvé; en plural, en Neh 8,11, *hassu).*

4. El empleo teológico de *ḥrš,* «callar», se limita al sentido derivado de «quedarse inactivo, indiferente». El salmista ruega a Dios que no «calle» por más tiempo (Sal 28,1; 35,22; 39,13; 83,2; 109,1; cf. Hab 1,13 e Is 64,11 11, *ḥsh).* Según los salmos de lamentación, Dios «calla» cuando no escucha la súplica del orante. De modo semejante, algunos salmos afirman que Yahvé «está dormido», para indicar que está inactivo (cf. Sal 44,24; 78,65; 121, 4); en el cuadro de Sal 50,3-21 la expresión «no callarse por más tiempo» significa que Yahvé va a intervenir en el proceso contra su pueblo; convoca como testigos al cielo y a la tierra (v. 4). La paciencia de Dios para con su pueblo puede manifestarse en su silencio (Sal 50,21; en Sof 9,17 debe corregirse el texto, cf. Horst, HAT 14,198). Pero el silencio de Dios puede ser tomado también como castigo contra los suyos (Is 64,11, *ḥšh);* cuando rompe su silencio se dispone a intervenir en favor de su pueblo (Is 42,14; 62,1, *ḥšh).*

Para el salmista pecador el silencio es lo contrario de la confesión de los pecados (Sal 32,3, cf. v. 5). En el lenguaje sapiencial, «callarse» constituye una característica del sabio, que así se cuida de proferir juicios imprudentes (Prov 11,12; 17,28; cf. H.-H. Hermisson, *Studien zur isr. Spruchweisheit* [1968] 72s; sobre el ideal egipcio del «hombre silencioso», cf. H. Gase, *Lehre und Wirklichkeit in der alten Weisheit* [1958] 15s).

5. Los LXX traducen *ḥrš* normalmente por medio de σιγᾶν, σιωπᾶω y παρασιωπᾶν. Esta última palabra no aparece en el NT; las otras dos no tienen un peso teológico especial y por eso no aparecen en el ThW; cf., W. Herrmann, *Das Wunder in der evangelischen Botschaft. Zur Interpretation der Begriffe blind und taub im Alten und Neuen Testament* (1961).

M. Delcor

חשב *ḥšb* Pensar

1. La raíz *ḥšb* está documentada en el semítico noroccidental en hebreo y en ugarítico *(ḥtbn:* UT N. 917; M. Dahood, Bibl 45 [1964] 409; *íd.,* UHPh 58s), así como (fonéticamente idéntico al hebreo) en fenicio-púnico y en arameo (DISO 97s); en semítico meridional aparece en la forma *ḥsb* en árabe y en etíope.

En egipcio aparece el semitismo *ḥśb,* «contar», a partir de los textos de las pirámides (Erman-Grapow III, 166s; W. Vycichl, MDAI Kairo 16 [1958] 375).

No se puede asegurar que nuestro término esté etimológicamente relacionado con el acádico *epēšu,* «hacer, obrar» (< *ḥšb,* así opinan GB 265a; KBL 339b) (AHw, en cambio, relaciona este verbo acádico con el árabe y etiópico *ḥfš,* «acumular»).

Se suele proponer como significado base de la raíz «unir, tejer» (M. D. Goldman, ABR 1 [1951] 135-137; G. R. Driver, WdO II/3 [1956] 258).

Este significado base puede basarse en el participio activo qal sustantivado *ḥōšeb*, «tejedor» («bordador[?]», así, Dalman, AuS V, 126; Driver, *loc. cit.*, 255.258), y quizá también en *ḥēšæb*, «lazo, cinta» (Driver, *loc. cit.*, 255.258s; cf. el egipcio *ḥšb*, «ligamento cruzado», Erman-Grapow III, 166). Pero quizá sea preferible hacer derivar *ḥēšæb* de *ḥbš*, «atar» (GB 265b; HAL 346b) con metátesis entre la laringal y la labial (GVG I, 275).

Del verbo *ḥšb* están documentados en el AT el modo qal (también en arameo); el piel, «contar, planear, imaginar»; el nifal tolerativo o pasivo de qal, «ser contado, valer», y el reflexivo hitpael, «considerarse». Los derivados nominales de la raíz son los siguientes: *a)* el sustantivado participio activo qal *ḥōšēb*, «tejedor» (P en Ex 25-31.35-40) o «técnico» (2 Cr 26,15); cf. el participio activo qal *ḥšb*, idéntico en cuanto a la forma aunque diverso en cuanto al significado (CIS I 74, línea 4), y el participio piel *mḥšbm* (Harris, 104; DISO 97), empleado en fenicio-púnico como título profesional del «cuestor»; *b)* las formas abstractas con la desinencia *(-ān >) -ōn*: *ḥæšbōn*, «cuenta, resultado de un cálculo» (Ecl 7,25.27; 9,10), que corresponde al ugarítico *ḥtbn* (texto 1127, línea 2; 2101, línea 1) y el egipcio-arameo (Cowley N. 81, línea 1) y palmirano (CIS II 3913 II, 75.115) *ḥšbn*, «cuenta» (cf. también J. Starcky, *Inventaire des inscriptions de Palmyre* X [1949] N. 127, línea 2: *lḥšbn*, «en consideración a...»); y también **ḥiššābōn*, «invento» (Ecl 7, 29), y especialmente «catapulta» (2 Cr 26,15; cf. BRL 95; Rudolph, HAT 21, 286; distinto de Vaux II, 43); *c) maḥašābā*, «plan, invento»; *d) ḥēšæb* (cf. *sup.*).

2. La raíz *ḥšb* aparece en total 186 × (incluido *ḥēšæb* 194 ×) en el AT: qal 65 × (Jr 12 ×, Sal 11 ×), nifal 30 × (Is 7 ×), piel 16 ×, hitpael 1 ×; *ḥōšēb* 12 ×, *ḥæšbōn* 3 ×, *ḥiššābōn* 2 ×, *maḥašābā* 56 × (Jr 12 ×, Is 9 ×, Prov 8 ×), *ḥēšæb* 8 ×; en arameo bíblico el modo qal 1 ×. La raíz no aparece en Jue, Jl, Abd, Hab, Sof, Ag, Rut, Cant y Esd (en 9,13 algunos manuscritos leen *ḥāšabtā* en lugar de *ḥāśaktā*).

3. Si excluimos el término *ḥōšēb*, «tejedor» (y también quizá *ḥēšæb*, «banda, cinta»), en el que se conserva todavía el significado base concreto de «tejer, unir», el verbo *ḥšb* expresa siempre un acto del pensamiento que sucede «en el corazón» (Is 10,7; 32, 6 G; Zac 7,10; 8,17; Sal 140,3; cf. también Gn 6,5; Ez 38,10; Prov 6,18; 19,21; 1 Cr 29,18) o «en el interior» (Jr 4,14) o también, cuando se manifiesta al exterior, «por medio de la lengua» (Sal 52,4). A diferencia de otros verbos de pensamiento como → *dmh* piel, «concebir, pensar» (Is 10, 7), → *zkr*, «recordar» (2 Sm 19,20; Sal 77,6), → *ydʿ*, «reconocer» (Sal 144, 3) → *ʿlh ʿal-lēb*, «venir a la mente» (Ez 38,10), que pueden en ocasiones aparecer en paralelo a *ḥšb* (cf. también → *ʾmr belibbō*, «pensar»; *hgh*, «reflexionar»; *zmm*, «planear, meditar», el arameo bíblico *ʿšt*, «planear»), nuestro verbo incluye como característica propia un matiz valorativo (H.-W. Heidland, *Die Anrechnung des Glaubens zur Gerechtigkeit* [1936] especialmente 10-13.15s.36s): *ḥšb*, «calcular», pero a diferencia de *mnh* y *spr* no en el sentido numeral, sino en el de una consideración valorativa.

Son característicos en este sentido el paralelismo de *ḥšb* con → *ḥpṣ* (Is 13,17) y → *rṣh* (Lv 7,18), «hallar gusto», y su contraposición a *bzh*, «despreciar, menospreciar» (Is 53,3); *mʾs*, «rechazar» (Is 33, 8; Sal 36,5), *nśʾ pæšaʿ* o *ksh* piel *ʿāwōn*, «perdonar los pecados» (Sal 32,1s).

El empleo especial del verbo como término del ámbito comercial y de la contabilidad (fiscal, etc.), que aparece en la esfera semítica (cf. el púnico *[ḥ]šb*, «contaba», KAI N. 160, línea 5; en palmirano: «el impuesto del carnicero debe contabilizarse en moneda [infinitivo hitpael]», CIS II, 3917, II, 102s; Hatra: *ḥšbn'* *dbyt B'šmn,* «contable del templo de Baalsamen», A. Caquot, Syria 32 [1955] 54, N. 49, línea 3) y también en la esfera egipcia, está documentado en hebreo en el modo piel «contar, calcular» (Lv 25,27. 50.52; 27,18.23; 2 Re 12,16) y en el nifal «pedir cuentas» (2 Re 22,7).

Generalmente *ḥšb* expresa la clasificación valorativa de personas y cosas en determinadas categorías; así, el modo qal seguido de acusativo y de la partícula *l*^e^ significa «considerar a alguien/algo como» (Gn 38,15; 50,20; 1 Sm 1,13 y *passim;* con acusativo doble: Is 53,4; con acusativo y *k*^e^*:* Job 19,11); el modo nifal seguido de *l*^e^, *'al, 'im* significa «ser contado como, entre» (Lv 25,31; Jr 13,3; Sal 88,5 y *passim),* seguido de *k*^e^, «ser considerado como» (Dt 2,11; Is 5,28; 29,16 y *passim;* seguido de *b*^e^*[?],* Is 2,22, pero véase BH[3]; cf. la expresión nabatea *kl' nḥšb byny lbynyk,* «es considerado como nada entre tú y yo», J. Starcky, RB 61 [1954] 164, fragmento A, línea 13; J. J. Rabinowitz, BASOR 139 [1955] 13; cf. además 1 Re 10,21 = 2 Cr 9,20; Dn 4,32) y con acusativo predicativo «valer por» (Gn 31,15; Dt 2,20, etc.). Finalmente un hitpael en la construcción con *b*^e^, «considerarse entre» (Nm 23,9).

Usado de forma absoluta, sin indicación del criterio valorativo, *ḥšb* tiene el significado genérico de «apreciar, considerar valioso, estimar» (qal en Is 13,17; 33,8; 53,3; Mal 3,16; piel en Sal 144,3); también se ha desarrollado el significado de «idear, imaginar, pensar, planificar» (qal en Is 10,7; cf. el púnico *ḥšb n'm,* «bien intencionado», KAI N. 161, línea 2; piel, en Sal 77, 6; 119,59). De forma análoga a *'mr/ zkr l*^e^ seguido de infinitivo, «recordarse de hacer algo», también *ḥšb l*^e^ más infinitivo, «planear, tener idea de hacer algo» (qal en 1 Sm 18,25; Jr 18,8; 23, 27 y *passim;* piel en Jon 1,4; Sal 73, 16; Prov 24,8), expresa la intención de poner en práctica un determinado proyecto.

Seguido de complemento directo (cf. especialmente la composición fija *ḥšb maḥ*^a^*šābā/maḥ*^a^*šābōt,* «idear un plan o concebir planes», qal 2 Sm 14,14; Jr 11,19; 18,11.18 y *passim;* piel Dn 11, 24; cf. también *ḥšb rā'ā,* «idear planes malvados», qal Gn 50,20; Jr 48,2; Miq 2,3 y *passim;* cf. piel Os 7,15; *ḥšb 'āwæn,* «planear desgracias», qal Ez 11,2; Miq 2,1; Sal 36,5 y expresiones semejantes), el verbo *ḥšb* se acerca al sentido de → *y'ṣ,* «(aconsejar), planear, tramar algo» (Jr 49,20.30; 50, 45; Ez 11,2; Nah 1,11); idéntico acercamiento se da entre *maḥ*^a^*šābā,* «plan», y *'ēṣā,* «(consejo), plan» (cf. los numerosos casos de paralelismo entre ambos términos: Jr 49,20.30; 50,45; Miq 4, 12 y *passim).* Con frecuencia, los objetos de *ḥšb,* empleado en este sentido, expresan claramente la intención negativa de dicho «planear» (cf., sin embargo, Jr 29,11, *maḥš*^e^*bōt šālōm,* «planes de paz», y también Sal 33,10s; 40,6; 92,6; Prov 12,5; 16,3; 20,18; 21,5) y lo mismo aparece también en las expresiones preposicionales que le siguen: los «planes» se dirigen contra alguien *('æl, l*^e^*, 'al).*

Sin esta connotación negativa, *ḥšb* significa, finalmente, «idear, inventar» en el sentido de habilidad artística y técnica (Ex 31,4; 35,32.35; Am 6,5; 2 Cr 2,13; 26,15).

4. *a)* Dentro del ámbito teológico, *ḥšb* qal, seguido de (doble) acusativo de objeto, y *l*^e^, de persona, «atribuir algo a alguien (como...») (Gn 15,6; Sal 32,2; cf. 2 Sm 19,20; Esd 9,13 G), y *ḥšb* nifal, con una construcción semejante, «ser atribuido a alguien (como...)» (Lv 7,18; 17,4; Nm 18,27. 30; Sal 106,31; cf. también Prov 27, 14), son, lo mismo que → *rṣh* (Lv 7, 18) y *ḥpṣ,* «hallar placer en» (y también probablemente → *zkr,* «recordar»), *termini technici* de la teología cúltico-sacerdotal.

Por medio de *ḥšb* y de los demás conceptos empleados de forma análoga se expresa en fórmulas declaratorias (R. Rendtorff, *Die Gesetze in der Pries-*

terschrift [1954] 74-76) la calificación por parte de los sacerdotes de un sacrificio como idóneo o su descalificación (E. Würthwein, ThLZ 72 [1947] 143-152; íd., *Tradition und Situation* [1963] 115-131; G. von Rad, GesStud 130-135; von Rad I, 273ss; R. Rendtorff, ThLZ 81 [1956] 339-342; íd., *Studien zur Geschichte des Opfers im alten Israel* [1967] 253-260) y también la «atribución» de justicia (para la vida) o su contrario, atribución que solía tener lugar en el culto, especialmente en la liturgia de la entrada, por medio de la declaración de *ṣaddīq* pronunciada por los sacerdotes (G. von Rad, GesStud 225-234; von Rad I, 389-392; W. Zimmerli, GO 178-191; H. Reventlow, *Wächter über Israel* [1962] 95-134; K. Koch, FS von Rad [1961] 45-60, sobre todo 57s).

Entre los pasajes antes citados, el de Gn 15,6 (E) tiene una importancia especial como testimonio de la espiritualización que va sufriendo la terminología cultual recibida: la mediación cúltica deja paso a la inmediatez divina; como objeto de esa atribución no figuran aquí los esfuerzos humanos, sino la fe en la promesa (G. von Rad, GesStud 130-135; H.-J. Hermisson, *Sprache und Ritus im altisraelitischen Kult* [1965] 58s).

Sobre los nombres personales israelitas formados con *ḥšb*, como *Ḥ^{a}šabyā (hū)*, cf. Noth, IP 188s.

b) La literatura sapiencial dice que a los planes humanos les acompaña el éxito cuando responden a una actitud prudente (Prov 12,5; 15,22; 16,3; 19, 21; 20,18; 21,5), pero fracasan cuando no responden a ella (Prov 6,18; 15,26; Job 5,12), excepción hecha del Eclesiastés, que pone en duda la eficacia de la misma actitud prudente (Ecl 7,23-8,1; 9,10); en el resto del AT, en cambio, los «planes y pensamientos» humanos —vistos desde el punto de vista teológico— no reciben nunca una valoración positiva (excepción hecha de 1 Cr 29,18; cf. también la capacidad artística donada por el espíritu de Dios en P: Ex 31,2-5; 35,30-35).

El yahvista indica en Gn 6,5 como motivo del diluvio el que los «planes» del corazón humano eran siempre malos; esto implica una valoración característica de los «pensamientos, planes, ideas» humanos, valoración que está presente también en el empleo profético de la raíz *ḥšb* (Is 55,7; 59,7; 65,2; Jr 4,14; 18,12; Ez 11,2; 38,10; Miq 2,1; Zac 7,10; 8,17). En los salmos —en los cánticos de lamentación— esta idea es tema frecuente en la descripción de los enemigos del orante, que continuamente «idean planes malvados» contra éste (Sal 10,2; 35,4.20; 36,5; 41,8; 52,4; 56,6; 140,3; cf. Jr 11,19; 18,18; Lam 3,60s). Sólo en Nah 1,11 y Sal 21,12 se afirma que los hombres «idean planes malvados contra Dios», y en Sal 21,22 se añade que dichos planes son totalmente ineficaces. Los hombres no pueden contemplar los «pensamientos, planes» de Yahvé (Is 55,8s; Miq 4,12; cf. Sal 92,6s); Yahvé, en cambio, conoce los «pensamientos» del hombre (Is 66,18; Sal 94,11; 1 Cr 28,9) y puede desbaratar los «planes» de éste (Sal 33,10; Job 5,12).

Los profetas contraponen, de forma característica, los «planes» malvados del hombre y el plan divino de castigo (cf. Miq 2,3 con v. 1; cf. también Jr 18,11; 49,20; 50,45; 51,29). En toda la literatura profética sólo en Jr 29,11 aparece el plan salvífico de Yahvé acompañado de *ḥšb*. Por lo demás, los himnos alaban la consistencia de los planes (salvíficos) de Yahvé (Sal 33, 11: «pensamientos de su corazón») y los pone en paralelo con los milagros de Yahvé (→ *pl'*; Sal 40,6; cf. 92,6).

5. Sobre el judaísmo y el NT, cf. H.-W. Heidland, *Die Anrechnung des Glaubens zur Gerechtigkeit* (1936); íd., art. λογίζομαι: ThW IV, 287-295. Sobre la literatura de Qumrán, no tratada en los dos trabajos citados, cf. F. Nötscher, *Zur theologischen Terminologie des Qumran-Texte* (1956) 52s.

W. Schottroff

טהר ṭhr Ser puro

1. La raíz semítico-occidental *ṭhr,* «ser puro», no está documentada en los textos semíticos antiguos (excepción hecha de los textos ugaríticos) y en el mismo AT aparece casi exclusivamente en libros de origen más reciente.

En ugarítico, hasta el momento, la raíz ha aparecido sólo en la forma plural de un sustantivo que designa una «(brillante) piedra preciosa» (51 [= II AB] V, 81.96; WUS N. 1115; UT N. 1032). Sobre los casos púnicos, cf. DISO 100.

Basándose en la supuesta relación de nuestra raíz con las raíces *Ẓhr*/*ṣhr* (hebreo *ṣohºráyim,* «mediodía»; *ṣōhar,* en Gn 6, 16, según algunos, «tragaluz»; *Ẓhr,* «hacerse visible»), y *zhr,* «brillar» (arameo, árabe; en hebreo aparece en hifil y, como sustantivo, en la forma *zōhar,* «brillo»), se ha supuesto con frecuencia que su significado fundamental es «luz, brillo» (J. L. Palache, *Semantic Notes on the Hebrew Lexicon* [1959] 35s; J. A. Emerton, ZAW 79 [1967] 236; J. H. Eaton, JThSt 19 [1968] 604s); hay que señalar, sin embargo, que el hebreo *ṣohºráyim,* «punto cénit (del sol)», y *ṣōhar,* «cubierta (del arca)» (cf. J. F. Armstrong, VT 10 [1960] 328-333) pertenecen al semítico común **Ẓahr-,* «espalda» (P. Fronzaroli, AANLR VIII/19 [1964] 257.271.278).

El verbo aparece en el AT en los modos qal, piel, pual y hitpael. El adjetivo *ṭāhōr* aparece tan frecuentemente como el verbo, mientras que los sustantivos *ṭōhar,* «pureza, purificación»; *ṭohºrā,* «pureza», y *ṭᵉhār,* «brillo» (Sal 89,45, texto dudoso), son menos frecuentes.

2. El verbo aparece 94 ×: qal 34 × (Lv 18 ×, Nm 5 ×), piel 39 × (Lv 13 ×, Ez 8 ×, 2 Cr 6 ×), pual 1 × (Ez 22,24) y hitpael 20 × (Lv 12 ×, Neh 2 ×); *ṭāhōr* aparece 95 × (Ex 28 ×, Lv 21 ×, Nm 8 ×, Gn y Dt 6 ×), *ṭōhar* 3 × (Ex 24,10; Lv 12,4.6), *ṭohºrā* 13 × (Lv 8 ×, Nm, Ez, Neh y 1/2 Cr 1 ×), *ṭᵉhār* 1 × (cf. *sup.).*

De los 94 casos del verbo sólo Gn 35,2 y 2 Re 5 pueden datarse con relativa seguridad en tiempos preexílicos; los demás casos pertenecen a textos de época exílica o posexílica. Esto quita valor a las consecuencias que para la historia del pensamiento pudieran deducirse de los datos estadísticos: los textos de la narración de Naamán en 2 Re 5,13s se acercan en cuanto a la forma a los de Lv 14,8s y otros; la purificación cúltica exigida en Gn 35,2 prevé ritos que serían de práctica ordinaria en tiempos posexílicos. Notemos además que la raíz está completamente ausente en los libros proféticos anteriores a Jeremías.

Con *ṭāhōr* sucede lo mismo. De los 95 ×, P sólo (incluida la Ley de Santidad) contiene unos dos tercios. De indudable antigüedad son los dos casos de la narración Saúl-David en 1 Sm 20,26. Con todo, debe notarse que el nombre aparece en el Dt (Dt 12,15.22; 14,11.20; 15,22; 23,11), donde el verbo está totalmente ausente.

3. *a)* *ṭhr* se aplica en el AT a la pureza corporal, moral y religiosa (cúltica) (cf. H.-J. Hermisson, *Sprache und Ritus im altisraelitischen Kult* [1965] 84-99). A pesar de la escasez de testimonios antiguos, se puede suponer que las concepciones de pureza e impureza —antiguas y presentes en todas las culturas— tenían su expresión ya en el antiguo Israel por medio de las raíces *ṭhr* y *ṭmʾ* (en acádico, cf. *ebēbu, elēlu* y *zakû,* «ser puro», que designa tanto la pureza física como la cúltica, AHw 180s.197s; CAD líneas 23-32).

Los sinónimos más cercanos de *ṭhr* son empleados casi siempre para designar la pureza moral: *brr* nifal, «ser puro, mantener puro» (2 Sm 22, 27 = Sal 18,27, cf. J. Blau, VT 7 [1957] 387; Is 52,11; *bar,* «puro», Sal 19,9; 24,4; 73,1; Job 11,4; Cant 6,9.10; *barur,* «puro, limpio», Sof 3,9; Job 33,3; *bōr,* «pureza», 2 Sm 22,21. 25 = Sal 18,21.25; Job 22,30); *zkh* qal, «ser puro» (Miq 6,11; Sal 51,6; Job 15,14; 25,4; piel, «mantener puro», Sal 73,13; 119,9; Prov 20,9; hitpael, «purificarse», Is 1,16, cf. A. M. Honeyman, VT 1 [1951] 63-65; forma secundaria *zkk* qal, «estar limpio, sano», Job 15,15; 25,5; Lam 4,7; hifil, «hacer puro», Job 9,30; *zak,* «limpio, puro», Ex 27,20; 30,34; Lv 24,2.7; Job 8,6; 11,4; 16,17; 33,9; Prov 16,2; 20,11; 21,8; cf. los nombres personales *zakkay,* Esd 2,9; Neh 3,20 Q; 7,

14) y *ḥaf,* «limpio (moralmente)» (Job 33,9; cf. Wagner N. 108)*.

El piel es generalmente declaratorio («declarar puro»; D. R. Hillers, JBL 86 [1867] 320-324, lo llama «*delocutive*»), pero también se emplea con frecuencia como factitivo («purificar», Lv 16,19.30; Nm 8,6s.15.21; Jr 33,8; Ez 24,13; 36,25.33; 37,23; 39,12; 43, 26; Mal 3,3.3; Sal 51,4); cf. Jenni, HP 34-41.83. El hitpael significa «purificarse», el participio hitpael designa al que se somete a la purificación (12 × en Lv 14).

b) Solamente P (incluida la Ley de Santidad) ofrece datos concretos sobre la necesidad y el modo de realizar la purificación. La purificación es necesaria después del parto (Lv 12,7), en casos de lepra (Lv 13; 14; 22,4), de flujo sexual (Lv 15; 22,4; cf. Dt 23, 11), cuando se ha tocado o comido animales impuros (Lv 11,32; 17,15), al acercarse o tocar un cadáver (Lv 21, 1-4; 22,4; Nm 6,6-9; 19,11.14-16; cf. Ez 22,24, texto dudoso; 39,12). Antes de la consagración, tanto el sacerdote (Nm 8,6s.15) como el altar (Lv 16,19; Ez 43,26) deben ser purificados. Según Esd 6,20, los levitas se purifican antes de celebrar el sacrificio de la pascua. P habla también expresamente de la necesidad de purificarse de los pecados, portadores de desgracia (Jos 22,17). Aunque la impureza personal no puede atribuirse siempre a propia culpabilidad (la infección en caso de lepra, la menstruación, Lv 15,28), parece, sin embargo, que el aspecto de culpabilidad está siempre presente: por un caso de muerte repentina sucedida en su proximidad, el nazareo se ha impurificado y «peca a causa del muerto» (Nm 6,9-11); incluso el altar, el santuario y la tienda del encuentro deben ser purificados (santificados y expiados) «de las (a causa de las) impurezas de los israelitas» (Lv 16,18 a 20). Los testimonios haláquicos de *ṭhr* no presentan ningún énfasis afectivo especial; los textos de Ezequiel, por el contrario, van acompañados de un vehemente ataque a la impureza, la inmoralidad y el culto a los ídolos (Ez 22,24, texto dudoso; 24,13; 36,25.33). La obra cronística se preocupa casi exclusivamente de la purificación de seres extraños (Neh 13,9.30; 2 Cr 29,15s.18; 34,3. 5.8).

Unicamente pueden sacrificarse y comerse los animales puros (Dt 14,7-20; Lv 11,4 a 47; Gn 7,2; 8,20 J; W. Kornfeld, *Reine und unreine Tiere im AT:* Kairos 7 [1965] 134-147); y sólo los puros podían comer carne sacrificial (Lv 22,4). Las correspondientes concepciones y prácticas son de gran antigüedad. Saúl se explica la ausencia de David en el festín del novilunio como debida a algún accidente *(miqræ,* quizá una polución) que le ha hecho impuro (1 Sm 20,26). También los idólatras se «santifican y purifican» para su banquete sacrificial (Is 66,17). De todos modos, en los casos en que Dt permite la matanza de animales para uso profano no surge la cuestión de saber si se trata de animal puro o impuro (Dt 12,15.22; 15,22).

c) Los ritos de purificación son: abluciones, sacrificio, ritos de la sangre, de ungüento y de sal, corte de los pelos, penitencia, descanso del trabajo y —tratándose de metales— «haciéndolos pasar por el fuego» (Lv 11,32; 14,8s; 16,13.28; 17,15; 22,7; Nm 8,7; 19,19; 31,24); antes de su marcha a Betel, Jacob exigió a los suyos que dejaran los ídolos, que se purificaran y que cambiaran sus vestidos (Gn 35, 2 E).

Sólo en pocas ocasiones se menciona expresamente el sacrificio como medio de purificación: tras el parto (Lv 12,6.8), tras curarse de la lepra (Lv 14,4-7.10-20.21-32) y en la consagración del altar (Ez 43,26). De todos modos, el sacrificio no sólo comporta purificación, sino también expiación (→ *kpr* piel; Lv 12,8; 14,18-20.21.29. 31). El rito de la sangre presupone también un sacrificio (Lv 14,16.19; Ez 43, 26). Especial complicación reviste el rito de la sangre en los casos de purificación de la lepra: de dos pájaros, uno debe ser sacrificado y el otro debe ser mojado en la sangre junto con madera de cedro, púrpura escarlata e hisopo; a continuación se rocía siete veces al purificando y se deja libre al animal vivo (Lv 14,4-7.49-53). Junto con la vaca roja se quema madera de cedro, púrpura escarlata e hisopo y las cenizas son recogidas para el agua de purificación (Nm 19,1-10). Nada parece indicar que la comunidad posexílica fuese consciente del sentido mágico que acompañaba originariamente a estos ritos. La sangre y el ungüento deben aplicarse sobre el lóbulo de la oreja derecha, el dedo pulgar y el dedo gordo del pie derecho (Lv 14,15.17.26.28) y el resto del ungüento sobre la cabeza del purificando (14,18.29). Entre los ritos de expiación y purificación que acompañan a la consagración del altar (Ez 43,24) aparece también la aplicación de sal.

El corte de pelo es exigido en el ritual de los leprosos (Lv 13,33; 14,8s) y en la consagración de los levitas (Nm 8,7; cf. Nm 6,9). La penitencia y el descanso del trabajo forman parte de los presupuestos para la expiación y purificación del día de la expiación (Lv 16,29s). Los objetos metálicos tomados como botín a los madianitas deben ser pasados por el fuego con vistas a su purificación (Nm 31,23); *zāhāb ṭāhōr* (24 × en Ex 25-39 y, fuera de aquí, en 1 Cr 28,17; 2 Cr 3,4; 9,17) significa «oro limpio de escorias».

d) Los casos aún no mencionados de *ṭhr* entienden la purificación como liberación de la culpa. Jeremías duda de que Jerusalén pueda o quiera librarse de la bajeza de su «prostitución» (Jr 13,27); pero llegará el día en que Dios hará lo que ahora parece imposible (33,8). También Malaquías espera la purificación de los sacerdotes únicamente gracias a un proceso de limpieza que tendrá lugar el día de Yahvé (Mal 3,3). Según Sal 51, la purificación es liberación de los pecados gracias únicamente a la misericordia divina (vv. 3s), aunque debe reflejarse en las ceremonias cúlticas de purificación (v. 9, cf. Kraus, BK XV, 388). Los textos sapienciales que afirman la pecaminosidad universal de los hombres se preguntan si puede haber un solo hombre que sea puro (Job 4,17; Prov 20,9).

4. Todas las religiones tienen concepciones análogas a la concepción veterotestamentaria de la pureza (cf., entre otros, G. van der Leeuw, *Phänomenologie der Religion* [[2]1956] 386-393; RGG V, 939-944). Se ha aludido con frecuencia a su parecido con el tabú polinesio (con especial insistencia, B. Baentsch, *Exodus-Leviticus* [1903] 354-356). Pero el material veterotestamentario no permite pensar que la purificación consista en la liberación de potencias demoníacas o en respetar un tabú. Es evidente el carácter hipotético de esta explicación. Existen algunos indicios (Nm 19,7s.10) que insinúan la conexión rabínica entre lo santo y lo impuro (cf. *inf.*, 5); pero, por otro lado, se afirma también que la purificación se realiza al mismo tiempo que la santificación (Lv 16,19; cf. Ez 36,23-25) o la liberación del pecado (Ex 43,26). Es claro que puro y santo (→ *qdš*) aparecen estrechamente unidos en los textos veterotestamentarios, mientras que puro e impuro (→ *ṭm'*) aparecen como diametralmente opuestos.

Las leyes de la pureza nacieron de una exagerada exigencia de pureza en la comunidad posexílica, que puso al servicio de su sistema incluso ritos arcaicos (R. de Vaux, *Das AT und seine Lebensordnungen* II [1962] 317). Los ritos de pureza codificados en P ofrecen un cuadro expresivo —aunque no sea completo— de este considerable aparato. La mayoría de las veces no aparece ninguna conexión lógica entre las prácticas cúlticas y el fin al que están destinadas, es decir, la purificación. Un mecanismo de extensión del sentido —como el que sugiere K. Koch, EvTh 26 (1966) 225-231, para explicar el proceso de expiación— es impensable en el caso de la purificación. Resulta imposible reconocer cuál podría ser el «contenido vivencial» de las ceremonias (von Rad I, 292).

Se puede inferir, con todo, de los textos que a la base de estas leyes de pureza está la clara conciencia de los pecados que poseía la comunidad posexílica. Esta legislación está condicionada por la lucha contra el peligro de un nuevo exilio del pueblo de Dios y por el esfuerzo en eliminar todo lo impuro y pagano. No se les debe imputar una ingenua fe en la eficacia del rito simplemente por la ejecución formal de éste. Igual que los testimonios escatológicos (Jr 33,8; Ez 36,25.33; 37,23; Mal 3,3), también estas leyes se han impuesto con la conciencia clara de que la purificación (lo mismo que el perdón) ha sido prescrita por decisión divina y constituye un milagro realizado y donado por Dios. La investigación reciente tiende a entender de esta forma los textos en que aparece *ṭhr* (cf. W. H. Gispen, *The Distinction between Clean and Unclean:* OTS 5 [1948] 190-196; J. K. Zink, *Uncleanness and Sin:* VT 17 [1967] 354-361, espec. 361).

5. Dentro de los escritos de Qumrán (cf. H. Huppenbauer, *ṭhr und ṭhrh in der Sektenregel von Qumran:* ThZ 13 [1957] 350s), la raíz está representada con especial frecuencia en 1QS y 1QH. Los miembros de la comunidad viven en la «pureza» (1QS 5,13; 6, 16.22.25; 7,3.16.19.25; cf. CD 9,21. 23; 10,10.12); quien no ingresa en la comunidad es impuro, y no hay agua de purificación que pueda purificarlo (1QS 3,4-8; cf. 4,21; 11,14). En 1QH «purificar» significa siempre liberar de los pecados (1QH 1,32; 3,21; 4,37; 5,16; 6,8; 7,30; 11,10.30; 16,12). En el volumen del templo la pureza cúltica constituye uno de los temas principales.

La doctrina rabínica desarrolla toda una casuística sutil que distingue entre varios grados de pureza (G. Lisowsky, *Jadajim* [1956] 2-4; *Ṭebul Jom* [1964] 4s; *Ukṣim* [1967] 2s; sobre la equiparación de lo impuro y lo santo, cf. G. Lisowsky, *Jadajim* [1956] 49-51).

La superación del formalismo rabínico en la determinación de puro e impuro constituye una de las novedades revolucionarias del cristianismo primitivo (Mc 7,1-23; Mt 15,1-20; cf. R. Meyer y F. Hauck, art. καθαρός: ThW III, 416-434).

F. Maass

טוב *ṭōb* Bueno

1. La raíz que está a la base del hebreo *ṭōb,* «bueno», pertenece al semítico común (Bergstr., *Einf.,* 189); aparece con frecuencia (a veces en las formas secundarias *yṭb* y *ṭ'b)* como verbo y en diversas formas nominales en acádico, arameo y árabe, pero falta en etiópico (cf. también en ugarítico: WUS N. 1110; UT N. 1028; en los óstraca de Laquis: DISO 49, 106s; en arameo: KBL 1078; DISO 98s.106s; en árabe meridional antiguo: Conti-Rossini, 159b).

En hebreo, el verbo denominativo *ṭōb* (BL 392; Meyer II, 151) está documentado con toda seguridad en qal en las formas plurales del perfecto (Nm 24,5; Cant 4,10), así como en infinitivo (absoluto: Jue 11,25; constructo: Jue 16,25 Q; 2 Sm 13,28; Est 1,10; sobre 1 Sm 2,26, cf. GK § 113u). Fuera de estos casos no siempre resulta fácil distinguir entre el perfecto (y participio) y el adjetivo *ṭōb* (cf. las distintas clasificaciones en Lisowsky y Mandelkern). *ṭōb* hifil aparece en 1 Re 8, 18 = 2 Cr 6,8; 2 Re 10,30. En el imperfecto qal y con frecuencia también en hifil (así como en el sustantivo *mēṭāb,* «lo mejor») se emplea la raíz *yṭb.*

Además del adjetivo *ṭōb,* «bueno» (con frecuencia sustantivado, la mayoría de las veces como abstracto: *ṭōb* o *ṭōbā,* «lo bueno»), aparece el sustantivo *ṭōb* II, «aroma» (2 Re 20,13 junto a Is 39,2; Jr 6,20; Cant 7,10; cf. KBL 349s; J. Gray, *I & II Kings* [1963] 638), y el abstracto *ṭūb,* «bondad, bienestar». No aparece ninguna vez la form con desinencia en -*ūt* (en arameo: DISO 99; también en acádico).

En arameo bíblico aparecen el adjetivo *ṭāb* (Dn 2,32; Esd 5,17) y el perfecto qal *ṭeʾeb* (Dn 6,24; BLA 141).

Nombres personales formados con *ṭōb* o *ṭūb* (cf., sin embargo, H. Bauer, ZAW 48 [1930] 75) son los siguientes: *ʾăbīṭūb*, *ʾăḥīṭūb* y *ṭōbiyyā(hū)* (cf. Noth, IP 153; sobre el doble nombre de origen ditográfico *ṭōb-ʾădōniyyā* en 2 Cr 17,8, cf. Rudolph, HAT 21,250); en el ámbito arameo aparecen los siguientes: *ṭabrimmōn*, *ṭābeʾēl*/*ṭābeʾal* (cf. Wildberger, BK X, 266.275); cf. además Huffmon, 207; Stamm AN 234-236.294s. Sobre *ṭōb* como nombre de región situada en la parte norte del Jordán oriental, cf. A. Jirku, ZAW 62 (1950) 319; E. Höhne, BHH II, 1996.

2. La raíz *ṭōb*/*yṭb* (excluidos los nombres propios) está documentada 741 × en el AT (738 × en hebreo y 3 × en arameo). Según Lisowsky, *ṭōb* qal aparece 18 ×, hifil 3 ×, *yṭb* qal 44 ×, hifil 73 ×. Junto a *ṭōb* II (3 ×, cf. *sup.*), *ṭūb* (32 ×) y *mēṭāb* (66 ×), el adjetivo es —con sus 559 casos— el más frecuente: Sal 68 ×, Prov 62 ×, Ecl 52 ×, Gn 41 ×, 1 Sm 37 ×, Jr 36 ×, Dt 28 ×, 1 Re 24 ×, 2 Cr 23 ×, Est 22 ×, 2 Sm 21 ×, Is 13 ×, 2 Re, Job y Neh 12 ×, Jue 11 ×, Ez 9 ×, Jos y 1 Cr 8 ×, Nm y Lam 7 ×, Esd 6 ×, Ex, Lv y Os 5 ×, Am, Miq y Zac 4 ×, Rut 3 ×, Jon, Nah, Cant y Dn 2 ×, Jl y Mal 1 ×, Abd, Hab, Sof, Ag 0 ×.

3. El ámbito de empleo de *ṭōb* es muy extenso. En las traducciones bíblicas a nuestras lenguas, el término es traducido —atendiendo al contexto— por medio de diversos adjetivos y no sólo por medio de «bueno»: «agradable, satisfactorio, gustoso, útil, funcional, recto, hermoso, bravo, verdadero, benigno, bello, correcto, hábil», etc. (cf. los diccionarios). Sin pretender elaborar un cuadro sistemático y completo de todos los casos, mencionaremos a continuación los diversos ámbitos de significado en los que aparece *ṭōb* (o el verbo): *a)* aptitud para un determinado fin, *b)* designaciones de calidad, *c)* caracterización de los hombres, *d)* juicio definitorio, especialmente en la literatura sapiencial, *e)* *ṭōb* junto a *raʿ*. En el capítulo 4 se trata: *a)* de *ṭōb* como designación de la bondad moral en sentido religioso; *b)* de las afirmaciones sobre Dios, y *c)* de conceptos abstractos.

a) *ṭōb* contiene con frecuencia un juicio sobre la aptitud de un objeto o de una medida para una persona o para un fin determinado (por ejemplo, Gn 3,6: «bueno como comida»). Si el sujeto de la afirmación es un hombre, no se incluye un juicio ético, sino que se hace únicamente referencia al efecto de su comportamiento (por ejemplo, 1 Sm 19,4: las acciones de David son ventajosas para Saúl; 25,15: gente útil/provechosa para nosotros; Prov 31,18: la actividad del ama de casa para la familia; fuertemente acentuado en 1 Sm 1,8: «de más valor que diez hijos», cf. Rut 4,15; cf. además *ṭōb* junto a «palabra» o semejantes: 1 Re 12,7 = 2 Cr 10,7, no sólo palabras amables, sino palabras que ayudan en la vida; 1 Re 22,13 = 2 Cr 18,12, palabras útiles para el rey; Sal 45,2: palabras de ánimo; Prov 15,30: buen mensaje; 25,25: buena nueva). Si es Yahvé el que habla, entonces se trata de palabras que prometen la vida en situaciones de opresión e inseguridad: Jos 21,45; 23,14.15; 1 Re 8,56; Jr 29,10; 33,14; Zac 1,13 (el sentido cortés de «palabras amables» es raro: Jr 12,6, *ṭōbōt;* cf. Prov 12,25).

Con frecuencia, el sujeto de *ṭōb* es una frase o una expresión en infinitivo. En ella se contiene a veces un juicio o una decisión sobre los presupuestos necesarios para salvar la vida o para la prosperidad (Ex 14,12; Nm 14,3; 1 Sm 27,1; 2 Sm 14,32; tiene una fuerza especial cuando se trata de un juicio de Dios sobre la existencia del hombre, como en Gn 2,18: «no está bien que el hombre esté solo»). En sentido amplio entran también aquí diversas reflexiones de carácter sapiencial (Job 10,3; Ecl 2,24, *ṭōb* sustantivado; 6,12; 11,7; Lam 3,26.27; cf. *inf.*, *3d)*. Otras veces se trata de la prosperidad misma, incluida la posibilidad de existir (impersonal: Nm 11,18; Dt 5,33 y 15,16, *ṭōb* qal; 1 Sm 16,16.23; Os 2,9; Sal 128,2; personal: Is 3,10; Jr 44,17; Sal 112,5; en sentido atenuado: 1 Sm 20,12: «le va bien a David»; en la prescripción de Dt 23,17: sobre el esclavo liberado *baṭṭōb lō* no significa «donde le plazca», sino «donde encuentre medios de vida»).

La misma idea se expresa por medio de la fórmula *yṭb* qal *l*ᵉ, «irle bien a alguien» (constatación de un estado de cosas: Gn 40,14; Sal 49,19, texto enmendado; finalidad de un comportamiento exigido o programado: Gn 12,13; Dt 4,40; 5,16.29; 6,3.18; 12,25.28; 22,7; 2 Re 25,24; Jr 7, 23; 38,20; 40,9; 42,6; Rut 3,1). En Gn 12,13; Dt 4,40; 5,16.33 (*ṭōb* qal); 22,7 (cf. Dt 6,3.18, con un contenido semejante) se afirma expresamente que el «ir bien» es sinónimo de vida.

Cuando la situación de bienestar ha sido originada por los hombres (Gn 12,16; Nm 10,29) o —como es lo más frecuente— por Dios, se emplea *yṭb* hifil (con *l*ᵉ, la forma antigua: Gn 12,16; Ex 1,20; Nm 10,29; Jos 24,20; Jue 17,13; 1 Sm 25,31; Ez 36,11, texto enmendado; Sal 125,4; con acusativo: Dt 8,16; 28,63; 30,5; 1 Sm 2,32; Jr 18,10; 32,40.41; Zac 8,15; Sal 51, 20; Job 24,21; con *ʿim:* Gn 32,10.13; Nm 10,32; Miq 2,7, texto dudoso). La traducción «hacer bien, mostrarse amable» (GB 298b) es formalmente correcta; pero, por lo que se refiere al contenido, parece fijarse menos en el hecho mismo (cf. Sal 119,68, cf. *inf.*, 4*b*) que en sus consecuencias.

b) *ṭōb* es empleado como designación de calidad sobre todo cuando acompaña al término «tierra» o a otros conceptos del mundo de la agricultura. De una «tierra buena» se habla en Ex 3,8; Nm 13,19; 14,7; Jue 18,9. Las alusiones a la fertilidad de ésta indican que primariamente se piensa en los medios de subsistencia que proporciona (cf. Dt 23,17). Por el contrario, en la fórmula fija «la tierra buena/hermosa» —propia de la literatura deuteronómica y deuteronomística— (con *ʾæræṣ:* Dt 1, 35; 3,25; 4,21.22; 6,18; 8,7.10; 9,6; 11, 17; Jos 23,16; 1 Cr 28,8; con *ʾadāmā:* Jos 23,13.15; 1 Re 14,15) ya no se hace hincapié en la utilidad objetiva de la tierra (cf., espec. Dt 3,25). El hecho de que Yahvé la haya prometido bajo juramento (Dt 8,10; 9,6; Jos 23,13. 15.16) y de que los israelitas la posean (6,18; 9,6) como propiedad hereditaria (Dt 4,21) hace que la tierra se convierta en don salvífico y que el concepto *ṭōb* se vuelva más estático (cf. Gn 49, 15; y, en sentido amplio, también Dt 28,12). Con todo, en las designaciones propias del mundo de la agricultura en las que no hay una directa referencia salvífica, sigue predominando la idea de la utilidad y del provecho (por ejemplo, 1 Sm 8,14; 1 Re 21,2; 2 Re 3, 19.25; Ez 17,8; 34,14.18; 1 Cr 4,40; en la imagen del cesto de higos el antitético, *raʿ*, «malo», viene a significar «malos para comer»; finalmente deben citarse aquí 2 Re 2,19 y en cierto sentido también Jue 9,11; Os 4,13).

ʿēṣ ṭōb (2 Re 3,19.25) designa al «árbol frutal» en oposición a «árbol de follaje». Lo que en un principio era una apreciación valorativa se ha convertido con el tiempo en fórmula fija. A lo largo de este desarrollo *ṭōb* puede convertirse en expresión calificativa absoluta para designar que una determinada característica se da en un objeto de forma especial (con referencia al aceite: Is 39,2, pero cf. *sup.*, 2 Re 20,13; Sal 133,2; con referencia al oro: *zāhāb,* Gn 2,12; 2 Cr 3,5.8; arameo *dᵉhab,* Dn 2,32; *kætæm,* Lm 4,1; cf. también Esd 8,27 y el ugarítico *ṭb* junto a *yn,* «vino», y *ksp,* «plata», WUS N. 1110; UT N. 1028).

c) Grupo aparte forman los textos en los que *ṭōb* caracteriza al ser humano. Los textos más antiguos se refieren a la aptitud para determinadas tareas, por lo general de tipo militar. En un principio el término no tenía ninguna referencia ética («hombre bueno») (pero cf. *inf.* 4*a*). Designaba, por ejemplo, a una élite (1 Sm 8,16; 9,2; 1 Re 20,3; Am 6, 2; y lo mismo 2 Re 10,13). En 2 Sm 18,27 Ajimaas es llamado «hombre de bien» porque trae una buena noticia (la noticia de la victoria). En 1 Sm 15, 28 (¿influido por concepciones proféticas?); 1 Re 2,32 (paralelo a *ṣaddīq,* «justo»; quizá se trate de un añadido, como señala Noth, BK IX/1, 11); Miq 7,4 (paralelo a *yāšār,* «recto», texto dudoso) y 2 Cr 21,13, por el contrario, *ṭōb* es empleado como concepto ético.

En los textos en que *ṭōb* rige un genitivo el concepto apunta hacia una valoración más externa, con la que se caracteriza la figura y el aspecto de la persona («hermoso» o semejantes: Gn 24,16; 26,7; 1 Sm 16,12; 2 Sm 11,2; 1 Re 1,6; Est 1,11; 2,2.3.7; Dn 1,4; cf. Nah 3,4; Dn 1,15 y, en la misma línea —aunque empleado de forma absoluta—, Gn 6,2; Ex 2,2; Jue 15,2).

En este sentido *ṭōb* se acerca a vocablos más específicos en la línea de la belleza: *yāfǣ* (42 ×, a los que hay que añadir Jr 46,20, *yefe-fiyyā; yph* qal, «ser hermoso», 6 ×; piel, «adornar», 1 ×; hitpael, «ponerse elegante», 1 ×; *yofī,* «hermosura», 19 ×; la raíz es especialmente frecuente en Cant 16 ×, Ez 15 × y Gn 9 ×), *nāwǣ* (9 ×; se deriva de la raíz *n'h,* «ser hermoso, ser apropiado», 3 ×) y el arameo *šappīr* (Dn 4,9.18; arameo *špr* qal, «gustar», 3 ×; hebreo *špr* qal 1 × en Sal 16, 6, cf. Wagner N. 316). Cf. también W. Grundmann, ThW III, 545s; von Rad I, 375s.

ṭōb acompaña con frecuencia y de formas diversas a → *lēb,* «corazón» (por ejemplo, 1 Re 8,66 = 2 Cr 7,10; Prov 15,15; Ecl 9,7; Est 5,9; *ṭōb* qal: Jue 16,25; 1 Sm 25,36; 2 Sm 13,28; Est 1,10; *yṭb* qal: Jue 18,20; 19,6.9; 1 Re 21,7; Rut 3,7; *yṭb* hifil: Jue 19, 22; Ecl 11,9; *ṭub:* Is 65,14; de contenido semejante, Prov 17,22). En estas fórmulas, *lēb* es entendido como sede de los sentimientos, de forma que se hace referencia no a una cualidad moral, sino a la salud y bienestar del hombre. Este significado queda subrayado por el paralelo *śāmeaḥ,* «contento»/*śimḥā,* «alegría» (1 Re 8,66 = 2 Cr 7,10; Ecl 9,7; Est 5,9). *yṭb* qal/hifil indica la consecuencia de dicho estado, vista como meta o consecuencia (alejándose de este sentido, Ecl 7,3 acentúa más fuertemente el carácter ético, mientras que Jue 18,20 se acerca a *yṭb beʿēnē,* «gustar»).

En esta línea puede citarse también la expresión *yōm ṭōb,* «día festivo»; la expresión se refiere al día que —al margen de toda concepción mágica— es bueno para el hombre porque en él se siente a gusto (1 Sm 25,8; Est 8,17; 9,19.22; cf. Zac 8,19). Cf. también *śēbā ṭōbā,* «edad avanzada/hermosa» (Gn 15,15; 25,8; Jue 8,32; 1 Cr 29, 28). La edad en sí no tiene un valor moral, pero es positiva cuando se ha vivido con intensidad y se llega a la muerte tras una vida llena (Gn 25,8; 1 Cr 29,28; algo diverso, Ecl 7,10).

d) Todo adjetivo comporta un juicio. En nuestro caso concreto, *ṭōb* designa con frecuencia de modo genérico una postura subjetiva positiva con respecto a determinadas circunstancias, sin que se afirme que dicha toma de posición sea correcta o no. Un mensaje, un consejo, una palabra, etc., son *ṭōb* cuando son favorables (por ejemplo, Gn 40,16; 1 Sm 9,10; 2 Sm 17,7.14; 18,27; 1 Re 2,38.42; 2 Re 20,19 = Is 39,8; Is 52,7); una acción o un asunto *(dābār)* lo son cuando aparecen como útiles (Ex 18,17; Dt 1,14; 1 Sm 26,16). Esto incluye a veces un juicio ético (Neh 5,9; 2 Cr 12,12: «había todavía algo bueno en Judá», cf. Rudolph, HAT 21,234; 19,3; a medio camino se sitúa 2 Sm 15,3: «tu asunto es bueno» = deberían darte la razón).

Al igual que en nuestras lenguas, *ṭōb* puede convertirse en partícula de asentimiento (Gn 24,50; 1 Sm 20,7; 2 Sm 3,13; Rut 2,22; 3,13; cf. también Is 41,7).

El carácter de sentencia es acentuado por medio de diversos giros: 1) una cosa es *ṭōb* (más frecuente es *yṭb* qal ingresivo) en opinión *(beʿēnē,* «a los ojos de») de aquel que se promete sacar algún provecho o utilidad de la misma. El sujeto normalmente es impersonal y se refiere a algún objeto (excepciones: Nm 36,6; 1 Sm 29,6.9, no «amable», sino «provechoso/beneficioso como un ángel»; Est 2,4.9; 8,5; Neh 2,5). El genitivo regido por *beʿēnē* es una persona que puede juzgar y decidir la conveniencia (que desde el punto de vista ético puede ser completamente indiferente, cf. Gn 19,8; Jue 19,24; 1 Sm 11,10; Jr 26,14; Mal 2, 17). Puede tratarse de un soberano (Gn 41,37; 45,16; 1 Sm 14,36.40; 24, 5; 29,6.9; 2 Sm 19,19.28.38; 2 Re 10, 5; Est 1,21; 2,4.9), un patriarca o una persona particular (Gn 16,6; 20, 15; Lv 10,20; Dt 1,23; Jos 9,25; 1 Sm 1,23; 2 Sm 19,39; 24,22 = 1 Cr 21, 23; 1 Re 21,2; Jr 40,4; Est 3,11), un pueblo o un grupo (Gn 34,18; Nm 36, 6; Jos 22,30.33; 1 Sm 18,5; 2 Sm 3, 19.36; 18,4; Est 8,8; Zac 11,12). En los textos recientes puede aparecer la partícula *ʿal* en vez de *b*^{e}*ʿēnē* (Est 3,9; 5,4.8; 7,3; 9,13; Neh 2,5.7; 1 Cr 13,2; debe distinguirse Est 7,9 [cf. también G. R. Driver, VT 4 (1954) 236]; 1 Sm 20,13, texto dudoso), o también *lifnē* (Ecl 2,26; 7,26; Est 5,14; Neh 2,5.6). Si el genitivo regido por *b*^{e}*ʿēnē* es «Dios», entonces se indica que la cosa responde a su voluntad (Nm 24,1; Jue 10,15; 1 Sm 3,18; 2 Sm 10,12; cf. 1 Cr 19,13; 2 Sm 15,26; 1 Re 3,10; 2 Re 20,3 = Is 38,3), a la norma cúltica (Lv 10,19; 2 Cr 31,20, con *lifnē)* o moral (Dt 6,18; 12,28; 2 Cr 14,1) por él impuesta. Dios no puede sacar ningún provecho fundamental de la acción humana (cf. Sal 50,12.13).

2) *ṭōb* aparece —con mayor frecuencia que cualquier otro adjetivo— seguido del *min comparationis* («mejor que»), de forma que se plantean dos posibilidades de elección. Cuando se trata de una constatación (Gn 29,19; Jue 15,2; 1 Sm 9,2; 1 Re 21,2), promesa (Is 56,5) o deseo (1 Re 1,47, *yṭb* hifil) no se subraya la decisión. En cambio, textos como Jue 8,2 (la rebusca de Efraín); 11,25 (la declaración de los amonitas); 1 Re 19,4 (aptitud de Elías para su función); Est 1, 19 (cf. *sup.* sobre 1 Sm 15,28) presentan una decisión tomada en base a reflexiones anteriores. Con especial claridad aparece esto en las preguntas (Jue 9,2; 18,19; 2 Re 5,12) o en constataciones desesperadas (Jon 4,3.8; Lam 4,9).

Este sentido es especialmente frecuente en la literatura sapiencial, que surgió precisamente como ayuda en la tarea de decidir y enjuiciar los valores de la vida conforme a la categoría que les corresponde. Esto vale tanto para las verdades más sencillas y elementales (el buen gusto de la miel, Prov 24, 13; 25,27; el perjuicio de tener una mujer pendenciera, Prov 21,9.19; 25, 24) como para los conocimientos vitales —aunque no siempre evidentes a primera vista— sobre los verdaderos valores, es decir, sobre lo que es «bueno» (Prov 3,14; 8,11.19; 12,9; 15,16. 17; 16,8.16.19.32; 17,1; 19,1.2.22; 22, 1; 25,7; 27,10; 28,6; algo semejante, en Job 13,9). En este sentido debemos también citar el Eclesiastés (Ecl 4,3.6. 9.13; 5,4; 6,3.9; 7,1.2.3.10.18; 9,4), aunque aquí toda la concepción queda marcada por la idea que el autor tiene de la «felicidad» (3,22).

Puesto que estas máximas sapienciales son reflejo de un orden establecido, no se limitan a ideas de utilidad, sino que afectan también a la esfera ética (Prov 17,26; 18,5; 24,23; cf. también 2,20). El mismo *ṭōb* aparece acentuado por la piedad profética en 1 Sm 15,22 y Miq 6,8, y en sentido amplio también en Jon 4,4. Sobre el influjo de la piedad israelita en las concepciones sapienciales, cf. J. Fichtner, *Die altorientalische Weisheit in ihrer isr.-jüd. Ausprägung* (1933); sobre la relación de sabiduría y ética en general, cf. W. Richter, *Recht und Ethos* (1966).

A este nivel sapiencial se sitúa el empleo de *yṭb* hifil en el sentido profano de «hacer algo ordenadamente/cuidadosamente» (Ex 30,7; Dt 5,28; 18, 17; 1 Sm 16,17; 2 Re 9,30; Is 23,16; Jr 1,12; Ez 33,32; Os 10,1; Miq 7,3, texto enmendado; Sal 33,3; Prov 15, 13; 17,22). El infinitivo abstracto puede llegar incluso a convertirse en simple adverbio (GK § 133 K), que designa la realización correcta de algo (Dt 13,15; 17,4; 19,18 en las ordenaciones sobre los juicios; cf. también Dt 9,21; 27,8; 2 Re 11,18; Jon 4, 4.9).

e) Con frecuencia, *ṭōb* aparece unido al opuesto *raʻ*, «malo, malvado» (→ *rʻʻ*). Deben citarse, entre otras, las fórmulas «desde lo bueno hasta lo malo» o «bueno y malo» en el sentido de «todo, cualquier cosa» (Gn 31,24. 29; 2 Sm 13,22; cf. Lv 5,4 con *yṭb* hifil y *rʻʻ* hifil; cf. también H. A. Brongers, OTS 14 [1965] 100-114), las afirmaciones compuestas con los verbos «hacer» y «devolver» (por ejemplo, 1 Sm 24,18; 25,21; Jr 18,10; Sal 35, 12; Prov 31,12), las referencias cualitativas (Lv 27,10.12.14.33) y las afirmaciones sobre actos de Yahvé salvíficos o punitivos (cf. *inf.* 4*b*).

En algunos casos se puede ver todavía con claridad cómo la existencia de dos posibilidades exige una decisión o la deja libre (cf., por ejemplo, Nm 13,19; 24,13; 2 Sm 14,17; 19,36; 1 Re 3,9; Is 41,23; Jr 10,5; 40,4; cf. *sup.* 3*d;* 42,6; Sof 1,12; ambos conceptos son usados como fórmula en Gn 24,50 en el sentido de sí y no).

En todos estos pasajes la decisión gira en torno a lo que es útil o perjudicial para la vida, sin que se siga de ello un juicio moral (sobre Is 5,20, cf. *inf.* 4*a*). En este sentido hay que entender también el «conocimiento del bien y del mal» de Gn 2,9.17; 3,5.22 (→ *ydʻ* III/1*c;* de las diversas posibilidades presentadas en ese capítulo aceptamos aquí la número 2; el hecho de que la historia del pecado original no tenga paralelos en cuanto narración completa en los mitos de los pueblos vecinos a Israel va *a priori* contra la la opinión de los que entienden la frase como un hacerse conscientes de la sexualidad [N. 3]; por otra parte, si se tratara de la capacidad de juzgar en materia moral [N. 1], no habría nada reprochable; von Rad, ATD 2, 65 y Brongers, *loc. cit.*, 105, consideran que la fórmula *ṭōb wārāʻ* es un merismo por «todo» [N. 4], pero la pretensión de un conocimiento divino total se hubiera expresado de forma distinta). La importancia de la fórmula estriba, entre otras cosas, en el hecho de que la mención del árbol del conocimiento ha sido introducida en el contexto con ciertas dificultades (H. J. Stoebe, ThZ 18 [1962] 387-390). Por el contrario, la idea de que por medio del conocimiento del bien y del mal el hombre reivindica para sí la decisión de lo que es útil y lo que es perjudicial para su vida, es decir, plena autonomía en su decisión, no introduce ninguna idea extraña en el AT, sino que desarrolla y profundiza precisamente lo que ya estaba incluido en el concepto de *ṭōb*.

Is 7,15.16 se refiere a la capacidad de elegir entre lo bueno y lo malo, capacidad que supone un grado de madurez ausente todavía en el recién nacido; puesto que la promesa va a ser cumplida en breve, no puede tratarse de una madurez corporal o de una edad en torno a los veinte años (G. W. Buchanan, JBL 75 [1956] 114-120), sino que se trata del hacerse consciente de la propia voluntad. Lo mismo vale para Dt 1,39 (cf. Nm 14,31).

Es probable que las fórmulas de aprobación en el relato sacerdotal de la creación (Gn 1,4.10.12.18.21.25.31) estén relacionadas conscientemente con el tema del pecado original. Al margen del origen y del significado sintáctico de la fórmula (W. F. Albright, FS Robert [1954] 22-26), es claro que se refiere a que el mundo querido por Dios está bien (W. H. Schmidt, *Die Schöpfungsgeschichte der Priesterschrift* [^{2}1967] 59-63), es decir, que responde a su finalidad.

4. *a)* El significado de *ṭōb*, «bueno», en sentido religioso-moral, no es el resultado tardío de una espiritualización. La base para este significado reside en que *ṭōb* es un concepto orientado directamente hacia la vida. Como trasfondo aparece la idea de que la vida sólo es posible dentro de unas normas —a éstas se refieren las afirmaciones construidas con *ṭōb*—, ya que fuera de ellas toda vida resulta imposible.

También la sabiduría quiere enseñar el camino de la vida (cf. Prov 2,19; 5,6; 6,23; 12,28; 15,24; 16,17), es decir, el «camino del/de lo bueno» (Prov 2,9.20; cf. 2,12: «camino del malvado»). También ella busca una moralidad y distingue al hombre que es bueno (Prov 2,20; 12,2; 13,2; 14, 14.19). La norma de este camino es «justicia» y «derecho» (Prov 2,9; cf. 12,28; 16,31); la «sabiduría» y la «inteligencia» constituyen válidas ayudas para el mismo (Job 34,4; Ecl 7,11; cf. Prov 4,7; 9,6). Pero tampoco faltan en este contexto expresiones que van más allá de las ideas propiamente sapienciales (Prov 2,9; 14,22; 15,3). No se debe, pues, pensar en una oposición excluyente entre piedad y sabiduría (sobre las diversas influencias, cf. *sup. 3d),* pero mucho menos debe entenderse la piedad como una simple forma del pensamiento sapiencial, ya que trasciende todas las normas y se dirige al mismo Dios.

Este punto de vista es profundizado en la predicación profética (por ejemplo, 1 Sm 15,22; Miq 6,8; cf. Os 6,6); algunas fórmulas coinciden con las de la literatura sapiencial. Muy instructiva es en este sentido la predicación de Amós (Am 5,4.14.15). La idea de la vida ocupa un lugar decisivo; concederla es algo que pertenece al Dios vivo. Sólo se halla vida estando en comunidad con él, manteniéndose dentro de sus estatutos. De esa forma, «buscar a Dios» y «buscar lo bueno» son conceptos casi idénticos.

También aquí sigue vigente el carácter de decisión. Se debe conocer y reconocer algo para amarlo u odiarlo, para poder hacerlo o no hacerlo (cf., por ejemplo, Is 5,20; Jr 13,23; Am 5, 15; Miq 3,2; Sal 14,1.3; 34,15; 37,3. 27; 38,21; pero también Prov 11,27; 14,22; Job 34,4), pero la última decisión le toca a Dios (cf. Ecl 12,14; irónicamente invertido en Mal 2,17; cf. también el → *'ūlay,* «quizá», de Am 5, 15).

De esa forma, pues, al igual que en la literatura sapiencial (cf. *sup.),* también en el lenguaje de la piedad el camino de un hombre puede ser considerado «bueno» (1 Sm 12,23; 1 Re 8, 36 = 2 Cr 6,27) en un doble sentido: por una parte, el camino en sí es bueno, recto; por otra, conduce a una meta buena (en sentido profano, en 1 Sm 24,20) (sobre el arraigamiento de este concepto en la fe del AT, cf. A. Kuschke, StTh 5 [1952] 106-118; F. Nötscher, *Gotteswege und Menschenwege in der Bibel und in Qumran* [1958], → *dæræk).*

Aquí tiene su lugar la característica unión de *yṭb* hifil con *dæræk,* «camino», o *ma'ᵃlālīm,* «obras» —especialmente frecuente en Jeremías— (Jr 7,3.5; 18, 11; 26,13; 35,15). La traducción «mejorar» no da el sentido exacto. La traducción correcta es «corregir, ordenar» (cf. Jr 2,33: «corregir para un determinado fin»). El objeto, cuando es evidente, puede quedar inexpresado, de forma que *yṭb* hifil empleado de forma absoluta significa «actuar bien, rectamente» (Jr 4, 22; 10,5; 13,23; también Is 1,17). Este modo de empleo está ausente de la literatura sapiencial. Gn 4,7 suele entenderse generalmente en este mismo sentido; teniendo en cuenta la dificultad del texto, se puede considerar como probable que éste no fuera otra cosa que la interpretación de una tradición no comprendida. De todas formas, es seguro que también aquí hay una elipsis (cf. G. R. Castellino, VT 10 [1960] 442-445).

En la misma línea está *ṭōb* cuando aparece como complemento directo de *'śh,* «hacer», o verbos semejantes (Ez 18,18; 36,31; Sal 14,1.3; 34,15; 37,3.27; 38,21; 53,2.4; Prov 14,22, *ḥrš,* «preparar»); aquí hay que prescindir de los pasajes donde se trata de una disponibilidad humana a ayudar a otros hombres (por ejemplo, Gn 26,29; 1 Sm 24, 18; Prov 31,12). Según el contexto, tienen también su lugar aquí los pasajes con *ṭōb* hifil (1 Re 8,18 = 2 Cr 6,8; 2 Re 10,30).

También el hombre puede, por tanto (por encima de la estricta referencia «apto para»; «élite»), ser llamado «bueno» en sentido religioso-moral (por ejemplo, 1 Sm 2,26, cf. v. 24; 15,28; 1 Re 2,32; Sal 125,4; Prov 13,22; Ecl 9,2; Est 1,19; 2 Cr 21,13 con *yṭb* qal Nah 3, 8; sobre la literatura sapiencial, cf. *sup. 4a).*

b) La referencia del concepto *ṭōb* a Dios tiene como consecuencia que Dios mismo es llamado *ṭōb,* concretamente en textos recientes y sobre todo en los salmos (Sal 25,8; 34,9; 73,1; 86,5; 119,68; 135,3; 145,9; Lam 3,25; 2 Cr 30,18; cf. Nah 1,7). En este sentido salen fiadores de Yahvé su nombre (Sal 52,11; 54,8), su espíritu (Sal 143,10; Neh 9,20, que viene a ser un eco posterior de Nm 11,17.23ss); a veces se hace referencia a su actuación indirecta (Sal 119,39; Neh 9,13) o directa _(yād,_ «mano», Est 7,9; 8,18; Neh 2,8). Además debe colocarse aquí la «buena palabra» como «promesa» (Jos 21,45; 23,14.15; cf. _sup. 3a)._

El predicado divino _ṭōb_ aparece con especial frecuencia en la fórmula introductoria de la alabanza litúrgica (Jr 3, 11; Sal 100,5; 106,1; 107,1; 118,1.29; 136,1; Esd 3,11; 1 Cr 16,34; 2 Cr 5, 13; 7,3); la fórmula es completada con frecuencia por medio de la expresión «pues su → _ḥǽsæd_ es eterna».

Incluso cuando no se indica expresamente (como en Nah 1,7; Sal 73,1; 86,5; 145,9; Lam 3,25) quién es el destinatario de esa bondad divina, la afirmación no queda en simple abstracción, pues la _ḥǽsæd_ de Dios incluye ya en sí la postura de disponibilidad para con los hombres. Por eso, en los textos más recientes y sobre todo en las versiones _ḥǽsæd_ es completado o sustituido por _ṭōb_ (H. J. Stoebe, VT 2 [1952] 248). Con esto se supera la simple idea de que Dios ayuda y beneficia a alguien _(yṭb_ hifil) (cf. el participio absoluto hifil _mēṭīb,_ Sab 119,68) y se fija no tanto en el don cuanto en el donador. Puesto que Dios mismo es _ṭōb,_ se puede recibir de su mano tanto lo bueno como lo malo, tanto cosas agradables como desagradables (Job 2, 10; Lam 3,38).

Cuando en el género hímnico la misma alabanza de Dios es llamada _ṭōb_ (Sal 92,2; 147,1; semejante también Sal 118, 8.9; Lam 3,26), no es que se emplee un lenguaje meramente convencional, sino que se fundamenta en el hecho de que Dios es _ṭōb_ y también lo son sus acciones salvíficas que preceden a la alabanza (cf. también Sal 73,28).

Es instructiva la unión en Sal 63,4 de _ṭōb, ḥǽsæd_ y _ḥayyīm,_ «vida». En Sal 69,

17 y 109,21 la traducción corriente «tu gracia es valiosa» resulta demasiado estática; se trata, más bien, de una hendíadis: «tu bondad es buena» (cf. Kraus, BK XV, 479s.745s).

_c)_ Los conceptos abstractos ya han sido mencionados anteriormente en la explicación de los diversos grupos de significados; aquí presentaremos un esquema de los mismos.

En primer lugar aparece _mēṭāb,_ «lo mejor»; esta expresión cualitativa aparece únicamente unida a «tierra» (Gn 47,6.11), «campo/viña» (Ex 22,4.4) y «rebaño» (1 Sm 15,9.15).

El significado original de _ṭūb_ es el de «renta que uno recibe» (Gn 45,18. 20.23; Is 1,19; Jr 2,7; Esd 9,12; Neh 9,25.36; con frecuencia es acompañado de términos como «comer», «saciarse», «fruto») y en general significa «posesiones, bienes, haberes» (Gn 24, 10; Dt 6,11; 2 Re 8,9; Job 20,21; Neh 9,25). Con un sentido fundamentalmente idéntico al de _ṭūb_ puede aparecer también _ṭōb,_ aunque debe tenerse en cuenta naturalmente la incertidumbre de la vocalización (1 Sm 15,9; 1 Re 10,7; Is 55,2; Jr 5,25; Zac 1,17; Sal 34,11.13; 85,13; 104,28; Job 22,18; _ṭōbā:_ Job 22,21; Ecl 6,3). Cuando se subraya que es Dios el autor de los bienes, entonces _ṭūb_ significa «bendición, salvación» (Sal 27,13; 65,5; 128, 5; Neh 9,25.35; en sentido genérico, «prosperidad», Job 21,16; Prov 11,10; a mitad de camino entre ambos sentidos, Jr 31,12.14; cf. también Sal 65, 12, _ṭōbā)._ El último paso consiste en que _ṭūb_ designa exclusivamente «bondad» y en ese sentido se acerca mucho a _ḥǽsæd_ (Ex 33,19; Is 63,7; Os 3,5; Sal 25,7; 31,20; 119,66, texto dudoso; 145,7; cf. _ṭōb,_ Sal 23,6; _ṭōbā,_ Sal 68, 11). En Dt 28,47 e Is 65,14 aparece _ṭūb lēb_ como «alegría del corazón»; en Os 10,11 y Zac 9,17 aparece _ṭūb_ como «hermosura».

Resulta difícil distinguir con claridad los términos _ṭōb_ y _ṭōbā._ Se puede afirmar con ciertas reservas que _ṭōbā_ es algo más neutro y se refiere más bien a la acción buena en cuanto tal; es el contexto concreto el que le da en cada ocasión el matiz necesario (cf., por ejemplo, Jue 8,35; 1 Sm 24,19). Esto se ve con especial claridad cuando va unido a *ʿśh,* «hacer», y verbos semejantes (Gn 44,4; Nm 24,13, actuar según le parece bien; Jue 9,16; 1 Sm 24,18.19; 25,21, pero en v. 30 el sentido es claramente el de «bendición»; 2 Sm 2,6; cf., sin embargo, G. Buccellati, BeO 4 [1962] 233; W. L. Moran, JNES 22 [1963] 173-176; D. R. Hillers, BASOR 176 [1964] 46s; J. S. Croatto, AION 18 [1968] 385-389); Jr 18,20a; Sal 35,13; 38,21a, en v. 21, sin embargo, *ṭōb* designa la bondad moral; 109,5; Prov 17,13; cuando se le contrapone *rāʿā* se piensa en un comportamiento que no se justifica por la actividad de uno mismo). El mismo sentido general aparece en 2 Cr 24,16 («merecer», Rudolph, HAT 21, 276); Jr 18,20b («hablar en bien de»; parecido Jr 15,11, con *ṭōb);* 2 Re 25,28 = Jr 52,32 («hablar amablemente»); Neh 5,19 y 13,31 (pensar bien»); *ʿśh ṭōb,* por el contrario, subraya con más fuerza el aspecto moral de la acción (Ez 18,18; Sal 14,1.3; 34,15; 37,3.27; semejante también, Is 5,20.20; Am 5, 14.15; Miq 3,2; Sal 38,21b; Prov 11, 27; también quizá Prov 11,23; 14,22; sobre el carácter de decisión, cf. *sup.* 4a).

Este sentido genérico pasa luego a la idea concreta de «dicha, fortuna, bienestar». En la mayoría de los casos no es posible reconocer en *ṭōb* un sentido concreto de *ṭōbā* —si es que alguna vez lo tuvo— (*ṭōbā:* Dt 23,7; Sal 16,2; 106,5; Job 9,25; 21,25; Ecl 4,8; 5,17; 6,6; 7,14 junto a *ṭōb,* que aparece como aplicación ilustrativa; 9, 18; Lam 3,17; Esd 9,12; Neh 2,10; más frecuente es *ṭōb:* Nm 10,29; Jr 8, 15; 14,19; 17,6; Os 8,3, que subraya la idea de «dicha»; Miq 1,12; Sal 4,7; 25,13; 34,13; 39,3; 103,5; 107,9; Job 7,7; 21,13; 30,26; 36,11; Prov 13,21; 16,20; 17,20; 18,22; 19,8; 28,10, texto inseguro; Ecl 2,1.3; 3,12.12.13.22; 5, 17; 8,12.13.15).

Si es Dios quien da esta situación próspera, entonces *ṭōbā* designa «bendición, salvación» (Ex 18,9; 1 Sm 25, 30; 2 Sm 7,28 = 1 Cr 17,26; 1 Re 8, 66 = 2 Cr 7,10; Jr 18,10; 32,42; 33, 9). También aquí puede aparecer *ṭōb* con el mismo significado; en ese caso se incluye también la idea del modo concreto que reviste dicha situación (Nm 10,32; cf. v. 29; Is 52,7; Jr 29, 32; Sal 21,4; 34,11; 84,12; 119,65; 122,9; Prov 24,25; 2 Cr 6,41; 10,7).

Este contenido del concepto *ṭōb* es elaborado de forma característica en los casos en que *ṭōbā/ṭōb* es construido con *l*ᵉ. En Neh 2,18 aparece *lᵉṭōbā,* «para una buena acción», en sentido genérico; pero, por lo general, es Yahvé quien, como Señor, crea para el hombre esta situación de bendición y salvación (*ṭōbā:* Dt 28,11; 30,9; Jr 14, 11; 24,5; Sal 86,17; Esd 8,22; *ṭōb:* Dt 6,24; 10,13; Jr 32,38). Este parece ser también el sentido de Gn 50,20 (la traducción «lo cambió en bien» no es del todo correcta; Dios ha convertido el plan maligno en salvación; cf. Sal 119,122). La responsabilidad humana es subrayada en el anuncio profético por medio de la contraposición entre *ṭōbā* y *rāʿā.* Dios no ofrece necesariamente la salvación, también puede obrar para desgracia. Esta idea aparece ya en Am 9,4 y caracteriza de forma especial el mensaje de Jeremías (Jr 21, 10; 24,6; 39,16; 44,27).

5. Los LXX traducen normalmente *ṭōb* por medio del término ἀγαθός, pero también a veces por medio de καλός y χρηστός. Sobre el lenguaje posterior al AT, cf. W. Grundmann, art. ἀγαθός: ThW I, 10-18; E. Beyreuther, ThBNT I, 621-626.

H. J. Stoebe

טמא *ṭmʾ* Ser impuro

1. El verbo *ṭmʾ* es conocido en hebreo, arameo y árabe (cf. LS 279s); no está documentado en acádico y en

las inscripciones semíticas noroccidentales de la época veterotestamentaria.

En el AT están documentados el verbo (qal, nifal, piel, pual, hitpael y hotpael, GK § 54h; BL 285) y también el adjetivo *ṭāmē'*, «impuro», y el sustantivo *ṭum'ā*, «impureza» (Miq 2, 10, texto dudoso: *¿ṭōm'ā* o infinitivo qal?).

2. El verbo está documentado en el AT 160 ×. El mayor número de casos corresponde a textos exílicos y posexílicos: Lv, Nm (P) y Ez contienen el 85 por 100 de los casos (Lv 85 ×, Ez 30 ×, Nm 23 ×). El modo qal aparece 75 × (Lv 58 ×, Nm 10 ×, Ez 4 ×; Ag 2,13.13 y Sal 106,39), el nifal 18 × (Nm 7 ×, Ez 6 ×, Lv y Os 2 ×, Jr 1 ×), piel 50 × (Lv 17 ×, concretamente 12 × en Lv 13,3-59 y 20,25 con el significado de «declarar impuro»; Ez 14 ×, Nm 5 ×, 2 Re 23,8-16 4 ×, Gn 34 y Jr 3 ×, además Dt 21,23; Is 30,22; Sal 79,1; 2 Cr 36,14), pual 1 × (Ez 4, 14), hitpael 15 × (Lv 8 ×, Ez 5 ×, Nm 6,7 y Os 9,4), hotpael 1 × (Dt 24,4). *ṭāmē'* aparece 89 × (Lv 47 ×, en 13,45 duplicado; incluido 5,2b, que normalmente es corregido según v. 3,4 a *yāda'*, cf. Elliger, HAT 4,55s; Nm 12 ×, Dt 8 ×, Ez 5 ×, además, Jos 22,19 P; Jue 13,4; Is 6,5.5; 35,8; 52,1.11; 64,5; Jr 19,13; Os 9,3; Am 7,17; Ag 2,13.14; Job 14,4; Ecl 9,2; Lam 4,15; 2 Cr 23,19), *ṭum'ā* 37 × (Lv 18 ×, Ez 8 ×, además, Nm 5,19; 19, 13; Jue 13,7.14; 2 Sm 11,4; Zac 13,2; Lam 1,9; Esd 6,21; 9,11; 2 Cr 29,16).

3./4. Sobre el concepto y las concepciones en torno a la impureza, cf. → *ṭhr:* la impurificación y la impureza exigen la purificación.

El transitivo «impurificar» se expresa también por medio de *g'l* II piel (Mal 1, 7) y hifil (Is 63,3) y el pasivo «ser impurificado» por medio de *g'l* nifal (Is 59,3, forma dudosa; Sof 3,1; Lam 4,14) y pual (Mal 1,7.12; Esd 2,62; Neh 7,64) y el reflexivo «impurificarse» por medio de *g'l* hitpael (Dn 1,8.8); cf. *gō'al,* «mancha», Neh 13,29.

En Gn 34,5.13.27 se caracteriza como «impureza» la violación de Dina. Betsabé se limpiaba «de la impureza» de la menstruación (2 Sm 11,2.4). Junto con el anuncio del nacimiento de su hijo se le transmite a la madre de Sansón la orden de no comer nada impuro (Jue 13,4.7.14); a esta orden acompaña siempre la prohibición de beber vino y bebidas alcohólicas. Según Oseas, Israel se ha impurificado a causa de la prostitución (Os 5,3; 6,10); por eso se ve obligado a comer comidas impuras en Asiria (9,3) y se impurifica —lo mismo que por la comida del «pan de amargura»— (9,4, cf. Wolff, BK XIV/1, 199s; Rudolph, KAT XIII/1, 172.176). Amós amenaza a Amasías diciéndole que morirá en tierra extranjera e impura (Am 7,17); Isaías se siente perdido (distinto, Wildberger, BK X, 232s) porque él, hombre de labios impuros que habita con un pueblo de labios impuros, ha visto al rey Yahvé Sebaot (Is 6,5). Jeremías denuncia la impureza del país y del templo (Jr 2,7; 7,30; 32,34) y la autocontaminación de Israel (2,23; cf. Sal 106,39). Sal 79,1, por el contrario, habla de la impurificación del templo por obra de los gentiles. Según la ley deuteronómica, el país es profanado cuando un ahorcado no es descolgado antes del crepúsculo (Dt 21,23); una mujer que se vuelve a casar tras haberse separado del primer marido queda impurificada (24,4). Josías profana los lugares donde se rinde culto a los ídolos (2 Re 23, 8.10.16; cf. Is 30,22; Jr 19,13).

Entre las promesas de DtIs aparece la de que ningún impuro volverá a pisar Jerusalén (Is 52,1; cf. 35,8); los repatriados no deben tocar nada que sea impuro (52,11); según la obra cronística, estas concepciones fueron puestas en práctica (Esd 6,21; 9,11; 2 Cr 23,19; 29,16. En 36,14 se afirma lo contrario). Ageo señala el influjo contagioso de la impureza: cuando uno que ha quedado impuro por el contacto de un cadáver toca un alimento, hace que también éste quede impurificado; el sacrificio ofrecido por personas impuras es asimismo impuro (2,13s). Zac 13,2 anuncia el anatema a los profetas y al «espíritu inmundo».

Según Ezequiel, la impurificación tiene lugar sobre todo a causa del culto a los ídolos (Ez 20,7.18.30s.43; 22,3s; 23,7.13.17.30; 36,18; 37,23, por lo general, en unión del término *gillûlîm,* «ídolos», cf. Zimmerli, BK XIII, 149s) y del adulterio (18,6.11.15; 22,11; 33, 26). El ataque del profeta se hace particularmente incisivo cuando se trata de ofensas hechas al santuario (5,11; 23,38). Anuncia el castigo de la radical impurificación del templo por orden de Yahvé (9,7) y aclara que es Yahvé mismo el que impurificará Israel por medio del sacrificio de los primogénitos y lo llenará de terror (20, 26; cf. Fohrer, HAT 13,112-114; Zimmerli, BK XIII, 449s).

Dentro del escrito sacerdotal y de la ley de santidad el empleo de la raíz se concentra en Lv 11 (verbo 20 ×, adjetivo 14 ×), Lv 13 (verbo 13 ×, de ellas 11 × en sentido declaratorio; adjetivo 8 ×), Lv 15 (verbo 25 ×, adjetivo 4 ×, sustantivo 7 ×) y Nm 5, 9.19. Algunas fórmulas fijas son empleadas con cierta frecuencia: «será para vosotros impuro», sólo en Lv 11 y Dt 14; sin «para vosotros», en Lv 13; «quedará impuro hasta la tarde», en Lv 11 y 15; «de forma que queda contaminado», sólo en Lv 15,32; 18,20. 23; 19,31; 22,8 (cf. Elliger, HAT 4, 150ss, notas 4.14.18; 240, nota 18).

5. Sobre el proceso de impurificación y las diversas formas de impureza conforme a la concepción sacerdotal, así como sobre su desarrollo en la época rabínica, cf. → *ṭhr*. Sobre los LXX y sobre el NT, cf. F. Hauck, artículo μιαίνω: ThW IV, 647-650.

F. Maass

יָד *yād* Mano

1. La raíz bilítera **yad-,* que está a la base del hebreo *yād,* «mano», pertence al semítico común (Bergstr., *Einf.,* 184; P. Fronzaroli, AANLR VIII/19 [1964] 259.273.279) y originalmente significaba tanto «brazo» (→ *zᵉrōaᶜ*) como «mano» (ése es el caso en acádico, cf. H. Holma, *Die Namen der Körperteile im Ass.-Bab.* [1911] 116s; pero en el último sentido *idu* es desplazado por *qātu,* «mano», cf. Dhorme, 138s). También en semítico occidental puede aparecer a veces *yd* en el sentido de «brazo» (cf. el hebreo *bēn yādáyim,* Zac 13,6, y el ugarítico *bn ydm,* «hombros», UT N. 1072; Gn 49, 24, *zᵉrōᶜē yādāw[?];* Cant 5,14, donde *yādāw* es comparado con «cilindros de oro»).

En las cartas de Amarna se puede documentar todavía el cambio de significado antes mencionado: *ina qātīšu,* «en su mano», es glosado por *badiu* (EA 245, 35) y *qātu* por *zuruḫ* (= *zᵉrōaᶜ*) (EA 278, 27; 288, 34). También en árabe se da el doble significado (cf., por ejemplo, Wehr 982).

La representación del sonido *d* por medio de una mano en la escritura egipcia antigua da pie a la sospecha de un empleo prehistórico del término *yd* en el ámbito egipcio.

En ugarítico, el término aparece acompañado de la preposición *bᵉ* en la forma abreviada de *bd* (cf. también el siríaco *bad* en lugar de *bᵉyād).* Con pérdida de la *y* el término aparece también en *šbᶜd* o *sbᶜid,* «séptuplo» (UT N. 1072). El cambio entre *bᵉyād* y *bᵃᶜad* en el AT se puede explicar tanto fonética como gráficamente (*byd* en vez de *bᶜd:* Is 64,6; *bᶜd* en vez de *byd:* 1 Sm 4,18; Jl 2,8; R. Gordis, JBL 62 [1943] 341-344).

Sobre posibles denominativos de *yād,* cf. J. L. Palache, *Semantic Notes on the Hebrew Lexicon* (1959) 38.

2. El término *yād,* documentado 1600 ×, es uno de los vocablos más frecuentes en el AT:

	Sing.	*dual*	*Plural femen.*	*Total*
Gn	79	14	2	95
Ex	91	12	6	109
Lv	41	9	—	50
Nm	41	4	—	45
Dt	71	12	—	83
Jos	34	2	—	36
Jue	83	9	—	92
1 Sm	117	2	—	119
2 Sm	53	9	1	63
1 Re	42	1	6	49

	Sing.	dual	Plural femen.	Total
2 Re	61	11	1	73
Is	71	21	—	92
Jr	95	22	—	117
Ez	93	15	—	108
Os	5	1	—	6
Jl	1	—	—	1
Am	4	—	—	4
Abd	—	—	—	—
Jon	—	—	—	—
Miq	4	1	—	5
Nah	—	—	—	—
Hab	1	1	—	2
Sof	3	1	—	4
Ag	3	2	—	5
Zac	14	5	—	19
Mal	5	—	—	5
Sal	58	36	—	94
Job	40	13	—	53
Prov	21	10	—	31
Rut	3	—	—	3
Cant	1	3	—	4
Ecl	8	5	—	13
Lam	9	6	—	15
Est	21	1	—	22
Dn	14	1	1	16
Esd	13	4	—	17
Neh	35	5	1	41
1 Cr	38	7	—	45
2 Cr	72	8	2	82
Heb. AT	1.345	253	20	1.618
Aram. Dn	10	2	—	12
Aram. Esd	5	—	—	5
Aram. AT	15	2	—	17

Ag 2,10, *b^{e}yad* (BH³: *ʾæl)* no está incluido en la lista; en Lisowsky falta Os 12,11. En Ex 32,19; Lv 9,22; 16,21; Job 5,18; Prov 3,27 y 2 Cr 18,33 (cf. 1 Re 22, 34) se sigue la lectura Q; Dt 32,27 es contado como singular, y Hab 3,10, texto dudoso, como plural.

El vocablo es especialmente frecuente en 1 Sm y Jr (en este último aparece más de 50 × unido a *b^e);* siguen Ex y Ez.

3. *a)* En *sentido propio, yād* designa en hebreo la mano de un hombre (Gn 38,28; 1 Re 13,4-6) o de un ángel (Dn 10,10).

Los objetos que pueden ser empuñados con la mano son caracterizados añadiendo *yād* al término que los designa (Nm 35,17, una piedra; 35,18, instrumento de madera; Ez 39,9, bastón). El vocablo *yād* es usado en sentido exclusivo de mano *humana* en Dn 8,25 y Job 34,20. En la ley del talión se habla de cortar la mano (Ex 21,24; cf. Lv 24,19; Alt, KS I, 343; Noth, ATD 5, 147; D. Daube, *Studies in Biblical Law* [1947] 128) a la mujer que en el curso de una riña entre hombres agarra por las partes al que no es su marido (Dt 25,11s); la misma pena es anunciada como castigo contra determinados casos de falso testimonio (Dt 19,16-21). Sobre la inscripción de Menetekel, escrita por una mano misteriosa en el muro del palacio del rey Baltasar, cf. Eissfeldt, KS III, 210-217.

Como sinónimos más o menos cercanos de *yād* en este sentido pueden citarse los siguientes nombres: *z^{e}rōa^{c}*, «brazo»; *yāmīn,* «mano derecha»; *ś^{e}mōl,* «mano izquierda»; *kaf,* «hueco de la mano, palma» (152 ×, excluido Lv 23,40; Sal 21 ×, Nm 20 ×, Lv, Is y Job 13 ×, Ez 12 ×; singular 106 ×, dual 63 ×, plural 23 ×; Ex 33,22s se refiere a la mano protectora de Yahvé), y *ḥōfnáyim,* «ambas palmas de las manos» (6 ×). Cf. también *ʾægrōf,* «puño» (Ex 21,18; Is 58,4; HAL 11).

b) En todas las lenguas semíticas se ha elaborado un *sentido traslaticio* de *yād* basado en la posición de la mano (o del brazo) en el cuerpo y en el empleo de la misma.

1) Al igual que el acádico *idu* (cf. *ana idi,* «junto a»), también *yād* puede significar «lado» (de una ciudad, Jos 15,46; de un camino, 1 Sm 4,13; 2 Sm 15,2; de una puerta, 1 Sm 4,18; de un país, Gn 34,21; de un pueblo, 2 Cr 21,16) o también «orilla» (de un río, Ex 2,5; Nm 13,29; Dt 2,37). A este sentido corresponde también la referencia al lugar retirado (Dt 23,13, «retrete»).

2) La mano que da y recibe ha dado pie al significado de «parte, porción» (acádico *manû ina/ana qātā,* «repartir como porción»; el plural femenino hebreo *yādōt,* acádico *qātāti,* uga-

rítico *yd* Krt [= IK] 127[?], cf. UT N. 1072) en Gn 35,4; Jr 6,3; 2 Re 11, 7 y *passim* (cf. P. Joüon, Bibl 14 [1933] 453).

3) Las espigas que fijan las tablas son como manos (Ex 26,17; 36,22), y lo mismo las asas del mar de bronce (1 Re 7,35s; cf. el ugarítico *ydt,* UT 1127, línea 9), y los brazos del trono salomónico (1 Re 10,19, femenino plural *yādōt).*

4) El empleo de la mano para señalar ha dado pie al significado de «monumento memorial» (1 Sm 15,12; 2 Sm 18,18; Is 56,5) o el de «señal del camino» (Ez 21,24). A diferencia de *nēs,* «estandarte», aquí se trata quizá de una piedra en la que se ha grabado una inscripción (Zimmerli, BK XIII, 487). M. Delcor, JSS 12 (1967) 230-234, sugiere que el empleo de nuestro término para designar dichas estelas se debe a las manos grabadas en ellas y remite a las estelas púnicas y cananeas que presentan manos en relieve (cf. K. Galling, ZDPV 75 [1959] 7).

5) En este contexto debe citarse finalmente el empleo de *yād* en el sentido de *membrum virile* (Is 57,8. 10[?], 1QS 7,13; cf. el ugarítico *yd* y el mandeo, cf. UT N. 1072). Se ha intentado explicar este empleo de *yād,* desde un punto de vista arqueológico, a partir de las masebás fálicas; desde un punto de vista estilístico, como un eufemismo (cf. Is 6,2; 7,20), y desde un punto de vista filológico, a partir de la raíz *wdd/ydd,* «amar» (ugarítico, árabe) (M. Delcor, *loc. cit.,* 234-240). En el último caso, *yād,* como *membrum virile,* no tendría nada que ver con *yad,* «mano» (cf. A. Fitzgerald, CBQ 29 [1967] 368-374).

c) En el *sentido metafórico* de «potencia» o semejantes el matiz coincide con frecuencia con el significado de → *z^e^rō^a^ᶜ,* «brazo». Así, *yād* se refiere con frecuencia al poder o potencia de un hombre capaz de dominar sobre otros hombres (1 Cr 18,3), hacer violencia (1 Sm 23,7), castigar (Sal 21,9), salvarse de una situación peligrosa (Jos 8,20), ofrecer una plenitud de dones (referido únicamente al rey: 1 Re 10, 13; Est 1,7; 2,18), dedicarse a una fuerte actividad (Prov 10,4; 12,24), etc.

Este poder se concreta en los bienes (Lv 25,28) y posesiones (Lv 5,7; 25, 47; 27,8; cf. G. Rinaldi, BeO 6 [1964] 246), cf. *ḥáyil,* «fuerza, haberes, dominio», y → *kō^a^ḥ.*

d) No siempre resulta fácil distinguir entre significado propio, traslaticio y metafórico en los casos en que *yād* aparece junto a un verbo y/o junto a una preposición formando diversas *uniones de palabras:*

1) Algunas pertenecen a la esfera de la vida cotidiana: poner la mano en la boca en el sentido de «callar» (Miq 7,16; Job 21,5 y *passim);* agitar la mano en el sentido de «amenazar» (Is 10,32; 11,15; 19,16; Zac 2,13; Job 31,21); cf. con *kaf:* dar palmas, bien en señal de alegría (Is 55,12), de cólera (Nm 24,10), para aclamar a un rey (2 Re 11,12) o como alegría por el mal ajeno (Nah 3,19; Lam 2,15). Llevarse las manos a la cabeza es señal de duelo (2 Sm 13,19; Jr 2,37; AOB Abb. 195.198.665; BHH III, 2022).

2) Las expresiones que han tenido su origen en diversos gestos de la mano pertenecen a la esfera jurídica: para jurar se levanta *(rūm* hifil, *nś';* cf. el acádico *našû qāta/qātā)* una o dos manos (Gn 14,22; Dn 12,7) hacia el cielo, hacia Dios, o también se coloca la mano entre los muslos de aquel a quien se ha prometido cumplir su voluntad (documentado sólo en la época patriarcal: Gn 24,2; 47,29). La acción de tocar los órganos sexuales quiere indicar probablemente la esterilidad o pérdida de los hijos de aquel que no cumpla el juramento (E. A. Speiser, *Genesis* [1964] 178). Se debería considerar también la expresión *ntn yād táḥat,* «inclinarse ante alguien en señal de voto» (1 Cr 29,24).

El apretón de manos tiene lugar cuando uno sale fiador de otro (Prov 6,1, con *kaf)* y para confirmar un pacto (Esd 10,19) o una afirmación (2 Re 10,15). La expresión *yād l^e^yād* es la fórmula y el gesto que sancionan un acuerdo, especialmente en los casos en que uno sale fiador de otro (Prov 14, 21; 16,5).

Lo contrario de *bišgāgā,* «sin intención» (→ *šgg;* Lv 4,22.27 y *passim;* Nm 15,27-29), es expresado en Nm 15, 30 por medio de la fórmula *b^eyād rāmā,* «con mano elevada», que denota una transgresión alevosa (en Ex 14,8 y Nm 33,3 se alude a la mano de Yahvé).

3) El acádico *mullû ana qāt,* «llenar la mano», designa la apropiación de una persona, población, reino, etc., por parte de un determinado individuo (AHw 598); en hebreo, en cambio, *ml'* piel *yād* se limita al ámbito cúltico y designa la investidura de sacerdotes y levitas (Ex 28,41; 29,29; cf. 32,29; Lv 8,33; Jue 17,5.12; 1 Re 13,33; 2 Cr 13,9 y *passim).*

4) En otras numerosas expresiones, empleadas en diversas esferas de la vida, el término *yād* aparece en sentido débil acompañado de una preposición (por lo general, *b^e* y *min).*

El verbo → *nṣl* hifil seguido de *miyyad,* «de la mano de», significa liberar del poder de un enemigo (Ex 3,8; Is 47,14); aparece con especial frecuencia en las oraciones (Sal 22,21; 31,16 y *passim),* en el lenguaje jurídico (referido a la venganza de la sangre en Nm 35,25), en el ámbito político-militar (Jos 9,26; 1 Sm 7,14) y en la descripción del poder salvífico de Yahvé, que se manifiesta sobre todo liberando a los suyos de manos de sus enemigos políticos (Dt 32,39; Jue 8,34; Is 43,13, etc.). El verbo *yš'* hifil, «salvar», seguido de *miyyad* es empleado en el mismo sentido de *nṣl* hifil; por el contrario, → *pdh,* «liberar» (Os 13,14; Sal 49,16), y → *g'l,* «rescatar» (Jr 31,11; Sal 106,10), tiene siempre a Yahvé como sujeto.

El verbo → *qnh,* «adquirir», seguido de *miyyad* indica el paso de un objeto comprado de manos de una persona a manos de otra (Gn 33,19; Lv 25,14; Rut 4, 5.9 y *passim).* El verbo *'sp,* «reunir», designa la recolección de donativos (sólo en 2 Cr 34,9). El verbo *lqḥ* se refiere a la acción de recibir (Gn 38,20; Nm 5,25; el castigo expiatorio, en Is 40,2; el sacrificio, en Jue 13,23); se usa especialmente en lenguaje militar para referirse a la conquista de determinadas regiones (Gn 48,22; Dt 3,8; 1 Re 11,35; 1 Cr 18,1 y *passim).*

El verbo → *plṭ* piel, «salvar» (Sal 71, 4), seguido de *miyyad* pertenece al lenguaje propio de las oraciones. En cambio, los verbos → *drš,* «exigir» (Gn 9,5; Ez 33,6); → *bqš,* «exigir» (1 Sm 20,16); → *nqm,* «vengar» (2 Re 9,7), y → *špṭ,* «hacer justicia» (2 Sm 18,19.31), seguidos también de *miyyad* pertenecen al ámbito jurídico.

El verbo → *ntn* seguido de *b^eyad* significa «poner a disposición, regalar, poner a la orden de», etc. (Gn 27,17; 2 Sm 10, 10; 16,8); se emplea sobre todo en el ámbito militar y jurídico para designar la entrega de una persona en manos del enemigo (en general, 1 Re 18,9; Jr 26,24 y *passim;* en casos de venganza de la sangre, Dt 19,12). Es Yahvé quien, debido a su potencia, entrega los enemigos. La expresión es característica, por tanto, de los oráculos de antes de la batalla (2 Sm 5, 19; 1 Re 22,6) o de los votos de guerra (Nm 21,2; Jue 11,30); cf., en el oráculo del efod, el verbo *sgr* hifil, «entregar» (1 Sm 23,20), y el verbo *nkr,* «vender» (Jue 2,14; 10,7; 1 Sm 12,9; Joel 4,8 y *passim).*

La expresión → *dbr* piel *b^eyad,* «hablar por medio de (sujeto: Dios)», es típica de la literatura deuteronomística y de los escritos posexílicos influidos por ella: se aplica a los profetas que Yahvé envía a su pueblo como mensajeros suyos (1 Re 16,12; 17,16; 2 Re 9,36; 10,10; 14,25; Jr 37,2; Ag 1,1.3; 2,1.10 *[mss.];* Mal 1,1; referido a Moisés en Ex 9,35; Nm 17,5; 27,23; cf. también Is 20,2 y Os 12,11 y la expresión *qabû ina qāti,* «hablar por medio de alguien», en las cartas de Amarna, EA 263, líneas 20s). Por el contrario, la expresión *ṣwh* piel *b^eyad* se refiere a los mandatos que Dios ha comunicado a su pueblo por mediación de Moisés (Ex 35, 29; Lv 8,36; Nm 15,23; Jos 14,2; 21,8; Neh 8,14 y *passim).* Más tarde, en la literatura tardía, la expresión es aplicada también a los profetas (Esd 9,11, donde aparece en conexión con el tema de la conquista de la tierra; 2 Cr 29,25, prescripciones para los levitas). Con este significado aparece también una vez la expresión *ntn b^eyad,* «dar por medio de» (Lv 26,46, Moisés). La expresión → *šlḥ b^eyad* designa la entrega de un regalo (Gn 38,20; 1 Sm 16,20), de un animal (Lv 16,21 piel) o el cumplimiento de un encargo (1 Re

2,25; cf. Ex 4,13) por obra del designado para ello.

Sobre uniones con otras preposiciones, cf. los diccionarios.

5) En el AT se habla más de 200 × de la *mano de Dios* en sentido antropomórfico (bien con la expresión *yad Yhwh* o simplemente *yād* absoluto o seguido de sufijo).

a) *yād* se usa en primer lugar para designar el irresistible poder de Yahvé (Dt 32,39) y los actos divinos que de dicho poder se derivan. La expresión está presente en diversas lenguas del ámbito semítico (acádico *qāt ili, qāt ištar,* referido a enfermedades que atacan a los hombres, cf. Dhorme, 145, cf. además Sal 32,4; 39,11; 1 Sm 5,6; 6,3.5; ugarítico *byd btlt [ʿnt],* 3 Aqht [= III D] reverso 14: «[ayudar] de manos de la virgen [Anat]»). Es muy discutible, pues, que la insistencia en el tema de la mano (o del brazo) de Yahvé haya tenido su origen en las narraciones del éxodo. La omnipotencia divina se manifiesta en la creación (Is 45,12; 48,13; Sal 7,7; Job 26,13), en la conservación del mundo (Job 12, 9), en la ayuda que él proporciona (Is 51,16; Sal 119,173), en la salvación que él otorga (cf. las expresiones piadosas de los escritos tardíos sobre la bondadosa mano de Dios, Esd 7,6.9; Neh 2,8.18) y en el castigo que él inflige (Sal 32,4; 39,11; Job 12,9), pero especialmente en el acto salvífico de la liberación de Egipto («con mano fuerte», Ex 13,9; cf. 3,19; 6,1; Dt 6, 21; 7,8; 9,26; Dn 9,15; «con mano fuerte y brazo extendido», Dt 4,34; 5,15; 7,19; 11,2; 26,8; Jr 32,21; Sal 136,12; en 1 Re 8,42 = 2 Cr 6,32, sin referencia directa a Egipto; → *zᵉrōaʿ,* → *ḥzq).*

b) En otro sentido se habla de que la mano de Yahvé viene (1 Re 18,46; Ez 3,22; 33,22) o cae (Ez 8,1) sobre un profeta. No se trata de una simple fórmula profética para designar la recepción de la palabra (F. Häussermann, *Wortempfang und Symbol in der atl. Prophetie* [1932] 22ss), que constituiría una presión o un freno, sino que también designa el éxtasis visionario (P. Volz, *Der Geist Gottes* [1910] 70). Gracias a la mano de Yahvé pudo correr Elías delante del carro de Ajab desde el Carmelo hasta Yizreel (1 Re 18,46). El estado de éxtasis puede ser procurado conscientemente al son de instrumentos musicales (2 Re 3,15). La intervención de la mano de Dios es presentada como algo violento en Is (8,11), Jeremías (15,17) y Ezequiel, que emplea la fórmula siete veces en contextos de visión (Ez 1,3; 3,14.22; 37,1; 40,1; cf. Zimmerli, BK XIII, 49s; → *ḥzq).*

c) A diferencia de *šlḥ yād,* «extender la mano» (P. Humbert, *Étendre la main:* VT 12 [1962] 383-395, 388: «Un geste banal et rapide de la main, soit au sens purement naturel et physique pour saisir un objet, soit avec une connotation morale pour une entreprise ou une main-mise, de nature surtout hostile, mais, très exceptionnellement, pacifique. Geste essentiellement humain»), *nṭh yādō ʿal,* «extender su mano contra», se aplica sólo a Dios o a sus representantes (así en el Exodo). La acción designada por esta expresión se refiere al encargo de aplicar el castigo divino o señala directamente a los afectados por el castigo. Nunca tiene un significado salvífico (a diferencia de *šlḥ yad,* donde la referencia salvífica es posible: Gn 48,14; Prov 31,20).

d) *ntn yād lᵉYhwh,* «entregarse a Yahvé», pertenece al ámbito de la alianza (R. Kratezschmar, *Die Bundesvorstellung im AT* [1896] 47; cf. J. Wellhausen, *Reste arab. Heidentums* [1897] 186; en sentido profano, 2 Re 10,15; Ez 17,18).

e) Para orar se eleva la mano (o las manos) hacia el cielo, hacia Dios (Dt 32,40) o se extiende la misma (Is 1,15, *kaf),* según la costumbre del Oriente antiguo (acádico *niš qāti,* «elevación de la mano»).

5. En los escritos de Qumrán el empleo de *yād* es idéntico al del AT,

aunque no hay ninguna mención de la liberación de Egipto. Semejante es también su empleo en el NT, cf. W. Bauer, *Gr.-dt. Wörterbuch zu den Schriften des NT* [⁵1958] 1039-41, *sub voce* χείρ.

A. S. van der Woude

ידה *ydh* hifil **Alabar**

1. El verbo *ydh* hifil, «alabar, confesar» (hitpoel, «confesar»), tiene correspondientes en arameo bíblico (*ydh* hafel, «alabar», Dn 2,23; 6,11), palmirano (DISO 104) y arameo tardío (KBL 1080s), así como en árabe y etiópico (KBL 363s).

Debe descartarse una relación de nuestro término con *ydh/ydd* I, «echar, disparar» (Mandelkern, 457).

Están documentados el verbo (hifil, hitpael) y el sustantivo *tōdā*, «canto de alabanza, sacrificio de alabanza». El sustantivo *huyyᵉdōt*, «cántico de alabanza», de Neh 12,8, es muy dudoso (cf. Rudolph, HAT 20, 190). Cf. también el nombre personal *Hōdawyā(hū)* (Noth, IP 32.194s. 219).

2. El verbo aparece 100 × en hifil (además, 2 × en arameo) y 10 × en hitpael. El nombre *tōdā* está documentado 32 × (Sal 12 ×, Lv 5 ×, Neh 4 ×), *huyyᵉdōt* 1 × (cf. *sup.).*

ydh hifil aparece 67 × en los salmos (duplicado en Sal 67,4.6; 75,2); el término aparece, pues, con una frecuencia característica en dicho libro (en Esd-2 Cr aparece 20 ×).

3. La raíz es usada con poca frecuencia en sentido no teológico: Gn 49,8: «Judá, tus hermanos te alaban» (se trata de una etimología popular del nombre *Yᵉhūdā*, cf. Gn 29,35); en Sal 45,18 (objeto: el rey) y 49,19 (texto enmendado) el rico bendice su alma, ya que lleva una vida agradable; Job 40,14: «entonces yo mismo (Yahvé) te alabaré a ti (Job), por la victoria que te da tu diestra».

No existe un empleo fijo del término en este sentido, pero de los pocos pasajes en que es usado en contextos no teológicos se pueden deducir las siguientes conclusiones: *a)* Se puede establecer con facilidad una clara diferencia con respecto a → *hll* piel. El empleo no teológico de este verbo designa la belleza de un hombre o la gloria de una ciudad; el objeto de *hll* piel es un modo de ser. Por el contrario, en los pocos casos en que *ydh* hifil es empleado con sentido no teológico designa la reacción ante un hecho o una acción: Gn 49,8, el éxito de la tribu de Judá; Sal 45,18, el modo de gobierno del rey; 49,19, la designación y uso de las riquezas; Job 40,14, «porque tu diestra te ha dado la victoria». El uso profano de ambos verbos muestra, por tanto, que *hll* piel designa la reacción ante un modo de ser, y *ydh* hifil, la respuesta a una acción o una actitud. A esto corresponde también el empleo teológico original de *ydh* hifil en el cántico de alabanza narrativo y de *hll* piel en el cántico de alabanza descriptivo (es decir, en los cánticos de acción de gracias y en los himnos, respectivamente; cf. C. Westermann, *Das Loben Gottes in den Psalmen* [⁴1968]; distinto, F. Crüsemann, *Studien zur Formgeschichte von Hymnus und Danklied in Israel* [1969] 9s). *b)* Dada la escasez de textos en este sentido, no se puede determinar con seguridad cuál era el significado base; pero sí puede constatarse con toda seguridad que *ydh* hifil nunca significa en estos pasajes «agradecer» y que, por lo mismo, nunca debe traducirse en dichos textos por «agradecer». Se debe descartar, pues, ya en principio que «agradecer» sea el significado fundamental de *ydh* hifil (cf. *inf.*, 4*e).*

4. Dentro del empleo teológico, tanto el verbo como el nombre presentan dos significados: el más frecuente y acuñado en fórmulas fijas es el de «alabar, glorificar, dar gracias (4*a-g);* en segundo lugar significa «reconocer (los pecados)» (hifil 6 ×, hitpael 11 ×, *tōdā* 2 ×, cf. *inf.* 4*h).* Lo que une a

ambos significados puede ser traducido como «reconocer» o «confesar»; se podría hablar de una «confesión de alabanza». En ambos casos se trata de un reconocimiento: en un caso se reconoce la acción salvadora de Dios y en el otro se reconoce la propia falta, la propia infidelidad. Al confesar las propias faltas se reconoce a Dios, contra quien se ha faltado (Jos 7,19; algo distinto, H. Grimme, ZAW 58 [1940-41] 234-240).

a) El sentido más frecuente con mucho es el *voluntativo* «¡quiero alabar a Yahvé!». Esta fórmula aparece 29 × en singular (más dos veces con *tōdā;* en plural 5 ×: Sal 44,9; 75,2.2; 79,13; 1 Cr 29,13; con *tōdā,* Sal 95,2). Es la fórmula con la que se expresa el voto de alabanza como conclusión de la lamentación individual, pero que también puede aparecer en la introducción del cántico de alabanza o como expresión de la voluntad de rendir dicha alabanza; también puede aparecer en otros contextos. Este sentido voluntativo del verbo aparece con claridad en el único pasaje en que el verbo es empleado de ese modo fuera del libro de los salmos: Gn 29,35; se trata de una declaración de Lía, hecha con ocasión del nacimiento de Judá y que explica el nombre de éste: «Esta vez alabaré a Yahvé». La situación explica la declaración: el nacimiento del niño, que llenó de alegría a la mujer aborrecida durante tanto tiempo, mueve a la madre a pronunciar un voto o una promesa. La exclamación «¡yo alabaré!» constituye, por tanto, la reacción a un acontecimiento y expresa la alegría que dicho acontecimiento produce, alegría que lleva espontáneamente a pronunciar la promesa. Esta declaración de la madre afortunada no expresa (o al menos no expresa únicamente) lo mismo que nuestro «agradacer». La expresión *happá῾am,* «esta vez», indica que el nacimiento del niño ha cambiado su situación de dolor y que *de ahora en adelante* está dispuesta a alabar a Yahvé, es decir, que el tiempo que siga a esta época estará dominado por una postura de alegre acercamiento a Yahvé. Algo semejante se designa en los pasajes de los salmos, por ejemplo, Sal 28,7: «él me ayudó y se alegró mi corazón; ¡le alabaré de todo corazón!». También aquí *ydh* hifil refleja la reacción ante un acontecimiento; de la alegría producida por ese acontecimiento surge la promesa de alabar a Dios. He aquí una lista de pasajes en este sentido: Is 12,1; 25,1; Sal 7,18; 9,2; 18, 50 = 2 Sm 22,50; Sal 30,13; 35,18; 42,6.12; 43,4.5; 52,11; 54,8; 57,10; 71,22; 86,12; 108,4; 109,30; 111,1; 118,19.21.28; 119,7; 138,1.2; 139,14; con *tōdā,* Sal 56,13; 69,31.

La expresión «¡yo alabaré!» hace siempre referencia a una acción de Dios dirigida a aquel que la pronuncia. A veces sigue a la expresión una mención o indicación de la acción divina en cuestión; así, por ejemplo, Sal 18,21: «¡te alabaré, porque me has escuchado!», o Is 12,1; 25,1; Sal 18,50: «por eso...»; 52,11; 139,14. En la conclusión del salmo de lamentación, cuando se pronuncia la promesa de alabanza, se da como seguro que Dios hará lo que se le ha pedido (Sal 35,18; 54,8; 71,22; 109,30 y *passim).* También puede manifestarse la certeza de que llegará la hora de alabar a Yahvé (Sal 42, 6.12; 43,4.5). El hecho de que esta frase pueda pronunciarse en el mismo sentido en situaciones tan diversas subraya la importancia —existencialmente decisiva— de la respuesta de alabanza a la actividad salvadora y liberadora de Dios, que oye a quien le suplica. En todas estas situaciones hay algo común: la respuesta de alabanza está caracterizada por un impulso o decisión espontánea. Esto es lo que muestran las palabras enfáticas que en ocasiones acompañan a la expresión: «de todo corazón» (Sal 9,2; 86,12; 111,1; 119,7; 138,1), «por siempre» (Sal 30,13; 52, 11; plural, 44,9; 79,13). El carácter público se manifiesta en el complemento «ante los pueblos» (Sal 18,50; 57, 10; 108,4), «en la gran asamblea» (Sal 35,18); cf. el acompañamiento de instrumentos musicales en 43,4 y 71,22.

Los dos complementos citados en último lugar acompañan por lo general a *pll* piel; los dos citados en primer lugar son típicos de *ydh* hifil.

La invitación imperativa es la forma dominante del verbo *hll* piel, y la expresión de la decisión tomada es la que domina en el caso de *ydh* hifil. Esto marca nuevamente una clara diferencia entre ambos verbos: *hll* piel designa primariamente la alabanza de Dios en forma de júbilo festivo que la comunidad celebra por medio de actos cúlticos; *ydh* hifil, por el contrario, indica la participación del individuo particular en la alabanza de Dios motivada por una experiencia propia. Aunque *ydh* hifil aparezca con frecuencia en plural (cf. *sup.*, 4*a*, al inicio), lo típico suyo es indicar la decisión individual de participar en la alabanza. En *ydh* hifil, sea cual sea la forma que presenta, resuena siempre un «yo quiero»; sólo así resulta comprensible la unión con el otro significado de «confesar (los pecados)». Son, pues, los casos en que el verbo aparece en 1.ª persona singular los que mejor expresan el sentido del verbo.

b) Como *invitación imperativa a la alabanza, ydh* hifil aparece como paralelo a *hll* piel o también solo. Se trata probablemente de una asimilación; en este sentido, *hōdū,* «¡alabad!», es más o menos sinónimo de *halᵉlū,* «¡dad gloria!» (Sal 30,5; 97,12; 100,4b; 105, 1 = 1 Cr 16,8; Is 12,4; Jr 33,11; con *tōdā,* Sal 100,4a; 147,7). Lo mismo vale para la expresión imperativa: «¡alabad a Yahvé, porque es bueno, porque su amor no tiene fin!» (Sal 106,1 = 1 Cr 16,34; Sal 107,1; 118,1.29; 136, 1; cf. 136,2.3.26; 2 Cr 20,21). Esta frase que aparece con mayor frecuencia que cualquier otra expresión imperativa, y que en la obra cronística es aún más frecuente en forma abreviada, refleja también el sentido específico de *ydh* hifil: aquí la alabanza de Dios no se limita al hecho concreto, sino que se amplía a la alabanza genérica de la bondad de Dios a la que se debe este hecho concreto. Ahí se explica el hecho de que esta invitación a la alabanza no se refiera a la majestad y a la bondad de Dios (como es el caso de la alabanza descriptiva), sino únicamente a su bondad, como ocurre también en los pasajes en que aparece la 1.ª persona singular (Sal 42,6; 54,8; 71,22; 118, 28; 138,2). La alabanza que nace cuando Dios ha atendido la súplica o cuando se ha manifestado salvador y liberador se ha ampliado a alabanza general de la bondad de Dios. También, pues, en esta frecuente invitación imperativa a la alabanza expresada por medio de *ydh* hifil se refleja el significado específico del verbo.

c) En algunos pasajes, *ydh* hifil aparece como yusivo y como final. La función del *yusivo,* «¡alaben!», queda reflejada en la fórmula conclusiva de las cuatro secciones del Sal 107: «¡alaben a Yahvé por su amor, por sus prodigios con los hombres!» (Sal 107,8. 15.21.31). Este salmo —que es una «liturgia de acción de gracias»— reúne en sus cuatro secciones la alabanza narrativa a partir de cuatro situaciones típicas (vagar por el desierto, cautividad, enfermedad, tempestad en el mar) y termina en un salmo cúltico de alabanza que concentra las cuatro narraciones en un salmo de alabanza descriptivo (107,1 y 33,43). Ahí se basa el cambio de la expresión «yo alabaré» (que debería introducir cada una de las secciones narrativas) por la expresión «alaben», que está condicionada por la inserción de las experiencias individuales de la ayuda divina en la alabanza común expresada por la comunidad en el culto. Se da una significativa y orgánica conexión entre las fórmulas «¡alaben!» y «¡alabaré!». También en Sal 76,11, texto dudoso; 106,47 = 1 Cr 16,35; Sal 142,8, la relación entre la salvación de Dios y la alabanza que origina se expresa en sentido final.

d) Al igual que *hll* piel, tampoco *ydh* hifil es empleado —salvo en raras excepciones— fuera de la obra cronística en expresiones *afirmativas* y narrativas; ambos verbos se emplean casi exclusivamente para provocar una alabanza y, por lo mismo, aparecen casi siempre en exclamaciones imperativas. Por eso revisten una importancia especial los pocos textos en los que se afirma algo sobre la alabanza. Sólo hay *una* afirmación que se repite en cuatro pasajes, a saber: Sal 6,6; 30,10; 88,11 e Is 38,8s: los muertos no alaban a Yahvé (Sal 6,6: «¿quién te alaba en el Seol?», cf. Is 38,18; Sal 30,10: «¿puede alabarte el polvo, anunciar tu fidelidad?»; 88,11: «¿pueden alzarse las sombras para alabarte?»). Is 38,19 añade la parte positiva: «¡los vivos, los vivos te alaban!». Dentro de la composición del salmo esta afirmación constituye un motivo que intenta suscitar la intervención de Dios, es decir, un motivo unido al tema de la salvación (Sal 6; 30; 88). Así queda reflejado también en el cántico de alabanza narrativa de un particular (Is 38). Así como la muerte se caracteriza porque en ella no hay posibilidad de alabar a Dios, así también es propio de los vivos rendir a Dios dicha alabanza (Is 38, 19): es algo que corresponde a una existencia plena del hombre salvado. Aquí es donde se manifiesta con mayor claridad que para el AT una vida sin la apertura a Dios manifestada en la alabanza es una vida sin sentido. Pero esto se comprende únicamente cuando se entiende el verbo con toda la plenitud de sentido que el AT le atribuye, plenitud de sentido que se manifiesta, por ejemplo, en la introducción del Sal 92: «es bueno *(ṭōb)* alabar a Yahvé» (v. 2).

e) ydh hifil es traducido con frecuencia por «agradecer», especialmente en la conocida fórmula «dad gracias al Señor, porque es bueno...». Esta traducción no es falsa, pero no recoge todo el sentido del hebreo *ydh* hifil (como lo muestra con detalle Westermann, *loc. cit.,* 20-24). Para la relación entre los términos que significan «agradecer» y los que significan «alabar» resulta decisivo el hecho de que, en todas las lenguas, los vocablos en el sentido propio de «agradecer» se han elaborado bastante tarde; ninguna lengua posee en su vocabulario inicial un término específico que signifique «agradecer» (como se ve también en el hecho de que sea necesario enseñar a los niños a dar las gracias; para la alabanza y las exclamaciones de alegría no se necesita una enseñanza especial). Un vocablo especial para el agradecimiento surgió en el curso del desarrollo cultural a la par que se desarrollaba la conciencia individual.

Puesto que *ydh* hifil designa la reacción a un acto salvífico y liberador de Dios, es lógico que incluya también eso que nosotros indicamos por medio del vocablo «agradecer». Pero no son del todo equivalentes, como se refleja en el hecho de que aquél no aparezca nunca en el sentido de «agradecer» entre hombres. Los puntos de diferencia son los siguientes: 1) La alabanza incluye el aspecto de la exaltación; *ydh* hifil incluye, pues, lo que nosotros designamos como «admirar» (significado para el que no existe ningún término hebreo especial); nuestro «agradecer» no lo incluye. 2) La alabanza es necesariamente espontánea; nunca puede convertirse en obligación, como ocurre con nuestro «agradecer». 3) La alabanza incluye siempre un aspecto público: se realiza siempre ante un grupo de personas y como signo de alegría. 4) El agradecimiento se puede manifestar con frases en las que el sujeto es el mismo que da las gracias («yo te doy las gracias, porque tú...»); la alabanza se manifiesta en frases en las que el sujeto es la persona a quien se alaba («tú has hecho...»). Aquí reside una de las diferencias fundamentales entre nuestras oraciones de acción de gracias y los cánticos de alabanza del Salterio. Estas diferencias son tan importantes, que es preferible traducir *ydh* hifil —siempre que sea posible— por «alabar» o «ensalzar» (contra Crüsemann, *loc. cit.,* 279-282), aunque la traducción «agradecer» sea posible en numerosos contextos.

f) El *sustantivo tōdā* presenta en 13 textos el sentido especial de «sacrificio de alabanza» y en 8 pasajes el significado de «cántico de alabanza». Sobre el sacrificio de alabanza, cf. R. Rendtorff, *Studien zur Geschichte des Opfers im alten Israel* (1967) especialmente p. 65. El sacrificio de alabanza es regulado en la ley de Lv 7 (Lv 7,12.12.13.15; 22,29). Dentro de la crítica profética de los sacrificios se hace mención de este sacrificio en Am 4,5, y dentro del anuncio de salvación, en Jr 17,26; 33,11. Dentro de la obra cronística aparece en 2 Cr 29,31.31 y 33,16. El Sal 100 tiene por título «Salmo para el sacrificio de alabanza» (v. 1). El texto de Sal 116,17 es interesante, porque muestra la relación entre el cántico y el sacrificio de alabanza: «te ofreceré un sacrificio *tōdā* y aclamaré el nombre de Yahvé» (cf. también Sal 66,13s). Al sacrificio de alabanza se acerca mucho el sacrificio hecho en cumplimiento de un voto (*nǣdær*, → *ndr*), si es que no son del todo idénticos (Rendtorff, *loc. cit.*).

tōdā aparece en Is 51,3; Jr 30,19; Jon 2,10; Sal 26,7; 42,5; 50,14.23 y 107,22 en el sentido de «alabanza, canto de alabanza»; la mayoría de estos pasajes podría incluirse en alguno de los grupos tratados anteriormente (anuncio de la alabanza: Jon 2,10: «al son de un cántico de alabanza te ofreceré sacrificios»; final: Sal 26,7: «para hacer resonar el cántico de alabanza»; en la declaración de confianza: Sal 42,5; yusivo: Sal 107,22; en el anuncio profético de salvación: Is 51,3; Jr 30, 19). En un pasaje aparecen los dos sentidos de *tōdā* en expresa contraposición. En Sal 50,14.23 se recomienda la alabanza por encima del sacrificio; en efecto, la alabanza es lo que Dios pide como respuesta a sus acciones. Si comparamos las frases de Sal 50 con 116,7 (y 66,13s), observamos que *tōdā* no es empleado de la misma forma; esto nos sugiere que se ha dado un cambio desde el punto de vista histórico-religioso: en un principio, la unión de cántico y sacrificio de alabanza (palabra y obra) era lo normal y natural; posteriormente, en cambio, ambos pueden ser contrapuestos, de forma que *tōdā* como palabra y cántico —y no el sacrificio— es lo que responde a la voluntad divina.

Sobre *zbḥ tōdā* y sobre toda esta cuestión, cf. H.-J. Hermisson, *Sprache und Ritus im altisr. Kult* [1965] 29-64. A excepción de Sal 50,14.23, donde *zbḥ* tiene el significado impropio de «presentar como (en sustitución del) sacrificio», el verbo tiene siempre el sentido concreto de «sacrificar, matar» (qal 112 ×, además, 1 × en arameo; piel 22 ×; de la raíz semítica común **ḏbḥ* se derivan: *zæbaḥ* «[degollación]-sacrificio» [162 ×, de ellas, 35 × en Lv, 20 × en Nm], y *mizbēªḥ*, «altar» [400 ×, de ellas, 87 × en Lv, 59 × en Ex, 39 × en 2 Cr, 34 × en 1 Re, 29 × en Nm, 28 × en 2 Re]; además, el arameo bíblico *dbḥ* qal, «sacrificar» [Esd 6,3]; *dᵉbaḥ*, «sacrificio» [Esd 6,3], y *madbaḥ*, «altar» [Esd 7,17])*.

g) En 11 de los 20 casos de *ydh* hifil en la obra cronística el verbo aparece en paralelismo con *hll* piel o *tᵉhillā* (1 Cr 16,4.35; 23,30; 25,3; 29,13; 2 Cr 5,13; 31,2; Esd 3,11; Neh 11,17, texto enmendado; 12,24.46). De estos pasajes se habla en el artículo dedicado a → *hll* piel, donde se estudian las características del empleo de los verbos de alabanza en la obra cronística. En esta obra, *ydh* hifil es prácticamente sinónimo de *hll* piel; el matiz propio de cada uno ha desaparecido. *ydh* hifil aparece solo en los casos en que su contenido es precisado por el estribillo «porque es bueno, porque su amor no tiene fin» (1 Cr 16,41; 2 Cr 7,3.6; cf. 1 Cr 16,7). En Neh 12,31. 38.40, *tōdā* tiene un sentido técnico: significa «coro» (lo mismo que *huyyᵉdōt* en Neh 12,8, texto dudoso); en Neh 12,27 designa un determinado tipo de música. Este sentido técnico estaba ya sugerido en Sal 119,62, donde se asignaba un tiempo de oración fijo para *ydh* hifil, y en 122,4, donde la alabanza es considerada como una ley para Israel.

h) Grupo aparte forman los textos en los que *ydh* significa «confesar (los pecados)». El hifil presenta este significado en sólo seis textos (1 Re 8,33. 35 = 2 Cr 6,24.26; Sal 32,5; Prov 28, 13); la mayoría de los textos de este grupo presenta el modo hitpael (Lv 5, 5; 16,21; 26,40; Nm 5,7; Dn 9,4.20; Esd 10,1; Neh 1,6; 9,2.3; 2 Cr 30,22; es decir, sólo en P, Dn y obra cronística); hay que añadir *tōdā* en Jos 7, 19 y Esd 10,11.

La conexión entre este significado y los significados señalados anteriormente queda reflejada en la oración de consagración del templo de Salomón en 1 Re 8,33.35. En v. 35 se dice: «... y alaben tu nombre y se conviertan de sus pecados». Aquí *ydh* hifil se podría traducir también por «alabar»: el reconocimiento de Yahvé equivale a la confesión del propio pecado, pero ambos aspectos del fenómeno son designados con dos verbos distintos, como ocurre en la narración del robo de Akán de Jos 7,19: «¡da *kābōd* (gloria) a Yahvé y tribútale *tōdā!*» (cf. F. Horst, ZAW 47 [1929] 50s). Por el contrario, en Sal 32,5: «reconozco mi pecado», y en Prov 28,13: «... el que los confiesa (los pecados) y los deja encuentra misericordia», *ydh* hifil tiene el significado de «reconocer, confesar»; ése es también siempre el significado del modo hitpael. Se trata indudablemente de un término cúltico, pues este modo verbal aparece siempre en contextos cúlticos. Los textos muestran que la confesión de los pecados ocupó un lugar importante en el culto posexílico.

5. Los LXX traducen *ydh* hifil normalmente por ἐξομολογεῖν y a veces por αἰνεῖν; *ydh* hifil es traducido por ἐξαγορεύειν y ἐξομολογεῖσθαι. Eso demuestra dos cosas: por un lado se ve que en el judaísmo el aspecto de la confesión de los pecados ha pasado a primer plano, y por otro se ve que los LXX han dado al verbo ὁμολογεῖν un sentido («alabar, ensalzar») que se aleja del significado fundamental: «prometer» (cf. ὁμολογεῖν como traducción de → *ndr* y → *šb'* nifal); O. Michel, ThW V, 204, habla con razón de un «hebraísmo léxico». La diferencia terminológica entre *ydh* hifil y *hll* piel parece reflejarse en la traducción; donde fundamentalmente coinciden es en las versiones αἰνεῖν y ὑμνεῖν.

El sentido voluntativo, documentado ya en el AT, tiene un amplio desarrollo en los Hodayót («cantos de acción de gracias») de Qumrán. La más frecuente es la fórmula de introducción *'ōdᵉkā 'ᵃdōnāy kī* (1QH 2,20.31; 3,19.37; 4, 5; 5,5.20; 7,6.26.34; 8,4), que se debe traducir: «te alabaré a ti, Señor, porque...» (distinta traducción en J. M. Robinson, BZNW 30 [1964] 194-235); la misma fórmula, con *'ēlī,* «Dios mío», en 1QH 11,3.15. También está documentado el significado de «confesar (la propia culpa o los pecados en general)» (hitpael, CD 9,13; 15,4; 20,28; hifil, 1QS 1,24).

Sobre el empleo del término en el NT, cf. O. Michel, art. ὁμολογέω: ThW V, 199-200.

C. Westermann

ידע *yd'* Conocer

I. 1. La raíz *yd',* «(re)conocer, saber», pertenece al semítico común.

De todas formas, en árabe, donde su significado está representado por los términos *'arafa,* «(re)conocer, saber», y *'alima,* «saber», sólo existen vestigios de nuestra raíz (Th. Nöldeke, ZDMG 40 [1886] 725; *íd.,* NB 202s; distinto, P. Haupt, JBL 34 [1915] 72).

En egipcio, el verbo *rḫ,* «(re)conocer, saber», representa claramente una versión antigua y fonética de la raíz semítico-camita *yd'* (O. Rössler, *Neue Afrikanistische Studien* [1966] 218-229, espec. 228). Por el contrario, el vocablo *yd',* «inteligente», documentado en el papiro Anastasi I 17, 8 (A. H. Gardiner, *Egyptian Hieratic Texts* I/1 [1911] 19*.58) debe considerarse como un término neoegipcio tomado del semítico occidental, concretamente del participio activo qal de *yd'* (Erman-Grapow I, 153).

El verbo *yd'* es un verbo *primae yod* (GVG I, 604; Meyer II, 138; cf., sin embargo, Nöldeke, NB 202s; GK § 69); eso es lo que se deduce del acádico *edû(m)/idû(m),* «conocer, saber» (GAG § 103e; AHw 187s; CAD I/I 20-34; distinto, P. Jensen, ZA 35 [1924] 124-132), y sobre todo de la forma causativa etiópica *'ayde'a,* «dar a conocer». De todas formas, ha sufrido un fuerte influjo de los verbos *primae waw,* como lo demuestra la conjugación del hebreo *yd'* (Bergstr. II, 124-

131; BL 376-385; Meyer I, 138-142) y la variante asiria *wadû(m)* del acádico *edû(m)/idû(m)*, «conocer, saber» (GAG § 106q).

2. Desde el punto de vista etimológico, no se puede poner en tela de juicio el significado de «(re)conocer, saber» (cf., sin embargo, F. Gaboriau, «Angelicum» 45 [1968] 3-43, espec. 6-17). No resultan convincentes las opiniones que quieren asignar a la raíz el significado fundamental de «oler». (Haupt, *loc. cit.*, 72) o que quieren hacerla derivar de *yād*, «mano» (J. Hämel, *Das Erkennen Gottes bei den Schriftpropheten* [1923] 225, nota 2, según O. Procksch) o ponerla en relación con el árabe *wada'a*, «reposar, calmarse, estar en calma» (G. M. Redslob, ZDMG 25 [1871] 506-508; F. Schwally, ThLZ 24 [1899] 357; G. J. Botterweck, «*Gott erkennen*» *im Sprachbrauch des AT* [1951] 11; cf., por el contrario, D. W. Thomas, JThSt 35 [1934] 298-301).

A lo más, cabría pensar que en una serie de textos veterotestamentarios —difíciles en cuanto al sentido algunos y discutidos desde el punto de vista críticotextual otros— las formas del verbo *yd'* transmitidas por el texto masorético ocultan las raíces antes mencionadas. Diversas sugerencias han sido hechas recientemente en este sentido, siguiendo a hebraístas antiguos (cf. D. W. Thomas, JThSt 35 [1934] 298-301; 38 [1937] 404s; 42 [1941] 64s; JQR NS 37 [1846-1847] 177s; cf., por el contrario, L. J. Liebreich, *ibid.*, 337s; J. A. Emerton, ZAW 81 [1969] 188-191); en este sentido se ha remitido:

a) al verbo árabe *wada'a*, «(reposar), calmarse, estar en calma» > *yd'*, «someter, ser humillado», para Jue 8,16; 16,9; Is 9,8; 53,3.11; Jr 31,19; Os 9,7; Sal 138,6; Job 20,20; 21,19; Prov 10,9; 14,33; Dn 12,4 (D. W. Thomas, JThSt 35 [1934] 298-306; 36 [1935] 409-412, y posteriores indicaciones, cf. FS Thomas [1968] 217-228; también, por ejemplo, G. R. Driver, JThSt 38 [1937] 48s; T. H. Robinson, ZAW 73 [1961] 267s; L. C. Allen, «Vox Evangelica» 1 [1962] 24-28; P. R. Ackroyd, F. S. Thomas [1968] 10-14; cf., por el contrario, J. Reider, JBL 66 [1947] 315-317);

b) al verbo árabe *da'ā*, «buscar, indagar por, llamar, invitar», para Gn 18,19; Ex 33,12; Os 6,3; Prov 10,32; 24,14; 29,7 (aquí: *dá'at*, «exigencia, reclamación»; D. W. Thomas, JThSt 38 [1937] 401s; *íd.*, SVT 3 [1955] 284s; E. Zolli, Sefarad 16 [1956] 23-31);

c) al verbo árabe *da'ā*, «derribar, destrozar», para Ez 19,7; Sal 74,5 (G. R. Driver, JBL 68 [1949] 57-59);

d) al verbo árabe *wada'a*, «fluir»; al ugarítico *(w/y)d*, «sudar»; al acádico *zūtu*; al ugarítico *d't* y al hebreo *zē'ā*, «sudor»; para el hebreo *yd'*, «sudar», y *dá'at*, «sudor» (como variantes dialectales de **yz'*, *zē'ā*), en Is 53,11; Prov 10,9.32; 14,7.33 (M. Dahood, «Gregorianum» 43 [1962] 63s; íd., *Proverbs and Northwest Semitic Philology* [1963] 21; *íd.*, Bibl 46 [1965] 316s).

De todas formas, puede preguntarse si las bases filológicas para dichas sugerencias son lo suficientemente seguras como para elaborar con ellas soluciones consistentes. Cf. Barr, CPT 19-25.325. 328.

3. En el AT aparecen los siete modos del verbo (→ *glh* 1); además del qal, «(re)conocer, saber» (también en arameo bíblico), aparecen el reflexivo (tolerativo) y pasivo nifal, «darse a conocer, ser conocido, ser reconocido»; el causativo hifil, «hacer saber, comunicar», cf. Jenni, HP 112-119); su pasivo hofal, «ser reconocido» (sobre la forma, cf. Meyer II, 141), y el reflexivo hitpael, «darse a conocer».

El modo piel, «hacer competente», documentado sólo en Job 38,12, es probablemente un denominativo del adjetivo *yādū^a'*, «competente, entendido» (Jenni, HP 235). De su pasivo pual solamente está documentado el participio sustantivado *m^eyuddā'*, femenino *m^eyuddá'at*, «conocido». 1 Sm 21, 36 poel debe corregirse, siguiendo a los LXX (cf. BH³).

He aquí las formas nominales y otros derivados de la raíz *yd'*:

a) Las formas sustantivadas del infinitivo constructo qal (GK § 69m) —usadas en sentido abstracto— *dē^a'* (masculino), *dē'ā* (femenino), «saber», y *dá'at*, «conocimiento, saber». Corresponden al nombre acádico *di'(a)tum/da'atum,* «saber, información», documentado en el giro *di'atam šâlum,* «buscar conocimiento sobre, informarse acerca de» (B. Landsberger, ZDMG 69 [1915] 513s; AHw 168b) y al ugarítico *d't,* «saber, conocimiento» (WUS N. 1148; UT N. 1080), cuyo significado concreto de «compañero, amigo» (en texto 62 [= I AB], línea 49, paralelo al término *ḫbr),* podría quizá aplicarse también a Prov 8,12; 22,12 (M. Dahood, Bibl 45 [1964] 103; *íd.,* UHPh 61). Por el contrario, los nombres abstractos acádicos *e/idûtu,* «saber» (AHw 189a); *mudûtu,* «saber, conocimiento» (AHw 667a), y otros —derivados de esta raíz— no tienen correspondientes en hebreo.

b) maddā', «razón», que tiene un correspondiente en el vocablo *mandā'* «razón», documentado en el arameo de Egipto (Ah. línea 53: *kmnd',* «como es sabido»; H. Torczyner, OLZ 15 [1912] 398; distinto Cowley, 232, cf. también DISO 158) y arameo bíblico (F. Rosenthal, *A Grammar of Biblical Aramaic* [1961] 16s).

c) mōdā', femenino *mōdá'at,* «conocido/conocida, pariente lejano». El masculino tiene un equivalente en el acádico *mūdû(m),* «conocedor, inteligente; conocido[?]» (AHw 666s; cf. también Jensen, *loc. cit.,* 124-132), que aparece en los textos de Ugarit (PRU III, 234) junto al ugarítico *md'* (UT N. 1080; M. Dahood, Bibl 46 [1965] 210-212) como título cortés «amigo (del rey/de la reina)» (igual que el hebreo *rē'æ,* → *rē"'* «amigo del rey», cf. A. van Selms, JNES 16 [1957] 118-123; de Vaux I, 188s; H. Donner, ZAW 73 [1961] 269-277; y cf. en este contexto 2 Re 10,11, *m^e^yuddā'āw,* «sus íntimos [de Ajab]»).

d) La expresión *yidd^e^'ōnī,* «espíritu agorero», que en el AT acompaña siempre a *'ōb,* «espíritu de los muertos», cuyo significado propio es probablemente —lo mismo que el del árabe *šā'ir*— «el conocedor» (GB 289a; H. Ringgren, *Isr. Religion* [1963] 221s).

e) El adjetivo *yādū^a^',* «competente, experto» (sobre esta derivación nominal, cf. Meyer II, 28).

f) La partícula interrogativa *madū^a^',* «¿por qué?»; esta expresión se emplea en preguntas de información, a diferencia de *lâmmā/lāmā,* que introduce preguntas de censura (A. Jepsen, FS Rost [1967] 106-113). Probablemente constituye una fusión de *mā* y *yādū^a^'* (distinto, K. Ahrens, ZDMG 64 [1910] 179), «¿qué te es conocido del asunto?» (BrSynt 131) o «¿qué es conocido?» (GK § 99e; Meyer II, 174). Cf. también *mī yōdē^a^',* «quizá» (2 Sm 12, 22; Jl 2,14; Jon 3,9; → *'ūlay* 1) —otro ejemplo en el que se ve cómo una expresión interrogativa se convierte en expresión adverbial—, *bib^e^lī-dá'at,* «indeliberadamente» (Dn 4,42; 19,4; Jos 20,3.5; cf. CAD I/J 29s), y *mibb^e^lī-dá'at,* «de improviso» (Is 5,13).

Sobre los nombres propios formados con *yd',* cf. Noth, IP 181 e *inf.* IV/1*a.*

II. Si prescindimos de los 72 × de la partícula interrogativa *maddū^a^',* «¿por qué?», la raíz *yd'* está documentada en el AT en 1.119 pasajes (1.068 × en hebreo y 51 × en arameo). De éstos, 994 corresponden al verbo: en hebreo qal 822 × (Ez 86 ×, Jr 72 ×, Sal 66 ×, Is 64 ×, Job 60 ×, Gn 53 ×, 1 Sm 49 ×, Dt 43 ×, Ex 36 ×, Ecl 34 ×, 1 Re 33 ×, 2 Sm 28 ×, Prov 27 ×), nifal 41 ×, piel 1 × (Job 38,12), pual 6 × (Sal 4 ×), poel 1 × (cf. *sup.* I/3), hifil 71 × (Sal 16 ×, Ez y Job 8 ×, Is 7 ×), hofal 3 × (Lv 4,23.28; Is 12,5), hitpael 2 × (Gn 45, 1; Nm 12,6); en arameo qal 22 × (Dn 16 ×, Esd 6 ×), hafel 25 × (Dn 20 ×, Esd 5 ×). Las formas nominales presentan la siguiente estadística: *dē^a^'* 5 × (sólo en los discursos de Elihú, Job 32-37), *dē'ā* 6 ×, *dá'at* 90 × (Prov 40 ×, Job 11 ×, Is 9 ×, Ecl 8 ×, Os y Sal 4 ×), *mōdā'* 2 × (Prov 7,4; Rut 2,1), *mōdá'at* 1 × (Rut 3,2), *maddā'* 6 × (sólo posexílico: Ecl 10,20, texto dudoso, cf. Hertzberg, KAT XVII/4, 197s; M. Dahood, Bibl 46 (1965) 210-212; Dn 1,4.17; 2 Cr 1,10.11.12), *yidd^e^'ōnī* 11 ×; *yādū^a^'* (Dt 1,13.15; Is 53,3) es contabilizado dentro de *yd'* qal. La raíz está ausente en Abd, Ag y Lam.

En la anterior lista, la distinción entre *dá'at* infinitivo qal y *dá'at* sustantivo se establece siguiendo el criterio de Lisowsky y no el de Mandelkern (Ex 31,13 y Job 10,7, sustantivo; Jr 10,14 = 51,17 y 22,16, infinitivo qal). Según Lisowsky, 579b, Ex 25,22 corresponde a *y'd* nifal.

III. 1. El verbo *yd'* «(re)conocer, saber» es empleado en el AT con una escala de significados de considerable amplitud; pero no es posible hacer una historia detallada, ni dentro ni fuera del AT, de la evolución de estos significados (Gaboriau, *loc. cit.*, 36) ni afirmar, al menos desde un punto de vista lógico, que el sentido de «(re)conocer, saber» constituya una debilitación de un sentido original más rico, como el que se deja entrever sobre todo en el empleo del verbo en referencia a la relación interpersonal, especialmente entre los cónyuges (E. Baumann, ZAW 28 [1908] 22-41.110-143; cf. también G. J. Botterweck, *«Gott erkennen» im Sprachgebrauch des AT* [1951] especialmente pp. 11-17). Dentro del AT el verbo *yd'* designa más bien:

a) Primariamente, la *percepción* facilitada al hombre por sus sentidos, que le viene de los objetos o contenidos del mundo que le rodea, adquirida por experiencia propia o comunicada por otros (qal «descubrir, percibir, notar, observar, darse cuenta, experimentar»; por ejemplo, en Gn 8,11; 9,24; Ex 2,4; Lv 5,1; 1 Sm 22,3; Jr 38,24; 50,24; Ez 25,14; Os 7,9; Sal 35,8; Job 5,24; 9,5; 21,19; Prov 5,6; 23,35; Rut 3,4; Est 2,11; Neh 13,10; y también el nifal, que debe analizarse como el correspondiente reflexivo - tolerativo o como el impersonal de los significados de qal, por ejemplo, en Gn 41,21.31; 1 Sm 22,6; 2 Sm 17,19; Sal 77,20; Rut 3,3).

Los textos presuponen como condición para la percepción que los objetos de la percepción son accesibles, es decir, que se hallan «frente a» uno *(nægæd,* Sal 51,5; 69,20) o «junto a» uno *('ēt,* Is 59,12; *'im,* Job 15,9; *'immād,* Sal 50,11); y que no son «inaccesibles» *(baṣur,* Jr 33,3) ni están «en la oscuridad» *(bᵉ-maḥšāk,* Is 29, 15; arameo *baḥᵃšōkā,* Dn 2,22; cf. también Sal 188,13), «escondidos (de...)» *(kḥd* nifal *min,* Os 5,3; Sal 69,6; 139,15; *'lm* nifal *min,* Lv 5,3.4; cf. *nᵉṣūrōt,* «escondido», Is 48,6, y *'mq* hifil *lastīr,* «esconder profundamente», Is 29,15, también el *hassētær,* «secretamente», del contexto, en Jr 40,15). También dan como supuesto que los órganos de la percepción —los ojos y los oídos— no están «cerrados» *(tḥḥ,* Is 44,18), sino «abiertos» *(pqḥ,* Gn 3,7; *glh,* Nm 24,16; cf. 1 Sm 3,7; *ptḥ,* Is 48,8; cf. también Dt 29,3; Is 6,9; 32, 3s) y que la capacidad perceptiva no está impedida por el sueño (1 Sm 26,12) o la embriaguez (Gn 19,33.35), de forma que la percepción resulta posible: *yd',* paralelo a → *šm',* «oír» (Ex 3,7; Dt 9,2; 29, 3; Is 6,9; 33,13; 40,21.28; 48,6.7.8; Jr 5,15; Sal 78,3; Job 5,27; Dn 5,23; Neh 6,16), y → *r'h,* «ver» (Gn 18,21; Ex 2, 25, texto enmendado; 3,7; 6,3; Lv 5,1; Dt 4,35; 11,2; 29,3; 33,9; 1 Sm 6,9; 18, 28; 26,12; Is 5,19; 6,9; 29,15; 41,20; 44, 9; 58,3; 61,9; Jr 2,23; 5,1; 11,18; 12,3; Sal 31,8; 138,6, texto dudoso [cf. J. Reider, JBL 66 ⟨1945⟩ 317], Job 11,11; Ecl 6,5; Neh 4,5; cf. especialmente la fórmula fija *da' ūrᵉ'ē,* «reconoce y ve» [también en plural]: 1 Sm 12,17; 14,38; 23,22; 24,12; 25,17; 2 Sm 24,13; 1 Re 20,7.22; 2 Re 5,7; Jr 2,19; además, *šzp,* «divisar», Job 28,7; *š'h* hitpael, «observar», Gn 24,21, y el arameo *ḥzh,* «ver», Dn 5,23).

b) Estrechamente unido con ese sentido de *yd'* aparece también su empleo para designar el *conocimiento* logrado por medio del uso consciente de los sentidos, por medio de la investigación y el examen, de la meditación y la reflexión (qal, «conocer, concebir, entender, comprender», por ejemplo, en Gn 42,33; Jue 18,14; 2 Sm 24,2; Is 41,22; Jr 2,23; 26,15; Zac 11,11; Job 9,28; 34,4; 36,26; 42,2; nifal, «ser conocido», por ejemplo, en Ex 33,16; Lv 4,14; Jue 16,9; 1 Re 18,36; Jr 28,9).

Es característico de este empleo de *yd'* el papel que desempeña el «corazón» como órgano del conocimiento (→ *lēb/lēbāb,* Dt 8,5; 29,3; Jos 23,14; 1 Re 2,44; Is 32,4; 51,7; Jr 24,7; 31,33s; Ecl 1,17; 7,22; 8,5; Dn 2,30; la expresión *śīm ['al-] lēb* aparece en paralelo a *yd'* en Is 41,22; 42,25, y en forma abreviada en Is 41,20; también, *šit lēb lᵉ,* «aplicar el corazón a...», Prov 27,23, cf. Prov 22,17). El conocimiento queda impedido por la «confusión del corazón» *(tō'ē lēbāb,* Sal 95,10) o la «confusión del espíritu» *(tō'ē-rūᵃḥ,* Is 29, 24) y especialmente por la inexplicable obstinación que impide a los órganos de la percepción y del conocimiento el cumplimiento de su función (cf. Dt 29,4; Is 6,6s; 29,9-12; 32,3s; 42,18-25; 44,18; 48,8; Jr 5,3-5; 10,14; 51,19; Sal 95,8-10; cf. F. Hesse, *Das Verstockungsproblem im AT* [1955]).

El «conocimiento» se consigue con la «búsqueda» *(bqš* piel, Jr 5,1; Ecl 7,25; 8,17; *drš,* Sal 9,11; cf. también *tūr,* «explorar, investigar», Ecl 7,25, y *š'l bēlōhīm,* «consultar a Dios», Jue 18,5) y el «hallazgo» *(mṣ',* Job 28,13; Ecl 8,17; cf. Prov 8,9), por medio del «examen» *(bḥn,* Jr 6,27; 12,3; Sal 139,23; Job 23,10; *bḥr,* Job 34,4; *ḥqr,* Sal 139,1.23; *nsh* piel, Dt 8,2; 13,4; Jue 3,4; 2 Cr 32,31), de la «reflexión» *(zkr,* Sal 103,14; *ḥšb,* Sal 144,3) y de la «comprensión, intelección» *(bīn,* Is 1,3; 6,9; 40,21; 43,10; 44,18s; Jr 4,22; Os 14,10; Miq 4,12; Sal 82,5; 92,7; 119,125; 139,2; Job 14,21; 15,9; 23,5; 28,23; 42,3; Prov 1,2; 2,6; 8,9; 17, 27; 29,7; Dn 1,4; Neh 10,29; *śkl* hifil, Is 41,20; Jr 9,23; Job 34,35; Dn 1,4; 9,25).

El conocimiento brota de un «signo» *('ot,* Ex 7,3-5; 8,18s; 10,2; 31,13; Dt 4, 34s; 11,2s; Jr 44,29; Ez 14,8; 20,12; cf. C. A. Keller, *Das Wort OTH als «Offenbarungszeichen Gottes»* [1946] 58), «en el que» se reconoce algo *(yd' bᵉ,* Gn 15,8; 24,14; 42,33; Ex 7,17; 33,16; Jr 28,9; Sal 41,12; cf. también, en este sentido, la presencia de *yd'* en frases condicionadas, es decir, en frases que presentan el resultado de una condición: Nm 16,30; Jue 6,37; 1 Sm 6,9; 20,7, y la orientación final de un suceso hacia el «conocimiento»: por ejemplo, Gn 24,21; 1 Sm 12,17; 1 Re 18,37; 20,13).

c) Finalmente, *yd'* designa el *saber* que proviene de la percepción, la experiencia y el conocimiento; se trata de un saber que puede aprenderse y transmitirse (qal, «conocer, saber», por ejemplo, Gn 4,9; 12,11; 15,13; 20,7; 21, 26; 27,2; 28,16; 30,26; 31,6,32, etc.; nifal, «ser conocido», por ejemplo, Ex 2,14; 21,36; Dt 21,1; Is 61,9; Nah 3,17; Zac 14,7; Ecl 6,10; de todos modos, formas como *yāda'tī,* «yo sé», no se deben entender como perfecto resultativo, sino que deben considerarse análogas a los correspondientes pretéritos del acádico *e/idû(m),* «conocer, saber», que son estativos en cuanto al significado, cf. BrSynt 40, nota 2; GAG 102 § 78b y 152 § 106q; distinto, GK § 106g).

Son característicos de este empleo de *yd'* no sólo su paralelismo con *nkr* hifil, «conocer» (Dt 33,9; Is 63,16), y *š'r,* «saber de» (Dt 32,17), sino también —y sobre todo— pasajes en los que el saber aparece como logrado por medio de la «enseñanza, instrucción» *(lmd* piel *dē'ā/dá'at,* Is 40,14; Sal 94,10; 119,66; Job 21,22; Ecl 12,9, cf. también Esd 7,25) o pasajes en los que el saber procede de una previa información (cf. Is 41,22s.26; Jon 1,10; Sal 78,2-6; Ecl 8,7; cf., en este sentido, la expresión aramea *yᵉdīa' læhæwē lᵉ,* «sepa que...», Dn 3,18; Est 4,12.13; 5,8, con sus correspondientes arameo-imperiales en Driver, AD N. 4, línea 3, y N. 7, línea 8; sobre el posible trasfondo persa de esta expresión, cf. E. Benveniste, JA 242 [1954] 305).

Aquí tienen también su puesto los pasajes en que *yd'* designa la capacidad de expresar juicios objetivos y críticos (Jon 4,11; 2 Cr 12,8), que falta todavía en los menores de edad (Dt 1,39; 1 Re 3,7; Is 7,15.16; Jr 4, 22), poseen los hombres maduros (1QSa 1,10s) y vuelve a desaparecer cuando asoman las canas (2 Sm 19,36). En este sentido se emplea, además de las fórmulas *bīn* hifil *bēn-ṭōb lᵉrā'* (1 Re 3,9), *šm' haṭṭōb wᵉhārā'* (2 Sm 14,17), la expresión *yd' ben-ṭōb wārā'* (Dt 1,39; 1QS 4,26; 1QSa 1,10s) o *yd' bēn-ṭōb lᵉrā'* (2 Sm 19,36, cf. también Is 7,15s; Jr 4,22), «conocer el bien y el mal» o «distinguir entre el bien y el mal», expresión cuyo significado es muy difícil de precisar debido a la ambigüedad de la contraposición *ṭōb wārā',* «bueno y malo» (→ *ṭōb).* En cuanto al conocimiento obtenido al comer del «árbol del conocimiento del bien y del mal» (Gn 2,9.17, *'ēṣ haddá'at ṭōb wārā',* donde *haddá'at* debe entenderse como *nomen verbale* [infinitivo constructo], que ha conservado su régimen verbal incluso cuando aparece como *nomen rectum* de una composición constructa, cf. GK § 115d;

BrSynt 91; J. A. Soggin, Bibl 44 [1963] 521-523; cf., sin embargo, H. J. Stoebe, ZAW 65 [1953] 195; W. H. Schmidt, *Die Schöpfungsgeschichte der Priesterschrift* [²1967] 223s), y que en principio era propiedad exclusiva de Dios (Gn 3,5.22), podemos señalar cuatro interpretaciones principales; el «conocimiento del bien y del mal» es entendido como:

1) capacidad de discernimiento ético (*ṭōb wārāᶜ*, «bien y mal», en sentido moral: K. Budde, *Die Biblische Urgeschichte* [1883] 65-72; cf. también Köhler, *Theol.*, 157s);

2) confirmación de la vida basada en la decisión autónoma de la libertad (*ṭōb wārāᶜ*, «lo que es útil y perjudicial en la vida»: H. J. Stoebe, ZAW 65 [1953] 188-204; cf. también E. Albert, ZAW 33 [1913] 161-191; R. de Vaux, RB 56 [1949] 300-308; M. Buber, *Bilder von Gut und Böse* [1952] 15-31; G. W. Buchanan, JBL 75 [1956] 114-120; H. S. Stern, VT 8 [1958] 405-418; cf. también W. M. Clark, JBL 88 [1969] 266-278);

3) experiencia sexual (*ṭōb wārāᶜ*, «agradable y desagradable»: H. Schmidt, *Die Erzählung von Paradies und Sündenfall* [1931] 13-31; o también como designación de las manifestaciones sexuales normales y anormales, legítimas e ilegítimas: R. Gordis, JBL 76 [1957] 123-138; cf. también I. Engnell, SVT 3 [1955] 103-119; L. F. Hartmann, CBQ 20 [1958] 26-40; desde el punto de vista histórico-tradicional, cf. *Gilgamés* I/3,49-4,43, especialmente 4,29.34);

4) un conocimiento general y una inteligencia práctica que abren el camino a la cultura humana (*ṭōb wārāᶜ*, «todo»: J. Wellhausen, *Prolegomena zur Geschichte Israels* [⁶1927] 299-302; cf. también P. Humbert, *Études sur le récit du Paradis et de la Chute dans la Genèse* [1940] 82-116; H. A. Brongers, OTS 14 [1965] 100-114, especialmente 105; y en combinación con la interpretación del apartado 3), cf. J. Coppens, *La Connaissance du Bien et du Mal et le Péché du Paradis* [1948] espec. 13-46; B. Reicke, JSS 1 [1956] 193-201: *rāᶜ* = la sexualidad ilegítima de los cultos de vegetación orgiásticos).

En los ámbitos de empleo señalados, el verbo *yd*ᶜ aparece empleado, fuera del uso absoluto, con complemento directo en acusativo o con una frase que cumple la función de complemento directo, unida asindéticamente (por ejemplo, Sal 9,21; Job 19,25; 30,23) como frase objetiva introducida por las partículas *ʾēt*, *ʾašær*, «lo que»; *kī*, *šæ-*, *ʾašær*, arameo *dī*, «que», o como frase interrogativa indirecta introducida por *mī*, «quién»; *mā*, «qué»; *hª* ... *ʾim*, «si ... o» u otras partículas interrogativas.

2. Pero como lo señaló ya H. Baumann (*loc. cit.*, 22-41.110-143; cf. también Pedersen, *Israel* I-II, 426-431; Botterweck, *loc. cit.*, 11-17; H. W. Wolff, EvTh 15 [1955] 426-431; Gaboriau, *loc. cit.*, 3-43), el significado de *yd*ᶜ no quedaría lo suficientemente determinado si se le limitara únicamente al aspecto cognitivo tratado hasta aquí y no se tuviera en cuenta también el aspecto de contacto que va incluido en el concepto; en efecto, debe tenerse en cuenta que *yd*ᶜ no designa sólo una actividad teórica, un simple acto del pensamiento, sino que el conocimiento, tal como *yd*ᶜ lo entiende, se realiza en un contacto *práctico* con el objeto del conocer.

En este sentido son significativos los paralelos de *yd*ᶜ: *pqd*, «ocuparse de» (Job 5,24; 35,15); *šmr*, «custodiar, guardar, atender a» (Jr 8,7; Job 39,1); *mṣʾ ḥēn*, «hallar gracia, favor» (Ex 33,12.17); *ʾmn* hifil, «creer» (Is 43,10); *yrʾ*, «temer» (1 Re 8,43; Is 11,2; Sal 119,79; Prov 1,7; 2,5; 2 Cr 6,33); *ᶜbd*, «servir» (1 Cr 28,9); también son significativas la presencia de *dáᶜat* junto a *ʾæmæt*, «fidelidad, lealtad» (Os 4,1), y *ḥæsæd*, «comunión, fidelidad» (Os 4,1; 6,6), y los conceptos contrapuestos a *yd*ᶜ: *mʾs*, «rechazar, rehusar» (Job 9,21); *sūr*, «alejarse de» (Sal 101,4); *pšᶜ bᵉ*, «rebelarse contra» (Jr 2,8); *ršᶜ* hifil, «ofender a» (Dn 19,32; cf. también Jr 9,2.5; Job 18,21).

a) Este aspecto práctico aparece con especial claridad en los textos en que *yd'* designa la familiaridad experta con determinadas prácticas manuales, es decir, allí donde designa una aptitud técnica («entender de, ser experto en»).

En este sentido los objetos de *yd'* son significativamente: *ṣáyid,* «caza» (Gn 25,27); *yām,* «mar» (1 Re 9,27 = 2 Cr 8,18); *sḗfær,* «libro» (Is 29,11s); *n^e^hī,* «canto fúnebre» (Am 5,16); *pḗšær dābār,* «interpretación de una palabra» (Ecl 8,1; cf. también Dn 2,3); *'ittīm,* «tiempos» (Est 1,13; cf. 1 Cr 12,33 y Rudolph, HAT 21, 109, quien interpreta la expresión como relativa a la aptitud para la astrología); *dāt wādīn,* «ley y juicio» (Est 1,13; cf. también Job 37,15.16).

También tiene su lugar aquí el empleo del verbo seguido de una construcción infinitiva: Ex 36,1; 2 Cr 2, 6.7.13 (referido a la aptitud para trabajos manuales); 1 Sm 16,16.18 (referido a la aptitud para tocar la lira); 1 Re 5,20 (referido al leñador); Is 50, 4; Jr 1,6, cf. también Is 8,4 (referido a la capacidad oratoria); cf. también Jr 6,15; 8,12; Am 3,10; Ecl 4,13.17; 10,15).

En este sentido, *yd'* tiene un correspondiente en el empleo semejante del acádico *e/idû(m),* «conocer, saber», en pasajes como Gilgamés XI, 175s, donde se hace alusión a la función del dios Ea como dios de las artes manuales: «¿quién produce algo fuera de Ea? ¡Ea conoce todos los trabajos!» (Schott, 93; cf. CAD I/J 27b).

b) En otros pasajes, *yd'* designa una *participación* intensa en determinado asunto, participación que supera la mera relación cognitiva; se podría traducir por «ocuparse de» (Gn 39,6. 8; Sal 31,8; Job 9,21; 35,15; Prov 27, 23). Este es el significado que debe aplicarse también a *yd'* seguido de objeto personal («preocuparse de», Dt 33, 9; Is 63,16; cf. Is 1,3) en los textos en que *yd'* no designa sólo el conocimiento de un hombre de la antigüedad y de sus méritos (Ex 1,8), el trato personal con un vivo (Gn 29,5; Dt 22,2; Ex 28,19; Job 19,13; 29,16; 42,11; cf. también la expresión fija «un pueblo que tú no conoces», Dt 28,33.36; 2 Sm 22,44; Jr 9,15; Zac 7,14; Sal 18,44; Rut 2,11; cf. también Is 55,5: «un país que no conocéis»; Jr 15,14; 16,13; 17,4; 22,28; Ez 32,9) o el conocimiento de las propiedades de un hombre, de modo que se comprende al hombre y sus propiedades (1 Sm 10,11; 2 Sm 3,25; 17,8; 1 Re 5,17; 18,37; 2 Re 9, 11; Sal 139,1s; Prov 12,10; Cant 6, 12).

Este empleo corresponde al del acádico *e/idû(m)* en la construcción *idû ana...,* «ocuparse de, preocuparse por», que aparece en las cartas de Amarna referido a objetos y personas (cf. J. A. Knudtzon, *Die El-Amarna-Tafeln* II [1915] 1420s; CAD I/J 28a).

c) Finalmente, aquí entran también los pasajes en los que *yd'* se refiere a las *relaciones sexuales* del hombre con la mujer (Gn 4,1.17.25; 24,16; 38,26; Jue 19,25; 1 Sm 1,19; 1 Re 1, 4) o de la mujer con el hombre (Gn 19,8; Jue 11,39; en los demás textos se usa la expresión *yd' [l^e^]miškab zākār,* «domir con un hombre», Nm 31,17s.35; Jue 21,11s) y a las relaciones homosexuales (Gn 19,5; Jue 19, 22).

Es muy difícil probar con cierta probabilidad que en este empleo del verbo esté todavía presente el significado base de la raíz (Baumann, *loc. cit.,* 30-32); tampoco es probable la suposición (que se remonta a A. Socin, cf. GB 287b) de que este empleo debe explicarse a partir de la acción de quitar el velo a la mujer en la noche de bodas (ya que entonces podía el marido ver por primera vez el rostro de su mujer) o de que se refiera a la constatación de la virginidad de la esposa en la consumación del matrimonio (F. Schwally, ZDMG 52 [1898] 136). Se trata, más bien, de un eufemismo semejante al del árabe *'arafa,* «conocer (sexualmente)», y al del acádico *e/idû(m),* «conocer (sexualmente)» (AHw 188), o *lamādu(m),* «llegar a conocer (sexualmente)» (AHw 513b), verbos que son análogos al hebreo *yd',* «conocer (sexualmente)» (sobre eufemismos relativos al mundo de la sexualidad, cf. —con respecto a la lengua acádica— B. Landsberger, MAOG 4 [1928-1929] 321 § 15,3; con respecto al hebreo, cf. Gaboriau, *loc. cit.*, 37-40).

IV. 1. *a)* Ya en época preisraelítica se empleaba *yd'* como término religioso que designa el cuidado y protección de los hombres por parte de la *divinidad.* En este sentido deben mencionarse los nombres teofóricos —sobre todo nombres de acción de gracias formulados en perfecto— en los que *yd'* es aplicado a la divinidad en el sentido de «ocuparse de, interesarse por».

Se trata de nombres documentados en el ámbito amorreo (Huffmon, 209), en Ugarit (Gröndahl, 39.142), en fenicio (Harris, 106; KAI III, 48) y en el árabe meridional antiguo (G. Ryckmans, *Le noms propres sudsémitiques* II [1934] 69), que corresponden al hebreo *'ælyādā',* «El ha (re)conocido»; *Y(ᵉh)ōyādā', Yᵉda'yā(hū),* «Yahvé ha (re)conocido», etc. (cf. Noth, IP 181). Deben mencionarse también los nombres acádicos que expresan confianza, como *ᵈNabû-īdanni,* «Nabu me conoce»; *ì-lí-ki-nam-i-di,* «mi dios conoce al justo» (cf. Stamm, AN 198.239s).

Este sentido del verbo es el que prevalece en el AT en las diversas afirmaciones propias de la lírica religiosa (Nah 1,7s; Sal 31,8s; 144,3; cf. Sal 37, 18) y también quizá —dentro de las secciones narrativas del Pentateuco— en Ex 2,25 P (cf., sin embargo, BH³: *legendum cum,* G: *wayyiwwāda'),* donde *yd'* se refiere a una concreta intervención de Yahvé en determinadas circunstancias de necesidad o a su actitud protectora permanente.

A este mismo sentido deben remitirse también los casos en los que *yd'* es empleado dentro del AT para referirse a la relación especial que une a Yahvé con Israel y con cada uno de los israelitas; por el contrario, no parece que estos casos deban ser puestos en relación con el empleo del hitita *šek-/šak- (-za),* del acádico *e/idû(m) (ana)* y del ugarítico *yd',* «reconocer (jurídicamente)», en los pactos propios del área del Próximo Oriente y en otros textos en que se trata de las relaciones derivadas de dichos pactos (H. B. Huffmon, BASOR 181 [1966] 31-37; H. B. Huffmon y S. B. Parker, BASOR 184 [1966] 36-38; distinto en A. Goetze, JCS 22 [1968] 7s).

En este sentido, el vervo *yd'* —referido a la relación entre Yahvé y el pueblo— se acerca a *bḥr,* «elegir», especialmente en Am 3,2 (cf. también Dt 9,24 y Os 13,5 [cf., sin embargo, BH³], aunque no llega nunca a ser equivalente de éste: *yd'* está más en la línea de un conocimiento íntimo (cf. Botterweck, *loc. cit.*, 18-22; Th. C. Vriezen, *Die Erwählung Israels nach dem AT* [1953] 36s; H. Wildberger, *Jahwes Eigentumsvolk* [1960] 108; R. Smend, EvTh 23 [1963] 409s; P. Altmann, *Erwählungstheologie und Universalismus im AT* [1964] 2s.23s).

Los textos secundarios, Gn 18,19; Ex 33,12.17; Dt 34,10 —que no son atribuibles a las fuentes originales del Pentateuco— y también Jr 1,5 y quizá 2 Sm 7,20 = 1 Cr 17,18, en los que *yd'* designa la relación especial que une a Yahvé con determinados individuos particulares (Abrahán, Moisés, Jeremías, David), se refieren no sólo a la relación salvífica con Yahvé (Ex 33,12. 17, *yd' bᵉšem,* «conocer por nombre», paralelo a *mṣ' ḥēn,* «hallar gracia»), sino que designan también una misión especial (cf. sobre todo Jr 1,5, donde *yd'* aparece en paralelo a *qdš* hifil, «consagrar», y designa una elección especial; cf. el empleo semejante del egipcio *rḫ,* «conocer», en una estela del faraón Pianchi, dinastía XXV: G. A. Reisner, ZÄS 66 [1931] 91, línea 4; M. Gilula, VT 17 [1967] 114); en Am 3,2, por el contrario, no se pueden ignorar las consecuencias desastrosas —sorprendentes para el pueblo— que van unidas a la relación de íntima exclusividad (negada en Am 9,7) entre Yahvé e Israel, en la que el pueblo se sentía seguro: Israel deberá rendir cuenta de su culpa *(pqd 'āwōn 'al).*

yd' designa asimismo el saber de Yahvé en el juicio. A este saber divino se apela en las lamentaciones como base de la intervención de Yahvé (Jr 15,15; 18,23; Sal 69,20; cf. también Sal 103,14; Neh 9,10) y también en las confesiones de inocencia (Jr 12,3; Sal 40,10; 44,22; cf. Job 31,6) y en la confesión de culpas (Ex 32,22 E; Sal 69,6), así como en la declaración de confianza (Sal 139,1.2.4.23; 142, 4). A estas afirmaciones responden las palabras divinas en las que Yahvé mismo documenta su saber judicial y crítico (Gn 20,6 E; 22,12 E; 2 Re 19, 27 = Is 37,28; Is 48,4; Jr 48,30; Ez 11,5; Am 5,12) y resúmenes históricos que asignan a un determinado suceso el carácter de prueba divina dirigida a que los hombres comprendan (*nsh* piel aparece como paralelo en Dt 8,2; 13,4; Jue 3,4; 2 Cr 32,31).

Este saber constituye el contenido del teologúmenon sapiencial que presenta a Yahvé de modo genérico como *'ēl dē'ōt ... we'ēl tōkēn* (texto enmendado, cf. BH[3]) *'alīlōt,* «Dios del saber... y Dios que pesa las acciones» (1 Sm 2,3; cf. Sal 94,11; Job 23,10; 31,6; Prov 24,2; además, Sal 1,6; Job 11, 11) (negado por los impíos en Sal 73, 11; Job 22,13s).

b) El nifal («darse a conocer, manifestarse») y el hifil («manifestar») de *yd'* son empleados como *conceptos de revelación* (Botterweck, *loc. cit.*, 23-33; R. Rendtorff, en *Offenbarung als Geschichte* [[2]1963] 24-41; W. Zimmerli, EvTh 22 [1962] 15-31; R. Rendtorff, EvTh 22 [1962] 621-649). P establece en Ex 6,3 una consciente y teológicamente intencionada contraposición entre el nifal de *r'h* —frecuente en las antiguas etiologías cúlticas y promesas divinas— y el nifal de *yd'*: el tema de las «apariciones de Yahvé» es situado en la época patriarcal; de Moisés en adelante, en cambio, Yahvé se da a conocer tal como es, es decir, en su misma esencia, que va implícita en su nombre.

Un segundo modo de emplear *yd'* nifal/hifil como término de revelación —presente sobre todo en los himnos— pone la automanifestación de Yahvé en relación con las pruebas históricas de su poder (Sal 9,17; 48,4; 77,15.20; 79,10; 88,13; 98,2; 103,7). En ocasiones se emplea un lenguaje netamente antropomórfico; se habla, en efecto, de la «manifestación de la mano de Yahvé» (Is 66,14; Jr 16,21; cf. Sal 109,27).

Algunos pasajes que hablan de la «manifestación» del nombre de Yahvé en las pruebas históricas de su poder (Is 64,1; Sal 76,2) muestran la estrecha relación que une estos dos tipos de afirmaciones.

También se emplean el nifal y el hifil para designar determinadas comunicaciones objetivas que provienen de Yahvé: la comunicación de la ley hecha a Moisés (Ex 25,22 P) o directamente a los israelitas (Ez 20,11), la comunicación de la ley del sábado hecha a Israel (Neh 9,14), la promesa hecha a David de que la dinastía será estable (2 Sm 7,21 = 1 Cr 17,19), la interpretación de los sueños del Faraón manifestada a José (Gn 41,39 E), el aviso hecho a Jeremías de que sus enemigos conspiraban en secreto (Jr 11,18). En las súplicas (Sal 25,4; 39,5; 51,8; 90, 12; 143,8; cf. Ex 33,13 J; Job 13,23; cf. *dá'at* en Sal 94,10; 119,66) y declaraciones de confianza (Sal 16,11; 25, 14) propias de los cánticos de lamentación se habla de estas comunicaciones divinas en el sentido de una enseñanza individual que el orante busca o confiesa haber tenido (cf. Gunkel-Begrich, 224); se puede pensar que esta enseñanza se realiza en el oráculo de salvación y en la instrucción de la torá que va unida a éste (cf. Kraus, BK XV, 822s).

2. *a)* Cuando *yd'*, teniendo por objeto a Yahvé (o a dioses extranjeros), es afirmado positivamente (cf. Baumann, *loc. cit.*, 39-41.110-141; Botterweck, *loc. cit.*, 42-98; R. C. Dentan, *The Knowledge of God in Ancient Israel* [1968] 34-41; referido especialmente a la literatura profética: Hänel, *loc. cit.*, especialmente pp. 223-239; S. Mowinckel, *Die Erkenntnis Gottes bei den atl.*

Propheten [1941]) o negativamente (cf. W. Reiss, ZAW 58 [1940-1941] 70-98) de los hombres, entonces el verbo no designa un conocimiento o una ignorancia meramente intelectuales, sino una actitud general hacia Dios que incluye el comportamiento práctico: «conocer a Yahvé» en el sentido de «tener familiaridad con», «interesarse por», «reconocer».

Este significado aparece con especial claridad en aquellos pasajes en que *ydʿ* expresa la falta de relación entre los no israelitas y Yahvé (Ex 5,2 J; Is 45,4s; Ez 38,16; Dn 11,38) o entre los israelitas y los dioses extranjeros (así, en la fórmula «otros dioses que no conocéis», Dt 11,28; 13,3.7.14; 28,64; 29,25; Jr 7,9; 19,4; 44,3; cf. Dt 32, 17; Os 13,4), la falta de experiencia religiosa (1 Sm 3,7; cf. Jr 4,22) o la falta de familiaridad con determinadas circunstancias religiosas (Gn 28,16 J; Jue 2,10; 13,16; 2 Re 17,26; cf. Jr 31, 34), que se manifiesta en una actitud incorrecta para con la divinidad.

La expresión positiva «conocer a Yahvé» designa el recto comportamiento para con él (paralelo a *yrʾ*, «temer», 1 Re 8,43; Is 11,2; Sal 119,79; Prov 1,7; 2,5; 2 Cr 6,33; *ʿbd,* «servir», 1 Cr 28,9; *ʾmn* hifil, «creer», Is 43,10; *drš,* «buscar», Sal 9,11; *ḥšq bᵉ,* «adherirse a», Sal 91,14; *qrʾ bᵉšem,* «invocar el nombre», Jr 10,25; Sal 79,6; cf. además Sal 36,11; 87,4; Job 24,1; Prov 3,6); «desconocer a Yahvé», por el contrario, designa el alejamiento de él al no cumplir sus exigencias (1 Sm 2,12s; Job 18,21).

En este contexto debe mencionarse también la presencia de *ydʿ* hifil, «comunicar», en los himnos imperativos (Is 12,4-6; Sal 105,1-5 = 1 Cr 16,8-12; cf. Is 38,18s; Sal 89,2; 145,10-12 junto a verbos como *ydh* hifil, «alabar dando gracias»; *qrʾ bᵉšem,* «invocar el nombre»; *zkr* hifil, «anunciar», y otros que aparecen en las invitaciones hímnicas a la alabanza; cf. Gunkel-Begrich, 33-40; H. Zirker, *Die kultische Vergegenwärtigung der Vergangenheit in den Psalmen* [1964] 7-21; F. Crüsemann, *Studien zur Formgeschichte von Hymnus und Danklied in Israel* [1969] tratando de los textos señalados).

El verbo *ydʿ,* teniendo por objeto a Yahvé y la expresión *dáʿat (ʾᵆlōhīm/Yhwh),* «conocimiento (de Dios/Yahvé)», desempeñan un papel importante, sobre todo en Oseas y Jeremías, como conceptos clave de la predicación profética. Estas expresiones están documentadas en las palabras de amenaza (Os 4,1.6; 5,4; 8,2; Jr 2,8; 4,22; 9, 2.5; cf. Os 2,10), palabras de salvación (Os 2,22; Jr 31,34; cf. Is 28,9; Dn 11,32); como términos paralelos en este contexto aparecen *ʾᵆmæt,* «fidelidad, lealtad» (Os 4,1), y *ḥæsæd,* «comunión, fidelidad» (Os 4,1; 6,6); los opuestos son: *pšʿ bᵉ,* «rebelarse contra» (Jr 2,8); *ršʿ* hifil, «ofender a» (Dn 11, 32). También son características de este contexto las afirmaciones sobre el juicio justo (Jr 22,16) y la actuación violenta (Jr 9,2.5; Os 4,1; 8,2).

Aunque en los pasajes mencionados aparece dentro del campo semántico el término *bᵉrīt,* «alianza» (Jr 31,31-34; Os 2,18-22; 6,5-7; 8,1-3; Mal 2,4-8; Dn 11,32), y el conocimiento de Yahvé se incluye dentro de la relación general entre Yahvé e Israel presentada como una relación matrimonial (Os 2,22, *ydʿ* paralelo a *ʾrś,* «desposarse»; Os 5,4, *ydʿ*, en forma negativa, paralelo a *rūᵃḥ zᵉnūnīm,* «espíritu de prostitución»; cf. también Jr 9,1s), no parece probable que este empleo de *ydʿ* y de la expresión *dáʿat ʾᵆlōhīm* se deba al lenguaje de los pactos propios de aquellas regiones (H. B. Huffmon, BASOR 181 [1966] 35-37) ni al mundo de las experiencias matrimoniales (E. Baumann, *loc. cit.,* 111-125; *íd.,* EvTh 15 [1955] 416-425; G. Fohrer, *Studien zur atl. Prophetie* [1967] 228[nota 16].275; W. Eichrodt, «Interpretation» 15 [1961] 259-273, espec. 264); más bien parece que la explicación esté en el empleo de la expresión como *terminus technicus* fijo para designar el saber profesional de los sacerdotes (Begrich, GesStud 258; Wolff, GesStud 182-205; *íd.,* EvTh 15 [1955] 426-431; cf. también J. L. McKenzie, JBL 74 [1955] 22-27); se presupone que es este saber el que posibilita un comportamiento adecuado para con Yahvé (cf. el concepto opuesto *škḥ,* «olvidar», Os 4,6; 13,4-6 y 2,15, que sigue a 2,10).

Esta comprensión de la expresión encuentra apoyo especialmente en Jr 2, 8; 28,9; Os 4,6; Mal 2,7, donde la *dá'at 'ælōhīm* se aplica al sacerdote de la misma forma que en Nm 24,16 se emplea *dá'at 'ælyōn* tanto para designar el «conocimiento del Altísimo» como para indicar la capacidad de oír palabras divinas y ver visiones; lo mismo sucede, por influjo sapiencial, en Ex 31,3 P; 35,31 P; 1 Re 7,14 (cf. 2 Cr 2,12), donde *dá'at* aparece junto a *rūaḥ 'ælōhīm,* «espíritu de Dios»; *ḥokmā,* «sabiduría»; *tebūnā,* «inteligencia»; *melā'kā,* «destreza», y en Is 11,2; 53,11; cf. Jr 3,15 (cf. también B. Reicke, FS Rost [1967] 186-192; W. H. Schmidt, KuD 15 [1969] 18-34), donde *dá'at* (Is 53,1) o *rūaḥ dá'at weyir'at Yhwh,* «espíritu de conocimiento y de temor de Dios», aparecen junto a *rūaḥ Yhwh,* «espíritu de Yahvé»; *rūaḥ ḥokmā ūbīnā,* «espíritu de sabiduría y de inteligencia», y *rūaḥ 'ēṣā ūgebūrā,* «espíritu de consejo y de fortaleza», que designan las específicas dotes (divinas) del vidente, del artesano, del futuro rey mesiánico y del siervo paciente de Dios.

Desde el punto de vista del contenido, la *dá'at 'ælōhīm* —que es comparable con la torá (Jr 18,18; Ez 7,26)— designa no sólo conocimientos esotéricos sobre asuntos cúlticos (Begrich, *loc. cit.,* 232-258, espec. 251-258), sino también el conocimiento de diversos temas que debían ser enseñados a los laicos (R. Rendtorff, *Die Gesetze in der Priesterschrift* [1954]; cf. Ez 22,26; 44,23; Mal 2,7). En cualquier caso, en la *dá'at 'ælōhīm* —tal como es entendida por Oseas (y Jeremías)— se incluyen también las cláusulas de la legislación yahvista y las tradiciones histórico-salvíficas de Israel (Wolff, GesStud 193-202).

La transmisión de este saber acerca de Yahvé, realizada por medio de la enseñanza, es de una importancia decisiva como presupuesto de un recto comportamiento para con Yahvé. La importancia de esta enseñanza aparece con toda claridad en los pasajes en que *yd'* hifil designa la instrucción de los hijos por parte del padre (Dt 4,9; Jos 4,22; Sal 78,5s) o del pueblo por parte de Moisés (Ex 18,16.20 E; cf. R. Knierim, ZAW 73 [1961] 146-171), por parte de Ezequiel (43,11) y por parte de Esdras y los levitas (Neh 8,12; cf. Esd 7,25).

Is 11,9; Jr 31,34 (cf. Jr 24,7) señalan que en el tiempo salvífico futuro la *dá'at ('ælōhīm)* será poseída (interiormente) por todo el pueblo; éste no necesitará, por tanto, ser adoctrinado (Jr 31,34; cf. S. Herrmann, *Die prophetischen Heilserwartungen im AT* [1965] 179-185).

b) Estrechamente unido a este empleo del nifal y del hifil para referirse a la automanifestación de Yahvé aparece el empleo de *yd'* en la «fórmula de reconocimiento», para la cual el objetivo de la autorrevelación de Dios en los sucesos históricos es el reconocimiento humano (cf. Zimmerli, *loc. cit.,* 41-119; R. Rendtorff, en *Offenbarung als Geschichte,* 35-41; cf. también H. Haag, *Was lehrt die literarische Untersuchung des Ezechiel-Textes* [1943] 25-37).

La «fórmula de reconocimiento» une un elemento constante con otro variable: el constante es la «afirmación de reconocimiento»: *yd' kī,* «reconocer que» («tú/vosotros/ellos reconocerán que...») —presentado normalmente como meta de una determinada acción divina previamente mencionada o aludida—; el variable es una frase en la que se indica el contenido de dicho reconocimiento. Esta frase variable puede presentar diversas formulaciones sobre el ser de Yahvé, que en sus manifestaciones históricas se muestra como único, pero lo más frecuente es que presente la llamada «declaración estricta de reconocimiento», es decir, la fórmula *'anī Yhwh,* «yo soy Yahvé» (cf. *sup.* IV/1*b)*, que a su vez puede ser ampliada por medio de otras expresiones.

La declaración de reconocimiento tiene sus raíces en el ámbito oscuro del mundo de los signos, en el que determinados sucesos constituyen el signo para tomar alguna decisión o para aclarar alguna situación difícil (Zimmerli, *loc. cit.*, 90-98; cf. *sup.* III/1*b)*. Este trasfondo es particularmente claro en las frecuentes fórmulas de reconocimiento que aparecen en el contexto de la tradición del éxodo, especialmente en las narraciones de las plagas (en J aparecen tanto la declaración de reconocimiento estricta como expresiones menos fijas: Ex 7,17; 8,6.18; 9,14.29; 10,2; 11,7; en P aparece sobre todo la declaración de reconocimiento estricta: Ex 6,7; 7,5; 14,4.18; 16,6.12; 29, 46; 31,13; Lv 23,43; Nm 14,34). También los casos del Dt se refieren a la tradición del éxodo (Dt 4,35.39; 7,9; 11,2; 29,5; cf. también Dt 9,3.6). Por lo demás, tanto el Dt como los escritos deuteronomísticos se caracterizan por el empleo parenético de la fórmula y por la expresión «reconocer que Yahvé es Dios» (1 Re 8,60; 18,37; 2 Re 19, 19; cf. Is 20; Sal 46,11; 100,3; 2 Cr 6,33; 33,13).

Fuera de los textos mencionados, la fórmula de reconocimiento aparece sobre todo en la literatura profética con referencia a acontecimientos históricos inminentes como conclusión en el género llamado de «presentación de pruebas», que se distingue precisamente por la fórmula de reconocimiento (Zimmerli, *loc. cit.*, 120-132); se debe mencionar en este sentido 1 Re 20,13.28, donde la fórmula aparece unida a la promesa de victoria que se remonta a las tradiciones de las guerras de Yahvé, pero sobre todo Ezequiel (Ez 5,13; 6, 7.10.13.14; 7,4.9.27, etc., en total, 78 × la fórmula de reconocimiento estricta, mientras que *yd'* fuera de estas fórmulas aparece sólo 8 ×), donde la fórmula es empleada como conclusión de las palabras de juicio contra el pueblo, pero también en otros géneros (como, por ejemplo, Ez 37,13; 39,28).

Junto a esta unión entre la fórmula de reconocimiento y palabra de juicio, documentable en la literatura profética (Jr 16,21; Mal 2,4; cf. también Is 41, 23.26), se observa en Deuteroisaías otro ámbito de empleo de la fórmula, a saber: el oráculo sacerdotal de salvación (Is 41,20; 45,3.6; 49,23.26; cf. Is 60,16; Jl 2,27; 4,17; cf. J. Begrich, *Studien zu Deuterojesaja* [1938] 217-231; Zimmerli, *loc. cit.*, 69-71; 81s. 97); cf. también Sal 20,7; 41,12; 56, 10; 135,5; 140,13 y Jos 22,31; Jue 17, 13; 2 Sm 5,12 = 1 Cr 14,2; 2 Re 5, 15; Neh 6,16.

En el reconocimiento de Yahvé son incluidos, ya desde el principio, los no israelitas (en la tradición del éxodo: el Faraón y Egipto; cf. también Is 19, 21; 45,3s; Ez 25,7.11.17 y otros; Dn 4,22s.29; 5,21). Los profetas Ezequiel (21,10, cf. v. 4) y el Deuteroisaías (43, 10; 45,6; 49,26), y también 1 Sm 17, 46s; 1 Re 8,43.60; 2 Re 19,19 = Is 37,20; Sal 83,19 (cf. Sal 9,21; 59,14); Dn 4,14 se refieren a la universalidad del reconocimiento de Yahvé, que, gracias a la acción divina, llegará a todos los pueblos.

Dentro de la concepción histórico-teológica del deuteronomista (cf. von Rad, GesStud 189-204), la fórmula de reconocimiento puede referirse también a la verdad de la palabra de Yahvé, que se prueba en su realización histórica (Jos 23,14; 2 Re 10,10; Jr 32,8; 44,28s; Ez 6,10; 17,21; 37,14). Este empleo de la fórmula de reconocimiento aplicada a la verdad de la palabra de Yahvé es propio sobre todo de los textos en que se trata el tema de los criterios para distinguir al verdadero profeta (Dt 18,21s; cf. Jr 25,9); la fórmula sirve en estos casos para confirmar la legitimidad de los profetas enviados por Yahvé (1 Sm 3,20; 1 Re 18,36s; Ez 2,5; 33,33; Zac 2,13.15; 4,9; 6,15; 11,11; cf. Nm 16,28 J; 1 Re 17,24; 2 Re 4,9; 5,8; también Jue 13, 21; cf. K. Marti, FS Wellhausen [1914] 281-297; Zimmerli, *loc. cit.*, 76-78. 110).

c) Es conocida la importancia atribuida en la *sabiduría* egipcia al conocimiento y al saber (S. Morenz, *Äg. Religion* [1960] 128-132); la misma importancia tiene en la sabiduría israelita la raíz *yd'* (U. Skladny, *Die ältesten Spruchsammlungen in Israel* [1962] espec. pp. 10s.32-36.60; J. Conrad, ZAW 79 [1967] 67-76, espec. 71).

En el libro sapiencial de Anii (IX, 14) el discípulo manifiesta a su maestro el siguiente deseo: «Si yo pudiera ser así (como tú), es decir, tan sabio *(rḫ)* como tú, entonces cumpliría tus enseñanzas» (A. Volten, *Studien zum Weisheitsbuch des Anii* [1937] 137.139), y Amen-em-Ofet (XXVIII, 7-10) termina así sus enseñanzas: «Observa estos treinta capítulos; instruyen a la vez que deleitan, están por encima de todos los libros, ellos hacen sabio *(rḫ)* al ignorante *(ḫm)»* (H. O. Lange, *Das Weisheitsbuch des Amenemope* [1925] 134s).

De forma semejante, en la sabiduría israelita el sabio *(ḥākām)* es designado como «el que sabe, el que entiende» *(yōdēaʿ*, Job 34,2; Ecl 9,11; cf. *yādūaʿ*, Dt 1,13.15; *ʾîš-dáʿat*, «hombre de ciencia», Prov 24,5; *yōdēaʿ dáʿat*, «el que posee conocimiento», Prov 17,27; Dn 1,4). El «entiende la sabiduría» *(yd' ḥokmā*, Ecl 1,17; 7,12.15) o «la inteligencia» *(yd' bīnā*, Is 29,24; Job 38,4; Prov 4,1; Dn 2,21; 1 Cr 12, 33; 2 Cr 1,12.12; *bīn dáʿat*, Prov 19,25; 29,7; cf. Dn 1,4), sus palabras son palabras de ciencia» *(ʾimrē-dáʿat*, Job 33,3, texto enmendado; Prov 19,27; 23,12), sus «labios» son labios de ciencia *(śiftē-dáʿat*, Prov 14,7; 20,15; cf. Prov 5,2; 10,14; 12,23; 15,2.7). A él está destinada la *dáʿat*, «inteligencia, comprensión, conocimiento» (Is 44,25; Job 36,4; Prov 8,9; 11,9; 14, 18; cf. Job 13,2; 15,9); el necio y el malvado, en cambio, «odian» la *dáʿat (śnʾ*, Prov 1,22-29), hablan y actúan «sin inteligencia, comprensión, conocimiento» *(belī-dáʿat*, Job 35,16; 38,2; 42,3; *belō-dáʿat*, Prov 19,2; cf. Job 34,35) y manifiestan una «ciencia de aire» *(dáʿat-rūaḥ*, Job 15,2).

Así, lo mismo que *mezimmā*, «prudencia» (Prov 1,4; 2,10s; 5,2; 8,12); *ʿormā*, «inteligencia» (Prov 1,4; 8,12); *tebūnā*, «inteligencia» (Prov 2,6.10s; 17,27; 24,3s; cf. Ex 31,38; 35,31 P; 1 Re 7,14; Is 44, 19; *bīnā*, Prov 9,10; cf. también *śkl* hifil, «tener inteligencia», Job 34,35; Dn 1,4), también *dáʿat*, «inteligencia, comprensión, conocimiento», aparece en paralelismo con *ḥokmā*, «sabiduría» (Prov 2,6.10s; 14,6; 24,3s; Ecl 1,18; 2,21.26; 9,10; cf. Ex 31, 3 P; 35,31 P; 1 Re 7,14; Is 47,10) para caracterizar lo constitutivo de la sabiduría.

La *dáʿat* sapiencial puede ser «buscada» *(bqš* piel, Prov 15,14; 18,15; cf. Ecl 7, 25), se «encuentra» *(mṣʾ*, Prov 8,9) o «adquiere» *(qnh*, Prov 18,15) abriéndose a la «enseñanza» *(lmd* piel, Job 21,22; Prov 30,3; Ecl 12,9; cf. *mūsār*, «corrección», Prov 8,10; 12,1; *śkl* hifil, «instruir», Prov 21,11), y especialmente prestándose a «oír» *(šmʿ*, Prov 18,15; 22,17).

A la teologización de la sabiduría, que se manifiesta en el hecho de ser calificada como *dáʿat qedōšîm*, «conocimiento de lo santo» (Prov 9,10; 30, 3; cf. H. S. Gehman, VT 4 [1954] 340), corresponde el que la *yirʾat Yhwh*, «temor de Yahvé», pueda ser considerada como el inicio de la sabiduría (Prov 1,7; 9,10; cf. Prov 1,29). La sabiduría pertenece especialmente a Yahvé, a quien se aplica el epíteto *temīm dēʿīm*, «perfecto en sabiduría» (Job 37,16; cf. también Job 21,22 en contraposición a Job 22,13; cf. la aplicación del mismo epíteto a Elihú, como adoctrinado por Yahvé, en Job 36,3s; cf. Ecl 2,26); en la creación ha probado la *ḥokmā*, *tebūnā* y *dáʿat* como propiedades suyas (Prov 3,19s; no se trata de hipóstasis: G. Pfeiffer, *Ursprung und Wesen der Hypostasienvorstellungen im Judentum* [1967] 26). A diferencia de los animales y de los hombres (Job 28,7.13), sólo él conoce el lugar de la sabiduría personificada (Job 28,23; cf. Pfeiffer, *loc. cit.*, 24). Mientras que para la literatura sapiencial el obrar de Dios, que se manifiesta en las obras de la creación, es básicamente reconocible (Sal 92,7; Job 37, 7), Job (38,18; 42,3; cf. 11,8; 36,26; 37,5) y el escepticismo del Eclesiastés (Ecl 9,12; 11,5; cf. Prov 30,18) ven ahí el límite de su conocimiento.

V. Sobre el judaísmo y el NT, cf. R. Bultmann, art. γινώσκω: ThW I, 688-719; sobre la época intertestamentaria en especial, cf. B. Reicke, en *Neo-*

testamentica et Semitica (1969) 245-255; sobre la literatura de Qumrán, cf. K. G. Kuhn, ZThK 47 (1950) 192-211, espec. 203-205; 49 (1952) 296-316, espec. 306s; F. Nötscher, *Zur theologischen Terminologie der Qumran-Texte* (1956) 15-79; S. Wagner, FS Bardtke (1968) 232 a 252; sobre san Pablo, cf. E. Prucker, Γνῶσις Θεοῦ. *Untersuchungen zur Bedeutung eines religiösen Begriffs beim Apostel Paulus und bei seiner Umwelt* (1937); J. Dupont, *Gnosis. La connaisance religieuse dans les épîtres de Saint Paul* ([2]1960); sobre los escritos joánicos, cf. E. Viau, «La Vie Spirituelle» 77 (1947) 324-333; M.-E. Boismard, RB 56 (1949) 365-391.

W. Schottroff

יהוה *Yhwh* Yahvé

1. El nombre veterotestamentario de Dios aparece sobre todo en la forma completa del tetragrama *Yhwh* —en los textos extrabíblicos anteriores al exilio aparece siempre así (inscripción de Mesa, KAI N. 181, línea 18, «y tomé de allí los objetos [?] de Yahvé y los llevé ante Camos», del s. IX; óstraca de Tell Arada, finales del s. VII; óstraca de Laquis 2,2.5; 3,3.9; 4,1; 5, 1.8; 6,1.12; 9,1 [KAI N. 192-197] en fórmulas de deseo e imprecaciones, poco antes del año 587 a. C.). Más raras son las formas abreviadas, usadas independientemente o en diversas construcciones sintácticas; dichas formas abreviadas son *Yhw* (que es la forma normal en los papiros de Elefantina, del s. V; cf. Cowley, 290, y Krealing, BMAP 306a; en algunos casos aislados aparece la forma *Yhh:* Cowley N. 13, línea 14, y en un óstracon [A. Dupont-Sommer, Sem 2 ⟨1969⟩ 31.34, línea 3.7]; en BAMP N. 1, línea 2, aparece la forma *Yh)* y *Yāh/Yā* (Ex 15,2, así como en las secciones más recientes del libro de Isaías y en los salmos recientes; Ex 17,2 y Sal 68,5.19 son textualmente difíciles, cf. Noth, ATD 5, 115; Kraus, BK XV, 466s; sobre Cant 8,6, cf. Gerleman, BK XVIII, 217). En los nombres personales formados con el término *Yhwh* aparecen las formas *Yehō-/Yō-* (disimilado *Yē-)* o *-yāhū/-yā* (Noth, IP 103-107; en los óstraca de Samaría y en algunos sellos aparece también la forma *-yw* = *-yaw,* cf. KAI II, 183). En razón de la situación de las fuentes, y basándonos en razones de probabilidad filológica, podemos afirmar que la forma completa es la original (Noth, IP 101s; G. Fohrer, *Geschichte der isr. Religion* [1969] 63s; R. de Vaux, FS Davies [1970] 49-51).

En base a consideraciones filológicas, y en razón de la transcripción griega hecha por los Padres de la Iglesia, se ha concluido que la pronunciación original de la palabra era *Yahwǣ* (O. Eissfeldt, RGG III, 515s, con bibliografía; Fohrer, *loc. cit.*, 63, con bibliografía; distinto, en W. Vischer, *Eher Yahwo als Yahwe:* ThZ 16 [1960] 259-267). El *Qere perpetuum* יְהוָה (falsamente leído *Yehōwā* en la Edad Media) o יְהוִֹה, transmitido por los Masoretas, se formó al unirse las consonantes de *Yhwh* con las vocales del vocablo *ʾadōnāy,* «el Señor», empleado en la época posexílica en lugar del nombre divino (→ *ʾādōn)* o también —cuando *Yhwh* aparece junto a *ʾadōnāy*— con las vocales de *ʾælōhīm,* «Dios» (GB 290s; KBL 368; Zorell, 298s; la escritura más reciente יְהוָה, presentada en BH[3], se basa en la lectura aramea *šemā,* «el nombre», cf. Meyer I, 81; distinto, P. Katz, ThZ 4 [1948] 467-469).

b) No se puede establecer una *etimología* segura del nombre divino. Los autores que se han ocupado del tema ofrecen resúmenes de los múltiples intentos de establecer una etimología y una interpretación adecuada del vocablo; recientemente, con una extensa y detallada bibliografía, Fohrer, *loc. cit.*, 64s; de Vaux, *loc. cit.*, 56.63.

Al margen de la etimología que se establezca, se puede preguntar si ha existido, y en qué medida, algún significado del nombre que haya sido conocido expresamente por los creyentes yahvistas, sea el significado original, que nos llevaría a época preisraelítica, sea un significado secundario, fruto de una adaptación al yahvismo. Por eso tienen un valor muy limitado las conclusiones sobre el ser «originario» de Yahvé sacadas del significado de la palabra. Unicamente en el conocido pasaje de Ex 3,14 (→ *hyh, 4c),* y dentro de una interpretación teológica relativamente complicada, se da un significado al nombre «Yahvé»; ahora bien, prescindiendo de si, etimológicamente, es «correcto» o no, debe señalarse que este significado es válido sólo para un determinado grupo de israelitas (cf. von Rad I, 193s; W. H. Schmidt, *Atl. Glaube und seine Umwelt* [1968] 57-61; de Vaux, *loc. cit.,* 63-75).

L. Köhler, *Yod als hebr. Nominalpräfix:* WdO I/5 (1950) 404s, analiza el término como forma nominal; a esa explicación, sin embargo, se opone la opinión de quienes lo consideran como una forma verbal en imperfecto —lo cual se acerca mucho más a la forma normal de los nombres propios semíticos—. Anteriormente se habían propuesto diversas etimologías a partir de raíces árabes; de dichas etimologías, unidas a diversas concepciones histórico-religiosas, resultan significados como «el que sopla los vientos», «el que lanza los rayos», «el que ruge en la tormenta», «el que envía la lluvia», etc. (cf. Köhler, *Theol.,* 24s; KBL 368s). Hay, sin embargo, una raíz semítica noroccidental que se aproxima más que cualquier etimología árabe a esta región sinaítica de mediados del segundo milenio: se trata de la raíz documentada en el hebreo *hyh* y en el arameo *hwh,* que significa «ser, llegar a ser, manifestarse, originar» o semejantes. El hifil causativo de este verbo, que nos llevaría al significado «el que da el ser, el que mantiene el ser», no está documentado en ningún lugar; por eso parece que debemos limitarnos prácticamente al modo qal «él es, se manifiesta actuante» (la vocal del prefijo no demuestra nada en contra, ya que el hebreo/arameo *yi-* se remonta a un precedente *ya-;* cf. Meyer II, 99). Esta explicación etimológica del nombre de Yahvé, que es la más comúnmente aceptada entre los autores modernos, se parece mucho a la presentada en Ex 3,14 (cf. W. von Soden, WdO III/3 [1966] 177-187; Schmidt, *loc. cit.,* 59-61; Fohrer, *loc. cit.,* 65; S. Herrmann, *Israels Aufenthalt in Ägypten* [1970] 76-80). Es muy importante en este sentido dar con el sentido exacto de → *hyh:* debe descartarse el sentido meramente pasivo (cf. los LXX en Ex 3, 14: ὁ ὤν) y debe pensarse en un modo de ser dinámico.

2. ¿Cuántas veces aparece el nombre de Yahvé en el AT? F. Brown, S. R. Driver y Ch. A. Briggs, *A Hebrew and English Lexicon of the Old Testament* (1906) 217, ofrece la cuenta más exacta: 6.823 ×, recogida luego por L. Köhler, *Alt. Wortforschung* (1930) 3 (íd., *Theol.,* 23: «más de 6.700 veces»; KBL 368a: «unas 6.823 ×», aunque aquí los datos sobre cada libro en particular [datos tomados de P. Vetter, ThL 85 (1903) 12-47] son excesivamente bajos, ya que se refieren únicamente a los casos en que Yahvé aparece solo y no se incluyen los casos de *ᵓadōnāy Yhwh,* etc.; G. Quell, ThW III, 1065, señala curiosamente 5.321 ×). Comparando y contando los casos señalados por Mandelkern (pp. 91-96.982s.1416-33.1534a. 1541f, con múltiples interferencias) y por Lisowsky (pp. 1612-19), resulta un total de 6.828 casos (en Mandelkern faltan Is 60,20 [p. 1424a] y Ag 2,17 [pp. 1426a o 1542a]; en Sal 68, 27 se recoge el *textus receptus ᵓadōnāy,* BH³ *Yhwh).* En Lisowsky faltan Jue 7,2; 1 Sm 20,22; 2 Sm 15,21; Mal 3, 23 *(yōm Yhwh),* y la cuenta de los casos dobles, en 2 Sm 5,19; Ex 20,3, y del caso triple, en Jr 7,4.

Las listas de Vetter, *loc. cit.,* 15-47, contienen —en especial por lo que se refiere a 1 Sm-Ez, Sal, 1/2 Cr— numerosos errores: omisiones, repeticiones y sumas equivocadas; en Gn-Jue y los profetas menores se deben añadir Lv 8,9; Dt 2,37; Jos 6,24; 13,8; Am 5,15.27; Miq 4,5; Sof 1,17; Ag 1,13; Zac 8,14, y se deben retirar Ez 23,17, una vez, y Mal 1,12, por completo. Los datos sobre cada libro son los siguientes:

Gn	165	Is	450	Sal	695
Ex	398	Jr	726	Job	32
Lv	311	Ez	434	Prov	87
Nm	396	Os	46	Rut	18
Dt	550	Joel	33	Cant	—
		Am	81	Ecl	—
Penta-		Abd	7	Lam	32
teuco	1.820	Jon	26	Est	—
		Miq	40	Dan	8
Jos	224	Nah	13	Esd	37
Jue	175	Hab	13	Neh	17
1 Sm	320	Sof	34	1 Cr	175
2 Sm	153	Ag	35	2 Cr	384
1 Re	257	Zac	133		
2 Re	277	Mal	46	Escri-	
(Is 1-39	241)			tos	1.485
(Is 40-55	126)	Profe-			
(Is 56-66	83)	tas	3.523		

Total AT: 6.828

La forma breve *Yāh* es señalada por Lisowsky 50 × (Ex 15,2; 17,16; Is 12,2; 26,4; 38,11.14; Cant 8,6, *šalhæbætyā*, y 43 × en Sal, de ellas, 27 × con → *hll* piel, 24 × *halᵉlū(-)Yāh*, «aleluya», escrito con o sin makkef, es decir, como una o como dos palabras.

3. La cuestión del *origen* del nombre del Dios de Moisés está estrechamente unida con los problemas del origen histórico de la fe yahvista, tema que queda fuera del marco de este diccionario (sobre este tema, cf. las Teologías del AT y los estudios histórico-religiosos en torno a Israel). Las tradiciones veterotestamentarias (prescindiendo de Gn 4,26 J; cf. F. Horst, *Die Notiz vom Anfang des Jahwekultes in Gn 4,26,* FS Delekat [1957] 68-74) relacionan el nombre de Yahvé con el Sinaí y con Moisés en la región de los madianitas; a partir de ahí adquiere bastante validez la hipótesis de los madianitas o de los quenitas, según la cual los israelitas habrían recibido de alguna forma su fe yahvista de los madianitas y de los quenitas; se trata de una hipótesis que no puede probarse con seguridad, pero que goza de un alto grado de probabilidad (W. Vischer *Jahwe, der Gott Kains* [1929]; K.-H. Bernhardt, *Gott und Bild* [1956] 116s; A. H. J. Gunneweg, *Mose in Midian:* ZThK 61 [1964] 1-9; K. Heyde, *Kain, der erste Jahwe-Verehrer* [1965]; M. Weippert, *Die Landnahme der isr. Stämme in der neueren wissenschaftlichen Diskussion* [1967] 105s; W. H. Schmidt, *loc. cit.,* 61-68).

De todas formas, hasta el momento no se han podido presentar pruebas irrefutables de que el nombre Yahvé haya sido empleado fuera de Israel y antes de Moisés (cf. recientemente de Vaux, *loc. cit.,* 52-56). La expresión «*Shasu* de Yahvé», que designa a diversos grupos de beduinos de la península del Sinaí —que ha sido documentada recientemente en fuentes egipcias—, no nos ayuda mucho para resolver nuestro problema, ya que todavía no se ha podido establecer con seguridad su significado exacto (S. Herrmann, *Der atl. Gottesname:* EvTh 26 [1966] 281-293; íd., *Israels Aufenthalt in Ägypten* [1970] 42: «Por el momento no se puede decir con seguridad si este nombre Yahvé —documentado aquí en egipcio —tiene realmente algo que ver con el Yahvé del Antiguo Testamento. De todos modos, y guardadas las debidas reservas, puede hablarse de una forma nominal interesante, que puede quizá ilustrar también el origen del nombre divino de Yahvé»; M. Weippert, *loc. cit.,* 106).

Si prescindimos de estos textos egipcios, el nombre de Yahvé no ha sido documentado todavía —ni en forma absoluta ni formando parte de un nombre propio— en ningún texto que no dependa de la fe yahvista (en este sentido siguen siendo válidos los trabajos de G. R. Driver, ZAW 46 [1928] 7-25, y A. Murtonen, *The Appearence of the Name YHWH outside Israel* [1951]). Deben descartarse los nombres babilónicos antiguos formados con el elemento *yā'u(m),* que ha sido analizado ya desde hace tiempo como el pronombre posesivo independiente «mío»; por lo que se refiere a los nombres de Mari (s. XVIII a. C.), en parte de origen semítico noroccidental, el elemento *Yawi-/Yaḫwi* puede asignarse ciertamente a la misma raíz que el nombre divino Yahvé; pero, por ejemplo, *Ya-aḫ-wi-AN* no significa «Yahvé es Dios», sino probablemente «Dios es» (W. von Soden, WdO III/3 [1966] 177-187; más reservado se muestra Huffmon, 70-73). Tampoco el dios ugarítico *Yw,* hijo del dios El, puede identificarse con Yahvé (J. Gray JNES 12 [1953] 278-285; íd., *Legacy,* 180-184; H. Gese, M. Höffner y K. Rudolph, *Die Religionen Altsyriens, Altarabiens und der Mandäer* [1970] 55s).

4. Sobre la historia del *empleo* del nombre de Yahvé y sobre la importancia del nombre divino para la fe de Israel no pueden hacerse, dentro del marco de este diccionario, más que breves alusiones. Corresponde a las Teologías del AT señalar la importancia del nombre (→ *šēm)* para la autorrevelación (→ *'anī)* y la relación personal entre Dios y el pueblo (cf., entre otros, von Rad I, 193-200; H. D. Preuss, *Jahweglaube und Zukunftserwartung* (1968) 14-28, hace un repaso general de la temática y presenta la bibliografía correspondiente; exposiciones más populares y sistemáticas aparecen en H. W. Wolff, *Wegweisung* (1965) 59-71; F. Mildenberger, *Gottes Tat im Wort* [1964] 137-140).

Con respecto al empleo del nombre divino, debe distinguirse en primer lugar la fórmula alocutiva propia de las oraciones. Esta fórmula aparece 380 ×, con frecuencia repetida dentro de la misma oración o del mismo salmo. Normalmente aparece en el Salterio dentro del género de oración (unas 210 ×); fuera del Salterio aparece distribuida irregularmente, según la frecuencia de las oraciones y del empleo en general del nombre de Yahvé en los diversos libros del AT; está ausente, por ejemplo, de la literatura legal y sapiencial, y es poco frecuente también en la literatura profética (Gn 15,2.8; 24,12.42; 32,10; 49,18; Ex 5,22; 15,6.6.11.16.17; 32,11; Nm 10,35.36; 14,14.14; Dt 3,24; 9,26; 21,8; 26,10; 33,7.11; Jos 7,7; Jue 5,4.31; 6,22; 16,28; 21,3; 1 Sm 1,11; 3,9; 23,10.11; 2 Sm 7,18.19.19.19.20.22.24.25.27.28.29; 15,31; 22,29.50; 24,10; 1 Re 3,7; 8,23.25.28.53; 17,20.21; 18,36.37.37; 19,4; 2 Re 6,17.20; 19,15.16.16.17.19.19; 20,3; Is 12,1; 26,8.11.12.13.15.16.17; 33,2; 37,16.17.17.18.20.20; 38,3.20; 63,16.17; 64,7.8.11; Jr 1,6; 4,10; 5,3; 10,23.24; 11,5; 12,1.3; 14,7.9.13.20.22; 15,15.16; 16,19; 17,13.14; 18,19.23; 20,7; 32,17.25; 51,62; Ez 4,14; 9,8; 11.13; 21,5; Os 9,14; Jl 1,19; 2,17; 4,11; Am 7,2.5; Jon 1,14.14; 2,7; 4,2.3; Hab 1,2.12.12; 3,2.2.8; Zac 1,12; Sal 3,2.4.8 y *passim;* Lam 1,9.11.20; 2,20; 3,55.59.61.64; 5,1.19.21; Dan 9,8; Esd 9,15; Neh 1,5; 9,6.7; 1 Cr 17,16.17.19.20.22.23.26.27; 21,17; 29,10.11.11.16.18; 2 Cr 1,9; 6,14.16.17.19.41.41.42; 14,10.10.10; 20,6; → *'ahāh).*

El empleo del nombre Yahvé en proposiciones (en unos dos tercios de los casos Yahvé aparece como segundo miembro de una composición constructa; → *'af,* → *berīt,* → *dābār,* etc.) es tratado —en la medida en que sea relevante desde el punto de vista formal o de contenido— en los correspondientes artículos de este diccionario y no puede ser estudiado aquí con mayor amplitud (→ *'mr,* → *br',* → *brk,* etc.). Lo mismo vale para las otras designaciones que originalmente tenían función de apelativos (→ *'ādōn,* → *'ēl* [*'ælyōn*], → *'ælōhīm, ṣebā'ōt* [→ *ṣābā'*], → *šadday)* y para los múltiples epítetos de Yahvé, desde el antiguo *zæ-Sīnay,* «el del Sinaí (?)» (Jue 5,5; Sal 68,9; datos bibliográficos en W. Richter, *Traditionsgeschichtliche Untersuchungen zum Richterbuch* [²1966] 69, nota 35) hasta el más reciente «Dios del cielo» (→ *šāmáyim),* que goza de mucho favor en los tiempos más tardíos, y la perífrasis «de otra parte» (→ *'ḥr* 3), en Est 4,14 (→ *'āb,* → *bá'al,* → *mælæk,* etc.).

Sobre el empleo del nombre divino en nombres teofóricos (a partir de Josué, alcanza su mayor auge en la época monárquica y es desplazado en el s. VII por los nombres formados nuevamente con el nombre divino *ʾēl-)*, cf. Noth, IP 101-114.

5. En el judaísmo posexílico el nombre divino *Yhwh* va retrocediendo cada vez más por diversas razones, y en medida diversa, en las distintas regiones, hasta llegar a desaparecer por completo en el judaísmo tardío y ser sustituido por *ʾadōnāy* y κύριος (→ *ʾādōn* IV/5). La función originaria del nombre, a saber: liberar a sus seguidores de un mundo politeísta poblado de diversas potencias (cf., por ejemplo, Miq 4,5: «pues todos los pueblos caminan cada uno en el nombre de sus dioses, pero nosotros caminamos en el nombre de Yahvé, nuestro Dios, por siempre jamás»), desaparece con el desarrollo del monoteísmo; no desaparece, sin embargo, la otra función —expresada de formas diversas en el judaísmo y en el cristianismo primitivo— de designar la actitud abierta del Dios que se abre a los hombres (por ejemplo, Jn 17,6: «yo he revelado tu nombre a los hombres»; cf. v. 26).

E. JENNI

יוֹם *yōm* Día

1. El sustantivo semítico común **yawm-*, «día» (Bergstr., *Einf.*, 185; P. Fronzaroli, AANLR VIII/20 [1965] 140s.147), aparece con gran frecuencia en todo el ámbito lingüístico semítico (lo mismo que el opuesto **laylay-[at-]*, «noche») (el acádico *ūmu*, también «tormenta», cf. G. R. Driver, JSS 13 [1968] 46; ugarítico: WUS N. 1171; UT N. 1100; inscripciones neosemíticas: DISO 107s; en etiópico sólo *yōm*, «hoy»; por lo demás, *mōʿalt*, en el sentido de «día»).

En hebreo están documentados *yōm* (también arameo bíblico), «día» (sobre la forma, cf. BL 618s; Meyer II, 83), y el adverbio *yōmām*, «de día, durante el día» (BL 529; Meyer II, 39).

2. El cómputo de casos de este sustantivo, que ocupa el quinto lugar entre los sustantivos más frecuentes en el AT, ofrece los siguientes datos (que se apartan mucho de KBL 372a y 374a; incluido Is 54,9, *kīmē* BH³, donde BHS sugiere *kī-mē*):

	Singular	*dual*	*Plural*	*Total*	*yōmām*
Gn	83	—	69	152	—
Ex	80	2	33	115	4
Lv	68	—	45	113	1
Nm	85	2	34	121	3
Dt	109	—	58	167	2
Jos	55	—	23	78	1
Jue	43	—	32	75	1
1 Sm	108	—	42	150	1
2 Sm	59	—	16	75	1
1 Re	48	—	52	100	1
2 Re	31	—	48	79	—
Is	94	—	27	121	6
Jr	79	—	58	137	7
Ez	78	—	30	108	4
Os	15	1	12	28	—
Jl	9	—	4	13	—
Am	15	—	7	22	—
Abd	12	—	—	12	—
Jon	2	—	2	4	—
Miq	8	—	6	14	—
Nah	3	—	1	4	—
Hab	1	—	1	2	—
Sof	20	—	1	21	—
Ag	8	—	—	8	—
Zac	32	—	8	40	—
Mal	6	—	2	8	—
Sal	75	—	40	115	10
Job	20	—	39	59	2
Prov	25	—	7	32	—
Rut	7	—	1	8	—
Cant	5	—	—	5	—
Ecl	7	—	19	26	—
Lam	13	—	6	19	1
Est	35	—	18	53	—
Dan	7	—	16	23	—
Esd	12	—	9	21	—
Neh	40	—	20	60	4
1 Cr	21	—	20	41	1
2 Cr	34	—	41	75	1
Total texto hebreo...	1.452	5	847	2.304	51
Arameo:					
Dn	2	—	9	11	
Esd	3	—	2	5	
Total	5	—	11	16	

3. A pesar de ciertas dificultades, parece conveniente estudiar por separado los casos de singular (3a-e) y los de plural (3f-j), es decir, los casos de *yōm* y *yāmīm,* respectivamente. Al igual que en los otros términos de tiempo (→ *ʿēt,* → *ʿōlām),* también aquí las expresiones adverbiales desempeñan un papel más importante que las expresiones en las que *yōm* aparece como sujeto o complemento directo.

a) El significado base de *yōm* es «día (desde que sale el sol hasta el ocaso)»; se contrapone a *láyla (láyil, lēl),* «noche» (233 ×, más 5 × el arameo *lēlē/lēl*^{e}*yā;* Sal 28 ×, Gn 25 ×, Ex e Is 18 ×, Job 17 ×); son muy frecuentes la contraposición y la unión de «día» y «noche», especialmente en el empleo adverbial «de día/de noche» (por ejemplo, Gn 1,14.18; 8,22; 31,39. 40; Ex 10,13; 13,21; Is 28,19; 38,12. 13; Jr 36,30; Am 5,8; Sal 19,3; 22,3; 32,4; 88,2; 136,8s; Job 3,3-7; Ecl 8, 16 y *passim* con *yōmām;* también en orden inverso: Dt 28,66; 1 Sm 25,16; 1 Re 8,29 [cf. el pasaje paralelo 2 Cr 6,20]; Is 27,3; 34,10; Jr 14,17; Job 17,12; Est 4,16; Neh 4,16).

Otro campo semántico es el formado por los términos que designan las diversas partes del día. Los más importantes son: *bṓqær,* «mañana» (214 ×: Ex 36 ×, Gn 19 ×, 1 Sm y Sal 18 ×, Nm 12 ×; cf. J. Ziegler, *Die Hilfe Gottes «am Morgen»,* FS Nötscher [1950] 281-288; L. Delekat, VT 14 [1964] 7-9), *ʿǽræb,* «tarde» (134 ×: Lv 33 ×, Gn, Ex y Nm 13 ×; sobre la expresión *bēn hāʿarbáyim,* «el crepúsculo», que aparece en Ex 12,6 y otros 10 × en P, cf. BL 518), y *soḥ*^{o}*ráyim,* «mediodía» (23 ×; cf. P. Fronzaroli, AANLR VIII/19 [1964] 170. 257.271.278). Sobre *šáḥar,* «aurora» → *šǽmæš.*

Fuera de estas expresiones no es frecuente el empleo de *yōm* para referirse a las diversas partes o al decurso del día. Deben mencionarse las siguientes expresiones: *r*^{e}*bīʿīt hayyōm,* «una cuarta parte del día» (Neh 9,3; el AT no conoce todavía la división del día en horas, cf. de Vaux I, 278; la noche se divide en tres vigilias [*ʾašmūrā* → *šmr],* cf. especialmente Ex 14,24; Jue 7,19; 1 Sm 11,11); *ʿad n*^{e}*kōn hayyōm,* «hasta el pleno día» (Prov 4,18); *maḥ*^{a}*rīt hayyōm,* «mitad del día = mediodía» (Neh 8,3); *ḥōm hayyōm,* «el momento caluroso del día» (Gn 18,1; 1 Sm 11,11; 2 Sm 4,5); *rū*^{a}*ḥ hayyōm,* «viento del día = viento del atardecer del norte» (Gn 3,8; cf. Cant 2,17 = 4,6: «cuando el día sopla», cf. Gerlemann, BK XVII, 128); *b*^{e}*yōm ʾōr,* «en pleno claro día» (Am 8,9); *b*^{e}*ʿōd hayyōm,* «cuando todavía era de día» (2 Sm 3,35); *ʿōd hayyōm gādōl,* «todavía hay mucha luz» (Gn 29,7); *b*^{e}*ʿæræb yōm,* «en el atardecer del día» (Prov 7,9), así como los diversos verbos que significan «caer» y se refieren al atardecer: *nṭh/rph/ḥnh* (Jue 19,8s), *yrd* (Jue 19,11, texto enmendado), *pnh* (Jr 6,4; cf. *ʿbr,* «caer», Sof 2,2, texto dudoso).

b) Al igual que en la mayoría de las lenguas, también aquí el significado fundamental se extiende para designar el «día (de veinticuatro horas)», como unidad astronómica registrada en el calendario (sobre la posibilidad en otras lenguas de expresar este concepto a partir del término «noche», cf. Fronzaroli, *loc. cit.,* 141, que sigue a G. Devoto, *Origini indoeuropee* [1962] 216s). El siríaco distingue terminológicamente el día *(īmānā)* como contrapuesto a la noche y el día *(yawmā)* como unidad de veinticuatro horas; en hebreo no se da tal distinción terminológica, aunque resulte fácil detectar en cada caso el sentido pretendido. Así, por ejemplo, en la narración sacerdotal de la creación el esquema de los siete días, que cuenta los días de la semana (1,5b.8.13.19.23.31; 2,2.2.3), se sobrepone a la antigua narración que distinguía entre el «día» y la «noche» (Gn 1,5a, «Dios llamó a la luz día»: la perífrasis frecuente → *ʾōr,* «luz», ha sido sustituida por la designación normal; cf. también vv. 14.16.18).

Sobre la cuestión del comienzo del día (en los textos posexílicos explícitos, tales como Ex 12,18; Lv 23,32 y *passim,* el día dura de crepúsculo a crepúsculo; en Dn 8,14 el «día» es descrito como *ʿæræb bōqær,* «tarde y mañana»), cf. W. H. Schmidt, *Die Schöpfungsgeschichte der Priesterschrift* (^{2}1967) 68; H. R. Stroes, VT 16 (1966) 460-475 (distinto de Vaux I, 275-277).

Otras series de días aparecen en Nm 7,12-78 (1.º al 12.º día) y 27,17-35 (2.º al 8.º día). En total, *yōm* aparece 150 × unido a un ordinal. La semana de siete días (*šābūaʿ,* «septenario, semana», 20 ×) constituye una división importante dentro del calendario israelita; a eso se debe el hecho de que «el séptimo día» sea mencionado tan frecuentemente (unas 50 ×, normalmente en textos legales: Gn 2,2.2.3; Ex 12, 15.16; 13,6; 16,26.27.29.30; 20,10.11; 23,12; 24,16; 31,15.17; 34,21; 35,2; Lv 13,5 y *passim;* fuera del Pentateuco: Jos 6,4.15; Jue 14,17.18; 2 Sm 12,18; 1 Re 20,29; Est 1,10; de este concepto dependen también las expresiones «el sexto día» de Ex 16,5.22.29 y «el octavo día» 16 ×); le siguen con menor frecuencia las expresiones «el tercer día» (32 ×), «el primer día» (13 ×), «el segundo día» (12 ×); más raras son las expresiones «el cuarto día» (Jue 14,15, texto enmendado; 19, 5; Esd 8,33; 2 Cr 20,26), «el quinto día» (Jue 19,8) y «el último día» (Neh 8,18).

En el modo de datar que aparece desde la época del exilio (cf. Ez 24,2, *šēm hayyōm,* «nombre = fecha del día»), con referencia al mes y al día, se emplea, junto a *yōm* el cardinal correspondiente (unas 40 ×, en arameo, Esd 6,15); en la mayoría de los casos no aparece el término *yōm* (por ejemplo, Ag 2,1.10; Est 9,17b junto a Ag 1,1.15; 2,18; Est 9,17a con *yōm;* aparece regularmente en la datación de las diversas revelaciones descritas en Ez 1,1-40,1). Las dataciones se refieren por lo general a fechas festivas (Ex 12,6.18. 18 y *passim,* en Ex-Nm; Jos 5,10; 1 Re 12,32.33; Ez 45,21.25; Est 3,12; 9,1.15.17.19.21.21; Esd 3,6; Neh 8,2; 9,1; 2 Cr 7,10; 29,17.17; los días más frecuentemente citados son el día 14 y el día 15 del mes) y menos frecuentemente al día en que un profeta ha recibido una revelación divina (Ag 1, 1.15; 2,18; Zac 1,7; Dn 10,4) o a otros acontecimientos (Gn 7,11; 8,4.14; Ex 16,1 en la narración sacerdotal).

Para expresar la idea de duración en días se emplean diversos numerales: *yōm ʾæḥād,* «un día» (Gn 33,13; Nm 11,19; 1 Sm 9,15; Jon 3,4; Esd 10, 13; cf. simplemente *yōm* en Ex 21,21; *dæræk yōm,* «el camino de un día», Nm 11,31.31; 1 Re 19,4: *k^{e}yōm tāmīm,* «como un día entero», Jos 10,13); *yōmáyim,* «dos días» (Ex 21,21; Nm 9, 22; 11,19; cf. Ex 16,29: «pan para dos días»; Os 6,2: «después de dos días»); *š^{e}lōšæt yāmīm,* «tres días», etc., cuando se trata de un número que va de tres a diez (cf. *inf.,* 3*f*); cuando se pasa de este número se vuelve al *yōm* (singular) (exceptuados Dn 12,11.12, en total, 36 ×).

c) En muchas ocasiones, *yōm* pierde su significado específico de «día» y se convierte en término genérico y vago en el sentido de «tiempo, fecha», con lo cual se acerca a → *ʿēt.* Es relativamente frecuente la construcción *b^{e}yōm* más infinitivo «el día en que... = en la época en que... = cuando...»; en lugar de *b^e* pueden aparecer también *min,* «desde», o *ʿad,* «hasta», y en lugar del infinitivo pueden aparecer también algunas veces formas de perfecto e imperfecto (por ejemplo, Gn 2,4: «cuando Dios, el Señor, hizo el cielo y la tierra», con infinitivo; 2 Sm 22,1 = Sal 18,1: «cuando Yahvé lo salvó de la mano de todos sus enemigos», con perfecto; Sal 102,3: «cuando yo llamo», con imperfecto). Con frecuencia puede conservarse la traducción «día», ya que el límite entre los diversos sentidos de la expresión no es claro y preciso y el significado fundamental sigue resonando más o menos claramente.

La construcción *b^{e}yōm* más infinitivo aparece más de 60 ×, la mayoría de ellas en Nm y Ez (Gn 2,4.17; 3,5; 5,1.2; 21,8; Ex 10,28; 32,34; Lv 6,13; 7,16.36.38; 13,

14; 23,12; Nm 3,13; 6,13; 7,1.10.84; 8,17; 9,15; 30,6.8.9.13.15; Dt 21,16; Jos 9,12; 10,12; 14,11; 1 Sm 21,7; 2 Sm 21,12; 1 Re 2,8.37.42; Is 11,16; 14,3; 17,11; 30, 26; Jr 7,22; 11,4.7; 31,32; 34,13; Ez 20, 5; 24,25; 28,13; 31,15; 33,12.12; 34,12; 36,33; 38,18; 43,18; 44,27; Am 3,14; Abd 11.11.12; Nah 2,4; Zac 8,9; Sal 20, 10; Rut 4,5; Neh 13,15). A éstos deben añadirse expresiones semejantes con *min,* «desde» (Ex 9,18; 10,6; Lv 23,15; Dt 9, 24; Jue 19,30; 1 Sm 7,2; 8,8; 29,3.6; 2 Sm 7,6; 13,32; 19,25, texto dudoso; Is 7,17; Ez 28,15), *ʿad,* «hasta» (Ex 40,37; Lv 8, 33; Jos 6,10; Jue 18,30; 2 Sm 20,3; 1 Re 17,14; Jr 27,22); detrás de *kᵉ,* «como», desaparece la partícula *bᵉ* (Os 2,5.17; Zac 14,3); cf. también Sof 3,8, con *lᵉ,* Ez 39, 13, con simple acusativo adverbial.

La construcción *bᵉyōm* más perfecto en Ex 6,28; Lv 7,35; Nm 3,1; Dt 4,15; 2 Sm 22,1 = Sal 18,1; Sal 59,17; 102,3a; 138,3; con *min:* 2 Re 8,6; Jr 36,2; cf. también Jr 31,6. La construcción *bᵉyōm* más imperfecto aparece únicamente con el verbo *qrʾ,* «llamar»: Sal 56,10 (cf. v. 4, texto dudoso); 102,3b; Sam 3,57.

Donde más se aleja *yōm* del significado «día» es en Lv 14,57, *bᵉyōm haṭṭāmēʾ ubᵉyōm haṭṭāhōr* «(normas para declarar) cuándo algo es puro y cuándo impuro».

d) Los casos tratados anteriormente nos llevan a las frecuentes expresiones en las que *yōm,* en el sentido de «día» o «tiempo» en general, es cualificado por una frase relativa con *ʾᵃšær* (o *šæ-),* por un genitivo o por un adjetivo.

La construcción *yōm* más *ʾᵃšær* (más de 20 ×) se emplea preferentemente para describir determinados acontecimientos importantes desde un punto de vista histórico-salvífico (la creación, Dt 4,32; el éxodo, Dt 9,7; 1 Re 8, 16 = 2 Cr 6,5; 2 Re 21,15; Jr 7,25; 1 Cr 17,5; cf. Sal 78,42; comunicación de la ley, Nm 15,23; Dt 4,10; la conquista de la tierra, Dt 7,11; la edificación o la conquista de Jerusalén, Jr 32, 31; 38,28; colocación de la primera piedra del templo, Ag 2,18; intervención escatológica de Yahvé, Mal 3,17. 21; cf. además 1 Sm 29,8; 2 Sm 19, 20.25; Est 9,1; Neh 5,14; con *šæ-:* Cant 8,8; Ecl 12,3; Lam 2,16).

Los casos en que el día es cualificado por un genitivo o por un adjetivo son de diversa índole. Esta construcción puede formar expresiones fijas que se refieren a determinados días del calendario *(yōm haššabāt,* «sábado», Ex 20, 8.11; 31,15; 35,3; Lv 24,8.8.; Nm 15, 32; 28,9; Dt 5,12.15; Jr 17,21-27, 7 ×; Ez 46,1.4.12; Sal 92,1; Neh 10,32; 13, 15.17.19.22; cf. Is 58,13: «mi día santo»; en arameo imperial *ywm šbh,* DISO 108, línea 29, → *šbt; yōm haḥṓdæš,* «día de la luna nueva», Ex 40,2; 1 Sm 20,34; Ez 46,1.6; *yōm hakkǽsæʾ,* «día de la luna llena», Prov 7,20; *yōm hakkipūrīm,* «día de la expiación», Lv 23,27.28; 25,9) o a determinadas fechas de la existencia humana (por ejemplo, *yōm hullǽdæt,* «día del nacimiento», Gn 40,20; Ez 16,4.5; cf. expresiones menos fijas en Jr 20,14.14; Job 3,1 [«su día = su cumpleaños»].3. 4; Ecl 7,1; *yōm hammā́wæt,* «día de la muerte», Ecl 7,1; 8,8; con sufijos, Gn 27,2; Jue 13,7; 1 Sm 15,35; 2 Sm 6,23; 20,3; 2 Re 15,5; Jr 52,11.34; 2 Cr 26,21); también forma otras expresiones más o menos fijas y también expresiones ocasionales que se refieren a días marcados por acontecimientos naturales o actividades humanas (1 Sm 20,19: «el día del suceso» es un texto oscuro, cf. Hertzberg, ATD 10,137). Los fenómenos meteorológicos designados son los siguientes: la lluvia (Ez 1, 28; Prov 27,15), la nieve (2 Sm 23, 20 = 1 Cr 11,22), el viento del este (Is 27,8; cf. el arameo imperial *ywm rwḥ,* «día de la tormenta», Aḥ 168), el frío (Nah 3,17; Prov 25,20). Las actividades humanas mencionadas son las siguientes: *yōm qāṣīr,* «día de la siembra» (Prov 25,13); *yōm milḥāmā,* «día de la batalla» (Os 10,14; Am 1, 14; Prov 21,31; cf. 1 Sm 13,22; Zac 14,3; Sal 78,9; 140,8; Job 38,23); también debe incluirse aquí toda una serie de festividades y celebraciones cúlticas y no cúlticas: *yōm ṭōb,* «día de fiesta» (1 Sm 25,8; Est 8,17; 9,19.22; «día de nuestro rey»: Os 7,5; cf. «el día de tu fuerza», Sal 110,3, *yōm mōʿēd,* Os 9,5; Lam 2,7.22; día de fiesta de Yahvé, Os 9,5; Sal 81,4; cf. 84,11: «un día en tus atrios»; 118,24: «el día que ha hecho Yahvé»; Neh 10,32: «día santo»; día de alegría, Nm 10,10; día de los clamores, Nm 29,1); *yōm b^{e}śōrā,* «un día de albricias» (2 Re 7,9), día de bodas y día de alegrar el corazón (Cant 3,11.11), día de banquete (Est 9, 17.18), día de ofrecer diversos sacrificios (Lv 5,24; 7,15; 14,2; 19,6; Nm 6,9; 28,26); *yōm ṣōm,* «día de ayuno» (Is 58,3; Jr 36,6; cf. Is 58,5: «día en que el hombre hace penitencia ... que agrada al Señor»). Deben mencionarse finalmente algunos acontecimientos históricos especiales: *yōm hammagēfā,* «día de la plaga» (Nm 25,18); *yōm haqqāhāl,* «día de la asamblea» (en la revelación del Sinaí, Dt 9,10; 10,4; 18,16); *yom ṣēʾt^{e}kā,* «día de tu partida» (de Egipto, Dt 16,3); *yōm q^{e}ṭannōt,* «día de los modestos comienzos» (en la reconstrucción del templo, Zac 4,10); también entran aquí los días designados por medio de algún nombre propio: *yōm Midyān* (Is 9,3, que se refiere a la salvación narrada en Jue 7,9ss), *yōm Yizr^{e}ʿæl* (Os 2,2, que es la antítesis de Os 1,4s y de la revolución de Yehú en 2 Re 9,10), *yōm Massā* (Sal 95,8, cf. la tradición de Ex 17 y Nm 20), *yōm Y^{e}rūšālēm* (Sal 137, 7; referido a la catástrofe de Jerusalén del 587 a. C.).

Si las expresiones que se refieren a días felices son numerosas, las que aluden a días desgraciados de todo tipo lo son aún más (el día bueno y el malo aparecen terminológicamente contrapuestos en Ecl 7,14.14, *yōm ṭōbā/ rāʿā).* Las expresiones con *yōm* referidas a la intervención escatológica de Dios son estudiadas en 4*b*. Aquí recogeremos las expresiones que no se refieren directamente al anuncio escatológico (aunque no es fácil a veces establecer límites precisos) y que aparecen fundamentalmente en el lenguaje de los salmos (más raramente en la literatura sapiencial y profética): también aquí la desgracia es entendida con frecuencia como juicio y castigo de Dios. Los sustantivos característicos son: *ṣārā,* «necesidad» (Gn 35,3; 2 Re 19, 3 = Is 37,3; Jr 16,19; Abd 12.14; Nah 1,7; Hab 3,16; Sal 20,2; 50,15; 77,3; 86,7; Prov 24,10; 25,19), → *ʾēd,* «desgracia», Dt 32,35; 2 Sm 22,19 = Sal 18,19; Jr 18,17; 46,21; Abd 13 3 ×; Prov 27,10); *rāʿā,* «desgracia» (Jr 17,17.18, en una lamentación; 51, 2, por el contrario, es escatológico; Sal 27,5; 41,2; Prov 16,4), también «día de la venganza» (Prov 6,34) y «día de la ira» (Prov 11,4); deben añadirse los adjetivos *raʿ,* «malo» (Am 6,3); *mar,* «amargo» (Am 8,10); *ʾānūš,* «desgraciado» (Jr 17,16).

En algunos de esos textos la traducción resulta excesivamente fuerte (por ejemplo, Os 10,14: «en el tiempo de guerra»; Nah 3,17: «cuando hace frío»; cf. también Ez 16,56: «en el tiempo de tu altivez»; Ez 33,12: «cuando se pervierte»). Lo mismo vale también para la expresión «éste es el día» o semejantes empleada con referencia a alguna circunstancia especial (Jue 4,14; 1 Sm 24,5; 1 Re 14,17, texto dudoso).

La expresión *yōmō* sin otra determinación que el sufijo pronominal puede referirse al día del nacimiento (Job 3,1), al de la muerte (1 Sm 26,10; Sal 37,13; Job 15,32; 18,20), al día en que a uno le toca el turno (Job 1,4; cf. Dt 24,16, *b^{e}-yōmō)* o también al tiempo de la vida en general (de un jornalero, Job 14,6; cf. Job 30,25, *q^{e}šē yōm,* «uno que lleva una vida difícil»; el mismo sentido está documentado también en arameo imperial en KAI N. 222 C, línea 15s: «que los dioses alejen (toda desgracia) de su vida *[mn ywmh]* y de su casa», cf. J. A. Fitzmyer, JAOS 81 [1961] 207).

e) Son muy frecuentes las expresiones en las que *yōm* aparece acompañado de una preposición, de un pronombre demostrativo o de un numeral.

En cerca de 350 × —es decir, en unas tres cuartas partes de los casos de *yōm* en singular— aparecen *hayyōm* o el equivalente *hayyōm hazzæ,* «este día», con el significado de «hoy» (distinto en Gn 7,11; 17,23; Ex 12,14.17; 13,3; 19,1; Lv 16,30; 2 Re 19,3 = Is 37,3; Est 3,4; 8,13, donde «este día» se refiere y remite a un día especial, a veces acentuado por medio de la expresión *ʿǽṣæm,* «exacto, justo», en Gn 7,13; 17,26; Ex 12,17.41.51; Lv 23, 14.21.28.29.30; Dt 32,48; Jos 5,11; Ez 40,1).

La preposición más frecuente junto a *hayyōm (hazzǽ)* es *ʿad,* «hasta» (en el 25 por 100 de los casos «hasta hoy»); menos frecuentes son *kᵉ (kᵉhayyōm* o *kayyōm hazzǽ,* «como hoy» = «como ocurre hoy», sobre todo en el lenguaje deuteronómico-deuteronomístico y cronístico: Gn 50,20; Dt 2,30; 4,20.38; 6,24; 8,18; 10,15; 29, 27; 1 Sm 22,8.13; 1 Re 3,6; 8,24.61; Jr 11,5; 25,18; 32,20; 44,6.22.23; Dn 9,7. 15; Neh 9,10; 1 Cr 28,7; 2 Cr 6,15; cf. Neh 5,11, «todavía hoy»), *bᵉ* (Lv 8,34; Jos 7,25; 1 Sm 11,13; 1 Re 2,26; Neh 3, 34, «ya hoy») y *min* («a partir de hoy», Ag 2,15.18.19); la expresión aparece acentuada por medio de *ʿǽṣæm,* en Jos 10,27; Ez 2,3; 24,2.2.

En los textos narrativos el adverbio «hoy» se refiere normalmente a lo que se está contando. En algunos textos, sin embargo —en una sexta parte de los casos aproximadamente—, el adverbio hace referencia al «hoy» del narrador, al momento en el que el narrador escribe su relato (*ʿad hayyōm,* Gn 19,37. 38; 35,20; 2 Re 10,27; 2 Cr 20,26; 35,25; *ʿad hayyōm hazzǽ:* Gn 26,33; 32,33; 47,26; Jos 4,9; 5,9; 6,25; 7,26. 26; 8,28.29; 9,27; 13,13; 14,14; 15, 63; 16.10; Jue 1,21.26; 6,24; 10,4; 15, 19; 18,12; 1 Sm 5,5; 6,18; 27,6; 30,25; 2 Sm 18,18; 1 Re 8,8; 9,13.21; 10,12; 12,19; 2 Re 2,22; 8,22; 14,7; 16,6; 17,23.34.41; Ez 20,29; 1 Cr 4,41.43; 5,26; 13,11; 2 Cr 5,9; 8,8; 10,19; 21, 10; *ʿad ʿǽṣæm hayyōm hazzǽ:* Jos 10, 27; cf. *hayyōm,* Gn 22,14; 1 Sm 9,9) y constituye con frecuencia una etiología, es decir, explica el origen de un hecho presente a partir de un acontecimiento pasado por medio de la fórmula «hasta el día de hoy» (cf. Alt, KS I, 182s; M. Noth, SVT 7 [1960] 279s; B. S. Childs, *A Study of the Formula, «Until this day»:* JBL 82 [1963] 279-292: «formula of personal testimony added to, and confirming, a received tradition», *loc. cit.,* 292; C. Westermann, *Forschung am AT* [1964] 43-47; B. O. Long, *The Problem of Etiological Narrative in the OT* [1968].

La expresión adverbial «este día» se refiere a un tiempo contemporáneo del que habla; *hayyōm hahū,* «aquel día», alude a un tiempo alejado en el pasado (unas 90 ×) o en el futuro (unas 120 ×). La expresión normal es *bayyōm hahū;* cuando se refiere al pasado, puede traducirse por «en aquel día», «el mismo día» o más genéricamente «entonces» (Gn 15,18; 26,32; 30,35; 33,16; 48,20; Ex 5,6; 14,30; 32,28; Nm 9,6.6; 32,10; Dt 27,11; 31,22; Jos 4,14-2 Re 3,6, unas 60 ×; Jr 39, 10; Ez 20,6; 23,38.39; Est 5,9; 8,1; 9,11; Neh 12,43.44; 13,1; 1 Cr 13,12; 16,7; 29,22; 2 Cr 15,11; 18,34; 35, 16; con *min,* «desde aquel día = desde entonces», Neh 4,10; en 1 Sm 16,13 y 30,25, se le une la expresión *wāmáʿlā,* «y en adelante», y en 1 Sm 18,9 se le une el semejante *wāhálᵉʾā;* con *ʿad,* «hasta aquel día», Neh 8,17; cf. también Jos 10,14: «como aquel día», con *kᵉ;* Jue 13,10, *bayyōm* sin *hahū,* «entonces, recientemente»); cuando se refiere al futuro, puede traducirse por «el mismo día» o «entonces» (Ex 8,18; 13, 8; Lv 22,30; 27,23; Nm 6,11; Dt 21, 23; 31,17.17.18; 1 Sm 3,12; 8,18.18; 1 Re 22,25 = 2 Cr 18,24; Is 2,11-Zac 14,21, unas 105 ×; con *min* y *wāhálᵉʾā,* «desde entonces y por siempre en el futuro», Ez 39,22). Sobre la posibilidad de que esta expresión constituya un *terminus technicus* del lenguaje escatológico, cf. *inf.,* 4*b*.

En el sentido genérico de «entonces», la expresión es equivalente al adverbio *ʾāz,* que puede referirse también tanto al futuro (aunque es más bien raro) como al pasado (138 ×, más 3 × en la forma *ʾᵃzay;* cf. también *šām,* «allí», que en ocasiones puede tener sentido temporal, cf. GB 839b; KBL 983a).

Otras expresiones adverbiales son:

1) *kol-hayyōm,* «todo el día», o «siempre» (Gn 6,5; Ex 10,13; Nm 11, 32; Dt 28,32; 33,12; Jue 9,45, con *hahū;* 1 Sm 19,24; 28,20; Is 28,24; 51,13; 52,5; 62,6; 62,2.5; Jr 20,7.8;

Os 12,2; Sal 25,5; 32,3; 35,28; 37,26; 38,7.13; 42,4.11; 44,9.16.23; 52,3, texto dudoso; 56,2.3.6; 71,8.15.24; 72,15; 73,14; 74,22; 86,3; 88,18; 89,17; 102, 9; 119,97; Prov 21,26; 23,17; Lam 1, 13; 3,3.14.62; *kol-yōm,* Sal 140,3; *bᵉkol-yōm,* Sal 7,12; 88,10; 145,2); los textos señalados muestran que la expresión gozaba de gran favor en las lamentaciones y en los votos de alabanza;

2) *(bᵉ)yōm ʾæḥād,* «en un día, el mismo día, al mismo tiempo» (Gn 27, 45; Lv 22,28; 1 Sm 2,34; 1 Re 20, 29; Is 9,13; 10,17; 47,9; 66,8; Zac 3, 9; Est 3,13; 8,12; 2 Cr 28,6); en 1 Sm 27,1, *yōm ʾæḥād,* «cierto día»;

3) *bᵉyōm ʾaḥēr,* «en otra ocasión» (2 Sm 18,20); *bayyōm hāʾaḥēr,* «el día siguiente» (2 Re 6,29); *yōm ʾaḥᵃrōn,* «día futuro» (Is 30,8; Prov 31,25); *yōm māḥār,* «mañana» (Gn 30,33, en el sentido de «futuro»; Is 56,12), «el día de mañana» (Prov 27,1), cf. *yōm hammoḥᵒrāt* (Nm 11,32) y *moḥᵒrat hayyōm* (1 Cr 29,21), «día siguiente»; *yōm ʾætmōl,* «día anterior» (Sal 90,4);

4) *yōm yōm,* «diario, día a día» (Gn 39,10; Ex 16,5; Is 58,2; Jr 7,25, texto enmendado; Sal 61,9; 68,20; Prov 8,30.34), y expresiones semejantes con doble *yōm (yōm wāyōm,* Est 2,11; 3,3; con diversas preposiciones: Nm 30,15; 1 Sm 18,10; Sal 96,2; Est 3,7; Esd 3,4; Neh 8,18; 1 Cr 12,23; 16,23; 2 Cr 24,11; 30,21; en arameo, Esd 6, 9; *dᵉbar yōm bᵉyōmō,* «ración diaria», o semejantes: Ex 5,13.9; Lv 23,37; 1 Re 8,59; 2 Re 25,30 = Jr 52,34; Dn 1,5; Esd 3,4; Neh 11,23; 12,47; 1 Cr 16,37; 2 Cr 8,14; 31,16; sin sufijo, 2 Cr 8,13; cf. Nm 14,34; Ez 4,6); también en fenicio y arameo (DISO 108, N. 9 y 11);

5) *layyōm,* «diario, por día» (Ex 29,36.38; Nm 7,11.11; 28,3.24; Jr 37, 21; Ez 4,10; 43,25; 45,23.23; 46,13; 1 Cr 26,17 [texto enmendado]. 17.17; *lᵉyōm ʾæḥād,* 1 Re 5,2; Neh 5,18); arameo, *bᵉyōmā,* Dn 6,11.14;

6) *wāyᵉhī hayyōm,* «en cierta ocasión (sucedió)» (1 Sm 14,1; 2 Re 4,8. 11.18; Job 1,6.13; 2,1; «cuando llegó el día», 1 Sm 1,4); *kᵉhayyōm hazzæ,* «un día» (Gn 39,11);

7) *k(ᵉh)ayyōm,* «ahora» (1 Sm 9, 13.27; Is 58,4; cf. *ʿt kym,* «ahora en este momento», óstraca de Laquis 2,3 y 4,1) o «primero» (Gn 25,31.33; 1 Sm 2,16; 1 Re 1,51; 22,5 = 2 Cr 18,4);

8) *hayyōm,* «en ese día» (1 Re 13, 11; «de día», Os 4,5, texto dudoso; cf. Neh 4,16, texto dudoso); *ʿad hayyōm,* «hasta entonces» (Jue 18,1); *bayyōm (hahū),* «entonces mismo» (Sal 146,4; Prov 12,16); *šæbaʿ bayyōm,* «siete veces al día» (Sal 119,164); *lifnē yōm,* «antes» (Is 48,7); *miyyōm,* «en adelante» (Is 43,13; Ez 48,35).

f) El plural *yāmīm* es empleado en primer lugar para referirse a un determinado número (cf. Nm 14,34; Ez 4, 4.5.9) de días (cf. Gn 1,14; Job 3,6: «días del año»). Lo mismo que ocurre con el singular acompañado de un ordinal (cf. *sup.,* *3b),* también aquí el número siete tiene una importancia especial; del período de siete días se habla más de 90 ×, y en contextos diversos (Gn 7,4.10; 8,10.12; 31,23; 50, 10; Ex 7,25-Dt 16,15, más de 50 ×, en textos legales; Jue 14,12.17; 1 Sm 10,8; 11,3; 13,8; 31,13; 1 Re 8,65.65; 16,15; 20,29; 2 Re 3,9; Ez 3,15.16; 43,25.26; 44,26; 45,21 [texto enmendado].23.23.25; Job 2,13; Est 1,5; Esd 6,22; Neh 8,18; 1 Cr 9,25; 10,12; 2 Cr 7,8.9.9; 30,21.22.23.23; 35,17; distinto en Is 30,26: «la luz del sol será siete veces mayor, como la luz de siete días»); con menor frecuencia aparecen los números tres (42 ×), seis (15 ×, relacionado siempre —excepto en Ex 24,16; Dt 16,8; Jos 6,3.14— con el sábado: Ex 16,26; 20,9.11; 23,12; 31, 15.17; 34,21; 35,2; Lv 23,3; Dt 5,13; Ez 46,1), diez (Nm 11,19; 1 Sm 25, 38; Jr 42,7; Dn 1,12.14.15; Neh 5,18; 2 Cr 36,9; cf. Gn 24,55, *ʿāśōr,* «década»), ocho (Gn 17,12; 21,4; 2 Cr 29, 17), dos (2 Sm 1,1; Est 9,27; sobre el dual en expresiones temporales, cf. *sup.,* *3b),* cuatro (Jue 11,40) y cinco (Nm 11,19) (cf. cifras mayores en Lv 12,4.5 y Dn 12,11.12; en arameo, Dn 6,8.13).

La expresión «días» unida a datos temporales imprecisos recibe el significado genérico de «tiempo» —no lejano del antes señalado— en el sentido de «duración, espacio de tiempo»: *yāmīm ᵓaḥādīm,* «algunos días, durante algún tiempo» (Gn 27,44; 29,20; Dn 11,20; cf. *yāmīm mispār,* «pocos días», Nm 9, 20), y también *yāmīm* solo, empleado en el mismo sentido (Gn 24,55; 40,4; Lv 25,29; Nm 9,22; Jue 19,2; 1 Re 17, 15, texto dudoso; Is 65,20; Dn 8,27; 11,33; Neh 1,4; cf. también *miyyāmīm,* «después de cierto tiempo», Jue 11,4; 14,8; 15,1, *miqqēṣ yāmīm,* «al cabo de algunos días», Gn 4,3; 1 Re 17,7; *lᵉqēṣ yāmīm,* «algunos días después», Neh 13,6); son frecuentes las expresiones adverbiales *yāmīm rabbīm,* «muchos días, un tiempo largo» (Gn 21, 34; 37,34 y otras 25 ×, determinado en Ex 2,23; cf. también *mērōb yāmīm,* «después de muchos días», Is 24,22; *bᵉrōb hayyāmīm,* Ecl 11,1), y *kol-hayyāmīm,* «todos los días, todo el tiempo, siempre» (Gn 43,9; 44,32; Dt 4,10.40; 5,29 y otros 40 ×; esta expresión es particularmente frecuente en el lenguaje deuteronómico-deuteronomístico).

g) Cuando al término «días» sigue un genitivo, se hace referencia normalmente —siempre que se trata de los días vividos por personas concretas— a «los días de la vida» o a la «duración de la vida» (cf. Job 10,5: «los días de los hombres», paralelo a «los días de un hombre»); si se trata de reyes, la expresión se refiere al «tiempo de reinado» (cf. Is 23,15: «lo que dura la vida de un rey»). En este sentido, el término *ḥayyīm,* «vida», puede ser mencionado expresamente (con frecuencia, formando la expresión «todos los días de mi/tu/su... vida»: Gn 3,14.17; Dt 4,9; 6,2; 16,3; 17,19; Jos 1,5; 4,14; 1 Sm 1,11; 7,15; 1 Re 5,1; 11,34; 15, 5.6; 2 Re 25,29.30 = Jr 52,33.34; Is 38,20; Sal 23,6; 27,4; 128,5; Prov 31, 12; cf. Ecl 2,3; 5,17.19; 6,12; 8,15; 9,9; «días de los años de la vida»; Gn 25,7; 47,8.9, cf. v. 28) o también puede quedar inexpresado (unas 200 ×); en muchas ocasiones puede traducirse por «tiempo» en vez de «por días». Son frecuentes las siguientes expresiones: *bīmē...,* «en los días = en el tiempo de...» (Gn 14,1; 26,1.15.18; Jue 5,6. 6; 8,28; 15,20 y otros 40 ×; en arameo, Dn 2,44; 5,11; con *min,* «desde», 2 Re 23,22; Jr 36,2; Nah 2,9, texto dudoso; Mal 3,7; Esd 4,2; 9,7; Neh 8,17; 9,32; 2 Cr 30,26; 35,18; con *ᶜad,* «hasta», Neh 12,23; con *kᵉ,* Is 54,9, texto dudoso, «como en los días de Noé»), «en mis/tus/sus... días» («en los días de su vida», «mientras estuvo en el trono» o semejantes: Gn 10,25 = 1 Cr 1,19; 1 Re 11,12; 16,34; 21,29; 2 Re 8, 20 = 2 Cr 21,8; 2 Re 20,19 = Is 39,8; 2 Re 23,29; 24,1; Jr 16,9; 22,30; 23,6; Ez 12,25; Jl 1,2; Hab 1,5; Sal 44,2; 72,7; 116,2; cf. *miyyāmǣkā,* «mientras vivas», 1 Sm 25,28; Job 38,12; *miyyāmāw,* «mientras él vivió», 1 Re 1,6); *kōl yᵉmē...,* «todos los días de...» («mientras ... vivió»; Gn 5,5-31 9 ×; 9,29; Jos 24,31.31; Jue 2,7.7.18; 1 Sm 7,13; 14,52; 1 Re 5,5; 11,25; 2 Re 13,22; 23,22; Esd 4,5; 2 Cr 24,2.14), «todos mis/sus... días» (Dt 12,19; 22, 19.29; 1 Re 3,13; 15,14.16.32; 2 Re 12,3; 15,18; Jr 35,7.8; Sal 90,9.14, cf. v. 10; 139,16, texto enmendado; Ecl 5,16; 2 Cr 15,17; 18,7; 34,33); cf. también Gn 5,4; 6,3; 11,32; 29,21; 35,28; 47,28.29; Ex 23,26; Dt 33,25; 2 Sm 7,12 = 1 Cr 17,11; 2 Re 20, 6 = Is 38,5; Is 38,10; 65,20; Jr 17,11; 20,18; Jl 1,2; Sal 34,13; 37,18; 39, 5.6; 55,24; 61,7.7; 78,33; 90,10.12; 102,4.12.24.25; 103,15; 109,8; 119,84; 144,4; Job 7,1.6.16; 8,9; 9,25; 10,5. 20; 14,5; 15,20; 17,1.11; 21,13; 27,6; 30,1; 32,4.6; 36,11; 38,21; Prov 10, 27; 15,15; Ecl 2,23; 6,3; Lam 4,18; 5,21.

En este sentido de «tiempo de vida», *yāmīm* puede aparecer también determinando diversos adjetivos (y participios); se trata de expresiones que designan una edad avanzada: *mᵉlēᵓ yāmīm,* «lleno de días» (Jr 6,11; cf. *qᵉṣar yāmīm,* «de corta vida», Job 14,1); *śᵉbaᶜ yāmīm,* «lleno de días» (paralelo a *zāqēn,* «anciano», en Gn 35, 29; Job 42,17; sin *zāqēn,* en 1 Cr 29,28; empleado como verbo: 1 Cr 23,1; 2 Cr

24,15); *kabbīr yāmīm,* «rico en días» (Job 15,10); *bā' bayyāmīm,* «entrado en días» (Gn 24,1; Jr 13,1.1; 23,1.2; 1 Re 1,1); cf. el arameo *'attiq yōmīn,* «de avanzada edad» (Dn 7,9.13.22). También entran aquí —al menos en parte (cf. *inf.*, *3a)*— las expresiones formadas con *'rk* y *rbh:* con *'rk* hifil, «alargar los días = vivir mucho» (Dt 4,26.40; 5,33; 11,9; 17,20; 22,7; 30,18; 32,47; Jos 24,31; Jue 2,7; Is 53,10; Prov 28,16; Ecl 8,13), «hacer que alguien viva mucho» (1 Re 3,14); cuando «días» es el sujeto, significa «alargarse» (Ex 20,12 = Dt 5,16; Dt 6,2; 25,15); con el sustantivo *'ōræk,* «largura», Dt 30, 20; Sal 21,5; 23,6; 51,16; Job 12,12; Prov 3,2.16; con *rbh* hifil, «hacer numerosos», Job 29,18, cf. *yāmīm rabbīm,* «muchos días = vida larga», 1 Re 3,11 = 2 Cr 1,11.

En Job 32,7, *yāmīm,* «días», es empleado en el sentido de «edad», referido a personas mayores.

También se emplea la expresión *y^emē,* «días = duración...», seguida de genitivo impersonal, para referirse (de modo hiperbólico) a un período de tiempo excepcionalmente largo: Gn 8,22: «mientras dure la tierra»; Dt 11,21: «mientras dure el cielo sobre la tierra»; Is 65,22: «lo que dura un árbol durará también mi pueblo»; Sal 89,30: «mientras dure el cielo».

h) El término «días» aparece en otro sentido —es decir, no en el sentido de tiempo de vida de las personas, sino en el sentido de «tiempo, duración, momento»— formando diversas expresiones menos frecuentes y menos fijas que las formadas con el singular. En Gn 25,24; Lv 26,34.35; Nm 6,6; Dt 31,14; Jue 18,31; 1 Sm 22,4; 25,7.16; 1 Re 2,1; Miq 7,15; Rut 1,1; 2 Cr 26, 5 y 36,21, el sustantivo «días» aparece determinado por un infinitivo; en Lv 13,46; Nm 6,5; 9,18; Dt 1,46; 2,14; 1 Sm 1,28; 1 Re 2,11; 11,42; 14,20; 2 Re 10,36; Is 7,17; Ez 22,14; Est 9, 22; 1 Cr 17,10 y 29,27 lo determina una frase relativa introducida por *'ašær;* en Lv 14,16; 1 Sm 25,15; Sal 90,15 y Job 29,2 lo determina una frase relativa sin *'ašær.*

Entre las composiciones constructas deben mencionarse las siguientes: «tiempo de la cosecha» (Gn 30,14; Jos 3,15; Jue 15,1; 2 Sm 21,9; cf. también Nm 13,20.20: «tiempo de los primeros racimos»), «tiempo de la juventud» (Ez 16,22.43.60; 23,19; Os 2,17; Sal 89,46; Job 33,25; Ecl 11,9; 12,1; cf. Job 29,4: «tiempo de mi otoño»), «tiempo de fiesta» (Job 1,5; Est 9,22), «tiempo de luto» (Gn 27,41; 50,4; Dt 34,8), «tiempo de servicio» o semejantes (Lv 25,50; Job 7,1; 14,14) y toda una serie de expresiones referidas a los tiempos de desgracia (Is 60,20; Ez 4, 8; 5,2; Sal 37,19; 49,6; 94,13; Job 30, 16.27; Ecl 11,8; 12,1; Lam 1,7; cf. también Gn 47,9.9: «tiempo de vagar como forastero»), a diversas actividades (Gn 50,3, embalsamar; Est 2,12, masaje) o a determinadas épocas cúlticas (Lv 8,33; 12,2.4.6; 15,25.25.26; Nm 6,4.5.8.12.13; Est 9,28.31). En Os 9,9 y 10,9, «los días de Guibeá», se hace referencia a un suceso histórico; en Os 2,16, «los días de los Baales», y en 12,10, «días de fiesta», se hace alusión a celebraciones cúlticas (cf. Rudolph, KAT XIII/1, 71.234). No es frecuente el empleo del término para referirse al juicio escatológico: Os 9,77, «días de la retribución/días de la visita»; cf. Ez 22,4: «días (de juicio)»; Job 24,1: «sus días (del juicio de Dios)»; cf. *inf.*, 4*b*.

i) El significado «tiempo» aparece con especial claridad en una serie de expresiones adverbiales y otras expresiones compuestas en las que *yāmīm* se une a vocablos de sentido temporal.

Lo mismo que en el singular (cf. *sup.*, *3a),* también aquí deben mencionarse en primer lugar las expresiones adverbiales formadas con pronombres demostrativos. El plural de *hayyōm hazzæ,* «hoy», aparece en la expresión *bayyāmīm hā'ēllæ,* «en estos días (actuales)» = «actualmente» (Zac 8,9.15; por el contrario, en Est 1,5; 9,26.28 debe traducirse por «en esos días (mencionados)»; cf. Ez 43,27, sin «esos»); más frecuente es la expresión *bayyāmīm hāhēm(mā)* —plural de *bayyōm hahū*—, que puede referirse también tanto al pasado («entonces») como al futuro («entonces») (referido al pasado: Gn 6,4; Ex 2,11; Jue 17,6; 18,1.1; 19,1;

20,27.28; 21,25; 1 Sm 3,1; 28,1; 2 Sm 16,23; 2 Re 10,32; 15,37; 20,1 = Is 38,1 = 2 Cr 32,24; Ez 38,17; Est 1,2; 2,21; Dn 10,2; Neh 6,17; 13,15.23; con *ʿad,* «hasta»: 1 Re 3,2; 2 Re 18, 4; con *lifnē,* «antes de»: Zac 8,10; referido al futuro: Dt 17,9; 19,17; 26, 3; Jos 20,6; Jr 3,16.18; 5,18; 31,29; 33,15.16; 50,4.20; Jl 3,2; 4,1; Zac 8,6.23; con *ʾaḥare,* «después de»: Jr 31,33).

yāmīm aparece también en expresiones que indican duración (Lv 25,8: «el tiempo de siete años sabáticos»; 1 Sm 27,7, con *mispar hayyāmīm,* «el número de días = el tiempo en que David habitó en el país de los filisteos»; semejante, 2 Sm 2,11; *yāmīm ʾēn mispār,* «tiempo sin fin», Jr 2,32), empleado con frecuencia pleonásticamente detrás de expresiones que indican ya de por sí una larga duración: *šenātáyim yāmīm,* «dos años en días = el tiempo de dos años» (Gn 41,1; 2 Sm 13,23; 14,28; Jr 28,3.11), o también siguiendo a *ḥōdæs* o *yǽraḥ,* «mes» (Gn 29,14; Nm 11,20.21 o Dt 21,13; 2 Re 15,13), o a *šābūʿīm,* «semanas» (Dn 10,2.3); cf. también las expresiones imprecisas *yāmīm ʿal-yāmīm* y *leyāmim miyyāmīn,* «con el paso del tiempo» (2 Cr 21,15. 19; sobre *leyāmīm šenáyim,* en v. 19, texto dudoso, cf. Rudolph, HAT 21, 266), así como *yāmīm ʿal-šānā,* «dentro de un año y días» (Is 32,10).

El plural determinado presenta también el sentido de «tiempo» cuando va unido a verbos como *rbh* qal, «ser numeroso» (Gn 38,12 y Sm 7,2: «pasó largo tiempo»); *ʾrk* qal, «ser largo» (Gn 26,8: «cuando llevaba largo tiempo habitando ahí»; Ez 12,22: «los días se prolongan», cf. v. 23, *qrb,* «acercarse»); *mšk* qal, «completarse» (1 Sm 18,26: «no había acabado el tiempo»; Jr 25,34: «nuestro tiempo ha terminado»), y también en expresiones como *lemōʿēd hayyāmīm,* «en el plazo fijado» (1 Sm 13,11); *lemiqṣāt hayyāmīm,* «al cabo del tiempo» (Dn 1,18); arameo *liqṣāt yōmayyā,* «al cabo de este tiempo» (Dn 4,31).

Finalmente deben mencionarse las expresiones formadas con *yāmīm* en el sentido de «pasado» o «futuro». El pasado remoto es indicado por medio de *yemē* → *qǽdæm,* «los días de la antigüedad» (2 Re 19,25 = Is 37,26; Is 23,7; 51,8; Jr 46,26; Miq 7,20; Sal 44,2; Lam 1,7; 2,17; cf. *yāmīm miqqǽdæm,* Sal 77,6; 143,5; *yāmīm qadmōnīm,* «días antiguos», Ez 38,17); *yemē ʿōlām,* «días de la antigüedad» (Is 63,9.11; Am 9,11; Miq 5,1; 7,14; Mal 3,4; *yemot ʿōlām,* Dt 32,7; en arameo *yōmāt ʿālemā,* Esd 4,15.19; el pasado en general es designado por medio de *yāmīm rīšōnīm,* «días pasados» (Dt 4,32; Zac 8,11; Ecl 7,10; cf. Nm 6,12, «el tiempo anterior»; Dt 10,10, «como la primera vez»). Al tiempo futuro *(hayyāmīm habbāʾīm,* «los días venideros», Ecl 2,16) se refieren las expresiones *beʾaḥarīt hayyāmīm,* «al cabo de los días» (pasajes e interpretación en → *ʾḥr* 4b); *hinnē yāmīm bāʾīm,* «mira, vienen días» (1 Sm 2,31; 2 Re 20,17 = Is 39,6; Jr 7,32; 9,24; 16,14; 19,6; 23,5.7; 30,3; 31, 27.31.38; 33,14; 48,12; 49,2; 51,47. 52; Am 4,2; 8,11; 9,13), y *leʾōræk yāmīm,* «para siempre» (Sal 93,5; Lam 5,20); la expresión *leqēṣ hayyāmim,* «al final de los días», tiene un tono escatológico más acentuado (Dn 12,13; cf. *layyāmīm,* Dn 10,14).

En la expresón *sḗfær dibrē hayyāmīm,* «libro de los asuntos de los días» = «crónica», la composición *dibrē hayyāmīm* se acerca al sentido de «historia» (cf. O. Eissfeldt, *Einleitung in das AT* [³1964] 382; 1 Re 14,19-2 Re 45,5 53 ×; Est 2,23; 6,1; 10,2; Neh 12,23; 1 Cr 27,24, texto enmendado).

En la literatura narrativa antigua, *yāmīm* se emplea idiomáticamente en el sentido de «año» (significado expresado normalmente por medio de *šānā,* «año»; 876 × [excluido Sal 77,11; en Lisowsky falta Gn 11,10b]: Gn 161 ×, 2 Re 104 ×, Nm 92 ×, 2 Cr 78 ×, Lv 59 ×, 1 Re 58 ×, Jr 44 ×); en la base de este empleo está quizá la idea de que los días de cada año se repiten al año siguiente, de forma que «los días (del año)» son equivalentes al «año» (distinto en F. S. North, *Four-Month Seasons of the Hebrew Bible*: VT 11 [1961] 446-448). Si prescindimos de las indicaciones de duración que aparecen en 1 Sm 27,7 («un año y cuatro meses») y en 1 Sm 29,3, texto enmendado («uno o dos años»), *yāmīm* se emplea en este sentido únicamente para designar los acontecimientos que se repiten anualmente: *zæbaḥ hayyāmīm,* «sacrificio anual» (1 Sm 1,21; 2,19; 20,6); *tᵉqūfōt hayyāmīm,* «la vuelta del año» (1 Sm 1,10; cf. *tᵉqūfat haššānā,* Ex 34,22; 2 Cr 24,23); *miyyāmīm yāmīmā,* «anualmente» (Ex 13, 10; Jue 11,40; 21,19; 1 Sm 1,3; 2,9); *layyāmīm,* «por año» (Jue 17,10); *miqqēṣ yāmīm layyāmīm,* «al final de cada año» o «anualmente» (2 Sm 14,26).

4. *a)* Los numerosos modos de empleo del término *yōm/yāmīm* muestran que el vocablo sirve no sólo para designar diversas divisiones importantes del tiempo, sino que se ha convertido en un concepto temporal de importancia decisiva, que se refiere tanto a momentos concretos como a diversos espacios temporales. Se parece a *ʿēt* y *ʿōlām* en cuanto que se emplea casi exclusivamente para referirse a determinaciones temporales concretas, es decir, a contenidos temporales determinados, y nunca para expresar el tiempo en abstracto. No se trata de una concepción temporal exclusiva del hebreo, ya que los diversos empleos del *yōm/yāmīm* hebreo tienen su correspondiente paralelo en textos extrabíblicos.

Las expresiones específicamente veterotestamentarias formadas con *yōm* en sentido general son relativamente pocas. Al igual que todos los demás fenómenos humanos, también el día y la noche están sometidos al dominio de Dios, ya que han sido creados por él (Gn 1,5.14; Sal 74,16: «tuyo es el día y tuya la noche, tú estableciste las estrellas y el sol»; cf. v. 16: «tú has creado el verano y el invierno»). Dentro del ámbito escatológico se llega incluso a afirmar —en un texto tardío— que Dios eliminará la invariable sucesión del día y de la noche (Gn 8,22) (cf. Zac 14,7: «y será siempre de día ... no habrá sucesión de día y noche, incluso al atardecer habrá luz»). De todos modos, no puede hablarse de una divinización del tiempo, semejante a la documentada en el ámbito sirio septentrional y del Asia Menor (cf. W. L. Moran, Bibl 43 [1962] 319; en el pacto arameo de Sefira, s. VIII a. C., *ywm,* «día», y *lylh,* «noche», aparecen en la lista de testigos divinos del pacto jurado, KAI N. 222 A, línea 12). Son más bien raras también las expresiones en las que un día aparezca más o menos personificado (cf., por ejemplo, Prov 27,1: «pues no saben lo que un día puede traer»; en Jr 20,14 y Job 3, 11s se maldice el día del nacimiento).

b) Un empleo teológico especial es el que aparece en torno a la concepción del *yōm Yhwh,* «el día de Yahvé», y de las ideas correspondientes. La bibliografía sobre el tema es abundantísima: aquí recogeremos sólo algunos títulos. L. Černy, *The Day of Yahweh and some Relevant Problems* (1948), aborda el aspecto lingüístico de las expresiones utilizadas, fundamentando su estudio sobre una base amplia; entre los estudios más recientes sobre el tema —estudios donde se ofrece la bibliografía correspondiente—, deben citarse los siguientes: K.-D. Schunck, *Strukturlinien in der Entwicklung der Vorstellung von 'Tag Jahwes'*: VT 14 (1964) 319-330; H. D. Preuss, *Jahweglaube und Zukunftserwartung* (1968) 170-179; G. Fohrer, *Geschichte der isr. Religion* (1969) 272s.

La expresión *yom Yhwh,* «el día de Yahvé», aparece de esa forma sólo 16 × (Is 13,6.9; Ez 13,5; Jl 1,15; 2,1.11; 3,4; 4,14; Am 5,18.18.20; Abd 15; Sof 1,7.14.14; Mal 3,23). Pero, además de esta expresión, se emplean también otras formas para referirse a la actividad judicial de Yahvé: en Is 2,12 y Ez 30,3 aparece *yōm lᵉYhwh* sin otra determinación; otras veces se insertan entre *yōm* y *(le)Yhwh* diversas expresiones que determinan ulteriormente la frase (*nāqām,* «venganza», Is 34,8; *'æbrā,* «ira», Ez 7,19; Sof 1, 18; *'af,* «ira», Sof 2,2.3; Lam 2,22; *zæbaḥ,* «sacrificio», Sof 1,8), expresiones que aparecen también en otros contextos semejantes sin la mención del nombre divino y caracterizan el tenor del día de juicio esperado (o experimentado) (ira, venganza, castigo o semejantes: Is 10,3; 13,13; 34,8; 61, 2; 63,4; Jr 46,10; Ez 22,24; Os 5,9; Sof 1,15; Lam 1,12; 2,1.21; cf. Sof 3, 8; oscuridad, nieblas, tormenta o semejantes: Ez 30,3; 34,12; Jl 2,2; Am 1,14; Sof 1,15; cf. Ez 30,18; Miq 3,6; combate, matanza, ruina, caos: Is 22,5; 30,25; Jr 12,3; Ez 26,18; 27,27; 32,10; Am 1,14; Sof 1,16; cf. Miq 7,4; desgracia, desastre, necesidad o semejantes: Is 17,11; Jr 18,17; 46, 21; 51,2; Abd 12; Sof 1,15). También se alude al «día» por medio de pronombres demostrativos o interjecciones («aquel día», Jr 30,7; 46,10; Sof 1,15; cf. Ez 39,8; con → *hinnē,* «he ahí», Ez 7,10; con → *'ahāh* o *hāh,* «ah», Ez 30,2; Jl 1,15); se afirma que ya llega y que está cerca (Jr 47,4; Ez 7,7. 12; 30,3.3; Zac 14,1; Mal 3,2.19.19); puede ser mencionado también como el «día» de los afectados por él («tu/su/su día», Jr 50,27.31; Ez 21,30.34; 22,4, texto enmendado; «el día de tu hermano», Abd 12). Cuando aparece en contextos escatológicos-judiciales, incluso la simple expresión adverbial *bayyōm hahū,* «en aquel día = entonces» (cf. *sup. 3e),* adquiere el matiz de «día de Yahvé» (cf., por ejemplo, Is 2,11.17 junto a v. 12); este matiz es sugerido no tanto por la expresión misma cuanto por el contexto (cf. el detallado estudio de P. A. Munch, *The Expression «bayyōm hāhū», is it an Eschatological «terminus technicus»?* [1936], donde expone una tesis diversa de la de H. Gressmann, *Der Messias* [1929] 75.83 y otros; Preuss, *loc. cit.,* 174, sigue la opinión de Munch). La expresión se emplea con frecuencia en las promesas como fórmula de unión; por lo demás, es frecuente el empleo de *yōm* en las promesas de salvación, donde es poco frecuente la expresión «día de Yahvé» (cf. Is 49,8; Jr 31,6; Miq 7,11.12).

Para determinar el significado de la expresión *yōm Yhwh* debe estudiarse en primer lugar el sentido que recibe *yōm* dentro de este tipo de construcciones; en segundo lugar debe realizarse un estudio histórico-religioso sobre el origen y desarrollo de la concepción reflejada en esta expresión. Desde el punto de vista formal, *yōm Yhwh* pertenece a una serie de expresiones en las que *yōm* es determinado por un nombre propio en genitivo (cf. *sup. 3d,* donde se habla de *yōm Midyān,* etc.; cf. también *sup. 3h, yemē Gib'ā).* Estas expresiones se refieren, con un lenguaje breve y conciso, a algún acontecimiento histórico importante señalado por el nombre propio. No se trata, pues, de señalar el tiempo, que, con frecuencia, queda bastante indeterminado; la expresión acentúa más bien el carácter de suceso histórico (cf. S. Herrmann, *Die prophetischen Heilserwartungen im AT* [1965] 120s). El suceso determinado cualitativamente por Yahvé puede pertenecer tanto al pasado (Ez 13,5; 34,12; Lam 2,22; cf. Ez 22,24; Lam 1,12; 2,1.21) como al futuro (la mayoría de las veces); se puede contar en principio con diversos «días de Yahvé» (cf. quizá Job 24,1). «En el marco de la concepción israelita de la historia, que mira hacia el futuro, y de su fe en la guía divina, que está condicionada por Dios y por la acción histórica de éste, el concepto se orienta cada vez más claramente hacia el futuro y llega a considerarse como 'el día' de Yahvé, aquel en que nos encuentra y se nos hace accesible» (Preuss, *loc. cit.,* 172).

Por lo que respecta al origen de la idea de un día de juicio general de Yahvé, la investigación histórico-tradicional ha demostrado que no se debe pensar en un día de Yahvé de carácter cúltico, como, por ejemplo, la sugerida fiesta de exaltación de Yahvé al trono (así, por ejemplo, S. Mowinckel, *Psalmenstudien* II [1922]; *íd.*, NTT 59 [1958] 1-56.209 a 229; J. Lindblom, *Prophecy in Ancient Israel* [1962] 316ss); parece más bien que, de acuerdo con las ideas que le acompañan, deben tomarse como base los diversos textos que presentan la experiencia de una intervención histórica de Yahvé en favor de su pueblo, consistente en una victoria sobre los enemigos de Dios. Son las tradiciones sobre la guerra de Yahvé (→ *ṣābāʾ*, → *hmm)*, recogidas por los profetas, las que han influido de modo especial en esta mirada de expectación hacia el futuro (cf. G. von Rad, *The Origin of the Concept of the Day of Yahweh:* JSS 4 [1954] 97-108; *íd.* II, 129-133; Schunck, *loc. cit.*, 320s.330; algo distinto, Preuss, *loc. cit.*, 173.179, que acentúa especialmente el acontecimiento del éxodo, y H.-M. Lutz, *Jahwe, Jerusalem und die Völker* [1968] 130-146: «El día de Yahvé es *también* guerra, pero *no sólo* guerra» *[loc. cit.*, 146]; sobre la relación entre las descripciones teofánicas y el día de Yahvé, cf. J. Jeremias, *Theophanie* [1965] 97-100; según H. Weiss, *The Origin of the «Day of the Lord». Reconsidered:* HUCA 37 [1966] 29-60, la expresión fue acuñada nuevamente por Amós).

Por lo que respecta a la historia de esta concepción, remitimos al lector a los estudios antes mencionados. El texto más antiguo es el de Am 5,18-20 (cf. Wolff, BK XIV/2, 38s.298-302): «¡Ay de los que ansiáis el día de Yahvé! ¿Qué creéis que es el día de Yahvé? ¡Es tinieblas y no luz...!». Amós descarta la esperanza salvífica de sus contemporáneos: ya que Israel está en el mismo plano que los enemigos de Yahvé, no puede considerarse a sí mismo como el «resto» (→ *šʾr)* al que se comunicará la salvación el día de Yahvé, sino que debe esperar las desastrosas consecuencias de la inevitable intervención de Yahvé. Tanto aquí como en el próximo texto, Is 2,12-17 (Wildberger, BK X, 105s), se destacan sólo algunos aspectos particulares del mundo de ideas que nos ocupa: en Amós la oscuridad, en Isaías la superioridad de Yahvé sobre toda arrogancia y orgullo. En Sof 1,7ss y Ez 7 (Zimmerli, BK XIII, 166-168), donde el día de Yahvé se dirige siempre contra Israel, se indican más detalles; a partir de la catástrofe del año 587 (que en Ez 13,5; 34,12; Lam 1,12; 2,1.21s es designada retrospectivamente como «día de Yahvé» o semejantes) la actividad jurídica de Dios se dirige por lo general (aunque no exclusivamente, cf. Jl 1,15; 2,1.11; Zac 14,1; Mal 3,23) contra los pueblos extranjeros (especialmente contra Babilonia en Is 13,6.9; contra Egipto, Ez 30,3; contra Edom, Abd 15; cf. además Is 34,8; 61,2; Jr 46,10; Jl 3,4; 4,14). El hecho de que la concepción pase de las profecías de desgracia a las de salvación y viceversa se debe al carácter ambivalente del día de Yahvé; es un día que trae desgracia a los enemigos de Yahvé y salvación a sus fieles. Todo depende del lado que elija Israel o los destinatarios de la profecía. La concepción del día de Yahvé constituye, por tanto, un importante lazo de unión entre el anuncio profético de desgracia y el de salvación y muestra su unidad interna.

5. El empleo de *yōm* en la literatura de Qumrán no se diferencia fundamentalmente del modo de empleo veterotestamentario. En los LXX, ἡμέρα recoge del AT el sentido de «tiempo», sentido que no es muy frecuente en la literatura griega. Sobre el ulterior desarrollo de la concepción del «día de Yahvé» —expresada con terminología nueva («día de Dios», «día del Señor», etc.)— en el judaísmo posterior y en el NT, cf. P. Volz, *Die Eschatologie der jüd. Gemeinde im ntl. Zeitalter* (1934) 163-165; G. von Rad y G. Delling, art. ἡμέρα: ThW II, 945-950.

E. Jenni

יחל *yḥl* piel/hifil **Esperar, aguardar**

1. *yḥl* piel/hifil, «esperar, aguardar», está documentado únicamente en hebreo; la referencia al árabe meridional *wḥl,* «estar indeciso» (GB 297b; KBL 377b), no aporta gran cosa.

Los casos que podrían apoyar la existencia de la forma secundaria *ḥīl* (III) son inseguros (en Gn 8,10 y Miq 1,12 se debe leer *yḥl* piel, y en Jue 3,25; Sal 37, 7 y Job 35,14, *yḥl* hifil; cf. Bergstr. II, 173; distinto, en L. Kopf, VT 8 [1958] 176s).

El verbo está documentado en piel y en hifil (sobre la diferencia de significado entre el piel «esperar» y el hifil «mantenerse expectante», cf. KBL 377s; Jenni, HP 249s.257s); los casos de nifal en Gn 8,12 (que habría que vocalizar como piel, igual que v. 10) y Ez 14,5, texto dudoso (cf. Zimmerli, BK XIII, 418), son inseguros. También están documentados el adjetivo *yāḥīl,* «expectante» (Lam 3,26, aunque quizá haya de corregirse en *yḥl* hifil), y el sustantivo *tōḥǽlæt,* «esperanza, espera» (sobre esta forma nominal, cf. GK § 85p).

Según Noth, IP 204, el nombre propio *Yaḥl*ᵉ*ʾēl* (Gn 46,14; Nm 26,26) no se deriva de esta raíz (como sugiere KBL 378a), sino del árabe/arameo *ḥlw/y,* «ser dulce, agradable».

2. Según Lisowsky (que cuenta 1 Sm 13,8 como hifil), *yḥl* piel aparece 15 × (Sal 5 ×), el nifal 2 × (cf. *sup.), yāḥīl* 1 × (cf. *sup.), tōḥǽlæt* 6 × (Sal 39,8; Job 14,1; Prov 10,28; 11,7; 13,12; Lam 3,18). La raíz aparece en total 48 × (sin contar *ḥīl* III, cf. *sup.):* Sal 20 ×, Job 9 ×, Lam 4 ×, Prov 3 ×.

3. El verbo pertenece al campo semántico de los verbos que indican espera y esperanza, que deben entenderse como pertenecientes a un mismo grupo de significado. El más importante de los paralelos es → *qwh* piel, «esperar» (en ese artículo son tratados también *ḥkh* piel, *śbr* piel y los nombres derivados *tiqwā, miqwǽ, śēbær).* Sobre todo este grupo de términos, cf. C. Westermann, *Das Hoffen im AT:* «Theologie Viatorum» 4 (1952-53) 19-70 = *Forschung am AT* (1964) 219-265.

Una tercera parte de los textos aproximadamente tiene un sentido no teológico. En Gn 8,10.12, texto enmendado, el verbo corresponde a nuestro «aguardar»: Noé aguarda a que bajen las aguas del diluvio; semejante es también el sentido de 1 Sm 10,8; 13, 8; Job 32,11.16 (2 Sm 18,14 es textualmente dudoso). El matiz concreto de esta espera cambia a tenor de la situación. En Job 29,21 y 32,11.16 se indica que el joven aguarda respetuosamente mientras el anciano está hablando; en 29,23 la espera se hace esperanza: «me esperaban lo mismo que a la lluvia». En la lamentación de Job el matiz es —conforme a la situación— el de aguantar, resistir (Job 6, 11; 13,15; 14,14; 30,26). Esta diversidad de sentidos de la espera se manifiesta especialmente allí donde el texto puede entenderse de varias formas. Job 13,15 puede traducirse así: «él me mató, no aguanto», pero también podría traducirse de la siguiente forma: «él me mata, ya no tengo esperanza». Esta ambivalencia de la espera se manifiesta también en Prov 13,12: «espera *(tōḥǽlæt)* prolongada enferma el corazón», ya que la espera puede resultar fallida (Ez 19,5). Ez 13, 6 está en el límite entre sentido teológico y sentido no teológico: los falsos profetas esperan que Dios cumpla las palabras que ellos han pronunciado.

4. En todos los demás casos *yḥl* es empleado con referencia a Dios. Es uno de los verbos cuyo significado desempeña una determinada función dentro de un lenguaje determinado, a partir del cual deben explicarse todos los demás modos de empleo y las diversas variantes del significado. Este lenguaje (lo mismo que en los demás verbos que indican espera y esperanza) es el propio de las confesiones de confianza dentro de la lamentación indi-

vidual. A esta forma literaria —y a las formas derivadas— pertenecen casi todos los pasajes en los que el verbo es empleado en sentido teológico.

a) *yḥl* en la confesión de confianza: el Sal 130 se abre con una súplica desde lo profundo (vv. 1-2), basada en una doble motivación (vv. 3 y 4), y continúa con una confesión de confianza (vv. 5-6, texto enmendado): «yo espero *(qwh* piel), Yahvé, en ti; mi alma espera *(qwh* piel) en tu palabra. Mi alma aguarda *(yḥl)* más que el centinela la aurora». La comparación, que de por sí no pertenece al campo teológico, muestra claramente cuál es el sentido de la confesión de confianza. Esta espera o esperanza en Yahvé indica que se espera un *acontecimiento* correspondiente a la irrupción de la aurora. Esperar a Yahvé significa esperar su intervención salvífica. Es claro, pues, que la expresión «esperar a Yahvé» designa exactamente lo mismo que el «esperar» profano, es decir, lo mismo que la espera no referida a Dios; la única diferencia está en el objeto de la espera: aquí lo esperado es una acción divina, una intervención de Dios. Por lo demás, el empleo teológico del verbo tiene idéntico sentido al del empleo no teológico. Puede acentuar el aspecto de perseverancia; así, por ejemplo, en Sal 71,14: «pero yo espero sin cesar». Puede también destacar el objeto de la espera, como en Miq 7,7: «yo espero en el Dios de mi salvación»; o también el sufrimiento que acompaña a la espera, como en Sal 69, 4: «mis ojos se consumen de esperar a mi Dios». La base de la espera reside precisamente en el hecho de que se espera en *Dios:* Sal 39,8: «y ahora, Señor, ¿qué puedo yo esperar? ¡En ti está mi esperanza!» (semejante también en Sal 38,16; 130,5; Lam 3,24). Lam 3,21-26 viene a ser como una fuga en torno al tema de la esperanza en Dios, como un desarrollo temático de la confesión de confianza. Las primeras frases indican que la espera de Yahvé coincide con la espera de su intervención liberadora: «esto revolveré en mi corazón, por ello esperaré: que el amor de Yahvé no se ha acabado ni se ha agotado su ternura...». En v. 23 continúa el tema, y en vv. 24-25 se fundamenta ulteriormente en Yahvé.

b) Esta «espera de Dios» propia de la confesión de confianza es decisiva para la visión israelita de la posición del hombre frente a Dios. En los relativamente pocos textos que recogen el término, el motivo es desarrollado con una serie de ulteriores consideraciones y variaciones: 1) En Sal 119 se repite con frecuencia una frase semejante a la de la confesión de fidelidad en 1.ª persona singular, aunque cumple una función diversa a la de esta confesión; se trata de designar de modo genérico la actitud del fiel: «yo espero en tu palabra» (vv. 81.114.117, cf. v. 74; con algún cambio, en vv. 43 y 49). En la literatura piadoso-sapiencial, la espera del impío y del piadoso son presentadas como contrapuestas (Prov 10,28; 11,7). 2) Hay una serie de pasajes en los que se invita a esperar en Yahvé: la confesión de confianza se ha desarrollado a nivel parenético. Sal 130,5-7 muestra claramente que la exhortación tiene su origen en la confesión de fidelidad; en efecto, en este salmo a la confesión sigue inmediatamente la exhortación «¡espera, Israel, en Yahvé!» (v. 7; cf. también 131,3). La misma exhortación aparece en Sal 42,6.12; 43,5; o al que espera se le hace una promesa (Sal 31,25; 33, 18; 147,11; cf. Prov 10,28). 3) En la lamentación se ve claramente la importancia de la esperanza en Yahvé; en efecto, la pérdida de la esperanza constituye el punto central de la lamentación: Lam 3,18: «se acabó mi esperanza en Yahvé»; en 2 Re 6,33 el rey se lamenta: «este gran mal nos viene de Yahvé, ¿cómo voy a esperar todavía en Yahvé?».

c) En algunos pasajes la esperanza en Yahvé se inserta dentro del anuncio profético de salvación; en el mensaje de salvación universal del Deuteroisaías incluso los confines de la tierra y las islas esperan en Yahvé (Is 42,4; 51,5); en Miq 5,6 se afirma que el «resto» no espera en los hombres (sino únicamente en Dios).

5. → *qwh* piel.

C. Westermann

יטב *yṭb* Ser bueno → טוב *ṭōb*

יכח *ykḥ* hifil Determinar lo que es justo

1. La raíz *ykḥ* aparece sólo en hebreo y en arameo judaico (KBL 38a). Del modo hifil del verbo se derivan los sustantivos femeninos *tōkáḥat* y *tōkēḥā,* formados con el prefijo *ta-* (BL 495).

También están relacionados con esta raíz el nombre *nākōªḥ,* «recto, lo recto» (8 ×), y el vocablo *nṓkaḥ,* «ante», empleado normalmente como preposición (24 ×; sobre el cambio entre la inicial *n* y *w,* cf. Nöldeke, NB 190s).

2. En el AT, el verbo está documentado 59 × (hifil 54 ×: Job 15 ×, Prov 10 ×, Sal 7 ×; nifal 3 ×; hofal 1 × [además, Sal 73,14, texto enmendado]; hitpael 1 ×); el sustantivo *tōkáḥat* aparece 24 × y *tōkēḥā* 4 ×. La mayor frecuencia se da en Prov y Job (26 × y 19 ×, respectivamente, de un total de 87 casos).

3. *a)* La raíz pertenece originalmente al ámbito del proceso judicial (cf. Is 29,21; Am 5,10: «en la puerta»). El significado fundamental de *ykḥ* hifil es «determinar lo que es justo» (así lo indica H. J. Boecker, *Redeformen des Rechtslebens im AT* [1964] 45-47; textos: Gn 31,37; Job 9,33; 16,21; 13,3.15; Lv 19,17; también F. Horst, *Gottes Recht* [1961] 289; *íd.,* BK XVI/1, 86: «determinación procesal de lo recto»; es distinta la opinión de V. Maag, *Text, Wortschatz und Begriffswelt des Buches Amos* [1951] 152-154; según este último, el significado fundamental es «corregir» y el aspecto de proceso queda en segundo plano). El sujeto de *ykḥ* hifil originalmente es la persona que toma la decisión dentro del proceso (por ejemplo, Gn 31,37 E; Job 9,33; cf. Wolff, BK XIV/1, 94); la acción designada por *ykḥ* hifil es la que cierra el proceso. Job 13,3 y 15,3 (cf. Hab 2,1, *tōkáḥat)* muestran que *ykḥ* hifil designa la sentencia pronunciada. 1 Re 3, 27b, *hī ʾimmō,* «ella es su madre», puede servir como ejemplo de esta «decisión judicial» (Boecker, *loc. cit.,* 142s) (cf. Ex 22,8, *hū zæ).* En Is 2, 4 = Miq 4,3; Is 11,3.4; Hab 1,12; Job 22,4 y 23,4 *ykḥ* aparece junto a → *špṭ,* «juzgar»; en Os 4,4; Miq 6,2; Job 13,6 y 40,2 aparece junto a → *rīb,* «litigar», y en Job 32,12, junto a *ʿnh,* «responder». Cuando las mismas partes que pleitean son los sujetos del *ykḥ,* entonces el «determinar lo que es justo» recibe el matiz de «probar, refutar, justificar» o semejantes: eso es lo que hacen los amigos de Job en Job 6,25s; 19,5; 32,12 y el mismo Job en Job 13,3.6.15; 15,3; 23,4; 40,2 (cf. Gn 21,25; Sal 38,15; Hab 2,1). Sobre las preposiciones que siguen a *ykḥ* hifil, cf. KBL 380b.

b) Cuando *ykḥ* se refiere a una acción desarrollada contra alguien a quien no asiste la razón, entonces el significado es «corregir, pedir explicaciones» (Boecker, *loc. cit.,* 47). Este sentido de *ykḥ* es especialmente frecuente en los Proverbios: *ykḥ* hifil en Prov 9,7s; 10,10, texto enmendado; 15,12; 19, 25; 24,25; 28,23; *tōkáḥat,* siempre en singular y con frecuencia paralelo a *mūsār,* «castigo» (→ *ysr),* aparece en Prov 5,12; 6,23; 10,17; 12,1; 13,18; 15,5.10.32; en Prov 1,25.30 aparece en paralelismo con *ʿēṣā,* «consejo» (→ *yʿṣ)* (cf. von Rad I, 444, nota 33). Los malvados y arrogantes desprecian la corrección de los sabios y los padres (Prov 1,30; 5,12 y otros); odian la corrección (Prov 15,10; 12,1), pero el inteligente la oye (Prov 15,31s) y atiende (Prov 13,18; 15,5).

Como opuestos deben mencionarse *qrṣ ʿáyin,* «guiñar el ojo», «hacer la vista gorda» (Prov 10,10), y *ḥlq lāšōn,* «emplear una lengua aduladora»; en ese caso, la consecuencia de *ykḥ* hifil es «dejar como mentirosa» a la persona en cuestión *(kzb* nifal, Prov 30,6).

También *nākōaḥ,* «lo recto», es término característico del lenguaje sapiencial (Prov 8,9; 24,26; 26,28, texto enmendado; Eclo 11,21; cf. H. W. Wolff, *Amos' geistige Heimat* [1964] 38-40).

4. El empleo teológico se desarrolla en el doble sentido:

a) En el sentido de proceso: Dios en cuanto juez es sujeto de *ykḥ* hifil en Gn 31,42b E; 2 Re 19,4 = Is 37,4; Is 2,4 = Miq 4,3; Sal 50,8.21; Job 22,4; 1 Cr 12,18; hitpael en Miq 6,2. El nifal de Is 1,18 muestra que las dos partes del juicio, Yahvé y el pueblo, pueden ser portadores recíprocos del *ykḥ* (Wildberger, BK X, 52). En Ez 5,15 y 25,17 se indica que el castigo se realizará *beṭōkeḥōt ḥēmā,* «con furiosos escarmientos». La expresión puede presentar también la forma *yōm tōkēḥā,* «día del castigo» (Os 5,9; 2 Re 19,3 = Is 37,3; distinto, Wolff, XIV/1, 143). En Job 13,3.15; 40,2; Hab 2, 1 y Job 23,4 es Dios el objeto de *ykḥ.*

b) En el sentido educativo: Dios corrige al orante (Sal 6,2; 38,2; 39, 12), a reyes (Sal 105,14 = 1 Cr 16,21; 2 Sm 7,14), a los malvados (Sal 94, 10), a los amigos parciales de Job (Job 13,10), al que añade algo a las palabras de Dios (Prov 30,6). Esta corrección se dirige sobre todo a aquellos a quien Dios ama (Prov 3,11s); por eso se considera dichoso al hombre que Dios corrige (Job 5,17).

El sentido de *ykḥ* hifil en Gn 24,14. 44 («tomar una decisión, determinar») constituye un caso excepcional; cf. O. Procksch, *Die Genesis* [2-3 1924] 324).

5. En la literatura del Qumrán *ykḥ* hifil y *tōkāḥat* son empleados igual que en el AT; en CD 7,2; 9,7s y 1QS 5, 26 se cita el texto de Lv 19,17. El texto de Prov 3,11s desempeña una función importante en el judaísmo (O. Michel, *Der Brief an die Hebräer* [12 1964] 439s. *Excursus: Das Leiden als Züchtigung Gottes),* cf., en el NT, Hebr 12,5ss. Los LXX traducen *ykḥ* normalmente por ἐλέγχειν (cf. F. Büchsel[-G. Bertram]: art. ἐλέγχω: ThW II, 470-474).

G. Liedke

ילד *yld* Dar a luz

1. La raíz **wld* (semítico noroccidental *yld;* cf., sin embargo, Gn 11, 30, *wālād,* «niño»; Meyer I, 97), «dar a luz», pertenece al semítico común (Bergstr., *Einf.,* 182; P. Fronzaroli, AANLR VIII/19 [1964] 246.262) y está ampliamente documentada en los pueblos vecinos del Israel veterotestamentario: en acádico, *(w)alādu* (CAD A/I, 287-294); en ugarítico, *yld* (WUS N. 1166); en inscripciones fenicias y arameas, *yld* (DISO 107; no está documentada en arameo bíblico).

Se emplean los siete modos del verbo (qal, «dar a luz, engendrar»; nifal, «nacer»; piel, «desempeñar la labor de comadrona», cf. Jenni, HP 210s; pual, «nacer», es decir, sentido de qal pasivo; hifil, «engendrar, hacer dar a luz»; hofal, «nacer»; hitpael, «presentar la propia ascendencia», Nm 1,18). Entre los sustantivos derivados de esta raíz el más importante es *yǽlæd,* «muchacho, niño»; se deben señalar además *yaldā,* «muchacha»; *yālīd,* «hijo»; *yillōd,* «(recién) nacido»; *wālād,* «niño», y también *lēdā,* «parto» (BL 450); *mōlǽdæt,* «descendencia, parentela» (BL 490); *tōlēdōt,* «generaciones, historia de las generaciones» (BL 495); se deben añadir los nombres propios *Mōlīd* (1 Cr 2,29; Noth, IP 144) y los nombres de lugar *Mōlādā* (Jos 15,26; 19,2; Neh 11,26; 1 Cr 4,28), *Tōlād* (1 Cr 4,29) = *ʾæltōlad* (Jos 15,30; 19, 4; cf. HAL 58).

2. Del total de 492 casos del verbo, la mayoría corresponde a Gn (170 ×) y 2 Cr (117 ×); siguen Is 23 ×, Jr 22 ×, Ex y Job 15 ×, Rut 14 ×. El modo qal es empleado 237 × (Gn 90 ×, 1 Cr 26 ×, Jr 17 ×, Is 15 ×), el nifal 38 × (1 Cr 10 ×, Gn 7 ×), el piel 10 × (Ex 8 × y Gn 2 ×), el hofal 3 × (Gn 40,20; Ez 16, 4.5), el hitpael 1 × (Nm 1,18).

El estudio de los nombres ofrece las siguientes cifras: *yǽlæd* 89 × (incluido 2 Sm 6,23 Q; Gn 19 ×, Ez y 2 Sm 12 ×, 1 Re 9 ×), *yaldā* 3 ×, *yaldūt* 3 ×, *yillōd* 5 ×, *yālīd* 13 ×, *wālād* 1 ×, *lēdā* 4 ×, *mōlǽdæt* 22 × (Gn 9 ×), *tōlēdōt* 39 × (Gn y Nm 13 ×, 1 Cr 9 ×, Ex 3 ×, Rut 1 ×), es decir, un total de 179 × (la raíz en total, sin contar los nombres propios, 671 ×).

La frecuencia de la raíz en Gn y 1 Cr se explica por el empleo del verbo en las listas genealógicas; casi todos los casos de la obra cronística pertenecen a árboles genealógicos, lo mismo que la mayoría de los casos de Rut (4,18-22).

3. *a)* Cuando el sujeto de *qld* qal es una mujer, el significado fundamental del verbo es «dar a luz» (Gn 4,1s), y cuando el sujeto es un hombre, entonces el significado es «engendrar» (Gn 4,18) (menos frecuente que el anterior). La construcción más normal es la del verbo más la partícula *ʾæt* seguida del nombre de aquel que ha sido engendrado o dado a luz. Pero también es frecuente la construcción con el simple acusativo, especialmente en la expresión «ella dio a luz un hijo». El nombre del padre a quien la mujer ha dado un hijo (o una hija) es introducido por la partícula *l*ᵉ.

b) El campo semántico de *yld* es indicado por las mismas relaciones naturales: → *ʾiššā*, «mujer» (Jue 13,24), o → *ʾēm*, «madre» (Jr 15,10); también *ʾāmā*, «muchacha», o *pīlægæs*, «concubina» (Gn 22,24), son sus sujetos normales; como objetos del verbo aparecen normalmente → *bēn*, «hijo» (1 Sm 1,20; plural *bānīm*, «hijos, niños», Gn 10,1), o *bat*, «hija» (Gn 30,21) (cf. *zākār*, «varón», Lv 12,2; *nᵉqēbā*, «hembra», Lv 12,5; *nǎʿar*, «muchacho», Jue 13,8); cf. también → *ʾāb*, «padre» (Is 45,10), con el significado de «engendrar».

Entre los verbos que pertenecen al campo semántico de *yld*, los más frecuentes son: *hrh*, «concebir, estar encinta» (41 ×, adjetivo *hārǣ*, «preñada», 15 ×); *ḥīl*, «tener dolores, retorcerse» (qal 30 ×, según Lisowsky), y → *gdl* piel, «criar» (Is 1,2, cf. Wildberger, BK X, 12; 49,21; 51,18 y *passim*); cf. también las raíces *ʿqr* (*ʿᵃqārā*, «estéril») y *škl* (piel, «privar de hijos, tener un aborto», *šākūl/šakkūl*, «privado de los hijos»).

c) El sustantivo segolado *yǽlæd*, «muchacho», se emplea con frecuencia en sentido semejante al de → *bēn*, «hijo»; la diferencia reside en que *bēn* expresa con más exactitud la relación del hijo con el padre y la madre, mientras que *yǽlæd* es más neutro (así, en 1 Re 3,25, Jr 31,20 y *passim yǽlæd* aparece junto a *bēn*; por el contrario, Ex 1s o Dn 1, donde la relación con los padres no desempeña ninguna función, se emplea únicamente *yǽlæd*; sobre Gn 4,23, cf. P. D. Miller, JBL 85 [1966] 477s). *yǽlæd*, como concepto masculino, se contrapone directamente al femenino *yaldā*, «muchacha» (Jl 4,3; Zac 8,5), pero también se emplea genéricamente en el sentido de «niño» (sin distinción de sexo; Esd 10,1). *yᵉlādīm* son los «jóvenes», en contraposición a «ancianos» (*zᵉqēnīm*; 1 Re 12,8.10.14 = 2 Cr 10,8.10.14; cf. A. Malamat, JNES 22 [1963] 247-253).

yālīd, «hijo», aparece con frecuencia unido a → *báyit*, «casa», formando la expresión *yᵉlīd(ē) báyit* (Gn 14,14; 17,12s.23.27; Lv 22,11; Jr 2,14); se refiere a los esclavos nacidos en casa, en contraposición a los comprados (*miqnat kǽsæf*, Gn 17,12 y *passim*)

d) *yld* se aplica también con relativa frecuencia a los animales (*yld* qal, Gn 30,39; 31,8; Jr 14,5; 17,11 y *passim*; *yǽlæd*, Is 11,7 referido a las crías del oso; Job 39, a las crías de la rebeca, y Job, 38,41, a las crías del cuervo).

e) En sentido metafórico se ponen en boca de Moisés las siguientes palabras: «¿acaso he concebido yo a todo este pueblo y lo he dado a luz?» (Nm

11,12); en el mismo sentido se afirma que la «roca» (Dt 32,18), el mar (Is 23,4), la piedra (Jr 2,27), el día (Prov 27,1) han dado a luz; y también Israel (Is 33,11), Sión (Is 66,8) o el enemigo (Sal 7,15) pueden ser sujetos del verbo; cf. además el lenguaje figurativo de Is 55,10; 59,4; Job 38,28 hifil; Sal 90,2, pual; Prov 17,17, nifal.

4. *a)* Uno de los motivos más antiguos en las narraciones patriarcales es el de la falta de hijos de la madre de la tribu (Gn 16,1s: «no había tenido hijos»; cf. 17,17; 18,13). Dios (o su mensajero) le promete un hijo: Gn 16,11.15; 17,19 a 21 («darás/dará a luz un hijo»). El motivo vuelve a aparecer en Jue 13,3.5.7; 1 Re 13,2; Is 7,14; 9,5; cf. Is 54,1 (cf. C. Westermann, *Forschung am AT* [1964] 19ss).

b) Dentro de la profecía se pueden señalar tres contextos en los que la raíz *yld* desempeña una función importante: 1) Para describir el juicio anunciado se emplea con frecuencia la imagen de los «dolores de parto»: Miq 4, 9s; Jr 22,23; cf. Is 13,8; 21,3; Jr 6,24 (la misma imagen aparece en otros contextos: Is 23,4; 26,17s; Cant 8, 5); la imagen destaca el terror del juicio. 2) *yld* aparece también con referencia a los hijos que el mismo profeta ha engendrado: Oseas (1,2) debe tomar por mujer a una prostituta para engendrar hijos de prostitución *(yaldē zenūnīm)*. La expresión misma contiene ya una acusación contra Israel: los israelitas son hijos de prostitución porque se han alejado de Yahvé y han participado en los cultos de fertilidad cananeos celebrados en honor de Baal. Los nombres de los hijos que le nacerán de esta mujer *(yld,* en Os 1,3.6.8) apuntan claramente hacia el juicio futuro. La misma referencia hacia el futuro tendrán también los hijos (o mejor sus nombres) que le nacerán a Isaías *(yld,* en Is 8,3; *yelādīm,* en 8,18). Sobre Is 7,14, cf. H. W. Wolff, *Immanuel* [1959]; cf. también Is 9,5. En estos dos pasajes la promesa del hijo que va a nacer va unida al tema de la salvación futura. 3) Las lamentaciones del profeta Jeremías tiene su punto álgido en la maldición del propio nacimiento; en este contexto el verbo empleado es siempre *yld:* 15,10, «¡Ay de mí, madre, porque me diste a luz!», y 20,14, «¡Maldito el día en que nací!, ¡el día en que me dio a luz mi madre no sea bendecido!». En Job 3,3 se recoge la misma lamentación y se emplea también el verbo *yld*.

c) En algunos pasajes se emplea *yld* para describir la relación entre Yahvé y los hombres como una relación entre padre e hijo (→ *'āb* IV/3, → *bēn* IV/3). Así, la adopción del rey por parte de Yahvé —que tiene lugar en el acto de ascensión al trono— es designada como un «engendrar» (Sal 2,7: «tú eres mi hijo, hoy te he engendrado»), aunque éste no es entendido ni mítica ni físicamente, como ocurre en la ideología real egipcia (cf. G. von Rad, *Das judäische Königsritual:* ThLZ 72 [1967] 211 a 216 = GesStud 205-213; Kraus, BK XV, 18s; K.-H. Bernhardt, *Das Problem der altorientalischen Königsideologie im AT* [1961]). También se emplea *yld* (pero sólo en textos tardíos) para describir la relación entre Yahvé y su pueblo (→ *bēn* IV/3b). La afirmación de que Yahvé ha engendrado a su pueblo (o de que a Yahvé le ha nacido Israel) pertenece al lenguaje figurado (sobre el tema, cf. P. Humbert, *Yahvé Dieu Géniteur?:* «Asiatische Studien» 18/19 [1965] 247-251), como se ve claramente en Dt 32,18, «desdeñas a la roca que te engendró *(yld* qal), te olvidas del Dios que te ha dado la vida *(ḥīl* polel)», cf. Jr 31,20. Cuando en Ez se afirma que el niño expósito (16, 20) y también Oholá y Oholibá han nacido como hijos de Dios (23,4.37), se vuelve a recurrir al lenguaje figurado; se trata de la imagen, ya empleada por Oseas, de Israel como esposa adúltera de Yahvé. Estas imágenes se refieren al primigenio amor de Yahvé que cuida de su pueblo, hecho que hace aún más dolorosa la actual apostasía de Yahvé por parte de Israel.

En Job 38,28s la actividad salvífica de Yahvé es descrita indirectamente por medio del verbo *yld* qal/hifil.

5. En griego no existe un correspondiente único y exacto de la raíz *yld*. Los LXX traducen el modo qal «dar a luz» por medio de τίκτειν y los demás modos por medio de γεννᾶν (cf. F. Büchsel y K. H. Rengstorf, artículo γεννάω: ThW I, 663-674). También, *yælæd* recibe diversas traducciones en los LXX: παιδίον (Gn 21,16 y *passim),* τέκνον (Gn 33,7 y *passim),* παιδάριον (2 Sm 12,18 y *passim),* νεανίσκος (Dn 1,10 y *passim),* cf. A. Oepke, art. παίς: ThW V, 636-653.

J. KÜHLEWEIN

יָם *yām* **Mar** → תְּהוֹם *tehōm*

יסד *ysd* Fundamentar

1. La raíz *ysd* aparece en hebreo, ugarítico y arameo judaico, y con sentido más limitado en las demás lenguas semíticas (en siríaco, *sattā,* «plantón de la vid» < *sadtā,* LS 502a; en árabe, *wisād,* «almohada», Wehr, 947a); es dudosa la relación con el acádico *išdu,* «fundamento» (KBL 386a; cf., sin embargo, AHw 393b).

El verbo está documentado sobre todo en los modos qal y piel (¿indistintamente?, cf. Esd 3,10 con 3,12; distinto en Jenni, HP 211s), pero también aparece en pual, nifal y hofal. La raíz ha formado una serie de sustantivos como *yesōd* y *mōsād* (cf. *inf.,* 2), siempre en el sentido de «fundamento, fundamentación».

2. Si prescindimos de su empleo técnico arquitectónico (especialmente en las obras históricas), el verbo —41 ×: qal 20 ×, de ellas 7 × en Sal y 5 × en Is; piel 10 ×, pual 6 ×, hofal 3 ×, final 2 ×— pertenece sobre todo al lenguaje de la creación (Sal, DtIs y otros). La cuenta de los sustantivos arroja las siguientes cifras: *yesōd* 19 × (Lv 8 ×), *mōsād* 13 ×, *mūsād* y *mūsādā* 2 ×, *yesūd, yesūdā* y *massad* 1 × (2 Cr 24,27 es contado, siguiendo a Lisowsky, como qal y Ez 41, 8 Q como sustantivo y se excluyen Sal 2,2 y 31,14, que se consideran como *ysd* II nifal, «asociarse»). Cf. las listas correspondientes en P. Humbert, *Note sur yāsad et ses dérivés,* FS Baumgartner [1967] 135-142.

3. *ysd* designa la colocación del fundamento; no se trata, por tanto, sólo de la primera piedra (Is 28,16) —que quedaría oculta una vez construido el edificio—, sino de la instalación de los cimientos (1 Re 5,31; cf. 7,10s; K. Galling, *Studien zur Geschichte Israels im persischen Zeitalter* [1964] 129ss). De todos modos, este significado preciso puede debilitarse y recibir el sentido genérico de «colocar la parte más baja» (2 Cr 31,7) o puede ampliarse en la línea de «restaurar, renovar» (cf. 2 Cr 24,27 con 24,4 y 2 Re 12,13; A. Gelston, VT 16 [1966] 232-235). Por otra parte, la idea de poner «el fundamento» a edificios como el templo (1 Re 5,31 y *passim)* o el palacio (7,10) se traslada también a ciudades (Jos 6,26; 1 Re 16,34; Is 34,11) o países (Ex 9,18; Is 23,13) y puede llegar a ser imagen de la confianza que proporciona la fe (Is 28, 16). El significado fundamental de *ysd* incluye, además del sentido de «empezar, comenzar» (Zac 4,9; cf. Ex 9, 18), también el de «fijar»; por eso su significado puede extenderse hasta el sentido de «determinar, prescribir» (Est 1,8) o «establecer» (1 Cr 9,22; cf. Hab 1,12) y puede servir también para expresar la idea de duración (Sal 119,152 referido a los testimonios o leyes divinas; cf. Prov 10,25).

El sentido de Sal 8,3, «afirmar la fuerza (¿o concretamente, la fortaleza, el baluarte?; no la alabanza, cf. Mt 21,16)», es muy discutido.

4. Como término técnico arquitectónico, *ysd* pertenecía originalmente, según parece, a la sabiduría artesanal

(cf. Prov 3,19; Job 38,4), de donde pasó posteriormente a la terminología cúltica de la creación (cf. también Humbert, *loc. cit.,* 137s.140s). El significado fundamental aparece todavía en los textos donde se afirma que la creación es obra de la «mano» (cf., por ejemplo, Is 48,13 con Zac 4,9). De todos modos, las diversas concepciones cosmogónicas presentan matices diversos. La expresión doble «fundamentar la tierra y extender (o semejantes) el cielo» (Is 48,13; 51,13.16; Zac 12,1; cf. Sal 78,69; 102,26) no indica de dónde proceden ambas partes del mundo ni sobre qué cimientos se basa la tierra. En cambio, Sal 24,2 señala el mar como fundamento de la tierra *(ysd ʿal,* «fundar sobre») y Sal 104,5 habla de una «base» *(mākōn)* bajo la tierra (cf. Job 38,4ss). No es seguro, de todas formas, que detrás de estas afirmaciones se oculte una única concepción, a saber: la concepción del globo terráqueo apoyado sobre unas columnas que se hunden en el mar; la imagen veterotestamentaria del mundo no es unitaria.

La narración de la creación de Gn 1 se remonta a concepciones estructuradas de forma diversa; así, por ejemplo, la concepción de la separación de cielo y tierra o de agua y tierra firme es distinta de la que habla de cimientos de la tierra. En Sal 89,10ss (v. 12) se mezclan diferentes concepciones, y el texto de Is 48,13 (cf. 51,16) amplía el tema de la creación por medio de la mano a la idea de la creación por medio de la palabra *(qrʾ,* «llamar»).

Am 9,6 (cf. Sal 78,69) afirma que «(la bóveda del) cielo» se asienta «sobre la tierra». De forma semejante se habla de los «cimientos» de la tierra (Sal 82,5; Miq 6,2 y otros; cf. en ugarítico 51 [= II AB] I, 41, *msdt arṣ),* de los montes (Dt 32,22; Sal 18,8), de la tierra firme (Sal 18,16; cf. 89,12) y del cielo (2 Sm 22,8).

5. En la comunidad de Qumrán se emplea *yswd* —basándose quizá en Is 28,16— para designar a la comunidad misma (J. Maier, *Die Texte vom Toten Meer* II [1960] 93s; S. H. Siedl, *Qumran. Eine Mönchsgemeinde im Alten Bund* [1963] 54ss).

El equivalente griego κτίζειν ha evolucionado (de modo parecido al hebreo) a partir de «construir, fundar», hasta llegar a «crear» (cf. V. Foerster, art. κτίζω: ThW III, 999.1034).

W. H. Schmidt

יסר *ysr* Corregir, castigar

1. La raíz **wsr,* cuyo significado fundamental no se puede determinar con facilidad, está documentada en hebreo y en ugarítico *(wsr* D, «corregir, reprender»; WUS N. 870; UT N. 807.1120).

El arameo judaico *yissūrā* II (o *ʾīsūrā* II), «corrección», se deba quizá a influjo hebreo (cf. el hebreo medio *yissūr),* a no ser que deba contarse con un *ysr* II (forma secundaria de *ysr,* «atar») (cf. Dalman, 185a; distinto, por ejemplo, en Jastrow, 582s); la idea de «corregir, censurar» es expresada por lo demás en arameo por medio de *ksʾ* II/*ksn*/*kss* (semejante en siríaco). Sobre el discutible arameo de Egipto *ytsr* en Aḥ 80, cf. Cowley 234. Cf. también AHw 79a *ašāru* (donde se remite a Landsberger).

En hebreo aparecen sobre todo el verbo *ysr,* «corregir», y el sustantivo *mūsār,* «castigo, corrección» (BL 490); *yissōr,* «censurador» (BL 479), es un *hapax legomenos* (Job 40,2). El verbo, documentado sobre todo en qal, nifal y piel, aparece también en el raro nitpael reflexivo-pasivo (Ez 23,48, cf. BL 283), así como en otras formas irregulares, por ejemplo, la rara forma hifil *ʾaysīrēm* (Os 7,12, texto dudoso, cf. BL 303).

2. La raíz aparece 93 × en el texto masorético. Las 42 × del verbo están ampliamente distribuidas; el nombre *mūsār,* documentado 50 ×, no goza de la misma distribución, sino que se limita más claramente al ámbito sapiencial.

mūsār aparece 30 × en Prov (60 %), con especial frecuencia en las colecciones de proverbios 1-9: 13 ×; 10,1-22,16:

13 ×; fuera del libro de los Proverbios aparece 4 × en Job (más *yissōr* en Job 40,2), 14 × en los profetas (de ellas, 8 × en Jr), v además en Dt 11,2 y Sal 50,17. El verbo —que está documentado 4 × en qal, 5 × en nifal y 31 × en piel (sobre los modos hifil y nitpael, cf. *sup.* 1)— aparece 3 × en Lv 26, 5 × en Dt, 6 × en 1 Re 12,11.14 paralelo a 2 Cr 10,11. 14, 13 × en los profetas (de ellas, 7 × en Jr), 9 × en Sal, 1 × en Job 4,3 y 5 × en Prov. La raíz falta por completo, entre otros, en el Ecl.

3. El significado principal del verbo es «castigar», y el del sustantivo *mūsār,* «castigo»; puede tratarse de un castigo corporal *(ysr* piel: Prov 19, 18; 29,17; también, Dt 22,18; cf. Prov 29,19 nifal; *mūsār* unido a *šēbæṭ,* «vara»: Prov 13,24; 22,15; 23,13; cf. Jr 2,30; 30,14) o también —con gran frecuencia— de un «castigo» por medio de la palabra, es decir, de una «corrección» (cf. Jenni, HP 217s, que clasifica *ysr* entre los «verbos de hablar»); la «vara» y las «palabras», como instrumento de corrección, no se contraponen; ambos pertenecen a la educación en el ámbito de la familia (además de los pasajes citados, cf. Dt 21,18) o a la educación en la escuela de los sabios (cf. H. Brunner, *Altäg. Erziehung* [1957] 56ss.131ss; también L. Dürr, *Das Erziehungswesen im AT und im antiken Orient* [1932] 114ss). Tratándose de la corrección verbal, el sentido puede ampliarse, bien en sentido negativo (cf., por ejemplo, Job 20, 3; cf. *yissōr,* «censurador», Job 40,2), bien en sentido positivo (con el significado de «exhortación» o también «advertir, aleccionar»; cf. los diccionarios y G. Bertram, ThW V, 604ss; sobre el semejante egipcio *śb'y.t,* «doctrina», cf. Gemser, HAT 16,19; H. H. Schmid, *Wesen und Geschichte der Weisheit* [1966] 9ss), o también en sentido metafórico, sobre todo cuando se habla de la «corrección/educación» de Dios (cf. *inf.,* 4; pero cf. también Prov 16,22, «el castigo de los necios es la necedad»).

Los sujetos (lógicos) de la «corrección» son, en primer lugar, los padres y los sabios (pero también otros, por ejemplo, el rey con su modo de gobernar, 1 Re 12,11.14), y en sentido metafórico, también Dios (cf. Dt 8,15; por lo demás, cf. *inf.,* 4). De todos modos, parece que el interés reside en los objetos de la corrección, en las personas en las que debe influir la «corrección» y la «enseñanza» (sobre su diversa eficacia, cf. *inf.,* 4); éstos pueden aparecer también como sujetos gramaticales. Desde el punto de vista semántico es muy importante el cambio de significado del nombre, ya que *mūsār* en ocasiones designa «no la corrección (es decir, la actividad), sino sus efectos (es decir, la 'educación')» (von Rad I, 459s; G. Gerleman, FS Vriezen [1966] 112s), sentido que corresponde al carácter resultativo del modo piel del verbo, que es el modo más frecuentemente documentado (cf. Jenni, HP 218).

Son significativos en este sentido los sinónimos del verbo, así como los verbos que acompañan normalmente al sustantivo *mūsār.* Los verbos paralelos de *ysr* son los siguientes: *lmd* piel, «enseñar» (Sal 94,10.12; cf. Jr 31,18; 32,33); *ykḥ* hifil, «corregir» (Jr 2,19; Sal 6,2; Prov 9,7); cf. también *yrh* hifil, «enseñar» (Is 28,26), y *šūb,* «convertirse» (Jr 5,3; cf. 31,18). Como verbo de significado semejante debe citarse también *khh* piel, «corregir» (1 Sm 3,13). El sinónimo más importante de *mūsār* en los Proverbios es el sustantivo *tōkáḥat* (→ *ykḥ),* «corrección, amonestación, reprensión» (3,11; 5,12; 10,17; 12,1; 13,18; 15,5.10.32; cf. 6,23, texto dudoso); en el libro de los Proverbios aparecen también: *geʿārā,* «reprensión» (13,1); *bīnā,* «inteligencia» (1,2; 4,1 y sobre todo 23,23); *dáʿat,* «conocimiento» (8,10; 23,12); *ḥokmā,* «sabiduría» (1,2.7); *ʿēṣā,* «consejo» (19,20); *tōrā,* «instrucción» (1,8; cf. 6,23); *yirʾat Yhwh,* «temor de Yahvé» (1,7; cf. Sof 3,7); cf. también *debāray,* «mis palabras» (Sal 50,17; cf. Jr 35,13), y *qōl,* «voz» (Jr 7,28; Sof 3,2), referidos ambos a Yahvé.

Entre los verbos que acompañan a *mūsār* debe citarse en primer lugar *šmʿ*, «oír» (Prov 1,8; 4,1; 13,1; 19,27; cf. 5, 12s; 15,32; 23,12; Job 20,3; 36,10; también Jos 7,28; 17,23; 32,33; 35,13; Sof 3,2; Sal 50,17). Otros verbos, en sentido positivo, son: →*lqḥ*, «recibir, adquirir» (Prov 1,3; 8,10; 24,32; además, Jr 7,28; 17,23; 32,33; 35,13; Sof 3,2); *qbl* piel, «recibir» (Prov 19,20); *qnh*, «comprar» (23,23); *ʾhb*, «amar» (12,1; cf. 13,1, texto enmendado); *ḥzq* hifil, «agarrar» (4,13); *šmr*, «conservar» (10,17); *ydʿ*, «reconocer» (1,2); en sentido negativo: *bzh* (Prov 1, 7)/*mʾs* (3,11)/*nʾṣ* (15,5), «despreciar»; *prʿ*, «desatender» (8,33; 13,18; 15,32; cf. 1, 25); *śnʾ*, «odiar» (5,12; cf. 12,1; Sal 50, 17).

4. Puesto que los sujetos son en primer lugar los padres y los maestros y también Dios (cf. *sup.*, 3), la «corrección/educación» se practica en base a una autoridad que presupone un orden determinado. Su finalidad no es la corrección en sí misma, sino los efectos positivos que se siguen para el corregido (cf. *sup.*, 3), excepto en los casos en que se entiende como multa en sentido judicial (cf. Dt 22,18 y las palabras proféticas de juicio, cf. *inf.*).

En el ámbito sapiencial los efectos de la corrección son la educación y la formación de la persona. La «corrección» aparta de la «necedad» al joven (Prov 22,15; cf., sin embargo, 19,27) y «lo hace sabio», de forma que *mūsār* —en cuanto a sus efectos— es equivalente de «sabiduría» e «inteligencia» (Prov 1,2s; 8,33; 15,32s; 19,20; 23, 23; cf. 12,1; G. von Rad, *Weisheit in Israel* [1970] 75); de todos modos, no debe entenderse a nivel estrictamente intelectual, sino en el marco de una concepción religiosa de la vida. Al joven que recibe la corrección no se le elimina la «esperanza» (19,18), no debe «morir» (23,13), pues la *mūsār* es «camino de vida» (6,23; cf. 10,17, texto enmendado); en cambio, el malvado *(rāšāʿ)* muere «por falta de instrucción» (5,23; cf. 15,10.32). Así, pues, *mūsār* es una acción buena y eficaz, cuyo efecto es «la vida» y a la que pertenece también el «honor» (cf. 13, 18; 15,33) y la «alegría» (29,17) (cf. Gemser, HAT 16,27).

Al carácter religioso de la *mūsār* pertenece el hecho de que vaya unida al «temor de Yahvé» *(yirʾat Yhwh)* y a la «humildad» (*ʿanāwā;* Prov 15,33; cf. 1,7) y también, en cuanto «camino de vida», a la «luz» de «las leyes y mandatos» (6,23; cf. Gemser, HAT 16,41; 1,7; Sal 94,12); se parece, en este sentido, a la piadosa obediencia (cf. también Lv 26,18ss). La abstracción teológica de la expresión «corrección de Yahvé» *(mūsār Yhwh,* Dt 11, 2; Prov 3,11), referida a la persona individual (Prov 3,11s), designa el sufrimiento como «instrumento divino de educación» (cf. Gemser, HAT 16,28s; J. A. Sanders, *Suffering as Divine Discipline in the OT and Post-Biblical Judaism* [1955]; Fohrer, KAT XVI, 152, sobre Job 5,17; además, Sal 6,2; 38,2; 39,12; 118,18; también Jr 10, 24), subrayando en ocasiones el amor de Dios; cuando es referida al pueblo de Dios (Dt 11,2), designa la guía divina de la historia entendida como «instrucción»; es significativa la comparación de Dt 8,5.

De todas formas, el sentido histórico-salvífico del término es propio de la predicación profética, donde *mūsār* puede aparecer junto a «palabra» o «voz» de Dios (cf. *sup.*, 3). Dentro de la palabra profética de juicio, *ysr*/*mūsār* se refiere normalmente a la actividad punitiva y judicial de Dios con respecto a su pueblo, considerada retrospectivamente (Jr 2,30; 5,3; 17,23; 30,14; 32,33; 35,13; cf. 31,18; así como Is 26,16; Sof 3,2) o como futura (Os 5,2; 7,12; 10,10; cf. Wolff, BK XIV/1, 125; también, Jr 2,19); pero puede aparecer también como amonestación (Jr 6,8; cf. Ez 5,15; 23, 48), o como promesa condicionada (Jr 30,11; 46,28); El texto de Is 53,5, *mūsār šelōmēnū ʿālāw*, «castigo/pena de nuestra salvación sobre él», constituye un caso especial: habla en sentido escatológico del sufrimiento (expiación) vicario.

El aspecto teológico de *ysr/mūsār/yissōr* es diverso en los distintos ámbitos y modos de empleo; su sentido fundamental se refiere, sin embargo, siempre al orden teológico: significa fundamentalmente la inserción en el orden divino de la vida.

5. En los escritos de Qumrán nuestra raíz no reviste una importancia especial. En los LXX, la traducción normal de *ysr* es παιδεύειν, y *mūsār* es traducido normalmente por παιδεία. Sobre la diferencia de significado y sobre el influjo del hebreo en el concepto neotestamentario de παιδεία, cf. G. Bertram, art. παιδεύω: ThW V, 596-624; H.-J. Kraus, *Paedagogia Dei als theologischer Geschichtsbegriff*: EvTh 8 (1948-49) 515-527.

M. Sæbø

יעד *y῾d* Determinar

1. La raíz **w῾d,* documentada en todas las lenguas semíticas, significa «determinar, establecer». Presenta diversos matices en sus formas verbales y nominales; así, el acádico *adannu* significa «término, plazo» (< **῾ad-ān-*, AHw 10b; CAD A/I, 97-101.184s); el ugarítico *῾dt, m῾d,* «asamblea (de los dioses)» (WUS N. 1195); el arameo bíblico *῾iddān* (no es seguro que se derive de nuestra raíz, según lo indica BLA 196), «tiempo, año» (KBL 1106b; DISO 204; LS 511a); el siríaco *wa῾dā,* «determinación/plazo» (LS 185b, pael, denominativo, «invitar»); el piel en hebreo medio y el pael en arameo judaico «escoger como esposa» (KBL 388a); el árabe *w῾d,* «prometer»; *maw῾id* «(lugar y hora de una) cita» (Wehr, 960s); el etiópico *mō῾alt,* «día (fijado)» (< **maw῾adt,* GVG I, 237).

No es seguro que el arameo antiguo *῾dn* (plural) «(determinación del) pacto» (DISO 203s; Fitzmyer, *Sef.,* 23s; cf. el acádico *adû,* «juramento», AHw 14a; CAD A/I, 131-134) esté relacionado con nuestra raíz (así, por ejemplo, KAI II, 242).

El verbo aparece en hebreo en las formas qal, «determinar, encargar»; nifal, «darse cita, acudir»; hifil, «convocar (a juicio)», y hofal, «ser encargado, ordenado». Las formas nominales son: *mō῾ēd* «tiempo fijado, lugar señalado»; *mō῾ād,* «lugar de encuentro» (cf. O. Procksch, *Jesaja* I [1930] 206, tratando de Is 14, 31; L. Rost, *Die Vorstufen von Kirche und Synagoge im AT* [1938] 7); *mū῾ādā* «determinación» (sólo en Jos 20,9, referido a las ciudades fijadas como lugar de asilo para los criminales; cf. también Rost, *loc. cit.,* 7), y *῾ēdā,* «comunidad» (BL 450; sobre el arameo egipcio *῾dh,* cf. DISO 39; A. Verger, AANLR VIII/19 [1964] 77s; íd., *Ricerche giuridiche sui papiri aramaici di Elefantina* [1965] 116-118).

No es seguro que → *῾ēt,* «tiempo», pertenezca a *y῾d* (BL 450: < **῾id-tu).* G. R. Driver, WdO I/5 (1950) 412, sugiere otras relaciones distintas.

Nō῾adyā es un nombre propio formado con *y῾d* nifal (Esd 8,33, levita; Neh 6,14, profetisa; Noth, IP 184: «Yahvé se ha manifestado, se ha revelado»; J. J. Stamm, FS Baumgartner [1967] 312).

2. El verbo aparece 5 × en qal (Ex 21,8, texto enmendado [?] [cf., entre otros, Rost, *loc. cit.,* 33; distinto en Noth, ATD 5, 136]; Ex 21,9; 2 Sm 20,5; Jr 47,7; Miq 6,9), 19 × en nifal (Ex 25,22; 29,42.43; 30,6.36; Nm 10,3.4; 14,35; 16,11; 17,19; 27, 3; Jos 11,5; 1 Re 8,5 = 2 Cr 5,6; Am 3,3; Sal 48,5; Job 2,11; Neh 6, 2.10), 3 × en hifil (Jr 49,19 = 50,44; Job 9,19), 2 × en hofal (Jr 24,1; Ez 21,21); en total, 29 ×.

mō῾ēd aparece 223 × (de ellas, 25 × en masculino plural y 1 × en 2 Cr 8, 13, en femenino plural; Nm 65 ×, Lv 49 ×, Ex 38 ×, 2 Cr 8 ×); 146 × corresponden a la expresión *᾿ōhæl mō῾ēd* (Nm 56 ×, Lv 43 ×, Ex 34 ×, 2 Cr 4 ×, 1 Cr 3 ×, Dt y Jos 2 ×, 1 Sm y 1 Re 1 ×); *mō῾ād* y *mū῾ādā* aparecen 1 × cada uno (cf. *sup.* 1), *῾ēdā* 149 × (Nm 83 ×, Ex y Jos 15 ×, Lv 12 ×, Sal 10 ×, Jue 5 ×, 1 Re, Jr y Job 2 ×, Os, Prov y 2 Cr 1 ×), especialmente en P y en el lenguaje independiente de P (cf. las listas en Rost, *loc. cit.*, 76 [añádase Lv 8,4] y 85).

3. *a)* El significado base del verbo está claramente delimitado. Puede definirse como «manifestación de una conclusión o decisión, cuyo cumplimiento está unido a un lugar determinado o a un tiempo señalado, de forma que el incumplimiento de alguno de estos particulares... equivale al incumplimiento de la orden» (Rost, *loc. cit.*, 6). David señala a Amasá el tiempo y el lugar (2 Sm 20,5); un señor destina a su esclava como esposa propia (Ex 21,8, texto enmendado) o para su hijo (v. 9); en Miq 6,9 el texto no está bien conservado. Cuando son varias las personas que se fijan un plazo (nifal), significa que se encuentran, que van al encuentro: reyes (Jos 11,5; Sal 48, 5), dos hombres en el camino (Am 3, 3), los amigos de Job (Job 2,11), el jefe y el pueblo (Nm 10,3s) y otros (1 Re 8,5 = 2 Cr 5,6; Neh 6,2.10). Es probable que el hifil haya tenido algún contacto con la raíz *'ūd*, «testimoniar» (→ *'ēd)* (Rost, *loc. cit.*, 6); se emplea únicamente para determinar el plazo del juicio y el acta de comparecencia al mismo (Jr 49,19 = 50,44; Job 9,19; siempre con Dios como objeto). El modo hofal aparece —las dos únicas veces en que está documentado— en participio y puede ser traducido como pasivo de qal, «encargado, ordenado» (Jr 24,1, texto dudoso; cf. Rudolph, HAT 12,156; Ez 21,21).

b) El sustantivo *mō'ēd* puede designar el lugar (Jos 8,14) o el tiempo del encuentro (1 Sm 9,24; 13,8.11; 2 Sm 20,5 con *y'd*, cf. *sup.*; 24,15) o ambos a la vez (1 Sm 20,35). Por lo general, *mō'ēd* significa «tiempo señalado, coincidencia de diversos tiempos» o semejantes: referido a las estrellas (Gn 1,14; Sal 104,19), tiempo de la salida de Egipto (Dt 16,6), momento de un ataque (Jue 20,38), época de la emigración de las cigüeñas (Jr 8, 7). En las narraciones que hablan de la promesa de un hijo aparece la siguiente expresión: «dentro de un año por esta fecha» *(lammō'ēd [hazzæ])* (Gn 17,21; 18,14; 2 Re 4,16.17; cf. Gn 21,2; *ḥyh* 3c). El lugar al que todo viviente está destinado es la muerte (Job 30,23).

c) *'ēdā* puede emplearse para designar al enjambre de abejas que Sansón ha encontrado en el cadáver del león (Jue 14,8); en todos los demás casos el verbo es usado en sentido religioso (cf. *inf.*, 4*c)*.

d) En Jr 47,7, → *ṣwh* piel, «determinar, ordenar», es paralelo de *y'd;* a diferencia de *ṣwh* piel, *y'd* tiene un significado más limitado, que consiste en la fijación concreta de un tiempo o un lugar (Rost, *loc. cit.*, 6, nota 2).

El significado «determinar, establecer» está presente también en otros verbos parecidos, especialmente verbos que indican ideas como grabar, colocar, fijar: así, por ejemplo, en → *bqq* (*3a;* Is 10,1), *ḥrṣ* (Job 14,5, días), *nqb* (significado fundamental, «perforar»; Gn 30,28, la paga; Is 62,4, el nombre), *t'h,* Nm 34,7s, el límite, y en → *ysd* (qal, Sal 104,8, lugar), → *kūn* hifil (*3c;* Ex 23,20 y *passim,* lugar; Nah 2,4, día), *śīm* («colocar, poner»; Ex 21,13, lugar; Ex 9,5, *mō'ēd,* «momento», cf. Job 34,23, texto enmendado), *šīt* («colocar, poner», Ex 23,31, límite). El verbo *zmn* (participio pual, Esd 10,14; Neh 10,35; 13,31), que se deriva del nombre *zᵉmān,* «tiempo fijado, hora» (Est 9, 27.31; Neh 2,6; arameísmo, cf. Wagner N. 77/78), tiene exclusivamente significado temporal.

4. *a)* En contextos teológicos, el verbo no se emplea con mucha frecuencia. Yahvé señaló el tiempo y el lugar a la espada que se dirige contra Ascalón (Jr 47,7). Si señala un tiempo o lugar de cita para sí mismo (en el arca o en la tienda del encuentro), entonces *y'd* recibe el sentido de «revelarse» (Ex 25,22; 29,42s; 30,6.36; Nm 17,19). Cuando los hombres se reúnen para obrar juntos, pueden dirigirse también contra Dios, como ocurre en la «banda de Coré» (Nm 14, 35; 16,11; 27,3).

b) El sustantivo *mō'ēd,* «tiempo fijo», designa, dentro del campo religioso, los días fijados como festivos (Lv 23,2.4; Is 1,14; Ez 36,38; Os 2, 13), especialmente la fiesta de la pascua y de los panes ácimos (Ex 13,10; 23,15 y *passim).* También puede indicarse el lugar señalado para la fiesta (Sal 74,4.8). También el fin del tiempo está señalado de antemano (Dn 8,19; 11,27 y *passim).* El «monte de la reunión en el extremo norte» es el monte en el que se reúnen los dioses (Is 14,13).

'ōhæl mō'ēd, «tienda del encuentro» (entre Dios y Moisés o entre Dios y el pueblo = «tienda sagrada»), es el santuario de la época nomádica, distinto del arca (G. von Rad, *Zelt und Lade:* NKZ 42 [1931] 476-498 = GesStud 109-129; además, Eichrodt I, 61s), lugar de las revelaciones durante el camino del desierto; cf. Rost, *loc. cit.,* 35-38; von Rad I, 248s; cf. bibliografía en G. Fohrer, *Geschichte der isr. Religion* (1968) 72.

c) *'ēdā* designa casi exclusivamente a la comunidad religiosa (a veces le sigue un genitivo: *'adat [bᵉnē] Yiśrā'ēl, 'adat Yhwh,* pero con frecuencia aparece sin ninguna determinación; cf. Rost, *loc. cit.,* 76), especialmente en P (Rost, *loc. cit.,* 32); en este escrito, por influjo de la expresión *'ōhæl mō'ēd,* el término *'ēdā* sustituye en época exílica al normal → *'am,* «pueblo» (Rost, *loc. cit.,* 39s). También la «banda de Coré», que se apartó del pueblo, es designada por medio de nuestro término (Nm 16,5 y *passim);* lo mismo sucede, fuera del escrito sacerdotal, con la «banda de los malhechores» (Sal 22,17; cf. también 68,31 y 86,14) y con la «asamblea de los dioses», a quienes Yahvé juzga (Sal 82,1; cf. Kraus, BK XV, 571, donde se ofrecen paralelos ugaríticos).

Junto a *'ēdā* debe mencionarse → *qāhāl,* «asamblea» (cf. Rost, *loc. cit,* espec. pp. 87-91).

5. *a)* Los equivalentes griegos empleados en los LXX (Rost, *loc. cit.,* 107-138, con las listas correspondientes) desarrollan de forma característica el significado de nuestros conceptos. *y'd* es traducido, entre otros términos, por συνάγειν; *'ēdā* es traducido normalmente por συναγωγή (cf. W. Schrage, art. συναγωγή: ThW VII, 798-850); *mō'ēd,* por καιρός (cf. G. Delling, artículo καιρός: ThW III, 456-465) o por ἑορτή; *'ōhæl mō'ēd,* por ἡ σκηνὴ τοῦ μαρτυρίου *(mō'ēd* es relacionado, por tanto, con *'ūd,* «testimoniar», Rost, *loc. cit.,* 132).

b) El judaísmo traduce siempre *y'd* por el arameo *zmn,* acentuando con ello el aspecto *temporal* del término. Para *'ēdā* se emplea siempre el arameo *kᵉništā* (sin embargo, Jue 14,8 es interpretado como «nido» de abejas; Rost, *loc. cit.,* 97-101; Schrage, *loc. cit.,* 808s).

No ocurre lo mismo en la comunidad de Qumrán. Esta se remonta de forma consciente al empleo veterotestamentario del término y aplica la expresión *'ēdā* a la comunidad de Dios (Schrage, *loc. cit.,* 809s), añadiéndole diversos atributos: «comunidad de Israel» (1QSa 1,1.20; 2,12 y *passim),* «comunidad santa» (1QSa 1,12; 2, 16), «comunidad de los hombres de probada santidad» (CD 20,2), «comunidad de los divinos» (1QM 1,10), «comunidad de Dios» (1QM 4,9) y otros. Pero también la «comunidad de Belial» (1QH 2,22) y la «comunidad de la maldad» (1QM 15,9 pueden ser designadas con el mismo término. El término *mō'ēd* significa normalmente «tiempo» (como se puede documentar en numerosos pasajes, por ejemplo, 1QS 1,9, «tiempos de los testimonios»; aparece casi siempre en plural, pero a veces es empleado también en singular: «tiempo de su castigo», 1QS 3,18), o también «tiempo de fiesta, fiesta» (sentido documentado también en numerosos pasajes, por ejemplo, 1QpH 11,6; normalmente en masculino plural; en CD 6,18 y 12,14 aparece en femenino plural). Así, pues, al igual que ocurre en el empleo del verbo en el judaísmo, también aquí el aspecto local —propio del significado original— ha quedado en segundo plano (cf. F. Nötscher, *Zur theologischen Terminologie der Qumran-Texte* [1956] 169; J. Carmignac, VT 5 [1955] 354). También la asamblea (1QM 2,7; 1QSa 2,2, con *y'd* u otros) y la «casa de la asamblea» *(bēt mō'ēd,* 1QM 3,4) pueden ser designadas por medio de *mō'ēd*. El verbo *y'd*, por el contrario, puede expresar tanto la determinación de un día para el combate (1QM 1,10) como la fijación de un lugar para reunirse (1QSa 2,2, con *mō'ēd;* 2,22, los diez hombres, que forman el grupo de los cúlticamente hábiles, etc.).

c) El NT designa a la comunidad cristiana por medio de ἐκκλησία (cf. K. L. Schmidt, art. καλέω: ThW III, 488-539, espec. 502-539, donde se habla de ἐκκλησία, cuyo significado es explicado a partir del arameo *k^e^ništā),* con lo cual parece hacerse referencia a la concepción del veterotestamentario → *qāhāl* (Rost, *loc. cit.,* 151-156). Por el contrario, según W. Schrage, ZThK 60 [1963] 178-202, la elección de ἐκκλησία quiere marcar la distancia que le separa de la sinagoga judía, cuyo punto central era la ley y por lo que la comunidad cristiana la abandonó.

G. Sauer

יעל *y'l* hifil **Aprovechar**

1. El verbo hebreo *y'l,* cuya etimología es insegura, aparece únicamente en hifil.

Los que relacionan nuestro término con el verbo árabe *wa'ala,* «buscar protección en una altura» (así, por ejemplo, GB 307a; König, 154b; KBL 389a; Zorell, 318, distinto en BDB 418b), consideran también *yā'ēl,* «ciervo» (1 Sm 24,3; Sal 104,18; Job 39,1), y *ya'^a^lā,* «cierva» (Prov 5,19), como derivados (así GB, König y Zorell, pero no KBL); hay que señalar, sin embargo, que *yā'ēl* es un término que pertenece al semítico común (P. Fronzaroli, AANLR VIII/23 [1968] 283.294; ugarítico *y'l,* WUS N. 1197; UT N. 1124; árabe *wa'l, wa'il* y como denominativo [?] *wa'ala)* y que, como lo señalan BDB y KBL, no tienen nada que ver con nuestro término.

Hay quien sugiere que también *b^e^liyyá'al,* «inutilidad, desastre» (→ *rš'*), se deriva de *y'l,* postulando la existencia de un nombre **ya'al,* «provecho». Se discute mucho sobre la etimología de *b^e^liyyā'al* (cf. V. Maag, *B^e^līya'al im AT:* ThZ 21 [1965] 287-299; HAL 128, con bibliografía), pero parece que el empleo veterotestamentario de *b^e^liyya'al* (27 ×, de ellas, 17 × en Dt-1 Re) corresponde, al menos desde el punto de vista funcional, al sentido normalmente negativo de *y'l* hifil (cf. *inf.).*

2. *y'l* hifil está documentado 16 × en textos proféticos (Is 30,5.5.6; 44, 9,10; 47,12; 48,17; 57,12; Jr 2,8.11; 7,8; 12,13; 16,19; 23,32.32; Hab 2, 18), 6 × en los textos sapienciales (Job 15,3; 21,15; 30,13; 35,3; Prov 10,2; 11,4) y una vez en la obra histórica deuteronomística (1 Sm 12,21), sumando un total de 23 ×.

3. El empleo de la palabra, cuyo significado fundamental es «ayudar, aprovechar», se divide en dos grupos principales: *a)* un grupo profético, al que se añade el texto deuteronomístico aislado, y *b)* un grupo sapiencial (Job y Prov).

En ambos grupos domina el empleo negativo del término, bien por medio de partículas negativas (normalmente *lō,* seguido de imperfecto; Is 30,5b, seguido de infinitivo; Is 44,9 *bal,* más imperfecto; Is 44,10 y Jr 7,8, *l^e^biltī,* más infinitivo; Jr 16,19, *'ēn,* más participio), bien indirectamente por medio de expresiones irónicas (Is 47,12, con *'ūlay,* «quizá») o por medio de preguntas críticas que esperan respuesta negativa (Hab 2,18; Job 21,15; 35,3); también, Job 30,13 tiene un sentido negativo. Is 48,17 constituye la única excepción.

a) Is 48,17 es un caso aparte dentro del empleo profético, ya que aquí se dice positivamente a Israel que Yahvé «le enseña lo que le ayuda». En los demás casos el verbo designa lo que *no* «aprovecha» o «ayuda», referido normalmente a los ídolos (1 Sm 12,21; Jr 2,8.11, donde se da un empleo sustantivado; también Jr 16,19; Is 44,9, cf. también 57,12), a sus imágenes (Hab 2,18) o también a los sortilegios y hechicerías de Babilonia (Is 47,12). Una expresión antigua ya característica de Isaías es la que caracteriza a Egipto como «pueblo que no puede ayudar (a Israel)» (Is 30,5s); también se emplea con referencia a los falsos profetas y a sus mentiras (Jr 23,32; 7,8, cf. 2,8).

En el sentido negativo las expresiones de 1 Sm 12,21 «no pueden salvar (→ *nṣl* hifil)»; Is 30,5, «que no sirve de ayuda (*ʿēzær*, → *ʿzr*)», sino «de vergüenza (*bōšæt*) y oprobio (*ḥærpā*)», Is 44,9, «nulidad» (*tōhū*), son paralelos de nuestro término (cf. también Is 47,12; Jr 12,13), mientras que en Jr 2,11, *kābōd*, «honor» (referido a Dios) constituye su contrapuesto. En Is 48,17 el paralelo positivo es «conducir por el camino (*drk* hifil)».

b) En Prov 10,12 y 11,4, que pertenecen a una de las más antiguas colecciones de proverbios, el verbo se refiere a «los tesoros adquiridos injustamente» y a «la riqueza» que «no sirve el día de la ira»; en ambos casos se hace mención también de lo contrario: «pero la justicia salva (*nṣl* hifil) de la muerte». En dos textos de Job aparece como sinónima una forma negativa de *skn* qal, «ser de utilidad» (Job 15,3; 35,3; también aparece en Job 22,2.2; 34,9); se refieren a la «utilidad» de las sabias palabras de Job (15,2s) o más profundamente a su «justicia ante Dios» (35,2s); por lo demás, las formas negativas del verbo se aplican a sus enemigos (21,15; 30,13), que son equiparados a los «impíos (*rešāʿīm*)» (cf. 21,7ss).

4. El verbo tiene, por tanto, carácter teológico tanto en su empleo sapiencial como en su empleo profético. No se trata de una «utilidad» profana o neutra (cf. W. Zimmerli, ZAW 51 [1933] 193, nota 1); dentro de la contraposición sapiencial entre justicia e injusticia o entre vida próspera y muerte, el término se refiere a las posibilidades salvíficas de cada persona; y dentro de la palabra profética de juicio o de la polémica contra los aliados extranjeros, contra los falsos profetas y contra los cultos idolátricos de todo tipo, el verbo hace referencia a la salvación de Israel, el pueblo de Dios. Sólo Yahvé puede enseñar positivamente —con sus palabras y sus acciones— qué es lo que «ayuda» y «sirve» a la salvación del pueblo y al recto culto divino.

5. *yʿl* hifil aparece una sola vez en los escritos de Qumrán (1QH 6,20). En los LXX, el verbo es traducido casi siempre por ὠφελεῖν o derivados. Este empleo teológico del término sigue en el NT (cf. las preguntas y las frases negativas de 1 Cor 15,32 con ὄφελος, «provecho», Mt 16,26; Jn 6,63; 1 Cor 13,3; 14,6; Gál 5,2 y *passim* con ὠφελεῖν, «aprovechar»).

M. SÆBØ

יעץ *yʿṣ* Aconsejar

1. La raíz subyacente al hebreo *yʿṣ*, «aconsejar», está documentada en semítico noroccidental y aparece en púnico (*yʿṣ*, «consejero», RES 906, línea 1; DISO 110), arameo (arameo imperial: participio qal *yʿṭ*, «consejero», Aḥ 12; *ʿṭh*, «consejo», Aḥ 28 y *passim;* arameo bíblico: *yʿṭ*, participio qal, «consejero», Esd 7,14.15; hitpael, «aconsejarse», Dn 6,8; *ʿēṭā*, «consejo», Dn 2,14; arameo judaico: *yʿṭ* y *yʿṣ*, KBL 1082b) y árabe (*wʿẓ*, «exhortar», Wehr 961b), cf. el etiópico *mʿd* (Dillmann 210).

En cuanto al significado *yʿṣ*, coincide con el acádico *malāku*, «aconsejar» (AHw 593s), que está documentado en Neh 5,7 como *mlk* II nifal, «tomar consejo consigo mismo» (cf. Wagner N. 170; distinto, L. Kopf, VT 9 [1959] 261s); cf. también el arameo bíblico *mᵉlak*, «consejo» (Dn 4, 24, → *mælæk* 1).

Además de *yʿṣ* qal, «aconsejar, decidir», están documentados también el nifal (tolerativo, «dejarse aconsejar»; recíproco, «aconsejarse»), el hitpael, «aconsejarse», y los nombres verbales *ʿēṣā*, «consejo, decisión, plan», y *mō'ēṣā*. Como forma secundaria de *y'ṣ* aparece dos veces el verbo *'ûṣ* (Jue 19,30; Is 8,10).

Siguiendo a G. R. Driver, ET 57 [1946] 192s, KBL 726s relaciona el *'ēṣā* de Sal 13,3 y 106,43 con *'ṣh* II y lo traduce como «desobediencia, sublevación, rebeldía» (el tema ha sido desarrollado por G. R. Driver en JSS 13 [1968] 45).

2. En el AT hebreo el modo qal aparece 57 × (sin contar las dos veces de *'ûṣ*, cf. *sup.;* Is 15 ×, 2 Sm 7 ×), el nifal 22 × (2 Cr 9 ×, 1 Re 5 ×), el hitpael 1 × (Sal 83,4), el verbo en total 80 ×; *'ēṣā* aparece 88 × (incluidos Sal 13,3; 106,43; Is 18 ×, Sal 11 ×, 2 Sm y Prov 10 ×, Job 9 ×, Jr 8 ×), y *mō'ēṣā* 7 ×. La raíz (175 ×) aparece con especial frecuencia en Is (35 ×); siguen Sal y 2 Cr con 19 ×, 2 Sm y Prov con 17 ×, Jr con 13 ×, 1 Re y Job con 12 × y Ex, Nm, Dt, Jue, Nah, Hab y Zac con 1 ×.

3. *a)* El qal aparece con su significado fundamental «aconsejar» formando diversas construcciones. Se pueden señalar las siguientes: *y'ṣ* seguido de alguna oración en estilo indirecto (2 Sm 17,11); *y'ṣ l^e^*, «aconsejar a alguien» (Job 26,3), seguido de acusativo de persona, «aconsejar a alguien» (Ex 18,19; 2 Sm 17,15; Jr 38,15); *y'ṣ 'ēṣā*, «dar un consejo» *(figura etymologica,* cf. GK § 117p; 2 Sm 16,23; 17,7), seguido de *'ēṣā* y acusativo, «aconsejar a alguien, dar un consejo a alguien» (1 Re 1,12; 12,8.13), seguido de doble acusativo, «aconsejar algo a alguien» (Nm 24,14).

En algunos textos, el concepto de aconsejar a alguien sobre acontecimientos futuros se acerca mucho al sentido de «comunicar, informar (Nm 24,14; quizá también en Jr 38,15, cf. también *ngd* hifil).

Del significado «aconsejar» se deriva también el sentido de «decidir, planear»; esta decisión o plan puede tener, a tenor del contexto, carácter positivo (aunque no es frecuente, cf. Is 32,8) o negativo; así, por ejemplo, *y'ṣ rā'ā 'al*, «decidir, planear el mal contra» (Is 7,5; cf., por ejemplo, Is 32,7; Neh 1,11; Hab 2,10; Sal 62,5); *y'ṣ 'ēṣā 'al*, «tomar una decisión, planear contra» (Jr 49,30); *y'ṣ 'aṣat-ra'*, «planear el mal» (Ez 11,2).

De estos sentidos del modo qal se derivan las diversas posibilidades del nifal: tolerativo «dejarse aconsejar» (Prov 13,10; no hay necesidad de corregir el texto, cf. BH³), recíproco, «aconsejarse mutuamente» (con *yaḥdāw*, «juntos», Is 45,21; Sal 71,10; 83,6; Neh 6,7), «consultar, aconsejarse con alguien» (con *'im*, 1 Cr 13,1; 2 Cr 32,3; con *'æt*, 1 Re 12,6.8; con *'æl*, 2 Re 6,8; 2 Cr 20,21), «tomar una decisión, decidir» en base a un consejo (1 Re 12,28; 2 Cr 25,17; 30,2.23), «recomendar» (1 Re 12,6.9 = 2 Cr 10, 6.9).

b) El participio qal *yō'ēṣ* (arameo *yā'ēṭ)* se emplea de diversas formas como *terminus technicus* en el sentido de «consejero». El consejero pertenecía a la esfera de los íntimos del rey (2 Sm 15,12, cf. 16,20.23; 1 Cr 17, 32s; 2 Cr 25,16; Is 1,26; 3,3) y debía ser escogido dentro del círculo de los «sabios» (cf. Is 19,9; cf. Wildberger, BK X, 66.122; Prov 11,14; 24,5s; cf. también en la narración de Aḥiqar, líneas 12.[27].28.42 y *passim;* Cowley, 212ss). De todas formas, no siempre son precisos los límites con respecto a otras personalidades de la corte (cf. H. Reventlow, BHH III, 1551; de Vaux I, 185). El título, entendido como designación profesional en sentido propio, aparece sólo en los textos más recientes (Esd 4,5; 7,14.28; 8,25; cf. Est 1,14).

c) El sustantivo *'ēṣā*, de forma correspondiente al verbo *y'ṣ*, designa «el consejo» que se da (2 Sm 15,31.34; 16,23; 17,14; 1 Re 12,14; cf. *y'ṣ 'ēṣā*, cf. *sup., 3a; yhb 'ēṣā*, «dar un consejo», Jue 20,7; 2 Sm 16,20; *bō'* hifil *'ēṣā*, «presentar algún plan», Is 16,3) o que se recibe, se atiende *(šm':* Prov 12,15; 19,20), que se cumple *('śh* nifal, 2 Sm 17,23), que no se atiende *('zb,* 1 Re

12,8.13 = 2 Cr 10,8.13). En este sentido la expresión *ʾîš ʿēṣā* de Is 40,13 debe entenderse como «consejero». Prov 1,25.30 (paralelo a *tōkáḥat*, → *ykḥ*) y 19,20 (paralelo a *mūsār*, → *ysr*) tienen el sentido especial de «exhortación».

En segundo lugar, *ʿēṣā* designa la «decisión» (Esd 10,8) o el «plan» (Sal 14,6; 20,5; cf. también 1 Cr 12,20, *beʿēṣā* [«con el plan»] = intencionadamente»), ideado como consecuencia del consejo, como se ve, por ejemplo, en contextos políticos (Is 29,15; 30,1; *ʿśh ʿēṣā*, «realizar un plan» [no se ve la necesidad de entenderlo como *ʿēṣ*, «madera», en el sentido de «ídolo», seguido de la desinencia arcaica de acusativo *-ā*, como ha sido sugerido por M. Dahood, Bibl 50 (1969) 570]; Esd 4,5; Neh 4,9); en ocasiones puede ser traducido por «complot» (Is 8,10, *ʿūṣ ēṣā*; Jr 18,23, «complot de muerte»).

En algunos textos, *ʿēṣā*; «consejo», debe entenderse como «sabiduría, capacidad de hallar los medios idóneos» (GB 610b) (Is 19,3; Jr 19,7; 49,7; Prov 21,30).

En Sal 13,3 se da un significado algo especial: «cuidado» (cf. el concepto paralelo *yāgōn*); quizá sea ése también el sentido de Prov 27,9 (no es necesario corregir el texto; cf. Kraus, BK XV, 98; cf., sin embargo, *sup.* 1).

Is 19,11 presenta un sentido traslaticio: *ʿēṣā* es empleado como *abstractum pro concreto* y significa «asamblea del consejo» (cf. B. Duhm, *Das Buch Jesaja* [³1914] 118).

Probablemente es correcta la sugerencia de R. Bergmeier, ZAW 79 (1967) 229-232, quien, a partir del significado «asamblea del consejo», de Is 19,11, encuentra en la época posexílica el significado «comunidad», por ejemplo en Sal 1,1 (paralelo a *mōšāb*; distinto, entre otros, GB 610b; Kraus, BK XV, 4, quienes prefieren el sentido de «máximas, principios»); Job 10,3; 21,16; 22,18. En este sentido es frecuente el empleo de *ʿēṣā* en la literatura de Qumrán para designar el carácter comunitario (a nivel organizativo) de la comunidad de Qumrán (1QS 5,7; 6,3; 7, 2.24 y *passim*; cf. J. Meier, *Die Texte vom Toten Meer* II [1960] 204.206, en las voces «*Gemeinschaft der Einung*» y «*Gemeinschaft*»; pero cf. también J. Worrell, *ʿṣh. «Counsel» or «Council» at Qumran?*: VT 20 [1970] 65-74).

d) *mōʿēṣā* aparece siempre, excepto en Job 29,21, que debe ser corregido (cf. BH³), en plural y significa «consejo» (Job 29,21; Prov 22,20) y «plan» (casi siempre con matiz negativo: Jr 7,24; Sal 81,13 paralelo a «obstinación»; en Sal 5,11 se podría traducir, con Kraus, BK XV, 44, por «planes insidiosos»).

e) Las raíces → *kḥm*, → *bīn*, → *śkl* y sus derivados (cf., por ejemplo, Dt 32,28s; Is 19,11; Jr 49,7; Sal 32,8; Job 12,13; 26,3; Prov 8,14; 12,15; 13,10; 21,30; Dn 2,13s; en la narración de Aḥiqar, línea 12 y *passim*), que aparecen con frecuencia en el campo semántico de *yʿṣ*/*ʿēṣā*, muestran claramente que la raíz *yʿṣ* pertenece al ámbito sapiencial. Jr 18,18, «nunca faltará la ley al sacerdote, el consejo al sabio ni al profeta la palabra», muestra la estrecha relación que une a *ʿēṣā* con *ḥākām*.

A este texto de Jr 18,18 se parece el de Ez 7,26, donde en vez de *ḥākām* se menciona a los ancianos (*zeqēnīm*). Puede preguntarse con J. Fichtner, *Jesaja unter den Weisen*: ThLZ 74 (1949) 77 = *Gottes Weisheit* (1965) 21, si «los sabios, tan influyentes y políticamente tan importantes en la época preexílica, no han sido desplazados por los ancianos».

Los términos empleados junto a *yʿṣ* —2 Re 18,20 = Is 36,5, *ʿēṣā ūgebūrā*, «decisión firme» (así, HAL 165b), y su opuesto *debar śefātáyim*, «meras palabras» (cf. Is 11,2; Job 12,13); Is 29,15, *maʿasǣ*, «obra»; Prov 8,14, *tūsiyyā*, «éxito»—, así como el contexto amplio en el que la raíz es empleada muestran que *yʿṣ* «incluye la decisión y su ejecución» (Kaiser, ATD 17, 102, nota 24; cf. Pedersen, *Israel* I-II, 129: «*Counsel and action are identical*»; sobre esto y sobre el tema en general, cf. también P. A. H. de Boer, *The counsellor:* SVT 3 [1965] 42-71).

4. *a)* La raíz *yʿṣ*, de origen sapiencial, se emplea por primera vez en sentido teológico en Isaías (cf. J. Fichtner, *Yahves Plan in der Botschaft des Jesaja:* ZAW 63 [1951] 16-33 = *Gottes Weisheit* [1965] 27-43). Por una parte, ataca con vehemencia el *yʿṣ* humano, desligado de Dios, que lleva al fracaso (Is 7,7, *lō taqūm*, «no se mantendrá»; 8,10, *prr* hofal, «fracasar»; cf. Sal 33,10, *prr* hifil, «hacer fracasar»); por otro lado, el profeta se mantiene en la tradición sapiencial (cf. Is 28,23-29) y habla del *yʿṣ* o del *ʿēṣā* de Yahvé (Is 5,19 paralelo a *maʿaśæ*, «obra»; 14,24-27; 28, 29), que supera el ámbito de experiencia humana (Is 28,29, «su consejo es admirable»; → *plʾ*; cf. también Is 25, 1). Wildberger, BK X, 188s, muestra cómo el vocablo tomado del ámbito sapiencial se ha convertido en término de la actividad jurídica de Dios. Se trata del «gobierno de Yahvé sobre la historia, en cuanto en él se realiza su juicio sobre el pueblo» *(loc. cit.,* 192).

Isaías continúa la línea sapiencial cuando afirma en Is 11,22 que el rey mesiánico estará provisto de *rūaḥ ʿēṣā*, «espíritu de consejo», recibido como don de Dios (cf. los otros términos que aparecen junto a *ʿēṣā* y también Prov 8,14s). Entre los nombres de trono del Mesías, Is 9,5 cita el nombre *pælæʾ yōʿēṣ* (cf. Miq 4,9, donde el rey terrestre es llamado *yōʿēṣ*, «consejero», o mejor, «el que establece planes»; cf. también Sal 20,5), cuya traducción, según H. Wildberger, *Die Thronnamen des Messias, Is 9,5b:* ThZ 16 (1960) 316, es «el que planea maravillas» (así también Kaiser, ATD 17, 102; sobre otras traducciones sugeridas, cf. Wildberger, *loc. cit.,* 316).

En dicho texto, *ʿēṣā* debe entenderse en el sentido antes mencionado, que Isaías ha llenado de carácter teológico, y → *plʾ* «se sitúa en la obra de Isaías en la esfera del obrar divino que trasciende el actuar humano» (Wildberger, *loc. cit.,* 316). Sobre su origen histórico-religioso en la titulatura real egipcia, cf. Wildberger, *loc. cit.,* 319ss.

La *ʿēṣā* del hombre es cualificada teológicamente como un programa (político) autónomo (Is 29,15; 30,1, «los que ejecutan planes que no son míos»).

b) Después de Isaías, *yʿṣ/ʿēṣā* se emplea: 1) tanto en relación al consejo (a los consejos) de Dios, y 2) como con respecto a sus planes y decisiones:

1) Job 12,13 (en el himno a la sabiduría y fuerza de Dios, vv. 12-25; cf. Prov 8,14 en una afirmación sobre la sabiduría); Sal 16,7; 32,8; 119,24: «tus prescripciones ... son mis consejeros»;

2) *ʿēṣā*, «plan, decisión», sirve para designar las decisiones de Yahvé que afectan la marcha de la historia: Sal 33,11; 106,13 (referido al plan y a la actuación salvífica de Dios); Is 44,26; 46,10s; Jr 49,20 (cf. 50,45); Is 23,8s (referido a la actuación jurídica), o también «las decisiones o actuaciones divinas en la creación y gobierno del mundo» (Job 38,2; G. Fohrer, KAT XVI, 500).

5. Los LXX traducen la raíz fundamentalmente por (συμ)βουλεύειν, βουλή. Qumrán y el NT continúan el empleo veterotestamentario; βουλή en el NT se refiere casi siempre a la decisión divina (cf. G. Schenk, art. βουλή: ThW I, 631-636).

H.-P. Stähli

יָפֶה *yāfæ* **Hermoso** → טוֹב *ṭōb*

יפע *ypʿ* hifil **Brillar**

1. El hebreo *ypʿ* hifil (raíz **wpʿ*), «brillar, resplandecer, aparecer luminoso» (también el hebreo medio y targúmico «aparecer»; en Ez 28,7.17 existe también el sustantivo *yifʿā*, «brillo», cf. Zimmerli, BK XIII, 664.676), tiene su correspondiente en el acádico *(w) apû* G, «ser visible»; Š, «hacer visi-

ble» (GAG § 103b.106o; CAD A/II, 201-204); no debe confundirse, sin embargo, con la raíz **ypʿ* (en árabe, «subir, crecer»; en árabe meridional antiguo, «incorporarse»), a la que parece pertenecer también el ugarítico *ypʿ* (WUS N. 1215 : 137 [= III AB,B], 3, «ser sublime» [?]; UT N. 1133, «arise» [?]; cf., sin embargo, F. L. Moriarty, CBQ 14 [1952] 62; y sobre los nombres personales, Gröndahl 144s) (cf. Huffmon, 212s).

2. *ypʿ* hifil aparece 8 × (Dt 33,2; Sal 50,2; 80,2; 94,1; Job 3,4; 10,3.22; 37,15), *yifʿā* 2 × (Ez 28,7.17).

3. El verbo *ypʿ* hifil tiene el significado causativo interno «hacerse visible con resplandor» (en Job 37,15 se podría entender también como causativo normal «hacer brillar», cf. la *Zürcher Bibel:* «con él hace relampaguear la luz de sus nubes»). En tres pasajes de Job (lamentación e himno) la luz aparece como sujeto: Job 3,4: «no resplandece sobre él la luz *(nehārā)»;* 10,22, texto enmendado que se debe entender, según Fohrer, KAT XVI, 201, como una expresión paradójica: «(donde) brilla como la oscuridad» (cf. Horst, BK XVI/1, 139: «donde cuando es de día parece [oscuridad de] crepúsculo»); 37,15: «como Dios los rige, como la luz *(ʾōr)* de su nube aparece brillante» (así, Fohrer, *loc. cit.*, 483). En el cuarto pasaje (Job 10,3) es Dios quien aparece como sujeto; según Horst, *loc. cit.*, 138.154s («cuando tú ... te muestras abierto al plan de los malvados»), el empleo del término cúltico (cf. *inf.*, 4) sirve para subrayar dentro de la lamentación de Job la paradoja de la acción divina.

4. En los demás pasajes, pertenecientes todos a la poesía cúltica, *ypʿ* hifil aparece junto a otros verbos como → *bōʾ*, «venir»; → *yṣʾ*, «salir»; *yrd*, «bajar» (→ *ʿlh*); → *qūm*, «levantarse», y es una expresión típica de la descripción teofánica (F. Schnutenhaus, *Das Kommen und Erscheinen Gottes im AT:* ZAW 76 [1964] 1-21, espec. 8s; J. Jeremias, *Theophanie* [1965] especialmente 8-10.62-64.77s). Aparece ya en el texto hímnico de Dt 33,2: «Yahvé ha venido del Sinaí y ha brillado *(zrḥ)* desde Seír; ha resplandecido *(ypʿ* hifil) desde el monte Parán y se ha acercado *(ʾth)* desde Meribat Cadés», así como en Sal 50,2: «desde Sión, corona de hermosura, resplandece Dios»; en la introducción a la lamentación del pueblo se pide a Dios que aparezca así contra los enemigos: Sal 80,2s: «tú, que estás sentado sobre querubines, brilla ante Efraín...»; 94,1, texto enmendado: «¡Dios de la venganza, aparece!». De esa forma, nuestro término —junto con los verbos semejantes *zrḥ*, «salir, brillar» (Dt 33,2; cf. Is 60,1s), y *ngh* (con *h* consonántica en la tercera consonante de la radical) hifil, «hacer brillar» (2 Sm 22,29 = Sal 18,29; *nṓgah*, «brillo», 2 Sm 22,13 = Sal 18, 13; Hab 3,4.11; cf. Is 60,3; 62,1)— recoge el tema de la aparición divina entre (terribles) resplandores, tema muy extendido en el ambiente que rodeaba a Israel (cf. el sumerio *me-lám* y el acádico *melammu),* y lo inserta dentro de la tradición teofánica propia y específicamente israelita. La epifanía de Dios, entre resplandores, cantada en el himno o suplicada en la lamentación, significa a la luz de la mitología del Oriente antiguo la intervención de Yahvé en la historia de su pueblo.

Del mismo modo que el tremendo resplandor sumero-babilónico es propio no sólo de dioses, sino también de reyes (AHw 643; Seux 257.291), así también se habla en Ez 28,7.17 del «brillo» *(yifʿā)* del príncipe de Tiro, que se comporta como un dios (vv. 2. 6.9).

5. *ypʿ* hifil aparece con gran frecuencia en Qumrán en el sentido de «iluminarse», «aparecer» o semejantes (Kuhn, *Konk.*, 91); en 1QpHab 11,7 el verbo se refiere al «sacerdote impío» que ha perseguido al «maestro de justicia» (cf. K. Elliger, *Studien zum Habakuk-Kommentar vom Toten Meer*

[1953] 214s; A. S. van der Woude, *Die messianischen Vorstellungen der Gemeinde von Qumran* [1957] 162-164).

Los LXX traducen cada pasaje de forma diversa; en Sal 80,2 se traduce por ἐμφαίνειν (Sal 50,2, ἐμφανῶς). En el NT se puede reconocer el empleto veterotestamnetario, por ejemplo, en Lc 1,79 (ἐπιφαίνειν). Cf. R. Bultmann y D. Lührmann, art. φαίνω: ThW IX, 1-11.

E. Jenni

יצא *yṣ'* Salir

1. La raíz pertenece al semítico común (Bergstr. *Einf.*, 187; acádico *[w]aṣû,* CAD A/II, 356-385; ugarítico: WUS N. 1222; UT N. 1138; inscripciones semítico-noroccidentales: DISO 110.164; arameo: KBL 1082b; LS 304s), pero en el significado «salir» es desplazada por *nqp* en arameo y *ḫrǧ* en árabe.

Basándose en el árabe *waḏu'a,* «brillar», algunos autores sugieren para *yṣ'* el significado «brillar», por ejemplo, en Prov 25, 4; cf. M. Dahood, *Proverbs and Northwest Semitic Philology* (1963) 52; *íd.,* Bibl 46 (1965) 321; 47 (1966) 416.

El verbo *yṣ'* aparece (lo mismo que su opuesto → *bo')* en qal, hifil y hofal. Como derivados nominales deben citarse: el participio femenino sustantivado *yōṣē't,* «aborto» (Sal 144,14; cf. Ex 21,22), los nombres *yāṣī',* «descendiente» (2 Cr 32,21 Q), y *ṣæ'æṣā'īm,* «brote, descendencia» (cf. Gn 15,4; 17,6; 25,25s y *passim,* «salir» en el sentido de «nacer», y 1 Re 5,13; Is 11,1, «salir» = «brotar, crecer»; siríaco *ye'*, «crecer»), así como los abstractos *mōṣā',* «salida» (cf. *inf., 3a); mōṣā'ā,* «origen» (Miq 5,1) o «retrete» (2 Re 10,27 Q), y *tōṣā'ōt,* «salidas» (cf. *inf., 3a),* dotados todos ellos de varios significados. El arameo bíblico conoce únicamente la forma *šafel sēṣī'* (Esd 6,15), extranjerismo tomado del acádico, que significa «acabar» (KBL 1082b.1129f). Para la idea de «salir» se sirve del verbo *npq* qal (6 ×; hafel, «sacar», 5 ×).

No es seguro que *ṣōn* (< **ṣā'n-),* «cordero», pertenezca a nuestra raíz (cf., por ejemplo, KBL 790a); tampoco es claro el nombre propio *Mōṣā'* (1 Cr 2,46 y *passim;* KBL 505a remite a Sal 19,7).

2. El verbo en el modo qal (excluido Sal 144,14) y en hifil (incluido 2 Sm 18, 22) es especialmente frecuente en la literatura narrativa:

	qal	*hifil*	*hofal*	*Total*
Gn	61	17	1	79
Ex	62	32	—	94
Lv	22	16	—	38
Nm	56	14	—	70
Dt	34	32	—	66
Jos	44	9	—	53
Jue	46	8	—	54
1 Sm	45	1	—	46
2 Sm	39	9	—	48
1 Re	32	10	—	42
2 Re	42	10	—	52
Is	31	10	—	41
Jr	51	18	1	70
Ez	43	28	3	74
Os	1	1	—	2
Jl	2	—	—	2
Am	3	1	—	4
Abd	—	—	—	—
Jon	1	—	—	1
Miq	7	1	—	8
Nah	1	—	—	1
Hab	5	—	—	5
Sof	—	—	—	—
Ag	1	1	—	2
Zac	20	2	—	22
Mal	1	—	—	1
Sal	17	17	—	34
Job	22	6	—	28
Prov	6	5	—	11
Rut	3	1	—	4
Cant	4	—	—	4
Ecl	4	1	—	5
Lam	3	—	—	3
Est	9	—	—	9
Dn	6	1	—	7
Esd	—	5	—	5
Neh	7	3	—	10
1 Cr	19	5	—	24
2 Cr	35	14	—	49
T. AT	785	278	5	1.068

Los sustantivos aparecen: *yōṣē't* 1 ×, *yāṣī'* 1 ×, *ṣæ'æṣā'īm* 11 × (Is 7 ×, Job 4 ×), *mōṣā'* 27 × (Sal 6 ×, Ez 4 ×), *mōṣā'ā* 2 ×, *tōṣā'ōt* 23 × (Jos 14 ×, Nm 5 ×).

3. *a)* Los múltiples modos de empleo de *yṣʾ* qal —sobre los cuales, cf. los Diccionarios— no se alejan nunca del significado base «salir». En los verbos hebreos que indican cambio de lugar, como → *ʿlh,* «subir a/subir de», y *yrd,* «bajar a/bajar de», y también → *bōʾ,* «entrar en/entrar de» —el contrapuesto de *yṣʾ*— no se marca la posición del que habla por medio de morfemas opuestos (como ocurre en alemán con *hin,* alejándose del que habla; *her,* en dirección hacia el que habla, o como en acádico por medio del ventivo: GAG § 82); esta oposición se señala a lo sumo por medio de verbos diversos. Por eso no parece oportuno dividir léxicamente el empleo de *yṣʾ* en dos grupos: «salir de» y «salir hacia» (como aparece en los Suplementos de KBL 393). Más oportuno parece establecer una división entre los casos del sujeto personal y los casos en que el sujeto es un objeto o cosa (cf. GB 310s; Zorell, 321s).

Los diversos matices del verbo encuentran su correspondencia en los significados especiales que pueden presentar los abstractos *mōṣāʾ (mōṣāʾā)* y *tōṣāʾōt;* compárese, en los casos de sujeto personal, el sentido normal «salir» de una casa, de una ciudad, etc. (normalmente con *min,* «de», y a veces también con el simple acusativo de lugar, Gn 44,4; Ex 9,29.33; Nm 35,26; Job 31,34; sobre Gn 34,24, cf. E. A. Speiser, BASOR 144 [1956] 20-23; G. Evans, *loc. cit.,* 150 [1958] 28-33), con *mōṣāʾ,* «salida» (Ez 42,11; 43,11; 44,5; cf. *tōṣāʾōt,* Ez 48,30), el sentido «partir, emigrar» de un lugar, de un país, etc. (Gn 10,11; 11,31; 12,4-5; 15,14 y *passim),* con *mōṣāʾ,* «emigración» (Ez 12,4) y «punto de partida» (Nm 33,2.2), el sentido «emprender algo» (Jue 2,15; 2 Re 18,7 y *passim;* «adelantarse», 1 Sm 17,4; Zac 5,5 y *passim;* cf. L. Köhler, ThZ 3 [1947] 471; G. Ch. Aalders, *loc. cit.,* 4 [1948] 234; con frecuencia, «salir a la batalla», Gn 14,8; Nm 1,3.20ss; Dt 20,1; 23,10; 1 Sm 8,20; 18,30; 2 Sm 18, 2-4.6; Am 5,3 y *passim)* con *mōṣāʾ,* «proyecto, partida» (2 Sm 3,25 junto a *mābōʾ,* cf. la expresión «salir y entrar» empleada para designar el conjunto de la actividad, en primer lugar dentro del ámbito militar [Jos 14,11; 1 Sm 18,13.16; 29,6], pero también dentro del ámbito cúltico [Ex 28,35; Lv 16,17] o en general [→ *bōʾ* 3, cf. P. Boccaccio, Bibl 33 ⟨1952⟩ 173-190]), el sentido «salir ileso» (Jue 16, 20; 1 Sm 14,41; 2 Re 13,5; Ez 15,7; Ecl 7,18; cf. «quedar libre», Ex 21,2. 11; Lv 25,28ss; 27,21; Is 49,9) con *tōṣāʾōt,* «salidas» (Sal 68,21 ante la muerte), y el sentido «surgir de» (cf. sup. 1, «nacer») con *mōṣāʾā,* «origen» (Miq 5,1).

Lo mismo vale para los casos en que el sujeto es una cosa u objeto; aquí deben compararse el sentido «salir» (el sol: Gn 19,23; Jue 5,31; Is 13,10; Sal 19,6; las estrellas: Neh 4,15) con *mōṣāʾ,* «salida» (Sal 19,7; 75,7 «oriente»; cf. Os 6,3; Sal 65,9); el sentido «ser exportado» (1 Re 10,29, qal o hifil, «exportar»; cf. Noth, BK IX, 234) con *mōṣāʾ,* «exportación» (1 Re 10,28); el sentido «brotar» referido al agua, etcétera (Gn 2,10; Ex 17,6 y *passim),* con *mōṣāʾ,* «fuente» (2 Re 2,21; Is 41,18; 58,11; Sal 107,33.35; 2 Cr 32, 30); el sentido «crecer» (cf. *sup.,* 1) con Job 38,27, «tierra donde crece la hierba» (texto dudoso; cf. también Job 28,1, «yacimiento» de plata); el sentido «sobresalir» (los brazos del candelabro: Ex 25,32.33.35; 37,18.19. 21; la lanza: 2 Sm 2,23) con *tōṣāʾōt,* «estribación» (de una montaña, 1 Cr 5,16); «extenderse» (de la frontera: Nm 34,4.9; Jos 15,3.4.9.11 y *passim)* con *tōṣāʾōt,* «extensión, estribación» (de la frontera: Nm 34,4.5.8.9. 12; Jos 15,4.7.11 y *passim);* el sentido de «ser pronunciado» (palabras, etc.: Nm 30,3; 32,24; Jos 6,10 y *passim)* con *mōṣāʾ,* «manifestación» (Nm 30, 13; Dt 8,3; 23,24; Jr 17,16; Sal 89, 35; Dn 9,25); el sentido «surgir» (fuego: Ex 22,5; Lv 9,24; 10,2 y *passim;* cf. también S. Esh, VT 4 [1954] 305-

307; la maldad: 1 Sm 24,14; «ocurrir», Gn 24,50; Is 28,29; cf. Ecl 10,5) con *tōṣā᾽ōt,* «punto de partida, origen» (Prov 4,23 de la vida; cf. Jos 17,18: «lo que resulta», Noth, HAT 7,102), cf. también «terminar, acabar» (Prov 22,10; Dn 10,20) y *ṣē᾽t haššānā,* «salida del año» (Ex 23,16; cf. E. Kutsch, KAW 83 [1971] 15-21), y «desaparecer» (el vino: 1 Sm 25,37; la energía vital: Gn 35,18; Sal 146,4; Cant 5,6; del ánimo: Gn 42,28) con *ṣē᾽tēk,* «tu salida = final» (Ez 26,18).

b) En el modo hifil del verbo vuelve a aparecer la mayoría de los matices del qal, pero en el correspondiente sentido causativo («sacar, hacer salir», etcétera). Son relativamente raros los causativos de «salir» en el sentido de «crecer» o «nacer», a saber: «producir (plantas, etc.)» (la tierra, el suelo: Gn 1,12.24; Is 61,11; Ag 1,11; el bastón: Nm 17,23) o «hacer brotar (la simiente)» (Is 65,9 de Jacob). Sobre su carácter teológico, más acusado que en el modo qal, cf. *inf.,* 4*b.*

4. *a)* Cuando el sujeto de *yṣ᾽* qal es Yahvé (16 ×), el verbo designa no tanto el salir de un determinado lugar para abandonarlo (a lo más, Miq 7,15: «como en el tiempo en que saliste de Egipto»; cf. también Ez 10,18, donde la majestad de Yahvé abandona el templo) cuanto el iniciar una empresa, por ejemplo la lucha contra los enemigos. En este sentido el verbo constituye uno de los vocablos típicos de la descripción teofánica y sus derivados (Jue 5,4; Is 26,21; 42,13; Miq 1,3; Hab 3,13; Zac 14,3; Sal 68,8; cf. también Jue 4,14; 2 Sm 5,24 = 1 Cr 14, 15 en las narraciones sobre la guerra de Yahvé; dentro del contexto de la tradición del éxodo, el verbo aparece en Miq 7,15 y en Ex 11,4 y Sal 81,6, cf. F. Schnutenhaus, *Das Kommen und Erscheinen Gottes im AT:* ZAW 76 [1964] 2-5; J. Jeremias, *Theophanie* [1965] 7.10s y *passim;* → *bō᾽,* 4). En Jue 5,4 el punto de partida es Seír; en Miq 1,3 e Is 26,21, «sus ciudades» (es decir, la morada celeste), pero el interés de las narraciones no reside ahí, sino en la meta, es decir, la lucha y el juicio contra los enemigos o también la ayuda a su pueblo. Conforme a eso, en la lamentación del pueblo se expresa la siguiente queja: «ya no sales con tus tropas» (Sal 44,10; 60,12 = 108,12).

Idéntico significado presenta *yṣ᾽* cuando el «enviado de Yahvé» (→ *mal᾽āk)* parte para alguna empresa (Nm 22,32; 2 Re 19,35 = Is 37,36; cf. también Dn 9,22 referido a Gabriel). Algo distinto ocurre cuando la obra de Yahvé es presentada como la salida de un contenido («proviene») de Yahvé (su asistencia providencial, Gn 24,50; Is 28,29) o como una realidad teológica abstracta que sale («es enviada») de Yahvé (la ira de Yahvé: Nm 17,11; Jr 4,4; 21,12 y *passim;* la mano de Yahvé, Rut 1,13; «mi palabra, que viene de mi boca», Is 55,11; «mi salvación», Is 51,5; justicia, Is 45,23; cf. 62,1; la instrucción, Is 51,4; de Sión, Is 2,3 = Miq 4,2).

b) El verbo *yṣ᾽* hifil se refiere, en la mitad aproximadamente de los casos, a alguna acción divina. P. Humbert, *Dieu fait sortir:* ThZ 18 (1962) 357-361 (suplementos en pp. 433-436), ofrece una reseña sobre los diversos ámbitos de empleo teológico del verbo.

Hay que constatar en primer lugar que nunca se emplea el verbo con referencia a la actividad creadora de Dios en el sentido de un hacer brotar original (Humbert, *loc. cit.,* 359); únicamente se emplea con referencia a su actual actividad en la naturaleza (Sal 104,14: «pan de la tierra»; Jr 10,13 = 51,16, y Sal 135,7: «viento de sus depósitos»; agua de la roca: Dt 8,15; Sal 78,16; Neh 9,15; estrellas, Is 40, 26; cf. Job 38,32). El verbo *yṣ᾽* hifil no sólo designa el simple cambio de lugar (Gn 15,5 y *passim;* también en éxtasis: Ez 37,1; cf. 42,1.15; 46,21; 47,2), sino también significa «sacar = liberar, salvar» y se ha convertido en un verbo de salvación y liberación de gran importancia (cf. J. J. Stamm, *Erlösen und Vergeben im AT* [1960]

18.97.103; C. Barth, *Die Errettung vom Tode in den individuellen Klage- und Danliedern des AT* [1947] 216s; → *g'l*, → *yšʿ*, → *nṣl*, → *pdh*, → *plṭ*). Debe mencionarse toda una serie de pasajes de los Salmos de lamentación y de acción de gracias en los que se pide a Dios (o se le agradece) la liberación de todo tipo de necesidades y riesgos (2 Sm 22,49, salvación de los enemigos [el pasaje paralelo, Sal 18,49, emplea *plṭ* piel]; liberación en general: 2 Sm 22,20 = Sal 18,20; Sal 66,12; de la red, de la opresión: Sal 25,15.17; 31,5; 107,28; 143,11, de la cautividad o semejantes: Sal 68,7; 107,14; 142,8; cf. Miq 7,9, a la luz); deben recordarse también los numerosos pasajes que hablan de la liberación de Egipto (76 ×; listas en Humbert, *loc. cit.*, 358, y J. Wijngaards, VT 15 [1965] 92) o también de la liberación de la dispersión entre los gentiles (Ez 20,34.38.41; 34,13).

La fórmula «Yahvé, que sacó a Israel de Egipto» se refiere a la acción salvífica primordial de Yahvé y constituye «el primer credo de Israel» (M. Noth, *Überlieferungsgeschichte des Pentateuch* [1948] 50-54; von Rad I, 189s). La fórmula aparece ya, con diversas variaciones, en las narraciones antiguas (Ex 11,3.9.14.16; 18,1; 20,2; 32,11.12; Nm 20,16; 23,22; 24,8; Jos 24,5.6), pero está empleada sobre todo en el Deuteronomio (Dt 5,6.15; 6,12. 21.23; 7,8.19; 8,14; 9,26.28.28.29; 13, 6.11; 16,1; 26,8; 29,24), en la obra histórica deuteronomística (Dt 1,27; 4,20.37; Jue 2,12; 6,8; 1 Re 8,16.21. 51.53; 9,9) y en el escrito sacerdotal (Ex 6,6.7; 7,4.5; 12,17.42.51; 14,11; 16,6.32; 29,46; Nm 15,41; en la Ley de Santidad: Lv 19,36; 22,33; 23,43; 25,38.42.55; 26,13.45); en los profetas, en cambio, aparece únicamente a partir de Jeremías (Jr 7,22; 11,4; 31,32; 32, 21; 34,13; Ez 20,6.9.10.14.22); entre los pasajes tardíos pueden citarse también Sal 105,37.43; 136,11; Dn 9,15; 2 Cr 6,5 (= 1 Re 8,16) y 7,22 (= 1 Re 9,9); en Ex 3,10.11.12; 6,13.26.27; Dt 9,12 y 1 Sm 12,8, Moisés y Aarón son sujetos de *yṣ'* hifil (Wijngaards, *loc. cit.*, 91, nota 3).

Los estudios más recientes en torno al tema (P. Humbert, ThZ 18 [1962] 357-361.433.436; H. Lubsczyk, *Der Auszug Israels aus Ägypten* [1963]; J. Wijngaards, VT 15 [1965] 91-102; W. Richter, FS Schmaus [1967] 175-212; B. S. Childs, FS Baumgartner [1967] 30-39; H. J. Boecker, *Die Beurteilung der Anfänge des Königtums in den dtr. Abschnitten des 1. Samuelbuches* [1969] 39-43) destacan unánimemente la idea de liberación incluida en el salir (cf. el añadido «de la esclavitud», Ex 13,3.14; 20,2; Dt 5,6; 6,12; 7,8; 8,14; 13,6.11; Jue 6,8; Jr 34,13; además, Ex 6,6.7 y Lv 26,13) y se ocupan en particular de la función y la historia de la fórmula, especialmente en su relación con la «fórmula de subida» (unas 40 ×) con *ʿlh* hifil, «hacer subir», que aparece en los profetas más antiguos y luego es desplazada en el Dt por la «fórmula de salida» (→ *ʿlh*).

yṣ' qal, «salir», referido a la salida de Israel de Egipto, aparece con menor frecuencia, casi siempre en el sentido de datación histórico-salvífica (cf., por ejemplo, Ex 12,41; 13,3.4.8; 16,1; 23,15; 34,18; Nm 1,1; 9,1; 33,38; Dt 9,7; 16,3.6; 1 Re 6,1; 8,9 = 2 Cr 5, 10; Jr 7,25; Ag 2,5; Sal 114,1); en Deuteroisaías se alude varias veces al nuevo éxodo (Is 48,20; 52,11.11.12; 55,12).

5. En los escritos de Qumrán, *yṣ'* entre otros, aparece como *terminus technicus* militar (1QM 1,13; 2,8; 3,1.7 y *passim*); por otra parte, *yṣ'* aparece también en la autodesignación del grupo religioso como el grupo de aquellos «que salieron de la tierra de Judá» (CD 4,3; 6,5; cf. 20,22; cf. los «separatistas» mahometanos, que reciben su nombre del árabe *ḫrǧ*, «salir»).

En Hebr 11,8, «la salida» de Abrahán es considerada como acto de fe. Los principales equivalentes de *yṣ'* qal y nombres derivados son los siguientes: ἐξέρχομαι (cf. J. Schneider, ThW II,

676-678), ἐκπορεύομαι (cf. F. Hauck y S. Schulz, ThW VI, 578s) y ἔξοδος (cf. W. Michaelis, ThW V, 108-113); el equivalente de *yṣ'* hifil es ἐξάγω.

E. Jenni

יצר *yṣr* Formar

1. La raíz *yṣr* está extendida sobre todo en cananeo y acádico: ugarítico (WUS N. 1229; UT N. 1142) y fenicio (DISO 110), el sustantivo *yṣr,* «alfarero» (también en nombres propios, cf. Gröndahl 146; Huffmon, 89.214); en acádico *eṣēru,* «dibujar, formar, determinar», y derivados (AHw 252s, aquí y en KBL 396a se remite al árabe *wiṣr,* «convenio»).

En el AT aparecen, además del verbo (qal, nifal, pual y hofal o qal pasivo), los sustantivos *yḗṣær,* «imagen, idea» (en el hebreo medio significa «brote», lo mismo que en el arameo judaico y siríaco *yaṣrā,* cf. Th. Nöldeke, ZDMG 40 [1886] 722), y *yᵉṣūrīm,* «miembros (del cuerpo)» (sólo en Job 17,7), así como los nombres propios *Yḗṣær/Yiṣrī* (Gn 46,24; Nm 26,49; 1 Cr 7,13; 25,11, texto dudoso; Noth, IP 172.247).

2. La raíz está ampliamente documentada en la época preexílica gracias a la narración yahvística de la creación (Gn 2,7s.19; cf. también Am 7,1 y otros). Posteriormente aparece con frecuencia en DtIs (20 ×), pero falta en el Dt (y en la obra deuteronomística), en el escrito sacerdotal y en la literatura sapiencial (Prov, Ecl, Job). El verbo es empleado 60 × en el modo qal (incluido Is 49,8 y Jr 1,5, cf. BL 379, que Lisowsky asigna a *nṣr),* de ellas, 26 × en Is, 13 × en Jr, 2 × en Sal, con frecuencia en participio (sustantivado, «alfarero», 17 ×), una sola vez en nifal (Is 43,10), pual (Sal 139, 16) y hofal (Is 54,17); *yḗṣær* aparece 9 ×, *yᵉṣūrīm* 1 ×. Cf. P. Humbert, *Emploi et portée bibliques du verbe yāṣar et ses derivés substantifs,* FS Eissfeldt (1958) 82.88.

3. *yṣr* designa *(a)* el trabajo del alfarero; Jr 18,2ss (cf. Weish 15,7) describe su actividad (en el doble disco movido con el pie). Hasta en el lenguaje figurativo queda reflejado que el trabajo se realiza con las manos sobre el barro (Is 64,7; Lam 4,2; Sal 95,5 y otros). El participio *yōṣēr* funciona, lo mismo que en ugarítico y fenicio, como designación profesional (1 Cr 4,23 y *passim),* y en diversos contextos la expresión «vaso de barro» (= seres terrenos) se ha convertido en frase hecha (2 Sm 17,28; Is 30,14; Jr 19,1.11; Sal 2,9; cf. Lam 4,2).

Pero *yṣr* designa también *(b)* «formar o fundir» una imagen (de metal con el «martillo», Is 44,12; cf. 44,9s; Hab 2,18, en una polémica contra los ídolos semejante a la polémica de DtIs, aunque de época posterior) o también puede referirse a la fabricación de armas (Is 54,17). De forma semejante, el participio tiene en una ocasión el significado de «fundidor» (Zac 11,13; cf. C. C. Torrey, JBL 55 [1936] 247-260; Eissfeldt, KS II, 107-109). Se podía designar esta actividad con el mismo verbo que la del alfarero, ya que ambos oficios consisten en dar una forma fija a un material moldeable (humedecido o fundido, respectivamente).

El significado concreto va perdiéndose poco a poco y *yṣr* adquiere el significado de «formar, hacer» en los sentidos más diversos (cf. *inf.,* 4). El verbo incluye tanto la acción como el pensamiento (cf. Jr 18,11, paralelo a → *ḥšb);* el sustantivo *yḗṣær,* por su parte, designa preferentemente «las imágenes (= ideas, consideraciones) del corazón» (Gn 6,5; 8,21; cf. 1 Cr 28,9; 29,18; Dt 31,21; semejante en Is 26,3, «ánimo sólido, inalterable»).

Humbert, *loc. cit.,* 85, presenta una lista de verbos paralelos a *yṣr.*

4. *yṣr* es un término importante de la teología de la creación *(a)* y de la

historia *(b)*, y, por otra parte, describe figurativamente la relación entre Dios y el hombre *(c)*.

a) El hecho de que *yṣr* designe el origen de los montes (Am 4,13), de la tierra en general y de la tierra firme (Is 45,18; Jr 33,2; Sal 95,5), pero no el del mar, indica que el significado fundamental «formar» sigue influyendo de algún modo. Por otra parte, *yṣr* no supone (a diferencia de → *br'* en el escrito sacerdotal) que se haya llegado ya al último estadio de la creación; en muchas ocasiones queda todavía el trabajo de «dar consistencia» (Jr 33,2; Is 45,18). Pero la idea de «formar» se ha extendido de tal forma que *yṣr* puede expresar la creación del universo (Jr 10,16 = 51,19). También el par de términos contrapuestos «verano-invierno» (Sal 74,17) expresa la totalidad. La expresión de Is 45,7 —excesivamente dura incluso dentro del mismo AT— «yo formo la luz, yo creo la oscuridad», «discurso en primera persona» en el que Yahvé se declara autor de la salvación y la desgracia, del bien y del mal dentro de la historia, puede no dirigirse contra el dualismo persa (cf. la pregunta semejante que Zarathustra dirige a Ahura Mazda: «¿qué maestro creó luz y tinieblas?», *Yasua,* 44,5).

Sal 104,26 desmitiza a Leviatán, el dragón del mar, y lo considera como una criatura e incluso como un juguete en manos de Yahvé. De la creación *(yṣr)* de animales hablan también Am 7,1 y Gn 2,19. Siguiendo una concepción antropogónica muy extendida en el antiguo Oriente y fuera de él, también al hombre lo «formó» Dios de la tierra (Gn 2,7s). Pero sólo él (y no los animales) recibe el «aliento de vida», que es el que convierte al hombre en «ser viviente», es decir, en individuo y a esta unión de lo «divino y lo terreno» se debe la posición especial que el hombre ocupa entre Dios y el mundo. De todos modos, Gn 2,7 no desarrolla coherentemente la imagen, pues el material del alfarero no es «el polvo» *('āfār)*. Esta alusión al polvo puede estar condicionada por la palabra de maldición que le sigue (Gn 3,19): el hombre volverá a convertirse en «polvo» (cf. 18,27 J; Sal 103,14 y otros).

También en Zac 12,1 el «espíritu» formado por Dios en el interior del hombre designa la vida. Dios, que forma también el corazón (Sal 33,15), conoce los pensamientos y los planes ocultos de cada hombre (cf. también Sal 94,9, referido al ojo). Finalmente, la misericordia divina puede fundarse en el reconocimiento de que el hombre es sólo un ser «formado», es decir, una criatura (Sal 103,14).

b) Especialmente en la profecía, *yṣr* se refiere también a las acciones históricas de Dios y, por eso, puede referirse al futuro (Jr 18,11 referido a la desgracia; cf. Sal 94,20). Su actividad histórica es entendida, pues, como una actividad creadora. El forma «en el seno materno» a individuos concretos, profetas (Jr 1,5), al siervo de Yahvé (Is 49,5; cf. 49,8) y también —especialmente en el mensaje del Deuteroisaías, que considera la elección y la salvación como un todo— a Israel (44,2.24; cf. 43,1.7.21 y *passim;* también 27,11). La elección y la asignación de algún encargo especial suceden, en consecuencia, sin un especial acto creador. También se consideran previamente «formados» los acontecimientos que Dios ha conocido y guiado de antemano (2 Re 19,25 = Is 37, 26; Is 22,11; 46,11). Sal 139,16 confiesa lo mismo respecto a los días de la vida de cada persona: la omnisciencia divina abarca no sólo lo oculto (vv. 13ss), sino también lo futuro.

c) En el lenguaje comparativo la actividad del alfarero y su obra sirven de imagen de la relación divina. De esta forma, la diferencia entre acción divina y humana es marcada con más rigor que en las afirmaciones sobre la creación, que conciben la actividad divina de forma semejante al «formar» humano. En conformidad con la superioridad del alfarero sobre el material que emplea, la imagen ilustra (1) el poder y la superioridad de Dios sobre los pueblos (Jr 18, en especial v. 6; cf. Is 41,25, referido a Ciro, también Ecl 33 [36], 13s). La fragilidad del vaso de barro —a diferencia del barro húmedo, que puede arreglarse si la figura ha quedado mal (Jr 18,4)— (2) es signo de caducidad y nulidad (Lam 4,2; cf. Jr 22,28) o impotencia

(Sal 2,9; cf. Job 4,19; 10,9; 33,6). La imagen en general sirve (3) para marcar la diferencia entre creador y criatura, para eliminar la pretensión o reivindicación de ésta (Is 29,16; 45,9.11; cf. 64,7).

5. San Pablo presenta la imagen en sentido semejante al del AT para fundamentar la imposibilidad del hombre de oponerse o rebelarse contra Dios, que es libre de apiadarse o de mostrarse duro (Rom 9,19ss; cf. H. Braun, art. πλάσσω: ThW VI, 254-263).

Sobre *yēṣær* en la literatura intertestamentaria, cf. R. E. Murphy, Bibl 39 (1958) 334-344.

W. H. Schmidt

יקר *yqr* Ser valioso → כבד *kbd*

ירא *yr'* Temer

I. 1. La raíz *yr'*, «temer», aparece en hebreo y ugarítico (49 [= I AB] VI, 30, *yru bn il mt,* «el hijo de El temía a Mot»; 67 [= I* AB] II, 6, *yraun aliyn b'l,* «el poderoso Baal le temía»; WUS N. 1234) (quizá como glosa cananea en EA 155, línea 33).

Las diversas raíces árabes señaladas como posible base para determinar el significado original de nuestra raíz (cf. GB 315a; J. Becker, *Gottesfurcht im AT* [1965] 1s) «no son más que raíces de algún modo emparentadas en cuanto al significado» (Becker, *loc. cit.,* 2).

Mencionemos también que M. Dahood, *Proverbs and Northwest Semitic Philology* (1963) 23s; *íd.,* Bibl 46 (1965) 321s, sugiere para Prov 22,4, una raíz *yr'* II, «ser grueso».

2. La raíz *yr'* está representada por el verbo en el modo qal, «temer, asustarse (ante)»; piel, «atemorizar, asustar»; nifal, «ser temido» (que incluye el participio *nōrā'*, «temido, temible», que no funciona ya prácticamente como participio, sino como adjetivo, cf. *inf.* III/2), por el adjetivo verbal *yārē'* (frecuente en las composiciones *y^erē' Yhwh/'^ælōhīm,* plural *yir'e Yhwh),* por el infinitivo femenino sustantivado *yir'ā,* «temor» (cf. GK § 54d; Joüon, 111; la forma normal del infinitivo *y^erō'* aparece sólo en Jos 22,25; 1 Sm 18,29) y por el sustantivo *mōrā'* «temor, terror», formado según el tipo nominal maqtal.

Algunos (por ejemplo, GB 315b; Becker, *loc. cit.,* 4; distinto, Noth, IP 163) consideran el nombre de lugar *Yir'ōn* (Jos 19,38) y el nombre personal *Tir^eyā'* (1 Cr 4,16) como nombres propios derivados de *yr'*.

II. La siguiente lista muestra que *yr'* qal es especialmente frecuente en Dt y Sal, que el nifal *(nōrā')* y *yārē'* aparecen con mayor frecuencia en Sal y *yir'ā* en Prov:

	qal	*nifal* (+ *nōrā'*)	*piel*	*yārē'*	*yir'ā*	*mōrā'*	*Total*
Gn	20	1	—	1	1	1	24
Ex	11	2	—	1	1	—	15
Lv	8	—	—	—	—	—	8
Nm	4	—	—	—	—	—	4
Dt	32	6	—	1	1	4	44
Jos	11	—	—	—	—	—	11
Jue	6	1	—	1	—	—	8
1 Sm	21	—	—	1	—	—	22
2 Sm	6	1	1	—	2	—	10
1 Re	8	—	—	—	—	—	8
2 Re	19	—	—	—	—	—	19
Is	22	4	—	1	5	2	34
Jr	21	—	—	—	1	1	23
Ez	5	1	—	—	2	—	8
Os	1	—	—	—	—	—	1
Jl	2	2	—	—	—	—	4
Am	1	—	—	—	—	—	1
Jon	4	—	—	—	2	—	6
Hab	1	1	—	—	—	—	2
Sof	3	1	—	—	—	—	4
Ag	2	—	—	—	—	—	2
Zac	3	—	—	—	—	—	3
Mal	2	2	—	3	—	2	9
Sal	30	1+15	—	27	8	2	83
Job	8	1	—	3	5	—	17
Prov	5	—	—	3	14	—	22
Rut	1	—	—	—	—	—	1
Ecl	7	—	—	2	—	—	9
Lam	1	—	—	—	—	—	1
Dn	3	1	—	—	—	—	4

	qal	*nifal* (+ *nōrāʾ*)	*piel*	*yārēʾ*	*yirʾā*	*mōrāʾ*	*Total*
Neh	6	3	3	—	2	—	14
1 Cr	3	2	—	1	—	—	6
2 Cr	6	—	1	—	1	—	8
T. AT	283	1+44	5	5	45	12	435

III. Recientemente han aparecido dos extensos trabajos sobre la raíz *yrʾ*: S. Plath, *Furcht Gottes. Der Begriff yrʾ im AT* (1963); J. Becker, *Gottesfurcht im AT* (1965); el primero estudia no sólo el temor de Dios (cf. *inf*. IV/1-6), sino también el temor de hombres o cosas (aquí, en III/1, *yrʾ* qal; III/2, *nōrāʾ*; III/3, *mōrāʾ*).

1. *a)* A *yrʾ* qal —cuyo significado original sería, según algunos, «temblar, estremecerse», sentido que los textos propios del AT no dejan ya traslucir (cf. Becker, *loc. cit.*, 1)— corresponde la traducción relativamente unitaria «temer, tener miedo de algo o de alguien, asustarse de algo o de alguien, temer hacer algo».

Los pasajes que presentan el *yrʾ* como motivado por cosas o personas muestran las siguientes construcciones:

1) empleo del verbo en forma absoluta: en estos textos el objeto del temor y los motivos del mismo deben entresacarse del contexto (cf. especialmente Gn 31,31; 32,8; 43,18; Ex 2, 14; 14,10; Dt 13,12; 17,13; 19,20; 20,3; Jos 10,2; 1 Sm 17,11.24; 28,5; 2 Re 10,4; Jr 26,21; Am 3,8; Neh 2, 2; 6,13; 2 Cr 20,3);

2) el verbo seguido de acusativo (relativamente raro, cf. Gn 32,12; Lv 19,3; Nm 14,9.9; 21,34; Dt 3,2.22; Jue 6,27; 1 Sm 14,26; 15,24; 1 Re 1, 51; Ez 3,9; 11,8; Dn 1,10);

3) el verbo seguido de las preposiciones *min* (cf. Dt 1,29; 2,4; 7,18; 20,1; Jos 10,8) y *mippᵉnē* (cf. Dt 5,5; 7,19; Jos 9,24; 11,6; 1 Sm 7,7; 21,13; 1 Re 1,50; 2 Re 25,26; Jr 41,18; 42, 11.11);

4) en algunos pasajes, *yrʾ* aparece seguido de *lᵉ* más infinitivo (cf. Gn 19,30; Nm 12,8; Jue 7,10; 2 Sm 1,14; 10,19; 12,18).

b) Los ámbitos en que se emplea *yrʾ* para designar la reacción (física) al peligro amenazador son los siguientes:

1) temor ante animales o cosas: Am 3,8; Jr 42,16; Ez 11,8; Job 5,22; Prov 31,21; Ecl 12,5;

2) temor ante la muerte: Gn 26,7; 32,12; Dt 13,12; 17,13; 19,20; 1 Re 1,50s; Jr 26,21; Jon 1,5; Dn 1,10; Neh 6,13;

3) en Ex 2,14; 2 Sm 12,18 se habla más bien, según Plath, *loc. cit.*, 19, de «sentimiento de miedo incontrolable», aunque también aquí se deja traslucir como última consecuencia el miedo a la muerte;

4) temor ante los enemigos (en confrontaciones guerreras): Ex 14,10; Dt 2,4; Jos 10,2; 1 Sm 7,7; 17,11.24; 28,5; 2 Sm 10,19; 2 Re 10,4 (enfatizado por la expresión *mᵉʾōd mᵉʾōd*).

Deben mencionarse aquí los pasajes que contienen la fórmula *ʾal-tīrāʾ*, «no temas», dentro de las alocuciones de guerra; la fórmula será estudiada *inf.*, en IV/2.

En Dt 20,8 y Jue 7,3 *yārēʾ* incluye también el matiz de cobardía o al menos de poco ánimo (cf. G. von Rad, *Der Heilige Krieg im alten Israel* [1951] 72).

5) En algunos pasajes, *yrʾ* designa el miedo ante lo misterioso e inquietante, por ejemplo, en Gn 18,15; 19, 30; 42,35 (especialmente si hay que leer el v. 28b detrás del v. 35, según lo indica M. Noth, *Überlieferungsgeschichte des Pentateuch* [1948] 38); Sal 91,5 (cf. Kraus, BK XV, 638).

c) En algunos pocos pasajes el significado del término da un salto al ámbito ético. En Job 32,6, *yrʾ* designa el respeto que el joven debe al anciano (cf. también *zḥl*, cf. *sup*. I/1, tradicionalmente entendido como «ocultarse», KBL 254a). Se podría traducir como «mostrar respeto». La ley de temer al padre y a la madre (Lv 19,3) significa «mostrar un temor respetuoso» o más débilmente «honrar» (sobre el trasfondo de la ley, cf. Noth, ATD 6, 121; cf. también Ex 20,12, *kbd* piel, «honrar»).

d) En Prov 14,16, *yr'* tiene un sentido totalmente atenuado y puede traducirse por «ser cauto» (así, Becker, *loc. cit.*, 235s; Plath, *loc. cit.*, 64; semejante también, Ringgren, ATD 16, 62).

**e)* Becker, *loc. cit.*, 6-18, da una lista de un gran número de vocablos más o menos emparentados con *yr'*, algunos de ellos paralelos. Aquí mencionaremos sólo los sinónimos más próximos:

1) *gūr* qal, «temer» (10 ×; *māgōr/mᵉgōrā*, «temor», 8 × y 3 ×, respectivamente);

2) *ḥrd* qal, «temblar» (23 ×; hifil, «atemorizar», 16 ×; *ḥārēd*, «temeroso», 6 ×; *ḥᵃrādā*, «temblor, miedo», 9 ×);

3) *ḥtt* qal/nifal, «asustarse» (17 × y 30 ×, respectivamente; piel, «asustar», Job 7,14; *ḥat*, «lleno de miedo», 2 ×; sustantivos con el significado miedo: *ḥat* 2 ×, *ḥittā*, Gn 35,5; *ḥatḥattīm*, Ecl 12,5; *ḥᵃtat*, Job 6,21; *ḥittīt* 8 ×, sólo en Ez; *mᵉḥittā* 11 ×);

4) *ygr* qal, «asustarse» (5 ×; *yāgōr*, «que siente temor», 2 ×);

5) *'rṣ* qal, «asustar/asustarse» (11 ×; participio nifal, «temible», Sal 89,8; hifil, «temer», 2 ×; *ma'ᵃrīṣ*, «temor», Is 8,13; *ma'ᵃrāṣā*, «terror», Is 10,33);

6) *pḥd* qal, «asustarse, temblar» (22 ×; piel, «temblar», 2 ×; hifil, «hacer temblar», Job 4,14; *páḥad*, «temblor, terror», 49 ×; *paḥdā*, «terror», Jr 2,19, texto dudoso);

7) recientemente se ha señalado en Is 41,10.23 el verbo *št'* qal, «asustarse» (cf. Meyer II, 123), correspondiente al ugarítico *št'* (UT N. 2763) y al fenicio *št'* (DISO 322).

2. El participio nifal *nōrā'*, empleado como adjetivo independiente, pertenece a la esfera del terror numinoso y significa «terrible, terrorífico». Unicamente en Is 18,2.7 y Hab 1,7, donde el verbo es aplicado al pueblo, se podría traducir por «temido» (cf. KBL 400a). El adjetivo *nōrā'* caracteriza el desierto (Is 21,1; Dt 1,19; 8,15), el cristal (Ez 1,22), las acciones guerreras del rey (Sal 45,5), aunque este último texto podría muy bien traducirse por «extraordinario, maravilloso, fantástico» (cf. Becker, *loc. cit.*, 47; Plath, *loc. cit.*, 23; LXX: θαυμαστῶς).

3. El sustantivo *mōrā'* (Sal 9,21 debe leerse -' en lugar de *-h*, siguiendo a BHS) significa «temor, terror», «lo que da miedo»; generalmente es empleado como término que designa el terror numinoso. Designa el temor de los animales ante el hombre (Gn 9,2 paralelo a *ḥat)*, el temor ante Israel (Dt 11,25 paralelo a *páḥad)*.

IV. La mayoría de los textos que emplean *yr'* (unas 4/5) tienen un *sentido teológico*. Deben considerarse los siguientes modos de empleo: IV/1, carácter numinoso de *yr'*; IV/2, la fórmula *'al-tīrā'*, «no temas»; IV/3, *yr'* en la literatura deuteronómico-deuteronomística; IV/4, *yir'ē Yhwh*, «los que temen a Yahvé», en los salmos; IV/5, *yr'* como «veneración cúltica; IV/6, *yr'* en los textos sapienciales; IV/7, el concepto nomístico del temor de Dios.

1. El *carácter numinoso* del «temor (de Dios)» aparece todavía en algunos casos del adjetivo *nōrā' (a)*, del sustantivo *mōrā' (b)* y del verbo *yr' (c)*.

a) *nōrā'*, «terrible», es empleado más de 30 × como atributo de Yahvé (Ex 15,11; Dt 7,21; 10,17; Sof 2,11; Sal 47,3; 68,36; 76,8.13; 89,8; 96,4 = 1 Cr 16,25; Job 37,22; Dn 9,4; Neh 1,5; 4,8; 9,32), de su nombre (Dt 28, 58; Mal 1,14; Sal 99,3; 111,9), de sus acciones (Ex 34,10; Dt 10,21; 2 Sm 7,23 = 1 Cr 17,21; Is 64,2; Sal 65,6; 66,3; 106,22; 145,6) y del día de su juicio escatológico (Jl 2,11; 3,4; Mal 3,23); este concepto es más bien raro en la literatura preexílica (pero sería erróneo deducir de ahí que es el resultado un desarrollo semántico relativamente tardío). *nōrā'* aparece en paralelo con otros términos que expresan el aspecto numinoso de Dios: *qādōš* (→ *qdš*), «santo» (Sal 99,3; 111,9; Ex 15,11); *gādōl* (→ *gdl*), «grande» (Dt 7, 21; 10,17.21; 2 Sm 7,23 = 1 Cr 17, 21; Sal 96,4 = 1 Cr 16,25; Sal 99,3; 106,21s; 145,6; Dn 9,4; Neh 1,5; 4,8; 9,32); *na'ᵃrāṣ*, «terrible» (Sal 89,8; cf. *sup.* III/1e).

Como atributo de Yahvé, *nōrā'* pertenece al «vocabulario típico» de los salmos de Sión y de los salmos de Yahvé Rey (cf. Sal 47,3; 76,8.13; 96,4; 99,3; también 68,36; 89,8). «Esto nos permite suponer que *nōrā'* es un término propio del lenguaje cúltico» (Becker, *loc. cit.*, 48, que remite a J. Hempel, *Gott und Mensch im AT* [1926] 30; *nōrā'* ha pasado de aquí a los textos que forman el marco del Deuteronomio; cf. Dt 7,21; 10,17.21; 28,58). *hā'ēl haggādōl wᵉhannōrā'*, «Dios grande y terrible», aparece como fórmula fija en Dn 9,4; Neh 1,5; 4,8; 9,32; la afirmación se refiere aquí al Dios misericordioso.

nōrā', como designación de las «terribles» acciones de Dios, se refiere normalmente a las acciones realizadas para la salvación de Israel, bien en la salida de Egipto (Dt 10,21; Sal 66,3, cf. v. 6; 106,22; 2 Sm 7,23 = 1 Cr 17,21), bien en sus acciones en la historia y en la creación (Sal 145,6; 65,6).

De este sentido numinoso se deriva quizá el empleo adverbial de *nōrā'ōt* (cf. GK § 118p), en el sentido de «maravilloso, extraordinario», en Sal 139,14 (cf. Kraus, BK XV, 913; Becker, *loc. cit.*, 34, nota 91). La visión del mensajero divino es, según Jue 13,6, *nōrā'*, «terrible, espantosa» (así, Plath, *loc. cit.*, 111, nota 330), lo mismo que los lugares donde se da la revelación, Gn 28,17.

b) En las fórmulas de confesión deuteronómicas, que incluyen el éxodo de Egipto, *mōrā'* designa las «acciones terribles» (Dt 4,34; 26,8; 34,12; cf. Jr 32, 21; von Rad, ATD 8,35.112.150: «terrores», «maravillas terribles»). Becker, *loc. cit.*, 31, nota 73, hace una distinción entre el plural *mōrā'îm*, en Dt 4,34, y el singular de los demás pasajes: el primero se referiría a las acciones de Yahvé y el segundo al terror que les acompaña.

Si el *mōrā'* de Sal 76,12 es correcto (cf., sin embargo, BHS), entonces Yahvé mismo es designado como «terror».

c) El verbo *yr'*, «temer», se emplea a veces en absoluto (por ejemplo, en Gn 28,17; 1 Sm 4,7; Is 41,5; Sal 40,4; 52,8); otras veces le sigue un acusativo (Ex 14,31; Lv 19,30; 26,2; 1 Sm 12,18; 2 Sm 6,9; Is 25,3; 59,19; Sal 67,8), y otras, finalmente, le sigue la preposición *min* o *mippᵉnē* (cf. Ex 34,30; Dt 28,10; Miq 7,17; Sal 33, 8; 65,9 y *passim*).

El carácter claramente numinoso de *yr'*, que frecuentemente puede traducirse por «atemorizar», aparece: 1) en la experiencia de la presencia de Dios en las teofanías (Ex 20,18 [texto enmendado].20; Dt 5,5; cf. Sal 76,9), en las experiencias de sueños y visiones (Gn 28,17; cf. Dn 10,12.19), en el terror que produce la mortífera visión de Dios (Ex 3,6); 2) en las acciones de Dios en la historia y en las pruebas de su poder (Is 25,3; 41,5; Jr 10,7; Hab 3,2; Zac 9,5; Sal 65,9; 76,9; Job 6,21, temor ante los castigados por Dios), manifestadas sobre todo en el éxodo de Egipto (Ex 14,31; Miq 7,17; cf. 1 Sm 4,7ss), en las intervenciones divinas en apoyo de personas particulares y en el juicio contra los malvados (Sal 40,4; 52,8; 64,10), en la actividad creadora (Jr 5,22.24; Sal 33,8; 65,9; cf. 1 Sm 12,18); 3) en relación con el santuario (Lv 19,30; 26,2; 2 Sm 6,9 = 1 Cr 13,12), con hombres que tienen una especial relación con Yahvé (Ex 34,30, Moisés; Jos 4,14, Moisés y Josué; 1 Sm 12,18, Samuel; 31,4 = 1 Cr 10,4; 2 Sm 1, 14, cf. 1 Sm 24,7, el rey como ungido) y con el pueblo de Yahvé, ya que sobre él se invoca el nombre de Yahvé (Dt 28,10).

Becker, *loc. cit.*, 38s, señala dos cosas: por una parte, el temor numinoso ante las acciones divinas sirve de punto de partida para un desarrollo semántico hacia el «temor moral de Dios», y por medio de «la idea de reconocimiento y aceptación de Yahvé se convierte prácticamente en concepto cúltico (temer = venerar)» (cf., por ejemplo, Ex 14,31; Jr 10,7); por otra parte, el matiz numinoso sigue presente, aunque sea débilmente, en los diversos empleos que se mencionarán en IV/3-6 (hace también referencia al desarrollo del concepto en los paralelos extraisraelíticos, especialmente en el acádico *palāḫu, loc. cit.,* 78-80; cf. AHw 812s; además, R. H. Pfeiffer, *The Fear of God:* IEJ 5 [1955] 41-48).

2. *a)* La fórmula *ʾal-tīrāʾ,* «no temas», es una fórmula que invita a la tranquilidad, empleada originariamente en contextos profanos (unas 15 ×); aparece normalmente en singular y en forma absoluta (sólo en 2 Re 25,24 = Jr 40,9, con *min);* con frecuencia, seguida de otra frase independiente (Gn 43,23; 50,21; Rut 3,11) o de una frase subordinada causal, introducida por la partícula *kī* (Gn 35,17; 1 Sm 4,20; 22, 23; 2 Sm 9,7; 2 Re 6,16). Ahuyenta frecuentemente el miedo de morir (cf. Jue 4,18; 1 Sm 22,23; 23,17; 2 Sm 9,7). En Gn 35,17 y 1 Sm 4,20 (en un parto) se trata de «una palabra de consuelo convertida en fórmula fija y general (Plath, *loc. cit.,* 114), que intenta infundir ánimo en una situación de necesidad y puede ser traducida por «consuélate» (cf. la *Zürcher Bibel).* En Sal 49,17, *ʾal-tīrāʾ* viene a significar «espera tranquilo» (Becker, *loc. cit.,* 52, nota 219), «no te inquietes» *(Zürcher Bibel).*

b) El empleo teológico de la fórmula *ʾal-tīrāʾ* (unas 60 ×; en algunos pasajes, *lō tīrāʾ)* es especialmente frecuente en DtIs (Is 41,10.13.14; 43,1. 5; 44,2; 54,4; cf. 44,8; 51,12), en Jr y en Dt (cf. Plath, 115-122; Becker, 50-55); llama la atención el hecho de que la fórmula aparezca sólo una vez en la literatura sapiencial (Prov 3,25) y nunca en los salmos.

Se trata, al igual que en los contextos profanos, de una fórmula que invita a la tranquilidad o de una palabra de consuelo pronunciada en una situación de necesidad; aparece principalmente (unos 2/3 del total de pasajes) como palabra de Dios —más raramente como palabra de un mensajero de Dios (Gn 21,17; 2 Re 1,15; Dn 10,12.19)— y como palabra humana (únicamente en los libros históricos, excepción hecha de Is 35,4; Jl 2,21s; Sof 3,16; Prov 3,25) de una persona que ha recibido un encargo especial de Yahvé (por ejemplo, Moisés, Josué, Samuel, Elías, Nehemías, un sacerdote).

La fórmula como palabra divina aparece en las palabras de revelación que prometen salvación y consuelo. Normalmente aparece como introducción del discurso (como conclusión aparece en Ag 2,5; Zac 8,13.15; Dn 10,19) y está estrechamente relacionada con la fórmula de autopredicación de Yahvé (Gn 15,1; 26,24; 46,3; Is 41,10.13.14; 43,1.5; Jr 30,10s; 46,27s). Con frecuencia sigue a la fórmula (cf. *sup., 2a)* una fundamentación (Gn 21,17; 26,24; Dt 3,2; Jos 8,1; 11,6; Is 10,24; 41, 10 y *passim,* en DtIs). La fórmula aparece de forma absoluta en Gn 15,1; 26,24; Jos 8,1; Jue 6,23 y en los textos del DtIs; en los demás casos va seguida de las preposiciones *min/mippenē* o la *nota acusativi* (cf. Nm 21,34; Dt 3,2; Jos 10,8; 11,6; 2 Re 19,6; Is 10, 24; Jr 42,11 y *passim).*

La fórmula como palabra humana presenta las mismas características. Deben señalarse aquí las ampliaciones de la fórmula por medio de conceptos paralelos, positivos y negativos, colocados en serie. Los paralelos principales son los siguientes: → *ʾmṣ,* «ser fuerte» (Dt 31,6; Jos 10,25; 1 Cr 22,13; 28,20; 2 Cr 32,7); → *ḥzq,* «ser firme» (Dt 31, 6; Jos 10,25; Is 35,4; 1 Cr 22,13; 28,20; 2 Cr 32,7); *ḥtt* nifal, «ser derribado» (Dt 1,21; 31,8; Jos 8,1; 10, 25; Jr 30,10; Ez 3,9; 1 Cr 22,13; 28, 20; 2 Cr 32,7); *ʿrṣ,* «temer» (Dt 1,29; 20,3; 31,6); *rkk,* «ser blando (el corazón)» (Dt 20,3; Is 7,4).

H. Gressman había ya señalado en su análisis literario del Deuteroisaías

(ZAW 34 [1914] 254-297, especialmente 287-289) que la fórmula *ʾal-tīrāʾ* pertenece a las palabras de revelación y que el oráculo de salvación constituye su ámbito originario; se apoyaba además en ejemplos similares babilónicos (cf., por ejemplo, AOT 281s; ANET 449s). Posteriormente, J. Begrich, *Das priesterliche Heilsorakel:* ZAW 52 [1934] 81-92 = GesStud 217-231, ha presentado ulteriores pruebas de la institución del oráculo de salvación en el ambiente que circundaba a Israel. Es claro, en este sentido, el pasaje de Lam 3,57 (cf. Begrich, *loc. cit.,* 82 ó 219).

Menos probable parece la opinión de L. Köhler, que hace derivar la fórmula de la experiencia numinosa de la teofanía (*Die Offenbarungsformel «Fürchte dich nicht!» im AT:* SThZ 36 [1919] 33-39); a este sentido podrían asignarse únicamente los pasajes de Ex 20,20; Jue 6,23; Dn 10,12.19 y en todo caso Gn 26,24.

Mención especial merece el frecuente empleo de la fórmula en la llamada «alocución de guerra» (cf. H. W. Wolff, *Immanuel. Das Zeichen, dem widersprochen wird* [1959] 15) dentro de la tradición de la guerra de Yahvé (G. von Rad, *Der Heilige Krieg im alten Israel* [1951] 9s): Ex 14,13; Nm 21,34; Dt 1,21.29; 3,2.22; 20,1.3; 31,6.8; Jos 8,1; 10,8.25; 11,6; Is 7,4; Neh 4,8; 2 Cr 20,15.17; 32,7; también 1QM 10,3; 15,8; 17,4. También aquí debe entenderse *ʾal-tīrāʾ* como oráculo de salvación (mejor: como oráculo de guerra) que, como lo muestran los paralelos extraisraelíticos, es un oráculo frecuente en el área del antiguo Oriente.

Se pueden mencionar las siguientes referencias (cf. A. Wildberger, ZThK 65 [1968] 135 y →*ʾmn* B/IV/2; además, H. Cazelles, RB 69 [1962] 321-349; O. Kaiser, ZAW 70 [1958] 107-126): el oráculo de Ištar de Arbela a Asaradón (AOT 282, III, 38-IV, 10): «'no temas *(lā tapallaḫ),* rey', te dije. 'Yo no te he rechazado ... no dejaré que te suceda nada malo...; con mi propia mano destruiré a tus enemigos'»; en el ámbito arameo la inscripción ZKR (KAI N. 202, líneas 12-14): «[y habló] BʿLŠMYN [a mí]: 'no temas' *(ʾl tzḥl);* pues yo [te he hecho] re[y]... y yo te salvaré de todos [estos reyes...]»; cf. también la carta de Šuppiluliuma a Niqmadu de Ugarit (RS 17.132, líneas 3-5): «Aunque Nuhaš y Mukiš estén en guerra conmigo, tú, Niqmadu, no les temas» (PRU IV, 35s).

c) En este contexto debe citarse también una fórmula característica de diversos salmos; se trata de la fórmula *lō ʾīrāʾ* (en plural sólo Sal 46,3), «no temo» (empleada por quien está libre de todo temor ante los hombres, en especial enemigos, o ante las catástrofes naturales), que aparece en los cánticos de confianza (Sal 23,4; 27,1, como cuestión), en las expresiones de confianza de los cánticos de lamentación (Sal 3,7; 56,5.12) o de los cánticos de acción de gracias (Sal 118,6). Se puede suponer que esta fórmula está relacionada de algún modo con el oráculo de salvación (cf. Kraus, BK XV, 805, para quien la confesión «Yahvé está por mí, no tengo miedo», de Sal 118,6, «debe entenderse como eco de un ... oráculo de salvación»).

3. Los pasajes *deuteronómicos* y *deuteronomísticos* que hablan de «temor de Dios» coinciden todos, tanto por lo que respecta al significado como por lo que se refiere a la forma lingüística (Dt 4,10; 5,29; 6,2.13.24; 8,6; 10,12.20; 13,5; 14,23; 17,19; 28,58; 31,12.13; Jos 4,24; 24,14; Jue 6,10; 1 Sm 12,14.24; 1 Re 8,40.43 = 2 Cr 6,31.33; 2 Re 17,7.25.28.32-39.41; Plath, *loc. cit.,* 33-45; Becker, *loc. cit.,* 85-124).

Se emplean únicamente formas verbales; el infinitivo constructo con *l^e^* (*l^e^yirʾā*) es característico del Dt. El objeto del verbo es siempre —por lo menos cuando es mencionado expresamente— Yahvé, que puede ser designado también por medio de la expresión «Yahvé, tu/nuestro/vuestro Dios». Entre los verbos paralelos (principales, coordinados o subordinados, cf. Plath, *loc. cit.,* 33) deben mencionarse los siguientes: →*ʾhb,* «amar» (Dt 10,12); →*dbq,* «adherirse» (Dt 10,20; 13,5); →*hlk bidrākāw,* «marchar por sus caminos» (Dt 8,6; 10,12); *hlk ʾaḥ^a^rē,* «seguir» (Dt 13,5); →*ʿbd,* «servir» (Dt 6,

13; 10,12.20; 13,5; Jos 24,14; 1 Sm 12,14); → *ʿśh haḥuqqīm,* «observar los mandatos» (Dt 6,24); → *šbʿ* nifal *biš-mō,* «jurar por su nombre» (Dt 6,13; 10,20); → *šmʿ bᵉqōlō,* «oír su voz» (Dt 13,5; 1 Sm 12,14); → *šmr,* «observar (los mandatos, etc.)» (Dt 5,29; 6,2; 8,6; 13,5; 17,19; 31,12).

Es llamativa la estrecha relación entre el «temor de Yahvé y la observancia de la ley. La relación recíproca de ambos temas se explica a partir del «formulario de la alianza» (cf. K. Baltzer, *Das Bundesformular* [[2]1964] especialmente en 22s.46s), en el cual la expresión *yrʾ ʾæt-Yhwh,* «temer a Yahvé», constituye uno de los términos (cf. → *ʾhb,* → *dbq)* con que se expresa la «estipulación fundamental» del pacto de lealtad que Israel jura a Yahvé. Así, pues, *yrʾ ʾæt-Yhwh* debe interpretarse como «veneración de Yahvé, entendida como fidelidad para con él en cuanto Dios de la alianza» (Becker, *loc. cit.,* 85).

En 2 Re 17,16 *yrʾ* tiene el mismo significado de «venerar», entendido como fidelidad para con Yahvé; en los demás pasajes de ese capítulo, en cambio, *yrʾ* es simplemente *terminus technicus* del culto que puede referirse también a la veneración de dioses extranjeros e incluso a un culto ilegítimo de Yahvé (cf. Plath, *loc. cit.,* 43; Becker, *loc. cit.,* 123).

4. La expresión *yirʾē Yhwh,* «los que temen a Yahvé», es típica de los salmos (adjetivo verbal *yārēʾ,* plural constructo sustantivado, cf. Joüon, 343; Plath, *loc. cit.,* 84-103; Becker, *loc. cit.,* 125-161). Junto a la expresión *yirʾē Yhwh* (Sal 15,4; 22,24; 115,11. 13; 118,4; 135; 20; cf. Mal 3,16.16; originalmente también 66,16 en el Salterio elohísta) aparecen también las formas sufijadas equivalentes: «los que te/le temen» (Sal 22,26; 25,14; 31, 20; 33,18; 34,8.10; 60,6; 85,10; 103, 11.13.17; 111,5; 119,74.79; 145,19; 147,11) o la expresión «los que temen mi/tu nombre» (Mal 3,20; Sal 61,6), sumando un total de 27 pasajes (quizá deba añadirse Sal 119,63, texto enmendado).

yirʾē Yhwh designa a la comunidad cúltica de los que veneran a Yahvé: *a)* originalmente designaba a la comunidad cultual reunida *in actu* en el templo (Sal 22,24.26; 31,20; 66,16); *b)* en sentido amplio, a todo el pueblo de Yahvé (cf. Sal 60,6 paralelo a *ʿam,* «pueblo», v. 5; 61,6; cf. Weiser, ATD 15, 302; 85, 10); *c)* en los salmos tardíos, el término designa a los «fieles de Yahvé», a los «piadosos» de la comunidad (Sal 25,14; 33,18; 34,8.10; 103,11.13.17; 111,5; 119,74.79; 147, 11; cf. también Mal 3,16.20), con lo cual el término adquiere un sentido moral-sapiencial (Sal 25,12.14; 34,8. 10; cf. v. 12; cf. también *inf.* 6*a)* o nomístico (cf. Sal 103,17; 119,74.79; cf. *inf.* 7); *d)* no es seguro que en Sal 115,11.13; 118,4; 135,20 *yirʾē Yhwh* designe a los llamados «prosélitos» (cf. A. Bertholet, *Die Stellung der Israeliten und der Juden zu den Fremden* [1896] 182; además, Kraus, BK XV, 786.789; Weiser, ATD 15, 498s), ya que el *terminus technicus* que normalmente les designa es *gērīm* (→ *gūr;* cf. E. Schürer, *Geschichte des jüdischen Volkes im Zeitalter Jesu Christi* III [[4]1909] 175ss). Parece, más bien, que *yirʾē Yhwh* (como lo indican Plath, *loc. cit.,* 102s, y Becker, *loc. cit.,* 160) constituye el concepto genérico que abarca a todos los participantes en el culto posexílico, jerárquicamente organizados.

5. Fuera del ámbito deuteronómico y deuteronomístico y del grupo de los *yirʾē Yhwh* en el Salterio (cf. *sup.* 3 y 4), el significado «temer», en el sentido de «honrar fielmente a Yahvé», aparece en 1 Re 18,3.12; 2 Re 4,1; Jr 32,39.40; Neh 1,11 (en Jr y Neh se debe a un influjo deuteronomístico directo). Is 29,13 presenta el simple significado «veneración cúltica» (B. Duhm, *Das Buch Jesajas* [[4]1922] 186; Fohrer, *Jes.* II, 77); en Jon 1,9 el verbo indica simplemente la «pertenencia a un determinado culto o religión».

6. *a)* Los casos de *yr᾿* en la tradición sapiencial llaman la atención por sus formas lingüísticas características. Deben mencionarse: 1) el adjetivo *yārē᾿* en la composición *yᵉrē᾿ Yhwh* (según Becker, *loc. cit.*, 126s.188, el plural *yir᾿ē Yhwh* en Sal sería un genitivo posesivo, y el singular *yᵉrē᾿ Yhwh*, un genitivo objetivo), por ejemplo, Is 50, 10; Sal 25,12; 128,1.4; Prov 14,2; *yᵉrē᾿ ᾿ælōhīm*, por ejemplo, en Job 1, 1.8; 2,3; Ecl 7,18. Nunca aparecen —a diferencia de los salmos— formas sufijadas, y sólo en dos ocasiones aparece el plural (Ex 18,21; Ecl 8,12); 2) el sustantivo *yir᾿ā*, normalmente formando la composición *yir᾿at Yhwh*, «temor de Yahvé» (Prov 1,7.29; 2,5; 8,13; 9,10; 10,27; 14,26.27; 15,16.33; 16,6; 19,23; 22,4; 23,17; cf. Is 11,2.3; 33,6; Sal 34,12; 111,10, 2 Cr 19,9), también *yir᾿at šadday* (Job 6,14), *yir᾿at ᾿ᵃdōnāy* (Job 28,28) y el sustantivo *yir᾿ā* empleado de forma semejante (Job 3,6; 15,4; 22,4) —aunque parece ser una forma abreviada de *yir᾿at ᾿ælōhīm* (Plath, *loc. cit.*, 55; Fohrer, KAT XVI, 138.267.355); 3) el verbo *yr᾿* con «Dios» por objeto (Job 1,9; Ecl 5,6; 12,13) o «Yahvé» (Prov 3,7; 24,21).

b) Deben señalarse las siguientes características que muestran la estrecha relación de nuestro concepto con la sabiduría: 1) especialmente en la colección de proverbios de Prov 1-9, *yir᾿at Yhwh* aparece en estrecho paralelismo con términos sapienciales y puede considerarse, de hecho, sinónimo de *dá῾at* (→ *yd῾*), «conocimiento» (cf. Prov 1,7.29; 2,5; 9,10; 15,33; también Is 11,2; 33,6; Job 28,25; cf. Gemser, HAT 16,25; Ringgren, ATD 16/1, 43; Becker, *loc. cit.*, 217ss); 2) *yir᾿at Yhwh* refleja la conexión entre acción y resultado propia de la literatura sapiencial (Prov 10,27; 14,26; 15,16; 16,6; 19,23; 22,4).

c) Las expresiones antes mencionadas que designan el «temor de Dios» aparecen en los textos sapienciales en paralelo a *tām*, «perfecto»; *yāšār*, «recto»; *ṣaddiq*, «justo»; *sūr mēra῾*, «apartarse del mal»; *śn᾿*, *ra῾*, «odiar el mal» (cf. Prov 3,7; 8,13; 10,27; Job 1,18; 4,16; 28,28; también Sal 34,12.15; 2 Sm 23,3; en Prov 10,27 aparece el opuesto *rāšā῾*, «malvado»); así, pues, la expresión «temor de Dios» debe considerarse como «frase hecha que designa el comportamiento moral recto» (Becker, *loc. cit.*, 187; cf. también Plath, *loc. cit.*, 78).

d) Aunque está dentro de la tradición sapiencial, el Eclesiastés (*yr᾿/ yᵉrē᾿ ᾿ælōhīm*, Ecl 5,6; 7,18; 12,13, que emplea también la expresión *yr᾿ millifnē [᾿ælōhīm]*, no documentada en otros escritos de la literatura sapiencial; Ecl 3,14; 8,12.13) sigue un camino propio: basándose en la experiencia de la distancia que separa a Dios del hombre (cf. 5,1), destaca el autor nuevamente los aspectos numinosos, es decir, el temor ante el misterio divino que se manifiesta en la intensa conciencia de la dependencia humana (cf. Zimmerli, ATD 16/1, 174; Becker, *loc. cit.*, 249s; especialmente, Pfeiffer, *Die Gottesfurcht im Buche Qohelet*, FS Hertzberg [1965] 133-158).

e) Por lo que se refiere al empleo lingüístico, el elohísta usa en el Pentateuco las mismas formas de la literatura sapiencial (*yr᾿ ᾿æt-ha᾿ælōhīm*, Gn 42,18; Ex 1,17.21; *yᵉrē᾿ ᾿ælōhīm*, Gn 22,12; *yir᾿ē ᾿ælōhīm*, Ex 18,21; *yir᾿at ᾿ælōhīm*, Gn 20,11) y parece, según afirma Becker, *loc. cit.*, 209, «tener su origen en la tradición sapiencial» (distinto, Plath, *loc. cit.*, 46s y *passim*, quien habla de una tradición «nebiística», aunque también él, lo mismo que A. Jepsen, *Die Quellen des Königsbuches* [²1956] 78.98s, habla de relación y mutuo influjo entre sabiduría y nebiísmo; cf. Plath, 72, nota 181). Se trata, también aquí, del temor moral de Dios; Gn 20,11 y 42,18 designan un comportamiento humano moral general (cf. von Rad, ATD 3, 195, que describe la *yir᾿at ᾿ælōhīm* como «veneración y respeto ante las más elementales normas éticas, cuyo defensor es siempre la divinidad»; H. Gunkel, *Genesis* [[3]1910] 144, cree ver en Gn 42,18 «una moralidad religiosa en cierto sentido internacional»).

De forma semejante, la expresión «hombres temerosos de Dios» de Ex 18,21 incluye el matiz de «hombres de conciencia» (cf. Becker, *loc. cit.*, 197), como lo muestran los conceptos paralelos («hombres honestos, fieles, que desprecian las ganancias injustas», Noth, ATD 5, 116).

f) En Mal 3,5 el temor de Dios está estrechamente unido con el comportamiento moral; lo mismo debe decirse de la fórmula «temerás a tu Dios, yo soy Yahvé», que aparece en la Ley de Santidad en conexión con las leyes que regulan la vida del hombre (Lv 19,14.32; 25,17.36.43). La expresión *ʾanī Yhwh,* presentada como fundamento de la ley, es «una especie de explicación de la autopresentación del Dios Yahvé que exige..., o mejor, que santifica a su pueblo» (W. Zimmerli, *Ich bin Yahwe:* GO 23); en esa expresión *yrʾ* designa no sólo el comportamiento moral en general, sino la obediencia concreta a la voluntad revelada de Dios.

7. En algunos salmos sapienciales, en los que la ley se ha convertido «en época tardía en una cantidad absoluta» (cf. M. Noth, *Die Gesetze im Pentateuch* [1940] 70ss = GesStud 112ss), el término «temor de Dios» se ha convertido en un término «nomístico» referido por completo a la ley: *yrʾ* se aplica a los que hallan placer en las leyes de Yahvé (Sal 112,1), a los fieles a sus leyes (Sal 119,63), a los que caminan por sus caminos (Sal 128,1). En Sal 19,10 la expresión *yirʾat Yhwh* designa la «ley» misma; cf. los conceptos paralelos (→ *tōrā,* etc.; no hay base suficiente para corregir *yirʾat* por *ʾimrat,* «palabra», como sugiere, entre otros, Kraus, BK XV, 153).

V. El judaísmo tardío recoge los diversos sentidos de *yrʾ* y los desarrolla en parte (cf. J. Haspekker, *Gottesfurcht bei Jesus Sirach* [1967]). Así, el lenguaje rabínico emplea los términos *mōrāʾ* y *morāʾā* como expresión corriente para referirse al temor de Dios en sentido moral (cf. Levy, III, 57a; R. Sander, *Furcht und Liebe im palästinischen Judentum* [1935]). Llama la atención su poca frecuencia en Qumrán (cf. S. J. de Vries, *Note Concerning the Fear of God in the Qumran Scrolls:* RQ 5 [1965] 233-237; 1QSe 5,25, como cita de Is 11,2; CD 20,19, como cita de Mal 3,16; cf. los pasajes de la tradición de la guerra santa en 1 QM, *sup.* IV/2*b;* la expresión de CD 10,2, *yrʾ ʾt ʾl,* «el que teme a El», designa algo así como «cúlticamente hábil», según lo indica J. Maier, *Die Texte vom Toten Meer* II [1960] 54, cf. *sup.* IV/6*a*[3]).

Los LXX traducen *yrʾ* principalmente por medio de φοβεῖν y derivados; más raramente se emplean σέβεσθαι, θεοσεβής y otros. Sobre el NT, cf. G. Bertram, art. θεοσεβής: ThW III, 124-128; W. Foerster, art. σέβομαι: ThW VII, 168-195; H. R. Balz y G. Wanke, art. φοβέω: ThW IX, 186-216; R. Bultmann, *Theologie des NT* [[5]1965] 321s.561s; K. Romaniuk, *Il timore di Dio nella teologia di San Paolo* (1967).

H. P. Stähli

ירד *yrd* **Bajar** → עלה *ʿlh*

ירה *yrh* hifil **Instruir** → תּוֹרָה *tōrā*

ירשׁ *yrš* **Heredar**

1. La raíz **wrṯ,* a la que pertenece el hebreo *yrš,* «heredar, tomar en propiedad», está ampliamente documentada en todo el área semítico-occidental; cf., en semítico noroccidental antiguo: ugarítico *yrṯ* (WUS N. 1248, «adueñarse»; UT N. 1161, «heredar, adquirir», Gröndahl, 145); moabita *yrš*

(inscripción de Mesa [= KAI N. 181] líneas 7s: «y Omrí se había apoderado de toda la región de Nahdeba»), arameo antiguo *yrt* (Sef. I [=KAI N. 222] C, líneas 24s: «y su descendencia no heredará ningún nombre»; cf. Fitzmyer, Sef 77; R. Degen, *Altaram. Grammatik* [1969] 43).

Nuestra raíz no está relacionada con el acádico *rašû* (Zimmern 17) (cf. GAG § 106r); en babilónico antiguo aparece el arameísmo *yāritu*, «herencia» (AHw 412a).
El verbo aparece en qal y hifil, y más raramente en nifal y piel. Los derivados nominales son: *yᵉrēšā, yᵉruššā, mōrāš* y *mōrāšā* (cf. el nombre de lugar *Mōrǽšæt Gat*, Miq 1,14), el significado de todos los cuales es «posesión». Sobre el nombre de mujer *Yᵉrûša* («la adquirida [por adopción]»), cf. Noth, IP 231s; J. J. Stamm, FS Baumgartner (1967) 327.
El término *rǽšæt*, «red» (22 ×, de ellas, 8 × en Sal; ugarítico *rtt)*, que normalmente se considera también derivado de *yrš* (no en UT N. 2361), se aleja bastante del significado de la raíz. Sobre *tīrōš*, cf. *inf., 3b.*

2. La raíz —especialmente frecuente en la literatura deuteronómico-deuteronomística— aparece 258 × en el AT hebreo: qal 159 × (excluidos Nm 21,32 K; Jue 14,15; 63 × en Dt, 12 × en Jos, 10 × en Is y Sal, 9 × en Gn y Jue), nifal 4 ×, piel 2 × (incluido Jue 14,15; cf. Jenni, HP 212s), hifil 66 × (incluido Nm 21,32 Q; 17 × en Jos y Jue, 8 × en Nm, 7 × en Dt), *yᵉrēšā* 2 × (Nm 24,18), *yᵉruššā* 14 × (Dt 7 ×, Jos 3 ×), *mōrāš* 2 × (Is 14, 23; Abd 17; excluido Job 17,11, «deseo», que pertenece a la raíz *ʾrš*, →*ʾwh* 3), *mōrāšā* 9 × (Ez 7 ×, además, Ex 6,8; Dt 33,4).

3. *a)* El modo qal del verbo es traducido en la mayoría de los casos por «tomar en propiedad» o semejantes; el objeto es con frecuencia «la tierra» (empleado como fórmula fija en el lenguaje deuteronómico-deuteronomístico, cf. J. G. Plöger, *Literarkritische, formgeschichtliche und stilkritische Untersuchungen zum Dtn* [1967] 83) o

un país determinado, casi siempre en contextos referentes a la conquista de la tierra.

Gramaticalmente lleva los siguientes complementos: → *ʾæræṣ*, «tierra», en general (Gn 15,7.8; 28,4; Nm 13,30; 33, 53; Dt 1,8.21.39; 3,18.20; 4,1.5.14 y *passim;* Jos 1,11.15 y *passim;* Jr 32,23; Ez 33,24-26; Sal 44,4; Esd 9,11; Neh 9,15. 23; cf. Is 60,21; Jr 30,3; Sal 37,9.11.22. 29.34 y *passim* [cf. Mt 5,5], *ʾæræṣ* de un pueblo o de un señor (Sijón, Nm 21,24; Dt 2,24.31; 4,47 y *passim;* Og, Nm 21,35; cf. Dt 3,12; los amorreos, Jos 24,8; Am 2,10 [deuteronomista (?), cf. W. H. Schmidt, ZAW 77 (1965) 178-183; Wolff, BK XIV/2, 185.206s] y otros), → *ᵃdāmā*, «tierra» (Lv 20,24; Dt 28,21.63; 30,18; 31,13; 32,47); → *naḥᵃlā*, «posesión» (Nm 27,11; 36,8); *ʿîr*, «ciudad» (Jue 3,13; Abd 20; Sal 69,36); *šáʿar*, «puerta» (Gn 22,17; 24,60), también «casas» (Ez 7,24; Neh 9, 25), «montaña» (Is 57,13), «campos» (Abd 19) y otros.
En ocasiones el objeto es un pueblo; en ese caso, *yrš* debe ser traducido por «desposeer, arrebatar la propiedad»: los refaítas (Dt 2,21); los hurritas (Dt 2,12. 22), los amorreos (Jue 11,23), en general los pueblos asentados en la tierra (Dt 9, 1.5; 12,29; 18,14; 19,1) y otros.
Sólo hay un pasaje en el que el objeto del verbo no es un pueblo o su posesión, sino personas esclavas (Lv 25,46), pero el contexto de este pasaje emplea conceptos que designan los bienes raíces.

El modo hifil (presente casi únicamente en la obra histórico-deuteronomística y Nm) tiene en muchos casos un empleo y significado prácticamente idénticos a los del modo qal. Algunos traductores dan una fuerza especial a la idea de «desposeer» a los pueblos y emplean conceptos como «eliminar» o «exterminar».
A este contexto pertenecen también los derivados nominales *yᵉrēšā, yᵉruššā, mōrāš* y *mōrāšā*, cuyo significado es «posesión», fundamentalmente en el sentido de posesión de la tierra (paralelo a *ᵃḥuzzā* [→ *ʾḥz]*, → *naḥᵃlā, ḥēlæq* [→ *ḥlq]*, *ḥḗbæl* y otros). El nifal en su sentido privativo significa «ser privado de la propiedad, empobrecerse» (Gn 45,11; Prov 20,13; 23,21; 30,9);

el sentido positivo de este significado puede ser indicado por medio del hifil «empobrecer» (1 Sm 2,7; Zac 9,4; cf. el verbo *rūš,* «ser pobre», documentado únicamente en hebreo, → *'nh* II).

b) Aparentemente desligado de estos significados aparece el empleo de *yrš* como «heredar» (Gn 15,3.4.4; 21, 10; Jr 49,1s; cf. el participio sustantivado *yoreš,* «heredero», 2 Sm 14,7; Jr 49,1).

El significado «heredar» debe considerarse como el significado originario de *yrš.* Y esto no sólo porque los pocos pasajes que tienen este significado corresponden a los textos más antiguos del AT, sino porque a partir de él se pueden explicar más fácilmente los demás empleos veterotestamentarios del término y el material correspondiente de las demás lenguas semíticas: en el AT y también fuera de Israel la posesión —en especial la posesión de tierras, a la que se refiere normalmente *yrš*— es una posesión fundamentalmente hereditaria (a eso se debe también la semejanza objetiva entre *y^e^ruššā,* y *naḥ^a^lā* y *'^a^ḥuzzā).* Cf. también Dreyfus, *Le thème de l'héritage dans l'AT:* RScPhTh 42 (1958) 3-49 (sobre todo, 5-8).

En la misma dirección apunta, dentro del ámbito griego, el significado de κλῆρος, que incluye los siguientes sentidos: «parte, posesión» (también «suerte») y «herencia» (cf. κληρονομία, «herencia, heredad, parte de la herencia, propiedad», y κληρονομεῖν, «heredar». Cf. los diccionarios griegos y W. Foerster, art. κλῆρος: ThW II, 757ss).

Al igual que *nḥl,* también *yrš* ha superado en hebreo el aspecto estricto de herencia para designar «posesión hereditaria» o ganancia de una posesión (normalmente guerrera).

No es, pues, necesario, recurrir a *tīrōš,* «mosto, vino» o semejantes, y suponer como fundamental el significado de «aplastar, prensar» (así, P. Haupt, AJSL 26 [1909-10] 215.223, referido a Miq 6,15; en el mismo sentido se manifiesta L. Köhler, ZAW 46 [1928] 218-220; KBL 406b). El término *tīrōš,* «vino» (cf. el ugarítico *trṯ* paralelo a *yn,* «vino», en 2 Aqht [= D] VI, 7, y RS 24.258 [= Ugaritica V, N. 1], línea 4.16; fenicio *trš* en la inscripción de Karatepe [= KAI N. 26] III, línea 7.9) debe, pues, derivarse de otra raíz *yrš* (B. Hartmann en una comunicación oral; cf. también el arameo judaico *mēr^e^tā,* el siríaco *mērītā,* «mosto», LS 406a; quizá también el ugarítico *mrt,* UT N. 2613); es un término tomado de alguna otra cultura del área mediterránea (lo mismo que *yáyin,* «vino»). Sobre el ugarítico *Trṯ* como designación divina (UT Text 1,16 y RS 24.246 [= Ugaritica V, N. 14] línea 9), cf. M. C. Astour, JAOS 86 (1966) 283; M. Dahood, EThL 44 (1968) 53 (sobre Os 7,14); cf. ya antes Zimmern, 40; GB 877b; W. F. Albright, BASOR 139 (1955) 18.

4. La raíz adquiere relevancia teológica dentro del lenguaje formulario deuteronómico y deuteronomístico referido a la *conquista de la tierra.* Aunque el sujeto gramatical de *yrš* qal es por lo general Israel, es claro, sin embargo, que en definitiva es Yahvé quien da a Israel la posesión de la tierra. Las fórmulas más frecuentes son: «entraréis y tomaréis posesión de la tierra» (Dt 4,1; 8,1; 11,8; en singular, 6,18), «la tierra en la que vais a entrar para tomar posesión de ella» (Dt 4,14.26; 6,1; 11,8.11; 31,13; 32,47), «la tierra donde vas a entrar para tomar posesión de ella» o semejantes (Dt 7,1; 11,10. 29; 23,21; 28,21.63; 30,16; en plural, 4,5; Esd 9,11); Yahvé da a Israel la tierra *l^e^rištāh,* «para que la posea» (Gn 15,7; Dt 3,18; 5,28; 9,6; 12,1; 19,2.14; 21,1; Jos 1,11; teniendo por objeto a *naḥ^a^lā:* Dt 15,4; 25,19). Otras fórmulas estereotipadas semejantes presentan el infinitivo sin sufijos: *lārǽšæt* u otras formas verbales.

En hifil el sujeto es con frecuencia Yahvé; se afirma que Yahvé ha expulsado a los pueblos de delante de los israelitas (en lenguaje formulario, en 1 Re 14,24; 21,26; 2 Re 16,3; 17, 8; 21,2; 2 Cr 28,3; 33,2 y *passim).*

5. La literatura de Qumrán emplea la raíz de forma semejante al AT; en concreto, algunos pasajes qumránicos son citas de pasajes veterotesta-

mentarios. En el NT el grupo semántico en cuanto tal no sobrevive, excepción hecha de la clara resonancia veterotestamentaria de Mt 5,5; está unido a *nḥl/naḥ^{a}lā* y *gōrāl* en el término κλῆρος. G. W. Foerster y J. Herrmann, art. κλῆρος: ThW III, 757-786 (espec. 768ss, donde se da referencia de las traducciones que dan los LXX a los términos de la raíz); J. D. Hester, *Paul's Concept of Inheritance* (1968).

H. H. Schmid

ישׂראל *Yiśrāʾēl* Israel

1. *Yiśrāʾēl* es un nombre —formado con una frase— de un tipo que no es infrecuente entre los nombres personales y tribales más antiguos que conocemos, pero que tiene correspondientes precisos también entre los nombres de lugar (Noth, IP 207-209; íd., *Geschichte Israels* [^{5}1956] 12). Noth piensa que «Israel» es probablemente un nombre tribal o de pueblo, formado por analogía con los nombres personales; no cree que se trate de un nombre personal convertido luego secundariamente en nombre de pueblo, y señala que «Israel» no aparece nunca en el AT como nombre personal genuino.

El testimonio escrito más antiguo del nombre Israel aparece en el cántico de triunfo de Mernepta, en la llamada estela de Israel del templo funerario de dicho faraón, erigido en Tebas alrededor de 1125 a. C. (esta inscripción se conserva actualmente en el Museo de El Cairo). Con ocasión de la conquista de diversas ciudades palestinas, el Faraón arrasó también «Israel»: «Israel ha perecido, no tiene descendencia» (línea 27; traducción del texto en AOT 20-25; TGI^{2} 39s; reproducción de la estela en AOB N. 109; ANEP N. 342/343). No se puede decidir por ahora si este Israel coincide con la liga de tribus que conocemos por el AT o representa un grupo sociológico más antiguo. Es más claro, desde el punto de vista histórico, el Israel de la inscripción moabita de Mesa de mediados del s. IX a. C. (KAI N. 181, líneas 5.7.10s.14.18.26).

Tampoco se puede conocer con seguridad cuál es el significado del vocablo. La interpretación de Gn 32,29 y Os 12,4 hace del elemento teofórico del nombre el objeto del verbo: «combatiente contra Dios»; pero eso resulta poco probable, ya que *ʾēl,* en los nombres propios, es siempre sujeto. Tampoco sobre el significado del verbo coinciden las opiniones: «El/Dios es recto, resplandece/salva/domina/combate» (G. A. Danell, *Studies in the Name of Israel in the OT* [1946] 22ss, ofrece una lista de las diversas interpretaciones sugeridas). Quizá deba entenderse el nombre como una exclamación litúrgica propia de la situación de la guerra santa: «Que él salga al combate», es decir, que se manifieste como un guerrero y combatiente victorioso (J. Heller, *Ursprung des Namens Israel:* CV 7 [1964] 263s). El nombre personal ugarítico *yšril* ofrece la posibilidad de establecer nuevas comparaciones (PRU V, N. 69, línea 3; cf. O. Eissfeldt, *Neue keilalphabetische Texte aus Ras Schamra-Ugarit:* SAB [1965] cuaderno 6,28).

2. El nombre Israel está documentado en el AT más de 2.500 veces (incluidas las secciones arameas), distribuidas del modo siguiente (en la lista de abajo se señalan aparte los casos de la frecuente expresión *b^{e}nē Yiśrāʾēl,* «hijos de Israel» = «israelitas»; en Lisowsky faltan Gn 47,31 y el segundo caso de los textos 1 Re 9,7 y 16,29):

	b^{e}nē Yiśrāʾēl	*Yiśrāʾēl en total*
Gn	7	43
Ex	123	170
Lv	54	65
Nm	171	237
Dt	21	72
Jos	69	160

	bᵉnē Yiśrāʾēl	*Yiśrāʾēl en total*
Jue	61	184
1 Sm	12	151
2 Sm	5	117
1 Re	21	203
2 Re	11	164
Is	5	92
Jr	9	125
Ez	11	186
Os	6	44
Jl	1	3
Am	5	30
Abd	1	1
Jon	—	—
Miq	—	12
Nah	—	1
Hab	—	—
Sof	—	4
Ag	—	—
Zac	—	5
Mal	—	5
Sal	2	62
Job	—	—
Prov	—	1
Rut	—	5
Cant	—	1
Ecl	—	1
Lam	—	3
Est	—	—
Dn	1	4
Esd	4	40
Neh	9	22
1 Cr	4	114
2 Cr	23	187
T. AT	637	2.514

Además de *bᵉnē Yiśrāʾēl,* citemos algunas de las numerosas construcciones con genitivo: *ʾadmat Yiśrāʾēl,* «tierra de Israel», 17 × (sólo en Ezequiel); *ʾᵆlōhē Yiśrāʾēl,* «Dios de Israel», 201 × (Jr 49 ×, Cr/Esd/Neh 46 ×); *bēt Yiśrāʾēl,* «casa de Israel», 146 × (Ez 83 ×; este nombre se formó probablemente por analogía con la expresión «casa de Judá», dada la vecindad de los estados de Israel y Judá, cf. M. Noth, *Geschichte Israels* [³1956] 50, nota 2); *hārē Yiśrāʾēl,* «montes de Israel», 16 × (sólo en Ez); *qᵉdōš Yiśrāʾēl,* «el santo de Israel», 31 × (Is 25 ×).

3. El nombre de «Israel» no designa siempre lo mismo en el AT. Los diversos acontecimientos históricos que han afectado la identidad de Israel se reflejan también en los diversos usos lingüísticos que recibe el término. Se debe partir de «Israel» como designación de la liga veterotestamentaria de las doce tribus (Noth, *loc. cit.,* 74ss). A este sentido corresponde la gran mayoría de los casos. Según el punto de vista del AT, las tribus que componen Israel proceden de la familia de un antepasado común, del cual han recibido también el nombre. Este *heros eponimus,* llamado Israel, es identificado ya desde antiguo —aunque desde el punto de vista histórico-tradicional secundariamente— con el «patriarca» Jacob (Noth, *loc. cit.,* 62, nota 1); según eso, el nombre «Israel» ha sido usado también como nombre personal. En Gn 32,29-50,25 el patriarca es llamado «Israel» 34 × y «Jacob» 75 ×.

Como designación del pueblo de Dios, el nombre de «Israel» puede ser reemplazado también por «Jacob», aunque esto ocurre muy raramente. Prescindiendo de las construcciones en genitivo con Jacob como *nomen rectum* («Dios de Jacob», «casa de Jacob», «fuente de Jacob», etc., unos 60 pasajes), en las que no siempre es fácil distinguir si se trata del nombre personal o del nombre del pueblo, se pueden contar unos 60 pasajes en los que Jacob, empleado en forma absoluta, aparece como *nomen populi* (DtIs 15 ×, Sal 12 ×, Jr 9 ×). Se trata normalmente de textos poéticos; en dos terceras partes de estos pasajes el nombre Jacob aparece en paralelismo con «Israel» o «resto de Israel» (Gn 49, 7.24; Nm 23,7.21.23.23; 24,5.17; Dt 33,10; Is 9,7; 14,1; 27,6; 40,27; 41, 8.14; 42,24; 43,1.22.28; 44,1.21.23; 45,4; 48,12; 49,5; Jr 30,10; 31,7; 46, 27; Miq 2,12; 3,8; Sal 14,7 = 53,7; 78,5.21.71; 105,10 = 1 Cr 16,17; Sal 135,4; 147,19; Lam 2,3; entre las construcciones con genitivo, cf., por ejemplo, Gn 49,24; Ex 19,3; Nm 23,10; 2 Sm 23,1; Is 29,23; 44,5; 49,6; Jr 2,4; Ez 39,25; Miq 1,5; 3,1.9; Nah 2,3; Sal 22,24). Es muy raro el uso de la expresión «hijos de Jacob» como designación del pueblo: Mal 3,6; cf. Sal 105,6 = 1 Cr 16,13.

La división política del reino de Israel en dos Estados tuvo su impacto también en el empleo lingüístico del nombre Israel. Los profetas se aferran en sus afirmaciones religioso-teológicas al uso lingüístico anterior y siguen empleando el nombre «Israel» para referirse a la liga sacra de las doce tribus; en los libros de los Reyes, en cambio, encontramos una terminología orientada políticamente que limita el nombre «Israel» a una entidad política concreta: el reino del Norte. Quizá siga con ello un empleo lingüístico más antiguo; cf. 2 Sm 2,9; 3,17, donde «Israel» designa a un determinado grupo tribal del Norte (cf. L. Rost, *Israel bei den Propheten* [1937] 1). Los profetas emplean el nombre «Efraín» (ausente por completo en 1/2 Re) para referirse al reino del Norte, especialmente Is y Os, pero esporádicamente también Jr, Ez, Zac y 2 Cr.

4. A diferencia de «Judá», que constituye desde el comienzo el nombre de un Estado y se refiere siempre al reino de los davídidas (Rost, *loc. cit.,* 3s), «Israel» no posee desde el comienzo esta dimensión político-jurídica, sino que la recibe como consecuencia de determinados acontecimientos históricos. En cuanto designación de una liga tribal sacra, sometida a la ley divina, que no puede considerarse simplemente como «pueblo» ni como «estado», el nombre «Israel» no constituye originalmente un concepto político, sino religioso (cf. A. R. Hulst, *Der Name «Israel» im Deuteronomium:* OTS 9 [1951] 65-106, especialmente 103s). «Israel» es «pueblo» en cuanto comunidad religiosa que tiene por misión transmitir las tradiciones acerca de las fundamentales intervenciones divinas en la historia; por eso, incluso después de haber perdido la soberanía política, puede sobrevivir como comunidad cúltica (cf. Noth, *loc. cit.,* 5s.159).

5. En los textos de Qumrán el nombre «Israel» está documentado fundamentalmente en la Regla de la Comunidad, en el Libro de la Guerra y en el Documento de Damasco. La secta de Qumrán no se identifica con Israel como pueblo o como comunidad religiosa, sino que se considera como una parte escogida del mismo (1Qs 6,13; 8,9; 9,6; CD 1,7; 3,19; 6,5). A veces aparece «Israel» como concepto ideal contrapuesto al «Judá» nacional-geográfico: «los conversos de Israel que proceden de la tierra de Judá» (CD 6,5). Las «dos casas de Israel» son llamadas «Efraín» y «Judá» (CD 7,12s).

Siguiendo la línea veterotestamentaria, el NT emplea el nombre «Israel» para designar al pueblo judío en cuanto pueblo de Dios; cf. G. von Rad, K. G. Kuhn y W. Gutbrod, art. Ἰσραήλ: ThW III, 356-394; R. Mayer, ThBNT II, 742-752; A. George, *Israël dans l'oeuvre de Luc:* RB 75 (1968) 481-525.

G. GERLEMAN

ישׁב *yšb* Sentarse, habitar

→ שׁכן *škn*

ישׁע *yšʿ* hifil Ayudar

1. La raíz, originalmente **yṯʿ,* aparece fuera del hebreo únicamente en moabita (KAI N. 181, líneas 3s: *[y]šʿ,* «salvación» [?]; línea 4: *hšʿny,* «él me salvó»; DISO 112); como parte de nombres propios aparece también en arameo (Huffmon, 215s), ugarítico (Gröndahl, 147) y árabe meridional antiguo (Conti-Rossini, 165a).

La etimología normalmente propuesta, que ve en el árabe *wasiʿa,* «ser espacioso, amplio», el significado fundamental de nuestra raíz (por ejemplo, GB 325b; C. Barth, *Die Errettung vom Tode in den individuellen Klage- und Dankliedern des AT* [1947] 127; J. L. Palache, *Semantic Notes on the Hebrew Lexicon* [1959] 40: *make wide > save, deliver;* G. Fohrer, ThW VII, 973s), es ciertamente sugestiva (cf., como opuesto, *ṣrr,* «ser estrecho», hifil, «oprimir»; aparece como contrapuesto a *yšʿ* en Is 63,8s y Jr 14,8, por ejemplo), pero choca con la dificultad que nace de la diferencia en la correspondencia consonántica (árabe meridional antiguo *yṯʿ*: árabe *wsʿ*) (cf. J. Sawyer, VT 15 [1965] 475s.485, nota 1); es preferible, por tanto, prescindir de interpretaciones etimologizantes.

El verbo aparece en hifil y nifal; el modo qal se ha conservado únicamente en los nombres propios (*Yešaʿyā[hū]*, abreviado, *Yišʿī, ʾælīšāʿ < ʾælyāšāʿ*, cf. Noth, IP 36.155.176; Wildberger, BK X, 4; formados con *yšʿ* hifil: *Hōšaʿyā, Hōšēaʿ*; cf. también el sustantivado *Mēšaʿ* o *Mēšāʿ* = «ayuda»). Los sustantivos derivados son: *yēšaʿ, yešūʿā, mōšāʿōt* y *tešūʿā* (BL 496), todos los cuales significan «ayuda, salvación».

2. Estadísticas: hifil 184 × (de ellas, 27 × el participio sustantivado *mōšīaʿ*; Sal 51 ×, Is 25 ×, Jue 21 ×), nifal 21 × (Jr y Sal 6 ×), *yēšaʿ* 36 × (Sal 20 ×), *yešūʿā* 78 × (Sal 45 ×, Is 19 ×, otros libros 1-2 ×), *mōšāʿōt* 1 × (Sal 68,21), *tešūʿā* 34 × (Sal 13 ×, otros libros 1-3 ×). De los 354 casos de la raíz (sin contar los nombres propios), 136 corresponden a Sal, 56 a Is, 22 a Jue, 20 a 1 Sm, 2 Sm y Jr.

3. *yšʿ* hifil designa en muchos casos la ayuda que se prestan los hombres entre sí (el nifal tiene un sentido pasivo y se emplea en contextos idénticos a los de hifil); así, por ejemplo, designa la ayuda en el trabajo (Ex 2, 17), en la guerra (Jos 10,6 paralelo a *ʿzr*; Jue 12,2; 1 Sm 11,3; 23,2.5; 2 Sm 10,11.19; 2 Re 16,7; 1 Cr 19,12.19); de un valiente (*gibbōr*) se espera que ayude en la batalla (Jr 14,9).

Pero también dentro del ámbito jurídico se emplea el verbo *yšʿ* hifil. Cuando alguien es víctima de una injusticia clama pidiendo ayuda («grito de socorro») y los que le oyen están obligados a ayudarle: el término que designa dicho grito de socorro es → *ṣʿq* (von Rad, ATD 2, 86; 3, 179). Dt 22, 27 describe un caso jurídico de este tipo (empleando los nombres *ṣʿq* y *yšʿ* hifil); cf. también Dt 28,29.31: el formulario de las maldiciones incluye, entre otros castigos, la desaparición de esta institución jurídica.

También el rey constituye una instancia a la que se puede recurrir en un caso jurídico de este tipo; se emplea la fórmula fija *hōšīʿā hammælæk*, «¡ayuda, oh rey!» (2 Sm 14,4; 2 Re 6, 26; cf. también H. J. Boecker, *Redeformen des Rechtslebens im AT* [1964] 61-66; I. L. Seeligman, FS Baumgartner [1967] 274ss).

La función del rey consiste en general en «ayudar» a su pueblo (1 Sm 10,27; Os 13,10; en ambos casos se mencionan afirmaciones que proceden de círculos que se oponen a la institución monárquica, pero en ellas se refleja el sentido atribuido a la monarquía; cf. también Jue 8,22; Jr 23,6, donde se habla del rey del futuro tiempo salvífico). Su ayuda incluye tanto la asistencia militar como la jurídica.

4. *a)* La lamentación de los salmos está estructurada en lo fundamental igual que la queja jurídica profana. El grito de auxilio propio de la súplica suena con frecuencia así: *hōšīʿā*, «salva» (a veces le acompañan expresiones paralelas: → *nṣl* hifil, «liberar», Sal 59,3; 71,2; → *ʿnh*, «responder», 20,7; 22,22; 60,7; → *brk* piel, «bendecir», 28,9; → *plṭ* piel, «salvar», 37,40; 71, 2; → *dīn* y → *špṭ*, «hacer justicia», 54,3 ó 72,4; → *šmr næfæš*, «proteger», 86,2; → *gʾl*, «rescatar», 106,10; junto con → *qūm*, «levantarse», 3,8; 76,10; *bōš* hifil, «avergonzar», constituye en 44,8 el concepto contrapuesto). El grito del hombre es designado igual que en el ámbito profano (→ *qrʾ* y *ṣʿq*: 55,17; 107,13.19; junto a *šawʿā*, «grito de auxilio»: 145,19). El orante que se halla en una situación de necesidad espera la respuesta y la intervención salvífica de Yahvé, descrita con rasgos teofánicos («iluminar el rostro», Sal 31,17; 44,4; 80,4.8.20; también *qūm* pertenece a este contexto). Dios ayuda sobre todo al rey (20,7.10; cf. en la narración histórica de 2 Sm 8,6.14), el cual debe implantar el derecho divino,

y a los pobres y miserables (Sal 18,28; 72,4; 109,31; cf. también Job 5,15), que necesitan de él con especial urgencia.

En los salmos de alabanza narrativos el motivo de la salvación ocupa el lugar que le corresponde en la lamentación: lo que allí era objeto de súplica, aquí aparece como ya experimentado (Sal 18,4; 98,1; también en el «cántico de alabanza escatológico», de Jr 31,7).

Aquí tiene su lugar también el empleo que los salmos hacen de los sustantivos pertenecientes a esta raíz. En el oráculo de salvación, que debe entenderse originalmente como la respuesta de Dios a la lamentación, Dios se presenta como aquel que realiza *yéšaʿ*, «ayuda» (Sal 12,6; cf. también las reminiscencias de la forma del oráculo en los textos de Jr 30,10s; 42,11; 46,27, donde aparece también el verbo *yšʿ;* sobre la forma, cf. J. Begrich, *Das priesterliche Heilsorakel:* ZAW 52 [1934] 81-92 = GesStud 217-231). En la confesión de confianza Dios es designado con frecuencia como *ʾᵆlōhē Yišʿī/Yišʿēnū,* «Dios de mi/nuestra ayuda» (Sal 18,47; 25,5; 65,5; 79,9; 85,5 y *passim;* es semejante el empleo de *yᵉšūʿā/tᵉšūʿā;* parece que estas formas designan la ayuda divina ya recibida y experimentada y aparecen con frecuencia unidas a expresiones de alegría (a *gīl,* «alegrarse», Sal 9,15; 13, 6; 21,2; a otros verbos semejantes, 1 Sm 2,1; Is 25,9; Sal 20,6; 35,9; 42, 6.12).

Las expresiones paralelas muestran cuál es el contenido atribuido a esta ayuda de Dios: la más frecuente es *ṣᵉdāqā,* «justicia» (Is 45,8; 46,13; 51,5 *[ṣǽdæq];* 56,1; 61,10; Sal 71,15; según Is 45,8, *yéšaʿ* va unido también al concepto de fertilidad, lo cual se explica a partir del concetpo de la *ṣᵉdāqā,* cf. H. H. Schmid, *Gerechtigkeit als Weltordnung* [1968] 15ss); en segundo lugar deben citarse los términos *ʿōz,* «fuerza» (Sal 21,2; 28,8; cf. Sal 140,8); *mišpāṭ,* «derecho» (Is 59,11); *bᵉrākā,* «bendición» (Sal 3,9); *ḥǽsæd,* «gracia» (Sal 119,41); *ʾōr,* «luz» (Sal 27,1, reminiscencia de la luz de la teofanía, cf. *sup.).* Aparte de *yéšā*, aparece toda una serie de expresiones metafóricas para designar la ayuda divina: «torre», «baluarte», etc. (Sal 18,3; Is 17,10; 61,10 y otros). Según eso, toda la actuación salvífica divina realizada por mediación del culto puede expresarse por medio de estos conceptos: su actuación desde Sión es *yᵉšūʿā* para Israel (Sal 14,7); Dios es designado como «el que realiza actos salvíficos *(yᵉšūʿōt)* en medio de la tierra» (Sal 74,12, valiéndose de la idea del templo como centro del mundo). En todos estos casos, por tanto, *yšʿ* está unido estrechamente al culto. Esta perspectiva tiene gran influencia en los textos proféticos, donde —por influjo deuteronomístico (cf., por ejemplo, Jue 10,12ss y en general la polémica contra el culto de dioses extranjeros)— se proclama con gran insistencia que sólo Yahvé puede salvar y que ningún otro dios puede hacerlo; cf., sobre todo, Jeremías (2,27s; 8,20; 11,12; 15, 20; 17,14) y Deuteroisaías (en Is 45, 17.20.22 y 46,7 se recoge el motivo de la lamentación y la ayuda consecuente; es particularmente frecuente en este profeta la expresión *mōšīᵃʿ:* 43,3.11; 45,15.21; 47,15; 49,26). En los escritos tardíos, especialmente en la época posexílica, la ayuda de Yahvé se convierte en acto salvífico escatológico-apocalíptico (por ejemplo, Is 25,9; 33, 22; 35,4; 60,16; 63,1; Zac 8,7.13; 9, 16, etc.).

Sólo una vez aparece el término *mōšīᵃʿ* en Oseas, relacionado de lejos con la tradición de Egipto (Os 13,4) y en antítesis con los dioses del país. Es probable que el título *mōšīᵃʿ* no perteneciera originalmente al «Dios de Egipto», sino a los dioses del país. También en la perícopa del éxodo aparece una sola vez el verbo *yšʿ* hifil: Yahvé salvó a los israelitas de la mano de los egipcios (Ex 14,30 J); aquí se emplea, más bien, la terminología de la guerra santa (sobre esto, cf. *inf.).*

b) *yšʿ* hifil se emplea con frecuencia en las narraciones de las guerras de Israel en la época que va de Samuel a David. En la guerra de los filisteos se esperaba que el arca y Yahvé habían de proporcionar la salvación (1 Sm 4, 3); también en otras guerras y victorias posteriores se dan gracias a Yahvé por su intervención (1 Sm 14,6.23.39; 17, 47). En Dt 20,4 se formula de modo general que Yahvé parte a la guerra junto con su pueblo para «ofreceros su ayuda». Este tema puede constituir quizá una corriente de tradición a la que pertenecería originalmente el verbo *yšʿ* hifil.

c) *yšʿ* hifil aparece también en el contexto de los «jueces mayores». Otniel es llamado «salvador» en Jue 3,9, y Ehud, en 3,15. Se ha sospechado con fundamento que los «jueces» no eran llamados originalmente *šōfēṭ*, sino *mōšîaʿ*, y que este último término fue postergado por el redactor (W. Beyerlin, *Gattung und Herkunft des Rahmens im Richterbuch,* FS Weiser [1963] 7). También a otros jueces se les asigna la función de «salvar»: Samgar (Jue 3, 31), Gedeón (6,14s.31.36s), Tolá (10, 1), Sansón (13,5); también Saúl era en un inicio un héroe carismático (1 Sm 9,16); en los «jueces menores» aquí citados el motivo de la salvación es secundario.

Probablemente, pues, estos jefes carismáticos eran llamados «salvadores» ya desde antiguo; y, de hecho, la estructura narrativa del libro de los jueces refleja esta concepción: tras la aparición de un salvador, Israel se aparta de Yahvé, lo cual le lleva a una situación de necesidad desde la que lanza un grito de lamento *(ṣʿq)* y Yahvé contesta enviándole un nuevo salvador. La estructura responde, pues, al modelo del formulario de lamentación civil y cúltico (Jue 2,16ss; 10,10ss; 2 Cr 20, 9; cf. también la variante sacerdotal de Nm 10,9; también 1 Sm 7,8; Neh 9,27). Este tipo de afirmaciones ha influido sobre algunos textos, que afirman que Yahvé ayuda a través de alguien (2 Sm 3,18; 2 Re 14,27; con la expresión *mōšîaʿ,* 2 Re 13,5, donde no se explicita quién es este «salvador»; en Is 19,20 se menciona la curiosa figura de un salvador del fin de los tiempos).

d) En ocasiones se precisa ulteriormente el motivo: se señala con insistencia que la ayuda le viene a Israel gracias a Dios y no gracias a la potencia del propio Israel. Es un motivo que aparece ya en las narraciones antiguas (Jue 7,21s; 1 Sm 17,47, donde se desarrolla ulteriormente: Yahvé no ayuda «con la espada ni con la lanza»; la ayuda tiene lugar, pues, de forma extraordinaria; quizá resuene esta misma temática en 1 Sm 25,26.31.33 y 2 Re 6, 27), vuelve a aparecer en los salmos (Sal 33,16; formulado frecuentemente con el sustantivo *tᵉšûʿā:* Sal 60,13; 108,13; 146,3), se vuelve a tomar también en la literatura profética (Is 30, 15; 31,1; Os 1,7; 14,4) y aparece finalmente como tema de la literatura sapiencial (Prov 21,31; cf., sin embargo, el empleo distinto —originalmente sapiencial— de *tᵉšûʿā,* en Prov 11,14; 24,6). También este motivo debe entenderse a partir de la tradición de la «guerra santa»; de ahí pasó a la tradición cúltica jerosolimitana y posteriormente a las demás maneras de pensar (profecía y sabiduría) (cf. G. von Rad, *Der Heilige Krieg im alten Israel* [1951] sobre todo 57ss.82s).

Ya en los escritos más recientes del AT se había manifestado la tendencia —cada vez más insistente— a relacionar el verbo *yšʿ* y sus derivados con la actuación escatológica de Yahvé; en el judaísmo tardío esta tendencia adquiere mayor vigor. En Qumrán se emplean *yšʿ* hifil/nifal y *yᵉšûʿā;* con frecuencia se aplica alguno de estos términos a la lucha decisiva entre los poderes divinos y antidivinos (1QM 10,4.8; 11, 3; también 1QM 1,5; 13,13; 18,7; CD 20,20). También en el NT se dejan notar algunos rasgos del empleo de este concepto; de todas formas, los conceptos σῴζειν, σωτηρία y σωτήρ (que constituyen las traducciones más normales de la raíz *yšʿ* en los LXX) no contienen sólo elementos propios de la apocalíptica del judaísmo tardío, sino que incluyen también elementos del pensamiento griego-helenista (sobre todo esto, cf. W. Foester y G. Fohrer, art. σῴζω: ThW VII, 966-1024).

F. Stolz

ישר *yšr* Ser derecho, recto

1. La raíz *yšr*, «ser derecho», pertenece al semítico común (KBL 413b, *Suppl.*, 159a.166a); el sentido traslaticio «ser justo» o semejantes aparece también en acádico (*ešēru*, AHw 254-256; CAD E 352-363), ugarítico (Krt [= IK] 13; WUS N. 1252: *yšr*, «honradez»; UT N. 1163 y otros: *mtrḫt yšrh*, «His rightful bride»; Gröndahl, 146) y fenicio (DISO 112s; KAI N. 4, líneas 6s: *mlk yšr*, «un rey honrado»).

En el AT aparece el verbo (qal, piel, pual, hifil; cf. Jenni, HP 104s), el adjetivo *yāšār*, «recto», el abstracto *yṓšær*, «rectitud» (una sola vez, en 1 Re 3,6, aparece el femenino *yišrā*), y los sustantivos formados con el prefijo *m-*: *mīšōr*, «lo que es derecho», «llanura», y *mēšārīm*, «lo que es recto» (*plurale tantum*, plural abstracto).

En el AT aparecen dos nombres de alabanza formados con *yšr:* en 1 Re 4,6, el mayordomo de palacio de Salomón es llamado *ʾᵃḥīšār* («mi hermano [= Dios] es recto»; Noth, IP 189, nota 5, propone leer *ʾaḥyāšār*); uno de los hijos de Caleb se llama, según 1 Cr 2,18, *Yḗšær*, nombre que Noth, IP 189, considera como abreviación del nombre *Ywyšr* (= «Yahvé es recto») que está documentado en los óstraca samaritanos.

Yᵉšūrūn = «el honrado» aparece en Dt 32,15; 33,5.26; Is 44,2 y Eclo 37,25 como nombre honorífico de Israel, quizá como contrafigura de Jacob (= «el astuto»), cf. Is 40,4 (*ʿāqōb*, «desigual», junto a *mīšōr*) y W. Bacher, ZAW 5 (1885) 161-163; G. Wallis, BHH II, 858.

No está probado con seguridad si el nombre geográfico *Šārōn* se deriva de *yšr* (así, KBL 10,11, K. Galling, RGG V, 1370s) o de *šrh* II (así, KBL *Suppl.*, 191b; Rudolph, HAT 21,48, nota 2) (cf. también K. Elliger, BHH III, 1673s).

2. El verbo aparece en el AT 25 × (qal 13 ×, piel 9 ×, excluido Job 37,3 [que pertenece a *šrh*], pual 1 ×, hifil 2 ×; Is 45,2 Q es contado como piel), *yāšār* aparece 119 × (Sal y Prov 25 ×, 2 Cr 11 ×, 2 Re 10 ×, Job 8 ×, Dt 7 ×, 1 Re 6 ×), *yṓšær* 14 ×, *yišrā* 1 ×, *mīšōr* 23 × (Sal y Job 5 ×), *mēšārīm* 19 × (Sal 7 ×, Prov 5 ×).

3. La raíz *yšr* tenía originalmente el significado concreto de «ser derecho» (opuesto a «torcido»), pero en el AT aparece fundamentalmente en el sentido traslaticio «ser recto, recto» (opuesto a «malo, falso» o semejantes); cf. la relación semejante entre *nākōᵃḥ*, «derecho, lo derecho» (→ *ykḥ* 1), y *tqn* piel, «juzgar con rectitud» (Ecl 7,13; 12,9; Eclo 47,9; el qal Ecl 1,15 debe leerse como nifal; cf. Wagner N. 328).

a) El significado *concreto* aparece en Ez 1,7, «pierna recta» (Zimmerli, BK XIII, 1.62), y en el modo piel del verbo «allanar» (Is 40,3 paralelo a *pnh* piel; 45,2 paralelo a *šbr* piel; 45,13; Prov 3,6; 9,15; 11,5); también debe mencionarse aquí el empleo de *yšr* piel, «conducir las aguas derechas», en 2 Cr 32,30. El sustantivo *mīšōr* tiene casi siempre el significado concreto de «llanura»; por una parte se refiere a la meseta fértil situada al norte del Arno (Dt 3,10; 4,43; Jos 13,9.16.17.21; Jr 48,8.21; 2 Cr 26,10), y por otra designa en general toda región llana en oposición a región montañosa (1 Re 20,23.25; Zac 4,7; en Is 40,4 y 42,16 se repiten varios conceptos paralelos y opuestos; Sal 26,12; 27,11 y 143,10 deben entenderse en sentido traslaticio: «llanura» = «seguridad»). También *mēšārīm* tiene en una ocasión un sentido concreto: en Prov 23,31 y Cant 7,10 se habla de lo «liso» o, mejor, «suave» que es el vino.

Ya en *yšr* piel aparece el camino o la ruta como objeto del verbo; la expresión «camino derecho» tiene, en Esd 8,21, por ejemplo, un sentido concreto, pero en la mayoría de los casos el sentido es traslaticio (1 Sm 12,23; Jr 31,9; Os 14,10; Sal 107,7; Prov 12, 15; 14,12; 16,25; 21,2, cuyo texto constituye quizá una típica expresión sapiencial, cf. Wolff, BK XIV/1, 310s).

b) En las composiciones «corazón recto» (2 Re 10,15), «obra recta» (Prov 20,11; 21,8) el sentido es claramente *traslaticio,* así como en la fórmula *yšr beᶜênē,* «ser recto a los ojos (de alguien)», propia del lenguaje familiar; todos los casos de *yšr* qal, excepto uno (1 Sm 6,12), corresponden a textos donde aparece esta fórmula (Jue 14,3. 7; 1 Sm 18,20.26; 2 Sm 17,4; 1 Re 9, 12; Jr 18,4; 1 Cr 13,4; 2 Cr 30,4; cf. *inf.,* 4). El adjetivo *yāšār* aparece tanto en sentido personal como objetivo; en sentido objetivo aparece en la fórmula antes citada, *ᶜśh hayyāšār beᶜênē,* «hacer lo recto a los ojos de (alguien)». Esta fórmula es sobre todo deuteronómico-deuteronomística (Dt 12,8; Jos 9,25; 2 Sm 19,7; Jr 26,14; 40,4.5), pero aparece también en el «estribillo» (von Rad I, 345, nota 9, con M. Buber) del Libro de los Jueces (Jue 17, 16; 21,25); cf. CD 3,6; 8,7; 19,20. En sentido personal, *yāšār* aparece sobre todo en plural *(yešārīm):* «los rectos, justos». Se puede considerar *yešārīm* como término propio de los salmos y del lenguaje sapiencial: Sal 33,1; 107, 42; 111,1; 112,2.4; 140,14; Job 4,7; 17,8; Prov 2,7.21; 3,32; 11,3.6.11; 12,6; 14,9.11; 1QS 3,1; 4,2; 1QH 2, 10; CD 20,2. En los salmos es especialmente característica la expresión *yišrē lēb,* «los rectos de corazón» (Sal 7,11; 11,2; 32,11; 36,11; 64,11; 97,11; cf. Sal 125,4; 2 Cr 29,34).

séfær hayyāšār, «Libro del Justo o del Honrado», es el título de una colección de cánticos de la época de la conquista de la tierra y de comienzos de la monarquía (Jos 10,13; 2 Sm 1,18; 1 Re 8,13, LXX [?], cf. O. Eissfeldt, *Einleitung in das AT* [1964] 176-178; L. Rost, BHH I, 279).

yāšār aparece con frecuencia junto a *ṭōb,* «bueno» (Dt 6,18; Jos 9,25; 1 Sm 12,23; 29,6; 2 Re 10,3; Jr 26,14; 40,4; Sal 25,8; 125,4; Neh 9,13; 1QS 1,2); *yešārūm* lo hace junto a *ṣaddīq(īm),* «justo(s)» (Sal 32,11; 33,1; 64,11; 97,11; 140, 14; cf. Dt 32,4; Sal 94,15; 119,137); en Job 4,7; 17,8, *nāqī,* «inocente», aparece junto a *yšr;* en Job 8,6; Prov 20,11; 21, 8 junto a *zak,* «puro». La serie → *tmm,* «(ser) intachable»/*yšr* aparece en Job 1, 1 = 1,8 = 2,3 y también en Prov 2,7.21 (Horst, BK XVI/1,4.9, «expresión corriente»). Los conceptos opuestos a *yešārīm* son, sobre todo, *bōgedīm,* «traidores» (Prov 11,3.6; 21,18), y *rešāᶜīm,* «malvados» (Prov 11,11; 12,6; 14,11; 15,8; 21, 29).

El paralelismo de *ṣaddīq* y *tām* con *yāšār* muestra que también *yāšār* debe considerarse como un concepto que designa un «comportamiento comunitario» (von Rad I, 383, nota 6).

En cuanto al empleo de *yṓšær* —utilizado únicamente en sentido traslaticio—, es típica la expresión «rectitud del corazón» (Dt 9,5; 1 Re 9,4; Sal 119,7; Job 33,3; 1 Cr 29.17); en Dt 9,5, *yṓšær* aparece junto a *ṣedāqā* (→ *ṣdq),* y en 1 Re 9,4; Sal 25,21 junto a *tōm* (cf. von Rad, GesStud 200s).

mēšārīm es característico de Sal y Prov (paralelo a *ṣedāqā/ṣǽdæq,* en Sal 9,9; 58, 2; 99,4; Prov 1,3; 2,9; Is 33,15; 45,19; paralelo a *mišpāṭ* [→ *špṭ],* en Sal 17,2; 99,4; Prov 1,3; 2,9). Por influjo del plural abstracto *mēšārīm,* también el singular *mīšōr* ha adquirido a veces (Is 11, 4; Mal 2,6; Sal 45,7; 67,5 [Jr 21,13?]) el significado «rectitud = honradez».

4. Algunas de las expresiones y de los significados antes señalados reciben un empleo teológico específico; se trata casi siempre del sentido traslaticio.

La fórmula «hacer lo recto a los ojos de Yahvé» es exclusiva del lenguaje deuteronómico - deuteronomístico (Ex 15,26; Dt 12,25.28; 13,19; 21,9; 1 Re 11,33.38; 14,8; 15,5; 2 Re 10,30; Jr 34,15; cf. A. Jepsen, *Die Quellen des Königsbuches* [[2]1956] 85). Forma parte de la censura que aparece regularmente en el marco deuteronomístico de las diversas narraciones de los libros de los Reyes (1 Re 15,11 = 2 Cr 14, 1; 1 Re 22,43 = 2 Cr 20,32; 2 Re 12, 3 = 2 Cr 24,2; 2 Re 14,3 = 2 Cr 25,2; 2 Re 15,3 = 2 Cr 26,4; 2 Re 15,

34 = 2 Cr 27,2; 2 Re 16,2 = 2 Cr 28,1; 2 Re 18,3 = 2 Cr 29,2; 2 Re 22, 2 = 2 Cr 34,2; en 2 Cr 31,20 el cronista modifica la fórmula usual); a esta fórmula corresponde también la expresión crítica «hacer lo malo a los ojos de Yahvé» (→ *r*ʿʿ), que aparece, por ejemplo, en 2 Re 13,2; cf. von Rad I, 347s. En Nm 23,27 y Jr 27,5 aparece la fórmula semejante «ser recto (*yšr* qal) a los ojos de Dios».

El adjetivo se emplea en sentido personal para indicar que Dios es *yāšār* (Dt 32,4; Is 26,7 [?]; Sal 25,8; 92, 16). También las órdenes de Yahvé, su palabra y semejantes son «rectas» (Sal 19,9; 33,4; 119,137; Neh 9,13). Yahvé juzga a los pueblos (→ *špṭ* y → *dīn*) con *mēšārīm* (Sal 9,9; 75,3; 96,10; 98,9; cf. 58,2) y *mīšōr* (Sal 67,5; cf. Is 11,4); cf. Kraus, BK XV, 200.

5. El empleo de la raíz en la literatura qumránica corresponde al del AT. Sobre el judaísmo tardío y sobre el NT, cf. H. Köster, art. ὀρθοτομέω: ThW VIII, 112s; W. Foerster, artículo ἀρέσκω: ThW I, 455-457; H. Preisker, art. ὀρθός: ThW V, 450-453; W. Bauer, *Wörterbuch zum NT* [⁵1965], en la voz εὐθύς. El texto de Is 40,3 tiene una resonancia especial; cf., por ejemplo, 1QS 8,14; Mc 1,3 y paralelos; Jn 1,23.

G. Liedke

כְּ *kᵉ* Como → דמה *dmh*

כבד *kbd* Ser pesado

1. La raíz *kbd* pertenece al semítico común; en el entorno lingüístico del AT, la raíz aparece en acádico (*kbd > kbt*, cf. GAG, suplemento 8**; AHw 416s.418), ugarítico (WUS N. 1274; UT N. 1187; Gröndahl, 148) y fenicio-púnico (DISO 114; Harris, 110). El término **kabid-(at-)*, «hígado», es corriente en todas las lenguas semíticas (Bergstr., *Einf.*, 184; P. Fronzaroli, AANLR VIII/19 [1964] 257s. 272.279); en cambio, para los sentidos del verbo —en qal, «ser pesado»; en piel, «honrar», etc.— el arameo prefiere la raíz *yqr (*wqr)*, «ser pesado, valioso» (DISO 110; KBL 1083a).

El verbo aparece en todos los modos verbales, excepción hecha del modo hofal. Entre los derivados nominales, los más importantes son el adjetivo *kābēd*, «pesado», y el sustantivo *kābōd*, «peso, honor, gloria»; es menos frecuente el empleo de *kābēd* para designar el «hígado» en cuanto «órgano pesado» (el acádico ha desarrollado también el sentido amplio de «interior, espíritu», cf. Dhorme, 128-130; el significado «alma» puede ser documentado también en hebreo, si en Gn 49,6; Sal 7,6; 16,9; 30,13; 57,9 y 108,2 preferimos leer *kābēd* en lugar de *kābōd*, cf. KBL 420a; F. Nötscher, VT 2 [1952] 358a.362); también son poco frecuentes los abstractos *kōbæd*, «peso»; *kᵉbēdūt*, «dificultad», y *kᵉbuddā*, «lo valioso». Sobre el nombre personal *ʾīkābōd* (1 Sm 4,21, que contiene una etimología popular; 14, 3), cf. Stamm, HEN 416a («donde está la gloria» como nombre sustitutivo); sobre *Yōkǽbæd* (Ex 6,20; Nm 26,59), cf. J. J. Stamm, FS Baumgartner (1967) 315.

De la raíz *yqr* aparecen en arameo bíblico las formas nominales *yaqqīr*, «difícil» (Dn 2,11), «estimado» (Esd 4,10), y *yᵉqār*, «honor» (Dn 2,6.37; 4,27.33; 5,18. 20; 7,14), términos ambos que aparecen también en hebreo —junto a *yqr* qal, «ser difícil, valioso» (9 ×), hifil, «hacer valioso, raro» (2 ×), y *yāqār*, «raro, valioso» (35 ×, excluido Is 28,16)— como arameísmos (*yaqqīr*, Jr 31,20, «caro, valioso»; *yᵉqār* 17 ×; cf. Wagner N. 120a/ 121).

2. El verbo aparece 114 × (Is 20 ×, 1 Sm y Sal 11 ×, Ex 10): qal 23 × (incluido 2 Sm 14,26), nifal 30 ×, piel 38 ×, pual 3 ×, hitpael 3 ×, hifil 17 ×. Las cifras correspondientes a las formas nominales son las siguientes: *kābōd* 200 × (Sal 51 ×, Is 38 ×, Ez 19 ×, Prov 16 ×); *kābēd*, «pesado», 40 × (Ex 12 ×, Gn 9 ×); *kābēd*, «hígado», 14 × (Ex 29,13.22, y 9 × en el levítico, «lóbulos del hígado»; cf. L. Rost, ZAW 79 [1967] 35-41; y además Ez 21,26; Prov 7,23;

Lam 2,11); *kōbæd* 4 × (Is 21,15; 30, 27; Nah 3,3; Prov 27,3); *k*[e]*buddā* 3 × (Jue 18,21; Ez 23,41, texto dudoso; Sal 45,14) y *k*[e]*bēdūt* 1 × (Ex 14,25).

3. *a)* El significado del adjetivo *kābēd* se acerca bastante al de nuestro «pesado», pero presenta algunas características especiales. En muy pocas ocasiones tiene el sentido concreto de «peso material» (1 Sm 4,18, referido a Elí: «era anciano y de mucho peso»; también Ex 17,12, en relación a las manos de Moisés; Prov 27,3, el fastidio que produce el necio es mayor que el peso de la piedra y la arena). Pero incluso en esos pocos textos, el término «pesado» no pretende dar una indicación meramente objetiva; *kābēd* designa propiamente lo pesado en cuanto produce fastidio, lo pesado en su función de «pesar». Si uno impone a otro un yugo pesado, se entiende que el segundo recibe determinadas cargas; sucede lo mismo que cuando nosotros hablamos de «cargas tributarias» (cf. 1 Re 12,4.11 = 2 Cr 10,4.11).

Pero si *kābēd* designa lo pesado en su función de «pesar», entonces se abre la posibilidad de un significado ambivalente: el «peso» puede ser experimentado como positivo o como negativo. De todos modos, no es extraño que la experiencia negativa sea la que encuentra mayor eco en fórmulas fijas y en expresiones de relativa frecuencia. El hombre primitivo experimenta el peso: 1) como carga que él, con su cuerpo, debe transportar o 2) como un peso que viene y cae sobre él. Al sentido 1) pertenecen los pasajes que hablan de un yugo pesado (cf. *sup.)* y los que en sentido traslaticio hablan de los pecados como una carga pesada (Sal 38,5; cf. Is 1,4). También una tarea excesivamente dura constituye una carga pesada (Ex 18,18; cf. Nm 11, 4). Pesado resulta también el «fastidio que produce el necio» (Prov 27,3; cf. G. Rinaldi, BeO 3 [1961] 129). El adjetivo *kābēd* puede tener también el sentido de «torpe»: Moisés rechaza con estas palabras el encargo que se le había confiado: «mi boca y mi lengua son torpes» (Ex 4,10); cf. la expresión «pueblo de habla oscura y lengua torpe» (Ez 3,5.6); finalmente, también el corazón del Faraón es «pesado», en el sentido de «obstinado» (Ex 7,14). Al sentido 2) pertenecen las experiencias elementales de la caída de una granizada fuerte (Ex 9,18.24), de un enorme enjambre de tábanos (Ex 8,20) o de langostas (10,14), de una gran peste (9,3) o de una carestía (Gn 12,10; 41,31; 43,1; 47,4.13); una nube apoyada sobre un monte puede dar la impresión de una carga (Ex 19,16), lo mismo que una roca grande (Is 32,2).

Lo pesado constituye una experiencia positiva en cuanto que da importancia. Así, puede significar riqueza (Gn 13, 2) o abundancia, grandeza (Gn 50,9; Ex 12,38). La reina de Sabá llegó acompañada de un séquito «pesado», es decir, grande, imponente (1 Re 10, 2 = 2 Cr 9,1); el adjetivo «pesado» se aplica de forma especial al ejército numeroso (Nm 20,20; 2 Re 6,14; 18, 17 = Is 36,2; cf. 1 Re 3,9: «tu fuerte pueblo»). A lo grave, en sentido de imponente, se alude también cuando se afirma que se han celebrado honras fúnebres «pesadas» (Gn 50,10: «un duelo muy grande y solemne»; semejante en v. 11). El hebreo «peso» o «pesado» corresponde con frecuencia a nuestra «grandeza».

El adjetivo *kābēd* no se emplea nunca en sentido teológico.

b) *kbd* es un verbo estativo, cuyo significado es «ser/hacerse pesado»; todos los casos del verbo pueden entenderse a partir de este significado base.

El modo qal se emplea en muy pocas ocasiones para referirse al peso físico (2 Sm 14,26; en Job 6,3, Job compara el peso de su desgracia con el peso de la arena del mar; cf. Prov 27,3); al sentido físico se aproxima también la pesadez del trabajo (Ex 5,9) o de la servidumbre (Neh 5,18; cf. Jue 1,35, *kbd* hifil, referido a la pesadez de un yugo: 1 Re 12,10.14 = 2 Cr 10,10.14; Is 47,6; cf. Lam 3,7; de esa forma, *kbd* hifil puede expresar también la idea de «oprimir», Neh 5,15). En 2 Sm 13,25, *kbd* qal significa «ser gravoso» para alguien (cf. Job 33,7); puede designar también la «gravedad» de los pecados (Gn 18,20; Is 24,20, cf. Hab 2,6, hifil, referido a las deudas; Sal 38,5); se habla también de «graves» batallas (Jue 20,34; 1 Sm 31,3; 1 Cr 10,3).

La idea de «ser pesado» puede tener también sentido positivo (Ez 27,25; Job 14,21, rico y distinguido; Prov 8, 24, nifal, fuentes que manan mucha agua).

La idea puede ser aplicada a los órganos corporales; el adjetivo «torpe» indica que el órgano en cuestión está atrofiado o al menos no funciona con normalidad (Gn 48,10, ojos; Is 59,1, el oído de Dios; cf. Zac 7,11, hifil); lo mismo, referido al corazón del Faraón, en Ex 9,7; en piel (1 Sam 6,6) y hifil (Ex 8,17.28; 9,34; 10,1; Is 6,10), el verbo designa la obstinación del corazón (→ *lēb* 4*d).*

Sobre su empleo teológico, cf. *inf.*, 4*a.*

c) El piel significa, en la mayoría de los casos, «honrar», es decir, «dar importancia a alguien» o «reconocer a alguien como importante». El decálogo incluye la ley «honra a tu padre y a tu madre» (Ex 20,12; Dt 5,16; cf. Mal 1,6); en Sal 15,4 se indica que quien honra a los que temen a Yahvé es admitido en la liturgia de la torá. Cuando en 1 Sm 15,30 Saúl pide a Samuel: «hónrame delante de los ancianos de mi pueblo», le suplica que le reconozca ante los demás en su posición de rey. La cortesía diplomática exige mostrar respeto al rey del país vecino (2 Sm 10,3 = 1 Cr 19,3). Cuando en 1 Sm 2,29 el hombre de Dios reprocha a Elí: «tú honras más a tus hijos que a mí (Dios)», le acusa de olvidarse del honor debido a Dios para ocuparse insistentemente de sus hijos. La acción de honrar puede realizarse por medio de un rito (Jue 9,9). Este «honrar» equivale a nuestro «recompensar con honores» (Nm 22,17.37; 29,11). La sabiduría honra (Prov 4,8).

Al empleo del modo piel corresponde el del nifal: el hombre es honrado por el hombre. Un hombre es estimado en su parentela (Gn 34,19; 1 Sm 9,6; 22,14; 1 Cr 4,9) o en el ejército al que pertenece («entre los Treinta», 2 Sm 23,19.23; 1 Cr 11,21.25), forma parte del grupo de los famosos, es decir, estimados (Nm 22,15; Is 3,5; 23,8.9; Nah 3,10; Sal 149,8). La sabiduría indica cómo se consigue la estima (pual, Prov 13,18; 27,18). Cuando uno es estimado debe sentirse contento (2 Re 14,10, nifal, cf. 2 Cr 25,19, hifil, texto dudoso). Prov 12,9 (hitpael) exhorta a no darse importancia cuando no le llega a uno ni para comer. Pueden chocar dos modos de entender el honor (2 Sm 6,20 y 22).

En el AT, la idea de que el hombre honra al hombre es casi tan frecuente como la idea de que el hombre honra a Dios (cf. *inf.,* 4*a);* eso indica que estas concepciones no se oponen entre sí. En determinados contextos (por ejemplo, Ex 20,12), el honrar al hombre pertenece a la existencia, de igual modo que el honrar a Dios. Es cierto que pueden entrar en conflicto, pero precisamente 1 Sm 2,29 muestra que, al margen del conflicto, ambos honores forman un conjunto equilibrado. El español «honrar» no puede traducir esta idea con total exactitud; el veterotestamentario *kbd* piel no designa una distinción que coloca a un hombre por encima de los demás, sino que designa el reconocimiento de la posición que ocupa dentro de la comunidad.

d) Por lo que respecta al sustantivo *kābōd,* se pueden distinguir tres modos principales de empleo: 1) «peso» en sentido físico, 2) honor o gloria a nivel de las relaciones interhumanas y 3) honor o gloria de Dios (cf. *inf.,* 4*b.f).* Los tres modos de empleo deben explicarse a partir del significado fundamental «peso». A diferencia del verbo y del adjetivo, el sustantivo *kābōd* no es ambivalente; *kābōd* no significa nunca «peso» en el sentido de carga u opresión (no sucede lo mismo con *kōbæd:* «peso», Prov 27,3; «violencia», Is 21,15; 30,27; «gran multitud», Nah 3,3; ni con *k^ebēdūt,* «agobio, dificultad», Ex 14,25).

1) El significado físico «peso» o «multitud» aparece en Nah 2,10: «una carga (un montón) de toda clase de objetos preciosos»; Is 22,24: «colgarán allí toda la carga (el montón) de los objetos de su tribu»; Os 9,11: «Efraín se parece a un pájaro: volará toda su carga» (Wolff, BK XIV/1, 207 traduce: «su gloria volará», pero luego comenta en p. 215: «Por lo que sigue, se ve que *kābōd* designa concretamente la abundancia de hijos [cf. Prov 11, 16]»; esto es un ejemplo de lo cerca que están los significados «abundancia» y «gloria»). En ninguno de estos casos designa *kābōd* únicamente «peso»; al contrario, incluye los matices de «gran multitud», es decir, «multitud imponente».

2) No se alejan mucho de este significado concreto los pasajes en los que *kābōd* significa «riqueza» y «prestancia» (Gn 31,1; 45,13; Is 10,3; 61,1; 66,12; Sal 49,17.18; Est 1,4; 5,11; cf. Nm 24,11: «buena retribución»; semejante es *k^ebuddā,* Jue 18,21, «riqueza» o «posesión valiosa»). También los árboles, bosques o montañas frondosas tienen *kābōd* (Is 10,18; 35,2; 60,13; Ez 31,18). El bosque —y también cada árbol— tiene algo que impone (¡piénsese en el clima y en el paisaje!), da la impresión de gran vitalidad, llama la atención por su hermosura —en español podríamos traducirlo como «magnificencia»—, concepto que está incluido en el *kābōd* de nuestros textos (lo mismo que en Sal 85,10: «para que la abundancia more en nuestra tierra»). También los objetos hechos por el hombre pueden dar la impresión de magnificencia o esplendor (Is 22,18, carrozas espléndidas; Os 10,5, la imagen de un becerro; pero, sobre todo, el templo: Jr 14,21; 17, 12; Ag 2,3.9; referido a la morada del rey del fin de los tiempos: Is 11,10; cf. también *k^ebuddā* en Ez 23,41, texto dudoso; Sal 45,14).

Cuando se aplica la idea de *kābōd* a un bosque no nos alejamos mucho del significado concreto del término; pero cuando *kābōd* se refiere a todo un país, entonces adquiere un significado más general y abstracto: «dentro de tres años la gloria de Yahvé será despreciada» (Is 16,14; cf. Jr 48,18; referido a Kedar: Is 21,16; a Asur: Is 8,7; 10,16; Hab 2,16). Del mismo modo se habla también del esplendor de Israel (Is 17,3.4; 62,2; 66,11; Miq 1,15; con énfasis especial en la lamentación: «¡se acabó la gloria de Israel!», 1 Sm 4,21.22). La *kābōd* de los países no se capta por los sentidos con la misma inmediatez que la *kābōd* de un bosque; se manifiesta, más bien, en toda una serie de fenómenos que forman la prosperidad de un pueblo y un país: la grandeza y firmeza de las ciudades, el desarrollo cultural, el poder y la actividad política, el poderío militar, etc. También la clase aristocrática forma parte de la grandeza de un país; así, en Is 5,13, los nobles de un país son considerados como su *kābōd.* A los nobles corresponde el puesto de honor (Is 22,23); también al rey se le atribuye *kābōd* (Sal 21,6).

La gran ruptura que sufrió la historia de Israel se refleja también en un nuevo empleo de esta palabra: en un determinado grupo de pasajes, *kābōd* no designa ya una realidad presente; al contrario, la gloria del país, del pueblo y del templo es algo que se espera o se anuncia para el tiempo futuro: Is 4,2: «aquel día el germen de Yahvé será magnífico y glorioso» (además, Is 11,10; 24,23; 61,6; 62,2; 66,11; Miq 1,15; Ag 2,7.9; Zac 2,9; Sal 35,10 [?]; este tema de la gloria de Israel y de Sión es especialmente característico del Tritoisaías).

Un ulterior grupo de textos es el formado por los pasajes en los que *kābōd* debe traducirse por «honor». El hecho de que «honor» y «gloria» constituyan dos significados de *un mismo* vocablo tiene la siguiente explicación: cuando se afirma de alguien que tiene *kābōd,* puede hacerse referencia a su riqueza o a su importancia en el sentido más amplio (así, por ejemplo, en Gn 45,13), es decir, a lo que se indica por medio del término «importante» (= «de peso»). Esta idea de la importancia de un hombre es idéntica, según la concepción hebrea, al prestigio de que goza dentro del círculo en que se mueve; su importancia *es* su prestigio, su honor. El honor es, pues, algo que procede de quien recibe el honor, no de quien lo tributa; es el reflejo de la importancia de un hombre.

Los textos que emplean *kābōd* en el sentido de «honor» forman un grupo fácilmente clasificable en el que se observan dos centros de gravedad. El primero corresponde al empleo de *kābōd* en la literatura sapiencial y proverbial. En ella, *kābōd* designa la posición privilegiada que ocupa una persona en la sociedad en que vive; puede referirse tanto a la mujer (Prov 11,16) como al hombre (Prov 3,35; 15,33; 18,12; cf. 29,23; Ecl 10,1). Es un honor que se puede perder por una conducta inadecuada (Prov 26,1.8; cf. Hab 2, 16); debe manifestarse precisamente en el comportamiento de la persona (Prov 20,3; 25,2); la vida y el honor se corresponden (Prov 21,21; 22,4; cf. Sal 112,9; 149,5; Job 29,20). Y cuando muere una persona honorable, recibe los últimos honores (2 Cr 32,33); yacen con honor (Is 14,18). A este grupo pertenece también una serie de pasajes de los salmos (lamentación individual) en los que el orante se lamenta de que su honor ha sido reducido o eliminado (Sal 4,3; 7,6; cf. Job 19,4); de forma correspondiente, al confesar su confianza en Dios, el orante manifiesta que su honor le ha sido conservado por Dios (Sal 3,4; 62,8; 73,24; 84,12; cf. 1 Cr 29,12 y Ecl 6,2). Pero estos textos nacen en situaciones especiales; el honor, por lo general, se sitúa a un nivel simplemente interhumano.

El otro centro de gravedad es el caracterizado por el par de palabras «riqueza y honor». Este par de palabras es frecuente en la obra cronística (1 Cr 29,28: «murió en buena vejez, lleno de días, riqueza y gloria»; 1 Cr 29,12; 2 Cr 1,11.12; 17,5; 18,1; 32, 27; cf. Prov 3,16; 8,18; 22,4; Ecl 6,2). Se trata casi siempre de textos tardíos. El texto más antiguo es el de 1 Re 3, 13, en la narración del sueño de Salomón («también te concedo lo que no has pedido: riqueza y honor»). No es casual que el par de palabras aparezca por vez primera en la época inicial de la monarquía. Es signo de una transformación social condicionada por la monarquía: surge una clase de familias ricas y pudientes, y el prestigio de esa clase rica y pudiente es designado por medio del término «honor». Ciertamente tampoco es casual que el par de palabras «honor y riqueza» aparezca en el Libro de los Proverbios precisamente en la antigua colección Prov 1-8 (3,16 y 8,18). A este honor aristocrático pertenece también la afirmación de que el Poderoso honra a quien le reconoce (Dn 11,39).

4. *a)* El empleo teológico del *verbo* varía de un modo verbal a otro. *kbd* piel puede ser empleado como paralelo de los verbos de alabanza (en la invitación a la alabanza: Is 24,15; Sal 22,24; en los votos de alabanza: Sal 86,12; 91,15; en Sal 86,9 se puede entrever la alabanza de los pueblos, cf. Is 25,3; alabanza de los animales, Is 43,20; reacción ante la salvación o el cumplimiento de una promesa, Jue 13,17; Sal 50,15). Puede emplearse también de modo genérico para referirse a la veneración de Dios (Dn 11, 38; cf. Dt 28,58, nifal). Pero el empleo característico del modo piel debe entenderse a partir del significado fundamental «dar peso». Honrar a Dios significa darle la importancia que le corresponde, reconocerlo en su divinidad (negativamente, en Is 29,13: «me

honran con la boca y con los labios»; 43,23: «tú no me has honrado con tus sacrificios»; cf. además Is 58,13; Sal 50,23; Prov 14,31: «el que se apiada de los pobres, ése honra al Creador», cf. Prov 3,9). Aquí tiene también su lugar 1 Sm 2,29 (cf. *sup., 3c).* El honor puede ser también recíproco: «(sólo) a quien me honra honro yo» (1 Sm 2,30).

En el modo nifal, el verbo no tiene sentido pasivo (como en el grupo de textos que lo refieren al hombre), sino reflexivo: Dios crea su propia importancia. Este empleo es tardío. Aparece como trasfondo la larga experiencia de que a Dios no se le tributa el honor debido; de ahí brota el reconocimiento de que Dios se otorga a sí mismo el honor que le corresponde. En P existe un grupo de textos que presentan este empleo: Dios manifiesta su gloria aniquilando a una potencia hostil a Israel (Ex 14,4.17.18); el mismo sentido aparece en Ez 28,28; 29,13; en los textos de Is 26,15; 66,5, texto enmendado; Ag 1,8 está también en la misma línea. En resumen, este empleo se limita a la época exílica e inmediatamente posexílica.

Hay otro grupo de textos que presentan a Dios como sujeto de *kbd* qal; también, en dos ocasiones, de los modos nifal y hifil, pero nunca del modo piel. El qal conserva, en este empleo, el significado fundamental «ser pesado» en el sentido de carga, es decir, un significado semejante al de la mayoría de los textos no teológicos. Se trata de la expresión fija: «La mano de Yahvé cayó pesadamente sobre...» (1 Sm 5,6.11; Sal 32,4; Job 23,2; 33, 7; muv parecido también, Lam 3,7, hifil: «ha hecho pesadas mis cadenas»; cf. Jue 1,35; cf. *sup., 3b).* Aquí, el ser pesado no se refiere a Dios, sino a la violencia (→ *yād)* ejercida por Dios contra alguien. En este sentido, se abren dos líneas diferentes. En 1 Sm 5,6.11 se alude a una acción histórica de Dios; su violencia se dirige contra los enemigos de Israel. Se trata de la concepción más antigua y frecuente. En Sal 32,4; Job 23,2; 33,7; Lam 3,7, en cambio, la violencia de Dios se dirige contra personas particulares, miembros de su propio pueblo; en todos estos casos, la expresión forma parte de la lamentación individual. Se ha dado, pues, una transformación profunda: también algunos miembros del pueblo de Dios pueden experimentar el peso de la violencia divina dirigida contra ellos. El drama ya no se desarrolla en el campo de la batalla de Israel contra sus enemigos, sino que tiene lugar en el campo de la existencia oprimida por el dolor y la tribulación.

Tras el largo tiempo de desgracia que ha vivido el país oprimido, se han elaborado dos textos tardíos que anuncian que Dios ha vuelto a honrar al país (al pueblo) (Is 8,23, cf. también J. A. Emerton, JSS 14 [1969] 157-175; Jr 30,18; se trata en ambos casos del modo hifil); y en un oráculo de salvación de DtIs se comunica a Israel que es valioso a los ojos de Dios (Is 43,4, nifal; lo mismo se dice del siervo de Yahvé, Is 49,5).

b) Sobre el empleo teológico del sustantivo *kābōd* (4*b-f*), existe ya desde antiguo una amplia bibliografía (recogida en C. Westermann, *Die Herrlichkeit Gottes in der Priesterschrift,* FS Eichrodt [1970] 227); se pueden señalar los siguientes títulos: A. von Gall, *Die Herrlichkeit Gottes* (1900); W. Caspari, *Die Bedeutungen der Wortsippe kbd im Hebr.* (1908); H. Kittel, *Die Herrlichkeit Gottes* (1934); B. Stein, *Der Begriff K^e^bod Yahweh und seine Bedeutung für die atl. Gotteserkenntnis* (1939); T. A. Meger, *The Notion of Divine Glory in the Hebrew Bible,* tesis presentada en Lovaina (1965). En el presente artículo trataremos los siguientes puntos: el honor de Dios y el honor rendido a Dios en el momento presente (4*c*); la futura *kābōd* de Dios (4*d*); *k*^{e}*bōd Yhwh,* en el escrito sacerdotal (4*e*); *k*^{e}*bōd Yhwh,* en Ezequiel (4*f*).

c) Podemos señalar un primer empleo teológico de *kābōd* en aquellos textos, relativamente antiguos, en los que se habla de la acción de rendir honor. En este sentido, el sustantivo se acerca mucho a *kbd* piel (cf. *sup.* 4*a*): expresa la idea de que la *kābōd* de Dios exige un comportamiento adecuado, es decir, exige ser reconocida como tal. Así, en la narración del robo de Akán, Josué exige a éste: «da *kābōd* a Yahvé, el dios de Israel» (Jos 7,19; algo semejante se lee en la narración del arca, 1 Sm 6,5). La semejanza de estos dos textos muestra que ya desde antiguo se pensaba en Israel que la importancia, el honor o la prestancia de Yahvé (no es posible determinar con exactitud el sentido de *kābōd*) podía ser objeto de ofensas y que, por tanto, se debía poner sumo cuidado en tributarle el honor debido, por medio de las acciones que la situación concreta pidiera. El mismo modo de empleo vuelve a aparecer en la profecía. En la fundamentación de un anuncio de juicio contra Jerusalén, Isaías afirma (3,8): «sus lenguas y sus acciones fueron contra Yahvé, irritando los ojos de su majestad». La concepción es la misma: un determinado comportamiento ofende la majestad de Yahvé. Debe señalarse que en este pasaje el empleo isaiano de *kābōd* puede considerarse genuinamente israelítico. Vuelve a aparecer en Jr 13,16: «Dad *kābōd* a Yahvé, vuestro Dios, antes de que anochezca». Más tarde, en Malaquías, vuelve a aparecer el mismo empleo del sustantivo: «pues si yo soy padre, ¿dónde está mi honor?» (Mal 9, 6; también 2,2: «... ni os preocupáis de dar honra a mi nombre», cf. también, dentro de la literatura sapiencial, Prov 25,2). Este empleo está documentado, por tanto, desde tiempos antiguos hasta la época posexílica. Corresponde al empleo del sustantivo referido a las relaciones interhumanas y no hay ninguna razón para pensar en influjos extraisraelíticos.

Existe otro empleo —muy parecido al anterior— en el que *kābōd* designa también la importancia de Dios e incluye la exigencia de tributar a Dios dicha *kābōd*, pero en el que el honrar no consiste tanto en una acción cuanto en una actitud cúltica de veneración; se trata principalmente del reconocimiento de Dios en cuanto Dios, propio de las palabras de alabanza. Así, en el Sal 29: «rendid a Yahvé honra y poder» (v. 1 = Sal 96,7 = 1 Cr 16,28; v. 2 y paralelo: «rendid a Yahvé la honra de su nombre»). El término *kābōd* constituye, dentro del Sal 29, una palabra clave: v. 3b: «el Dios de la gloria truena», y v. 9b: «... y en su palacio todo grita: *kābōd*» (eco de Is 6,3). La diferencia con respecto al grupo anterior reside sobre todo en el hecho de que las frases imperativas de vv. 1 y 2 son traducidas por «honra», mientras que el predicado divino *ʾēl hakkābōd*, de v. 3, es traducido por «Dios de gloria». El *kābōd* de este salmo incluye, por tanto, ambos aspectos. Y aquí, por otra parte, la *kābōd* de Dios se da no sólo en relación con los hombres, sino también en su relación con la creación: «el Dios de la gloria truena», cf. vv. 4-9. Está demostrado, desde hace tiempo, que Sal 29 es un salmo tomado de la literatura cananea o que, por lo menos, tiene una prehistoria cananea. Según eso, nos hallamos ante un empleo cananeo del término *kābōd*, según el cual la importancia de un dios se medía sobre todo por la actividad de éste en la naturaleza. En el culto se rendía honor a la majestad de ese dios, se le reconocía en su majestad. Ahora bien, Sal 29 constituye ciertamente el único texto veterotestamentario en el que la *kābōd* de Dios aparece de forma tan directa y detallada en una manifestación de la naturaleza; el hecho de que el honor a la majestad de Dios se rinda en el culto y de que se exija dicha acción cúltica de honrar a Dios corresponde exactamente a la concepción israelita, expresada con relativa frecuencia (por ejemplo, en Sal 66,2: «salmodiad al honor de su nombre»; para otros textos, cf. *inf.*). Todos estos pasajes podrían considerarse como paralelos del grupo señalado anteriormente, sólo que aquí no se tributa el honor por medio de una acción, sino por medio de la palabra o del canto, es decir, por medio del reconocimiento del honor de Dios en la «veneración» cúltica.

Algunos salmos delatan, por otra parte, que la comprensión cananea de la *kābōd,* propia del Sal 29 —según la cual la *kābōd* se manifiesta especialmente en su actividad en los fenómenos de la naturaleza, como, por ejemplo, en la lluvia—, ha extendido su influjo a otros textos. Al igual que en Sal 29, también en Sal 24, 7-10 se emplea *kābōd* como palabra clave que aparece en vv. 7.8.9. y dos veces en v. 10, aunque en todos estos textos *kābōd* forma parte de la composición constructa *mælæk hakkābōd.* Esta expresión hace suponer que el salmo pertenece al culto del templo jerosolimitano, donde se conservaban diversos elementos del culto cananeo. Los vv. 1-2 presentan una ulterior semejanza con el Sal 29, ya que en ellos se habla del creador y de su dominio sobre la naturaleza. Al igual que en Sal 29, también en Sal 24 *kābōd* tiende más hacia el sentido de «majestad» que al de «honor»; por eso, y no sin razón, se suele preferir normalmente la traducción «rey de la gloria». Idéntico significado y matices semejantes presentan Sal 19,2, donde vuelve a aparecer *kābōd* en relación con la actividad propia del ámbito de la naturaleza, y el estribillo de Sal 57,6.12, «¡álzate, oh Dios, sobre los cielos, sobre toda la tierra tu *kābōd!*», extraño en una lamentación individual y que parece ser un elemento propio y específico de este salmo (cf. también Sal 108,6).

Muy semejante asimismo es el pasaje de Is 6,3: «¡Llena está la tierra de tu *kābōd!*». También Sal 57,6 (cf. 97,6) habla de la difusión por toda la tierra; y el mismo tema resuena en 19,2. El lugar desde el que la *kābōd* se difunde a toda la tierra es el templo (prescindimos aquí si se trata del templo celeste o del terrestre). Se trata de la majestad de Dios venerada en el templo, donde se representa a Yahvé sentado en el trono. Se debe, pues, suponer que esta frase, propia de la narración de la vocación de Isaías, está relacionada con las tradiciones del templo de Jerusalén en las que resuena una concepción preisraelita y cananea. Así lo indica también R. Rendtorff, KuD, Beiheft 1 ([3]1965) 31: «en la antigua concepción, procedente de la tradición del templo de Jerusalén, se alaba la *kābōd* de Yahvé, que se hace visible a todos los hombres; es el aspecto visible a los hombres de la acción de Dios, en la que Yahvé mismo se manifiesta en su poder». Pero si recordamos lo dicho respecto a Is 3,8, podemos afirmar que en Isaías convergen un empleo de *kābōd* genuinamente israelita y un empleo influido por las tradiciones cananeas; según eso, también en Is 6,3 resonaría un sentido genuinamente israelita.

Lo mismo puede decirse también del empleo preexílico del término en general. Se da una convergencia de dos líneas distintas: la primera está constituida por un empleo antiguo, específicamente israelita, según el cual *kābōd* designa la importancia de Yahvé, que debe ser respetada; este respeto debe manifestarse en primer lugar por medio de alguna acción. Este empleo estuvo en vigor hasta la época posexílica. La segunda línea está constituida por un lenguaje específicamente cúltico en torno a la *kābōd* de Yahvé, que se remonta a una concepción cananea, preisraelita, de la *kābōd* de él; este lenguaje celebra de modo especial la actividad de Yahvé en los fenómenos de la naturaleza. Rendtorff, *loc. cit.,* 28, nota 33, comenta: «El es el rey del panteón cananeo; cf. también Sal 29,10b. Sobre 29,2, cf. los textos ugaríticos en los que *kbd*... forma parte de las fórmulas estereotipadas, usadas para manifestar la reverencia ante el trono de El (cf. Gordon, *Ugaritic Manual,* texto 49, I, 10; 51, IV, 26) o ante otros dioses (51, VIII, 28s; 2 Aqht V, 20,30; *ʿnt* III, 7; VI, 20)». Cf. también W. H. Schmidt, *Königtum Gottes in Ugarit und Israel* ([2]1966) 25s; Wildberger, BK X, 249s. De todas formas, en el empleo veterotestamentario de la *kābōd* de Yahvé, estas dos líneas están tan entremezcladas entre sí, que en la mayoría de los casos resulta imposible señalar con claridad cuál de ellas domina. R. Rendtorff señala que la línea específicamente israelita se ha impuesto en los textos en los que se señala la historia como ámbito específico de la actividad de la *kābōd,* como lo muestra, por ejemplo, el característico paralelismo de Sal 97,6: «los cielos anuncian su *ṣǽdæq,* y todos los pueblos, su *kābōd*». Se pueden señalar, sin embargo, dos modos distintos de empleo en los que domina una u otra línea; en el primero (1) *kābōd* se refiere sobre todo a la actividad histórica; en el otro (2) se piensa más en la gloria venerada en el culto.

1) Sal 115,1: «No a nosotros, Yahvé, no a nosotros, sino a tu nombre da honor». La frase forma parte de la lamentación del pueblo (fuertemente modificada), concretamente de la sección donde se suplica a Dios que intervenga; la súplica se refiere a la intervención salvífica de Dios en nombre de su honor. Su *kābōd* se manifiesta en su intervención salvífica en bien de su pueblo, como lo confiesa también la lamentación colectiva de Sal 79,9: «¡Sálvanos, Dios de nuestra salvación, por la gloria de tu nombre!». Cf. en DtIs pasajes como el de Is 42,8: «mi honor no se lo cedo a ningún otro»; cf. 48,11; 43,7: «lo he creado por mi honor». A este grupo pertenece también la siguiente expresión, que forma parte de una palabra de juicio de Jeremías: «mi pueblo ha trocado su Gloria por un Inútil» (Jr 2,11); la misma expresión aparece en Os 4,7 y en Sal 106,20. Yahvé es la gloria de Israel, en cuanto que Israel puede gloriarse en él; pero, al mismo tiempo, la actividad de Yahvé en favor de su pueblo es considerada como la prueba de su *kābōd.*

2) Por lo que respecta a la veneración cúltica de Yahvé, son características diversas frases de los salmos; así, por ejemplo, Sal 138,5: «pues grande es la *kābōd* de Yahvé», o Sal 145,5: «canten el majestuoso esplendor de tu *kābōd*», cf. vv. 11 y 12. Estas frases apuntan claramente hacia la concepción preisraelita de la *kābōd* del dios entronizado en su templo. En Sal 26,8, el templo es mencionado expresamente: «las moradas de tu casa, el lugar donde reside tu *kābōd*»; cf. 63,3. El término aparece también en los salmos de la realeza de Yahvé: Sal 96,3 = 1 Cr 16, 24: «contad su gloria a las naciones», y Sal 97,6 (cf. *sup.*). También puede aludirse de forma general a la majestad de Dios; así, por ejemplo, en Sal 113,4: «Yahvé es exaltado por encima de todas las naciones, su gloria por encima de los cielos» (lo mismo en la doxología tardía de Sal 72, 19 y en Neh 9,5). Otros textos semejantes: Sal 66,2; 79,9; 104,31; cf. Is 42,12.

d) En un grupo numeroso de textos, la manifestación de la *kābōd* es esperada o anunciada para el futuro. A la base de estos pasajes está la concepción de que la *kābōd* de Dios se manifiesta en su actividad histórica y de que ésta tendrá lugar en el futuro. Entre éstos se encuentra también una serie de pasajes que delantan claramente el influjo de la otra concepción, la referente a la gloria venerada en el templo. Is 40,5 presenta un texto especialmente denso. En 40,3-4, la intervención de Dios consiste en allanar el camino para que el pueblo de Dios pueda retornar a su patria; y precisamente en eso «se revelará la *kābōd* de Yahvé y la verá toda carne». El verbo *glh* nifal, «revelarse», no significa la desvelación de algo previamente existente y que hasta el presente estaba oculto; se refiere, más bien, a un suceso que se desarrollará a la vista de todos. La importancia de Dios no era fácilmente perceptible en la triste situación del exilio; con la liberación, en cambio, volverá a ser reconocible por todo el mundo. Por tanto, en Is 40,5 *kābōd* está situado claramente en un contexto histórico; lo mismo sucede en 42,8 y 43,7 (cf. *sup.*), sólo que aquí se piensa más en el reflejo de la importancia divina y, por eso, debe traducirse por «honor» (igual que en 42, 12, que habla del reconocimiento de la actividad divina).

En el Tritoisaías, el término presenta algunos matices diversos. En Is 60, 1s, por ejemplo, *kābōd* aparece en paralelismo con *ʾōr,* «luz»: la manifestación de la *kābōd* es comparada aquí con la irrupción de la luz (el mismo paralelismo aparece en Is 58,8). «En vv. 1 y 2b se pasa curiosamente de la idea de 'llegar' a la idea de 'aparecer' (la aparición de una estrella) ... el modo antiguo de entender la epifanía, que presuponía una verdadera venida de Yahvé, ha quedado prácticamente oculto debajo de la idea de aparición de una estrella» (Westermann, ATD 19, 284s). Según eso, *kābōd* adquiere en el Tritoisaías un significado que tiende hacia la abstracción y la objetivación, tendencia que se confirmará después en P y en Ez. Se manifiesta también en 58,8: «la *kābōd* de Yahvé te seguirá». Del reconocimiento de esa *kābōd* se habla en 62,2: «todos los reyes ven tu *kābōd*», y en 59,19 (semejante también en Is 35,2). El suceso al que se refiere el Tritoisaías es un suceso que se realizará dentro del ámbito de la historia; pero, por el contrario, Is 66, 18s, «ellos vendrán ... y anunciarán mi gloria a las naciones», se refiere a un suceso que tendrá lugar más allá de la historia presente; aquí *kābōd* aparece dentro del lenguaje apocalíptico y presupone que Dios vendrá a juzgar al mundo (v. 15). Un lenguaje semejante aparece en un añadido posterior del Sal 102 (vv. 14-23); también aquí se habla de la asamblea de los pueblos (v. 23), «cuando Yahvé reconstruya a Sión y aparezca en su gloria» (v. 16). El mismo sentido tiene Ez 39,21 (cf. v. 13).

Un grupo de textos tardíos que hablan de una *kābōd* futura delata claramente el influjo de la concepción sacerdotal en torno a la *kābōd*. En Is 4,5 —oráculo de salvación tardío— se habla de la manifestación de Yahvé en Sión, que hará cambiar todo; la manifestación es descrita conforme a la teofanía sinaítica, y después se añade: «la gloria de Dios es protección y defensa sobre todo». La concepción de P aparece clara en el añadido posterior de 1 Re 8,11: «pues la *kābōd* de Yahvé llenó la casa de Yahvé». En Dt 5,24 —texto único— se recuerda expresamente el acontecimiento del Sinaí: «mira, Yahvé, nuestro Dios, nos ha mostrado su gloria y su grandeza»; puede tratarse de un lenguaje propio de los salmos, pero también es posible que se deba al influjo de P.

La perícopa Ex 33,18-23 es muy discutida. Comienza así: «déjame ver, por favor, tu *kābōd*». En v. 19 y en paralelismo con la frase anterior se lee la expresión *kol-ṭūbī,* «toda mi hermosura», y en v. 20, *pānāy,* «mi rostro»; después, en v. 22, «y al pasar mi *kābōd*...». En el ruego, expresado por Moisés, de poder ver a Dios, los vocablos *kābōd, ṭūb* y *pānīm* tienen por finalidad únicamente amortiguar o relativizar el carácter directo de la visión de Dios; no poseen un significado propio. Según la historia del concepto aquí presentada, queda excluido el que esta perícopa pertenezca a una de las antiguas fuentes, J o E. Constituye, más bien, un añadido posterior, que pretende colocar a Moisés en una posición elevada y destacar su relación especial con Dios.

e) kābōd aparece 13 × en el *Escrito sacerdotal (kᵉbōd Yhwh* 12 × y *kᵉbōdī,* en Ex 29,43); deben añadirse otros cuatro textos en los que aparece alguna forma verbal de nuestra raíz, empleada en sentido teológico. En el *Escrito sacerdotal,* el concepto *kābōd* ocupa un lugar central; concretamente la expresión hecha *kᵉbōd Yhwh* es decisiva para entender la teología de P. Aparece en dos contextos: 1) en pasajes que se refieren al acontecimiento del Sinaí y tratan de fundamentar el culto (Ex 24,16.17; 40,34.35; Lv 9, 6.23, cf. vv. 4b.24; además, elaborado secundariamente, Ex 29,43); 2) en textos narrativos que hablan de los acontecimientos del desierto (Ex 16,7.10; Nm 14,10; 16,19; 17,7; 20,6; además, elaborados secundariamente, Nm 14, 21.22); debe añadirse 3) el verbo *kbd* nifal: Yahvé se manifiesta glorioso en su actuación histórica (Ex 14,4.17.18; Lv 10,3).

1) Al empleo de *kᵉbōd Yhwh* en los pasajes de Ex 24,15b-18, 40,34-35 y Lv 9 sigue un desarrollo fijo de los acontecimientos. Comienza con la mención de un nombre de lugar, el del monte Sinaí, y sigue con la narración de la llegada del pueblo al monte Sinaí (Ex 19,1.2a). El Sinaí desempeña aquí dos funciones: por un lado constituye una etapa en el peregrinar de los israelitas y, por otro, es un monte santo. La llegada al Sinaí es un acontecimiento histórico; el monte santo fundamen-

ta el culto. Todo lo que sigue participa de las dos estructuras: la del acontecimiento que sucede por primera vez y la de lo permanente. El carácter de «por primera vez» es marcado por el acontecimiento de la *kābōd;* su función es la de caracterizar el momento especial de la fundación y confirmación del culto (así opina también Rendtorff, *loc. cit.,* 30s). *a)* Por medio de *kābōd,* P designa la majestad del Dios que Israel encontró por primera vez en la cima del monte. Ex 24,15-18 es la presentación sacerdotal del acontecimiento del Sinaí, paralelo a Ex 19 (J y E). *kābōd* señala que este acontecimiento es distinto de todo lo que Israel ha vivido y encontrado hasta el momento. En Sinaí sucedió lo que desde entonces será conocido como la revelación de la *k^ebod Yhwh. b)* Lo que Dios se proponía con este suceso era hablar al hombre. La novedad de este hablar recibe expresión en la peculiaridad de ser un hablar en un lugar y tiempo sacros. Por eso es necesaria la presencia de un mediador que se acerque solo y traiga la palabra al pueblo. En este acontecimiento se basan las estructuras fundamentales del suceso sagrado (cúltico). *c)* El hablar desde un lugar sagrado es el encargo, transmitido a Moisés y por su mediación al pueblo, de construir la tienda del encuentro (Ex 25,1ss). Una vez que ésta ha sido construida, la *k^ebōd Yhwh* llena la morada; con esto queda confirmada para Israel la santidad del lugar santo (Ex 40,34-35). *d)* El lugar santo posibilita la acción sacra. También esta acción es encomendada a Moisés; después de su ejecución, la primera realización de la acción queda confirmada con la aparición de la *k^ebōd Yhwh.* Y, con esto, queda constituida y sancionada también la acción cúltica, que desde ahora entra en vigor para Israel (Lv 9).

2) Los textos de Ex 16 (el maná), Nm 14 (en parte de P, los exploradores), Nm 17,6-15 (tumulto a causa de la aniquilación de Coré) y Nm 20, 1-13 (el agua de la querella), que describen sucesos del desierto, presentan un desarrollo semejante: I, ocasión; II, localización de la tienda del encuentro; III, aparición de la *k^ebōd Yhwh;* IV, palabra de Yahvé a Moisés; V, una acción de Yahvé. En todos estos textos la aparición de la *k^ebōd Yhwh* —que da al momento un tono amenazador— aparecen en un lugar central. En los puntos II, III y IV, la estructura del suceso está tomada de Ex 24,15.18. La estructura de la revelación de la palabra ha sido aprovechada por el P para elaborar la estructura de la revelación a través de los hechos. Se trata siempre de una intervención de Dios en la historia. P intenta indicar con esto que la única revelación fundamental de Dios determina todo acontecimiento posterior. Por medio del concepto *k^ebōd Yhwh,* enlaza P los sucesos del desierto con el acontecimiento original del Sinaí. Para P, la *k^ebōd Yhwh* es algo que se puede experimentar en los dos tipos de acontecimiento, el cúltico y el histórico, a saber: la majestad de la autodemostración divina. Por medio de *k^ebōd Yhwh* no se designa la aparición del fuego o de la luz en cuanto tal (así, Elliger, HAT 4,131, G. von Rad, ThW II, 243; Zimmerli, BK XIII, 57, y otros), sino la majestad del Dios que se encuentra tanto en uno como en otra. En Ex 24,15-18, el versículo 17 —que habla de la aparición de la luz— constituye un paréntesis; el suceso es perfectamente coherente sin necesidad de este versículo.

3) Este es también el sentido de la forma verbal de Ex 14,4: «así yo me manifestaré glorioso a costa del Faraón y de todo su ejército» (también vv. 17. 18; cf. Lv 10,3). La importancia del empleo sacerdotal del concepto *kābōd* reside en la unión del nombre Yahvé con los elementos fundamentales del acontecimiento sagrado —el lugar santo, el tiempo santo, el mediador de lo santo—, que hasta el suceso del Sinaí no se había producido en Israel (Ex 24,15-18). Esta unión es formulada por medio de la composición construc-

ta *k^e^bōd Yhwh* (sobre todo este apartado, cf. C. Westermann, *Die Herrlichkeit Gottes in der Priesterschrift,* FS Eichrodt [1970] 227-249).

f) kābōd aparece en Ezequiel en pocos y muy limitados contextos, pero en ellos lo hace con bastante frecuencia: 1) en la conclusión de la vocación, en Ez 1,28, y también en la conclusión de la misión, en 3,23, que remite a 1,28; 2) en Ez 8-11, en relación con el abandono del templo por parte de la gloria, y 3) en Ez 43-44, con ocasión del retorno de ésta al templo. Los dos últimos grupos de textos están estrechamente relacionados.

En Ez 8,1-3, Ezequiel es llevado en éxtasis a la puerta del atrio del templo, «y he aquí que la gloria del Dios de Israel estaba allí, como... (y remite a 1,28)» (v. 4). Ez 10,4 narra que la *kābōd* se elevó de sobre los querubines hacia el umbral del templo, «hasta que el atrio se llenó del resplandor de la *kābōd*». En 10,18.19, la *kābōd* se aleja del umbral del templo, y en 11,22-23 abandona el templo. En 43,2, la *kābōd* retorna de oriente «con un ruido como el ruido de grandes aguas, y la tierra resplandecía de su *kābōd*»; en 43,4, la *kābōd* vuelve a entrar en el templo, «y he aquí que la *kābōd* de Yahvé llenaba el templo» (v. 5; lo mismo en 44,4).

La concepción que está a la base de estos textos es idéntica a la de P: la *kābōd* es la majestad con la que Dios se manifiesta a los hombres (1,28; 3, 23; 8,4), pero cuyo lugar propio está en el templo; cuando se habla de la *kābōd* sobre los querubines, se hace referencia a la majestad del Dios que está sentado en el trono del templo (9,3; 10,4; 11,22). Lo característico de Ezequiel es que la majestad del Dios que está sentado en el trono del templo llega a considerarse incluso como un ser independiente que puede abandonar el templo para retornar a él más tarde. Esta peculiaridad se debe a que en Ez convergen la línea profética y la sacerdotal; es una elaboración teológica profunda de la oposición entre el anuncio profético de juicio contra el templo de Jerusalén y la teología del templo, según la cual la majestad del Dios sentado en el trono es algo que va unido al templo mismo. El profeta ha contemplado «la marcha de Yahvé de su santuario y con ello la consumación del juicio contra la ciudad» (Zimmerli, BK XIII, 234, tratando de 11, 23). Con esta concepción se logra que al cumplirse el juicio contra Jerusalén —anunciado por el mismo Ezequiel—, la majestad del Dios que está sentado en el trono del templo no sea afectada por dicho juicio, puesto que ha abandonado previamente el templo y la ciudad. Cuando sea erigido el nuevo santuario, la majestad de Dios podrá retornar, sin haber sufrido el juicio contra el templo.

Unida con ésta, se da una segunda particularidad. La forma en la que se presenta la marcha y el retorno de la *kābōd* es la que corresponde a las descripciones de las visiones. El profeta es arrebatado en éxtasis (8,1-3) y *ve* cómo la *kābōd* abandona el templo. En eso se basa el hecho de que en esta concepción la *kābōd* sea un fenómeno visible (8,4; 10,4; 43,2: «y la tierra resplandecía de su *kābōd*»; 43, 5). Con esto se recoge la antigua concepción sacerdotal según la cual en determinados momentos álgidos de la celebración cúltica el templo se llenaba de la *kābōd* de Yahvé (10,4b; 43,5); pero, a diferencia de dicha concepción, en Ezequiel se afirma que la *kābōd* de Yahvé aparece ante alguien (8,4).

Esta última concepción es decisiva para entender el empleo de *kābōd* en Ez 1-3, es decir, en la vocación y misión del profeta. Aquí, *kābōd* presenta un sentido y una función diversa; en 1,28, lo mismo que en 3,23, se presenta una teofanía en tres actos: 1) aparición, 2) proskínesis y 3) una palabra que pronuncia el aparecido. Es una presentación semejante a la de Is 6 (aun cuando aquí *kābōd* es empleado de distinta forma), propia de las narraciones de vocación profética. Pero Ezequiel va más allá que Is 6; según él, la *kābōd* es también aquí una especie de ser independiente, una hipóstasis divina: la majestad de Dios representa al mismo Dios. En eso y en la forma de manifestación, es decir, en la manifestación luminosa (como lo indica 1, 27, delante de v. 28), está el lazo de unión que une a Ez 1-3 con 8-11 y 43-44. La manifestación luminosa no pertenece, por tanto, a la concepción básica, sino a la elaboración propia de Ez. El es quien convierte por primera vez la *kābōd,* que representa a Dios, en un ser independiente que aparece rodeado de resplandor.

5. Sobre el influjo de la concepción veterotestamentaria en el judaísmo y en el NT, cf. J. Schneider, *Doxa* (1932); H. Kittel, *Die Herrlichkeit Gottes* (1934); H. Kittel y G. von Rad, art. δοκέω: ThW II, 235-258; J. Schneider, art. τιμή: ThW VIII, 170-182; S. Aalen, art. *Ehre:* ThBNT I, 204-210.

C. Westermann

כון *kūn* nifal **Estar firme**

1. En casi todas las lenguas semíticas (cf. Bergstr., *Einf.*, 187) aparecen términos de la raíz *kūn,* formando un arco de significados muy reducido en torno a las ideas de ser o existencia firme, verdadera, recta (cf. → *'mn* I/7, → *hyh* y → *ḥzq).*

Cf. el acádico *kânu,* «ser/hacerse duradero, verdadero, fiel» (AHw 438-440), el ugarítico *kn,* «ser» *(knn,* conjugación con vocal alargada, «crear»; WUS N. 1335; UT N. 1213), el fenicio-púnico *kūn* qal, «ser» (DISO 117), el arameo tardío y arameo judaico *kwn* pael, «hacer derecho» (Dalman 194b; cf. LS 312s; Drower-Macuch 207s), el árabe *kāna,* «ser, suceder» (WKAS I, 451-473), el etiópico *kōna,* «ser, suceder» (Dillmann 861-865; W. Leslau, *Hebrew Cognates in Amharic* [1969] 46). Las palabras semíticas derivadas de *kn* con vocal larga forman un grupo numeroso; si se incluyen también las formas secundarias y las raíces emparentadas, como *knn* (hebreo *kēn,* «dispositivo, puesto, cargo»), → *škn* (en hebreo, «habitar»), → *tkn* (el piel en hebreo «fijar para más tarde»), el número de derivados aumenta considerablemente.

En el AT deben señalarse los modos verbales activos polel: «determinar, fundamentar, sujetar, asegurar», y hifil: «preparar, cuidar, disponer, ordenar», y el estativo —más que pasivo— nifal: «ser firme, verdadero, seguro». El adjetivo verbal *kēn,* «firme, recto, justo» (sobre un posible qal, por lo demás no usado, cf. KBL 442), es menos frecuente. Debe distinguirse de la frecuente (también en arameo antiguo) partícula *kēn,* «así» *(lākēn,* «por eso»; *'al-kēn,* «por tanto»; en arameo bíblico, *kēn* y *k^enēmā,* «así»), que se deriva de un elemento demostrativo *k.* Los modos verbales pasivos están documentados con menor frecuencia: polal (Ez 28,13, texto dudoso, cf. Zimmerli, BK XIII, 675; Sal 37,23, texto dudoso, cf. Kraus, BK XV, 287), hofal y hitpolel (reflexivo, «colocarse», «mostrarse sólidamente fundado»). Los sustantivos formados con preformativas son los siguientes: *mākōn,* «lugar»; *m^ekōnā,* «lugar (santo)» (Zac 5,11; Esd 3, 3; cf. el ugarítico *mknt)* y «basa, palanganero» (1 Re 7,27-43 y *passim;* cf. G. Fohrer, BHH II, 944; Noth, BK IX/1, 156ss), y *t^ekūnā,* «lugar, habitación» (Job 23,3), «disposición, sistema» (Ez 43,11; Nah 2,10).

Con el polel y el hifil (y otras formas secundarias que presuponen el *kūn* y *knn* qal, cf. Noth, IP 179.202) se han formado diversos nombres propios: los nombres personales *Kōnanyāhu, K^enanyā(hū), K^enānī* y *Y^ehōyākīn, Yōyākīn, Yākin, Y^ekonyā(hū), Kōnyāhū;* cf. además *Nākōn* (2 Sm 6,6; cf. Rudolph, HAT 21, 112; sobre 1 Cr 13,4) y el nombre de lugar *M^ekōnā* (Neh 11,28). Sobre los nombres acádicos, amorreos, ugaríticos y fenicios análogos, cf. Stamm, AN 356b; Huffmon, 221s; Gröndahl, 153; Harris, 110.

2. Los tres derivados más importantes de la raíz *kūn* están distribuidos por igual en el AT. El nifal aparece 66 × (excluido Job 12,5, *nākōn,* «golpe»; de *nkh* hifil,

«golpear»; hecha excepción de Dt 13,15; 17,4, el nifal está completamente ausente de los textos legales; es especialmente frecuente en Sal [18 ×], Prov [11 ×] y hifil [5 ×]), el polel 29 × (Sal 17 ×, especialmente en textos hímnicos que hablan de la creación, el hifil 110 × (incluido 2 Cr 35,4 Q; la especial frecuencia del hifil en 2 Cr [23 ×] y 1 Cr [20 ×] se debe a que el cronista piensa que para construir el templo es necesario preparar y acarrear mucho material: en 1 Cr 22; 29 y 2 Cr 1-3, *kūn* hifil aparece 15 × y en 2 Cr 35 otras 6 ×, sobre todo con referencia a la preparación de la pascua). El modo polal aparece 2 × (cf. *sup.*), hofal 6 ×, hitpolel 4 ×, *mākōn* 17 ×, *m^e^kōnā* 25 × (de ellas, 15 × en 1 Re 7,27-43), *t^e^kūnā* 3 × (cf. *sup.*), *kēn* 24 × (según Lisowsky, 684b).

Para la partícula *kēn*, «así», quedan, por tanto, 340 casos (Ex 40 ×, Is 26 ×, Nm 24 ×, Jr 22 ×, Gn 21 ×), más 200 × de *lākēn* (Ez 63 ×, Jr 55 ×, Is 27 ×, profetas menores 21 ×, 2 Re y Job 6 ×) y *ʿal-kēn* 155 × (Gn e Is 22 ×, Jr 15 ×, Sal 13 ×); el arameo bíblico *kēn* 8 × y *k^e^nēmā* 5 ×.

3. *a)* *kūn* nifal significa concretamente «ser firme, estar sólidamente fundado, sujeto» (Jue 16,26.29, techos y muros que se apoyan sobre columnas; Ez 16,7, pechos de una muchacha; Is 2,2 y Sal 93,1, las montañas y el orbe terrestre).

La expresión «la tierra está asentada *(tikkōn)*, inconmovible» (Sal 93,1; 96, 10 = 1 Cr 16,30) no debe corregirse —precisamente en un contexto hímnico— a *tikkēn (tkn* piel), «él asentó», como ha sido propuesto por algunos, basándose en Sal 75,4; véanse las afirmaciones directas sobre el monte de Dios, que se leen en textos hímnicos: Sal 48,3; 68,16; Is 2,2.

También de conceptos abstractos se afirma que «están asentados» y, por tanto, «estables, firmes»: la pervivencia de la tribu (Job 21,8); el carácter humano (Sal 51,12); el dominio real (1 Sm 20,31; 2 Sm 7,16.26); la luz del día (Os 6,3; Prov 4,18); un mensaje recibido en sueños (Gn 41,32); una acusación (Dt 13,15). En los dos últimos pasajes se trata de asegurar que algo —que podría ser muy dudoso— realmente es «seguro» (= *nākōn haddābār*). Así también en 1 Sm 23,23 Saúl dice: «volved a mí cuando estéis seguros (*ʾæl nākōn* = sobre seguro)».

La concepción según la cual las cosas buenas deben estar fundamentadas explica diversas expresiones: *n^e^kōnā* (participio nifal femenino) es lo justo, que se pronuncia (Sal 5,10; Job 42,7s), tiene consistencia (Prov 12,19, *tikkōn*). Nosotros decimos: «¡eso no *va* bien!»; los hebreos dicen: «no es correcto *(nākōn)* hacer eso» (Ex 8,22). Los caminos de la vida pueden ser derechos, seguros (Sal 119,5; Prov 4,26). Los proyectos humanos (Prov 16,3; 20,18) y las acciones cúlticas (2 Cr 29,35; 35, 10) deben ser correctas.

Aquí tiene también su puesto en cuanto al significado el adjetivo verbal *kēn*. La identificación de este adjetivo ha sido siempre difícil: cf. GB con KBL y Lisowsky; ya los LXX lo confundieron a veces con la partícula *kēn* = οὕτως, «así» (cf. Jos 2,4; 2 Re 7,9; 17,9; Jr 8,6; 23,10). Su significado es «firme» (Prov 11,19), «verdadero» (Nm 27,7; 36,5), «recto» (Jue 12,6), «sincero» (Gn 42,11.19.31.33. 34, en plural); por su parte, la partícula *kēn*, «así», funciona únicamente como adverbio de modo.

De lo que existe y tiene consistencia se siguen diversas consecuencias; *kūn* nifal puede significar también «estar *preparado*». La desgracia está preparada para caer sobre los impíos (Job 18, 12; cf. Sal 38,18; Job 15,23; Prov 19, 29). La ayuda puede estar dispuesta (Sal 89,22). Se dirige la atención (→ *lēb)* hacia algo (Sal 57,8; 78,37; 108,2; 112,7), es decir, se está en disposición de tomar en consideración lo que se ve. La exigencia de prepararse a algo puede ser expresada por medio de la fórmula *w^e^hāyū n^e^kōnīm l^e^* (Ex 19,11.15; cf. Ex 34,2; Jos 8,4) o por medio del imperativo *hikkōn* (Am 4, 12; Ez 38,7).

b) El polel indica que alguien da consistencia a algo. Cuando se hace referencia a la consolidación o reedificación de edificios y ciudades, se piensa especialmente en el aspecto técnico (Is 62,7; Hab 2,12; Sal 48,9; sobre los textos relativos a la creación, cf. *inf., 4a);* lo mismo ocurre cuando se habla de la instalación de objetos pesados (Sal 9,8, el trono de Yahvé). Se puede hablar también de «establecer» en sentidos metafóricos diversos. Así, *kūn* polel *ḥēṣ* significa «ajustar la saeta a la cuerda». Yahvé puede consolidar «los pasos de un hombre» (Sal 40,3) o reanimar un país (Sal 68,10). Uno puede «disponerse» a hacer algo *(kūn* polel, más infinitivo con *l*ᵉ*:* Is 51,13; Job 8,8, cf. M. Dahood, Bibl 46 [1965] 329).

c) El hifil presenta un significado amplio y poco preciso. Cuando se emplea de forma absoluta, el objeto sobrentendido está sugerido por la situación, cf. Gn 43,16.

En Jos 3,17, el infinitivo absoluto desempeña una simple función auxiliar: «se mantuvieron... quietos» *(hākēn;* en Jos 4,3 debe descartarse el verbo, ya que se trata de una ditografía). Sal 68,11 se refiere a la distribución y preparación de alimentos, cf. Sal 65,10. En Job 15,35, el impío «prepara» engaños (paralelo a «engendra»); en Jue 12,6, *yākīn* debe corregirse probablemente en *yākōl.*

Con frecuencia se trata de la preparación de objetos o materiales (normalmente *kūn* hifil seguido de acusativo y *l*ᵉ*):* para la construcción del templo (1 Re 5,32; cf. *sup.,* 2), para las comidas (Ex 16,5; Sal 78,20; Job 38,41; Prov 6,8); se habla también de la preparación de regalos (Gn 43,25), de sacrificios de animales (Nm 23,1), de objetos de guerra (Ez 7,14; Nah 2,4; Sal 7,14), de instrumentos de caza (Sal 57,7), de la lluvia (Sal 147,8), de vestidos (Job 27,16), de la horca (Est 6, 4; 7,10). También puede tratarse de la realización de un proyecto, por ejemplo, de la imagen de un dios (Is 40, 20), del santo de los santos (1 Re 6, 19), del altar (Esd 3,3). Cuando se refiere a salas interiores, es claro que el verbo alude a la colocación de la instalación interior (2 Cr 31,11; 35, 20).

Los significados metafóricos son los siguientes: 1) «instalar, ordenar» (cf. Jr 10,23; 51,12; Sal 65,10; Prov 16,9; 21,29); 2) «establecer, determinar» (cf. Ex 23,20; Dt 19,3; Jos 4,4; 2 Sm 5, 12; 1 Re 2,24; Sal 68,11; 1 Cr 15,1. 3.12); 3) «fijar, asegurar» (cf. 1 Sm 13,13; Is 9,6; Jr 46,14; Sal 89,5; 2 Cr 17,5; tiene puntos de contacto con el polel); 4) «atender, investigar, buscar» (1 Sm 23,22; Esd 7,10; 2 Cr 12,14; 19,3). La expresión *kūn* hifil *libbō ʾæl* significa originalmente «dirigir la atención a»; cf. la expresión —probablemente elíptica— de 1 Sm 23,22: *kūn* hifil *pānāw,* «dirigir el rostro» (Ez 4, 3.7), y *sup., 3a, kūn* nifal *libbō.* La fórmula adquiere un matiz teológico.

4. La raíz tiene sentidos estrictamente teológicos sólo cuando aparece en composiciones de palabras; no se puede decir lo mismo de las formas simples. El lenguaje religioso recoge los aspectos semánticos señalados anteriormente y los desarrolla ulteriormente.

a) En textos relativos a la creación, el polel y el hifil de *kūn* son empleados como sinónimos de verbos cuyo significado es «crear», «formar». El matiz propio de *kōnēn* o *hēkīn* es la solidez y firmeza de lo creado. La tierra está firme (cf. también *kūn* nifal, *sup., 3a):* Is 4,15, *kūn* polel junto a → *yṣr,* → *ʿśh,* → *brʾ;* Sal 24,2 junto a → *ysd;* Sal 119,90 junto a → *ʿmd;* cf. el empleo semejante de diversas formas del hifil: Jr 10,12; 33,2; 51,15; Sal 65,7. El peligro del caos sigue en pie; Yahvé asegura el mundo contra las potencias destructoras, él es el *mēkīn* (participio hifil) del mundo (Jr 51,15; Sal 65,7). También el cielo y las estrellas «están firmes» (Sal 8,4, polel; 74,16, hifil; Prov 3,19, polel; 8,27, hifil; en el caso del sol y la luna, el significado es claro: «quedarse quieto»). Y ya que Israel enlaza su historia de salvación con la creación del mundo, encontramos afirmaciones que se refieren no sólo al origen del hombre (Sal 119,73, polel), sino al de todo el pueblo (Dt 32,6, polel; 2 Sm 7,24, polel; la finalidad es indicada por medio de la expresión *l^ekā,* «a ti»). También la fundación de Sión pertenece al contexto de la creación y de la historia de salvación (Sal 48,9; 87,5), lo mismo que la afirmación general «tú has fundado el orden que regula la vida *(mēšārīm)*» (Sal 99,4, polel; recuérdese el Maat egipcio y la expresión acádica *kittu u mēšāru,* «derecho y justicia»; cf. AHw 494s.659s).

b) El hifil ha llegado casi a ser un *terminus technicus* cúltico; de todos modos, *kūn* hifil —en relación con la preparación de sacrificios (Nm 23,1. 29; Sof 1,7)— no llega a alcanzar la extensión y autonomía de *ʿrk,* «preparar» (Lv 6,5; Sal 5,4; 23,5), o del término técnico cúltico →*ʿśh* (cf. Gn 18,7; Lv 6,15; Jue 6,19; es distinto el empleo de *kūnnu* en acádico, AHw 439s). Unicamente en 1/2 Cr puede decirse que *kūn* hifil —empleado con gran frecuencia en sentido general— ha desplazado también al cúltico *ʿśh.*

c) Del que «dirige su mente a Yahvé» (la fórmula completa es *kūn* hifil *libbō ʾæl Yhwh,* cf. 1 Sm 7,3) se puede decir que ha adoptado una actitud recta para con el Dios de Israel (1 Cr 29,18; 2 Cr 30,19). La expresión se emplea especialmente para designar la veneración cúltica (Job 11,13, donde se menciona también la acción de «extender las manos» como gesto de oración); cf. la acusación contra el pueblo, que «no endereza el corazón» (fórmula abreviada en Sal 78,8; cf. 2 Cr 20,33).

5. La historia del significado de los diversos términos griegos que traducen a los derivados del hebreo *kūn* es tratada en los correspondientes artículos del ThW; cf. sobre todo W. Grundmann, art. ἕτοιμος: ThW II, 702-704; W. Foerster, art. κτίζω: ThW III, 999-1034, espec. 1008; H. Preisker, art. ὀρθός: ThW V, 450-453.

E. Gerstenberger

כזב *kzb* Mentir

1. La raíz **kḏb,* «mentir», está muy extendida en las lenguas semíticas. Además del hebreo está documentada con especial frecuencia en árabe *(kḏb;* WKAS I, 90-100; M. A. Klopfenstein, *Die Lüge nach dem AT* [1964] 179s) y arameo *(kdb* pael; en arameo judaico también *kzb* < hebreo; arameo imperial: DISO 115.117; Klopfenstein, *loc. cit.,* 180-182; arameo bíblico *kidbā,* «mentira», en Dn 2,9, KBL 1084; Gn Apócrifo 2,6.7; siríaco LS 318a; mandeo: Drower-Macuch, 203s); en algunos textos acádicos de las cartas de Amarna aparece como cananeísmo *(kazābu* II, «mentir», y *kazbūtu,* «mentitira», AHw 467a).

En hebreo, el verbo *kzb* aparece en qal (sólo el participio) y piel, «mentir»; nifal, «mostrarse como mentiroso, ser declarado mentiroso»; hifil, «acusar de mentira, declarar mentiroso»; los derivados nominales son: *kāzāb,* «mentira», y *ʾakzāb,* «mentiroso, falso», sustantivado «arroyo engañoso» (Jr 5,18; Miq 1,14; Klopfenstein, *loc. cit.,* 243-252).

Deben añadirse los nombres de lugar *ʾakzīb* (Jos 15,44; Miq 1,14, en Judá; Jos 19,29; Jue 1,31, en Aser), *K^ezīb* (Gn 38, 5) y *Kōzēbā* (1 Cr 4,22), cuyo significado quizá sea «(situado en) la cuenca falsa (seca) de un aroyo» (Noth, HAT 7, 142; Klopfenstein, *loc. cit.,* 252s; sobre Gn 38, 5, cf. también G. R. Driver, FS Robert [1957] 71s).

2. *kzb* qal aparece 1 × (Sal 116,11), piel 12 ×, nifal 2 × (Job 41,1; Prov 30, 6), hifil 1 × (Job 24,25), *kāzāb* 31 × (Prov 9 ×, Ez 7 ×, Sal 6 ×), *ʾakzāb* 2 ×, el arameo *kidbā* 1 ×. La distribución de los 50 casos de la raíz se concentra sobre todo en dos grupos: el grupo formado por Sal/Job/Prov (24 ×) y el cuerpo profético (incluido Dn) (22 ×). Los otros cuatro pasajes son: Nm 23,19 y 2 Re 4, 16, *kzb* piel; Jue 16,10.13, *kāzāb.*

3. *a)* *kzb* qal/piel es empleado 7 × en forma absoluta; en uno de los casos el verbo rige un complemento directo explícito, en dos casos el objeto es implícito («decir una mentira

a alguien». Ez 13,19; Miq 2,11; Sal 78,36), en dos casos el objeto es introducido por una preposición (*l*^e^ o *b*^e^ seguido del nombre personal, «mentir, engañar a alguien», Sal 89,36; 2 Re 4, 16) y en el otro caso *kzb* piel *ʿal p*^e^*nē* corresponde a nuestro «mentir a la cara» (Job 6,28). El nombre *kāzāb* depende, en dos tercios de los casos, de un *verbum dicendi sive audiendi* (como acusativo) o de un *nomen dicendi sive audiendi* (como genitivo o aposición), cf. las listas en Klopfenstein, *loc. cit.*, 210s.

El hecho de que el nombre *kāzāb* vaya regido en la mayoría de los casos por un verbo referente al habla o la audición confirma lo indicado ya por el material extrabíblico, a saber: que el significado fundamental de la raíz *kzb* es «mentir = pronunciar una mentira, decir lo que no es cierto, afirmar algo que no corresponde a los hechos». A partir de ese significado se desarrolla una línea que, pasando por el sentido «estar en el error» (opuesto a *ṣdq,* Job 34,5s), llega hasta el sentido «ser infiel» y se convierte en equivalente de → *šqr* (en Is 57,11). Otra línea se desarrolla para describir el ser interior de una cosa; el verbo *kzb* designa, concretamente, la ineficacia de la cosa: una revelación puede «defraudar» (Hab 2, 3), el agua puede «engañar, secarse» (Is 58,11, cf. *ʾakzāb,* «arroyo falso», cf. *sup.,* 1).

kzb se emplea con frecuencia en el sentido de «declaración falsa en el juicio» (→ *ʿēd,* «testigo»; también para *yāfīaḥ,* que aparece en Prov 6,19; 14, 5.25; 19,5.9; cf. Hab 2,3; Sal 27,12 y Prov 12,17, se propone ahora la traducción «testigo», tomando como base el ugarítico *ypḥ,* cf. UT N. 1129; S. E. Loewenstamm, «Leshonenu» 26 [1962] 205-208.280; *ibíd.,* 27 [1963] 182; M. Dahood, Bibl 46 [1965] 319s); de todas formas, no es éste su lugar propio, sino la convivencia cotidiana entre los hombres, en la actuación diaria, que ofrece a cada instante ocasiones tentadoras para hacer mal uso de la palabra. Según eso, *kzb* designa la discrepancia entre lo afirmado y la realidad o entre la promesa y su posterior cumplimiento, mientras que → *šqr* caracteriza la mentira como «traición» agresiva, que quiere producir un perjuicio al prójimo, y → *kḥš* la presenta como un «callar, ocultar, discutir» (Klopfenstein, *loc. cit.,* 2ss. 254ss). Ejemplos de este *Sitz im Leben* son, entre otros, Jue 16,10.13 y Dn 11,27; lo mismo se refleja en esta súplica de tono sapiencial: «Aleja de mí la falsedad (*šawʾ*) y la palabra engañosa (*d*^e^*bar-kāzāb*)» (Prov 30,8), y en la esperanza profética de que llegará un día en el que el resto de Israel «no dirá más mentiras» (Sof 3,13).

b) Una boca mentirosa puede, como *pars pro toto,* descubrir el comportamiento y hasta el ser de un hombre. Por eso, *kāzāb* puede ir más allá de la idea de mentira verbal y alcanzar un significado más general. Lo mismo sucede cuando una cosa es calificada como «mentirosa». Así, por ejemplo, el «hombre mentiroso» (*ʾīš kāzāb*) de Prov 19,22 —supuesto que el verbo se refiere a negocios sucios (cf. Klopfenstein, *loc. cit.,* 220; distinto, M. Dahood, *Proverbs and Northwest Semitic Philology* [1963] 42s)— es responsable no sólo de haber dicho mentiras, sino también de haber cometido otros engaños; lo mismo puede decirse de Sal 62,5. Y al «pan engañoso» (*lǽhæm k*^e^*zābīm*) de la mesa del poderoso se le da ese nombre porque «parece asegurar» al protegido «el favor indefectible del señor, cuando en realidad le engaña con frecuencia» (F. Delitzsch, *Das salomonische Spruchbuch* [1873] 365).

c) Del ámbito de la vida cotidiana, *kzb* ha pasado al ámbito judicial; en este contexto, el verbo es aplicado al acusador y al testigo. El «testigo mentiroso» (*ʿēd k*^e^*zābīm,* Prov 21,28; es más frecuente la expresión *ʿēd š*^e^*qārīm,* → *šqr*), según la mentalidad veterotestamentaria, es particularmente detestable. También la expresión *yāfīaḥ k*^e^*zābīm,* frecuente en los salmos (cf. *sup.,* 3a; normalmente es entendida como una especie de frase atributiva fija o como una frase relativa con *pū^{a}ḥ* en imperfecto convertida en expresión hecha «el que profiere mentiras» = «el mentiroso»), se ha convertido en *terminus technicus* para designar al «testigo falso». Se le contrapone el *'ēd 'æmæt/'æmūnā* (Prov 14, 5.25) o el *yāfī^{a}ḥ 'æmūnā* (Prov 12,17), el «testigo verdadero». La mención de los «mentirosos» en las «súplicas del acusado injustamente» pertenece también a un contexto de proceso judicial (H. Schmidt, *Das Gebet der Angeklagten im AT* [1928]), por ejemplo, Sal 5,7 y 4,3; por otra parte, el pleito, que constituye el elemento estilístico dominante en la composición del Libro de Job, ha condicionado los conceptos de Job 6,28; 24,25 y 34,6.

d) Cuando el sujeto es una cosa, el sentido del verbo es metafórico: la revelación (Hab 2,3), la esperanza (Job 41,1), el agua de la fuente de vida escatológica (Is 58,11; cf. también el fenómeno del «arroyo falso», *'akzāb,* que es descrito extensamente en Job 6,15-20). La imagen opuesta al «agua engañosa» —llamada en Jr 15,18 «agua en la que no se puede confiar»— es la del «agua viva» (Gn 26, 19 y *passim),* «agua en que se puede confiar» (Jr 34,16), «agua corriente y fresca» (Jr 18,14).

e) Entre los opuestos se pueden mencionar: la raíz → *'mn* y derivados (Sal 58, 24; 78,36s; 89,36.38, cf. *3cd),* la raíz → *ṣdq* y derivados (Prov 17,17; Job 6, 28-30; 34,5s, cf. *3a), n^{e}kōnā* (→ *kūn* nifal; Sal 5,7.10), *mišpāṭ* (→ *špṭ;* Job 34,5s). Paralelo a *kāzāb* aparece → *hæbæl* (Sal 62,10), → *šāw'* (Prov 30,8 y *passim,* en Ez, cf. *inf., 4d)* y *tarmīt,* «engaño» (Sof 3,13).

4. *a)* No es posible establecer una diferencia neta entre el empleo teológico y profano; de todas formas, en los pasajes mencionados en *3a-d* el contexto deja traslucir que también la mentira «profana» está sometida al juicio ético. Dicho juicio es formulado indirectamnete en la afirmación teológica «Dios no es hombre, para mentir» (Nm 23,19; cf. Sal 89,36) y directamente en la sentencia: «todos los hombres son mentirosos» (Sal 116,11); con estas afirmaciones se quiere indicar que Dios mantiene lo que promete y que todos los hombres fallan necesariamente en lo que respecta a la última ayuda, que uno pudiera esperar de ellos en vez de Dios (así también, Sal 62,10).

b) La *kāzāb* queda totalmente excluida del ser divino; por el contrario, la relación del hombre con Dios está caracterizada por *kāzāb.* La mentira es, pues, característica del pecado, que con su atractivo trata de engañar incluso al justo. Así, en Sal 58,4, los «mentirosos», que son mencionados junto a los impíos *(r^{e}šā'īm)* como enemigos del «justo» *(ṣaddīq),* constituyen con su obstinada negación de un Dios justo una tentación para el hombre justo. Pero la mentira no se da solamente cuando se niega a Dios; también puede darse cuando se le reconoce y se le ruega, especialmente en las falsas afirmaciones de arrepentimiento a las que no sigue una conversión real (Os 7,13; cf. 6,13 y Wolff, BK XIV/1, 162; algo parecido se afirma en Sal 78,36). Es probable que en estos textos se haga referencia a un culto falso —mitad a Baal, mitad a Yahvé—; en Is 57,11, donde *kzb* designa la apostasía cúltica, la referencia es segura. En la misma línea debe entenderse Am 2,4, que se refiere concretamente al «ídolo» por medio del término *kāzāb* (V. Maag, *Text, Wortschatz und Begriffswelt des Buches Amos* [1951] 11.81; *k^{e}zābīm* ocupa aquí el puesto de los *h^{a}bālīm* de la obra histórica deuteronomística; cf. Wolff, BK XIV/2, 163.199).

Los autores no están de acuerdo sobre el significado de la expresión *śāṭē kāzāb* de Sal 40,5. Normalmente se interpreta como «inclinados hacia la mentira» o «capturados en la mentira». Pero en el caso de que M. Dahood tuviera razón *(Psalms* I [1965] 243.245s) en su traducción *fraudulent images (śāṭīm = s/śēṭīm* en Sal 101,3; Os 5,2 = «imágenes de dioses»), *kāzāb* sería un genitivo calificativo de los ídolos concretizados, con lo cual se acercaría mucho al sentido de Am 2,4.

c) Isaías (28,15.17, texto dudoso) y Oseas (12,2) emplean *kāzāb* para enjuiciar teológicamente una política que va por caminos distintos al de la confianza exclusiva en Yahvé: el pacto antiasirio que el rey Ezequías ha establecido con el faraón Sabaká y la política de pactos, unas veces con Asiria y otras con Egipto, que practicó el rey Oseas. «La relación auténtica con Dios consiste... en la verdad, en la sinceridad y honradez de una inconmovible relación de confianza, que no permite otras ayudas distintas de Dios y a la espalda de éste... El carácter absoluto de esta reivindicación divina se refleja en la exigencia fundamental de verdad en la relación con Dios» (Weiser, ATD 24, 74).

d) La acusación de *kāzāb* afecta con especial énfasis teológico al trato indiscriminado e irresponsable de la palabra revelada por Dios. Así, en el ámbito de la sabiduría, Prov 30,6: la revelación recibida en misteriosos éxtasis debe ser confrontada con la revelación positiva de Yahvé en la historia y por medio de la palabra (cf. Gemser, HAT 16, 103.105; distinto en G. Wildeboer, *Die Sprüche* [1897] 86). Pero especialmente en el ámbito de la profecía (cf. G. Quell, *Wahre und falsche Propheten* [1952]): en Ezequiel, *kāzāb,* unido a *šāwʾ*, constituye un *terminus technicus* (13,6-9.19; 21,34; 22,28); *kāzāb* aparece como acusativo de *qsm* qal, «pronunciar oráculos», o como genitivo de *miqsam,* «oráculo», y *šāwʾ,* en cambio, aparece con → *ḥzh,* «ver» o *ḥāzōn,* «visión» (distinto sólo en Ez 13,8). Por medio de esta doble expresión, Ezequiel caracteriza la recepción de una revelación *(ḥzh)* como «vana ilusión» y la posterior comunicación de un oráculo *(qsm)* como «mentira» *(kāzāb).* El profeta Jeremías emplea en el mismo sentido un término más dinámico: *šæqær,* «infidelidad, perfidia»; este término responde mejor al «espíritu fogoso» (Zimmerli, BK XIII, 289) de este apasionado profeta.

El empleo de *kidbā* en Dn 2,9, referido a las falsas interpretaciones de sueños, se acerca mucho, desde el punto de vista histórico-religioso, a este contexto.

5. *a)* En Qumrán, 1QH 8,16 y 1QSb 1,14 el verbo es empleado únicamente en sentido figurativo referido a los «manantiales que no engañan» (cf. *sup., 3d).* Se trata de una metáfora que designa las esotéricas doctrinas escatológicas de salvación propias de la comunidad de Qumrán, el «saber de los santos» (1QSb 1,4). Ambos pasajes dependen de Is 58,11. El nombre aparece tres veces en la composición *maṭṭīf hakkāzāb,* «el profeta mentiroso» (1QpHab 10,9; CD 8, 13; 1Q 14,10,2), y tres veces en la composición *ʾīš hakkāzāb,* «el hombre mentiroso» (1QpHab 2,2; 5,11; 11,1, inseguro; CD 20,15). Este «hombre mentiroso» coincide quizá, según H. H. Rowley, con Antíoco IV Epífanes (cf. J. Maier, *Die Texte vom Totem Meer* II [1960] 139). La expresión «falso profeta» (en los LXX, ψευδοπροφήτης), que, como término técnico, no aparece todavía en el AT, está documentada por primera vez en 1QH 4,16 (en plural, *nᵉbīʾē kāzāb).*

b) Las traducciones de *kzb* y derivados ofrecidas por los LXX (Klopfenstein, *loc. cit.,* 253s) confirman el cuadro trazado en *3a* sobre el significado de la raíz *kzb:* de 46 traducciones correctas, 32 pertenecen a la raíz ψευδ- (significado principal, «mentir, ser mentiroso»), 7 corresponden a μάταια o κενά y una a ἐκλείπειν (cuyo significado apunta hacia el sentido de «ineficacia de una cosa»); otra lee κακία y otra ἐγκαλεῖν ἀδίκως (en la línea de «estar en el error»).

c) En Rom 3,4, en relación con la doctrina de la justificación, se cita Sal 116,11 (cf. *sup.,* 4*a)* y quizá se piensa también en Nm 23,14 (cf. *sup.,* 4*a):* «Dios tiene que ser veraz y todo hombre mentiroso». Según Jn 14,6, Cristo es «la verdad»; y según 8,44, el demonio es «mentiroso y padre de la mentira». La posición de cada uno con respecto a Cristo es la que determina si está bajo «la verdad» o bajo «la mentira» (1 Jn 1,6; 2,21s). La terminología joánica «luz-tinieblas» parece ser un eco de los textos qumránicos. La posición respecto a Cristo es la que caracteriza a los «falsos mesías» y «falsos profetas» de los últimos tiempos (Mc 13,22; Mt 24,11). Aunque éstos no coinciden con los falsos profetas veterotestamentarios en cuanto al nombre —que procede de Qumrán y de los LXX—, sí coinciden en el hecho de tratar indebidamente la palabra revelada. El «falso profeta» de 1QpHab 10,9, etc., es quizá el primer estadio que conducirá al «falso profeta» del Apocalipsis de Juan (16, 13; 19,20; 20,10).

M. A. Klopfenstein

כֹּחַ *kōªḥ* Fuerza

1. El nombre *kōªḥ,* «fuerza» —*singulare tantum*—, aparece únicamente en hebreo y (en la forma derivada *kōḥā)* en arameo judaico.

GB 340 y KBL 430a señalan diversas raíces árabes y etiópicas emparentadas con la nuestra. En Lv 11,30, *kōªḥ* II designa un determinado tipo de lagartos.

2. La distribución de los 124 casos, que es bastante regular, ofrece las siguientes cifras: en Job aparece 21 ×, en Dn 13 ×, en Is 12 × (de ellas, 9 × en DtIs), en Sal 11 ×, en 2 Cr 8 ×; de los 8 × de Jue, 7 × corresponden a Jue 16 y el otro a 6,14.

3. Los diversos significados que puede tener la raíz se derivan del significado base, cuya mejor traducción es «fuerza vital» (en Job 3,17, los muertos son caracterizados como «los exhaustos»). Así, designa la fuerza procreadora del hombre (Gn 49,3) y la fertilidad del campo (Gn 4,12; Job 31, 39), así como el poder nutritivo de los alimentos (1 Sm 28,22; 1 Re 19,8), pero a veces designa también la fuerza física de un animal (Job 39,11; Prov 14,4) o del hombre (de su mano, Job 30,2; del brazo, Is 44,12; en general, Jue 16,6ss; 1 Sm 28,20; 30,4; Is 44, 12 y *passim;* de un pueblo, Jos 17,17). A veces se piensa también en la fuerza espiritual (Gn 31,6; Is 40,31; 49,4; Sal 31,11), de forma que en la literatura tardía *kōªḥ* (frecuentemente unido a *ʿṣr* qal, «mantener»; cf. E. Kutsch, *Die Wurzel ʿṣr im Hebräischen:* VT 2 [1952] 57-69, espec. 57) puede adquirir el sentido de «capacidad, propiedad, aptitud» (Cr; Dn).

La fuerza de un hombre se manifiesta concretamente en su poder material (Job 6,22; Prov 5,10; Esd 2,69; sobre las reservas militares y económicas del pueblo, cf. Os 7,9).

En este sentido, *kōªḥ* se parece a *ḥáyil,* «fuerza, poder, ejército» (243 ×, de ellas, 32 × en Jr; 28 × en 1 Cr, 27 × en 2 Cr, 19 × en Sal, 16 × en 2 Re, 14 × en Ez, 13 × en 2 Sm), aunque este último término —a diferencia de *kōªḥ*— no se aplica nunca al poder de Dios (HAL 298b).

Cf. también *kælaḥ,* «robustez, lozanía» (Job 5,26; 30,2), y *mᵉʾōd,* «fuerza, poder» (300 ×; excepto en Dt 6,5 y 2 Re 23,25, aparece únicamente como adverbio «muy», con frecuencia duplicado; Gn 38 ×, Sal 35 ×, 1 Sm 31 ×, 2 Sm 20 ×, Jos, 1 Re, Jr y 2 Cr 16 ×, Ex y Ez 14 ×); cf. también *ʾōn,* «capacidad procreadora, fuerza corporal, riqueza» (→ *ʾāwæn),* y las raíces → *ʾmṣ,* → *gbr,* → *ḥzq,* → *ʿzz,* así como → *yād,* → *zᵉrōªʿ.*

4. En el libro de Job, donde la raíz está documentada con especial frecuencia, *kōªḥ* se emplea sistemáticamente para referirse a la omnipotencia divina (9,19; 36,22; cf. 42,2), que supera a toda fuerza humana. Esta omnipotencia divina, cantada en los cánticos de alabanza (Ex 15,6; Sal 111,6; 147,5; 1 Cr 29,12), forma parte de la predicación del Deuteroisaías cuando apela al pueblo, que está en el exilio, y lo exhorta a depositar toda su esperanza en Yahvé (Is 40,26.29.31; 41,1; 50,2). Se manifiesta en (el mundo de) la creación (Jr 10,12; 51,15; Sal 65,7) y en la historia (Ex 9,16; Dt 4,37; Sal 111,6; Neh 1,10) y es formulada por medio de las expresiones fijas «con gran poder y brazo fuerte» (Ex 32, 11) y «con gran poder y brazo extendido» (2 Re 17,36; cf. Jr 27,5; 32,17; Dt 9,29), que se refieren a la creación (pasajes de Jr) o al éxodo de Egipto.

En el salterio, *kōªḥ* aparece sobre todo en los cánticos de lamentación individual: se trata del hombre que, al haber perdido su energía, solicita la ayuda divina (Sal 22,16; 31,11; 38, 11; 71,9; 102,24; cf. Lam 1,6.14).

En la literatura sapiencial, la fuerza y la sabiduría aparecen estrechamente unidas (Prov 24,5; cf. Job 9,4); también aparecen unidas cuando son aplicadas a Dios (Job 36,22; cf. 12,13; 36,5; también Is 10,13; P. Biard, *La puissance de Dieu dans la Bible* [1960] 75ss).

En el AT se exhorta al hombre a que no confíe exclusivamente en su fuerza (Dt 8,17; Is 10,13; Hab 1,11): ni un gran ejército ni una gran potencia podrán ayudar al hombre si Dios no le ayuda (Sal 33,16ss; 1 Sm 2,9). En el libro de Daniel se indica con especial énfasis que la *kōaḥ* de un señor no es su propia fuerza (Dn 8,22.24).

En Miq 3,8, las palabras «espíritu de Yahvé» deben considerarse como glosa de *kōaḥ,* que se refiere a la fuerza indefectible que Dios infunde al profeta para hacerle capaz de anunciar el castigo.

B. Hartmann, OTS 14 (1965) 115-121, traduce así el texto de Zac 4,6b: «no hay fuerza ni poder fuera de mí» (p. 120). En la traducción normal, «no por medio de la fuerza o del poder militar, sino por medio de mi espíritu», se contraponen la fuerza divina y la humana. Sobre el texto, cf. K. Galling, *Studien zur Geschichte Israels im persischen Zeitalter* (1964) 141s = FS Rudolph (1961) 83s (distinto).

5. En los escritos de Qumrán continúa el mismo empleo de *kōaḥ* (Kuhn, *Konk.,* 99). Sobre el Nuevo Testamento, cf. W. Grundmann, art. ἰσχύω: ThW III, 400-405.

A. S. VAN DER WOUDE

כחש *kḥš* piel **Negar**

1. La raíz *kḥš,* en el sentido de «negar, ocultar», no ha sido documentada hasta la fecha más que en hebreo.

KBL 431 y GB 341a (cf. también J. Blau, VT 7 [1957] 99) sugieren que *kḥš* qal, «adelgazar», y *kḥš* piel, «negar», están relacionados; pero ya W. J. Gerber, *Die hebr. verba denominativa* (1896) 26s negó que existiera tal relación y demostró que no puede considerarse *deficere* como significado fundamental de ambos. También Zorell 352 las presenta como dos raíces distintas. En el presente artículo seguiremos ese mismo punto de vista, ya que la identificación de las raíces no es cierta.

W. F. Albright, BASOR 83 (1941) 40, remite al ugarítico *ṯkḥ*. En ese sentido se debe señalar lo siguiente: 1) no es seguro que *ṯkḥ* tenga un significado análogo al de «adelgazar, marchitarse» (WUS N. 2863 explica todos los casos ugaríticos correspondientes a partir del significado fundamental «hallar, encontrar»; distinto Driver, CML 151b: *wilted;* cf. también UT N. 2673); 2) aunque fuera seguro que *ṯkḥ* tiene ese significado, no sería concluyente para *kḥš* piel, puesto que *kḥš* qal y *kḥš* piel pertenecen a dos raíces distintas.

El arameo judaico *kḥš* afel, «tachar de mentiroso», y el hitpael, «ser tachado de mentiroso» (Dalman 196b), deben ser considerados como hebraísmos.

Además del verbo (piel, nifal, hitpael), están documentados el sustantivo *káḥaš,* «mentira», y el adjetivo *kæḥāš,* «hipócrita» (sobre esta forma nominal, cf. BL 479).

2. La raíz aparece 27 × en el AT: *kḥš* piel 19 ×, nifal 1 × (Dt 33,29), hitpael 1 × (2 Sm 22,45, paralelo Sal 18,45, piel), *káḥaš* 5 ×, *kæḥāš* 1 × (Is 30,9). Su distribución es bastante regular; únicamente en Oseas se nota una frecuencia especial (5 ×; piel Os 4,2; 9,2; sustantivo, 7,3; 10,13; 12,1).

3. El significado base de *kḥš* piel es ambivalente. En castellano lo podríamos parafrasear de esta doble forma: «decir/hacer que no...» o «no decir/no hacer que...». Ninguno de los sentidos es anterior al otro; parece, más bien, que ambos han existido desde el principio como alternativas. Uno de los sentidos ha desarrollado los significados «disputar, contradecir, discutir, negar, renegar, desmentir, rehusar»; en la otra línea se han formado

los significados «callar, ocultar, esconder, encubrir, sustraer» (semejante a *kḥd* piel, «disimular», y a sus equivalentes árabes y etiópicos; cf. M. A. Klopfenstein, *Die Lüge nach dem AT* [1964] 254 a 310; sobre la relación entre *kḥs* y *kḥd,* cf. 258-260. 278s). A la segunda línea pertenecen también los significados del piel, «disimular, ocultar la verdadera intención, fingir algo, hacerse pasar por» (1 Re 13,18; Zac 13,4), que en los salmos (Sal 18,45; 66,3; 81,16) —en relación con el homenaje ritual del enemigo vencido ante el vencedor (Klopfenstein, *loc. cit.,* 284-297)— pueden recibir el sentido concreto de «adular, mostrarse amable, simular sumisión». Este es también el significado del hitpael (2 Sm 22,45) y del nifal (Dt 33,29); pero no es necesario negar este sentido a los casos del piel en los salmos y corregirlos en nifal.

El sustantivo y el adjetivo confirman el doble significado: *káḥaš* significa tanto «negación» de Yahvé o de su pacto o «falsificación» de la situación real, como «disimulo» ante los demás. El adjetivo *kæḥāš,* «hipócrita, renegado», pertenece al primer sentido; la traducción de Aquila (ἀρνητής) parece más acertada que la de los LXX (ψευδής).

kḥš es construido 7 × con *b^e^:* en 5 × seguido de persona, en 1 × seguido de objeto y en 1 × la partícula *b^e^* es empleada dos veces, una seguida de persona y otra seguida de objeto; en Job 31,28 aparece *l^e^* en lugar de *b^e^*. En todos estos casos se trata de una preposición regida por el verbo: «negar (una cosa)», «renegar de (una persona)». En los demás casos en los que sigue *l^e^* (otros 6 ×), se trata de un dativo de persona «disimular ante alguien» o semejantes. En los casos en que el piel se emplea de forma absoluta (6 ×), se ha de suponer un objeto implícito o un sentido reflexivo: «ocultar (lo robado)» (Jos 7,11), «desmentir (la acusación)» o «disimular» (Gn 18,15).

A diferencia de → *šqr,* que se refiere a la violación de unos vínculos legales o de una relación de alianza, y de → *kzb,* que caracteriza una afirmación o actitud contraria o de algún modo distinta de la realidad, *kḥš* se emplea en el sentido de falsear, simular, discutir o encubrir la propia opinión. En 11 de los 27 casos, *kḥš* aparece como término jurídico o jurídico-sacral. Aquí está, probablemente, su *Sitz im Leben* original. Los casos de sentido jurídico «profano» —¡en el AT no se da una distinción neta de lo «sacro»!— son: Lv 5,21 (negar que un objeto ha sido robado o que había sido recibido como prenda), Lv 5,22 (esconder un objeto encontrado), Lv 19,11 (ocultar lo robado), Os 4,2 (además de la vida, la libertad y el matrimonio, se protege también las posesiones por medio de la prohibición de «encubrir» las cosas; distinto en Rudolph, KAT XIII/1, 100). En contextos extrajurídicos se han derivado los sentidos «negar» (Gn 18,15), «disimular» (1 Re 13,18); en Job 8,18; Os 9, 2 y Hab 3,17, el verbo se aplica a cosas. El sentido de «hacerse pasar» por profeta (Zac 13,4) incluye un matiz jurídico-sacral, y el significado «simular sumisión» como gesto de lealtad por parte del vencido (cf. *sup.),* presenta un tono jurídico-militar. Los empleos «profanos» del sustantivo designan la «falsedad» en la actuación y dirección de la política exterior (Nah 3, 1), la «intriga» en la política interior (Os 7,3) o las «tergiversaciones» en la acusación contra el inocente (Sal 59, 13; distinto en S. Mowinckel, *Psalmenstudien* I [1921] 57s).

4. El empleo teológico del término enlaza estrechamente con el «profano»: también aquí puede distinguirse entre un empleo jurídico (sacral) y otro empleo más amplio. El *Sitz im Leben* jurídico-sacral debe considerarse tan original como el jurídico «profano» (cf. *sup.,* 3).

kḥš aparece claramente como término jurídico sacral en Jos 7,11, donde el «encubrimiento» de algo perteneciente al anatema es considerado como un grave sacrilegio. Este antiguo texto etiológico de Akán (cf. Noth, HAT 7, 43-46) nos lleva indudablemente al sentido original de la raíz. En Jos 24, 27 *(kḥš* piel *bēlōhīm)* y Job 31,28 *(kḥš lāʾēl),* la apostasía que lleva a rendir culto a dioses extranjeros o a las estrellas constituye una «negación de Dios», es decir, también aquí se trata de un delito jurídico sacral; lo mismo ocurre en Os 12,1 (según la interpretación de E. Sellin, *Das Zwölfprophetenbuch* [2-3 1929] 118; Weiser, ATD 24, 73; distinto, Rudolph, KAT XIII/1, 225).

En Is 59,13, *kḥš bᵉYhwh* significa «negación de Yahvé» en sentido amplio: se refiere a la violación de su alianza; así debe entenderse *káḥaš* también en Os 10,13, donde el término aparece en paralelismo con *rǽšaʿ/ʿawlātā* y en contraste con *ṣǽdæq/ṣᵉdāqā, ḥǽsæd* y *dáʿat* (v. 12, texto enmendado) (cf. Wolff, BK XIV/1, 240-242). La «apostasía» de los *bānīm, kæḥāšīm,* los «hijos hipócritas», se manifiesta en Is 30,9 en el sentido específico de oposición a oír la torá de Yahvé; Jr 5,15 *(kḥš* piel *bᵉYhwh)* y Prov 30,8s, en cambio, consideran como «negación» el hecho de prescindir totalmente de Yahvé. El «forzado homenaje de los enemigos ante el vencedor» —que desde el punto de vista histórico-formal e histórico-tradicional constituye un elemento propio de los himnos, especialmente del cántico de victoria— es trasladada por Sal 66,3 al campo teológico e interpretada como homenaje ante Dios.

5. En Qumrán, el nombre *káḥaš* ha aparecido hasta el momento en dos textos: en 1QS 4,9, en un catálogo de cargas que pesan sobre «el espíritu del malvado»; en 1QS 10,22, en un cántico de alabanza que incluye una serie de votos. En el primer pasaje, *káḥaš* aparece junto a *rᵉmiyyā,* «engaño»; en el segundo, «mentira pecaminosa» *(káḥaš ʿāwōn)* designa una falta cometida con los «labios». El término parece haber perdido su significado específico.

Los LXX traducen normalmente los términos de esta raíz por medio de ψευδ-; únicamente en Gn 18,15 da la traducción más precisa ἀρνεῖσθαι (cf. ἀρνητής en Aquila, en Is 30,9), de forma que queda destacado por lo menos uno de los aspectos del significado ambivalente de la raíz.

El empleo teológico del término en el NT adquiere un contenido cristológico (cf. H. Schlier, art. ἀρνέομαι: ThW I, 468-471). Cuando se niega a Cristo, se niega a Dios (1 Jn 2,23). El que niega a Cristo será negado ante su Padre (Mt 10,33 y paralelos; 2 Tim 2, 12). Principalmente se piensa en la negación hecha de palabra (cf. 1 Jn 2, 22), pero Tit 1,16 muestra que —al igual que en el AT— puede hacerse también de obra.

M. A. Klopfenstein

כֹּל *kōl* Totalidad

1. El sustantivo semítico común **kull-*, «totalidad» (Bergstr., *Einf.*, 190), cuyo significado original parece ser «circunferencia» (GVG II, 253) o «círculo» (BL 267), pertenece a la raíz *kll.* Esta raíz está representada en hebreo por el verbo qal, «completar, acabar» (en acádico y arameo *kll* šafel, «completar»; en arameo bíblico, šafel e ištafel, «ser completado», KBL 1085s), y por los derivados nominales *kālīl,* «completo, ofrenda total»; *miklōl,* «perfección» (Ez 23,12; 38,4); *miklāl,* «perfección, corona» (Sal 50,2), y *maklūlīm,* «vestidos lujosos» (Ez 27,24); cf. también los nombres propios *Kᵉlāl* (Esd 10,30; Noth, IP 224: «perfección»).

El acádico presenta, además de *kalû, kalâma, kullatu* (AHw 423s.427.501s), toda una serie de sinónimos: *gimru, gimirtu, kiššatu, nagbu, napḫaru* (GAG § 134h). Sobre el ugarítico *kl, kll,* cf. WUS N. 1320; UT N. 1240; sobre las inscripciones semítico-noroccidentales, cf. DISO 118-120.

2. *kll* qal aparece sólo en Ez 27,4.11, *kālīl* 15 ×, *miklōl* 2 ×, *miklāl* y *maklūlīm* 1 ×; el arameo bíblico *kll* šafel 5 ×, ištafel 2 ×.

kōl/kol- aparece, según Mandelkern, 563-583.1328s.1535, 5404 × en hebreo (*kōl* 843 ×, con sufijos 214 ×) y 82 × en arameo (Dn 67 ×, Esd 15 ×). Como es de esperar en una palabra de empleo tan general, su frecuencia en cada uno de los libros veterotestamentarios guarda proporción con la extensión del mismo. Entre los libros que presentan cifras fuera de este valor medio pueden citarse —dejando aparte los libros cuya extensión no llega a constituir el 1 por 100 de todo el AT— los siguientes: por arriba, Dt (353 ×) y, sobre todo, Ecl (91 ×); por debajo, Job (73 ×) y Prov (77 ×). Estas diferencias pueden explicarse por el contenido (Dt: «de todo corazón, con toda el alma y con todas tus fuerzas»; Ecl: «todo es vanidad») en el primer caso y por la forma poética en el segundo.

3. *a)* El adjetivo *kālīl* significa «completo, perfecto» (Is 2,18: «todo»; Jue 20,40: «toda la ciudad»). La hermosura de una ciudad puede considerarse *kālīl,* «perfecta» (Ez 16,14 y Lam 2,15, Jerusalén; Ez 27,3 y 28,12, Tiro); cf. también el empleo del verbo *kll* qal, «acabar, llevar a la perfección», en Ez 27,4.11 (Tiro) y en Gn Apócrifo 20,5 el arameo *klyln,* «perfecto», referido a las manos de Sara, en la descripción de la hermosura de ésta.

Para Ex 28,31 y 39,22 (y también Nm 4,6), G. R. Driver, *Technical Terms in the Pentateuch:* WdO II/3 (1956) 254-263, sugiere el significado «tejido de una pieza» (p. 259).

El sustantivo *kālīl* designa un tipo de sacrificio (Lv 6,15.16; Dt 13,17; 33,10), el de la «ofrenda total», que aparece junto a la *ʿōlā* («holocausto») (Sal 51,21) y luego la desplaza (1 Sm 7,9; cf. Köhler, *Theol.,* 174s; R. de Vaux, *Les sacrifices de l'A.T.* [1964] 43s.98s).

miklōl describe al caballero vestido y preparado con «perfección» (Ez 23, 12; 38,4). *maklūlīm* enlaza con *miklōl* y designa los vestidos lujosos con los que negocia Tiro (Ez 27,24). *miklāl* podría derivarse también de *kll,* «rodear», y, por tanto, ser traducido por «corona, diadema» (como lo hace la mayoría de los exegetas, excepto GB 421b y KBL 521b; cf. *klyl* en Qumrán, cf. *inf.,* 5).

b) Sobre el modo de empleo y la construcción de *kōl,* cf. los diccionarios y gramáticas. Muy pocas veces aparece *kōl* en forma absoluta con el significado de «la totalidad, todo» (Ex 29,24; Lv 1,9; 2 Sm 1,9 y *passim;* cf. GVG II, 253s); normalmente aparece unido a otros nombres, originalmente como *nomen regens* ante genitivo y después también en aposición, delante o detrás de otro sustantivo (GVG II, 214-216). Si este sustantivo no está determinado, el significado de *kōl* es «todo tipo de, cada». Pero si el sustantivo que le sigue está determinado, *kōl* significa en singular «todo» y en plural «todos». Si se trata de una frase negativa, el significado es «ninguno». Cuando *kōl* aparece pospuesto al sustantivo, le suele seguir con frecuencia un sufijo que se refiere al sustantivo anterior; por ejemplo, *Yiśrāʾēl kullāh,* «todo Israel», 2 Sm 2,9, y *passim;* este tipo de construcción es particularmente frecuente en los demás dialectos semíticos (cf., por ejemplo, en acádico: GAG § 134h; en ugarítico: O. Eissfeldt, *El im ug. Pantheon* [1951] 42s; en arameo: Fitzmyer, *Sef.,* 29).

No es necesario presentar una lista detallada de los nombres que aparecen unidos a *kōl,* ya que, dada la variedad de la vida, toda manifestación de este mundo es susceptible de aparecer en dicha posición. Se pueden consultar en este sentido, además de las concordancias hebreas, las minuciosamente ordenadas listas de K. Huber y H. H. Schmid, *Zürcher Bibel-Konkordanz* I (1969) 39ss.638ss.

4. En diversos textos teológicos (exílicos y posexílicos), *kōl* sirve, especialmente cuando aparece en forma absoluta y con artículo, para designar la creación entera; de todas formas, no se convierte en expresión teológica o cosmológica técnica en el sentido de «universo» o «(mundo) total» (C. R. North, IDB IV, 874; íd., *The Second Isaiah* [1964] 145s). Así, por ejemplo, Jr 10,16 = 51,19 (exílico, cf. Rudolph, HAT 12,75) habla del «creador de

todo»; Is 44,24 dice: «yo, Yahvé, lo he hecho todo, yo extendí los cielos»; y 45,7: «yo formo la luz, yo hago la tiniebla... yo, Yahvé, soy el que hago todo esto»; cf. también Sal 103,19: «su majestad lo gobierna todo»; 119, 91: «todo te sirve»; 1 Cr 29,14: «de ti viene todo»; v. 16: «todo es tuyo»; Job 42,2: «yo he conocido que todo lo puedes»; finalmente, también Sal 8,7 referido al hombre: «todo se lo pusiste bajo sus pies».

5. En Qumrán, *kōl* aparece más de 800 × (normalmente, *kwl plene scriptum;* en CD *kl).* Su empleo es paralelo al del AT. Sobre *klyl,* «perfecto (hermoso)», cf. *sup., 3a;* en 1QS 4, 7 y 1QH 9,25, *klyl* es empleado en el sentido de «corona, diadema» *(kelīl kābōd,* «aureola»).

El griego dispone de diversas posibilidades para traducir nuestro término; se emplea una u otra según lo pida el contexto. Naturalmente, la traducción más frecuente es πᾶς o derivados.

Sobre el NT, cf. B. Reicke y G. Bertram, art. πᾶς: ThW V, 885-895.

G. Sauer

כלה *klh* Estar acabado

1. Morfológicamente no hay en hebreo un límite preciso entre *klh,* «acabar», y *kl',* «retener», como lo muestran las diversas asimilaciones que resultan en su conjugación (BL 375.424; KBL 436a). En ugarítico aparecen ambas raíces (WUS N. 1311: *kla,* «cerrar»; N. 1317: *kly,* «estar acabado»); en acádico, en cambio, *kalû* debe ponerse en relación con **kl'* (GAG § 105c; AHw 428s) y tiene el significado fundamental «retener» y el sentido «acabar». Lo mismo que el acádico, también el arameo conoce únicamente la raíz (semítica común) *kl',* que significa «retener» *y también* «acabarse». En neopúnico, *klh* piel no está documentado con seguridad (KAI N. 145, línea 11; DISO 121).

Si examinamos los significados de ambos verbos observamos que también semánticamente están estrechamente relacionados. Parece que se ha dado un proceso semántico elemental que lleva de la idea de «retener» y «cerrar» a la idea de «limitar» o «acabar»; cf. el latín *claudere,* que abarca las ideas de «incluir» y «concluir». Un proceso semántico semejante se ha dado en el opuesto → *ḥll* hifil: significado fundamental «desatar, soltar» > «comenzar»; cf. el latín *aperire,* que puede referirse también al comienzo de una acción.

La explicación más sencilla de la relación entre estos dos verbos es —también en hebreo— la siguiente: el sentido, originalmente local, de «retener» ha dado paso secundariamente al sentido «acabar», y esta ampliación del sentido ha llevado consigo una división morfológica parcial de la raíz.

Del verbo se han derivado diversas formas nominales: el adjetivo *kālǣ,* «lánguido» (Dt 28,32, referido a los ojos), el sustantivo *miklōt,* «perfección» (2 Cr 4,21), formado con *mi-* preformativo y con *-ōt,* que puede ser explicado como desinencia de abstracto singular o como plural repetitivo (cf. BrSynt 16) (también de *kl'* se deriva un *miklā['],* «aprisco»; cf. *claudere > clausula* y *claustrum);* también *tiklā* (Sal 119,96) y *taklīt* (Barth 295; BL 496) significan «perfección», mientras que *kālā* y *killāyōn* (Barth 326) significan el final adverso, la «aniquilación». Sobre el nombre personal *Kilyōn* puede decirse lo mismo que sobre *Maḥlōn* (→ *ḥlh* 1).

2. La raíz aparece en el AT únicamente en hebreo (el arameo bíblico emplea en este sentido *kll* šafel, «acabar», Esd 4,12; 5,3.9.11; 6,14; ištafel pasivo, Esd 4,13.16; *šlm* qal, «estar acabado», Esd 5,16). El verbo presenta 207 casos distribuidos regularmente: qal 64 ×, piel 141 ×, pual 2 ×. Las formas nominales presentan las siguientes cifras: *kālǣ* 1 ×, *kālā* 22 × (Jr 7 ×, Ez 3 ×) y concretamente 15 × como objeto de *'śh:* «poner fin» (so-

bre todo en los profetas: Jr 7 ×, Ez 2 ×, Is y Sof 1 ×), *taklīt* 5 × (Job 3 ×, Sal 139,22 y Neh 3,21), *killāyōn* 2 × (Dt 28,65; Is 10,22), *tiklā* y *miklōt* 1 × (cf. *sup.).*

3. La ampliación secundaria del concepto en la línea de «cerrar, limitar» ha hecho que *klh* se emplee normalmente como transitivo *(klh* piel junto al menos frecuente *klh* qal intransitivo) en el sentido de «cerrar», es decir, «poner límite» a una cosa o a una acción (con frecuencia acompañado de infinitivo con o sin *le*). *klh* qal, «acabar», tiene diversos sujetos, concretos y abstractos.

Como verbos de significado semejante pueden mencionarse: *ʾps* qal, «acabar, estar acabado» (Gn 47,15.16, dinero; Is 16,4, opresor, paralelo a *klh* qal; 29,20, tirano, paralelo a *klh* qal; Sal 77,9, gracia, paralelo a *gmr* qal), y *gmr,* «estar acabado» (Sal 7,10; 12,2; 77,9), «dar fin» (Sal 57,3; 138,8; cf. O. Loretz, *Das hebr. Verbum GMR:* BZ 5 [1961] 261-263); cf. → *tmm,* → *qēṣ.*

El concepto neutro «concluir» recibe diversas modificaciones: en primer lugar es empleado en el sentido positivo de «llevar a término, perfeccionar», es decir, en el sentido de alcanzar una meta establecida (Gn 2,2; 6,16); el sentido qal «realizarse, cumplirse» está documentado sobre todo en la obra cronística (1 Cr 28,20 y *passim).* En cuatro ocasiones presenta un sentido semejante a nuestro «estar dispuesto, decidido» (1 Sm 20,7.9; 25,17; Est 7, 7: el sujeto es siempre *rāʿā,* «el mal»; distinto, L. Kopf, VT 9 [1959] 284, sobre *klh ʾæl/ʿal* en 1 Sm 25,17 y Est 7,7: «alcanzar»); cf. 1 Sm 20,23, donde el sustantivo *kālā* significa «asunto decidido»; ése es, probablemente, el significado de Ex 11,1: «cuando su marcha sea asunto decidido».

Pero casi con mayor frecuencia se trata de «concluir» en sentido negativo: piel «poner término = aniquilar», qal «perecer» (Gn 41,30; Ex 32,10.12). En este sentido, el verbo —especialmente en qal— puede ser empleado hiperbólicamente para designar el languidecimiento doloroso, bien a causa de un deseo o anhelo vehemente (Sal 84,3; Lam 4,17) o bien a causa de una privación especialmente pesada (Jr 14, 6; Sal 69,4); cf. también el adjetivo *kālǣ,* «lánguido», en Dt 28,32.

En el abstracto verbal *kālā,* el aspecto temporal queda totalmente relegado; este término significa siempre en el AT «fin» en el sentido de «aniquilación». En Qumrán se emplea una vez en sentido temporal: *ʾēn kālā,* «sin fin» (1QH 5,34, semejante al veterotestamentario *ʾēn* → *qēṣ).*

4. En sentido teológico, el qal es empleado de forma semejante a → *ʾbd,* «perecer», referido a la perdición de los pecadores. El piel tiene en unas 30 × a Dios/Yahvé por sujeto; en la mayoría de esos casos, el significado es «aniquilar» y el objeto del verbo es personal. En algunos casos, especialmente en Ez, aparece *klh* piel con la «ira» de Dios por objeto = «saciar la cólera» (Ez 5,13; 6,12; 7,8; 13,15; 20, 8.21; Lam 4,11).

kālā se refiere dos veces a la palabra divina que se cumple (Esd 1,1; 2 Cr 36,22; cf. Esd 9,1, piel; cf. también → *qūm* hifil o → *mlʾ* piel.

Nunca se emplea el verbo —ni en qal ni en piel— ni tampoco las formas nominales como términos teológicos técnicos para referirse, por ejemplo, al juicio final.

5. Sobre el NT, cf. G. Delling, art. τέλος: ThW VIII, 50-88 (sobre todo, 63-65, referido a συντελέω). Debe añadirse que *klh* se emplea en la escatología del judaísmo tardío y del cristianismo primitivo con menor frecuencia que → *qēṣ,* el cual parece más apropiado para marcar puntos de referencia para una interpretación orientada hacia el final de los tiempos.

G. Gerleman

כָּנָף *kānāf* Ala

1. La raíz **kanap-,* «ala», pertenece al semítico común (Bergstr., *Einf.*, 184; P. Fronzaroli, AANLR VIII/19 [1964] 274.279; *ibid.*, 23 [1968] 283; acádico *kappu,* AHw 444; ugarítico *knp,* WUS N. 1345; UT N. 1273; yáudico y arameo imperial *knp,* DISO 123).

En Is 30,20 aparece el verbo denominativo *knp* nifal, «esconderse».

2. *kānāf,* en sus diversas formas y significados, aparece 109 × en el AT (singular 38 ×, dual 68 ×, femenino plural 5 ×; Ez 26 ×, 1 Re y Sal 12 ×, 2 Cr 10 ×, Is 7 ×). La mayoría de los casos corresponde a autores sacerdotales o a autores interesados de algún modo en el templo (Gn 2 ×, sólo en P; Ex 5 ×, de ellas, 4 × en P; Lv 1 × y Nm 2 ×, sólo en P; 1 Re 6-8 y 2 Cr 3,11-13; 5,7s 22 ×, en la descripción de las alas de los querubines del templo; 16 ×, en Ez 1 y 10). Cf. también los casos posexílicos en Ag, Zac y Mal (en total, 7 ×) contra un solo caso (Os) en los profetas menores preexílicos (Is 7 ×, de ellas, 2 × en textos no isaianos; ausente en DtIs; Jr 3 ×).

3/4. *a)* De alas se habla en el AT no sólo al tratar de las aves (en sentido figurativo, en Prov 23,5; sobre Is 8,8, cf. los Comentarios; cf. Ez 17,3.7), sino también al referirse a figuras mitológicas como los querubines de dos o cuatro alas, que aparecen en torno al arca (Ex 25,20; 37,9; 1 Re 6 y 2 Cr 3) o mencionados en Ezequiel (R. de Vaux, MUSJ 37 [1960-61] 91-124; P. Dhorme, L. H. Vincent, RB 35 [1926] 328-358; BRL 382-385), los serafines en forma de serpiente, y con seis alas (Is 6,2), los seres de cuatro alas mencionados en Ez 1; 3 y 10 (L. Dürr, *Ezechiels Vision von der Erscheinung Gottes [Ez c. 1 u. 10] im Lichte der vorderasiatischen Altertumskunde* [1917]; Zimmerli, BK XIII, 1ss, sobre Ez 1) o las mujeres aladas de Zac 5,9. Si prescindimos de los querubines del arca y de los del tabernáculo, las figuras mitológicas aladas aparecen sólo en las narraciones de visión. Las «alas del viento» citadas en textos hímnicos (2 Sm 22,11 = Sal 18,11; 104,3) designan, lo mismo que los conceptos sinónimos *kᵉrūb,* «querubín» (2 Sm 22,11 = Sal 18,11; BHH I, 298s), y *ʿāb,* «nube» (Sal 104,3; → *ʿānān),* el medio de transporte usado por Yahvé en la epifanía y recuerdan las alas del viento meridional del mito de Adapa (ANET 101b; a esa concepción mitológica se refiere la palabra de juicio de Os 4,19). Las «alas de la aurora» (Sal 139,9) corresponden a las alas salvíficas del futuro «sol de justicia». En este texto «se une el empleo jurídico de *ṣdq,* según el cual el *ṣaddīq,* el que teme el nombre de Yahvé, será salvado cuando llegue el juicio final, con el empleo de la raíz para designar la situación salvífica general. Al relacionarlo con el sol se recoge un antiguo mitologúmenon, ya que precisamente el dios Sol ha sido considerado como el defensor del derecho y del orden» (H. H. Schmid, *Gerechtigkeit als Weltordnung* [1968] 142). El tema del sol alado constituyó durante siglos un motivo frecuente en el arte oriental (O. Eissfeldt, *Die Flügelsonne als künstlerisches Motiv und als religiöses Symbol,* F. F. 18 [1942] 145-147 = KS II, 416-419; AOB N. 307-311.331-333; BRL 338, N. 3). En los cánticos de lamentación individual (Sal 17,8; 57,2; 61,5; cf. también Sal 36,8; 63,8; en la confesión didáctica, Sal 91,4) y en Rut 2,12 aparece la imagen de «la sombra bajo las alas» de Yahvé; se discute si la imagen ha sido tomada del tema del pájaro protector (cf. Dt 32,11; Is 31,5; J. Hempel, ZAW 42 [1924] 101-103) o se remonta a la concepción de un dios alado (AOB N. 35.197.258; F. C. Fensham, *Winged Gods and Goddesses in the Ugaritic Tablets:* «Oriens Antiquus» 5 [1966] 157-164); parece que debe elegirse la primera explicación (cf. también Mt 23,37), como lo sugiere también el hecho de que en la literatura ugarítica no se hable nunca de la función protectora de las alas de Dios. A pesar de Sal 36,8, no es seguro que esta imagen se refiera a una antigua confesión de asilo relacionada con el carácter protector de Yahvé en el santuario, simbolizado por las alas de los querubines (así, Kraus, BK XV, 283, que sigue a von Rad I, 416).

Como sinónimos poéticos de *kānāf* aparecen *ʾēbær* (Ez 17,3, paralelo a *kānāf;* Is 40,31 y Sal 55,7 sólo) y *ʾæbrā* (Dt 32,11; Sal 68,14; 91,4; Job 39,13, siempre paralelo a *kānāf),* «ala»; cf. también el denominativo *ʾbr* hifil, «alzar el vuelo» (Job 39, 26).

b) En sentido metafórico, *kānāf* designa el borde del manto. El hombre lo extendía sobre la mujer elegida como gesto jurídico (Rut 3,9, texto enmendado; Ez 16,8; A. Jirku, *Die magische Bedeutung der Kleidung in Israel* [1914] 14ss). Las borlas *(ṣīṣīt,* Nm 15,38s; *gedīlīm,* Dt 22, 12) en los cuatro bordes del manto con los cordones de violeta y púrpura tenían originalmente un carácter apotropeico (P. Joüon, *kānāf «aile», employé figurément:* Bibl 16 [1935] 201-204; R. Gradwohl, *Die Farben im AT* [1963] 71s; Noth, ATD 7, 104), pero dentro del yahvismo fueron interpretadas como recordatorios de los mandamientos divinos (Nm 15,39-40). En la ley apodíctica de Dt 23,1 y en la antigua serie de leyes del Dodecálogo siquemita de Dt 27,20 la acción de descubrir el manto del padre significa tener relaciones sexuales con la madrastra (sobre semejantes prohibiciones, cf. Lv 18 y K. Elliger ZAW 67 [1955] 1-25).

Unido a *hāʾāræṣ, kānāf* (plural constructo femenino *kanfōt)* designa los (cuatro) extremos de la tierra (Ez 7,2; Is 11, 12; Job 37,3; 38,13; en singular, Is 24, 16; es decir, sólo en textos recientes) y es empleado de forma análoga a la expresión acádica *kippat erbetti* (AHw 482b), si no depende de ella.

5. La literatura qumránica (por ejemplo, «alas del viento», 1QHf 19,3) y el NT (πτέρυξ como en los LXX; en sentido protector, Mt 23,37, paralelo Lc 13,34; referido a los seres celestes, Ap 4,8; 9,9; 12,14) continúan el empleo veterotestamentario del término.

A. S. van der Woude

כְּסִיל *kesīl* Necio

1. Si es cierto que la raíz *ksl* significaba originariamente «ser gordo, obeso» (cf. el árabe *kasila,* «ser pesado»), como se afirma generalmente (cf. los diccionarios), a partir de ese significado fundamental podrían explicarse en cierta medida los derivados hebreos, semánticamente muy distintos (cf. también J. L. Palache, *Semantic Notes on the Hebrew Lexicon* [1959] 37); de todas formas, en hebreo no está documentado este significado.

kæsæl I, «riñones», es el derivado que más se acerca al sentido corporal de «ser gordo» (Lv 3,4.10.5; 4,9; 7,4; Sal 38,8; Job 15,27; cf. Dhorme 132s; ugarítico *ksl,* «riñones», WUS N. 1357; UT N. 1280: *the back).* Pero es mucho más frecuente el empleo metafórico, tanto en sentido positivo como negativo (este último es más habitual: ¿«pesado» > «indolente» > «tonto/necio»?; → *ʾæwīl* 1); también *kæsæl* II significa por un lado «confianza» (Sal 49,14, texto dudoso; 78,7; Job 8,14; 31,24; Prov 3,26) y por otro «necedad» (Ecl 7,25), lo mismo que *kislā,* que puede ser tanto «confianza» (Job 4,6) como «necedad» (Sal 85,9, texto dudoso; cf. también Sal 143,9, texto enmendado); por el contrario, los casos aislados del verbo *ksl* qal, «ser necio» (Jr 10, 8), del nombre *kesīlūt,* «necedad» (Prov 9,13), y sobre todo el nombre *kesīl* I (cf. *inf.,* 3), tienen un sentido peyorativo; lo mismo puede decirse de *kesīl* II, que se emplea para calificar la constelación Orión como «violenta y arrogante» (KBL 447b) (Am 5,8; Job 9,9; 38,31; plural, Is 13,10; cf. Fohrer, KAT XVI, 198, con bibliografía; G. R. Driver, JThSt N. S. 7 [1956] 1-11). Cf. también el nombre personal *Kislōn* (Nm 34,21; Noth, IP 227: «pesado»).

El nombre más importante, por frecuencia y significado, es *kesīl* I, que (contra Barth 44) se emplea a veces como adjetivo, «necio» (Prov 10,1; 14,7; 15,20; 17,25; 19,13; 21,20; Ecl 4,13; cf. también 5,2; cf. los Comentarios), aunque normalmente aparece como sustantivo. La forma *kᵉsīl* no necesita ser explicada ni como extranjerismo (cf. BL 471) ni como arameísmo (Meyer, II, 28; más reservado, Wagner, 122) (cf. Barth, 44; GK 84ªo).

2. La distribución de *kᵉsīl* I es significativa: aparece 70 veces y, excepción hecha de Sal 49,11; 92,7; 94,8, siempre en Prov (49 ×, de ellas, sólo 4 × en Prov 1-9, 30 × en la colección 10,1-22,16 y 11 × en el espejo del necio de 26,1-12) y Ecl (18 ×).

Sin contar *kǽsæl* I (7 ×) y *kᵉsīl* II (4 ×), que se alejan mucho en cuanto al significado, la raíz aparece en total 80 × (*ksl* qal 1 ×, *kǽsæl* II 6 ×, *kislā* 2 ×, *kᵉsīlūt* 1 ×).

3. El término personal *kᵉsīl,* cuyo significado principal es «necio» (adjetivo y sustantivo), tiene un empleo marcadamente sapiencial. No es seguro que haya desplazado a un término más antiguo → *nābāl,* «necio» (cf. W. Caspari, NKZ 39 [1928] 674s; G. Bertram, ThW IV, 839); llama la atención, de todas formas, que el empleo del término como adjetivo calificativo corresponda a las secciones más antiguas del Libro de los Proverbios, mientras que el sustantivo aparece determinado por el artículo sólo en Ecl, que es más reciente (11 × de un total de 18 ×). Se puede suponer un desarrollo del término hacia un carácter cada vez más sustantivo: *kᵉsīl* se ha convertido poco a poco en un tipo determinado de persona, cuyo contrapuesto es *ḥākām,* el «sabio» (→ *ḥkm); kᵉsīl* es precisamente el término que con mayor frecuencia se opone al «sabio» (cf. U. Skladny, *Die ältesten Spruchsammlungen in Israel* [1962] 12.21s.33ss.50s.60s; T. Donald, VT 13 [1963] 285-292).

Así sucede en Sal 49,11; Prov 3,35; 10,1; 13,20; 14,16.24; 15,2.7.20; 21,20; 26,5; 29,11; cf. 10,23; 17,16; 28,26; además, Ecl 2,14s.16; 4,13; 6,8; 7,4s; 9,17; 10,2.12; otros opuestos en Prov (en Ecl domina *ḥākām)* son *nābōn,* «inteligente» (14,33; 15,14), y *mēbīn,* «entendido» (17, 10.24; → *bīn), ʿārūm,* «inteligente» (12, 23; 13,16; 14,8), cf. también *sēkæl,* «inteligencia» (23,9). Entre los sinónimos deben mencionarse: *báʿar,* «bruto, tonto» (Sal 49,11; 92,7; cf. 73,22; Prov 12,1; 30,2), y *bʿr* qal, «ser bruto, tonto» (Jr 10,8; Sal 94,8), ambos términos derivados de *bᵉʿīr,* «animal»; en Prov: *pᵉtāyīm,* «ingenuo» (1,22.32; 8,5; → *pth); lēṣīm,* «burlón» (1,22; 19,29; cf. H. N. Richardson, VT 5 [1955] 163-179); → *nābāl,* «necio» (17,21; cf. W. M. W. Roth, VT 10 [1960] 394-409, espec. 403: *nābāl,* «is by his very fate an outcast»).

Estos sinónimos vienen a caracterizar despectivamente al *kᵉsīl* —de forma semejante a la descripción irónica del espejo del necio, en Prov 26,1-12— y a reforzar el aspecto ya de por sí negativo del mismo: a diferencia del sabio, el *kᵉsīl* no es callado, sino que su boca delata su «necedad» (→ *ʾæwīl* 3; así, 12,23; 13,16; 14,7.33; 15,2.14; 18,2; 29,11.20) y su corazón falso y malo (→ *raʿ*) (15,7; 19,1; cf. Ecl 10,2) lleva a los demás a la «querella» y es «ruina» y «trampa» para el mismo *kᵉsīl* (18,6s; cf. 10,18). Profiere injurias (10,18), es peligroso para los demás (13,20; 17,12), desprecia a su madre (15,20), es causa de aflicción y desgracia para sus padres (10,1; 17,21.25; 19,13). Es inepto (26,6, cf. v. 10; Ecl 10,15b) y se divierte haciendo maldades (Prov 10,23; 13,19). Odia el «conocimiento» (1,22; 18,2) y se cree «sabio» (26,5.12; 28,26), lo que no hace sino poner más de manifiesto su necedad.

4. Es cierto que la figura completamente negativa del *kᵉsīl* no presenta un carácter marcadamente teológico, pero también es cierto que dicho carácter se trasluce de algún modo en la contraposición entre el *kᵉsīl* y el *ḥākām,* por lo menos en cuanto corresponde a la oposición entre el *rāšāʿ,* «malvado» —que se parece mucho al «necio»—, y el *ṣaddīq,* «justo» (cf., por ejemplo, Prov 10,23; 15,7; Skladny, *loc. cit.,* 12,21ss); mucho más fuerte aparece ese carácter en las graves consecuencias que siguen a la actitud y acción del «necio». No sólo recibe «ignominia» —desde el punto de vista social— en lugar de honor (3,35; cf. 26,1.8; también 19,10) y es peligroso para los demás (cf. *sup.,* 3), sino que se pierde a sí mismo: su boca es su ruina y su

trampa (cf. *sup.*, 3), su necedad es «engaño» *(mirmā,* 14,8), su arrogante *securitas* le trae la ruina (1,32, *ʾbd* piel; cf. 14,16b). Se le puede invitar al «necio» a que mejore (8,5), pero con frecuencia se señala la inutilidad de tal invitación, porque el «necio» se aferra irremediablemente a su «necedad» (cf. 14,24; 17,10.16; 23,9; 26,11). Su «necedad» constituye una fuerza maligna de desgracia y en cuanto tal es personificada como «Señora Necedad» (9, 13, *kesîlūt;* cf. G. Boström, *Proverbiastudien* [1935]; G. von Rad, *Weisheit in Israel* [1970] 217ss).

5. En los LXX, *kesîl* es traducido principalmente por ἄφρων, más raramente por ἀσεβής y otros términos; cf. G. Bertram, art. φρήν: ThW IX, 216-231; *íd.*, art. μωρός: ThW IV, 837-852, donde se discute el significado de este concepto en el judaísmo y en el NT (cf. también W. Caspari, NKZ 39 [1928] 668-695; U. Wilckens, *Weisheit und Torheit* [1959]).

M. Sæbø

כעס *kʿs* Enojarse

1. Este verbo no tiene, fuera del hebreo y del arameo (arameo imperial: Aḥ. 189, *kʿs,* participio qal, «el afligido le sació de pan», AOT 462; arameo judaico: Dalman, 204b; Jastrow I, 656), ningún correspondiente etimológico cierto. Se suele remitir con frecuencia al árabe *kašiʿa,* «tener miedo» (por ejemplo, KBL 449a), pero la relación no es segura. La raíz se refiere siempre, de algún modo, a un sentimiento de irritación (J. Scharbert, *Das Schmerz im AT* [1955] 32-34). Además del verbo (qal, piel, hifil) se emplea también el sustantivo *káʿas,* «ofensa» (en Job es escrito *káʿaś).*

2. *kʿs* qal aparece 6 ×, piel 2 ×, hifil 46 × (Jr 11 ×, 1 Re 10 ×, 2 Re 7 ×, Dt 5 ×); *káʿas/káʿaś* aparece 25 ×. La raíz está ausente de Gn-Nm, Am, Is y DtIs; es, en cambio, frecuente en la obra deuteronomística y en la literatura que depende de ella; Os, Jr y Ez, así como los textos sapienciales, la conocen.

3. *a)* En el modo qal, el verbo significa «excitarse, enojarse». Se deben señalar como expresiones paralelas (2 Cr 16,10, con *ʾæl,* «sobre»; Ecl 7,9, junto a *rûaḥ,* «espíritu»); *ḥrh* qal, «estar airado» (Neh 3,33), y *ḥrq* qal *šinnîm,* «rechinar los dientes» (Sal 112,10); ambas expresiones describen la suerte del impío (en salmos sapienciales). El opuesto de *kʿs* es *šqṭ* qal, «estar tranquilo» (Ez 16,42). En 5,16 debe leerse como verbo y no como sustantivo.

El piel significa «excitar, ofender»; la expresión se aplica una vez a las relaciones entre hombres (1 Sm 1,6) y otra a la relación entre Israel y Dios (Dt 32,21, paralelo a → *qnʾ* piel; cf. *inf.*, 4).

El hifil tiene un significado semejante al del piel y presenta idénticas posibilidades de empleo (cf. Jenni, HP 68-70): ofensas entre los hombres (1 Sm 1,7) y ofensa hecha a Dios por Israel (Os 12,15 y frecuentemente en los escritos deuteronomísticos, cf. *inf.*, 4). En una ocasión Yahvé es el sujeto del verbo: según Ez 32,9, «Yahvé excita el corazón de muchas naciones» por medio de las desgracias que ha enviado a Egipto; le acompañan expresiones como *šmm* hifil, «llenar de espanto», y (por parte del afectado) *sʿr,* «estremecerse»; *ḥrd,* «temblar». El verbo designa, pues, una excitación intensa.

b) El sustantivo *káʿas* aparece en ocasiones unido al verbo como expresión enfática (1 Sm 1,6; 1 Re 15,30; 2 Re 23,26). Designa las ofensas hechas entre los hombres (1 Sm 1,6) y, en sentido más genérico, la desesperación (1 Sm 1,6, paralelo a *śîaḥ,* «pena»). Este significado aparece en algunas formas de lamentación: la *káʿas* es una de las cargas de las que el orante se lamenta (Sal 6,8; 10,14, paralelo a *ʿāmāl,* «fatiga»). También Job 6,2; 17, 7 tiene la forma de una lamentación individual (en 6,2, texto enmendado, aparece en paralelismo con *hawwā,* «desgracia»).

Se puede hablar también de la *káʿas* de Dios que se dirige contra Israel (según Dt 32,27, también por parte del enemigo). El pueblo, con su limitación, solicita a Dios que deponga su enojo (Sal 85,5; cf. también Job 10, 17, que presenta contactos con la lamentación individual). Los textos que hablan de la relación entre la *káʿas* divina y el comportamiento humano delatan generalmente influjo deuteronomístico (Dt 32,19; 1 Re 15,30; 21, 22; 2 Re 23,26; Ez 20,28; cf. *inf.,* 4).

La literatura sapiencial considera la *káʿas* como una excitación peligrosa: al necio le mata su *káʿas* (Job 5,12, paralelo a *qinʾā,* «celo»), el sabio no la muestra (Prov 12,16). Se denomina *káʿas* no sólo el sentimiento subjetivo, sino también la causa objetiva que lo origina. Así, el hijo necio es *káʿas* para su padre (Prov 17,25, paralelo a *mǽmær,* «disgusto»), el necio lo es para el sabio (Prov 27,3) y también una mujer puede serlo (Prov 21,19).

c) Sobre las raíces de significado semejante, a saber: *ʿṣb* qal/piel, «afligir» (qal 1 Re 1,6; Is 54,6; 1 Cr 4,10; piel, Is 63, 10, «ellos afligían su santo espíritu»; Sal 56,6, texto dudoso; nifal, «entristecerse, afligirse», 7 ×; hifil, «ofender», Sal 78, 40; hitpael, «sentirse ofendido», Gn 6,6; 34,7; se deben añadir diversos derivados nominales: así, entre otros, *ʿaṣṣæbæt,* «dolor», 5 ×), y *ygh* hifil, «afligir» (Is 51, 23; Job 19,2; en Lam 1,5.12; 3,32, con Yahvé como sujeto; también, Lam 3,33, piel; participio nifal, Sof 3,18, texto dudoso; Lam 1,4; *yāgōn,* «disgusto», 14 ×; *tūgā,* «disgusto», 4 ×), cf. Scharbert, *loc. cit.,* 27-32.35s («*ygh* se refiere únicamente a una profunda impresión anímica y designa una actitud meramente pasiva del afectado... *ʿṣb* es usado como transitivo, *kʿs* como intransitivo. Por medio de *ʿṣb* se hace referencia al acontecimiento originario que hiere corporal o espiritualmente, pero se indica también la consecuente resignación o, en su caso, rechazo e ira; *kʿs,* por el contrario, designa directamente el sentimiento, el enfado, la excitación que se acerca a la ira, aunque en ocasiones puede referirse también a la causa de dicho sentimiento, al sentimiento hostil, a la necedad o al dolor espiritual», *loc. cit.,* 35s)*.

4. El término recibe un significado teológico especial en el lenguaje deuteronomístico, donde se emplea *kʿs* (en hifil y una vez en piel) para describir la actitud ofensiva del hombre para con Dios y la correspondiente reacción de éste. Ya en Oseas aparece este tema deuteronomístico (Os 12,15: «Efraín le ha irritado amargamente: él dejará sobre él su delito de sangre, su Señor le pagará su agravio»; el versículo constituye la conclusión de la serie de oráculos 12,1-5; se trata de una acusación que recoge todos los elementos de la teología de Oseas, opuesta a la religiosidad cananeizante que dominaba entonces). Lo que en Oseas constituye una formulación original, en la teología deuteronomística se ha convertido en fórmula estereotipada; se mencionan diversos hechos como ofensivos para Yahvé: el culto a dioses extranjeros (Jue 2,12; 1 Re 22,54; 2 Re 17,11; 22,17), fabricación de ídolos (Dt 4,25; 1 Re 14,9) y Aserás (1 Re 14,15; 16,33), construcción de santuarios en las alturas (2 Re 23,19) o, en general, hechos «que desagradan a Yahvé», «pecados», etc. (Dt 9,18; 31,29; 1 Re 15,30; 16,2.7; 2 Re 17,17; 21, 6, etc.).

Todos estos hechos giran en torno a los dos primeros mandamientos, que constituyen el centro de la teología deuteronomística; la transgresión de los mismos es considerada como deliberada ofensa de Yahvé, que excita la ira de éste. Los pasajes deuteronómicos exhortan a evitar tales acciones; en los Libros de los Reyes, en cambio, se describe la actuación de la ira de Yahvé (1 Re 16,2.7.13; 2 Re 17,11.17; 21,15 y sus respectivos contextos).

También Jeremías se sirve de esta concepción. La mayoría de los pasajes jeremianos en cuestión se deben a los redactores deuteronomísticos, pero hay dos pasajes auténticamente jeremianos:

en Jr 7,18s, el profeta reflexiona sobre lo que significa para el hombre el «ofender a Dios (por medio del culto a los ídolos)»; llega a la conclusión de que por medio de esa actuación humillante los israelitas se perjudican a sí mismos. De esa forma, un empleo lingüístico previamente establecido es interpretado desde el punto de vista antropológico. También la liturgia profética mencionada en Jr 8,18ss parece auténtica. Aunque la expresión «ofender a Yahvé con ídolos y dioses extranjeros» (8,19) es fórmula deuteronomística, aquí sirve para afrontar críticamente la tradición jerosolimitana del templo, lo cual es típico de Jeremías (por ejemplo, Jr 7) y no de la literatura deuteronomística. Se han de atribuir a la redacción deuteronomística Jr 11, 17; 25,6s; 32,29s.32 y 44,3.8.

También Ezequiel conoce esta expresión. En Ez 16,26, tanto la formulación como el sentido responden al lenguaje deuteronomístico (se trata del culto a dioses extranjeros y a la naturaleza); el caso de Ez 8,17 es distinto: aquí el contenido de la «ofensa a Dios» es descrito con expresiones propias del lenguaje cúltico sacerdotal (*tō*ʿ*ēbā,* «profanación cúltica») y jurídico (*ḥāmās,* «injusticia»).

Hay más textos que emplean la expresión en conexión con la concepción deuteronomística: Sal 78,58 (paralelo a *qn*ʾ hifil); 106,29; se trata de la veneración de dioses extranjeros también en 2 Cr 28,35; 33,6; 34,25; en Neh 3,37, la «ofensa a Dios» no consiste en el culto a los ídolos, sino en la oposición a los planes de Yahvé. Finalmente, la liturgia de cuño deuteronomístico de Is 64s recoge nuestra expresión en 65,3, dentro de la respuesta de Yahvé a la lamentación del pueblo; se alude también aquí al culto tributado a los ídolos.

Es muy difícil trazar la histoira del motivo de la «ofensa a Dios». Afirmaciones de este tipo aparecen claramente en la literatura profética (Os-Jr-Ez; en estos dos últimos profetas la formulación no es siempre de tipo deuteronomístico); por otra parte, el motivo forma parte de la teología deuteronomística. Pero debe señalarse que la expresión aparece muy raramente en el mismo Deuteronomio y es frecuentísima, en cambio, en la redacción deuteronomística (posterior) de Jueces y de los Libros de los Reyes. Se podría llegar quizá a la conclusión de que el motivo procede de círculos proféticos (del reino del Norte) y en un determinado momento fue tomado por la teología deuteronomística.

En el judaísmo tardío y en el NT no se recoge la afirmación teológica antes descrita como «ofensa a Dios»; pasan a primer plano otras concepciones veterotestamentarias de la «ira de Dios» (cf. O. Grether y J. Fichtner, art. ὀργή: ThW V, 392-410) (E. Sjöberg y G. Stählin, *ibíd.,* 413-448).

F. Stolz

כפר *kpr* piel **Expiar**

1. *a)* Se han publicado numerosos trabajos de investigación en torno al origen y significado de este verbo. Especialmente detallados son, entre los más recientes, los siguientes: D. Schötz, *Schuld- und Sündopfer im AT* (1930) 102-106; J. Herrmann, *Sühne und Sühneformen im AT:* ThW III, 302-311 (cf. íd., *Die Idee der Sühne im AT* [1905] 35-37); J. J. Stamm, *Erlösen und Vergeben im AT* (1940) 59-66; L. Moraldi, *Espiazione sacrificale e riti espiatori nell'ambiente biblico e nell'AT* (1956) 182-221; S. Lyonnet, *De notione expiationis:* VD 37 (1959) 336-352; 38 (1960) 65-75 (sobre *kpr* piel: 37 [1959] 343-352); K. Koch, *Die isr. Sühneanschauung und ihre historischen Wandlungen* (1956); Elliger, HAT 4, 70s.

b) Ni el recurso a términos no hebreos ni el minucioso análisis de los textos bíblicos ha llevado hasta el momento a una explicación etimológica aceptada por todos los autores. Los que prefieren hacerlo derivar de otra lengua semítica cuentan con dos posibilidades, ninguna de las cuales ha podido ser probada con certeza: el acádico *kuppuru,* «arrancar, borrar», y también «purificar (cúlticamente)» (AHw 442s) y el árabe *kfr,* «cubrir, velar» (WKAS I, 261; 264; Lane I/7, 2620s). Este verbo árabe es empleado en el sentido de «expiar» a partir de la era musulmana. La mayoría de los autores aceptan la relación entre *kpr* piel y el árabe *kfr,* «cubrir». Según esta concepción, los pecados quedarían tapados (así, Wildberger, BK X, 253, tratando de Is 6,7) o bien quedarían a cubierto de la acción de la esfera de desgracia propia del pecado (Elliger, HAT 4, 71). Las objeciones contra la derivación del acádico *kuppuru* proceden de la débil base que los textos hebreos ofrecen para la misma (según Stamm, *loc. cit.,* 62, únicamente el problemático pasaje de Is 28,18, cf. *inf.,* 3*g,* apoyaría esa derivación); pero el material comparativo sería mucho más amplio si se atendiera más a las ideas de purificación que acompañan a *kpr* piel; según Lv 14,19; 16,18s; Ez 43,26 y *passim,* la «expiación» es al mismo tiempo purificación (esto ha sido señalado especialmente por Moraldi, *loc. cit.,* 184-192, que hace una minuciosa comparación con las correspondientes ideas babilónicas). Como máximos apoyos veterotestamentarios para el significado base «cubrir» se suelen citar con frecuencia Gn 32,21 (sobre todo comparado con Gn 20,16) y Jr 18,23 (Neh 3, 37). Gn 32,21 (Jacob quiere «expiar» el rostro de Esaú) suele citarse también como argumento contra el significado «cubrir»: no puede ser éste el sentido del verbo, ya que a continuación se afirma que Jacob quería ver el rostro de Esaú (cf. J. Herrmann, ThW III, 304). La discusión en torno a este texto demuestra la poca consistencia de estos argumentos a la hora de establecer el significado fundamental de nuestro término. Es significativo el hecho de que Neh 3,37 cite a Jr 18,23 y sustituya *kpr* piel por el verbo *ksh* piel, «cubrir».

Existe una tercera posibilidad, a saber: derivar el verbo del antiguo sustantivo *kōfær,* «precio de rescate» o semejantes (cf. *inf., c);* pero contra esta derivación se suele objetar que *kōfær* no pertenece al ámbito cúltico; parece, más bien, que este sustantivo debe considerarse como derivado secundario de *kpr* piel (antes de convertirse en término cúltico fijo).

Los textos de Ras Shamra no han ayudado hasta el momento a aclarar la etimología de *kpr* piel (UT N. 1289; WUS N. 1369: *kpr,* «flor de ciprés [?]»). Tampoco es claro el sentido de los casos del semítico noroccidental (DISO 126). En los textos tardíos del hebreo medio y del arameo judaico —lo mismo que en el árabe islámico— dominan las concepciones veterotestamentarias.

c) De *kpr* piel, «expiar», se ha derivado el sustantivo *kippūrīm,* «expiación». Se limita a textos de P (Ex 29,36; 30,10. 16; Nm 5,8; 29,11 y *yōm kippūrīm,* «día de la expiación», de Lv 23,27.28; 25,9; al igual que en esta última expresión, *kippūrīm* aparece siempre, excepto en Ex 29, 36: «para la expiación», en composiciones constructas: «ofrenda/precio/carnero de expiación»).

kōfær, derivado también probablemente de *kpr* piel, aparece ya en el Código de Alianza y en Amós; pertenece a la esfera del *ius civile* y significa «indemnización, precio de rescate» (Ex 21,30; 30,12; Nm 35,31s; Is 43,3; Sal 49,8; Job 33,24; 36, 18; Prov 6,35; 13,8; 21,18) o «dinero de soborno» (1 Sm 12,3; Am 5,12).

También es dudosa la relación de *kappōræt* con *kpr* piel. *kappōræt* es en el AT el término específico para designar la cubierta provista de dos querubines que tapaba el arca; aparece en total 27 ×, siempre en P, excepción hecha de 1 Cr 28,11 (Ex 25-31; 35-40; Lv 16 y Nm 7, 89). Parece que originalmente no era la cubierta del arca (Ex 25,17.21), sino el santuario mismo (en 1 Re 8 no se menciona).

d) Los *hapaxlegomena kōfær,* «betún», y *kpr,* «untar con betún», de Gn 6,14 pertenecen a otra raíz *kpr;* esta raíz tiene equivalentes exactos en acádico (también en *Gilgamés* XI, 65, del cual depende de alguna manera Gn 6,14): *kapāru* II, «cubrir de betún» (AHw 443a), verbo denominativo derivado de *kupru,* «betún» (AHw 509).

El arameo conoce otra raíz *kpr,* de la que se derivan *kāfār* (Cant 7,2, cf. Gerleman, BK XVIII, 207; 1 Cr 27,25) y *kōfær* (1 Sm 6,18), «aldea» (cf. Wagner N. 134/135). En el significado de «flor o brote de ciprés» (Cant 1,14; 4,13; cf. Gerleman, BK XVIII, 111s), *kōfær* debe relacionarse con κύπρος. Finalmente, debe señalarse que también para *k^e^fīr,* «cachorro» (→ *ʾ^a^rī;* «cubierto de melena» [?]), así como para *k^e^fōr,* «copa» (Esd 1,10; 8, 27; 1 Cr 28,17), y *k^e^fōr,* «escarcha» (Ex 16,14; Sal 147,16; Job 38,29), se han sugerido hipotéticas relaciones etimológicas con *kpr* piel.

2. El verbo *kpr* aparece en el Canon hebreo 101 ×, 92 × piel (Lv 49 ×, Nm 15 ×, Ex 7 ×, Ez 6 ×), 7 × pual (Is 4 ×), 1 × hitpael (1 Sm 3,14) y 1 × nitpael (Dt 21,5). Unos 3/4 de los casos aparecen en P (70 × piel, 2 × pual); los demás casos corresponden a Ez (6 ×), Is (5 ×, piel, sólo en 47,11), Dt, Sal y 1/2 Cr 3 ×, el Elohísta (Gn 32,21; Ex 32,30), 1/2 Sm y Prov 2 ×, Jr, Dn y Neh 1 ×. La relación de casos preexílicos a casos exílicos y posexílicos presenta la proporción de 1 a 10.

3. *kpr* piel en el significado de «expiar» tiene siempre en el AT un sentido resultativo («no se emplea nunca para describir un proceso actual, sino siempre en relación con el efecto que se sigue», Jenni, HP 241). Primero estudiaremos la construcción gramatical del verbo *(a),* después su empleo en el escrito sacerdotal *(b-e),* en Ez *(f)* y en los demás textos *(g).*

a) En P, el verbo es construido 53 × con la partícula *ʿal.* Por lo general, el sujeto es el sacerdote; la preposición apunta en la mayoría de los casos a la persona o grupo de personas que deben recibir la expiación y corresponde —cuando *kpr* piel debe traducirse por «realizar la expiación»— a nuestro «por» (GK § 119bb; BrSynt 106s).

R. Rendtorff, *Studien zur Geschichte des Opfers im Alten Israel* (1967) 230, considera que la expresión doce veces repetida «el sacerdote hará la expiación por él» (Lv 4,26.31.35; 5,6.10.13.18.26; 14, 18.20; 15,15; 19,22) —junto con la expresión que sigue: «y se le perdonará»— constituye la «forma fundamental» de los ritos *ḥaṭṭāʾt* y *ʾāšām.*

En P, la expresión *kpr* piel *ʿal* aparece seis veces unida al altar (Ex 29,36.37; 30, 10.10 [los cuernos del altar y el altar]; Lv 8,15; 16,18), una vez unida al templo (*qōdæš* y *ʾōhæl mōʿēd,* Lv 16,10) y otra vez unida a la casa purificada de lepra (Lv 14,53). En Lv 16,10 se indica que el macho cabrío caído en suerte a Azazel debe ser presentado vivo ante Yahvé «para hacer la expiación por él (el macho cabrío)»; esto «no tiene sentido» (Elliger, HAT 4, 201). Se podría entender en el sentido de «realizar sobre él los ritos de expiación»; pero esto sería extraño tanto desde el punto de vista formal como desde el punto de vista del contenido. Con frecuencia se opta por eliminar el pasaje.

Más raramente aparece *kpr* en P seguido de otras preposiciones: de *báʿad,* «por» (6 ×), de *b^e^* y *ʾæt* (3 × cada una), o sin complemento directo (5 ×).

En ningún escrito o grupo de escritos aparece la construcción *kpr ʿal* con tan marcada frecuencia. Encontramos, más bien, las diversas construcciones alternando llamativamente entre sí; dada la escasez de casos, no puede demostrarse que exista una regla o continuidad lógica. De todas formas, pueden señalarse los siguientes datos: un pasaje de Nehemías y dos de Crónicas presentan la misma formulación; E emplea únicamente el modo cohortativo, e Isaías (hecha excepción de DtIs, 47, 11) únicamente el pual. Tampoco el intento de señalar una determinada antigüedad a las diversas combinaciones está libre de crítica.

b) La fórmula «el sacerdote hace la expiación por él» (perfecto con *waw* consecutiva más *ʿal)* forma parte fija de las leyes sobre el sacrificio por el pecado, en Lv 4,1-5,13. El sacrificio debe ofrecerse cuando alguien ha pecado por inadvertencia contra alguna ley (o prohibición) de Yahvé (4,2). La ley regula la ceremonia que corresponde a los diversos casos de pecado: del «sacerdote ungido (= sumo sacerdote)» (4, 3-12), de la comunidad de Israel (4,13-21), de un jefe (4,22-26) y de los demás israelitas (4,27-35); tres suplementos añaden diversas indicaciones para ofensas más leves (un silencio o un hablar indebido o una impurificación —aunque sea inadvertida—, 5,1-6), para el pobre (5,7-10) y para el muy indigente (5,11-13). De esas siete perícopas, las cinco últimas terminan con la mencionada fórmula, a la que se añade la frase «y se le perdonará» (en la segunda perícopa se emplea, como corresponde, el plural en lugar del singular, 4,20; en la perícopa correspondiente al *ḥaṭṭā't* falta esta sección).

La ceremonia se desarrolla de la siguiente forma: se presenta el animal (novillo, cordero, macho cabrío; para los pobres, dos tórtolas o vegetales) a la entrada de la tienda del encuentro, se le impone la mano y a continuación es inmolado (por parte del que ofrece el sacrificio); después se rocía siete veces con la sangre «ante Yahvé» a la entrada del santuario, se unge el altar del incienso con el resto de la sangre, se separa y quema la grasa y, finalmente, se retira el cadáver fuera del campamento (realizado todo ello por el sacerdote). Si se desarrolla todo conforme a lo establecido, «el sacerdote ha hecho la expiación» por quien ofrece el sacrificio y a éste «se le perdona».

El desarrollo de estos actos formales no nos permite deducir con exactitud cuál es la función propia del legislador, del sacerdote y del que presenta el sacrificio. Las opuestas hipótesis recientes demuestran que el texto no ofrece todo lo que se quisiera sacar de él. El *waw* consecutivo de *wᵉkippær* no parece tener el sentido de «y así», según el cual la legítima ejecución del rito sería la que realiza la expiación. En lo que respecta al rito mismo, se le hacen al pobre las máximas concesiones; en caso de extrema indigencia, se le dispensa incluso del rito de la sangre (5,11-13). Esto no apoyaría la creencia en una expiación *ex opere operato*. Tampoco se deduce del texto que la imposición de la mano descargue sobre el animal los pecados del que ofrece el sacrificio, para que el animal funcione como víctima vicaria (así, P. Volz, ZAW 21 [1901] 93-100; K. Koch, EvTh 26 [1966] 217-239). Hoy, por lo general, se explica este rito de forma distinta: el que ofrece el sacrificio es llamado a una participación personal (B. J. van der Merwe, *The Laying on of the Hands in the OT:* OuTWP [1962] 34-43); el gesto constituye una «ratificación cúltica de que el animal sacrificado proviene realmente del que lo ofrece» (R. de Vaux, *Das AT und seine Lebensordnungen,* II [1962] 260); sobre el estado anterior de la discusión, cf. E. Lohse, *Die Ordination im Spätjudentum und im NT* [1951] 23s. Por otra parte, no se menciona ninguna exigencia de humillación, arrepentimiento o conversión por parte del que recibe la expiación. De todas formas, se presupone que ha reconocido su culpa. El hecho de que la expiación (y el perdón) depende de Dios puede deducirse, entre otros detalles, de la expresión continuamente repetida «ante Yahvé» (y del pasivo «se le perdonará», → *slḥ*) (cf. H. Thyen, *Studien zur Sündenvergebung...* [1970] 34s).

c) La construcción *kpr* piel perfecto *'al* aparece también cuatro veces en las prescripciones sobre la declaración de pureza que debe pronunciarse sobre los que han sido curados de lepra (Lv 14,18.20 y 14,19.31). En el complicado proceso de Lv 14,1-20 se prescriben dieciséis ritos distintos; los más importantes son los que se practican con sangre, con ungüento, las abluciones, los afeitados, los sacrificios (→ *ṭhr*). La perícopa termina siempre con la frase: «el sacerdote hace la expiación por él y queda puro». También la enfermedad de lepra exige, pues, expiación (también en P y Ez ve Moraldi, *loc. cit.*, 203-209, que el concepto de expiación se acerca a las ideas de purificación). La mayoría de estos ritos no tiene ninguna relación con las ideas de sustitución. Al que se purifica por haber recibido una polución se le ordena también que se lave y ofrezca un sacrificio: «y de esta manera el sacerdote hará la expiación por él, a causa de su flujo» (Lv 15,15); a quien ha tenido relaciones sexuales con la sierva esclava desposada con otro se le exige que sacrifique un carnero como sacrificio de reparación, por medio del cual se le hará la expiación (Lv 19,22); el nazareo, en cuya proximidad haya muerto repentinamente alguien, queda «contaminado» por el cadáver y deberá presentarse a que se le haga la expiación cortando su cabellera y ofreciendo un sacrificio por el pecado y otro en holocausto (Nm 15,25).

d) A continuación prescindiremos de Lv 16 y 17,11 y estudiaremos el empleo de las formas de imperfecto, infinitivo e imperativo seguidas de *ʿal* en el escrito sacerdotal. De Lv 5,16 se deduce claramente que la necesidad de compensación forma parte de la idea de expiación. El que ha pecado inadvertidamente contra los derechos del santuario debe presentar un carnero como sacrificio por el pecado y resarcir lo que defraudó con un suplemento de la quinta parte. La misma prescripción aparece en Nm 5,7.8. Para poder desempeñar su función, el levita debe lavarse, purificarse y hacer la expiación (Nm 8,21); Aarón expía al pueblo aplicando a su incensario el fuego que había en el altar (Nm 17,12), como se lo había ordenado Moisés (Nm 17,11); Pinjás hace la expiación por el pueblo con su lanza (Nm 25,13). El infinitivo seguido de *ʿal* aparece en Lv 1,4 (añadido, con frecuencia eliminado, a la ley sobre los holocaustos); 8,34 y 10,17 (sobre las obligaciones cúlticas del sacerdote, por medio de las cuales se hace la expiación por los sacerdotes mismos y por la comunidad); 14,21.29 (facilidades a los que no tienen recursos para la purificación, pero por quienes se hace igualmente la expiación); 23,28 (expiación hecha el día de la expiación, cf. *inf., f);* Nm 8,12.19 (los levitas son expiados por medio del sacrificio por el pecado y del holocausto y por medio del servicio en la tienda del encuentro hacen la expiación de los israelitas); Nm 15,28 (cabra ofrecida en sacrificio por el pecado, por pecados cometidos inadvertidamente); 28,22.30 y 29,5 (macho cabrío en sacrificio por el pecado en las fiestas de pascua, de las primicias y del año nuevo). La expresión *ʿal nǽfæš,* «por la vida», aparece en Ex 30,15.16 (hablando del tributo que debe pagar cada uno «para expiar por la vida»; von Beer, HAT 3, 148, lo considera como añadido secundario; pero cf. E. A. Speiser, *Census and Ritual Expiation in Mari and Israel:* BASOR 149 [1958] 17-25), Nm 31,50 (agradecidos porque nadie ha caído en la batalla de Madián, los jefes presentan una ofrenda *[qorbān]* de objetos preciosos «para hacer expiación por nuestra vida»). De las prescripciones sobre la expiación por los altares (Ex 29,36s; 30,10; Lv 8,15; 16, 18) se puede deducir que la concepción de expiación incluye la idea de consagración y dedicación a Yahvé, junto a la de restablecimiento de una relación con Dios que había sido de alguna forma deteriorada; tampoco el santuario y la tienda pueden considerarse responsables de la impureza e infidelidad de los israelitas, pero también por ellos debe hacerse la expiación (Lv 16,16), y lo mismo ocurre con la casa purificada de lepra (Lv 14,53).

kpr piel con *báʿad,* «por», aparece, fuera de Lv 16 (4 ×, cf. *inf., e),* sólo dos veces en Lv 9,7 (fuera de P, sólo en Ez 45,17); P emplea esta construcción únicamente en relación con la expiación de sacerdotes y pueblo. La preposición *b*ᵉ, «con, por medio de», acompaña a *kpr* piel en Lv 7,7 («con él», es decir, con el sacrificio por el pecado); 17,11 (cf. *inf., e)* y al perfecto pual en Ex 29,33 (los sacerdotes son expiados por medio de la parte del sacrificio de consagración que les está destinada para que la coman). *kpr* piel con *ʾæt* aparece en P únicamente 3 × en Lv 16 (cf. *inf.); kpr* sin complemento aparece en Lv 6,23 (la frase afirma, de todos modos, que con la sangre del sacrificio por el pecado se realiza la expiación), en Nm 35,33 (imperfecto pual; la tierra profanada con sangre derramada no puede quedar expiada más que con la sangre de quien la derramó) y tres veces en Lv 16 (vv. 17a.27.32).

e) kpr piel aparece 16 × en Lv 16 (vv. 6.10.11.16.17a.b.18.20.24.27.30.32. 33aβ.b.34). La construcción cambia constantemente de forma curiosa (incluso dentro de los posibles diversos estratos, por ejemplo, dentro de los tres estratos señalados por Elliger): 6 × con *ʿal,* 4 × con *bāʿad,* 3 × con *ʾæt* y 3 × sin complemento. Los vv. 1-19 se refieren a la realización de la expiación. Aarón debe presentar un novillo para el sacrificio por el pecado y un carnero para el holocausto, y el pueblo dos machos cabríos para el sacrificio por el pecado y un carnero para el holocausto. Con la ofrenda del novillo, Aarón realiza la expiación por sí mismo y por su casa (vv. 6 y 11). Por lo que respecta a los machos cabríos, la suerte designa uno para Yahvé y otro para Azazel (vv. 7s). La expresión «para hacer la expiación por él» de v. 10 se suele considerar como secundaria (cf. *sup., a).* Después, Aarón debe llevar incienso al santuario (cf. Nm 17,12) y rociar siete veces el *kappōræt* con la sangre de su novillo y con la del macho cabrío *ḥaṭṭāʾt* (vv. 12-15); de esa forma, hace la expiación sobre el santuario y la tienda del encuentro (v. 16). Nadie más que él debe estar en el santuario mientras él realiza este rito; él realiza la expiación por él mismo, por su casa y por toda la comunidad de Israel (v. 17). Después, por medio del rito de la sangre, hace la expiación por el altar del holocausto (v. 18) y así lo purifica y lo consagra (v. 19). A continuación, el macho cabrío es enviado al desierto (vv. 20-28). Al comienzo de esta perícopa se señala expresamente que ya ha concluido la ceremonia de la expiación. El rito del envío del macho cabrío al desierto constituye, pues, un rito distinto. El v. 24 habla de la expiación de Aarón y del pueblo por medio de los dos holocaustos, y en v. 26, al tratar de la expulsión del cadáver, se vuelve a hablar retrospectivamente de la fuerza expiatoria del *ḥaṭṭāʾt;* en vv. 29-34 («redacción conclusiva»), se hace una síntesis de los ritos de expiación; como novedad aparece aquí la orden de hacer «penitencia» (→ *ʿnh* II piel) y de guardar reposo absoluto durante ese día de expiación (vv. 29.31).

El texto no apoya de ninguna forma la interpretación según la cual el envío del macho cabrío al desierto tenga función de expiación vicaria; se trata de un rito de eliminación muchas veces documentado en el AT (Lv 14,7.53; Zac 5,5-11) y también claramente en los ritos hititas de sustitución (H. M. Kümmel, *Ersatzrituale für den hithitischen König* [1967] 191-195 y *passim; íd.,* ZAW 80 [1968] 289-318, sobre todo, 310s). El rito de expiación tiene su punto álgido en la aspersión de la sangre de los novillos ofrecidos en sacrificio por el pecado sobre el *kappōræt* (vv. 14-16) y sobre el altar (vv. 18s).

Lv 17,11 explica el significado central del rito de la sangre dentro de los ritos de expiación: «porque la vida de la carne está en la sangre y yo os la doy para hacer expiación en el altar por vuestras vidas, pues la expiación por la vida se hace con la sangre» (el discurso de Yahvé en primera persona, que interrumpe el estilo legal, sugiere que se trata de una ampliación secundaria de carácter homiléctico; cf. H. Reventlow, *Das Heiligkeitsgesetz* [1961] 47). En dicho texto se fundamenta la prohibición de comer sangre; se dan dos razones: 1) en la sangre está la vida, y 2) la sangre y la vida que reside en ella están destinadas a la expiación; la primera puede reflejar el rechazo de la tendencia primitiva a asimilar la vida de otros; la idea inherente a la segunda razón, a saber: que la sangre (sujeto) expía por medio de la vida *(hannæfæš),* pretende explicar el proceso de la expiación. Pero con esto no se nos ha dado la clave para comprender la expiación en el Israel antiguo. Los ritos de expiación descritos en el AT no confirman las afirmaciones de

Lv 17,11; en efecto, no parece que con el rito de la sangre pretendan devolver la vida a Yahvé, para realizar de ese modo la expiación. Si todos lo hubieran visto así, hubiera sido superfluo todo otro rito de expiación. La importancia de la ceremonia de la sangre dentro de la expiación queda fuera de toda duda; Lv 17,11 es, pues, un intento poco afortunado —probablemente muy tardío— de explicar la antigua institución israelita de la expiación (cf. D. J. McCarthy, *The Symbolism of Blood and Sacrifice:* JBL 88 [1969] 166-176, espec. 169s).

f) Según Ez 40-48, a diferencia de P, también la *minḥā,* «ofrenda», y la *šǣlæm,* «sacrificio de comunión», pueden servir para la expiación, lo mismo que la *ʿōlā,* «holocausto», que P menciona dentro de las leyes sobre la expiación únicamente en Lv 14bβ —considerado con frecuencia como texto secundario—. La idea de expiación se ha impuesto con mayor vigor en el culto. Según el «proyecto de constitución» de Ezequiel, se deben expiar el altar (Ex 43,20.26), Israel (45,15.17), el particular que haya pecado inadvertida e inconscientemente y el templo (45,20). Por el altar «se debe hacer la expiación» el día en que sea erigido (43,18). Aunque junto a *kpr* piel se emplen también *ḥṭʾ* piel, «limpiar de pecado», y *ṭhr* piel, «purificar» (43, 26), el sentido del verbo se acerca a la idea de consagración. No se trata tanto de una purificación propiamente dicha cuanto de preparar el lugar para la santidad de Yahvé. El actor principal es el *bæn-ʾādām,* «(hijo del) hombre», interpelado por Yahvé; los sacerdotes colaboran con él. En Ez 45,13-17 se habla de la *tᵉrūmā,* «ofrenda reservada», al príncipe *(nāśīʾ);* éste, en cuanto encargado de los sacrificios, dispondrá de dicha ofrenda para realizar los diversos sacrificios *(nāśīʾ* puede ser quizá una interpolación secundaria, cf. Zimmerli, BK XIII, 1155). Todos los sacrificios sirven para la expiación de Israel (no se mencionan aquí ni *ḥaṭṭāʾt* ni *ʾāšām).* Ez 45,19 ordena que la expiación de la casa (del templo) se haga derramando sangre de la *ḥaṭṭāʾt* en las jambas de la puerta. En el v. 18, que sirve de introducción, se afirma que el día uno del primer mes se debe limpiar el santuario de pecado; el v. 20 comienza así: «lo mismo harás el día siete del mes...» (sobre la corrección que lee «el día uno del séptimo mes», según la cual habría sólo dos días de expiación al año, a saber: el primero y el séptimo mes, cf. Zimmerli, BK XIII, 1161), y sigue: «en favor de todo aquel que haya pecado por inadvertencia o inconscientemente; así haréis la expiación por la casa (el templo)» (probablemente interpolado).

En Ez 1-39, *kpr* aparece una sola vez (Ez 16,13): al establecer un pacto nuevo y eterno (16,60-62), Dios realiza la expiación por el pueblo que ha roto la alianza.

g) Si analizamos los restantes 22 casos atendiendo a los siguientes motivos: quién otorga la expiación, por medio de quién, por medio de qué, por qué y por quién la realiza, se deduce que únicamente la obra histórico-cronística se ajusta al cuadro trazado por P y Ez (1 Cr 6,34; 2 Cr 29,24; 30,18; Neh 10,34). La expiación la otorga Yahvé (2 Cr 30,18); los actores son los sacerdotes; el medio es el rito de la sangre, y el destinatario es Israel. En la narración sobre Ezequías se subraya la actividad del rey: él dio la orden de purificar el templo (2 Cr 29,5), de ofrecer sacrificios por el pecado y de hacer la expiación (vv. 21.23s); él pide a Yahvé que otorgue la expiación también a los que comieron la pascua sin haberse purificado previamente según estaba prescrito (30,18). En 1 Sm 3,14 se alude a la posibilidad de hacer la expiación por medio de *zǣbaḥ,* «sacrificio de animales», y de *minḥā,* «ofrenda».

En siete textos, la expiación es obra exclusiva de Dios. No se piensa en la acción humana (excluidas la oración y el arrepentimiento), porque ésta es insignificante. Este es el caso de los pasajes de los salmos. Cuando la culpa es excesivamente pesada, interviene Dios y la «expía» (65,4); el hecho de que el salmo hable a continuación del templo y de los atrios (también de la creación entera) no prueba que se trate de un rito cúltico (así lo interpreta K. Koch, EvTh 26 [1966] 225s). Tampoco en Sal 78,38 («él expiaba la culpa, porque es misericordioso») y 79,9 («sálvanos y expía nuestros pecados») se trata de un rito. En estos textos, *kpr* piel se puede traducir perfectamente por «perdonar» (estos textos son estudiados con detalle por J. J. Stamm, *Erlösen und Vergeben in Israel* [1942]).

Moisés (Ex 32,30) quiere hacer «expiación» (= perdón, cf. v. 32, *nś'*) por el pueblo a causa de su gran pecado contra Yahvé. El no ofrece su vida a cambio, sino que pide a Dios lo siguiente: si no les perdonas, borra también mi vida del libro. Yahvé expía «la tierra (texto enmendado) de su pueblo» y la culpa de Jacob tomando venganza de los adversarios de Israel (Dt 32,43) y desbaratando el culto extranjero (Is 27,9). Dn 9,24 se refiere a la expiación escatológica.

Los dos casos últimos provienen de la época de los Macabeos y Sal 79 es exílico o posexílico; la datación de los demás pasajes no es segura. Los testimonios tardíos consideran la expiación como obra exclusiva de Yahvé; de ahí que se deba rechazar como falsa la opinión según la cual el ritual de expiación propio de la obra sacerdotal recoge todo lo esencial de la comprensión preexílica de la expiación.

No trataremos aquí del *wekuppar,* con complemento directo sin *'æt,* de Is 28,18. Su significado parece ser «suspender, eliminar» («vuestro pacto con la muerte»). La forma es pasiva ciertamente, pero el contexto muestra claramente que Yahvé es el único autor. Muchos, siguiendo al Targum, lo corrigen a *wetufar,* «será destruido» *(prr* hofal).

En cuatro casos se afirma que la expiación resulta imposible. Según el juramento de Dios, la culpa de la casa de Elí no puede ser expiada por ningún medio (1 Sm 3,14); al profeta se le ha comunicado que el arrogante desprecio de Yahvé no puede ser expiado (Is 22,14); Jeremías pide que la culpa de sus adversarios quede sin expiación (Jr 18,23); Deuteroisaías le anuncia a Babel que su ruina *(hōwā)* no puede ser «expiada» (alejada) (Is 47,11).

Según tres textos antiguos, la concesión de la expiación depende de las acciones rituales. En el caso de homicidio de autor desconocido, los ancianos de la ciudad más próxima desnucarán un becerro en un torrente de agua perenne, donde no se haya arado (¿algún lugar cúltico?); después se lavarán las manos y suplicarán a Yahvé que expíe a su pueblo y no lo cargue con la culpa (Dt 21,8.8.).

David realiza la expiación matando a siete descendientes de Saúl, y de esa forma aparta del país la ira de Yahvé (2 Sm 21,3, cf. v. 14); en una investigación de carácter jurídico, W. Preiser, *Vergeltung und Sühne im altisraelitischen Strafrecht,* FS Schmidt (1961) 7-38, se refiere también a este texto y opina que la eliminación del «arreglo de cuentas privado» y la integración de todas las prácticas expiatorias dentro del derecho penal sagrado constituye «una curiosa excepción» dentro del Antiguo Oriente [p. 38]). Isaías, que teme la muerte por haber visto a Yahvé, siendo impuro, debe ser expiado por la acción milagrosa del Serafín (Is 6,7).

En tres ocasiones, la «expiación» es presentada en el AT como un proceso que se realiaza entre hombres. Jacob quiere «expiar» —es decir, aplicar, suavizar— el «rostro» de Esaú con regalos (Gn 32,21); los Proverbios comunican la doctrina sapiencial de que con amor y lealtad *(behæsæd wæ'æmæt)* «se expía» (= repara) la falta (Prov 16, 6) y de que el hombre sabio puede «expiar» (= apaciguar) la ira de Dios (16,14); en 16,6 se podría pensar en una relación con Dios.

Debe señalarse que en el cuarto cántico del siervo de DtIs, en el que no aparece nunca la raíz *kpr,* el sufrimiento vicario del siervo es caracterizado como sacrificio expiatorio por el pecado (→*'āšām*). Según eso, pues, se ha experimentado el valor expiatorio del sufrimiento vicario aceptado voluntariamente; de todos modos, esta concepción constituye un caso único dentro del AT (cf. G. Fohrer, *Stellvertretrung und Schuldopfer in Jes 52,13-53,12 vor dem Hintergrund des Alten Orients, Das Kreuz Jesu* [1969] 7-31).

4. Los resultados más importantes de esta investigación de los casos de *kpr* en el AT pueden resumirse en los siguientes puntos (sin pretender llegar a una teoría completa y única en torno a la expiación):

1) Dios es el autor principal, el que otorga la expiación. En los rituales del escrito sacerdotal sobre los sacrificios expiatorios no se afirma expresamente esta idea, pero se deduce con seguridad de los mismos y nunca ha sido puesta seriamente en duda. También del Dt, de Sm, de los profetas y de los salmos se deduce con claridad la misma idea. Con todo, es en los textos escatológicos donde más claramente aparece (Ez 16,63; Dn 9,24). La idea queda fuera de duda incluso en los textos en los que el tema no es expresado literalmente; Lv 4-5: el sacerdote realiza la expiación, Dios la concede; Lv 17,11: la sangre (por medio de la vida) expía, pero es Dios quien la ha entregado y la ha destinado para que sirva para la expiación. Unicamente en los dos pasajes que se refieren al comportamiento entre hombres (Gn 32,21; Prov 16,14) se puede decir que la «expiación» no es atribuida a Dios. Por lo que respecta a este punto —la atribución de la expiación a Dios— no existe, pues, diferencia esencial entre los textos antiguos y los más recientes. De ahí se sigue que para los creyentes yahvistas la expiación es algo que escapa a una total comprensión racional; Dios es libre en sus decisiones.

2) Lo que empuja a realizar la expiación no es sólo el deseo de restablecer una relación con Dios profundamente deteriorada, sino también la convicción propia de la fe yahvista de que el hombre, indigno de relacionarse con Dios, debe prepararse siempre que se dispone a acercarse a Dios. Así, las ceremonias de expiación forman parte fija no sólo del día de la expiación, sino también de las fiestas de pascua, de las primicias y año nuevo (Nm 28, 22.30; 29,5). La consagración y el ministerio de los sacerdotes y levitas exige expiación, purificación y santificación (Lv 8,34; Nm 8,21). La persona incompetente y no cualificada que toca el altar que haya sido consagrado por medio de los ritos de expiación debe «ser entregado al santuario» (Ex 29, 37). Para todos vale la norma de que uno debe acercarse a Dios únicamente con la debida disposición y preparación, que se logra por medio de la expiación (Is 6,7).

3) La «expiación» puede significar consagración a Yahvé, en la cual no hay que suponer una relación ni lógica ni real con la purificación del pecado. Se ve claro, por ejemplo, en la «expiación» del altar recién construido (Ez 43,18); ése es también el sentido de la «expiación» del templo (Ez 45,19), de la tienda y del santo de los santos (Lv 16,16), aunque aquí se habla de las impurezas y transgresiones de los israelitas.

4) Se exige un esfuerzo por parte del que ha de ser expiado. Dicho esfuerzo no se manifiesta en el intento de autorredimirse, sino en la renuncia y en el sacrificio. Para faltas leves, inadvertidas e inconscientes, que ocurren cada día (Lv 5,1-5), el individuo particular debe entregar un cordero o una cabra (5,6); el leproso curado, que ha de ser expiado, debe entregar al sacerdote, entre otras cosas, tres corderos (Lv 14,10s). El que peca por inadvertencia defraudando la propiedad del santuario (Lv 5,15) debe entregar el valor de un carnero y lo defraudado con un suplemento de la quinta parte para poder ser expiado.

5) La expiación afecta no sólo a la comunidad, sino también a la persona particular. Se establece una diferencia clara entre la falta colectiva y la falta

individual (Nm 15,26.27 y el rito del sacrificio por el pecado). Resulta difícil, sin embargo, defender la hipótesis, preferida hoy, de que la esfera de la desgracia y del pecado individual que no haya sido expiada constituye para el pueblo y la tierra un peligro de epidemia y contaminación perniciosas y de que, por tanto, la comunidad debe realizar continuamente la expiación. Así, por ejemplo, aunque los hijos de Elí no son eliminados y ni siquiera son alejados todos del servicio del altar (1 Sm 2,33), Dios jura que su culpa no será expiada (1 Sm 3,14). Por ningún lado aparece aquí el miedo de que por ello la comunidad sea llevada a la ruina. El curado de lepra puede volver a la comunidad (al campamento) durante su purificación, es decir, antes de la expiación, pero no a su tienda (Lv 14,8.20); esto demuestra que la comunidad no tenía miedo a sufrir sus consecuencias.

6) El que se somete al rito de la expiación reconoce la necesidad de ser expiado. Los rituales no indican cómo se pone en marcha el proceso de la expiación. En Lv 5,2.3.4 se señalan situaciones privadas que únicamente el interesado puede conocer. En dichos casos, pues, debe ser él mismo el que inicia la acción expiatoria. En los casos de los salmos y en Is 6,7 la situación es clara.

7) El particular participa conscientemente en la acción expiatoria. Esto es lo que se deduce incluso de los rituales, a los que sólo interesa establecer los ritos. Según Lv 5,5, el que ha de ser expiado debe confesar (*ydh* hitpael); la mortificación es indicada como decreto perpetuo (Lv 16,29: «vosotros mismos debéis hacer penitencia»; así lo lee Noth. ATD 6,99). Según Ex 32,30; Dt 21,8, los pasajes de los salmos y 2 Cr 30,18, la lamentación, la súplica y la oración forman parte de la expiación.

8) No es probable que la expiación sea entendida como traspaso de la culpa al animal que va a ser sacrificado. Contra esto hablan todas las acciones expiatorias, documentadas en las prescripciones del escrito sacerdotal y de Ezequiel, en las que no es necesario sacrificar animales (Nm 17,11s; Lv 5, 11-13; Ez 45,15.17). El sentido general que adquiere el término en P aparece también en el hecho de que una vez se refiere al «dinero del tributo» (Ex 30,15s) y otra a una ofrenda en señal de agradecimiento (Nm 31,50). Fuera del escrito sacerdotal, poquísimos textos exigen sacrificar un animal para realizar la expiación (Ex 32,30; Dt 32,43; los textos de Is y Sal y los textos escatológicos).

5. La institución de la expiación, tal como está presentada en P y en Ez 40-48, se impuso en el judaísmo durante medio milenio. Los textos griegos no canónicos —y también los LXX— emplean normalmente en el puesto de *kpr* piel el término ἱλάσκεσθαι. Según la creencia común, del sacrificio expiatorio se derivan efectos más fuertes (Jub 6,2.14; 50,11; oración de Azarías 17; 2 Mac 3,33); incluso los difuntos pueden ser liberados de sus pecados gracias al sacrificio expiatorio (2 Mac 12,45). El Eclesiástico destaca la función de Aarón de hacer la expiación por Israel y la acción expiatoria de Pinjás (Eclo 45,16. 23; cf. K. Koch, *Die isr. Sühneanschauung und ihre historischen Wandlungen* [1956] 99ss). Se prevé la posibilidad de la expiación lograda por medio de un sufrimiento vicario (4 Mc 6,29; 17,22).

También el fariseísmo participa de esta creencia, aunque ya desde el comienzo la sometió a diversas limitaciones (Ber 55a; Yoma 5a; Seb 5b); tanto *kpr* qal, «cubrir, negar», como *kpr* piel, «perdonar, reconciliar, expiar», son términos corrientes (Levy, II, 383-385; en arameo, qal, «negar, limpiar», y pael, «expiar»; *ibíd.,* 385s).

En Qumrán se han documentado hasta el momento 27 casos de *kpr* piel (Kuhn, *Konk.,* 105; suplementos RQ 4 [1963] 202). Los sacrificios expiatorios no son eliminados del todo (1QS

9,6s); pero se considera como condición necesaria para realizarlos la pertenencia a la comunidad de Qumrán; sólo ésta puede hacer la expiación (1QS 5,6s). Junto a las afirmaciones conservadoras suena también la exigencia de sustituir el sacrificio de sangre por un «sacrificio superior de los labios» (1QS 9,4s; cf. TLev 3,6: «el sacrificio oral incruento»; cf. S. Lyonnet, VD 37 [1959] 349-352; H. Braun, *Qumran und das NT* I/II [1966] espec. II, 220s.315).

No se trata de exigencias propias de alguna secta particular; son, más bien, exigencias que se van imponiendo cada vez con mayor rigor en el judaísmo anterior al 70 d. C.; es un proceso condicionado por el fariseísmo. La caída de todo el aparato sacrificial no preocupó en absoluto al judaísmo; en la época tanaítica volvió a resurgir. La expiación se realizó por medio de la conversión, de la oración, del ayuno y de las limosnas, sin las cuales todo rito resultará estéril (Eclo 3,30; Tob 4,10s; MYoma, 8,8s; Ab RNat 4,2; cf. J. Schmid, *Sünde und Sühne im Judentum:* «Bibel und Leben» 6 [1965] 16-26).

Sobre el NT, cf. J. Herrmann y F. Büchsel, art. ἵλεως: ThW III, 300-324.

F. Maass

כרת *krt* Cortar

1. Fuera del hebreo y del fenicio (Juramento de Arslan Taṣ [= KAI N. 27], líneas 8s.10 [s. VII a. C.]), *krt* aparece en acádico (AHw 448b-451b: *karātu,* «cortar», como adjetivo verbal *kartu,* «desmenuzado») y en tigre (Liftmann-Höfner, 401a: *karta,* «acabar»).

El moabita *krty* y el sustantivo plural *mkrtt* (KAI N. 181, línea 25) derivan probablemente, atendiendo al contexto, de la raíz *krh,* «cavar» (en el AT: un pozo, Gn 26,25; Nm 21,18; una cisterna, Ex 21,33; Sal 7,16) (cf. S. Segert, ArOr 29 [1961] 242, contra DISO 127). El sustantivo púnico *krt* («cantero» [?]) es dudoso tanto en cuanto a la lectura como en cuanto al significado (DISO 127).

Como pasivo de qal aparecen algunas formas aisladas de nifal (Jos 3,13.16; 4, 7.7.; Job 14,7) y el modo pual (Jue 6,28; Ez 16,4). El hifil es empleado más en sentido intensivo que causativo (supliendo la falta de piel), con el significado de «extirpar» (significado que en Jr 50,16 presenta también el modo qal; cf., sin embargo, Rudolph, HAT 12,302); como pasivo de este sentido se emplea —además del hofal (Jl 1,9: «ser dominado»)— el nifal.

El AT emplea los siguientes sustantivos verbales de la raíz *krt:* *kᵉrūtōt,* «vigas cortadas y talladas (?)» (1 Re 6,36; 7,2. 12; cf. KBL 458a), quizá más precisamente «no tablones, sino listones cortos (de madera de cedro)» (Noth, BK IX/1, 102); *kᵉrītūt,* «divorcio» (Dt 24,1.3; Is 50,1; Jr 3,8; cf. el hebreo medio *krt,* «separar, cortar [un matrimonio]»).

El nombre de un torrente *Kᵉrīt* (1 Re 17,3.5) se deriva no de *krt* (KBL 454b), sino de *krh,* «cavar, excavar».

2. El verbo *krt* aparece en todo el AT, excepción hecha de Jon, Hab, Cant, Ez, Ecl, Lam y Est. Empleado desde el yahvista (o bien desde las tradiciones empleadas y trabajadas por él) hasta Dn, el verbo aparece con especial frecuencia hacia el s. VI. Estadística: qal 134 × (Jr 16 ×, Dt 15 ×, 1 Sm y 2 Cr 12 ×), de ellas, 80 × en la expresión *krt* → *bᵉrīt;* nifal 73 × (Lv 13 ×, Nm 7 ×, Is 6 ×, Ex, Jos y Sal 5 ×), pual 2 ×, hifil 78 × (Ez 14 ×, 1 Re y Jr 7 ×, Lv 6 ×), hofal 1 ×; en total, 288 × (además, *kᵉrūtōt* 4 ×, *kᵉrītūt* 3 ×, cf. *sup.).*

En 1 Sm 20,16a, el texto tiene perfecto sentido; pero, contextualmente no parece encontrarse en su estado original.

3. La traducción de *krt* depende de su objeto: «talar» árboles (Dt 19,5 y *passim,* 17 ×), «cortar» sarmientos (Nm 13,23), manos y cabeza «rotas» (1 Sm 5,4), «partir» un animal (en dos partes) (Jr 34,18; además, en Gn 15, 10, *btr* qal y piel, «despedazar», cf. Jenni, HP 130).

De «extirpación» se habla —en hifil y nifal— sobre todo en los anuncios de desgracia dirigidos a los pueblos (también a Israel: por ejemplo, 1 Re 9,7 hifil; Os 8,4 nifal) y a los malhechores; se emplea normalmente la «fórmula de extirpación»: «este hombre/esta persona *(næfæs)* será extirpado» (cf. Elliger, HAT 4, 101), entre otros, en el ámbito del escrito sacerdotal y de la ley de santidad (no en Dt); también se emplea la «fórmula de la no extirpación» (Jos 9,23 y *passim,* 10 ×). Otro matiz de significado es el de «cancelación» del hombre, del recuerdo, de la esperanza (cf. también KBL 547s; entre los sinónimos, cf. sobre todo → *šmd).*

4. Como otros verbos hebreos *(gzr,* «desmenuzar», en Job 22,28, «decidir», cf. Est 2,1, nifal; *ḥrṣ,* en 1 Re 20,40; Is 10,22; Job 14,5, «determinar»; *ḥtk* nifal, en Dn 9,24, «estar determinado»; hebreo medio *psq,* «partir», y «determinar, decidir»; cf. también → *ḥqq* 3a, → *y*ʿ*d* 3d), arameos (el arameo antiguo, bíblico y judaico *gzr,* el arameo judaico *psq)* y acádicos *(ḫarāṣu, parāsu), krt* ha desarrollado a partir del significado fundamental «cortar» o semejantes el sentido metafórico «determinar, decidir, establecer» (cf. el latín *decidere* y el desarrollo del significado del acádico *parāsu,* «separar [cortar] > diferenciar > decidir», AHw 831), como se ve en 2 Cr 7,18 (cf. G. Sir; para *dbr* piel, cf. 1 Re 9,5), en Is 57,8 (y también en fenicio, KAI N. 27, línea 10) y sobre todo en la expresión *krt b*ᵉ*rīt.*

Esta expresión se suele relacionar normalmente con la frase griega ὅρκια τέμνειν y la latina *foedus icere (ferire, percutere)* (cf. Gesenius, *Thesaurus* II, 718a, etc.) y se suele traducir por «concluir una alianza». Según eso, se piensa que la expresión *krt b*ᵉ*rīt* se deriva de un rito que se celebra al «concluir» una alianza (es decir, un «compromiso»; → *b*ᵉ*rīt):* el sujeto de la *b*ᵉ*rīt,* aquel que «corta» la *b*ᵉ*rīt,* debía pasar a través de las dos partes, colocadas una frente a otra, de un animal despedazado *(krt,* Jr 34,18) expresamente para este rito (Jr 34,18; Gn 15,17), que, sin embargo, no era considerado como un sacrificio (entre otros, G. Quell, ThW II, 108s.117s; S. E. Loewenstamm, VT 18 [1968] 500-506 contra GB 364b; KBL 457 y otros).

Este rito no significa: *a)* la unión de los contrayentes simbolizada por el paso del fuego a través de los pedazos del animal, Gn 15,17 (así, por ejemplo, C. F. Keil, *Gen und Ex* [[3]1878] 184), pues este significado no parece apropiado a Jr 34,18 (J. J. P. Valeton, ZAW 12 [1892] 227); *b)* ni la «unión místico-sacramental» entre los dos partners (B. Duhm, *Das Buch Jeremia* [1901] 284; J. Henninger, Bibl 34 [1953] 344-353, espec. 352s), pues en Gn 15,17 y Jr 34,18 únicamente el sujeto de la *b*ᵉ*rīt* pasa a través de las dos piezas del animal y no el partner; *c)* tampoco significa la «purificación» del que pasa a través de las piezas del animal (cf. O. Masson, *À propos d'un rituel hittite lustration d'une armée:* RHR 137 [1950] 5-25), o *d)* que a éste se le comunique la fuerza vital que proviene del animal muerto, para aumentar su capacidad (W. R. Smith, *Die Religion der Semiten* [1899] 243; E. Bikerman, *Couper une alliance:* «Archives d'Histoire du Droit Oriental» 5 [1950-51] 133-156; F. Horst, *Gottes Recht* [1961] 309), pues el texto no ofrece apoyos para ninguno de los dos sentidos; *e)* significa, más bien, la automaldición del que realiza el rito como acción simbólica: él tendrá el mismo destino del animal si no guarda la *b*ᵉ*rīt* (= obligación que se ha impuesto) (así ya Rashi y la mayoría de los exegetas actuales); esta interpretación cuenta con el apoyo de Jr 34,18 y de diversos paralelos de la antigüedad clásica (cf. R. Kraetzschmar, *Die Bundesvorstellung im AT* [1896] 44s; por ejemplo, Livio, I, 24) y de entorno cultural de Israel (cf., por ejemplo, E. Kutsch, *karat b*ᵉ*rit «eine Verpflichtung festsetzen»,* FS Elliger [1971] nota 26).

Para hacer derivar *krt b*ᵉ*rīt* de *krt* en Jr 34,18, debe suponerse que el objeto propio de *krt* (un animal) ha sido sustituido por una expresión que caracteriza el resultado o la finalidad del rito (*b^erīt* = compromiso). Así entendida, la expresión «cortar/partir una *b^erīt*» se presta a un equívoco (McCarthy, *loc. cit.*, 55), ya que *b^erīt* puede entenderse como «pacto» o como «compromiso». Esta dificultad desaparece si tenemos en cuenta que *krt* puede significar también «establecer, determinar»; según eso, *krt b^erīt* (*b^erīt*, entendido como complemento directo de *krt*) significa «establecer una obligación, una determinación» (F. Mühlau y W. Volck, en Gesenius, *Hebr. und Chald. Handwörterbuch über das AT* [^{8}1878] 413b; K. Siegfried y B. Stade, *Hebr. Wörterbuch zum AT* [1893] 301a; J. Pedersen, *Der Eid bei den Semiten* [1914] 46; Kutsch, *loc. cit.*; distinto, H. Holzinger, *Genesis* [1898] 150; Quell, *loc. cit.*, 108, nota 18; M. Buber, *Königtum Gottes* [^{3}1956] 200, nota 20), igual que el sumerio *nam-erìm-TAR*, «cortar el anatema = hacer un juramento (afirmativo)» (A. Falkenstein, *Die neusumerischen Gerichtsurkunden* I [1956] 64.67; III [1957] 144s), el arameo antiguo *gzr ʿdn* «(cortar =) establecer una determinación» (Fitzmyer, Sef 32s) y consecuentemente *g^ezar q^eyām* «(cortar =) establecer una determinación» de los Targumes y διαθήκην διατίθεσθαι de los LXX (Gn 15,18 y *passim*; Kutsch, *loc. cit.*, 164ss) (omitiendo el aspecto de última voluntad, como en Aristófanes, *Aves*, 440s [cf. E. Kutsch, KuD 14 ⟨1968⟩ 167, nota 30]).

En 1 Sm 11,2, relacionado con v. 1, se ve que el objeto de *krt* es *b^erīt*; en 1 Sm 20,16a (texto masorético) y 22,8 debe suplirse ese mismo objeto (cf. la preposición *ʿim*). En 1 Re 8,9 = 2 Cr 5,10, debe suponerse que *b^erīt* es el antecedente del pronombre relativo que figura como objeto de *krt* (cf. BH^3; cf. Dt 9,9).

A la expresión *krt b^erīt* corresponden las expresiones *krt* → *ʾālā* (Dt 29,11.13; en fenicio: KAI N. 27, línea 8), «establecer una maldición»; *krt dābār*, «establecer una palabra (= una afirmación)» (Ag 2,5), y *krt ʾ^{a}mānā*, «establecer una determinación (fija)» (Neh 11,23; paralelo a *miṣwā*, «mandato») (Neh 10,1).

Por lo que respecta al verbo, en los textos más recientes aparecen como sinónimos de la expresión *krt b^erīt* las expresiones → *qūm* hifil, → *ntn*, → *śīm*, seguidos de *b^erīt* como objeto: «establecer, dar, fijar una determinación, un compromiso». Como opuesto aparece sobre todo → *prr* hifil *b^erīt*, «romper un compromiso» (→ *b^erīt* III/6c; → *prr* hifil).

5. El lenguaje religioso de los textos de Qumrán emplea *krt* casi únicamente en el sentido de «eliminar» (hifil, con el pasivo nifal), normalmente con Dios como sujeto real o lógico de la acción punitiva; en el lugar de *krt bryt* (1QM 13,7; CD 15,8, referido a la prehistoria de Israel) aparece la expresión *ʿbr bbryt* y *bwʾ bbryt*, «entrar en la *bryt* (compromiso)».

Entre las numerosísimas traducciones de *krt* en los LXX en los sentidos concretos de «expulsar, eliminar», destacan los términos ἐξολεθρεύειν y κόπτειν (con sus compuestos), términos que en el NT no revisten una importancia especial (cf. J. Schneider, art. ὀλεθρεύω: ThW V, 168-171; G. Stählin, art. ἀποκόπτω, etc.: ThW III, 851-860); el verbo *krt* seguido del complemento *b^erīt*, en cambio, es traducido normalmente por διατίθεσθαι (cf. G. Quell y J. Behm, art. διατίθημι: ThW II, 105-137).

E. Kutsch

לֵב *lēb* Corazón

1. El término **libb-* pertenece al semítico común (Bergstr., *Einf.*, 184; P. Fronzaroli, AANLR VIII/19 [1964] 272.279); el significado «corazón» es común a todas las lenguas semíticas (en acádico, *libbu* tiene el significado de «lo interno», que se debilita hasta un empleo preposicional, cf. AHw 549-551; en árabe, *lubb* significa «lo más interno, el núcleo, la razón», etc., cf. Wehr, 760a). Sobre los antiguos testimonios semíticos noroccidentales, cf. WUS N. 1434; UT N. 1348; DISO 134.

En el hebreo (y arameo) veterotestamentario, junto a *lēb* (**libb-*) aparece también *lēbāb* (**libab-*, arameo *l^ebab*); no puede afirmarse que haya una sucesión cronológica entre estas dos formas (contra C. A. Briggs, *A Study of the Use of LEB and LEBAB*, FS Kohut [1897] 94-105; cf. F. H. von Meyenfeldt, *Het Hart (LEB, LEBAB) in het OT* [1950] 207-212): J parece emplear únicamente la forma *lēb* (¿división de fuentes en Ex 14,5?); E, por el contrario, emplea *lēbāb;* Is emplea fundamentalmente Dt y la obra deuteronomística casi exclusivamente, *lēbāb;* DtIs, por el contrario, emplea casi únicamente *lēb,* etc.

Ez 16,30 presenta la forma femenina *libbā.* G. R. Driver, JThSt 29 (1928) 393; 32 (1931) 366, llama la atención sobre el acádico *libbātu* (sólo plural), «furia» (AHw 548b, también *labābu,* «enfurecerse»; *ibíd.,* 521b); sugiere el mismo significado para Ez 16,30 (y le sigue KBL 471b). De todas formas, debe preguntarse si los acádicos *libbu* y *labābu* están relacionados. En cualquier caso, en Ez 16,30 el corazón es presentado como la sede de la codicia (cf. F. Stummer, VT 4 [1954] 34-40).

Del sustantivo *lēb* se ha derivado el verbo denominativo *lbb:* nifal, «adquirir inteligencia» (Job 11,12), y piel, «enloquecer, quitar la razón» (Cant 4,9.9.).

2. *lēb* y *lēbāb* aparecen en total 853 × (601 + 252 ×, de ellas, 7 + 1 × en plural; cf. las listas en Meyenfeldt, *loc. cit.,* 209s, donde para 1/2 Cr debe leerse 24 × en lugar de 2 ×), *libbā* 1 ×, *lbb* nifal 1 ×, piel 2 ×. Se deben añadir los casos del arameo bíblico: *lēb* 1 × y *l^ebab* 7 × (todas en Dn).

La raíz es especialmente frecuente en Dt, Jr, Ez, Sal, Prov, Ecl y Cr: Sal 147 × (*lēb* 102 ×, *lēbāb* 35 ×), Prov 97 y 2 ×, Jr 58 y 8 ×, Dt 4 y 47 ×, Is 31 y 18 ×, Ex 46 y 1 ×, Ez 41 y 6 ×, 2 Cr 16 y 28 ×, Ecl 41 y 1 ×.

3. *a)* *lēb* designa originariamente al *órgano corporal.* Así, en Israel se conoce la diagnosis del «ataque cardíaco» (1 Sm 25,37), sin que por eso sea el corazón objeto de un conocimiento médico profundo (como sucedía también en las culturas vecinas, cf. J. Hempel, NAW 6 [1958] 253s). El latido cardíaco ha sido señalado como signo de excitación (Sal 38,11). Cuando se habla de heridas que afectan al corazón no se hace referencia específica al corazón, sino que se habla en general de la región cardíaca (2 Sm 18,14; Sal 37,15 y *passim;* en Os 13,8 se menciona un *s^egōr lēb,* propiamente «tapa del corazón» = «¿pecho?»); el «pecho», que carece en hebreo de un término específico (*ḥāzæ,* sólo referido a los animales destinados al sacrificio, 13 × en P; el arameo bíblico *ḥ^adē,* «pecho», en Dn 2,32; originariamente «parte delantera», cf. Dhorme, 105), puede ser designado también por medio de *lēb* (Ex 28,29s; P. Joüon, Bibl 5 [1924] 491s, considera que ése es el significado original de la expresión *'al-lēb,* por ejemplo, en *śīm 'al-lēb,* «poner en el corazón», Dt 11,18, y de otras muchas expresiones; pero cf. von Meyenfeldt, *loc. cit.,* 135ss). Según H. L. Ginsberg, FS Baumgartner (1967) 80, *lēb* designa también la garganta en cuanto órgano del habla, pero no es seguro. También el corazón de los animales es designado como *lēb* (2 Sm 17, 10; Job 41,16, usado dos veces en sentido figurativo para referirse a la esencia del animal en cuestión).

b) En sentido *traslaticio, lēb* significa no sólo «corazón», sino también «centro», especialmente en la expresión *b^elæb-yām* (Ex 15,8; Prov 23,34; 30,19), *b^elēb yammīm* (Ex 27,4.25-27; 28,2.8; Sal 46,3; cf. Jon 2,4), «en medio del mar», cf. también *lēb haššāmáyim,* «centro del cielo» (Dt 4,11).

c) Al *lēb* humano se le asignan funciones sobre el ser *corporal,* anímico y espiritual del hombre. En la expresión *s'd lēb,* «sostener el corazón», que significa «comer», *lēb* designa la «fuerza vital» (Gn 18,5; Jue 19,5.8; Sal 104, 15). *lēb* es también el órgano de la potencia y del deseo sexual (Os 4,11; Job 31,9; Prov 6,25, con *ḥmd,* «desear»; cf. también Ez 16,30, cf. *sup.* 1).

d) El aspecto *anímico* del *lēb* se manifiesta en que en él tienen lugar los más diversos sentimientos: dolor (1 Sm 1,8; Is 1,5; 57,15; Jr 4,18; 8,

18; Sal 13,3; 34,19 y *passim;* los casos de los salmos pertenecen a la topología de la lamentación), alegría (Ex 4,14; Jue 16,25; Is 24,7; Jr 15,16; Sal 4,8; Prov 14,10 y *passim),* miedo (Dt 20, 3.8; Jos 2,11; Is 7,2; Sal 25,17 y *passim),* duda (Ecl 2,20; Lam 1,20), ánimo (Sal 40,13) y otros sentimientos. Cuando el hombre es interpelado con cariño y confianza por Dios o por otro hombre, se emplea con frecuencia este vocablo (por ejemplo, *dbr* piel *'al lēb,* «tratar de convencer», Gn 34,3; Is 40, 2 y *passim;* también *śīm 'al-lēb,* cf. *sup., 3a).*

e) A las funciones *espirituales* del *lēb* pertenece en primer lugar el conocimiento. La idea de «tomar conocimiento» de una cosa puede ser indicada por medio de diversos verbos *(šīt,* Ex 7,23; 1 Sm 4,20; *śīm,* Ex 9,21; 1 Sm 21,13; *ntn,* Ecl 1,13.17), seguidos de una preposición y *lēb.* También el recuerdo —el volver a conocer— tiene lugar en el *lēb* (Dt 4,9; Is 33,18; 65, 17; Jr 3,16; Sal 31,13). Esta función del *lēb* puede ser matizada; así, la habilidad manual puede ser considerada como cosa del *lēb* (en la expresión *ḥakam lēb,* «diestro» —que no se debe entender en sentido sapiencial—, Ex 28,3; 31,6; 35,10 y *passim).*

También las capacidades propiamente intelectuales son propias del *lēb:* inteligencia (Dt 8,5; Job 17,4; Prov 2, 2; Ecl 7,2), capacidad de juzgar críticamente un asunto (Jos 14,7; Jue 5,15s; Ecl 2,1.3.15), prudencia jurídica (1 Re 3,9; 2 Cr 19,9). Este aspecto del *lēb* es importante sobre todo en la literatura sapiencial: el *lēb* es órgano de la *ḥokmā* (Prov 2,10; 14,33; 16,23; Ecl 1,16; cf. 1 Re 10,24). El *lēb* del sabio le permite hablar con rectitud (Prov 16,23; 23,15s), llega a comprender la esencia del tiempo y de lo que en él sucede (Ecl 1,16; Sal 90,12). La sabiduría de Israel no es la única que atribuye este significado al corazón; también lo hace la sabiduría griega (cf. H. Brunner, *Das hörende Herz:* ThLZ 79 [1954] 697-700; C. Kayatz, *Studien zu Proverbien 1-9* [1966] 43-47; sobre el corazón en la literatura egipcia: F. Hintze, FS Grapow [1955] 140ss; A. Hermann, *Altäg. Liebesdichtung* [1959] 95-97, con bibliografía).

Finalmente, el *lēb* es también sede de la voluntad y de la facultad decisoria (2 Sm 7,2; 1 Re 8,17; Is 10,7; Jr 22,17; Sal 20,5; 21,3 y *passim).*

f) El *lēb* abarca, por tanto, todas las dimensiones de la *existencia humana* (cf. Dhorme, 109-128, sobre el abundante material acádico y hebreo; W. H. Schmidt, *Anthropologische Begriffe im AT:* EvTh 24 [1964] 374-388, espec. 383ss). A partir de él, pueden formarse expresiones que se refieren al hombre en su totalidad: el *lēb* flaquea *(mūg,* Ez 21,20), «se derrite» *(mss* nifal, Dt 20,8; Jos 2,11; 5,1; 7,5; Is 13,7; 19,1; Ez 21,12 y *passim),* «se alarma» *(raggāz,* Dt 28,65), se le puede «infundir tranquilidad» *(k's* hifil, Ez 32,9). El *lēb* puede generalizarse hasta designar a la persona misma y puede llegar incluso a desempeñar la función de un pronombre personal (aparece como paralelo a un pronombre, por ejemplo, en Sal 22,15; 27,3; 33,21; 45,2). Pero también puede emplearse *lēb* para designar precisamente lo más propio de la persona (Jue 16,15.17s; 1 Sm 9,19; tampoco esta concepción se limita a Israel, cf. H. Brunner, *Das Herz als Sitz des Lebensgeheimnisses:* AfO 17 [1954-55] 140s). La expresión *b^elēb* (con sufijo personal) acompañando a un verbo de pensamiento o de habla (por ejemplo, Gn 17,17; 27,41; Dt 7,17; Sal 4,5, etcétera) se refiere a pensamientos que uno guarda para sí y no los comunica a los demás. También el sueño, que saca a la luz las más recónditas y escondidas regiones del hombre, tiene lugar en el corazón (Cant 5,2). La sabiduría afirma que el *lēb* es insondable (Jr 17,9; Sal 64,7; Prov 20,5).

Teniendo en cuenta que el hombre toma y responde de sus decisiones en el *lēb,* el vocablo puede tener en ocasiones el sentido de «conciencia» (Gn 20,5s; 1 Sm 24,6 y *passim;* cf. Köhler, *Theol.,* 192).

Por otra parte, el AT no ve normalmente la existencia humana en su dimensión individual; de ahí que se hable no sólo del *lēb* de los individuos, sino también del de grupos enteros (Gn 18, 5; 42,28; Ex 35,29; cf. Köhler, *Theol.*, 149).

g) Los *conceptos paralelos* completan el cuadro. Los más frecuentes son los siguientes: → *næfæš* (originalmente «garganta», después «fuerza vital», «persona», con idéntico sentido al de *lēb* en Sal 13,3; 84,3; Prov 2,10; 19,8 y *passim),* → *rûaḥ* (originalmente «aliento», que evoluciona en dos direciones: por un lado «viento» y por otro «fuerza vital, espíritu», cf. Ex 35,21; Dt 2,30; Jos 2,11; 5,1; Is 65,14; Sal 34, 19 y *passim).* Menos frecuentes son *qæræb,* «interior, centro» (Jr 31,31; Prov 14,33), y otros. Deben mencionarse también *kābēd,* «hígado» (→ *kbd),* y sobre todo *kelāyōt,* «riñones», que aparecen con frecuencia en paralelo al corazón y designa el ser más interno y escondido del hombre, accesible únicamente a Dios (Jr 11, 20; 12,2; 17,10; 20,12; Sal 7,10; 16,7; 26,2; 73,21; 139,13; Job 16,13; 19, 27; Prov 23,16; Lam 3,13; otras 16 × en Ex-Lv como designaciones de los correspondientes órganos corporales de los animales destinados al sacrificio, y también en Dt 32,14; Is 34,6; cf. → *bḥn* 3a y Dhorme 131).

4. Es normal que un concepto antropológico de tanta importancia sea empleado también para describir la relación entre Dios y el hombre.

a) Los casos de los *salmos* en los que *lēb* tiene un significado teológico pertenecen al género de la lamentación y emplean el término bien para designar la conciencia limpia del orante (las expresiones más frecuentes son *yišrē lēb,* «los rectos de corazón» [Sal 7,11; 11,2 y *passim;* → *yšr 3b], bar lēbāb,* «puro de corazón» [Sal 24,4 en una liturgia del atrio; 73,1; en algunos pasajes se nota también influencia sapiencial]), bien para indicar el arrepentimiento de un orante que reconoce haber pecado *(nišbar lēb,* «con corazón quebrantado», Sal 34,19; 51,19).

b) Los escritos *sapienciales* destacan el hecho de que Dios conoce los sentimientos del *lēb* humano (Prov 17, 3; 21,2); según ellos, la experiencia indica que no son los planes del hombre los que se imponen, sino la voluntad de Yahvé (Prov 16,1; 19,21).

c) lēb recibe un significado teológico especial en los textos en que se plantean cuestiones antropológicas.

Tal es el caso del *Deuteronomio.* El hombre es invitado a escuchar y actuar de «todo corazón y con toda el alma» (Dt 4,29; 6,5; 10,12; 11,13). Debe conservar en el corazón el recuerdo de las gestas de Yahvé (4,9.39; 6,6; 8,5 y *passim).* El rito de la circuncisión *(mūl,* «circuncidar») es espiritualizado y referido al *lēbāb* (Dt 10,16; 30,6; cf. Lv 26,41; Jr 4,4; Ez 44,7.9 con *ʿārēl,* «incircunciso», referido al corazón; cf. además H.-J. Hermisson, *Sprache und Ritus im altisr. Kult* [1965] 64-76). Esta insistencia en la participación de todo el *lēb* tiene lugar en una época en la que, por una parte, se vuelve a tomar conciencia de la relación original entre Dios y su pueblo, y en la que, por otra parte, se va abriendo paso una conciencia individual.

Son semejantes los puntos de vista de Jeremías y Ezequiel, cuyo interés teológico coincide en este aspecto con el del Deuteronomio. También *Jeremías* llama al *lēb* de los que quieren escucharle (Jr 3,10; 4,4, donde se recoge el tema deuteronómico de la circuncisión del corazón; cf. *sup.,* 29,13 y *passim).* Pero habla claramente de la «obstinación del corazón» *(šerīrūt lēb,* 3,17; 7,24; 9,13; 11,8 y *passim).* El profeta es consciente de lo difícil que resulta escuchar lo que la parénesis legal exige. Por tanto, la renovación de la relación entre Dios y el hombre no puede ser esperada para el presente, sino que es tema de una esperanza futura (Jr 31,31ss; 32,38s): la alianza y la ley deben ser encarnadas en el *lēb* (cf. von Rad II, 220ss).

Muy semejante es también el pensamiento de *Ezequiel.* También él ha experimentado la obstinación del *lēb* de sus oyentes (Ez 2,4; 3,7), también él espera un tiempo futuro en el que Dios cambiará el «corazón de piedra» *(lēb hāʾæbæn)* del hombre por un «corazón de carne» *(lēb bāśār)* (Ez 36, 26ss).

Después, la concepción profética de la obstinación del *lēb* humano (que, a diferencia de la «obstinación del corazón», a la que posteriormente nos referimos, proviene en todos estos casos de la libre voluntad humana) vuelve a aparecer en otros lugares (Zac 7,12; Sal 95,8; ambos pasajes reflejan un lenguaje deuteronómico).

d) Según la fe israelita, es Yahvé quien da al *lēb* humano sus posibilidades (así, por ejemplo, Sal 51,12); él mismo puede cortar estas posibilidades. Este motivo de la *obstinación del corazón* aparece una vez en la tradición del éxodo. El yahvista (Ex 8,11.28; 9,34; 10,1) la formula con *kbd* hifil *lēb,* «hacer pesado el corazón (del Faraón)». El sujeto puede ser Yahvé o el Faraón mismo. El autor sacerdotal se diferencia claramente: con respecto al Faraón, afirma que endureció el corazón del Faraón (→ *ḥzq* piel *lēb,* Ex 9, 12; 10,20.27; 11,10, etc.; también *qšh* hifil *lēb,* «endurecer el corazón», Ex 7,3), y con respecto al corazón del Faraón dice que ha sido endurecido *(ḥzq* qal, Ex 7,13.22; 8,15 y *passim).* Aquí, pues, se afirma claramente que el actor principal es Yahvé. Es en Ex 14,4 donde más claramente puede verse cuál es el sentido teológico de la obstinación en P. El motivo vuelve a aparecer en Ex 4,21 (un añadido tardío) y es recogido en el Dt en un episodio de la conquista de la tierra (Dt 2,30, *qšh* hifil y *ʾmṣ* piel).

El motivo de la obstinación del corazón dentro de la tradición del éxodo significa, en ambas fuentes, que Yahvé ha quitado al Faraón las posibilidades espirituales y anímicas, de forma que no puede entender el sentido de las plagas y no puede actuar como corresponde a las mismas. Su finalidad es exponer en toda su amplitud la idea de que Yahvé es quien hace la historia: la intervención de Yahvé llega hasta la capacidad de pensar y comprender propia de los enemigos.

En la literatura profética vuelve a aparecer el mismo tema. Aquí la obstinación del corazón es propia de los israelitas (sin terminología antropológica ya en 1 Re 22,21; con *šmn* hifil *lēb,* «entorpecer el corazón», Is 6,9s; recogido en Dt 29,4). Al igual que en Jr y Ez, también aquí se refleja la experiencia de que Israel no quiere escuchar. Pero este no entender es interpretado aquí como juicio de Yahvé; así, pues, culpa y castigo coinciden (cf. F. Hesse, *Das Verstockungsproblem im AT* [1955]; von Rad II, 158ss).

e) El AT no habla sólo del *lēb* del hombre, sino también del *lēb* de Dios (von Mayendfeldt, *loc. cit.,* 193s). Sus funciones son las mismas: en el *lēb* de Yahvé hay sentimientos (preocupación, Gn 6,6; compasión, Os 11, 8), conocimiento y recuerdo (1 Re 9, 3; Jr 44,21 y *passim),* voluntad y decisión (Gn 8,21; Jr 7,31 y *passim).* Jeremías habla con especial frecuencia del *lēb* de Yahvé (8 casos); el empleo de antropomorfismos referidos a Dios corresponde al interés antropológico de los autores.

5. El empleo judaico tardío de *lēb* no se diferencia esencialmente del empleo veterotestamentario (J. B. Bauer, *De «cordis» notione biblica et judaica:* VD 40 [1962] 27-32). De todos modos, aquí se desarrolla aún más el interés antropológico y psicológico. En *Qumrán* (más de 120 casos), el concepto *š^{e}rīrūt lēb,* «endurecimiento de corazón», desempeña una función especial; califica a los no pertenecientes a la recta (1QS 1,6; 2,14.26; 3,3 y *passim).* Es novedad, con respecto al AT, la idea de que las fuerzas antidivinas del mundo se introducen en el corazón; así, se habla de los «ídolos del corazón» (1QS 2,11); el espíritu de verdad y el de oscuridad desarrollan un combate en el *lēb* (1QS 4,23), el fiel debe expulsar a «Belial» del corazón (1QS 10,21) y guardar la ley en su *lēb* (1QH 4,10). Concepciones pareci-

das aparecen en las especulaciones rabínicas sobre el *yḗṣær ṭôb* y el *yḗṣær raʿ*, la tendencia buena y la mala, que habitan en el corazón, luchando entre sí (StrB IV, 466ss). En 4 Esd 3 (sobre todo vv. 20ss), aparece la variante apocalíptica de esta concepción. Sobre el empleo neotestamentario de καρδία, cf. F. Baumgärtel y J. Behm, art. καρδία: ThW III, 609-616.

F. Stolz

לבשׁ *lbš* Vestirse

1. La raíz *lbš*, «vestirse», pertenece al semítico común (Bergstr., *Einf.*, 188). Está frecuentemente documentado en ambiente circundante del AT (excepto en fenicio-púnico), incluso en empleos metafóricos (acádico AHw 523s.561; ugarítico: WUS N. 1444; UT N. 1353; cananeo: EA 369, 9, cf. DISO 151, arameo: DISO 135; KBL 1089s)

En hebreo, *lbš* aparece en qal (el perfecto neutro *lābēš* se ha conservado en Lv 16,4 y Sal 93,1.1, cf. Bergstr., II, 77; en los demás casos aparece *lābaš;* sobre el participio pasivo o adjetivo verbal *lābūš*, «vestido», cf. Joüon 345), pual (participio «vestido») y hifil (causativo «vestir»); en textos posveterotestamentarios aparece también el hitpael (Eclo 50,11, «vestirse»). Los derivados nominales, que significan «vestido, vestimenta, vestidura», son los siguientes: *lᵉbūš* (< *lubūš*, cf. Joüon, 197; contra BL 473: quizá *la* + *būš*, «para la vergüenza»), *malbūš* y *tilbṓšæt* (sólo en Is 59,17; cf. 5,29) y *lᵉbūš*, «vestidura» (Dn 3,21; 7,9).

Raíces homónimas, basadas en el árabe, han sido sugeridas por I. Eitan, HUCA 12/13 (1938) 63 (sobre Is 14,19), y J. Ruider, JJSt 3 (1952) 79 (sobre Jue 6, 34), cf. Barr, CPT 330.

2. De los 152 casos de la raíz en el AT hebreo, 60 corresponden al modo qal (sin *lābūš;* Lv 9 ×, Sal 8 ×, Is 7 ×, Ez y Job 6 ×), 4 al pual (1 Re 22,10 = 2 Cr 18,9; Esd 3,10; 2 Cr 5,12), 32 al hifil (Ex 5 ×, Gn 4 ×,

Is y Est 3 ×); *lābūš* aparece 16 × (Ez 9 ×), *lᵉbūš* 31 × (Job 7 ×, Sal y Est 6 ×), *malbūš* 8 ×, *tilbṓšæt* 1 × (cf. *sup.*, 1). Deben añadirse 5 casos del arameo bíblico (cf. *sup.*, 1).

3. Junto a *bǽgæd*, «vestido» (→*bgd* 1), el verbo *lbš*, «vestirse de» (construido con acusativo, cf. GK § 117 vy, y traducible también como «ponerse»; sólo en Est 6,8 aparece seguido de *bᵉ*), es el que domina en el campo semántico del vestir, que no podemos estudiar aquí en todos sus detalles (cf. el material en H. W. Hönig, *Die Bekleidung des Hebräers* [1957]). Los vocablos de significado semejante, que aparecen en el ámbito de *lbš*, tienen significado general (*ʿṭh*, «cubrirse», Is 59,17 y Sal 104,2, referido figurativamente a Dios; Sal 109,19.29, referido al enemigo del orante; *ksh* hitpael, «cubrirse», Jon 3,8; *ntn ʿal*, «poner a alguien», Lv 8,7) o especial (por ejemplo, *ḥgr*, «ceñirse», y *passim*, figurativamente, Sal 65,13: las colinas se ciñen de júbilo; Prov 31,17, de fuerza; referido a Dios, Sal 76,11, texto dudoso; *ʾzr* qal, «ceñir(se)»; 1 Sm 2,4, «los que tambalean se ciñen de fuerza»; nifal, Sal 65,7, Dios se ciñe de fuerza; piel, «ceñir», 2 Sm 22,40; Sal 18,33.40, Dios ciñe al rey de fuerza; Sal 30,12, Dios ciñe al orante de alegría; hitpael, «ceñirse», Sal 93,1, Dios se ciñe de fuerza; *ʿdh*, «ponerse joyas», junto a *lbš*: Jr 4,30; Ez 16,11.13; Job 40,10). Entre los opuestos, los más importantes son: *pšṭ*, «desvestir» (junto a *lbš*: Lv 6,4; 16,23; Ez 26,16; 44, 19; Cant 5,3), y *ʿārōm*, «desnudo» (16 ×; sobre Gn 2,25; cf. J. de Fraine, FS Robert [1957] 53s; además, *ʿērōm*, «desnudo», en Gn 3,7.10.11; Ez 48,7. 16, y 5 × con el significado de «desnudez»; *ʿæryā*, «desnudez», 6 ×; *ʿūr* nifal, «ser desnudado», Hab 3,9). Sobre los diversos campos de empleo del verbo *lbš*, a saber: desde el vestido de uso diario (el vestido constituye, junto al alimento, una necesidad vital básica: Gn 28,20; Is 4,1; cf. Ag 1,6; hifil 2 Cr 28,15) hasta el vestido de luto (2 Sm

14,2; con *śaq,* «paño de luto», Jon 3, 5; Est 4,1) y el vestido de lujo (por ejemplo, Is 52,1; Jr 4,30; Est 5,1; 6, 8), desde las vestiduras cúlticas (Ex 29, 30 y *passim)* hasta el manto del profeta (Zac 13,4) y la coraza del guerrero (Jr 46,4), y también sobre las concepciones y valores simbólicos que acompañan al vestido, cf. Hönig, *loc. cit.,* y también, entre otros, BRL 332-337, y G. Fohrer, BHH II, 962-965; cf. además, E. Haulotte, *Symbolique du vêtement selon la Bible* (1966); R. von Ungern-Sternberg, *Redeweisen der Bibel* (1968) 83-95.

4. En el lenguaje poético del AT se dan empleos metafóricos y figurativos de la raíz *lbš,* que serían imposibles en nuestras lenguas. En primer lugar, uno puede vestirse de realidades abstractas, como *ʿōz,* «fuerza» (Is 51,9; 52,1; cf. *sup.,* sobre *ḥgr* y *ʾzr), geʾūt,* «majestad» (Sal 93,1); *hōd wehādār,* «esplendor y majestad» (Sal 104,1; Job 40,10); *ṣedāqā/ṣǣdæq,* «justicia» (Is 59,17, «como coraza» junto a «vestido de venganza»; Job 29,14); *tešūʿā* (2 Cr 6,41) y *yǣšaʿ,* «salvación» (hifil, Is 61, 10, «vestido de salvación»; Sal 132,16), o también de *bōšæt/kelimmā,* «vergüenza» (Sal 35,26; 109,29; Job 8,22; hifil, Sal 132,18); *qelālā,* «maldición» (Sal 109,18), y *šemāmā,* «horror» (Ez 7,27; también *ḥarādōt,* Ez 26,16, cf. Zimmerli, BK XIII, 610). La imagen resulta más difícil cuando se dice que Sión se ha vestido de los repatriados como si fueran una joya (Is 49,10) o que los montes «se visten» de caballos (Sal 65,14, cf. v. 13; también, *lābūš,* en Is 14,19, en sentido traslaticio: «cubierto [de muertos acuchillados]»; en cambio, las imágenes de Is 50,3 hifil («yo visto de negro el cielo», cf. 1QH 5,31), Job 7,5 («mi carne está vestida de gusanos y costras») o el empleo de *lbš* hifil referido a la actividad creadora de Dios en Job 10,11 («me has vestido de piel y carne») y 39,19 («¿revistes tú su (del caballo) cuello de crin?») se aproximan más a nuestros usos lingüísticos.

Los pasajes que hablan concretamente del «vestido» de Dios (de la raíz *lbš: lebūš,* Is 63,1.2; *malbūš,* v. 3; cf. el arameo *lebūš* en Dn 7,9, referido a la vestidura «del Anciano» blanca como la nieve) corresponden al estilo antropomórfico normal y están condicionados por el lenguaje propio de las comparaciones y visiones. También se aplican a Dios las objetivaciones de actividades abstractas antes mencionadas (Is 51,9; 59,17; Sal 93,1; 104,1).

En tres pasajes se habla de la acción del espíritu divino sobre el hombre, empleando la imagen del vestido: el espíritu se introduce en el hombre igual que éste en su vestido (Jue 6,34; 1 Cr 12,19; 2 Cr 24,20; por tanto, *lbš* significa aquí —como normalmente— «vestirse de», y el vestido es el espíritu; no debe entenderse, pues, como transitivo «vestir a alguien»; cf., entre otros, C. F. Burney, *The Book of Judges* [²1920] 203; Rudolph, HAT 21, 107; distinto, Hertzberg, ATD 9, 138. 193; → *rūaḥ).*

5. La traducción de *lbš* más frecuente en los LXX es ἐνδύειν. Sobre el NT, cf. A. Oepke (-G. Bertram), art. δύω: ThW II, 318-321; A. Oepke y K. G. Kuhn, art. ὅπλον: ThW V, 292-315.

E. Jenni

לון *lūn* Rebelarse

1. El verbo *lūn* nifal/hifil, «murmurar, rebelarse», no está documentado con seguridad fuera del hebreo (en Qumrán 1QS 7,17; 1QH 5,15; en hebreo medio también en hitpael).

No es seguro que esté relacionado con el árabe *lwm,* «censurar» (GB 382b; KBL 477b); el posible caso de la inscripción Kilamuwwa de Zincirli (KAI N. 24, línea 10) es muy discutido (cf. S. Herrmann, OLZ 48 [1953] 295-297: «los Muskabim murmuraban como perros ante los reyes antiguos», cf. Sal 59,15s; DISO 136, con bibliografía; KAI II, 33).

Normalmente se suele hacer derivar el verbo (en nifal y —normalmente con la primera consonante geminada— en hifil) de una raíz *lūn* (distinta de *līn,* «pernoctar»), pero también se ha solido pensar en *lnn* (Nöldeke, BS 42; P. Joüon, Bibl 1 [1920] 361s; Bergstr., II, 151). Además del verbo, aparece también el femenino abstracto, formado con la preformativa *t-, tᵉlunnōt* (sólo en plural; BL 496: < *tᵉlūnōt).*

2. El verbo aparece 14 ×: el nifal, según el *Qᵉre,* 5 × (sólo imperfecto plural: Ex 15,24; 16,2 Q; Nm 14,2; 17,6; Jos 9,18); el hifil 9 ×, de ellas, 4 × en participio (Ex 16,8; Nm 14, 27.27; 17,20), 1 en perfecto (Nm 14, 29) y las demás en imperfecto (Ex 16, 7; 17,3; Nm 14,36 Q; 16,11 Q); en Ex 16,2.7; Nm 14,36 y 16,11, se puede leer tanto nifal como hifil. El sustantivo está documentado 8 × (Ex 16,7. 8.8.9.12; Nm 14,27; 17,20.25).

Los pasajes de Ex 15,24 y 17,3 pertenecen a J o a J/E; todos los demás casos corresponden a P. Lo más significativo es que —excepción hecha de Jos 9,18 y Sal 59,16, donde con frecuencia se ha leído el imperfecto hifil de nuestro verbo— el concepto aparece únicamente en narraciones de acontecimientos que ocurrieron durante el camino por el desierto.

3. Las diferencias entre los distintos modos verbales se deben en parte a incertidumbres surgidas en la tradición del texto. Nm 14,36 tiene sentido causativo («incitar a la murmuración»); por lo que respecta al significado de los mismos, en cambio, no parece haber diferencias.

Si nos atenemos a lo que indican los diversos contextos, parece que *lūn* se refiere siempre a la rebelión abierta y acusadora contra una persona (la construcción normal es con la partíclula *ʿal,* «contra»), con la intención de lograr la caída de ésta. Pertenece al género y a la situación del enfrentamiento previo al proceso, pero que lleva a una confrontación jurídica oficial. Aunque la etimología del término no es clara, su significado puede establecerse con seguridad: «rebelarse contra alguien». La traducción corriente «murmurar» parece excesivamente débil. Conceptos análogos son → *mrh,* «ser rebelde» (cf. Nm 20,10), y → *mrd,* «rebelarse, sublevarse» (Nm 14,9).

Como rebeldes aparecen los de la banda de Coré (Nm 16,11), pero también el pueblo de Israel en su totalidad (en Sal 59,16, texto enmendado, perros). Las personas contra las que Israel se rebela son: Moisés o Moisés y Aarón (Ex 15,24; 16,2.7; 17,3; Nm 14,2.36; 16,11; 17,6.20), los jefes de Israel (Jos 9,18), Yahvé (Ex 16,7.8; Nm 14,27.29; 17,25). El motivo para rebelarse lo constituyen siempre los peligros del desierto: la falta de agua y alimento (Ex 15,24; 16,2-7; 17,3), el temor ante los habitantes del país, que parecen superiores (Nm 14,2ss), los pactos realizados con ellos (Jos 9,18) y, finalmente, el liderazgo de Moisés y Aarón (Nm 16).

El término empieza a emplearse en la tradición de la rebelión de Coré contra la jefatura de Moisés en el desierto (Nm 16s). Esta debe constituir también el núcleo histórico de la tradición sobre la sublevación. A partir de este episodio limitado se elaboró después en la teología yahvista (quizá de Jerusalén) y sacerdotal la interpretación de la rebelión de Israel como pueblo y no sólo contra la jefatura de Moisés, sino en general contra el acontecimiento que va desde el éxodo hasta la conquista de la tierra, pasando por el caminar por el desierto.

4. En las fuentes del Pentateuco, el concepto tiene un marcado carácter teológico. En las situaciones amenazadoras del desierto, Israel acusa a Moisés (y a Aarón) y a Yahvé de haberlo llevado al desierto para hacerle perecer allí (Ex 16,3b; 17,3b; Nm 14,3) y pide el retorno a Egipto (Nm 14,4). La rebelión se basa en una interpretación completamente falsa de la historia de la liberación, que es considerada como una historia de perdición, y pretende anularla. Esto indica que la re-

belión se dirige fundamentalmente contra Yahvé (cf. *sup.),* incluso allí donde se ataca a los líderes del pueblo (Nm 16,11). Los rebeldes ven a Yahvé y a sus representantes como la causa de su perdición y no como salvadores. Según eso, el concepto *lūn* descubre, precisamente en el centro de la teología veterotestamentaria, el siguiente pecado: el pueblo de Dios en su totalidad al encontrarse con las amenazas del período intermedio (desierto), que lleva de la liberación (éxodo) al cumplimiento total (conquista de la tierra), interpreta mal a su Dios y rechaza, por ceguera e impaciencia, la historia de liberación realizada por él y, por lo mismo, su propio futuro salvífico. Este tipo de rebelión llama a juicio al Dios salvador (se trata de una acusación previa que lleva al proceso) y rechaza la salvación en bloque. Por eso resulta mortal para los rebeldes (Nm 14,27ss).

En Jos 3,18, el pueblo se rebela contra la violación, por parte de los jefes, de diversas tradiciones sagradas. El contexto oculta sólo con dificultad el carácter fundado de esta rebelión.

Sobre el tema en conjunto, cf. G. W. Coats, *Rebellion in the Wilderness* (1968).

5. Los casos de Qumrán (cf. *sup.,* 1) se refieren a un comportamiento rebelde (1QH 5,25, paralelo a *srr,* «ser obstinado»).

Los LXX traducen *lūn* por (διά) γογγύζειν. De ahí se ha introducido el sentido débil de «murmurar», que aparece después también en el NT (cf. 1 Cor 10,10; cf. también K. H. Rengstorf, art. γογγύζω: ThW I, 727-737).

R. Knierim

לחם *lḥm* nifal **Luchar** → צָבָא *ṣābā'*

למד *lmd* Aprender

1. El hebreo *lmd* qal, «acostumbrarse, aprender», y el piel, «enseñar», tienen correspondientes en acádico (AHw 531s), ugarítico (WUS N. 1469; UT N. 1385) y etiópico (Dillmann, 35). El verbo arameo *'lp,* usado en el sentido de «estar acostumbrado, aprender» (cf. DISO 15), ha pasado como arameísmo al hebreo (qal Prov 22,25; piel, «enseñar», Job 15,5; 33,33; 35, 11; Wagner N. 18).

En hebreo medio y siríaco, el verbo tiene también el sentido débil de «unirse, adherirse» y está relacionado probablemente con el ugarítico *mdl* (J. C. Greenfield, Bibl 45 [1964] 527-534; UT N. 1429; distinto, ya antes, M. H. Goshen-Gottstein, Bibl 41 [1960] 64-66).

Junto al qal, aparecen el factitivo *lmd* piel, «acostumbrar, enseñar» (Jenn, HP 22), y su pasivo pual, «ser acostumbrado, enseñado». Los derivados nominales son: *limmūd,* «dicípulo, alumno»; *malmād,* «aguijada» o parecido (Jue 3,31), y, como extranjerismo tomado del acádico, *talmīd,* «discípulo» (1 Cr 25,8; Wagner N. 326).

2. *lmd* qal aparece en el AT 24 × (Dt 7 ×, Is 5 ×), piel 57 × (Sal 23 ×; Dt 10 ×; Jr 9 ×), pual 5 ×, *limmūd* 6 × (Is 4 ×, Jr 2 ×), *malmād* y *talmīd* una vez cada uno (cf. *sup.,* 1). De los 94 casos de la raíz, 27 corresponden a Sal, 17 a Dt, 15 a Jr, 13 a Is (otros libros 0-3 ×).

3. Todos los pasajes se explican perfectamente a partir del significado base qal, «acostumbrarse, aprender», y piel, «acostumbrar, adiestrar, enseñar». Aunque predomine su empleo en contextos ético-religiosos, existen por lo menos tres ámbitos en los que *lmd* se refiere al aprender-enseñar propio de la vida diaria: 1) el amaestramiento de animales; 2) el adiestramiento para la guerra, y 3) el aprendizaje y ensayo de cantos.

1) A diferencia de *yrh* hifil «instruir, enseñar», que implica siempre una comunicación oral (en Prov 6,13, por medio de gestos) (sobre la delimitación entre *yrh* hifil y *lmd* → *tōrā,* cf. Jenni, HP 119-112), *lmd* aparece también referido a animales (en Jr 2, 24 el texto está corrompido): Jr 31,18, pual, «como becerro no domado»; Os

10,11, pual, Efraín se parece a un «becerro domado, que gusta de la trilla»; cf. también *malmād,* «aguijada» (Jue 3,31, no parece que deba suponerse un significado fundamental, «aguijonear, incitar» o semejantes, cf. Rudolph, HAT 12, 195, contra M. D. Goldman, ABR 1 [1951] 139, y Greenfield, *loc. cit.,* 530, contra G. R. Driver, FS Nötscher [1950] 52). Ez 19,3.6, «(el cachorro) aprendió a desgarrar», se acerca al siguiente grupo.

2) *lmd* aparece en numerosos pasajes en relación con el adiestramiento y ejercicio con las armas de guerra (qal: Is 2,4; Miq 4,3: «no volverán a ejercitarse en la guerra»; 1 Cr 5,18, *lᵉmūdē milḥāmā,* «diestros en la guerra»; piel: Jue 3,2: «para que se ejercitaran en la guerra, cosa que antes no conocían»; 2 Sm 22,35 = Sal 18,35: «el que adiestra mis manos para la guerra»; Sal 144,1: «el que adiestra mis manos para la guerra»; pual: Cant 3, 8: «diestro en la guerra»; distinto, Greenfield, *loc. cit.,* 532s).

3) Un tercer grupo lo constituye el aprendizaje intelectual de los cantos y también su ensayo práctico (piel: Dt 31,19.22, canto de Moisés; 2 Sm 1,18, elegía de David; Jr 9,19, lamentación de las hijas de Sión; Sal 60,1, título del salmo; pual, 1 Cr 25,7: «instruidos en el canto de Yahvé», cf. v. 8, *talmīd).*

Los pasajes de Jeremías, que hablan de un acostumbrarse a la maldad, a la mentira, al culto de Baal, etc. (piel: Jr 2,33; 9,4.13; 12,16; 13,21; *limmūd,* «acostumbrado», 13,23), muestran que *lmd* no se limita a un aprendizaje exclusivamente intelectual. El texto donde más claro tono de escuela recibe *lmd* es Dt 1,4 (los pajes de la corte de Nabucodonosor deben ser instruidos en la escritura y lengua de los caldeos), pero, de todas formas, poco se puede señalar acerca de un enseñar-aprender institucionalizado (cf. el participio sustantivado piel *mᵉlammēd* con el significado «maestro», Sal 119, 99, paralelo a «ancianos» en v. 100; Prov 5,13, paralelo a *mōræ,* participio → *yrh* hifil; además *talmīd,* «discípulo», 1 Cr 25,8, «el entendido *[mēbīn,* → *bīn]* como el alumno»). Además del sabio (Ecl 12,9), es principalmente el padre quien debe enseñar a sus hijos (Dt 4,10; 11,19; cf. 31,13, qal; sobre Cant 8,2, «enseñar», referido a la madre o, en sentido erótico, al novio, cf. Gerleman, BK XVIII, 212, pero también Rudolph, KAT XVII/2, 173).

4. *lmd* qal no goza de especial frecuencia ni en la literatura sapiencial (Prov 30,3 [texto dudoso], «no he aprendido sabiduría»; distinto, Gemser, HAT 16, 102; G. Sauer, *Die Sprüche Agurs* [1963] 99: «y entonces aprendió sabiduría») ni en la predicación profética (Is 1,17: «aprended a hacer el bien»; 26,9.10, justicia; 29,4, inteligencia; Jr 10,2, el camino de los pueblos; 12,16, los caminos de mi pueblo), pero en Dt y en Sal 119 aparece dentro de la serie de verbos que se refieren a la observancia de la ley (aprender a temer a Yahvé: Dt 4,10; 14,23; 17,19; 31,12.13, los mandatos y el derecho: Dt 5,1; semejante, Sal 119,7.71.73; no acostumbrarse a la abominación de los pueblos: Dt 18,9; cf. Sal 106,35: «y aprendieron sus obras»; N. Lohfink, *Das Hauptgebot* [1963] 68.299-302).

lmd piel recibe en una ocasión un empleo teológico estricto: se trata de un texto que recoge antiguos predicados hímnicos de Yahvé, que instruye al rey para la guerra (2 Sm 22,35 = Sal 18,35; Sal 144,1); existen además, en la literatura profética antigua y en algunos salmos, otros textos que presentan a Yahvé como un «maestro» (Is 48,17: «el que te enseña lo que es provechoso»; Jr 32,33.33: «yo los adoctriné antes y después»; Sal 71,17; 94, 10.12; cf. *ʾlp* piel, Job 35,11), al que nadie puede adoctrinar (Is 40,14.14; Job 21,22). También aquí es el Dt, junto con algunos salmos (especialmente Sal 119), el que emplea de forma característica el verbo *lmd* piel —con sujeto humano o divino y con expresiones que se refieren a la voluntad de

Dios como objeto («mandatos y derecho», «temor de Yahvé», «camino», etcétera)—. Moisés, por encargo de Yahvé, enseña a los israelitas los mandatos y el derecho; los israelitas, a su vez, los enseñan a sus hijos (Dt 4,1.5. 10.14; 5,31; 6,1; 11,19; además, Dt 6,7, *šnn* piel, «repetir con insistencia»; cf. 20,18, el rechazo de influencias paganas); en los salmos es Dios quien enseña (Sal 25,4.5.9; 119,12.26.64.66.68. 108.124.135.171; 132,12; 143,10) y más raramente el orante (Sal 34,12, como maestro de sabiduría; 51,15). Finalmente, Esdras aparece como maestro de los mandatos y el derecho (Esd 7,10) y, según el Cronista, Josafat envía maestros de la ley a las ciudades de Judá (2 Cr 17,7.9.9). En el lenguaje sapiencial son más frecuentes *ʾlp* piel (Job 33,13) o → *yr*.

Los límites de la enseñanza humana son vistos sobre todo por los profetas: Is 29,13 pual habla de los «preceptos enseñados por los hombres» y Jeremías, al prometer la nueva alianza y la ley inscrita en el corazón, afirma que la enseñanza que se dan los hombres entre sí será superflua en el tiempo de salvación (Jr 31,34).

K. H. Gengstorf, ThW IV, 428ss, ha explicado el hecho de que en el AT, al referirse a los hombres de Dios, no se hable de una relación entre maestro y discípulo o profesor y alumno. Quizá en el difícil texto de Is 8,16 pueda pensarse que *limmūd*, «discípulo, alumno», designa a los discípulos de un profeta; en todos los demás casos, *limmūd* se refiere directamente a los enseñados por Yahvé (en Is 50, 4.4, el siervo de Dios es presentado como el que habla y oye; 54,13 [texto enmendado] se refiere a los constructores del nuevo Sión).

5. En Qumrán, el término se emplea sobre todo con referencia al ámbito guerrero y de la sabiduría y la escritura (Kuhn, *Konk.*, 111b). Sobre los LXX, el judaísmo tardío y el NT, cf. K. H. Rengstorf, art. μανθάνω: ThW IV, 392-465; *íd.*, art. διδάσκω: ThW II, 138-168; K. Wegenast y L. Coenen, art. *Lehre:* ThBNT II, 852-867.

E. Jenni

לקח *lqḥ* Tomar

1. *lqḥ* pertenece al semítico común, pero en las lenguas más recientes ha sido sustituido por otros verbos (en árabe, *laqiḥa*, «concebir [sexualmente]», y *ʾḫd*, «tomar»; en siríaco, *nsb* y *šql;* sobre el arameo bíblico *nśʾ*, cf. KBL 1101b).

Sobre los testimonios contemporáneos al AT, cf. AHw 544-546 (acádico *leqû);* AHw 537b *(laqāḥu* como cananeísmo en EA 287, 56); WUS N. 1482; UT N. 1396 (ugarítico *lqḥ*, frecuente); DISO 139s *(lqḥ* en fenicio-púnico, moabita, yáudico, cartas de Laquis, arameo antiguo e imperial).

El nifal y el pual (o qal pasivo) tienen el sentido pasivo del qal; además aparece, con significado especial, *lqḥ* hitpael «(ser llevado de aquí para allá =) llamear» (referido al fuego). También los derivados nominales tienen en parte significados especiales: *lǽqaḥ*, «doctrina, comprensión» («recepción», como término propio de la tradición sapiencial); *malqōaḥ*, «botín» (en el lenguaje guerrero); *malqōḥáyim*, «paladar» (dual); *mælqāḥáyim*, «despabiladeras» (dual); *miqqāḥ*, «recepción» *(nomen actionis); maqqāḥōt*, «mercancías» (lenguaje comercial).

2. El modo qal del verbo está documentado 939 × (Gn 137 ×, Ez 79 ×, 1 Sm 74 ×, Nm y 2 Re 70 ×, Jr 63 ×, Ez 62 ×, Lv 56 ×, Dt 45 ×, Jue 43 ×, 2 Sm 34 ×, 1 Re 38 ×, Jos 22 ×, Prov 19 ×, Is 17 ×, Job y 2 Cr 16 ×, 1 Cr 15 ×, Sal 13 ×, Os 9 ×, Zac y Neh 7 ×, Am 6 ×, Est 4 ×, Rut 3 ×, Miq y Sof 2 ×, Jl, Jon, Ag, Mal y Esd 1 ×, ausente en Abd, Nah, Hab, Cant, Ecl, Lam y Dn); tres cuartas partes de los casos pertenecen a libros históricos. Además aparecen: *lqḥ* nifal 10 ×, pual (qal pasivo) 15 ×, hitpael 2 ×; *lǽqaḥ* 9 × (Prov 6 ×, además Dt 32,2; Is 29,24; Job 11,4, en contextos sapienciales), *malqōaḥ* 7 × (Nm 31,11s.26s. 32; Is 49,24s), *malqōḥáyim* 1 × (Sal 22,

16), *mælqāḥáyim* 6 ×, *miqqāḥ* 1 × (2 Cr 19,7), *maqqāḥōt* 1 × (Neh 10,32).

3. *lqḥ* (con acusativo y *bᵉ*) significa primariamente «tomar, coger, agarrar» (con la mano). Los objetos son: bastón (Ex 4,17.20; 17,5; 2 Re 4,29), tablas (Ex 34,4), lanza (Nm 25,7; 2 Sm 18,14), frutos (Dt 1,25), hacha (1 Sm 17,40), alimentos (1 Re 14,3; 17,11), regalos (2 Re 5,5; 8,8.9), bolsa de dinero (Prov 7,20), animales para el sacrificio (Gn 15,9.10; 1 Sm 16,2); distinto, por ejemplo, en Gn 22,6; 32,14; 43,12; Jue 7,8; 1 Sm 16,2; Jr 38,10.11; cf. también pasajes como Gn 8,9: «y alargando la mano, la asió (la paloma; *lqḥ*) y la metió dentro».

Los sinónimos de *lqḥ* en este sentido son catalogados en el artículo destinado a →*ʾḥz* 3; cf. además → *ḥzq* hifil, → *nśʾ* en parte de sus significados, así como los verbos especiales *rdh* II, «tomar (en la mano)» (Jue 14,9.9; Jr 5,31 [?]); *qmṣ*, «tomar un puñado (*qṓmæṣ*)» (Lv 2,2; 5,12; Nm 5,26)*.

b) El verbo recibe el sentido pregnante de «quitar, llevarse, tomar consigo» con los objetos siguientes: bienes (Gn 14,11; 34,28; cf. Jos 7,23; 1 Sm 27,9), bendición (Gn 27,35), hombres (Gn 42,24.36), tierra (Dt 3,8; 29,7; Jue 11,13.15), cadáveres (1 Sm 31,12), vestido (Prov 27,13) y otros más; en sentido guerrero: «conquistar (ciudades, país)» (Nm 21,25; Jos 11,16.19; Am 6,13 y *passim*); cf. también el sustantivo *malqōªḥ*, «botín».

Los verbos análogos son especialmente numerosos; cf. sobre todo, además de → *yrš* y *tpś*, *lkd*, «coger, conquistar» (qal 83 ×, nifal 36 × [incluido Is 8,15, que Lisowsky cuenta entre los casos de qal], hitpael, «adherirse uno a otro», Job 38,30; 41,9; *lækæd*, «cepo», Prov 3,26; *malkṓdæt*, «lazo», Job 18,10); además, *ʾsp*, «recoger, cosechar», en algunos pasajes «quitar» (por ejemplo, Gn 30,23; Jue 18, 25; 1 Sm 14,19; 15,6; Is 4,1; Jr 16,5; Sof 1,2s; Sal 26,9; 85,4; 104,29; Job 34,14); *ʾṣl* qal «(retirar =) quitar» (Nm 11,77.25); *grz* nifal, «ser apartado» (Sal 31,23); *grʿ* qal, «(cortar =) quitar» (Dt 4,2; 13,1), y *ʿh* qal, «quitar (?)» (Is 28,17); *sph* qal, «arrebatar, quitar» (Gn 18,23.24; Dt 29, 18; Is 7,20; Sal 40,15; nifal pasivo 9 ×); más especiales son *gzl* y *ḥtp*, «saquear»; *gnb*, «robar»*.

c) *lqḥ* puede tener también un sentido menos activo: «aceptar (de la mano de alguien), recibir». Los objetos son, entre otros: corderas (Gn 21,30), dinero (Gn 23,13), regalo (Gn 33,10), soborno (Ex 23,8; Dt 10,17; 16,19; Ez 22,12; Sal 15,5), precio de rescate (Nm 35,31.32; Am 5,12), regalo (2 Re 5,15.20), instrucción (Job 22,22), educación (Jr 2,30; 5,30; 7,28; 17,23; 32, 33; 35,13; Sof 3,2.7; Prov 1,3; 8,12); cf. también el sustantivo *miqqāḥ*, «aceptación» (2 Cr 19,7, de soborno).

Como sinónimo debe mencionarse *qbl* piel, «aceptar, recibir» (11 × sólo en textos tardíos; cf. Wagner N. 250).

d) Seguido de acusativo y *lᵉ*, el verbo significa «tomar algo/alguien para/por/como algo»: como esclavos (Gn 43,18; 2 Re 4,1; Job 40,24) como hijas (Est 2,7.15; cf. G. Rinaldi, BeO 9 [1967] 37s; H. Donner, OrAnt 8 [1969] 104s), como esposa (Gn 4, 19; 6,2; 11,29; 12,19; 1 Sm 25,43 y *passim*, elípticamente «casar», Ex 2,1; cf. además Ex 21,10; 34,16; en textos tardíos, →*nśʾ* en lugar de *lqḥ*: Rut 1, 4; Esd 10,44; 2 Cr 11,21; elípticamente, Esd 9,2.12; Neh 13,25 y *passim*; otros conceptos paralelos en W. Plautz, ZAW 76 [1964] 311s).

e) En sentido traslaticio aparecen expresiones como *lqḥ nāqām*/*nᵉqāmā*, «tomar venganza» (Is 47,3; Jr 20,10); *lqḥ ḥærpā*, «cargar con oprobio» (Ez 36,30); *lqḥ ʾªmārīm* (Prov 2,1) o *dābār* (Jr 9,19), «recibir palabras» (Job 4,2, *šḗmæṣ*, «susurro» [?]), cf. además el sustantivo *lǽqaḥ*, «doctrina, lección, comprensión»; *lqḥ tᵉfillā*, «recibir la súplica» (Sal 6,10); *lqḥ lammā́wæt*, «llevar a la muerte» (Prov 24,11); *lqḥ nǽfæš*, «quitar la vida» (Ez 33,6; Jon 4,3; Sal 31,14; Prov 11,30, texto dudoso); *lqḥ*, sin complementos, «arrebatar» (Is 57,13; Jr 15,15; 43,10).

f) En la mayoría de los casos, el verbo es empleado de forma poco específica y sirve —seguido de un segundo verbo— únicamente para introducir una segunda acción más importante. Cf., por ejemplo, Gn 2,15: «Yahvé Dios tomó al hombre y lo colocó en el jardín»; 6,21: «toma toda clase de víveres y haz acopio de ellos»; Gn 9,23; 11,31; 12,5; 16,3; 17,23; 18,7.8; Dt 4,20; 15,17; 2 Sm 17,19; 18,18 y otros muchos pasajes. En ese sentido, *lqḥ* queda a veces elíptico «coger (y traer) = ir a buscar»: Gn 7,2; 18,5; 27,13; 42,16; Ex 25,2; 35,5; 2 Re 2,20 y *passim;* «mandar en busca»: Gn 20,2; 27,45; 1 Sm 7,31; Jr 38,14; 40,2.

4. *a)* Es relativamente raro que Dios aparezca como sujeto del verbo (algo más de 50 ×); la mayoría de los casos corresponde curiosamente a los libros proféticos y poéticos del AT, que, por lo general, emplean el término con mucha menor frecuencia que los libros históricos (cf. *sup.,* 2). El empleo del verbo se agrupa en unos cuantos contextos menores:

1) lenguaje antropomórfico referido a Yahvé (Gn 2,15.21.22);

2) «tomar», en el sentido de «elegir»: Abrahán (Gn 24,7; cf. Jos 24,3), Israel de Egipto (Dt 4,20; cf. Os 11, 3), David (2 Sm 7,8 = 1 Cr 17,7; Sal 78,70), Amós (Am 7,15), Zorobabel (Ag 2,23), levitas (Nm 8,16.18; 18,6); cf. Ex 6,7: «tomar como pueblo», así como Dt 30,4; Is 66,21; Jr 3,14;

3) aceptar sacrificios (Jue 13,23; Sal 50,9; cf. Sal 68,19 y Job 35,7), aceptar oraciones (Sal 6,10);

4) la idea de «quitar» en los anuncios de juicio: mujeres (2 Sm 12,11; Ez 24,16), el reino (1 Re 11,34.35.37; 19,4), trigo y vino (Os 2,11), el rey (Os 13,11), el resto de Judá (Jr 44,12), cf. también Am 9,3;

5) la idea de «quitar» en las palabras de salvación: la copa del vértigo (Is 51,22);

6) en la lamentación: arrebatar (Jr 15,15; cf. Jon 4,3), agarrar para salvar (2 Sm 22,17 = Sal 18,17);

7) como casos particulares deben mencionarse: Yahvé no acepta soborno (Dt 10,17), toma venganza (Is 47,3), manda a buscar un linaje del norte (Jr 25,9), retira su santo espíritu (Sal 51, 13).

b) Debe mencionarse aparte el empleo absoluto de *lqḥ* en el sentido de «arrebatar», en Gn 5,23 (Henoc) y 2 Re 2,3.5 (Elías).

Con el verbo acádico *leqû,* análogo a *lqḥ,* se anuncia en el poema de *Gilgamés* el rapto de Utnapištim (E. Schrader, *Die Keilinschriften und das AT* [[3]1903] 551; B. Meissner, *Babylonien und Assyrien* II [1925] 149); sobre el rapto en el ambiente griego, cf. F. R. Walton, RGG II, 499s.

Se discute si también en Sal 49,16 y 73, 24 debe suponerse el mismo significado (cf. Comentarios; C. Barth, *Die Errettung vom Tode in den individuellen Klage und Dankliedern des AT* [1947] 158-163; distinto V. Maag, *Tod und Jenseits nach dem AT:* STh U 34 [1964] espec. 26ss; von Rad I, 403ss).

Si el nombre personal *Liqḥī* en 1 Cr 7, 19 está escrito correctamente (distinto, Noth, IP N. 818; cf. GB 390b), debería mencionarse aquí y considerarse como forma abreviada de **Leqaḥyā,* «Yahvé ha arrebatado» (KBL 486a).

5. Por lo que respecta al empleo del verbo (y del nombre *læqaḥ* en el significado de «doctrina», 1QS 11,1) en Qumrán, no se señalan características especiales. Sobre λαμβάνειν —correspondiente de *lqḥ* en los LXX y en el NT, en el que se destaca todavía más que en *lqḥ* el aspecto pasivo del verbo («recibir, aceptar»), cf. G. Delling, art. λαμβάνω: ThW IV, 5-16.

H. H. Schmid

מאס *m's* Rechazar

I. 1. Fuera del AT, *m's* aparece también en el área lingüística del hebreo medio y del arameo judaico. El acádico *mašû* (asirio *mašā'u*), «olvidar», debe distinguirse del hebreo *m's* (corresponde al hebreo *nšh,* AHw 631a).

Lo mismo debe decirse también del acádico *mêsu,* «derribar», y *mêšu,* «despreciar» (la escritura constante con *e* excluye la posibilidad de que se trate de un verbo *mediae alef;* cf. GAG § 98a), aunque el significado de *mêšu* coincida en muchos aspectos con *mʾs.*

Sobre los posibles correspondientes árabes *(maʿasa,* «to think little of», y *maʾsun,* «one who rejects advice»), cf. A. Guillaume, Abr-Nahraim 1 (1959) 11; 4 (1963-1964 [1965]) 8.

Además de *mʾs* I, el AT conoce el modo nifal de otra raíz *mʾs (mʾs* II), «pasar» (forma secundaria de *mss).*

2. En el AT está documentado, además del qal, el modo nifal con sentido pasivo «ser rechazado». No existen derivados nominales; como caso único puede citarse el empleo sustantivado del infinitivo absoluto qal en Lam 3,45: «tú nos has convertido en abominación» *(māʾōs* paralelo a *s^{e}ḥī,* «basura, inmundicia»).

II. El verbo *mʾs* aparece en el AT tanto en contextos profanos (Pr) como en contextos teológicos. En el empleo teológico, Yahvé puede aparecer como sujeto (cf. *inf., 2a-h),* pero también puede hacerlo Israel u otra colectividad o persona particular (cf. *sup.* IV/1*a-c),* de forma que puede establecerse una diferencia entre los casos de empleo teológico que tienen a Dios como sujeto (Theol.D) y aquellos en los que el sujeto que rechaza es el hombre (Theol.h) (aunque en ocasiones la línea que divide el empleo Theol y el empleo Pr [profano] no es del todo clara). El esquema de los casos presenta el siguiente cuadro (entre paréntesis son señalados los casos de *mʾs* nifal):

	Pr	*Theol. D*	*Theol. h*	*Total*
Lv	—	1	2	3
Nm	—	—	2	2
Jue	1	—	—	1
1 Sm	—	4	5	9
2 Re	—	2	1	3
Is 1-39	4	—	4	8
Is 40-55	— (1)	1	—	1 (1)
Jr	1 (1)	8	2	11 (1)
Ez	2	—	4	6
Os	—	2	1	3
Am	—	1	1	2
Sal	1 (1)	4	2	7 (1)
Job	7	3	1	11
Prov	1	—	1	2
Lam	—	3	—	3
T. AT	17 (3)	29	26	72 (3)

El caso más antiguo parece ser el de Jue 9,38 (Pr, premonárquico). La distribución de los casos en el AT es bastante regular. Con todo, llama la atención la total ausencia de la raíz en las antiguas fuentes del Pentateuco (Nm 11,20 es un añadido posterior). Debe señalarse su relativa frecuencia en 1 Sm, Is y Jr. Los casos de Job (cf. L. J. Kuypert, VT 9 [1959] 91-94) muestran que el verbo *mʾs* siguió fuertemente arraigado en el lenguaje diario incluso mucho después de haberse impuesto como término teológico.

III. 1. *a)* El verbo puede ser empleado en forma absoluta (Job 42,6, «retractar»), pero normalmente se construye con *b^e* o (todavía más frecuentemente) con simple acusativo. No parece haber ninguna diferencia en cuanto al empleo de ambas posibilidades (cf. GK § 117 uv.119k y BrSynt § 106d).

mʾs pide, a tenor del contexto, traducciones muy distintas. De todos modos, el punto central de su desarrollo semántico reside en el concepto teológico del rechazo. Pero junto a éste se pueden señalar otros sentidos, que corresponden a nuestros «despreciar, menospreciar, desdeñar, repudiar, renunciar, no valorar, no querer, desmentir». La traducción «rechazar», que está determinada por el opuesto «elegir», debe usarse con mucha cautela, incluso en el empleo teológico; *mʾs,* por lo que se refiere al contenido, está poco delimitado —menos aún que → *bḥr*— en cuanto término técnico de un sistema conceptual teológico.

Desde este punto de vista, es significativo el hecho de que los LXX empleen un número extraordinariamente elevado de equivalentes para traducir nuestro término: ἀπωθέομαι, «rechazar, renunciar» (19 ×); ἐξουδενέω y semejantes, «despreciar, considerar como nulo» (16 ×); ἀποδοκιμάζω, «rechazar» (7 ×); ἀπειθέω, «ser desobediente» (4 ×); ἀποποιέμαι, «apartar» (3 ×); además, otros tres verbos con dos casos cada uno y 13 verbos de un caso único.

b) Un cuadro semejante aparece cuando consideramos los conceptos paralelos, los opuestos y otros vocablos del campo lingüístico de *m's,* que sirven para aclarar su sentido.

Los conceptos paralelos son: *g'l,* «detestar» (Lv 26,15.43.44; Jr 14,19), → *n'ṣ,* «desdeñar» (Is 5,24 piel; Jr 33,24 qal); → *t'b* piel, «detestar» (Job 19,19); *nṭš,* «renunciar» (1 Sm 12,22; Is 2,6; Jr 7,29; 12,7; 23,33.39; Sal 78,59s); *bzh,* «despreciar» (1 Sm 15,9, texto enmendado); → *sūr* hifil, «apartar» (2 Re 17,18.23; 23,27); → *prr* hifil *b^erīt,* «romper la alianza» (Lv 26,15; Is 33,8); → *škḥ,* «olvidar» (Os 4,6.6); *znḥ,* «repudiar» (Sal 89,39); → *śn',* «odiar» (Am 5,21); → *šlk* hifil *mipp^enē,* «expulsar de su presencia» (2 Re 17,20).

Los opuestos son: → *bḥr,* «elegir» (1 Sm 16,8; 2 Re 23,27; Is 7,15s; Sal 78,67s; 106,23; Job 34,33); → *r'h,* «escoger» (1 Sm 16,1); → *yd',* «conocer, ocuparse de» (Job 9,21); → *ḥšb,* «atender, observar» (Is 33,8).

Los términos que aparecen en el campo de *m's* son: → *mrh,* «rebelarse» (Ez 5,6); *'br* hitpael *'im,* «estar irritado contra» (Sal 89,39); → *qṣp,* «enojarse» (Lam 5,22); *'šq,* «oprimir» (Job 10,3); *dbr* piel *b^e.* «burlar» (Job 19,18); *qūṣ,* «estar malhumorado» (Is 7,16). «Rechazar» los preceptos de Yahvé equivale a «mostrarse rebelde» *(mrh* hifil) contra las leyes de Yahvé y no caminar por sus mandatos (Ez 5,6; cf. 20,13.16; 2 Re 17,19). Al que rechaza los preceptos de Yahvé se le considera «de dura cerviz» *(qšh* hifil *'ōræf,* 2 Re 17,14s), etc.

c) El variado espectro de posibilidades de empleo deja reconocer que el significado fundamental del término es algo así como «no querer saber nada con»; la construcción del verbo con *b^e* parece ser la original. El concepto verbal incluye un aspecto intensamente afectivo y emocional; se rechaza algo porque uno no puede ni quiere identificarse con ello.

No siempre se indica cuál es la razón de esta postura e incluso muchas veces parece que no existen razones suficientemente claras. De todos modos, debe señalarse el término ἐξουδενέω, que frecuentemente traduce a *m's* en los LXX: se desdeña algo porque se ha llegado a ver que no tiene ningún valor apreciable. La traducción ἀποδοκιμάζω apunta aún más claramente en esta dirección. El verbo simple significa «examinar, probar» (*δόκιμος*, «probado, acreditado, digno de confianza, seguro»); por tanto, el compuesto significa «rechazar después de examinarlo, probar que no es válido» (cf. W. Grundmann, art. δόκιμος: ThW II, 258-264). También esta traducción acierta con el sentido del hebreo *m's;* cf. Sal 118,22; Job 30,1 o Job 19,18. Se elige lo bueno y se rechaza lo malo; el hombre ha debido llegar a una madurez que le permita realizar esta elección que supone una correspondiente capacidad de juicio. Cuando Israel desprecia «la tierra» (Nm 14,31), lo hace porque juzga (falsamente) que el vivir allí comporta excesivos riesgos. Jr 4,30 constituye un claro ejemplo de la intensidad afectiva que comporta el verbo: nadie quiere saber nada con la mujer que ha sido violada; lo mismo puede decirse de Is 54,6: un hombre puede repudiar a su mujer, incluso a la mujer de su juventud, pero no sería comprensible ni natural. Es claro que en este caso se intenta justificar con diversas consideraciones un comportamiento que tiene bases emocionales. Cuando, por otra parte, Gaal desprecia la fuerza militar de Abimélek y su gente (Jue 9, 38), emite un juicio provocado por lo que él quisiera que ocurriese. Job, dada su situación, llega a afirmar que desprecia la vida (Job 7,16; 9,21) y piensa que tiene fundadas razones para hacerlo, pero sus amigos no aceptan el juicio que Job hace de su situación. Jr 6,30 *(kæsæf nim'ās,* es decir, plata que al ser fundida aparece como inservible), en cambio, muestra que el «rechazo» se basa en un juicio fundado y experimentalmente demostrable.

De lo expuesto anteriormente se deduce que el sujeto del verbo *m's* puede considerar el propio sentimiento como criterio suficiente para rechazar a una persona o cosa; pero en otros casos su decisión se basa en determinadas consideraciones fundadas en una norma conocida o en experiencias comprobables. Pero debe reconocerse que a veces se intenta justificar el propio comportamiento emocional y que otras veces un rechazo basado aparentemente en motivos racionales y claros se basa en realidad en motivos emocionales.

2. En el ámbito ético, propio de la concepción sapiencial, el verbo *m's* recibe un empleo especial. Si Job se lamenta de que los niños le desprecian y sus parientes le rechazan (Job 19, 18s), es porque tal actitud choca contra el orden moral del mundo, según el cual los jóvenes deben respetar a los ancianos (cf. 30,1) y los parientes deben ayudarse entre sí. Lo mismo puede decirse por lo que respecta al desprecio del derecho de un siervo o una sierva (31,13). No se puede permitir a cada uno que elija o rechace llevado del propio gusto (Job 34,33); el criterio debe ser la voluntad de Dios (cf. también Job 36,5, texto dudoso). Sólo el malvado deja de rechazar lo que es malo (Sal 36,5); para el que teme a Dios, sin embargo, es abominable todo aquello o aquel que ha sido rechazado (¿por Dios?) (Sal 15,4, texto y sentido discutido), y es despreciable toda ganancia injusta (Is 33,15). El sabio (y el fiel) sabe que su vida será acompañada de éxito (o de bendición) únicamente si se mantiene dentro del orden impuesto; por eso no desprecia el «castigo», sino que se humilla en respetuosa obediencia (*m's*, Prov 15,32). El enseña a sus hijos a no rechazar el castigo del Todopoderoso, pues la corrección que proviene de Dios es salvífica (Prov 3,11; Job 5,17). El hombre debe mostrarse agradecido cuando Dios, por medio del «castigo», lo reconduce al orden.

Israel se mantiene en este punto dentro de la tradición sapiencial del Antiguo Oriente. Véase, por ejemplo, la Teodicea babilónica, líneas 78-81: «Es verdad que tú, dotado de inteligencia, ... rechazas la verdad (*kitta ta-at-ta-du,* de *nadû* Gtn, 'echar') y burlas el orden de Dios, que no deseas en tu corazón guardar los ritos de Dios y des[precias en tu interior] (se suple *temêšu* de *mêšu,* B. Landsberger, ZA 43 [1936] 54) los verdaderos cultos de la diosa». En una inscripción funeraria egipcia se lee: «He obrado la justicia y despreciado la injusticia, he sabido dónde halla (Dios) placer» (F. von Bissing, *Altäg. Lebensweisheit* [1955] 146s), «... yo soy un hombre que ... atiende a la justicia y expulsa la maldad del corazón» *(loc. cit.,* 150); «yo no he hecho lo que Dios desprecia, sino lo que los hombres alaban y lo que alegra a los dioses *(loc. cit.,* 154).

IV. 1. *a)* Los límites entre el desprecio del orden del mundo y el rechazo de la voluntad divina revelada expresamente son muy fluidos, como es lógico. La voluntad de Dios se le presenta al israelita sobre todo en forma de exigencias concretas pronunciadas por alguno de sus representantes, sacerdote o profeta, que afirma pronunciar la instrucción *(tōrā)* o la palabra *(dābār)* de Yahvé. En consecuencia, el *rechazo de la voluntad de Dios* se manifiesta en el desprecio de la instrucción y la palabra. Saúl «rechaza» la palabra de Yahvé tal como le es presentada por Samuel. Oseas acusa al pueblo de «haber rechazado» el conocimiento (Os 4,6; cf. N. Lohfink, Bibl 42 [1961] 303-334, espec. 320ss). Isaías pone precisamente el «rechazo» de la instrucción de Yahvé como fundamento de su anuncio de juicio (Is 5,24, paralelo al desprecio de la palabra del Santo de Israel, entendiendo por instrucción no una determinada ley concreta, sino la palabra profética propia de cada situación). Las alternativas posibles de *m's,* a saber: *'mn* hifil, «tener confianza», y *š'n* nifal *'al,* «apoyarse en» (cf. Is 10, 20), muestran que lo opuesto a *m's* no es la obediencia de la ley, sino la «fe», que constituye la respuesta adecuada a la llamada profética. Cuando Isaías afirma que el pueblo ha despreciado las aguas de Siloé, que fluyen mansamente (Is 8,6), no quiere referirse al desprecio de la palabra profética concreta, sino al rechazo —anunciado en dicha palabra profética— de la promesa divina de salvación para Israel tal como es presentada en la tradición de la indestructibilidad de la ciudad de Dios. Es decir, detrás del no de Israel a la instrucción de Yahvé se halla su no al saber que está seguro en Dios tal como se le ha transmitido.

También Jeremías habla del rechazo de la instrucción de Yahvé, rechazo que sólo puede traer desgracia (Jr 6, 19). Según él, son los «sabios» de su tiempo los autores de este rechazo. El verdadero sabio debería precisamente preguntar por la *tōrā* de Yahvé, pero hay una «sabiduría» basada en la soberbia humana, que cree conocer de antemano dónde está lo bueno y lo malo para el hombre y excluye así el camino para el conocimiento de Dios.

A diferencia de Isaías y Jeremías, Ezequiel habla concretamente del rechazo de los mandatos *(mišpāṭīm,* Ez 5,6; 20,13.16) o preceptos *(ḥuqqōt,* 20, 24). La expresión tiene carácter formulario, lo mismo que las expresiones paralelas («no caminar según los preceptos de Yahvé», 5,6; 20,13.16). El texto de 20,16 muestra cuál es el sentido de esta expresión: se profana el sábado de Yahvé y el corazón de Israel se adhiere a los ídolos (cf. también Lv 26,43). Con esto queda clara la línea legalista de Ezequiel, que le distingue de Isaías. Con todo, debe señalarse que, a pesar de la dureza de sus ataques, Ezequiel no habla nunca del rechazo de Yahvé mismo por parte de su pueblo, y que en la segunda parte de su libro el tema del rechazo está completamente ausente.

b) La teología del Deuteroisaías se caracteriza por la asusencia total del tema del rechazo; el autor dirige todos sus esfuerzos a asegurar y a alegrar a Israel con la fe en su elección (→ *bḥr* IV/3*b*).

Por su parte, el Deuteronomista, que puede considerarse contemporáneo de Ez y DtIs, intenta que Israel tome conciencia de que la catástrofe de 587 no sucedió casual y gratuitamente. La misma instauración de la monarquía, deseada por el pueblo, es interpretada como rechazo de Dios. Ese fue, por así decirlo, el pecado original de Israel (1 Sm 8,7; 10,9, y cf. Os 9,15.17). Esto supone un paso adelante respecto a la antigua tradición, que en 1 Sm 15,23ss hablaba del rechazo de la palabra de Yahvé por parte de Saúl. Debe preguntarse, sin embargo, si la traducción normal «rechazar» no es excesivamente fuerte; no puede tratarse de una absoluta separación de Yahvé (cf. la traducción «menospreciar» en los LXX). También Nm 11,20 emplea *m's* para referirse al menosprecio de Yahvé. En 2 Re 17, tras la caída del reino del Norte, el autor saca las consecuencias del comportamiento de Israel: éste no ha atendido a las advertencias que le han sido dirigidas por medio de los profetas, ha endurecido su cerviz, ha despreciado los mandatos de Yahvé y ha rendido culto a los ídolos (vv. 14ss). Con esto se acerca al punto de vista de Ezequiel. Pero da un paso adelante: según él, la desobediencia se basa en la falta de confianza en Yahvé, y consiste en el rechazo de la alianza que Yahvé ha establecido con los padres. Es decir, él acusa a Israel de haber roto la relación de comunidad que Dios había trabado con Israel. El v. 19 añade anticipadamente que Judá se ha hecho culpable de idéntica falta de lealtad al partner divino de la alianza. También el texto deuteronomístico de Am 2,14 opina que el juicio que ha recaído sobre Judá está basado en el rechazo de la *tōrā* de Yahvé por parte de éste y en su incumplimiento de los mandatos. Aquí *tōrā* no significa —como en Is y Jr— la instrucción profética; aquí, como la frase paralela lo demuestra, el término significa toda la voluntad divina comunicada, es decir, la ley; y aunque el texto no habla de ruptura de la alianza, se refiere, sin embargo, a la violación de las leyes de vida establecidas por Yahvé (sobre la ruptura de la alianza, cf. W. Thiel, VT 20 [1970] 214-229).

c) Es muy notable el hecho de que el empleo Theol.h del verbo *m's* desaparezca casi totalmente con el deuteronomista. Unicamente Nm 14,31 y, dependiente del anterior, Sal 10,6 (v. 24), afirman que Israel ha despreciado la tierra, actitud que implica falta de confianza en Yahvé. Pero esto es historia pasada. Aquella generación recibió el castigo que, sin duda, merecía, pero sus descendientes han obtenido misericordia; aquellos malos tiempos son evocados precisamente para alabar las grandes y maravillosas gestas de Yahvé (Sal 106,2) y afianzarse en la validez de la alianza. Naturalmente, también el Israel de la época posexílica es consciente de sus infidelidades para con Dios, pero no se atreve a interpretar su desobediencia como si fuera un rechazo de la ley y del mismo Dios. La desaparición de *m's* hasta de las acusaciones menos fundamentales debe tener su explicación en el hecho de que el verbo se ha convertido cada vez más claramente en un concepto teológico pregnante, que incluye la negación de Yahvé. Un comportamiento de Israel que puede ser valorado con tan grave término debía provocar cada vez, por parte de Dios, el rechazo de su pueblo. La comunidad posexílica, por el contrario, era consciente de su elección y se sabía segura en su Dios.

2. *a)* Cuando Samuel ve a Eliab, hijo de Jesé, le dice Yahvé: «No lo quiero». También de los siguientes hermanos de Eliab afirma Yahvé: «Tampoco a éste lo he elegido» (1 Sm 16, 7ss). Aquí *m's* no puede ser traducido como «rechazar», pues el vocablo tiene claramente el sentido de «no elegir». Se puede rechazar únicamente al que antes se ha elegido. Este es también el sentido de *m's* en Jue 2,37; la frase no debe traducirse como normalmente se hace: «Yahvé ha rechazado a aquellos en quien confías»; la traducción correcta es «no los ha elegido».

b) Pero eso son casos aislados. Por lo general, en los casos de empleo teológico con *Dios* como *sujeto* la traducción «rechazar» es la más apropiada, ya que el objeto del verbo es un elegido de Yahvé, sea el rey, el pueblo o una persona particular. Por eso no puede extrañar que, así como el tema de la elección del rey constituye motivo dominante en Israel, así también su rechazo sea tema preponderante. Se ve ya en 1 Sm 15, que pertenece a la tradición de Saúl: «porque has rechazado la palabra de Yahvé, él te rechaza para que no seas rey» (v. 23; cf. también el pasaje tardío 16,1). Según eso, se presupone que Saúl había sido elegido. Debe señalarse, ya desde el principio, que cuando Dios rechaza a alguien no se debe a simple arbitrariedad divina; la acción de rechazar no se basa en último análisis en la libertad de Yahvé, como sucede con la elección. Es, más bien, una respuesta a la defección del rey. Esta no consiste en absoluto en la falta de éxito político-militar —1 Sm 15 pretende, más bien, narrar una considerable victoria de Saúl—; el rechazo de Saúl es consecuencia de un acto concreto de desobediencia. Es decir, el criterio para juzgar a un rey no es el éxito o el fracaso, sino el respeto del derecho divino, cuyo abogado es Samuel. El narrador no se para a explicar cómo puede suceder que un elegido de Dios sea infiel a éste, pero es claro que, según él, la elección no comporta un *character indelebilis,* que se mantendría válido aun cuando el elegido se portara indebidamente.

c) Por lo que respecta a la casa de David, apenas si se menciona la posibilidad del rechazo. Aquí cuenta la nueva estructura de la monarquía jerosolimitana, es decir, el hecho de que se trate de una monarquía hereditaria. Sólo en un caso —Sal 89,39s— parece sonar un no de Yahvé dirigido a la casa de David: «mas, con todo, has despreciado *(znḥ)* y rechazado *(m's),* te has enfurecido *('br)* contra tu ungido, has desechado la alianza con tu siervo». Este salmo fue compuesto sin duda en una época en que la casa de David se hallaba muy debilitada. Y esta situación de hecho ha debido llevar a la conclusión de que la relación entre la monarquía y Yahvé ha sido alterada. Pero esto no significa que el ungido de Yahvé haya perdido su situación de privilegio a causa de su infidelidad. La alianza de David es una alianza «perpetua» (vv. 5. 29s), la gracia de Yahvé vale «para siempre», su fidelidad está asentada en los cielos (v. 3). Por eso los vv. 39s no pueden significar de ningún modo la revocación de la elección y no debe extrañar el hecho de que el salmo termine con la súplica a Yahvé de que se acuerde del ultraje de su siervo.

Así como en Sal 89 se habla del «rechazo» del rey por parte de Dios, así también puede hablarse en el ambiente que rodea a Israel de que Dios se ha apartado de un señor, junto con la súplica de que vuelva a acogerlo. Así, por ejemplo, en una lamentación, Asurnasirpal I ruega a Istar: «Mírame, señora, pues por tu alejamiento puede entristecerse el corazón de tu siervo». Y, así como en Sal 89 se recuerda la elección de David, así también el rey asirio recuerda su posición ante la diosa: «Yo soy Asurnasirpal, tu afligido siervo, el humilde, el que teme a tu divinidad, el prudente, tu predilecto...» (SAHG 265).

Esta concepción jerosolimitana está, pues, en fuerte tensión con la tradición de Saúl y con las voces proféticas del AT, que someten la monarquía a dura crítica, si es que no la privan totalmente de su legitimación divina (cf. Os 8,4).

d) Aunque el *Deuteronomio* habla frecuentemente de la elección de Israel (→ *bḥr* IV/*2b),* no habla, sin embargo, del rechazo. El autor pretende que Israel saque las consecuencias necesarias de su carácter de elegido y con ello realice en plenitud dicha elección. La eliminación de la elección es algo que queda fuera de su punto de vista. Prevé la posibilidad de duros castigos para el caso de desobediencia (cf. las amenazas de maldición de Dt 28,16ss), pero sin llegar a sacar la aparentemente inevitable consecuencia de que Yahvé puede llegar a destruir la alianza. Israel es el pueblo de Yahvé y no puede llegar un día a no serlo. De todos modos, la prácticamente contemporánea Ley de Santidad no tiene reparos en amenazar con esta posibilidad: «... si despreciáis mis preceptos y rechazáis mis mandatos ... rompiendo mi alianza, también yo haré lo mismo con vosotros» (Lv 26,15s). Esto corresponde totalmente a la lógica del esquema de la alianza, dentro del cual está inserta la legislación veterotestamentaria: si una parte se muestra desleal, la alianza queda «rota». Aquí no se mantiene la tensión existente entre la teología de la alianza y la teología de la elección, sino que se abandona a favor de la coherencia interna del tema de la alianza.

e) Los *profetas preexílicos* evitan por lo general el tema de la elección. Pero está fuera de duda que para ellos Israel es el pueblo elegido de Yahvé. Por eso también ellos pueden referirse al tema del rechazo. Amós, para quien la elección de Israel se ha hecho problemática (cf., por ejemplo, Am 9,7), afirma que Yahvé desprecia las fiestas de Israel (5,11). Pero no es casual que no anuncie el rechazo de Israel como abrogación de la elección. Oseas, por el contrario, amenaza con el rechazo de los sacerdotes (Os 4,6), ya que éstos a su vez han rechazado el «conocimiento». Y en 9,17 habla *expressis verbis* del rechazo de Efraín. Quizá ha sido el recuerdo de Saúl, que está presente en el precedente v. 15, el que le ha traído a la boca el vocablo *m's.* La afirmación recibe un énfasis especial por el hecho de que Oseas no habla de Yahvé ni de «vuestro» Dios, sino de «mi» Dios (cf. 1,9, «no-mi-pueblo»). Pero el mensaje total de Oseas muestra que este rechazo no significa el fin radical de la relación entre Yahvé e Israel (cf. 11,8 y Rudolph, KAT XIII/1, 189). Tampoco aquí puede ser *m's* el opuesto lógico exacto de *bḥr.* Isaías acusa a Israel de haber rechazado la palabra profética, como hemos indicado anteriormente. Pero no saca las consecuencias hasta llegar a hablar del rechazo de Israel (o de la casa de David). Por lo que respecta a Jr 7,29, no es seguro si pertenece al profeta mismo o pertenece a la elaboración deuteronomística (cf. también 7,15). En 14,19 no hay duda de que es el mismo Jeremías el que pone en boca del pueblo la siguiente lamentación: «¿es que has desechado a Judá?, ¿se ha hastiado de Sión tu alma?». El texto es expresión de esa piedad cúltica de la que hemos hecho mención anteriormente tratando de Sal 89, para la cual resulta inconcebible que Yahvé pueda tener razones válidas para desligarse de Israel. Esta no es evidentemente la opinión del propio Jeremías. Pero por tajante que pueda sonar en 15,1-4 su respuesta a la lamentación del pueblo, no llega a negar explícitamente la fe en la elección de Israel. Pero queda todavía el texto de 6,30: «serán llamados plata de desecho, porque Yahvé los ha rechazado». No debe, sin embargo, supravalorarse teológicamente este pasaje: «desechar» significa indudablemente entregar a juicio, pero no indica la eliminación definitiva de la historia que une a Yahvé y su pueblo.

f) Un ulterior punto de vista es el representado por el autor del salmo histórico 78. Dicho autor afronta la dura realidad de que el reino del Norte ha llegado ya a su fin: «(Dios) desechó totalmente a Sión, abandonó *(ntš)* su morada de Siló» (vv. 59s). En el v. 67 se repite la afirmación: «Desechó la tienda de José», pero interpreta —con plena conciencia— lo difícil que resulta la afirmación: «no eligió a la tribu de Efraín». La elección alcanza en realidad sólo a Judá, a Sión y al siervo de Yahvé, David (vv. 68-72). Por cuestionable que pueda resultar esta hipótesis, refleja la convicción del autor de que es inconcebible que Yahvé invalide la elección.

Al autor de Sal 78 le resulta fácil renunciar o negar la elección del reino del Norte, teniendo en cuenta que él puede considerar a Judá —que acaba de salir airoso de la amenaza asiria— como el verdadero Israel a quien se dirigen todas las promesas de Dios. Pero *después del 587* la fe israelita en la elección debe afrontar también la ruina de Judá como Estado, la destrucción del templo y la caída de la dinastía davídica. En los cánticos de lamentación se interpela a Yahvé en los siguientes términos: «nos has convertido en basura y abyección en medio de los pueblos» (Lam 3,45). Y como conclusión de la pequeña composición suena la siguiente pregunta: «¿o es que nos has desechado totalmente y te has irritado contra nosotros sin medida?» (5,22). Pero, en definitiva, el autor de las lamentaciones se mantiene dentro de la tradición cultural de Jerusalén y sabe que es imposible que se dé de verdad tal rechazo.

Ya en una oración sumeria suena una lamentación semejante: la monarquía ha sido expulsada de la tierra, su rostro ha sido llevado a suelo hostil, y de acuerdo con la orden de An y Enlil han dejado de existir «la ley y el orden», y todo esto se debe a que los dioses han retirado su favor de la tierra de Sumer (cf. ANET 612, líneas 19ss).

Con mucha mayor decisión pone el deuteronomista en cuestión lo que antes era seguro para la fe. Yahvé ha rechazado todo el linaje de Israel y lo ha expulsado de ante su faz (2 Re 17, 20). En 2 Re 23,27 interpreta todavía con mayor precisión los acontecimientos del 587: «también a Judá apartaré de mi presencia, como he apartado a Israel, y rechazaré a esta ciudad que había elegido...». Con esto parece que su actuación con respecto a Israel ha quedado definitivamente clausurada. Y para muchos intérpretes éste sería precisamente el sentido de la obra deuteronomística: mostrar que este final era necesario, ya que se había agotado hasta el límite la paciencia de Yahvé. Pero esta afirmación no parece correcta (→ *bḥr* IV/*3a);* el deuteronomista pretende crear una nueva mentalidad que sea consciente de la dureza del juicio pasado y reconozca su necesidad.

Lv 26,44 señala expresamente que este juicio no debe entenderse como un abandono a la aniquilación. No se puede hablar de una disolución de la alianza. Con mayor énfasis todavía afirman algunas secciones secundarias del libro de Jeremías que Yahvé no rechazará a Israel (Jr 31,37). El autor del quizá aún más tardío pasaje 33,23ss se opone con energía a la opinión difundida en el pueblo, según la cual Dios había abandonado los dos linajes que había elegido, y defiende que también el linaje de David sigue estando bajo el signo de la elección. Israel, que se había vuelto inseguro de sí mismo tras las catástrofes del 721 y 587, ha vuelto a encontrar la convicción de que es guiado por su Dios.

En este sentido, Deuteroisaías ha aportado una considerable contribución. No sólo señala con insistencia que Israel/Jacob es elegido y siervo de Yahvé (cf. H. Wildberger, *Die Neuinterpretation des Erwählungsglaubens Israels in der Krise der Exilszeit,* FS Eichrodt [1970] 307-324), sino que subraya: «no te he rechazado» (Is 41, 9). Es más, recuerda la imposibilidad interna de que Yahvé rechace a su pueblo, como lo indica la siguiente imagen: «¿la mujer de tu juventud puede ser repudiada? —dice el Señor» (54, 6). Israel se parece, es cierto, a una mujer abandonada y profundamente afligida, podría incluso hablarse de viudez (v. 4), pero no ha sido rechazado (sobre esta imagen, cf. Jr 2,2).

h) En la *época posexílica* tampoco aparece apenas la idea del rechazo de Israel por parte de Dios en el horizonte de los testimonios veterotestamentarios. Una vez superada la grave crisis que supone la catástrofe de Judá, la fe en la elección de Israel constituye una convicción segura y sólida; ésta no vacila por agravada que aparezca la relación de Israel con su Dios. De todos modos, en esta época se ha verificado una cierta individualización de la fe en la elección (→ *bḥr* IV/4*c),* que puede experimentarse también en las afirmaciones sobre el rechazo. En los textos antiguos no se hablaba nunca, si exceptuamos el caso del rey, del rechazo de una persona concreta. A lo más en las lamentaciones, tal como se recitaban en el culto del templo, podría hablarse del rechazo de los impíos. En Sal 53,6 se lee que los perversos fueron destruidos porque Yahvé los ha rechazado (el Sal 14 —idéntico al Sal 53— no habla de ello; parece que data de época anterior). También Sal 15,4 da a entender que en el culto de la comunidad se hablaba de rechazados. Por desgracia, el texto es inseguro, igual que en Job 36,5; probablemente debe traducirse: «mira, Dios rechaza a los obstinados» (cf. Comentarios), con lo cual tendríamos un testimonio ulterior de que las personas individuales pueden ser consideradas como rechazadas por Dios a causa de su comportamiento. Job 10,3 sigue de cerca la formulación de las oraciones cúlticas cuando se lamenta: «¿acaso te está bien mostrarte duro, menospreciar la obra de tus manos y avalar el plan de los malvados?». El material existente muestra que cuando no se reflexiona a fondo sobre la elección de Israel, surge la cuestión sobre la identidad de Israel y junto con ésta la cuestión sobre la pertenencia al pueblo de Dios o al menos se plantea con nueva insistencia.

Según lo indicado anteriormente, junto a la fe en su elección Israel ha tomado en serio la posibilidad del rechazo y en ocasiones ha contado con ella. Pero nunca se ha considerado como un acto de arbitrariedad divina, sino únicamente como respuesta a la ruptura de la relación de lealtad que unía a los suyos con él. La idea de que el rechazo pueda ser un alejamiento definitivo de la esfera cercana a Yahvé aparece en contextos muy marginados y es superada por la conciencia de la lealtad de Yahvé y la «eternidad» de su gracia. Por eso, aunque se amenace con el rechazo o se constate su existencia de hecho, no se entiende como el final absoluto de Israel, sino como su abandono a un duro juicio. Así, Lv 26, 44 puede afirmar: «a pesar de todo, cuando estén ellos en tierra enemiga no los desecharé ni los aborreceré hasta su total exterminio, anulando mi alianza con ellos, porque yo soy Yahvé, su Dios». Las afirmaciones de rechazo no son en definitiva afirmaciones sobre la eliminación de la elección, sino que deben entenderse como intentos necesarios de evitar que se deduzcan falsas consecuencias de la idea de elección. La elección no hace al pueblo de Dios intocable e inalcanzable por el juicio divino; al contrario, exige con máxima insistencia confianza, obediencia y amor.

V. 1. En la literatura qumránica llama la atención la especial frecuencia del empleo Theol.h (15 de los 19 casos señalados en Kuhn, *Konk.*, 113s). Como objeto aparecen sobre todo términos equivalentes a «ley», «alianza» o semejantes. Aquí, lo mismo que en el empleo Theol.D (en 1Q 34bis 3, II, 4s, Dios rechaza a los que antes había elegido; cf. F. Nötscher, BZ 3 [1959] 225; 1QS 1,4), las afirmaciones sobre la elección o el rechazo de particulares reflejan la lucha por determinar con precisión los límites de la comunidad de Qumrán como verdadero pueblo de Dios. Se debe amar lo que él elige y odiar lo que él rechaza (1QS 1,4).

2. De los equivalentes de *m's* en los LXX (cf. *sup.* III/1*a)*, en el NT aparece 11 ×: ἐξουθενέω (más 1 × de ἐξουδενέω); ἀποδοκιμάζω es empleado 9 ×. En 6 de estos casos se habla —con referencia a Sal 18,22 (la piedra angular = Cristo)— del rechazo del hijo de Hombre. En Hebr 12, 17 se recoge y refuerza la idea del pasaje veterotestamentario, Mal 2,1, y se designa a Esaú como rechazado. Cf. H. Gross, art. *Verwerfung:* BLex ^{2}1845s.

H. Wildberger

מות *mūt* Morir

1. La raíz *mūt*, «morir», pertenece al semítico común (Bergstr., *Einf.*, 185; P. Fronzaroli, AANLR VIII/19 [1964] 249.263) y tiene correspondientes en egipcio. No existe una etimología convincente.

El verbo presenta en hebreo los modos qal, polel e hifil (con el pasivo hofal) con el sentido de «matar». Del verbo se han derivado tres abstractos verbales: en primer lugar, **mawt-* > *māwæt,* «muerte», segolado del tipo *qatl;* después, el femenino prefijado *t^emūtā,* «muerte» (Barth, 300) y el *plurale tantum m^emōtīm,* «muerte; muerto».

2. Resulta difícil hacer un recuento exacto de casos, ya que es imposible en muchas ocasiones diferenciar el verbo (en infinitivo) del nombre (estado constructo). Nosotros seguimos la opinión de Lisowsky, que —a diferencia de Mandelkern— atribuye 12 casos a *mūt* qal en lugar de a *māwæt;* por el contrario, los 72 casos del participio sustantivado qal *mēt,* «muerto», que Lisowsky considera aparte, son asignados por nosotros al verbo (incluido Sal 55,16 Q; excluido *'al(-)mūt* en Sal 9,1 y 48,15; Prov 19,16 Q es contado como qal, no como hifil, según K). Incluido el único caso del arameo bíblico en Esd 7,26, *mōt,* «muerte», suma un total de 1.000 casos (en el apartado «otros» se incluyen: *t^emūtā,* Sal 79,11; 102,21; *m^emōtīm,* Jr 16,4; Ez 28,8):

	qal	*polel*	*hifil*	*hofal*	*māwæt*	*Otros*	*Total*
Gn	73	—	5	1	6	—	85
Ex	44	—	5	10	1	—	60
Lv	27	—	1	15	1	—	44
Nm	67	—	6	10	5	—	88
Dt	35	—	4	7	9	—	55
Jos	8	—	2	1	3	—	14
Jue	30	1	6	2	4	—	43
1 Sm	32	2	21	4	6	—	65
2 Sm	54	3	14	3	9	—	83
1 Re	38	—	18	1	3	—	60
2 Re	34	—	15	8	5	—	62
Is	18	—	3	—	8	—	29
Jr	30	1	15	1	13	1	61
Ez	42	—	1	1	5	1	50
Os	1	—	2	—	2	—	5
Jl	—	—	—	—	—	—	—
Am	5	—	—	—	—	—	5
Abd	—	—	—	—	—	—	—
Jon	1	—	—	—	3	—	4
Miq	—	—	—	—	—	—	—
Nah	—	—	—	—	—	—	—
Hab	1	—	—	—	1	—	2
Sof	—	—	—	—	—	—	—
Ag	—	—	—	—	—	—	—
Zac	2	—	—	—	—	—	2
Mal	—	—	—	—	—	—	—

	qal	*polel*	*hifil*	*hofal*	*māwæt*	*Otros*	*Total*
Sal	10	2	3	—	22	2	39
Job	13	—	3	—	8	—	24
Prov	6	—	2	—	19	—	27
Rut	10	—	—	—	2	—	12
Cant	—	—	—	—	1	—	1
Ecl	11	—	—	—	4	—	15
Lam	1	—	—	—	1	—	2
Est	—	—	1	—	1	—	2
Dn	—	—	—	—	—	—	—
Esd	—	—	—	—	1[a]	—	1
Neh	—	—	—	—	—	—	—
1 Cr	22	—	3	—	2	—	27
2 Cr	15	—	8	4	6	—	33
T. AT	630	9	138	68	150	4	1.000

[a] Arameo.

3. *a)* El ámbito semántico de *mūt* qal, «morir», es más limitado y restringido que el de sus correspondientes en acádico y en las lenguas modernas. «Morir» en el AT se afirma en primer lugar del hombre; además, en 20 × se refiere a animales (por ejemplo, Gn 33,13; Ex 7,18.21; 22,9). Sólo en una ocasión se aplica la idea de morir al mundo vegetal y no con referencia a la flor o al ramaje, sino al tronco (Job 14,8). Es raro en el AT el empleo traslaticio del verbo *mūt* (Gn 47,19, campo; Job 12,2, sabiduría). En el AT no se designa nunca como «morir» la invalidación de un documento, como ocurre en acádico (AHw 635a); tampoco se aplica a otros ámbitos de la naturaleza (fuego, color, luz) o a manifestaciones acústicas (habla, canto, sonido), a diferencia de lo que ocurre en tiempos más recientes. Un caso aislado es el de 1 Sm 25,37: «el corazón de Nabal murió»; esta expresión hiperbólica describe el pánico mortal; cf. el empleo correspondiente de «vivir» en Gn 45,27; Jue 15,19.

Como verbo semejante puede citarse *gwʿ* qal —que en el hebreo tardío va haciéndose cada vez más frecuente— (24 ×; 12 × en P, en Gn, Nm y Jos 22,20; 8 × en Job; además, Zac 3,8; Sal 88,16; 104,29; Lam 1,19); este verbo aparece algunas veces junto a *mūt,* pero tiene un sentido más limitado. Designa primariamente la muerte violenta, «perecer», bien por accidente o como consecuencia de determinadas privaciones o semejantes (cf. también B. Alfrink, OTS 5 [1948] 123; G. R. Driver, JSS 7 [1962] 15-17). Otras descripciones eufemísticas de la muerte son «unirse (*ʾsp* nifal) a sus padres/ parientes» (→ *ʾab* III/2*a,* IV/2*a)* y «marcharse» (→ *hlk* 3*a).*

b) De los dos modos verbales causativos, el modo polel presenta un sentido especial: dar el último golpe, el golpe de gracia, a un moribundo o a un herido de muerte.

La idea de «matar» se expresa normalmente por medio del hifil. Es raro que éste sea empleado en forma absoluta: tres veces es empleado en la expresión «matar y dar la vida» (Dt 32, 39; 1 Sm 2,6; 2 Re 5,7, siempre con Yahvé como sujeto) y otra vez en Job 9,23. El objeto es por lo general personal (hombres o animales) y entonces el verbo es empleado en sentido estricto. Es raro que aparezcan como sujeto cosas o entidades abstractas (que ocasionan la muerte): el «arca» (1 Sm 5,11), el «látigo» (Job 9,23), la «ira» (Job 3,2), la «codicia» (Prov 21,15) y también —cuatro veces— un animal: un «buey» (Ex 21,29) y el «león» (1 Re 13,24.26; 2 Re 17,26). Cuando el sujeto es personal, *mūt* hifil significa «matar» en su acepción más amplia, incluyendo la muerte de guerra y la judicial (por ejemplo, Jos 10,26; 11, 17; 2 Sm 8,2; 2 Re 14,6).

El intransitivo *mūt* qal no tiene muchos vocablos de significado semejante; *mūt* hifil, en cambio, tiene muchas expresiones sinónimas cercanas. El término más vecino, desde un punto de vista semántico, es *hrg* (qal 162 ×, de de ellas, Gn y Jue 16 ×, 2 Cr 12 ×, Ex, Nm, 1 Re 11 × (en Lisowsky falta 1 Re 19,14]; nifal 3 ×, pual 2 ×; *hæræg* y *hᵃrēgā,* «muertos», 5 ×), aunque éste apunta más hacia el matar como acción violenta y cruenta (cf. Is 14,30). El verbo *rṣḥ* (40 × en qal; de ellas, 33 × corresponden a las normas sobre las ciudades de asilo, concretamente 20 × en Nm 35, 8 × en Jos 20-21 y Dt 4,42.42; 19,3.4.6; los demás casos corresponden al decálogo: Ex 20,13; Dt 5,17 —cf. Jr 7,9; Os 4, 2— y a Dt 22,26; 1 Re 21,19; Job 24, 14; nifal 2 ×, piel 5 ×, *ræṣaḥ,* «asesinato», 2 ×) incluye un matiz de censura moral y religiosa (matar como acción mala; cf. J. J. Stamm, ThZ 1 [1945] 81-90), que *mūt* hifil de por sí no incluye.

Raramente y sólo en textos tardíos aparece el arameísmo *qṭl,* «matar» (qal, Sal 139, 19; Job 13,15; 24,14; *qæṭæl,* «asesinato», Abd 9), que es el verbo empleado normalmente en arameo bíblico para la idea de «matar» (qal, Dn 5,19.30; 7,11; pael, Dn 2,14; 3,22; hitpael, Dn 2,13.13).

Más clara es aún la diferencia con respecto a *nkh* hifil, «golpear», que aparece con frecuencia junto a *mūt* hifil y significa no tanto la muerte cuanto la acción que lleva a la muerte (Jos 10,26; 11,17; 2 Sm 4,7; 18,15; 21,17; 1 Re 16,10; 2 Re 15, 10.30).

Sobre la expresión *mōt-yūmat,* «será condenado a muerte» *(mūt* hofal), en las series de leyes, cf. Alt, KS I, 308-313; V. Wagner, OLZ 63 (1968) 325-328; H. Schulz, *Das Todesrecht im AT* (1969).

c) El sustantivo *mǽwæt* significa «muerte» en el doble sentido (morir y ser matado), sea por causa natural o violentamente; aparece con relativa frecuencia en expresa contraposición con la vida (Dt 30,19; 2 Sm 15,21; Jr 8, 3; Jon 4,3.8; Sal 89,49; Prov 18,21).

Una cierta concretización del término se da sobre todo en el lenguaje poético, pero siempre dentro de estrechos límites. Por lo que respecta a la personificación de la muerte, sólo hay escasos indicios, a saber: expresiones como «primogénito de la muerte» (Job 18, 13), «establecer un pacto *(berīt)* con la muerte» (Is 28,15.18). En algunos textos aparecen expresiones que atribuyen a la muerte una referencia espacial: «puertas de la muerte» (Sal 9, 14; 107,18; Job 38,17), «camino de la muerte» (Jr 21,8; Prov 14,12 = 16, 25; cf. el acádico *uruḫ mūti),* «cámara de la muerte» (Prov 7,27). En dichos pasajes, *mắwæt* aparece claramente en lugar de → *še'ōl;* cf. *ḥadrē še'ōl,* «cámaras del reino de los muertos», 1QH 10,34; además, 2 Sm 22,6; Is 28,15; Os 13,14; Sal 6,6; 22,16; Job 30,23, donde *mắwæt* es también equivalente a *še'ōl* (cf. C. Barth, *Die Errettung vom Tode in den individuellen Klage- und Dankliedern des AT* [1947] 89). Debe señalarse que faltan por completo atributos personificadores, por ejemplo, referencias a la corporalidad, armamentos, etc., ausencia que llama la atención si tenemos en cuenta el audaz lenguaje de los textos acádicos y ugaríticos (el ugarítico Mot es un dios que mata a Baal y luego es matado por Anat). Los pocos textos que apuntan hacia una visualización de la muerte se basan únicamente en afirmaciones predicativas y se limitan casi exclusivamente a las acciones y a la actividad de la muerte (Jr 9,20; Sal 49,15; Job 28,22).

En sentido débil, *mắwæt* aparece algunas veces con simple función enfática, por ejemplo, «impaciente hasta la muerte» (Jue 16,16; cf. D. W. Thomas, VT 3 [1953] 219ss; S. Rin, VT 9 [1959] 324s; D. W. Thomas, VT 18 [1968] 123).

4. Aunque el ámbito del significado del concepto «muerte» es de una importancia teológica extraordinaria, no se puede hablar de un empleo teológico especial y no es posible establecer diferencias entre empleo profano y teológico. Entre las teologías veterotestamentarias, cf. especialmente von Rad, I, 288.290.399-403.417-420; además, G. Quell, *Die Auffassung des Todes in Israel* (1925); L. Wächter, *Der Tod im AT* (1967) (que aborda extensa y detalladamente la postura humana ante la muerte y su valoración religiosa, con referencia también al ambiente del antiguo Oriente).

5. Sobre los conceptos «morir» o «muerte» en el judaísmo y en el NT, cf. J. Lindblom, *Das ewige Leben. Eine Studie über die Entsstehung der religiösen Lebensidee im NT* (1914); R. Bultmann, art. θάνατος: ThW III, 7-25.

G. Gerleman

מַיִם *máyim* **Agua** → תְּהוֹם *t^ehōm*

מלא *ml'* Estar lleno, llenar

1. La raíz *ml'*, «estar lleno, llenar», pertenece al semítico común. Está documentada en toda el área lingüística semítica: acádico (AHw 597-599), ugarítico (WUS N. 1568; UT N. 1479), fenicio, yáudico, arameo (DISO 151; KBL 1093), siríaco (LS 388-390), árabe, etiópico (Bergstr., *Einf.*, 190).

En el AT aparecen, además del verbo (qal, nifal, piel, pual y hitpael), el adjetivo *mālē'*, «lleno», y los sustantivos *m^elō'*, «plenitud»; *m^elē'ā*, «pleno rendimiento»; *millū'ā*/*millū'īm*, «revestimiento (con piedras)» (pertenece a *ml'* piel en sentido técnico); *millū'īm*, «inauguración» (de *ml'* piel *yād*, «consagrar», cf. *inf.*, 4); *millē't*, «abundancia» (cf. Gerleman, BK XVIII, 174); *millō'*, «terraplén, acrópolis» (sobre esta discutida expresión arqueológica, cf. BRL 7; G. Sauer, BHH II, 1217s; Noth, BK IX/1, 219s). Debe añadirse el nombre personal *Yimlā(')* («[Dios] dé plenitud», Noth, IP 246).

En arameo bíblico están documentados *ml'* qal, «llenar» (Dn 2,35), y hitpael, «ser llenado» (Dn 3,19).

2. El verbo aparece 246 × en el AT hebreo: qal 97 × (por lo que se refiere a su delimitación con respecto al adjetivo *mālē'*, seguimos a Lisowsky; Jr 51,11 es considerado —contra Lisowsky— como qal y no como piel; Is 14 ×, Jr y Ez 11 ×, Sal 9 ×, Gn 8 ×), nifal 36 ×, piel 111 × (incluido Job 8,21 con la forma secundaria *mlh;* Ex 15 ×, Jr, Ez y Sal 9 ×, 1 Re y Job 8 ×), pual 1 × (Cant 5,14), hitpael 1 × (Job 16,10).

Los sustantivos aparecen: *mālē'* 67 × (Nm 25 ×, Jr y Ez 6 ×), *m^elō'* 38 × (Is, Ez y Sal 5 ×), *m^elē'ā* 3 ×, *millū'ā* 3 ×, *millū'īm* 15 ×, *millē't* 1 ×, *millō'* 10 ×; la raíz aparece en total 383 ×, más otras 2 × en el arameo bíblico (cf. *sup.)*.

3. *a)* De acuerdo con el empleo propio y traslaticio de la raíz, un espacio puede ser llenado de toda clase de cosas en sentido propio o metafórico: por ejemplo, el agua del mar, de animales (Gn 1,22), o el país, de violencia (Gn 6,13). En qal, lo mismo que en otras lenguas semíticas, el verbo puede tener sentido transitivo, pero normalmente es empleado como intransitivo (aquello de lo que algo está lleno va en acusativo, cf. BrSynt 80). En sentido transitivo le sigue el acusativo de complemento directo (por ejemplo, Ex 40,34s; Jr 51,11; Ez 8,17) con o sin la partícula *'et.* Sobre las particularidades de los diversos modos de empleo, cf. los diccionarios.

b) En sentido transitivo, el verbo recibe con preferencia un sentido técnico, militar o cúltico (cf. *inf.*, 4*a).* Así, en Jr 51,11, «llenad los escudos», tiene un sentido militar: «llenad los escudos con vuestros cuerpos», es decir, «armaos con vuestros escudos». También en el nifal se da este empleo militar; cf. 2 Sm 23,7: «él se llena (es decir, llena la mano) con un hierro o con el fuste de una lanza», que es lo mismo que decir «él se arma»; lo mismo el piel en Zac 9,13 (cf. el acádico *mullû qašta,* «puso la flecha en el arco», AHw 598a). En todos estos casos, el verbo hebreo *ml',* en el sentido de «armar» o «armarse», va seguido de un complemento directo (también la «mano» más *b^e,* que introduce el arma en cuestión, cf. 2 Re 9,24). Pero puede también emplearse el verbo en forma absoluta; así, por ejemplo, en Jr 4,5, donde aparece el imperativo en un contexto guerrero («armaos», cf. D. W. Thomas, *ml'w in Jeremiah 4 : 5: A Military Term:* JJSt 3 [1952] 47-52).

c) Como sinónimos de *ml'* en el sentido de «estar completo» o semejantes deben mencionarse → *šlm* y → *tmm.* Opuesto a «estar lleno» es *rīq,* «estar vacío» (en el AT sólo aparece el hifil, «vaciar», 17 ×; hofal 2 ×; y los adjetivos *rīq* y *rēq,* «vacío, nulo», 12 × y 14 ×, respectivamente, y el adverbio *rēqām,* «con las manos vacías, sin éxito, en vano», 16 ×; en Rut 1,21 aparece contrapuesto a *mālē':* «colmada partí yo, vacía me devuelve Yahvé»).

4. *a)* Uno de los sentidos religiosos especiales de *ml'* es «consagrar a alguien al servicio divino». En este caso, al verbo (Ex 32,29, en qal, todos los demás casos en piel) le sigue el vocablo *yād,* «mano», y la preposición *b^e* (cf. Ex 28,41; 32,29; 1 Cr 29,5). Así, la fórmula plena dice: «llenar la mano de alguien para Yahvé»; el texto más antiguo en el que aparece la expresión abreviada «llenar la mano» es Jue 17,5.12. En el v. 5 se trata del ingreso de uno de los hijos de Miká en las funciones sacerdotales. La expresión vuelve a repetirse en Ex 32, 29; 1 Re 14,33 y en textos sacerdotales (Ex 28,41; 29,9.29.33.35; Lv 8, 33; 16,32; 21,10; Nm 3,3; cf. 2 Cr 13,9). En Ez 43,26 pierde este sentido concreto y se emplea para designar la consagración de un altar. De forma semejante, el sustantivo *millū'īm,* «acción de llenar (la mano)», siempre designa la ordenación de sacerdotes (cf. Ex 29,22-34; Lv 7,37; 8,22-33).

No se puede determinar con seguridad cuál era el sentido original de la expresión (la traducción literal de los LXX no ayuda nada en este sentido). Ex 29,24s y Lv 8,27s ofrecen una explicación, pero se trata de textos recientes y puede sospecharse que se trata de la interpretación secundaria de una expresión cuyo auténtico sentido se había perdido ya hacía tiempo. Según esos textos, Moisés coloca las partes del holocausto destinadas al altar en las manos de Aarón y de sus hijos, ejecuta con ellos los gestos de presentación, vuelve a coger dichos dones sacrificiales de sus manos y los deja en el altar para que se consuman. Según este sacrificio, *millū'īm,* «llenar la mano», significaría que en ocasión de su consagración el sacerdote recibía por primera vez en su mano los dones sacrificiales. Según otra explicación, esta acción está relacionada con el sueldo del sacerdote, que se obtiene precisamente de este modo. Esta hipótesis sería apoyada por Jue 17,10 y 18,4, donde el levita que «llena la mano» a Miká se compromete a darle diez siclos de plata más manutención y vestido. Otra tercera explicación se basa en una carta de Mari, donde *mīl qātīšunu,* «acción de llenar su mano», indica la parte que corresponde a los oficiales en el reparto de un botín (ARM II, N. 13, línea 17). En el caso del sacerdote, serán la participación en los ingresos del santuario y en los dones sacrificiales (de Vaux, II, 197; M. Noth, *Amt und Berufung im AT* [1958] 7s; *íd.,* BK IX/1, 304s).

b) Otros empleos de la raíz en contextos teológicos se remiten al sentido traslaticio normal «llenar» de *ml'* piel, sin que pueda hablarse de un empleo teológico específico. Así como en 1 Re 1,14 Natán «llena», es decir, «confirma» las palabras de Betsabé, así también el cumplimiento de una profecía da fe de su autenticidad; en el AT se narra con frecuencia un acontecimiento que viene a «completar» la palabra que Yahvé ha pronunciado por medio de un profeta; así, por ejemplo, 1 Re 2,27: «cumpliendo la palabra que Yahvé pronunció contra la casa de Elí en Siló»; 8,24: «pues por tu boca lo prometiste y por tu mano lo has cumplido este día»; 2 Cr 36,21: «para que se cumpliera la palabra que Yahvé había pronunciado por boca de Jeremías...».

Con frecuencia se habla también de períodos de tiempo que «se llenan» (*ml'* qal) (por ejemplo, *yāmīm,* «días, tiempo», en Gn 25,24; 29,21; 50,3 y *passim, šābū'īm,* «semanas», Dn 10,3); de forma semejante se puede «cumplir» el tiempo en un contexto escatológico (Is 40,2; Jr 25,12.34; 29,10; Dn 9,2 piel); con esto se hace referencia no a un cumplimiento logrado por la acción de los hombres, sino a una disposición divina.

c) El sustantivo *m^{e}lō',* «plenitud», aparece sobre todo en el lenguaje hímnico, en expresiones como «el mar y lo que lo llena» (Is 42,10; Sal 96,11 = 98,7 = 1 Cr 16,32) y «la tierra/el orbe de la tierra y lo que la/lo llena» (Dt 33,16; Is 34,1; Miq 1,2; Sal 24,1; 50, 12; 89,12). Según Is 6,3, «la plenitud de la tierra = lo que llena la tierra» es equiparado con la gloria *(kābōd)* de Yahvé (cf. Wildberger, BK X, 232.250), sin que por eso la expresión tenga una resonancia panteística. La omnipresencia de Dios es afirmada de otra forma en Jr 23,24: «¿no soy *yo* el que llena el cielo y la tierra? —oráculo de Yahvé—». Finalmente, en Ex 40,34s; 1 Re 8,11 = 2 Cr 5,14; Ez 43,5; 44,4 y 2 Cr 7,1s se afirma que la *kābōd* de Yahvé llena el tabernáculo o el templo; aquí, la «gloria» concretiza la presencia de Dios en el santuario.

5. En los LXX, *ml'* es traducido sobre todo por πλήρης, πληροῦν y derivados. En el NT, el tema del cumplimiento de los tiempos y de las profecías desempeña un papel más importante que en el AT, lo mismo que la expresión de cuño teológico πλήρωμα (que en los LXX traduce a *m^elō'*); cf. G. Delling, art. πλήρης: ThW VI, 283-309.

M. Delcor

מַלְאָךְ *mal'āk* Mensajero

1. *mal'āk*, «mensajero», se deriva de la raíz *l'k*, «enviar», que está ampliamente documentada en ugarítico, árabe y etiópico; de la misma raíz se derivan también el abstracto *mal'ākūt*, «oficio de mensajero» (Ag 1,13; cf. Gulkowitsch, 43), y el sustantivo femenino *m^elā'kā*, que tiene diversos sentidos: «misión, empresa, negocio, trabajo». Equiparando el preparador del camino de Yahvé, que se menciona en Mal 3,1, al anónimo autor del libro de Malaquías en el título (Mal 1,1) se ha formado con el tiempo el nombre propio *Mal'ākī*, «Malaquías», a partir del apelativo *mal'ākī*, «mi mensajero» (Sellin-Fohrer, 515s).

Sobre los ugaríticos *l'k*, «enviar»; *mlak*, «mensajero», y *mlakt*, «mensaje», cf. WUS N. 1432; UT 1344. El término *ml'k*, «mensajero», aparece también en fenicio y arameo antiguo (DISO 151); además, como *mal'ak*, «ángel», en arameo bíblico (Dn 3,28; 6,23). En el sentido de «mensajero supramundano, ángel», la palabra ha pasado también al arameo judaico, siríaco, mandeo, árabe y etiópico (LS 354b; Nöldeke, MG 129, nota 1; distinto, P. Boneschi, JAOS 65 [1945] 107 a 111).

2. *mal'āk* está documentado en el AT hebreo 213 × (además, 1 × *Mal'ākī* y 2 × el arameo bíblico *mal'ak*), *mal'ākūt* 1 × (cf. *sup.*) y *m^elā'kā* 167 × (Ex 33 ×, Neh 22 ×, 1 Cr 20 ×, Lv y 2 Cr 16 ×, 1 Re 10 ×, Nm 8 ×, 2 Re 6 ×, etc.). El sustantivo *m^elā'kā* aparece fundamentalmente en textos recientes, aunque no falta tampoco en textos antiguos; *mal'āk*, por el contrario, aparece con mayor frecuencia en los textos narrativos antiguos: Jue 31 ×, 2 Re y Zac 20 ×, 1 Sm 19 ×, 2 Sm 18 ×, Gn 17 ×, Nm 15 ×, 1 Cr 12 ×, Is 10 ×, 1 Re 9 ×, Sal 8 ×, Ex 6 ×, etc. (en 2 Re 6,33 y 1 Cr 21, 20 *mal'āk* debe corregirse en *mælæk*; en Zac 3,2 hay que inserir, como lo hace el texto siríaco, *mal'ak* delante de Yahvé, cf. BH³).

La expresión *mal'ak Yhwh* (siempre en singular) aparece 58 ×: Gn 16,7.9-11; 22, 11.15; Ex 3,2; Nm 22,22-35, 10 ×; Jue 2,1.4; 5,23; 13,3-21, 10 ×; 2 Sm 24,16; 1 Re 19,7; 2 Re 1,3.15; 19,35 = Is 37, 36; Ag 1,13; Zac 1,11.12; 3,1.5.6; 12,8; Mal 2,7; Sal 34,8; 35,5.6; 1 Cr 21,12.15. 16.18.30. La composición *mal'ak (hā)-'^ælōhīm* está documentada en 11 pasajes: Gn 21,17; 31,11; 32,2; Ex 14,19; Jue 6, 20; 13,6.9; 1 Sm 29,9; 2 Sm 14,17.20; 19,28; además, el plural en Gn 28,12; 32,2.

3. *a)* Como *mal'āk* o *mal'ākīm* se designa a personas que, en calidad de *encargados* por un individuo particular (Gn 32,4.7; Nm 22,5; 1 Sm 16,19; 19, 11.11; 2 Sm 3,26 y *passim*) o una comunidad (Nm 21,21; 1 Sm 11,3ss), deben hacer presentes los intereses de sus mandantes en un lugar alejado ante otras personas, sean individuos particulares (Gn 32,4.7; Nm 22,5) o colectividades (Jue 6,35; 7,24; 1 Sm 11,7).

El hacer de puente entre dos lugares separados es una función esencial de los *mal'ākīm* (cf. C. Westermann, *Gottes Engel brauchen keine Flügel* [1957] 9), como se ve con claridad en las narraciones sobre el envío de mensajero (cf. C. Westermann, *Grundformen prophetischer Rede* [[2]1964] 71ss). La narración del mensajero incluye por lo general los datos del mandante y los del destinatario, indicándose a veces el lugar de residencia del mandante (Nm 20,14) o del destinatario (Gn 32,4), todo ello según el siguiente esquema: «y envió *(šlḥ)* NN *mal'ākīm* a X» (cf. Gn 32,4; Nm 20,14; 22,5; Dt 2,26; Jue 11,12ss; 1 Sm 19,20s y *passim).* A la narración del envío del mensajero sigue en Gn 32,5 la narración del acto de encomendar el encargo: el mandante autoriza a los *mal'ākīm* para que cumplan el encargo: «y él les ordenó: así debéis hablar a Esaú, mi Señor...» (cf. 2 Re 1,2; 19,10; Is 37,10). Pero normalmente no se narra el acto de encomendar el encargo, y tras la narración del envío se menciona el encargo mismo que los *mal'ākīm* deben transmitir (Nm 20,14; 22,5; 1 Sm 6,21; 11,7; 16,19; 2 Sm 2,5 y *passim).*

b) Estos *encargos* pueden ser de diverso tipo. Lo más frecuente es que los *mal'ākīm* sean enviados a comunicar noticias o mensajes de todo tipo, es decir, a desempeñar la función de «mensajero» (Gn 32,4ss; Nm 22,5; Jue 9,31ss; 11,12s; 1 Sm 6,21; 11,3ss; 25, 14; 2 Sm 12,27; 2 Re 19,9ss y *passim).* En estos casos, el mensaje que debe ser transmitido se introduce por la fórmula del mensajero *kō 'āmar NN,* «así habla NN», con lo cual se legitima la palabra del mandante (Gn 32,5; Nm 20,14; Jue 11,15); pero con frecuencia falta la fórmula del mensajero y entonces el mensaje se une a la narración del envío por medio de *lēmōr* («del siguiente modo») (Nm 22,5; Dt 2,26; 1 Sm 6,21 y *passim).* Los mensajes pueden tener carácter narrativo (cf. Gn 32,5ss; Nm 22,5; Jue 9,31; 1 Sm 6,21; 2 Sm 11,19.22s.25; 12,27) y en ese caso la narración puede servir como fundamento de una orden o exigencia (Nm 22,5s; Jue 9,31ss) o de una súplica (Gn 32,5s; Nm 20,14ss). Pero también se pueden enviar mensajes que tienen simplemente carácter de orden (1 Sm 16,19) o de súplica (Dt 2,26).

Los *mal'ākīm,* en cuanto transmisores de noticias, desempeñan un papel muy importante en el ámbito político. Así, por ejemplo, se puede hacer por su medio la convocación a la guerra santa (Jue 6,35; 7,24; 1 Sm 11,7). También pueden ser enviados *mal'ākīm* a un rey en calidad de diplomáticos. Así, Jefté emprende negociaciones con el rey de los ammonitas por medio de enviados *(mal'ākīm)* (Jue 11,12ss); en 1 Re 20,2ss, los *mal'ākīm* transmiten a Ajab las condiciones de capitulación impuestas por Ben-Hadad (cf. 2 Re 19,9ss; 2 Sm 3,12). Finalmente, también pueden ser enviados los *mal'ākīm* a que formulen una pregunta a un dios (2 Re 1,2).

Pero los *mal'ākīm* no son enviados únicamente con el encargo de comunicar al destinatario un mensaje («mensajero») de su mandante; también pueden recibir el encargo de lograr informaciones para su mandante, es decir, pueden desempeñar también el papel de «espías». Así, en Jos 2,1 se narra que Josué envió a dos hombres como exploradores *(m^eragg^elīm);* en Jos 6, 17.25 estos exploradores son designados como *mal'ākīm.* También en 2 Re 7,15 es claro que los *mal'ākīm* son enviados como exploradores. Finalmente, se pueden enviar *mal'ākīm* para que ejecuten determinadas acciones en nombres de quien les envía. Saúl envía *mal'ākīm* con el encargo de que vigilen a David (1 Sm 19,11ss); Joab envía *mal'ākīm* que hagan volver a Abner de la cisterna de Sirá (2 Sm 3,26); en 2 Sm 11,4, David envía también *mal'ākīm* para que le traiga a Betsabé (cf. 1 Re 22,9.13; 2 Cr 18,12). También puede ser función de los *mal'ākīm* el acompañar a una persona al que les envía (1 Sm 25,42).

c) Los *mal'ākīm* están estrechamente *relacionados con el que los envía.* El les faculta para que hablen o actúen en su nombre, de forma que es él el que habla o actúa por medio de ellos. Por eso los enviados pueden identificarse con él y se les interpela como si se interpelara al propio mandante (Jue 11,13; 2 Sm 3,12s; 1 Re 20,2ss); ofender a los *malʾākīm* es lo mismo que ofender a quien los envió (1 Sm 25, 14ss). Del mismo modo, al mandante se le pueden pedir cuentas de lo que han hecho sus enviados (2 Re 19,23; sobre este particular, cf. A. S. van der Woude, *De Malʾak Jahweh: een Godsbode:* NedThT 18 [1963-64] 6s; sobre el tema en general, cf. M. S. Luker, *The Figure of Moses in the Plague Traditions* [tesis presentada en la Drew University de Madison ⟨1968⟩], capítulo II: *The Messenger Figure in Sumerian and Akkadian Literature).*

**d)* Entre los términos de significado semejante debe citarse en primer lugar → *šlḥ,* «enviar», aunque la extensión del significado de este término es más amplia que la de *lʾk.* Por otra parte, la raíz *šlḥ* ha tenido, por medio del hebreo medio *šālīaḥ* y del griego ἀπόστολος, un desarrollo tan amplio como el que ha experimentado el término *malʾāk* a través del griego ἄγγελος.

Con el sentido especial de «mensajero» aparece algunas veces *ṣīr* (Is 18,2; 57,9; Jr 49,14; Abd 1; Prov 13,17 paralelo a *malʾāk;* 25,13), junto a expresiones ocasionales como *maggīd* (participio hifil de → *ngd;* Jr 51,31; cf. 2 Sm 1,5.6.13 y *passim).* Cf. también el nombre personal *ʿazgād* (= persa *izgad,* «mensajero», KBL 694a).

La acción concreta de transmitir un mensaje es designada por medio de la raíz semítica común *bśr,* que originalmente tenía un sentido neutro, pero que con frecuencia adquiere el sentido de «transmitir buenas noticias» (sobre todo en el DtIs: Is 40,9.9; 41,27; 52, 7.7; cf. 60,6; 61,1; Sal 96,2 = 1 Cr 16,23; Elliger, BK XI, 33-35) (cf. el acádico *bussuru,* «enviar, transmitir un mensaje», AHw 142b; el ugarítico *bšr* D, WUS N. 599; UT N. 535; el hebreo *bśr* piel, «transmitir un mensaje [bueno o malo]», 23 ×, entre ellas, con especial frecuencia, el participio sustantivado *mebaśśēr;* el hitpael, «hacerse anunciar», 2 Sm 18,31; el sustantivo *beśōrā,* «aviso» y «propina», 6 ×; cf. también G. Friedrich, art. εὐαγγελίζομαι: ThW II, 705-735; R. W. Fisher, *A Study of the Semitic Root BSR* [tesis presentada en la Universidad de Columbia ⟨1966⟩]; P. Stuhlmacher, *Das paulinische Evangelium. I. Vorgeschichte* [1968]).

4. *a)* En la composición *malʾak Yhwh* y *malʾak ʾælōhīm* (textos, cf. *sup.*, 2), el nombre *malʾāk* tiene un significado especial: designa a un *enviado de Dios,* que debe cumplir su misión entre los hombres; dicha misión puede consistir —al igual que ocurre con los *malʾākīm* enviados por unos hombres a otros hombres— en la transmisión de un mensaje (Gn 16,19ss; 21,17s; 22, 11s.15ss; Jue 6,11; 13,3ss; 1 Re 3,18; 2 Re 1,3.15) o en una acción que el *malʾāk* debe ejecutar (Gn 24,7.40; Ex 14,19; 2 Sm 24,16s; 2 Re 19,35 = Is 37,76; 1 Cr 21,12ss). De esa forma, el *malʾak Yhwh* personaliza la palabra y la acción que Dios dirige a la tierra (cf. C. Westermann, art. *Engel:* EKL I, 1071-1075). A diferencia de los *malʾākīm* que los hombres envían, y que normalmente aparecen en plural, el *malʾak ʾælōhīm* es casi siempre único. Sólo en dos ocasiones se habla de *malʾak ʾælōhīm* en plural (Gn 26,12; 32,2). Deben añadirse otros pocos casos en los que *malʾākīm* son designados precisamente como «*malʾākīm* suyos (de Yahvé)» (Is 44,26; Sal 91,11; 103, 20; 104,4; 148,2; Job 4,18) y, por fin, los dos *malʾākīm* de Gn 19,1.5, que son considerados también como *malʾākīm* de Yahvé.

b) En muchos casos, la *aparición* del *malʾak Yhwh* (= *m. Y.)* significa solución de un peligro o de una necesidad (Gn 19; Ex 14,19; Nm 20,16) o anuncio de salvación (Jue 13). Este anuncio de salvación por medio del *m. Y.* puede realizarse de diversas formas. Así, el *m. Y.* puede suscitar un salvador: Gedeón recibe de un *m. Y.* el encargo de salvar a Israel de la mano de los madianitas (Jue 6,11ss). También en el texto que narra la teofanía en la que Moisés recibió su vocación se habla de un *m. Y.* (Ex 3,2). Por otra parte, el *m. Y.* puede exigir e incluso estimular a los que están en peligro a que se salven de un peligro amenazador (Gn 19); su aparición puede abrir los ojos a los que están en peligro para que reconozcan la posibilidad de salvación, como le ocurre a Agar cuando se halla amenazada por la falta de agua (Gn 21,17ss; cf. también 1 Re 19, 5, donde se le exige a Elías en el desierto que tome alimento). Muy semejante al anuncio de salvación es el anuncio —por medio del *m. Y.*— del nacimiento de un hijo. El *m. Y.* que encontró Agar junto a la fuente en su camino hacia Sur (Gn 16,7ss) le promete que su descendencia será numerosa (16,10; cf. 21,17s). Ahora bien, para tener una descendencia numerosa es necesario el nacimiento de un hijo, que es lo que el *m. Y.* anuncia formalmente: «Mira que has concebido y darás a luz un hijo, al que llamarás Ismael» (16,11). Con palabras semejantes anuncia un *m. Y.* a la mujer de Manoaj el nacimiento de un hijo: «Bien sabes que eres estéril y que no has tenido hijos, pero concebirás y darás a luz un hijo» (Jue 13,3). En este caso, el anuncio del nacimiento de un hijo tiene un doble carácter salvífico. La mujer es salvada de su falta de hijos y, al mismo tiempo, el hijo anunciado es un consagrado a Yahvé, a quien tocará salvar a Israel de manos de los filisteos (13,5). En este contexto debe mencionarse también Gn 18, donde los tres hombres anuncian a Abrahán que su mujer va a tener un hijo.

De todos modos, el *m. Y.* no tiene sólo la función de anunciar por medio de su palabra la salvación; también puede realizarla por medio de su acción. Cuando Lot duda en cumplir el encargo de los *mal'ākīm* y salvarse, ellos lo cogen y lo llevan fuera de la ciudad (Gn 19,16). También el pueblo de Israel se salvó de la opresión de Egipto porque Yahvé oyó el clamor del pueblo y envió su *mal'āk* para que los sacara de Egipto (Nm 20,16). La intervención del *m. Y.* salva a Jerusalén del grave riesgo de ser ocupada por el ejército de Senaquerib (2 Re 19,35 = Is 37,36). En la bendición que Israel pronuncia sobre José y sus hijos Efraín y Manasés se hace mención de un *mal'āk* como alguien «que me ha salvado de toda necesidad» (Gn 48,16; cf. Sal 34,8). Además de la función salvadora limitada a un momento y situación concretos, el *m. Y.* puede desempeñar también una función protectora durante un período más largo de tiempo. Así, puede proteger los caminos de una persona (Sal 91,11), en cuanto enviado por Dios delante de la persona que debe proteger (Gn 24,7. 40; cf. Ex 32,34); también puede ser enviado delante de todo el pueblo para protegerlo (Ex 14,18; 23,20.23; 32,34; 33,2; cf. Nm 20,16).

También puede el *m. Y.* transmitir a un profeta un encargo (1 Re 13,18; 1 Cr 21,18) o una palabra de Dios para que él la difunda (2 Re 1,3). El *m. Y.* desempeña una función especial en los primeros seis capítulos del libro posexílico de Zacarías, donde normalmente es designado como *hammal'āk haddōbēr bī,* «el ángel que habló conmigo» (Zac 1,9.13.14; 2,2 y *passim).* Su quehacer consiste en interpretar las visiones nocturnas del profeta en respuesta a sus preguntas (Zac 1,9; 2,2; 4,4; 5, 5s.10; 6,4).

El *m. Y.,* que desempeña principalmente una función salvadora y protectora, puede en ocasiones ser portador de ruina y perdición. En 2 Sm 24,16s, el *m. Y.* hiere al pueblo como castigo por el pecado de David (cf. 1 Cr 21, 15s); también en 2 Re 19,35 recibe el *mal'āk* la misión de traer la perdición al ejército de Senaquerib, aunque esto, por otra parte, supone salvación (cf. *sup.)* para Israel (cf. Is 37,36). En Sal 35,5.6 y 78,49 hay que pensar en semejantes acciones destructivas por parte del *m. Y.*

La presencia del *m. Y.* no está ligada nunca a un lugar o tiempo determinados, sino que encuentra a los hombres allá donde estén: en el camino (Gn 16,7; 32, 2), en el desierto (Gn 21,17; 1 Re 19,5. 7), en el trabajo (Jue 6,11ss), en el campo (Jue 13,9ss). Es característico que los hombres no reconozcan de inmediato al *m. Y.*, sino que se den cuenta de con quién han tratado únicamente después de que éste se ha marchado (Gn 16; Jue 6 y 13) o cuando se les abren los ojos para que reconozcan al *m. Y.* (Nm 22,31). El reconocimiento del *mal'āk* suscita temor (Jue 6; 13).

c) Particularmente difícil resulta determinar cuál es la *relación entre Yahvé y su mal'āk,* ya que en algunos textos no se establece una diferencia clara entre Yahvé y el *mal'āk Yhwh* (Gn 16,7ss; 21,17ss; 22,11ss; 31,11ss; Jue 6,11ss; 13,21s). Este problema ha sido estudiado minuciosamente (sobre los diversos intentos de solución, cf. A. S. van der Woude, *loc. cit.,* 4ss, con amplia bibliografía) y ha recibido diversas soluciones, unas más convincentes que otras. Según la literatura patrística, decir *m. Y.* es tanto como decir palabra de Dios (teoría del *logos);* en el ámbito católico romano ha gozado de gran favor la opinión de que el *m. Y.* es un mensajero perteneciente al mundo creado que actúa en nombre de Dios y por su encargo (teoría de la representación). Según E. Kautzsch, *Biblische Theologie des AT* (1911) 83-87; W. G. Heidt, *Angelology of the OT* (1949) (cf. también R. North, *Separated Spiritual Substances in the OT:* CBQ 29 [1967] 419-449), el *m. Y.* es una forma de manifestación de Yahvé: «es el mismo Yahvé, que se manifiesta a los hombres en figura humana» (von Rad, I, 300) (teoría de la identidad). Otros ven en el *m. Y.* una hipóstasis de Yahvé (teoría de la hipóstasis). G. van der Leeuw, *Zielen en Engelen:* ThT 53 (= N. R. 11) (1919) 224-237, y A. Lods, *L'ange de Jahwe et l'âme extérieure,* FS Wellhausen (1914) 263-278, defienden la teoría del *âme extérieure,* según la cual un ángel es de por sí un alma liberada; el *m. Y.* es considerado como una fuerza divina exterior. Otros consideran al *m. Y.* como una tardía interpolación, introducida para evitar una descripción de Yahvé excesivamente antropomórfica (teoría de la interpolación en H. Stade, H. Gunkel; cf. W. Baumgartner, *Zum Problem des Yahwe-Engels:* SThU 14 [1944] 97-102 = *Zum AT und seiner Umwelt* [1959] 240-246). De estas teorías, la más fundada parece la de la representación, pues interpreta la función del *m. Y.* como la de un enviado por Dios a hablar y actuar. La dificultad de que a veces Yahvé y su *mal'āk* son identificados desaparece cuando se piensa que un *mal'āk* puede identificarse normalmente con su mandante (cf. *sup., 3c).* De todas formas, la teoría de la representación no excluye necesariamente la teoría de la interpolación, pues aquella intenta explicar la función del *m. Y.*, mientras que ésta parte de la opinión de que el *mal'āk* ha sido inserido tardíamente e intenta explicar la razón de dicha inserción.

El *m. Y.*, debido a sus funciones específicas, se distingue netamente de los demás seres celestes; interviene, como ningún otro ser celeste, en la misma vida de los hombres. A este ser personal, religiosamente bien delimitado, le corresponde una función específica en la historia; cuando se habla de ella, se halla en el centro mismo del acontecimiento (cf. von Rad, I, 229). Esta diferencia entre el *mal'ak Yhwh* y los demás seres celestes se perdió con los LXX, que aplicaban a cualquier ser celeste el nombre de ἄγγελος (cf. *inf.,* 5).

5. En los LXX, *mal'āk* es traducido normalmente por ἄγγελος (también πρέσβεις, «enviado»: Nm 21,21; 22,5; Dt 2,26; κατασκοπεύσαντες, «exploradores», Jos 6,25; παῖδες, «siervos», 1 Sm 25,42). La expresión *mal'ak Yhwh* es traducida por ἄγγελος κυρίου; *mal'ak *ælohim,* por ἄγγελος τοῦ θεοῦ. Lo mismo que el hebreo *mal'āk,* también el griego ἄγγελος se emplea tanto para los enviados por hombres como para los enviados por

Dios. El primero en diferenciarlos fue la Vulgata, que llama *nuntius* al enviado por hombres y *angelus* al enviado por Dios (cf. Baumgartner, *loc. cit.*, 98 = *Zum AT und seiner Umwelt* [1959] 241).

En los LXX el nombre ἄγγελοι se aplica no sólo al *mal'āk* que Dios envía, sino también a otros seres celestes. Así, ἄγγελος puede ser equivalente de *benē 'ælōhīm* (Gn 6,2; Dt 32,8; Job 1,6; 2, 1; 38,7), de *'abbīr* (Sal 78,25), de *'ælōhīm* (Sal 8,6; 97,7; 138,1) y de *śar* (Dn 10,21; 12,1). Aquí comienza un desarrollo que hace de ἄγγελος un término técnico y concluye en la Vulgata. Cf. además W. Grunmann, G. von Rad y G. Kittel, art. ἄγγελος: ThW I, 72-87; H. Ringgren, RGG II, 1301-1303.

R. Ficker

מלט *mlṭ* piel **Salvar** → פלט *plṭ*

מֶלֶךְ *mǽlæk* **Rey**

1. *a)* La raíz *mlk* pertenece al semítico común (Bergstr., *Einf.*, 182), pero sólo en semítico noroccidental y meridional tiene el sentido de «ser rey». En acádico, *malāku* II significa «aconsejar» (AHw 593s; además, entre otros, *māliku,* «consejero»; *malku* II, «consejo»), mientras que para designar al rey y su cargo se emplea normalmente *šarru* y más raramente *malku* I, que corresponde a un *malāku* III documentado una vez en los textos acádicos de Ugarit (PRU III, 135, 16) (probablemente extranjerismo tomado del semítico occidental). De forma semejante, parece que debe atribuirse origen semítico occidental a los nombres relacionados con *mlk* que han sido documentados en el área de Mari, caso de que la raíz no tenga en ellos el significado acádico normal (Huffmon, 230s).

Pero tampoco el significado «aconsejar» es extraño al semítico noroccidental: en hebreo aparece en el *mlk* nifal, «deliberar dentro de uno mismo», de Neh 5,7 (según Wagner N. 170, se trata de un arameísmo; distinto, L. Kopf, VT 9 [1959] 261s) y quizá también en el *mǽlæk* de Ecl 1,12, si es correcta la traducción «consejero», sugerida por W. F. Albright, SVT 3 (1955) 15, nota 2, y considerada como atendible por R. Kroeber, *Der Prediger* (1963) 5. Lo encontramos también en el arameo bíblico *melak,* «consejo» (Dn 4, 24), y en el arameo judaico, hebreo medio y siríaco junto al sentido corriente de «reinar». No es fácil determinar con seguridad si y hasta qué punto hay relación entre estos dos significados.

b) De la misma raíz que *mǽlæk* se derivan también en el AT el verbo *mlk* (qal [nifal, cf. *sup.]* hifil y hofal) y los siguientes sustantivos, algunos de los cuales se derivan de *mǽlæk:* el femenino *malkā,* «reina» (también en arameo bíblico), el más raro —quizá construido artificialmente— *melǽkæt (haššāmáyim),* «reina (del cielo»; *melūkā,* «monarquía» *(potestas regia); malkūt,* «reino» (arameo bíblico *malkū); mamlākā,* «poder real» o «dignidad real». No siempre es fácil distinguir el matiz que separa los últimos cuatro términos. Debemos mencionar también el discutido nombre de sacrificio *mōlæk* (cf. *inf.*, 4*e),* que está documentado sobre todo en fenicio-púnico.

Desde la época de Mari, los nombres propios formados con *mlk* son frecuentes en semítico nordoccidental y meridional (Huffmon, 230s; Gröndahl, 157s; Harris, 118s; Noth, IP 114s. 115s). En el AT, además del nombre divino *Milkōm* (cf. *inf.* 4*f),* los nombres de mujer *Milkā* y *Mōlǽkæt* y los nombres de hombre *Mǽlæk* y *Mallūk,* aparecen sobre todo compuestos como *Malkī'ēl, Malkiyyā(hū), Malkīṣǽdæq* y *'aḇīmǽlæk, 'aḥīmǽlæk, 'ælīmǽlæk.*

*2. *mǽlæk* ocupa, detrás de *bēn* y *'ælōhīm,* el tercer lugar en la lista de sustantivos más frecuentes en el AT (2.526 casos, incluido 1 Re 15,9b, excluido 1 Cr 21,10; en Lisowsky, Jr 32,4 aparece dos veces). Algunas acumulaciones de frecuencias corresponden a listas: así, por ejemplo, *mǽlæk* aparece 39 × en Jos 10 y 37 × en Jos

12. En el Gn, 27 casos corresponden a Gn 14; por lo demás, P emplea el término únicamente en referencia al Faraón.

En la lista que sigue —donde no se señalan *mlk* nifal (Neh 5,7), *mōlæk* (8 ×, de ellas 5 × en Lv 18 y 20) ni los nombres propios— se emplean las siguientes abreviaturas: m. = *mǽlæk*, f. = *malkā*, (f.) = *mᵉlǽkæt*, I = *mᵉlūkā*, II = *malkūt*, III = *mamlākā*, IV = *mamlākūt*:

	qal	hi. (ho.)	m.	f. (f.)	I	II	III	IV	Tot.
Gn	12	—	41	— —	—	—	2	—	55
Ex	1	—	14	— —	—	—	1	—	16
Lv	—	—	—	— —	—	—	—	—	—
Nm	—	—	20	— —	—	1	2	—	23
Dt	—	—	26	— —	—	—	7	—	33
Jos	3	—	109	— —	—	—	2	5	119
Jue	5	3	37	— —	—	—	—	—	45
1 Sm	12	5	86	—	5	1	6	1	116
2 Sm	11	1	284	—	2	—	6	1	305
1 Re	56	6	305	4	7	1	12	—	391
2 Re	81	9	370	—	1	—	5	—	466
Is	4	1	80	—	2	—	14	—	101
Jr	10	1	269	(5)	1	3	17	1	307
Ez	1	1	37	—	2	—	4	—	45
Os	—	1	19	— —	—	—	—	1	21
Jl	—	—	—	— —	—	—	—	—	—
Am	—	—	8	— —	—	—	3	—	11
Abd	—	—	—	—	1	—	—	—	1
Jon	—	—	2	— —	—	—	—	—	2
Miq	1	—	5	— —	—	—	1	—	7
Nah	—	—	1	— —	—	—	1	—	2
Hab	—	—	1	— —	—	—	—	—	1
Sof	—	—	4	— —	—	—	1	—	5
Ag	—	—	2	— —	—	—	2	—	4
Zac	—	—	9	— —	—	—	—	—	9
Mal	—	—	1	— —	—	—	—	—	1
Sal	6	—	67	—	1	6	6	—	86
Job	1	—	8	— —	—	—	—	—	9
Prov	2	—	32	— —	—	—	—	—	34
Rut	—	—	—	— —	—	—	—	—	—
Cant	—	—	5	2	—	—	—	—	7
Ecl	1	—	12	—	—	1	—	—	14
Lam	—	—	3	— —	—	—	1	—	4
Est	3	1	196	25	—	26	—	—	251
Dn	1	(1)	52	—	1	16	—	—	71
Esd	—	—	32	— —	—	6	1	—	39
Neh	—	—	43	— —	—	2	1	—	46
1 Cr	20	7	69	—	1	11	3	—	111
2 Cr	66	13	277	4	—	17	19	—	396
T. AT	297	49	2526	35	24	91	117	9	3154
Hebreo	(1)	(5)							

El arameo bíblico presenta las siguientes cifras: *mǽlæk* 180 × (Dn 135 ×, Esd 45 ×), *malkā* 2 × (Dn), *malkū* 57 × (Dn 53, Esd 4 ×), total 239 ×.

3. El sustantivo *mǽlæk* y el verbo *mlk* en qal y hifil son aplicados normalmente a hombres y raramente a Yahvé; lo mismo sucede con los nombres derivados. En primer lugar se trata de la realeza en sentido político (*3a-b*); en segundo lugar, de la realeza de Yahvé, un concepto teológicamente fundamental (*4a-d*). Los sustantivos *mōlæk* (*4e*) y *Milkōm* (*4f*) son casos especiales. Entre los vocablos semejantes deben citarse → *mšl*, cuyo significado coincide frecuentemente con el de *mlk*, y *māšīᵃḥ*, «ungido» (*3c* y 5).

a) En Israel, la *monarquía como categoría política* aparece relativamente tarde, hacia finales del segundo milenio o comienzos del primero, unos doscientos años después de su sedentarización y conquista de la tierra; no pertenece, pues, a la configuración primitiva de la ideología israelita ni constituye una condición necesaria para su existencia. Sumer, según se ve en la «lista sumeria de reyes», fue regido desde el inicio por una monarquía bajada del cielo (ÁNET 265b; S. N. Kramer, *The Sumerians* [1963] 43.53. 328-331); según la religión egipcia, el rey terreno es la personalización del gobierno celeste de Horus (H. Frankfort, *Kingship and the Gods* [1948] 148ss; E. Hornung, *Einführung in die Ägyptologie* [1967] 76-78); en Siria, en la ciudad de Ugarit, se afirma que la divinidad y su corte deben adoptar y amamantar al rey para que la tierra y los hogares del país sean fértiles (J. Gray *The Krt Text in the Literature of Ras Shamra* [²1964] 5ss); el AT, por el contrario, conoce un largo período premonárquico, valorado positivamente por los historiadores posteriores.

En Israel, la monarquía se instauró por razones políticas: por un lado, es el resultado final de un proceso iniciado con la conquista de la tierra y la instalación en ella (G. Buccellati, *D. Saul a David:* BeO 1 [1959] 99-128); por otro lado, este desarrollo fue acelerado por la presión de los filisteos (1 Sm 8,20; 9,17b; Alt, KS II, 1-65). La falta de una teología original sobre la monarquía explica el hecho de que algunos reyes hayan sido atacados por diversos profetas y por la obra deuteronomística y de que la misma institución sea sometida a crítica. Por eso la caída de la monarquía en el s. VI fue interpretada enseguida no como una tragedia nacional religiosa, sino como un juicio de Dios sobre el pueblo y sus representantes (Is 40,2).

Pero también aparecen tendencias que apuntan hacia la concepción cananea de la monarquía (cf. Sal 2,7; 21, 5; 45,7; cf. también los Comentarios; 72,6.16; además, 2 Sm 21,17 y quizá 1 Sm 24,11b paralelo a 26,11a). Se trata de ideas surgidas en el reino del Sur, recibidas probablemente junto con todo el conjunto de ideas tomado de la ciudad conquistada de Jerusalén; desconocemos el grado de difusión de dichas ideas. Hasta la época neotestamentaria llega la oposición de Israel a todo intento de rendir honores divinos a un rey (cf. Josefo, *Ant.* XIX, 8,2 = § 343-352). Distinto es el caso de las facultades sacerdotales que se otorgaron al rey no sin oposición (1 Re 6,1ss; 8, 1ss; cf. los esfuerzos reformadores de Ezequías y Josías, etc.; cf. J. A. Soggin, ZAW 78 [1966] 193, nota 35).

b) Pero no debe interpretarse la monarquía como una institución simplemente secular: en su inicio hay una capacitación y llamada del rey por parte de Dios que puede considerarse como *carismática:* en 1 Sm 11, la realiza directamente el espíritu de Yahvé; en 9, 15-16 se realiza por medio de una visión recibida por Samuel y en 10,20s por medio de las suertes. Sus pruebas son examinadas por la comunidad y llevan a la aclamación del rey. También en el caso de David y Jeroboán I la coronación tuvo lugar tras un oráculo pronunciado sobre el candidato (2 Sm 3,9.18; 5,2b y 2,1-4; 5,1-3) o tras su designación por un profeta (1 Re 11, 26-40 y 12,20). El intento de implantar esta norma en el reino del Norte, después de la separación, encontró la oposición de la población y el ejército formados fundamentalmente por cananeos, que impedían a la comunidad israelita constituirse en asamblea e imponer su voluntad. En el Sur, la vocación carismática del rey es sustituida por la promesa hecha una vez para siempre a la dinastía davídica en 2 Sm 7, sin que por eso se quiten a la asamblea popular sus facultades; esta elección facilitó una estabilidad mayor hasta fines del s. VII.

Sobre el tema en general, cf. J. de Fraine, *L'aspect religieux de la royauté israélite* (1954); K.-H. Bernhardt, *Das Problem der altorientalischen Königsideologie im AT* (1961); A. R. Johnson, *Sacral Kingship in Ancient Israel* ([1955] [2]1967); G. Buccellati, *Cities and Nations of Ancient Syria* (1967); J. A. Soggin, *Das Königtum in Israel* (1967); cf. también las obras citadas en la sección 4*a*.

**c)* A la multiplicidad de concepciones en torno a la monarquía tanto fuera como dentro de Israel no corresponde una idéntica multiplicidad en la terminología. Al contrario, *mælæk* cubre todos los tipos de dominio monárquico, sea de un estado, de un país o territorio, de una tribu o de un pueblo (cf. KBL 530b).

Las fórmulas superlativas, tales como «rey de reyes» (Ez 26,7 y Dn 2,37, el rey de Babilonia; Esd 7,12, el rey de los persas) o el «gran rey» (Is 36,4, el rey de Asiria) corresponden naturalmente a la titulatura corriente en todo el área del Oriente antiguo (cf. Seux, 298-300.318, sobre el acádico *šarru rabû* y *šar šarrāni;* Zimmerli, BK XIII, 616); sobre el «señor de reyes» (Dn 2,47), cf. K. Galling, ZDPV 79 (1963) 140-151.

No se ha formado ningún adjetivo con el significado de «real»; es sustituido normalmente por el empleo frecuente de *mælæk* como genitivo de una composición constructa (cf. los diccionarios; en Est 8, 10.14, se emplea una vez el extranjerismo de origen persa *ʾaḥašterān,* «señorial, real», referido a caballos).

Raras veces se emplea *mælæk* fuera de la esfera humana (o divina); tal es el caso de la fábula de Jue 9,8.15, donde se habla de los árboles que quieren elegirse un rey, de Job 41,26, donde se dice que el hipopótamo es «rey sobre todas las fieras soberbias», o de Prov 30,37, donde se afirma que las langostas no tienen rey. Muy raro es también el empleo metafórico de la expresión *mǽlæk ballābōt,* «rey de los terrores», como perífrasis poética de la muerte (Job 18,14; cf. Horst, BK XVI/1, 273).

Según lo dicho, es mínima la competencia que los términos semejantes oponen a *mǽlæk.* Las expresiones que aparecen en serie o en *parallelismus membrorum* con *mǽlæk* son, o bien más generales («jefe» o semejantes) o más limitadas (por ejemplo, «juez», → *špt)* y designan normalmente a personas que no se pueden equiparar al rey (cf., por ejemplo, *śar,* «funcionario, comandante», de donde se deriva el sentido de «príncipe», → *mšl* 3b; *rōzēn,* «dignatario», paralelo a *mǽlæk* en Jue 5,3; Hab 1,10; Sal 2,2; Prov 8,15; 31,4; paralelo a *šōfēṭ* en Is 40, 23; sobre *nāgīd* → *ngd;* sobre *nāśīʾ* → *nśʾ).*

Mención especial merece la raíz *mšḥ,* que con el verbo *mšḥ* qal, «ungir» (64 ×), y con el sustantivo *māšīaḥ,* «ungido», aparece más de una vez en paralelismo con *mlk* hifil, «nombrar rey», y *mǽlæk,* «rey» (E. Kutsch, *Salbung als Rechtsakt im alten Orient* [1963] sobre todo, 7-9.52-66). En ocasiones, *mšḥ* es empleado en contextos no cúlticos (Is 21,5, engrasar el escudo; Jr 22,14, pintar una casa; Am 6,6, ungir el cuerpo; Sal 45,8, que emplea la imagen del ungüento de alegría, cf. Kutsch, *loc. cit.,* 63-65; además, el arameo bíblico *mešaḥ,* «óleo», Esd 6,9; 7,22 = hebreo *šǽmæn* y *yiṣhār,* cf. L. Köhler, JSS 1 [1956] 9s); en Ex, Lv y Nm se refiere a los ritos de unción aplicada a personas y cosas (24 ×; además, *mšḥ* nifal 5 ×, *mišḥā* y *mošḥā,* «unción», 21 × en Ex-Nm y 2 × en Ex, respectivamente; Elliger, HAT 4, 117s; cf. también Gn 31,13, unción de una masebá; Dn 9,24, unción del «santo de los santos»). Por lo demás, se habla dos veces de la unción de un profeta (1 Re 19,16; Is 61,1, en sen-

tido traslaticio, cf. Kutsch, *loc. cit.,* 62) y 32 ×, a saber: en 1 Sm-2 Re (además, Jue 9,8.15; Sal 89,29; 1 Cr 11,3; 29,22; 2 Cr 22,7; 23,11), referido a la unción del rey (*nāgīd* en 1 Sm 9,16; 10,1; 1 Cr 29,22; *mǽlæk* en Jue 9,8.15; 1 Sm 15,1.17 y *passim).* De forma semejante, en los textos tardíos *māšīaḥ,* «ungido» (39 ×), designa al sumo sacerdote (Lv 4,3.5.16; 6,15; Dn 9,25.26) y a los patriarcas (¿en cuanto profetas?, Sal 105,15 = 1 Cr 16,22), pero normalmente al rey (Is 45,1, Ciro; en los demás casos se trata de un rey israelita; 2 Sm 1,21, texto dudoso).

La forma básica del título es *mešīaḥ Yhwh,* «ungido de Yahvé» (Saúl: 1 Sm 24,7.7.11; 26,9.11.16.23; 2 Sm 1,14.16; David: 2 Sm 19,22; Sedequías: Lam 4,20). Cambia, a tenor del contexto, a «mi (1 Sm 2,35; Sal 132,17)/tu (Hab 3,13; Sal 84, 10; 89,39.52; 132,10; 2 Cr 6,42)/su (1 Sm 2,10; 12,3.5; 16,6; 2 Sm 22,51 = Sal 18, 51; Sal 2,2; 20,7; 28,8) ungido» y una vez «ungido del Dios de Jacob» (2 Sm 23,1).

La expresión sirve para señalar la estrecha relación que une a Yahvé y el rey. Como efectos de la unción se mencionan la inmunidad (1 Sm 24 y 26; 2 Sm 1,14.16; 19,22) y la familiaridad con el espíritu de Yahvé (1 Sm 16,13). En el AT, el título no tiene aún un significado escatológico-mesiánico especial, ni siquiera en Is 45,1, donde Ciro no es identificado con el rey esperado para el fin de los tiempos (esta esperanza está completamente ausente del Deuteroisaías), sino que recibe un título especial como instrumento elegido por Yahvé (*mšḥ* en el sentido traslaticio de «dar poder», cf. Kutsch, *loc. cit.,* 61s; Westermann, ATD 19,129).

La ampliación del título para designar al «Mesías» (transliteración griega del arameo *mešīḥā* = hebreo *hammāšīaḥ)* no pertenece, pues, al ámbito veterotestamentario, sino a su desarrollo posterior en el judaísmo tardío (cf. *inf.,* 5). La «expectativa mesiánica» del AT conoce diversas expresiones para designar al rey esperado del fin de los tiempos, en parte meramente alusivas o (como *ḥōṭær,* «retoño», Is 11,1; *ḥōtām,* «anillo de sello», Ag 2,23) expresiones figurativas; las más importantes son *mōšēl,* «señor» (Miq 5,1, → *mšl* 4d); *ṣǽmaḥ ṣaddīq,* «germen justo» (Jr 23,5; Rudolph, HAT 12, 134s: «germen auténtico» [de David]; a partir de ahí, *ṣǽmaḥ* pasa a Zac 3,8 y 6,12 como término técnico), y también *mǽlæk* (Ez 37,22.24; sobre este texto y su interpretación, cf. Zimmerli, BK XIII, 905s.912s.915-918; Zac 9,9).

4. *a)* Desde el punto de vista histórico-religioso y teológico, resulta interesante la designación de *Yahvé como rey.*

La correspondiente bibliografía es numerosísima: P. Volz, *Das Neujahrfest Jahwes* (1912); S. Mowinckel, *Psalmenstudien* II (1922) (reimpreso en 1961); H. Schmidt, *Die Thronfahrt Jahwes am Fest der Jahreswende im alten Israel* (1927); F. M. Th. de Liagre Böhl, *Nieuwjaarsfeest en Koningsdag in Babylon en in Israël* (1927) = *Opera Minora* (1953) 263-281; O. Eissfeldt, *Jahwe als König:* ZAW 46 (1928) 81-105 = KS I, 172-193; Gunkel-Begrich, 94-116; I. Engnell, *Studies in Divine Kingship in the Ancient Near East* (1943) (reimpreso en 1967); J. Muilenburg, *Psalm 47:* JBL 63 (1944) 235-256; A. Alt, *Gedanken über das Königtum Jahwes* (1945) = KS I, 345-357; I. Engnell, *The Call of Isaiah* (1949); A. Bentzen, *King Ideology - «Urmensh» - «Troonbestjgingsfeest»:* StTh 3 (1949) 143-157; M. Noth, *Gott, König, Volk im AT:* ZThK 47 (1950) 157-191 = GesStud 188-229; A. Weiser, *Zur Frage nach den Beziehungen der Psalmen zum Kult,* FS Bertholet (1950) 513-531 = *Glaube und Geschichte im AT* (1961) 303-321; H. J. Kraus, *Die Königsherrschaft Gottes im AT* (1951); L. Köhler, *Jahwäh malak:* VT 3 (1953) 188s; J. Ridderbos, *Jahwäh malak:* VT 4 (1954) 87-89; R. Hentschke, *Die sakrale Stellung des Königs in Israel:* ELKZ 9 (1955) 69-74; G. Widengren, *Sakrales Königtum im At und in Judentum* (1955); W. S. McCullough, *The «Enthronement of Yahwe» Psalms,* FS Irwin (1956) 53-61; D. Michel, *Studien zu den sogennanten Thronbesteigungspsalmen:* VT 6 (1956) 40-68; R. Press, *Jahwe und sein Gesalbter:* ThZ 13 (1957) 321-334; Eichrodt, I, 122-126.295-308; A. Caquot, *Le Psaume 47 et la royauté de Yahwé:* RHPhR 39 (1959) 311-337; de Vaux, II, 409-412; D. Michel, *Tempora und Satzstellung in den Psalmen* (1960) 215-221; Kraus, BK XV, p. XXLIIIs, 197-205.879-883; T. H. Gaster, *Thespis* ([2]1961) 450-452; K.-H. Bernhardt, *loc. cit.* (cf. *sup., 3b)* 183-242; C. Westermann, *Das Loben Gottes in den Psalmen* ([2]1961) 106-111; H. J. Kraus, *Gottesdients in Israel* ([2]1962) 239-242; S. Mowinckel, *The Psalms in Israel's Worship* I (1962) 106-192; E. Lipińsky, *Yāhweh mâlāk:* Bibl 44 (1963) 405-460; J. Schreiner, *Sion-Jerusalem Jahwes Königssitz* (1963) 191-216; A. S. Kapelrud, *Nochmals Jahwä mālāk:* VT 13 (1963) 229-231; E. Lipiński, *La royauté de Yahwé dans la poésie et le culte de l'ancien Israël* (1965); Gray, *Legacy,* 86ss; J. D. Watts, *Yahweh Mālak Psalms:* ThZ 21 (1965) 341-348; W. H. Schmidt, *Königtum Gottes in Ugarit und Israel* ([2]1966) 66ss. 80ss; Weiser, ATD 14,22ss; Th. C. Vriezen, *Hoofdlijnen der theologie van het OT* ([3]1966) 358s; A. Gelston, *A Note on Jhwh mlk:* VT 16 (1966) 507-512; A. R. Johnson, *loc. cit.* (cf. *sup., 3b)* 70s; W. H. Schmidt, *Atl. Glaube und seine Umwelt* (1968) 126-134; H. Bardtke, BiOr 25 (1968) 289-302.

Cf. también las notas investigativas de J. de Fraine, *loc. cit.,* 122ss; J. J. Stamm, ThR 23 (1955) 46-50; E. Lipiński, *Les Psaumes de la Royauté de Yahvé dans l'exégèse moderne,* en R. de Langhe, *Le Psautier* (1962) 133-272; íd., *loc. cit.,* 11-90; J. Coppens, *Les Psaumes de l'intronisation de Yahvé:* EThL 42 (1966) 225-231; íd., *La date des Psaumes de l'intronisation de Yahvé:* EThL 43 (1967) 192-197.

Esta designación es relativamente rara (cf. también → *mšl* 3a [3]): en 13 × es Yahvé el sujeto de *mlk* qal, de ellas, 7 × en los salmos de *Yahvé-malak* y textos relacionados (Ex 15,18; 1 Sm 8,7; Is 24,23; 52,7; Ez 20,33; Miq 4,7; Sal 47,9; 93,1; 96,10 = 1 Cr 16,31; Sal 97,1; 99,1; 146,10); el título *mǽlæk* le es aplicado en Nm 23, 21 (E?); Dt 33,5 (E?); Is 6,5; 41,21; 43,15; 44,6; Jr 8,19; Sof 3,15; Sal 5, 3; 10,16; 24,7-10; 29,10; 44,5; 47,3. 7; 48,3; 68,25; 74,12; 84,4; 89,19; 95,3; 89,6; 99,4; 145,1; 149,2; Dn 4, 34. Del *malkūt Yhwh* se habla en Sal

103,19 (paralelo a «su trono») y 145, 11-13 (paralelo a *mæmšālā);* según Sal 22,29 y Abd 21, a Yahvé le pertenece la *m*ᵉ*llūkā,* y según 1 Cr 29,11, le corresponde la *mamlākā* (cf. Dn 3,33 y 4,31, *malkū,* paralelo a *šolṭān,* «dominio»). Is 10,10 menciona los «reinos *(mamlākōt)* de los ídolos». Se hace también resaltar la realeza de Yahvé por medio de la mención de su trono *(kissē*ʾ*;* Is 6,1; 66,1; Jr 3,17; 17,12; Ez 1,26; Sal 9,5.8; 47,9; 89,15; 93,2; 103,19); cf. también *kābōd* (→ *kbd).* En algunos pasajes se acentúa la realeza de Yahvé sobre Israel; en otros, su realeza cósmica.

b) Si tenemos en cuenta que la atribución del título de rey a los dioses es algo común a todo el mundo semítico y que textos antiquísimos (Ex 15, 18; Nm 23,11; Dt 33,5) documentan esta costumbre en el Israel premonárquico, no podemos afirmar que el título haya sido aplicado a Yahvé únicamente después de la instauración de la monarquía en Israel. Semejante es en parte la tesis del deuteronomista, según el cual en la época premonárquica el pueblo tenía un gobierno teocrático (Jue 8,22-23 → *mšl;* 1 Sm 8,7; 10,18s; 12,12), de forma que la instauración del régimen monárquico introdujo una tercera entidad entre Yahvé y el pueblo (especialmente en Judá, donde el monarca, según la profecía de Natán de 2 Sm 7, ocupaba un lugar en el culto del Estado y en la teología). Pero esta unión de la realeza divina y de la terrena no tuvo lugar sin oposición; es significativa en este sentido la reserva de los profetas y del deuteronomista a la hora de aplicar a Yahvé el título de rey (cf. H. J. Boecker, *Die Beurteilung der Anfänge des Königtums in den deuteronomistischen Abschnitten des 1. Samuelbuches* [1969]). También la introducción del culto de *mōlæk* (cf. *inf.,* 4*e)* debió contribuir lo suyo a esta reserva, al igual que el título de Baal.

Más adelante, el Deuteroisaías volverá a recoger el título y el verbo para anunciar la gran liberación realizada por Yahvé, en la cual se manifiesta —como en la antigüedad— su dominio sobre todo el mundo.

c) Los preexílicos *salmos de Yahvé-malak* constituyen un problema especial desde que P. Volz y S. Mowinckel, cada uno por su lado, les asignaron como, *Sitz im Leben,* una fiesta judía paralela a la fiesta de año nuevo, documentada en todo el antiguo Oriente, en la que se celebraba la entronización del vencedor del caos. Los problemas que la teoría ha planteado siguen en pie, ya que todavía no se ha llegado a una solución satisfactoria. Las preguntas nacen, por una parte, de las dificultades inherentes a los salmos en cuestión, y por otra, de la diversidad de formas que reviste la fiesta fuera de Israel, que con frecuencia se olvida.

El punto de partida es la frase *Yhwh mālak* (Sal 93,1; 96,10 = 1 Cr 16,31; Sal 97,1; 99,1) o *mālak* ʾ*ælōhīm* (Sal 47,9); cf. también Sal 146,10, donde aparece *yimlōk Yhwh.* S. Mowinckel y con él H. Schmidt, F. M. Th. de Liagre Böhl, los pertenecientes a la escuela del «Myth and Ritual» y los miembros de la escuela de Upsala han traducido la frase por «Yahvé ha sido hecho rey», y la interpretan como aclamación de entronización. En apoyo de la hipótesis se recurre a pasajes veterotestamentarios en los que aparece una expresión lingüísticamente semejante: 2 Sm 15,10; 1 Re 9,13 («Absalón/Adonías/Yehú ha sido hecho rey»). Y se mencionan también diversos paralelos del Oriente antiguo: la aclamación *ᵈMarduk-ma šarru* en la fiesta babilónica del *akītu (Enūma Elīš* IV, 28; ANET 66a) y la aclamación semejante *ᵈAššur šar,* documentada en Asiria; más tarde se han añadido diversos textos ugaríticos: 68 (= III, AB, A), 32: *ym lmt b*ʿ*lm yml[k],* «Ahora Yamm ha muerto realmente, ahora reinará Baal»; 129 (= AB, C), 22: *ṯpṭ nhr mlkt,* «oh Señor mío, ahora tú eres rey», etc.

Ya A. Alt y M. Noth, *loc. cit.,* hicieron una crítica general a la tesis, pero sólo en estos últimos años ha sido tratada desde el punto de vista gramatical y sintáctico. Todos los pasajes citados de los salmos, excepto uno, presentan la construcción *X-qatal;* los textos de 2 Sm y 1/2 Re, en cambio, la construcción es *qatal-X;* ya la gramática tradicional distinguía ambos tipos de construcción, puesto que el sujeto que precede al verbo debe entenderse enfáticamente. La expresión babilónica citada no constituye un paralelo exacto de nuestra expresión hebrea, ya que se trata de una frase nominal y su traducción puede ser únicamente ésta: «Marduk es rey». La frase asiria presenta la construcción *X-qatal,* y lo mismo sucede en los textos ugaríticos. Su semejanza con nuestros salmos indica que se trata de una fórmula extendida en el mundo semítico. Ahora bien, teniendo en cuenta que en todos estos casos el sujeto precede enfáticamente al verbo, puede decirse que la traducción debe ser o «Yahvé es rey» (a diferencia de otros; Köhler, McCullough, Johnson) o «Yahvé es (desde ahora) rey» (Ridderbos, Schreiner, Watts, Gray) o «Yahvé es el que ejerce la realeza» (Michel). En cualquier caso, es claro que no se trata de una aclamación que anuncia la periódica reinstauración de Yahvé en la realeza, sino de una proclamación cúltico-kerigmática de la eterna realeza de Yahvé (así lo entiende también W. H. Schmidt, aunque siga traduciendo la frase por «Yahvé ha sido hecho rey»). De hecho, en los mencionados textos Yahvé es presentado con frecuencia como rey sobre los dioses (Sal 95,3; cf. 96,4; 97,7-9).

d) La cuestión del contenido y de la forma de la fiesta, a la cual apuntan de alguna forma los citados pasajes, no ha podido ser resuelta todavía satisfactoriamente. Kraus y Weiser hablan de una fiesta real de Sión (con procesión del arca) o de una fiesta cúltica de la alianza, que se celebraría en Jerusalén con ocasión de la fiesta de los tabernáculos. Pero debe señalarse, con Weiser y N. Poulssen, *König und Tempel in Glaubenszeugnis des AT* (1967) 64ss, que el material disponible no permite reconstruir dicha fiesta de Sión, y lo mismo debe decirse de la fiesta de la alianza, sobre todo tras las recientes dudas planteadas sobre la antigüedad de la concepción de la alianza (→ *berīt).*

e) Hace ya tiempo que se conocía en las fuentes fenicio-púnicas un sacrificio *molk* (cf. O. Eissfeldt, *Molk als Opferbegriff im Punischen und das Ende des Gottes Moloch* [1935]; *íd.,* RGG IV, 1089s; R. Dussaud, CRAIBL [1946] 371-387; R. de Vaux, *Les sacrifices de l'AT* [1964] 67-81). Según de Vaux (que se basa en la inscripción de Karatepe, KAI N. 26, II, línea 19; cf. A. Alt, WdO I/4 [1949] 282s), la raíz no es *mlk,* sino *hlk* (fenicio yifil, «presentar»), pero al ser recogida la expresión por los israelitas la han atribuido a un dios *Mlk (loc. cit.,* 70.80; la vocalización *mōlæk* [LXX, Μολοχ] responde a *bōšæt,* «vergüenza», y no parece ser la original). El hallazgo de numerosos esqueletos de niños en los recintos cúlticos *(tōfæt)* fenicio-púnicos excavados viene a probar que se trataba de sacrificios de niños. Y ya que el ser humano sacrificado era objeto de un culto apoteósico, puede pensarse que en estos lugares se rendía también culto a los muertos.

En el AT deben tomarse en consideración los siguientes textos: Lv 18, 21; 20,2-5; 1 Re 11,7; 2 Re 23,10; Jr 32,35. De *tōfæt* se habla en 2 Re 23,10; Is 30,33; Jr 7,31.32a.b; 19,6. 11-14. La frecuentemente documentada expresión «hacer pasar por el fuego» (→ *'ēš 3a)* se refiere a este tipo de sacrificio.

Sobre el tema, cf. E. Dhorme, *Le dieu Baal et le dieu Moloch dans la tradition biblique:* Anatolian Studies 6 (1956) 57-61; S. Moscati, *Il sacrificio dei fanciulli:* Pontificia Accademia romana di Archeologia, Rendiconti 38 (1965-66) 61-68; íd., *Il «tofet»,* FS Rinaldi (1967) 71-75. Quizá también Jr 2,23 deba interpretarse en relación a este sacrificio; cf. J. A. Soggin, OrAnt 8 (1969) 215-217.

f) En 1 Re 11,5.33; 2 Re 23,13 (cf.

también la corrección propuesta para 2 Sm 12,30; 1 Re 11,7; Jr 49,1.3; Sof 1,5) se hace referencia al dios *Milkōm* de los amonitas. Se trata probablemente de una forma de *mǽlæk* con mimación. Sólo está documentado en el AT y en dos sellos arameos; no conocemos nada acerca de su culto.

G. Gray, *Legacy* 171-173; N. Avigard, *Seals of Exiles,* IEJ 15 (1965) 222-228; G. Garbini, *Un nouvo sigillo aramaico-ammonita:* AION 17 (1967) 251-256; H. Gese, *Die Religionen Altsyriens* (1970) 139.214s.

5. En la literatura qumránica, el término no aparece con especial frecuencia (sólo *mǽlæk* y *mulkūt,* además del raro *mlk* qal, cf. Kuhn, *Konk.,* 124s). En el Gn Apócrifo 2,4.7 aparece la designación divina *mlk kwl ʿlmym,* «rey de todos los eones/mundos»; en 2,14, *mlk šmyʾ,* «rey del cielo» (cf. Fitzmyer, *Gen. Ap.,* 75.80).

En la traducción de los LXX, el término dominante es βασιλεύς y derivados; *βασιλεία,* «poder real» (hebreo *malkūt),* ha llegado a ser un concepto de gran importancia en el judaísmo tardío y en el NT (cf. H. Kleinknecht, G. von Rad, K. G. Kuhn, K. L. Schmidt, art. βασιλεύς: ThW I, 562-595; K. Galling y H. Conzelmann, art. *Reich Gottes:* RGG V 912-918; C. Westermann y G. Schille, BHH III, 1573-1577).

b) La estrecha unión entre el rey divino y el terreno, propia del culto jerosolimitano y el reconocimiento —ya desde la época preexílica— de las dimensiones cósmicas y supratemporales de la realeza divina constituyen en el judaísmo el presupuesto para la esperanza escatológica de un reinado efectivo de Dios, regido por un ungido de Dios *(māšīaḥ,* Μεσσίας, griego Χριστός). Este desarrollo es testimoniado sobre todo por los libros apócrifos y por la literatura de Qumrán (cf. la síntesis del estado de la investigación presentada por A. S. van der Woude, BHH II, 1197-1204, que ofrece abundantes datos bibliográficos). Es claro que a esta nueva concepción han contribuido ideas no teológicas e incluso extranjeras, como, por ejemplo, la frustración política o la ideología persa, pero esto no explica totalmente la misma, pues la fe en el poder real de Dios, coherentemente meditada y profundizada, podía llevar sin más a la esperanza en un efectivo reinado de Dios.

J. A. Soggin

מעל *mʿl* Ser infiel

1. El verbo *mʿl,* «ser/hacerse infiel», aparece sólo en hebreo (y, dependiendo del hebreo, en arameo judaico; en hebreo medio aparece también *meʿīlā,* «infidelidad, deslealtad»).

Los intentos de establecer una relación etimológica con diversos verbos árabes (cf. GB 445a; KBL 547b; Zorell, 457b) o con *meʿīl,* «túnica» (GB 445a; J. L. Palache, *Semantic Notes on the Hebrew Lexicon* [1959] 10; significa fundamentalmente «cubrir» [?], → *bgd)* siguen siendo inciertos.

En el AT, además del verbo (sólo en qal) aparece el nombre segolado *máʿal.*

2. El verbo aparece 35 × (2 Cr 8 ×, Ez 7 ×, Jos 4 ×, Lv, Nm y 1 Cr 3 ×, Esd y Neh 2 ×, Dt Prov y Dn 1 ×); el nombre, 29 ×, de ellas, 20 × formando una *figura etymologica* con el verbo (Ez 6 ×, Jos 4 ×, Lv y Nm 3 ×, Dn y 1 Cr 1 ×).

El verbo *mʿl* está ausente de los libros narrativos (excepción hecha de Jos), de los salmos y de los libros proféticos (excepción hecha de Ez) y aparece una sola vez en Dt 32,51 qal; Job 31,4, sustantivo; Prov 16,10 qal. La mayoría de los casos pertenece a la literatura exílica y posexílica y concretamente al lenguaje sacerdotal (es difícil determinar la época a la que pertenece Prov 16,10; los pasajes de Jos pueden ser asignados al deuteronomista).

3. *a)* A partir de Nm 5,12 podemos deducir cuál era el significado base: «cualquier hombre cuya mujer

se haya desviado (*śṭh*, que aparece únicamente aquí y en Nm 5,19.20.29; Prov 4,15; 7,25) y le haya engañado». El «desviarse» es interpretado como «ser infiel». El término *m'l* se refiere, por tanto, a la relación de fidelidad establecida entre dos personas y regulable jurídicamente. También en Prov 16,10 y Job 21,34 designa infidelidad con respecto a otras personas. Sólo en una ocasión se emplea *m'l* con referencia a una cosa, el anatema: Jos 7, 1; cf. 22,20; 1 Cr 2,7.

b) También se hace referencia a la relación de fidelidad cuando *m'l* es empleado seguido de *má'al* y *bᵉ* con objeto personal (27 de los 44 casos): se es «infiel con» alguien; así, sobre todo, en los textos legales (excepto Lv 5,15) y en Jos, donde domina la unión de verbo y nombre (cf. *sup.*, 2). En estos textos es donde el lenguaje se hace más técnico, mientras que en los textos no legales el concepto es usado más bien de forma absoluta (*m'l* qal: Ez 14,13; 15,8; 18,24; Prov 16,10; Esd 10,10; Neh 1,8; 2 Cr 26,18; 29,6; 36,14; *má'al:* Lv 5,15; Job 21,34; Esd 9,2.4; 10,6; 1 Cr 9,1; 2 Cr 29,19; 33,19).

c) Como conceptos paralelos deben mencionarse: *ḥēṭ'/ḥaṭṭā't*, «falta» (Lv 5, 15.21; Nm 5,6; Ez 14,13; 18,24; 2 Cr 33, 19); *'āwōn*, «culpa» (Lv 26,40); *ṭm'*, «ser impuro» (Nm 5,27; 2 Cr 36,14); *mæræd*, «rebelión» (Jos 22,22); *'áwæl*, «injusticia» (Ez 18,24); *tō'ēbā*, «abominación» (2 Cr 36,14; cf. Ez 18,24); *gdp* piel, «ofender» (Ez 20,27); *ra'*, «mal» (2 Cr 29,6); *znh*, «prostituir» (1 Cr 5,25).

Los conceptos paralelos muestran que *m'l* es un concepto formal que deja un amplio espacio (Lv 5,15; Nm 5,6) a las diversas formas de infidelidad (cf. Nm 31, 16; Dt 32,51; Jos 22,20.22; Ez 18,24; Esd 9,2.4; 1 Cr 5,25; 2 Cr 26,16 y otros) y que, por otra parte, el sentido propio de *m'l* caracteriza a sus conceptos paralelos.

4. Prescindiendo de los casos excepcionales, el término se refiere a la «infidelidad» para con Yahvé/Dios/el Dios de Israel. Se trata, pues, de un concepto explícitamente teológico.

Es característica la fórmula *m'l (má'al) bYhwh*, «mostrarse infiel para con Yahvé» (Lv 5,21; 26,40; Nm 5,6; Dt 32,51; 1 Cr 10,13; 2 Cr 12,2; 26,16; 28,19.22; 30,7; cf. Jos 22,16; Esd 10, 2; Neh 13,27; 1 Cr 5,25). El término se emplea en los más diversos géneros: introducción a las prescripciones cúlticas (Lv 5,15; Nm 5,6.12.27), instrucción para la confesión del pecado y confesión del pecado del pueblo (Lv 26,40; Esd 10,2; Dn 9,7), lamentación (Dt 32,51; Ez 14,13; 15,8; 17,20; 20, 27; 39,23; Esd 10,10; 1 Cr 9,1; 2 Cr 12,2), proclamación del derecho (Ez 18,24), oráculo de absolución (Jos 22, 31), anuncio de salvación (Ez 39,26).

La referencia directa a Yahvé, que se manifiesta en los diversos géneros, delata un estadio avanzado del pensamiento teológico, en el que una acción ya de por sí pecaminosa es valorada expresamente por lo que tiene de infidelidad para con Yahvé. Dicho de otra forma: lo teológicamente característico del concepto «infidelidad» consiste en que la implicación jurídica de la relación comunitaria con Dios es trasladada al nivel del criterio ético de fidelidad y concretamente al nivel de la fidelidad personal para con Yahvé.

Sobre la cuestión de la infidelidad por error y la infidelidad consciente, cf. Elliger, HAT 4,75s. De todos modos, la traducción corriente «infidelidad» parece más adecuada que la traducción «incumplimiento de la obligación» sugerida por Elliger.

5. El empleo y el significado del término en los escritos de Qumrán (verbo y nombre, cf. Kuhn., *Konk.*, 127) siguen la línea del desarrollo documentado en los textos posexílicos. El tratado misnaico *Mᵉ'īlā* trata de la infidelidad de los consagrados.

Los LXX emplean más de doce términos griegos diversos para traducir el hebreo *m'l*. Pero los diversos traductores son por lo general coherentes (por ejemplo, Jos, Dn y Ecl, πλημμελεῖν, «cometer una falta»; Ez, normalmente, παραπίπτειν, «transgredir»; Esd/Neh, ἀσυνθετεῖν, «infringir un pacto») y únicamente los traductores de Lv/Nm y Cr muestran una cierta flexibilidad. Pero, en definitiva, ninguno de los conceptos griegos traduce el significado fundamental del concepto hebreo.

R. Knierim

מצא *mṣ'* Encontrar

1. La raíz semítica común *mṣ'* aparece en el AT sólo como verbo (qal, nifal pasivo, hifil causativo). Aunque el carácter local no está muy acusado en el hebreo *mṣ'* ni en el acádico *maṣū*, originalmente el verbo era un verbo de movimiento: «llegar a». Hacia ahí apuntan pasajes como Is 10,10.14; Sal 21,9; Job 11,7, lo mismo que los casos del hifil, que deben entenderse todos como causativos de un verbo de movimiento (donde mejor se ha conservado el sentido local es en el etiópico *maṣ'a*, «venir»).

La cuestión etimológica se complica aún más por la existencia de otra raíz **mẒy* (cf. G. Garbini, *Il semitico di nord-ovest* [1960] 30), «llegar, alcanzar», que está ampliamente documentada en el ugarítico *mǵy* (UT N. 1520; WUS N. 1627) y en el arameo *mṭy* (arameo imperial, arameo bíblico *mṭ'* qal, «alcanzar, entrar, llegar» [8 × en Dn], siríaco, etc.: KBL 1092s) (cf. también Huffmon, 232; Gröndahl, 156; según G. R. Driver, ZAW 50 [1932] 146, que se refiere a KBL 515b, aparece también en el *māṭǣ*, «los que llegan», de Prov 24,11; se discute su relación con el árabe *maḏā*, «ir»; cf., por ejemplo, P. Fronzaroli, *La fonetica ugaritica* [1955] 35)*.

La raíz *mṣ'* no está documentada en árabe; en arameo aparece muy raramente: arameo egipcio, «encontrar (?) (DISO 164); siríaco y mandeo, «poder, encontrar» (LS 398s; Drower-Macuch 276b); arameo judaico qal/itpeel, «poder», afel, «hacer encontrar» (Dalman, 248a); por lo demás, cf. el acádico *maṣû*, «corresponder, bastar, ser suficiente» (AHw 621s); ugarítico *mṣ'* D, «hacer llegar a» (WUS N. 1634; forma secundaria *mẒ'*, «encontrar a alguien», WUS N. 1649; cf. UT N. 1524, también para el arameo meridional antiguo); etiópico «venir» (Dillmann, 226s). Todavía no se ha llegado a aclarar satisfactoriamente la cuestión de la relación entre las diversas raíces y sus influjos mutuos.

Para la idea de «encontrar» el arameo emplea normalmente el verbo *škḥ* (arameo bíblico hafel 9 ×, hitpael pasivo 9 ×; KBL 1130a). El correspondiente acádico de *mṣ'*, en cuanto al significado, no es *maṣû*, sino *kašādu*, que ha tenido un desarrollo semejante al del hebreo *mṣ'*: «llegar a (alcanzar una meta)» > «encontrar»; cf. el latín *venire-invenire*.

2. En el AT, el verbo aparece 454 veces, distribuidas regularmente: qal 306 × (Gn 44 ×, 1 Sm 27 ×, Prov 24 ×, Sal y Ecl 17 ×, Dt 16 ×, 1 Re 14 ×, incluido 1 Re 18,5, imperfecto qal, primera persona plural [Lisowsky: nifal perfecto]), nifal 141 × (2 Cr 20 × [en Lisowsky falta 2 Cr 21,17]), hifil 7 × (excluido 2 Sm 18,22 [*yṣ'* hifil]).

3. *a)* El ámbito de significado de *mṣ'*, «encontrar», tiene una llamativa afinidad con el de → *bqš* piel, «buscar». Si al «encontrar» precede o acompaña un «buscar» señalado expresamente, se emplea normalmente el verbo *bqš* piel (unos 35 ×); en cambio, → *drš* y otros verbos que denotan búsqueda aparecen rara vez junto a *mṣ'* (Jenni, HP 249). Así como *bqš* piel se refiere primariamente a la búsqueda de lo perdido y extraviado —sea persona, animal o cosa—, así *mṣ'* se refiere primariamente al correspondiente «encontrar». En una tercera parte de los casos se trata del hallazgo de algo que se buscaba y cuya localización se desconocía; cf., por ejemplo, Gn 19,11 (latín *invenire*).

En numerosos pasajes el sentido se amplía y el verbo *mṣ'* se emplea para designar un hallazgo casual sin búsqueda precedente, por ejemplo, Gn 30, 14 (latín *reperire*).

Además de este empleo fundamentalmente local hay otro campo de empleo que queda fuera del ámbito espacial. Designa la consecución y el resultado de determinado esfuerzo en sentido amplio: «conseguir, dar alcance» (por ejemplo, Job 31,25); cf. *nśg* hifil («lograr, alcanzar», 49 × [excluido Job 24,2]), que con frecuencia aparece como sinónimo de *mṣ'*, aunque su objeto no es algo perdido, sino algo que se escapa y huye. Este empleo corresponde a un empleo de *bqš* piel en sentido emocional-voluntativo («esforzarse por algo, tratar de conseguir algo»).

Así como el «buscar» puede tener una connotación de persecución, así el correspondiente «encontrar» puede tener el sentido de «tomar en su poder», por ejemplo, en 2 Sm 20,6 (latín *usurpare).* Como sujeto pueden aparecer conceptos abstractos: «desgracia» (Gn 44,34; Dt 31,17.21; Job 31,29; Est 8, 6), «culpa» (Nm 32,23; 2 Re 7,9), «fatiga» (Ex 18,8; Nm 20,14; Neh 9,32), «miedo» (Sal 116,3; 119,143).

b) El nifal es empleado primariamente como pasivo del qal («ser encontrado» y «ser conseguido») y después como pasivo del «encontrar» hostil, es decir, «caer en el poder de» (Jr 50,24). S. Iwry, «Textus» 5 (1966) 34-43, sugiere que el participio nifal *nimṣā'* es un *terminus technicus* para designar al «prisionero, *displaced person».*

También se da, sobre todo en la literatura cronística, un empleo reflexivo del nifal «mostrarse» (Esd 10,18; Neh 13,1; 1 Cr 24,4; 2 Cr 2,16).

Con frecuencia tiene *mṣ'* un sentido atenuado: «hallarse en determinado lugar» (dando la indicación del lugar en cuestión; unas 30 ×), y en el lenguaje tardío, incluso «estar presente» (2 Cr 35,7.17s). En unos 50 ×, *mṣ'* nifal es prácticamente sinónimo de → *hyh* qal, «hay» (Gn 41, 38; Dt 21,17).

4. No se da un empleo específicamente teológico de *mṣ'*. Unicamente en 13 × aparece Dios como sujeto del encontrar, sin que haya, por otra parte, diferencia alguna con respecto al uso profano (Gn 2,20; 18,26.28.30; 44,16; Dt 32,10; Jr 23,11; Ez 22,30; Os 9, 10; Sal 17,3; 89,21; Job 33,10; Neh 9,8; también Is 10,10.14: «mi [de Dios] mano»). Sobre la «tradición del hallazgo», distinta de la tradición del éxodo y sugerida por R. Bach, *Die Erwählung Israels in der Wüste* (tesis presentada en Bonn [1951]; cf. ThLZ 78 [1953] 687), basándose en Dt 32, 10 y Os 9,10 (así como otros pasajes sin *mṣ')*, cf. E. Rohland, *Die Bedeutung der Erwählungstraditionen Israels für die Eschatologie der atl. Propheten* (1957) 27-32; Wolff, BK XIV/1, 212s; von Rad, ATD 8, 141; críticamente: Zimmerli, BK XIII, 345s; Rudolph, KAT XIII/1, 185.

Es más raro aún que Dios aparezca como objeto de *mṣ'* (Dt 4,29; Jr 29, 13; Os 5,6; Job 23,3; 37,23); deben tenerse también en cuenta los siguientes objetos de *mṣ'* en la literatura sapiencial, donde *mṣ'* presenta con frecuencia el sentido cognitivo de «reconocer»: «la profundidad de Dios» y «la perfección del Todopoderoso» (Job 11,7), «el conocimiento de Dios» (Prov 2,5), «la obra de Dios» (Ecl 3,11; 8, 17); también «la palabra de Dios» (Am 8,12).

La expresión «hallar gracia a los ojos de» aparece 40 ×, de ellas, 13 × referida a Dios (Gn 6,8; 18,13; 19,19; Ex 33,12. 13.16.17; 34,9; Nm 11,11.15; Jue 6,17; 2 Sm 15,25). La frase, que aparece únicamente en textos narrativos, es una simple expresión de cortesía sin contenido religioso especial (→ *ḥēn* 3a).

5. Los 16 casos de la literatura qumránica (Kuhn, *Konk.*, 130b) se diferencian del lenguaje bíblico únicamente en que emplean con marcada preferencia las formas pasivas (3 × qal, 13 × nifal). Los LXX traducen *mṣ'* preferentemente por εὑρίσκειν (unas 385 ×), pero emplean también otros veinte términos distintos por lo menos; cf. H. Preistler, art. εὑρίσκω: ThW II, 767s.

G. Gerleman

מָרֵא *mārēʾ* (arameo) **Señor**
→ אָדוֹן *ʾādōn*

מרד *mrd* Rebelarse

1. La raíz *mrd,* «rebelarse», aparece sólo en semítico noroccidental y meridional con idéntico significado.

Los casos extrabíblicos más antiguos pertenecen al arameo imperial (DISO 167; cf. también Gn Apócrifo 21,27). Además de en hebreo y arameo, la raíz aparece en árabe, árabe meridional y etiópico (KBL 564b).

En el AT hebreo aparecen el verbo (sólo en qal) y los sustantivos *mæræd* (Jos 22, 22) y *mardūt* (1 Sm 20,30), «insurrección». El arameo bíblico conoce los sustantivos *m*ᵉ*rad,* «insurrección» (Esd 4,19 paralelo a *ʾæštaddūr,* «rebelión») y *mārād* (BLA 191: forma nominal *qattāl),* «tumulto» (Esd 4,12.15).

2. Estadística: *mrd* qal 25 × (Jos 5 ×, 2 Re y Ez 4 ×, Neh 3 ×, Dn y 2 Cr 2 ×; Gn 14,4; Nm 14,9; Is 36,5; Jr 52,3; Job 24,13), *mæræd* y *mardūt* 1 ×; arameo bíblico *m*ᵉ*rad* 1 ×, *mārād* 2 ×; en total, 30 casos.

Los casos más antiguos son Nm 14,9 (J); 2 Re 18,7.20 = Is 36,5; 2 Re 24,1. 20 = Jr 52,3. El resto de los casos pertenece a la época exílica y posexílica.

3. *a)* *mrd* es un concepto propio del derecho internacional (12 ×, así como Esd 4,12.15.19 y 1 Sm 20,30, en sentido no teológico). Se deduce claramente del contexto: el que se subleva se había hecho vasallo de un rey (Gn 14,4; 2 Re 18,7; 24,1; 2 Cr 13,6) por medio de un pacto (Ex 17,13-15) o por medio de un juramento por Dios (2 Cr 36,13) y estaba obligado a cumplir lo pactado (Ez 17,14s). Al sublevarse rompe el pacto y el juramento por Dios y pretende independizarse políticamente. Cf. también Esd 4,12.15.19. Como concepto paralelo aparece, en contextos políticos, el verbo → *qūm,* «levantarse» (2 Cr 13,6).

Los casos correspondientes a la sección aramea de la inscripción de Behistun de Darío I *(mrdʾ,* «rebeldes», Cowley, 251ss, líneas 1.3.5.7.8.44; el equivalente acádico *nekru,* «enemigo», AHw 776a tiene un significado más general) se refieren a la situación de guerra creada tras la muerte de Cambises; los casos de los textos de Cowley, N. 27, línea 1; Driver, AD N. 5, línea 6; N. 7, línea 1 *(mrd* qal en todos ellos) se refieren a las revueltas que tuvieron lugar en Egipto los años 411/410 antes de Cristo (Driver, AD 9). El Gn Apócrifo 27,27 *(mrd* qal) recoge el texto de Gn 14,4.

Al verbo acompaña casi siempre la preposición *l*ᵉ*;* sólo tardíamente aparece la preposición *ʿal,* «contra» (Neh 2,19; 2 Cr 13,6); en Gn 14,4 y en Neh 6,6 es empleado sin complementos.

El término aparece en el género de crónicas (Gn 14,4; 2 Re 18,7; 24,1.20 = Jr 52,3; 2 Cr 36,13), de disputa (1 Sm 20,30; 2 Re 18,20 = Is 36,5; Neh 2,19; 2 Cr 13,6), de la narración instructiva (Ez 17,15) y en el género epistolar (Neh 6,6).

b) *mrd* se refiere fundamentalmente a una sublevación no acabada todavía. Excepto en 2 Cr 36,13, siempre fracasa. Cf. especialmente la discusión sobre el éxito (cf. *sup.).*

También en 1 Sm 20,30 *(mardūt)* hay una implicación política, como el contexto (vv. 30s) lo demuestra: en opinión de Saúl, Jonatán se subleva contra Saúl y su realeza por fidelidad a David.

c) La comprensión del término señalada en *3a-b* determina su traducción y la diferencia que lo separa de conceptos parecidos. La traducción adecuada es «sublevarse» *(b*ᵉ *=* contra)» o «rebelión», a diferencia de «abandonar, desertar», que reflejan más bien el hecho consumado y responden a otro concepto hebreo.

La *Zürcher Bibel* no es coherente en la traducción de este término (incluidos los pasajes teológicos): traduce *mrd: a)* como «sublevarse» (Jos 22,16.18. 19.29; Ez 20,38; Neh 9,26; 2 Cr 13, 6); *b)* como «obstinarse» (Nm 14,9, hebreo → *mrh); c)* como «renegar» (2 Re 18,7.20 = Is 36,5; Ez 2,3; Dn 9,5.9), o «desertar» (Gn 14,4; 2 Re 24,1.20 = Jr 52,3; Ez 17,15; Neh 2, 19; 6,6; 2 Cr 36,13), hebreo → *pšʿ*.

mrd se diferencia, pues, de *pšʿ*, «romper con», que designa el hecho consumado (sólo en el lenguaje teológico tardío se pierde esta diferencia); por otro lado, se parece a → *lūn* nifal/hifil, «rebelarse», con la diferencia de que en el caso de *lūn* la acción revolucionaria mira a la suplantación del atacado por el atacante y en el caso de *mrd* se busca la independencia del sublevado.

d) La rebelión política de los israelitas o de los reyes judíos —que desde el punto de vista de los imperios afectados era simplemente la violación de un pacto— es juzgada en los textos de formas muy diversas: positivamente, 2 Re 18,7.20ss; negativamente, en 2 Re 24,1.20; Ez 17,15; 2 Cr 36,13. La rebelión política de por sí no es buena ni mala (como se ve en el estilo neutral de las crónicas, Gn 14, 14), sino que es juzgada, en el contexto, desde el punto de vista de la relación del rebelde con Yahvé. La acción política tiene, pues, una dimensión teológica.

4. La rebelión contra Yahvé es siempre ilegítima (12 casos, más Job 29,13: rebelión contra la luz). Con respecto a la relación con Yahvé, *mrd* significa la rebelión contra la relación de fidelidad y servicio a Yahvé, el intento de desligarse de él.

También aquí domina la construcción con la preposición *bᵉ* (Nm 14,9; Jos 22,16.18.19bα.29; Ez 2,3a; 20,38; Dn 9,9; Neh 9,26); en Jos 22,19s le acompaña *ʾæt;* en Ez 2,3aβ y Dn 9,5 se emplea sin complementos.

Hay rebelión en casos de infidelidad (Nm 14,9), en casos de —supuesto— culto a dioses extranjeros (Jos 22,19. 19); también se emplea el término como concepto fundamental para designar la actitud del pueblo de Dios, por ejemplo, en la acusación profética (Ez 2,3; 20,38) o en la confesión de pecado del pueblo (Dn 9,5.9; Neh 9,26).

En la época tardía, los conceptos sinónimos se multiplican y se generalizan. La intención generalizadora y teológicamente censurante se impone sobre el significado original concreto de cada uno de los términos. El concepto paralelo más cercano es *máʿal,* «infidelidad» (→ *mʿl;* Jos 22,16.22 *[máræ]),* que, sin embargo, aparece únicamente en contextos teológicos, donde el término —que en el ámbito político es neutral— implica un juicio negativo de la acción. Ez 2,3 emplea *pšʿ bᵉ*, que vuelve a aparecer en 20,38 formando hendíadis con *mrd* («rebeldes y apóstatas/violadores del pacto»). Con el paso del tiempo, las expresiones paralelas se van haciendo más generales y frecuentes (cf. Jos 22,16.29 P; Neh 9, 26; Dn 9,5).

5. Según Kuhn, *Konk.*, 134, el verbo aparece tres veces en los escritos de Qumrán: 1QpH 8,11 (contra Dios); 8.16; CD 8,4.

Los LXX traducen el verbo normalmente por medio de ἀφιστάναι (9 ×), término más impreciso que el hebreo; también por medio de ἀθετεῖν, «descartar, suprimir» (2 Re 18,7.20; 24,1. 20; 2 Cr 36,13), y por medio de otros verbos o expresiones diversas. Cf. también H. Schlier, art. ἀφίστημι: ThW I, 509-511.

R. Knierim

מרה *mrh* Ser rebelde

1. La raíz *mrh (*mry),* «ser rebelde», aparece en este sentido únicamente en hebreo; Brockelman y otros (LS 402a; KBL 565) unen el hebreo *mrh* con el arameo judaico *mry* afel, «hacer enfadarse»; siríaco *mry* pael, «rivalizar», y el árabe *mry* III, «disputar».

En el AT hebreo aparecen: el verbo en qal y en hifil causativo interno (GK § 53d; Bergster., II, 102) y el nombre segolado *mᵉrī,* «rebeldía» (BL 577ss).

Sobre los nombres personales *Mᵉrāyā* y *Mᵉrāyōt,* cf. Noth, IP 250; Rudolph, HAT 20,66s, «terco» [?]); sobre *Yimrā* (1 Cr

7,36, texto dudoso), cf. Noth, IP 246; Rudolph, HAT 21,74; sobre el nombre geográfico *Merātáyim* (referido a Babel, juego de palabras en que resuena el acádico *nār marrātu),* cf. Rudolph, HAT 12, 302s.

2. El verbo (qal 22 ×, más Sof 3,1, con la forma secundaria *mr'*; hifil 22 ×, más Ex 23,21, que se vocaliza ahora como *mrr)* aparece 10 × en Sal, 8 × en Dt, 4 × en Is, Ez y Lam, así como casos aislados sobre todo en los libros históricos. El sustantivo *m*e*rī* aparece 23 ×, de ellas 16 × en Ez. Son claramente preexílicos: Dt 21,18.20; 1 Sm 15,23; 1 Re 13,21.26; Is 1,20; 3,8; 30,9; Jr 4,17; 5,23; Os 14,1; quizá también Sal 78,8.17.40.56; 107,11; Prov 17,11.

3. *a)* Como expresiones que designan situaciones anímicas, *mrh,* «ser rebelde, terco», y *m*e*rī,* «rebeldía airada, obstinada», pertenecen al ámbito de los conceptos antropológicos. Y como el concepto implica, por otra parte, una actitud consciente y voluntaria, refleja la participación subjetiva del hombre en su postura (cf. Dt 21,18.20; Is 30,9; Jr 5,23; Sal 78,8). La «rebeldía» es entendida, pues, como oposición fundamental y obstinada.

b) La rebeldía se manifiesta en una oposición abierta, bien de palabra (Nm 17,25; 20,10; cf. vv. 3-5; 27,14; Dt 1, 26; Sal 78,17-20) o de obra (Dt 21,18. 21; 1 Sm 12,14s; 1 Re 13,21.26; 2 Re 14,26; Jr 4,17s; Ez 5,6; 20,8.13.21). Cf. Is 3,8: «porque hablaban y actuaban contra Yahvé, rebelándose en presencia de su gloria».

c) De entre los términos semejantes que aparecen en el contexto de *mrh/m*e*rī* (unos veinte) deben citarse como más importantes los siguientes: *lō* → *šm',* «no oír» (muy frecuente; por ejemplo, en Dt 9,23; Jos 1,18; Is 30,9; Ez 20,8); *m'n* piel, «negarse» (Is 1,20; Neh 9,17); → *rīb,* «litigar» (Nm 20,3 y 10); → *lūn,* «rebelarse» (Nm 17,25, *t*e*lunnōt); lō* → *'bh,* «no querer» (Dt 1,26; Is 30,9); *srr,* «ser terco» (Dt 21,18; Sal 78,8; cf. *sārā,* «obstinación»); → *m's,* «rechazar» (Ez 20,13); cf. también Dt 1,26s; 9,23; 31,27; Is 30,9; 63,10; Os 14,1; Sal 106, 7; Lam 3,42; Neh 9,26. Cf. también la unión de *'ōræf,* «cerviz», con *qšh* hifil, «endurecer» (Ex 32,9 y *passim),* o con *qāšæ,* «dura» (Dt 10,16 y *passim),* perífrasis que describe la rebeldía como «testarudez». Sobre *sārāb,* «rebelde», Ez 2,6, texto dudoso, cf. Zimmerli, BK XIII, 10; Wagner, N. 205; sobre *'ēṣā* II → *y'ṣ* 1.

4. *a)* Si exceptuamos algunos pocos casos (Dt 21,18.20; Job 17,2; 23,2; Prov 17,11), *mrh/m*e*rī* se refiere siempre a la rebeldía contra Dios. Cf. las expresiones formularias *mrh 'im-/'æt-/ b*e*Yhwh,* «rebelarse contra Yahvé» (Dt 9,7.24; 31,27; Jr 4,17; Ez 20,8.13.21; Sal 5,11; 78,40; contra Dios: Os 14,1; Sal 78,56; contra el espíritu de Dios: Sal 106,33; en presencia de su *kābōd:* Is 3,8).

b) Los casos más antiguos muestran que el concepto era empleado primariamente para referirse a situaciones limitadas: rebeldía del hijo contra sus padres (Dt 21,18.20), rebeldía en forma de hechicería (1 Sm 15,23, paralelo al término aún no explicado *hafṣar* = *pṣr* hifil) o de desobediencia de alguna palabra concreta de Yahvé (1 Re 13,21. 26; Is 1,20). Después, en la literatura profética del s. VIII y VII a. C., la palabra es ampliada y referida genéricamente a la relación del pueblo con Yahvé (Is 3,8; 30,9; Os 14,1; Jr 4,17; 5,23).

c) A partir de ahí, la palabra aparece en textos en los que se acusa a Israel de haberse rebelado contra la acción histórica de Yahvé, especialmente contra sus acciones en la época del desierto: Nm 17,25; 20,10.24; 27, 14 (P); Dt 9,7.23s; 31,27; Is 63,10; Sal 78,8.17; 106,7.43. Pero normalmente la obstinación se dirige contra la palabra de Yahvé: Is 30,9; 50,5; Ez 2,4ss; 5,6; 20,13.21; Sal 105,28. Es característica la fórmula acusatoria *mrh* qal/hifil *'æt-pī Yhwh,* «rebelarse contra la boca (= palabra, mandato) de Yahvé» (qal Nm 27,14; 1 Re 13, 21.26; hifil Dt 1,26.43; 9,23s; Jos 1, 18; 1 Sm 12,14s). Cf. la expresión «no oír» (cf. *sup. 3c).* La tradición primitiva sobre la rebeldía contra la palabra de Yahvé comunicada al profeta (1 Re 13,21.26; Is 30,9) es recogida e invertida en Is 50,5: «el Señor Yahvé me ha abierto el oído y yo no me rebelé...» (semejante también, Ez 2,8).

Finalmente, según Ezequiel, la rebeldía contra la palabra profética (Ez 2, 5.8; 3,9; 5,6; 20,13.21) se ha convertido en estigma del pueblo de Dios, como queda reflejado en la fórmula declaratoria estereotipada «casa de rebeldía» (Ez 2,5.6.7; 3,9.26.27; 12,2.3. 9.25; 17,12; 24,3; 44,6); cf. también Is 30,9 y Sal 78,8. Aquí se caracteriza el comportamiento de todo el pueblo a lo largo de la historia como rebeldía contra la palabra revelada de Yahvé; lo mismo ocurre con la confesión de los pecados (Lm 1,18.20; 3,42; Neh 9, 17.26).

En estos textos, *mrh/m^e^rī* se convierte en concepto clave de la temática del pecado: caracteriza la postura de Israel para con Yahvé como una postura de oposición decidida y malvada contra todo lo revelado por Yahvé. El término se acerca, pues, a la terminología del endurecimiento.

5. Los textos de Qumrán emplean sólo el verbo (4 ×, CD 9, 10 contiene *ʾmr,* «decir»). Sin embargo, el significado es el mismo: obstinación contra la opinión de los demás, contra la palabra de Dios y contra la conversión.

Los LXX emplean diversos términos griegos para traducir a *mrh/m^e^rī;* el más frecuente es παραπικραίνειν, «irritar» (en Sal y —exceptuados Ez 5,6; 12,2; 20,13.21— en Ez, también en Dt 31,27; 1 Re 13,21.26; Lam 1, 18.20; cf. πικρός en 2 Re 14,26), que, por influjo de *mrh,* ha ampliado su significado original (= hebreo *mrr)* (cf. W. Michaelis, art. πικρός: ThW VI, 122-127).

R. Knierim

משח *mšḥ* Ungir → מֶלֶךְ *mælæk*

משל *mšl* Dominar

1. La raíz *mšl,* «dominar, gobernar (latín *dominari)*» (distinta de *mšl* I → **mṯl,* «ser igual», *dmh* 3a), está documentada con relativa frecuencia sólo en semítico noroccidental (fenicio, púnico, arameo antiguo: DISO 171; no en ugarítico). En el AT está documentada sobre todo en qal y menos frecuentemente en hifil; el participio *mōšēl* tiende a constituirse en sustantivo independiente («soberano»). De *mšl* se han derivado los siguientes sustantivos: *mōšæl,* «ámbito de dominio»; *mimšāl,* «dominio, el mando», y *mæmšālā,* «reino, gobierno».

En arameo bíblico, *mšl* es sustituido por la raíz *šlṭ* (lo mismo que en acádico y ugarítico; sobre el paso de esta raíz al hebreo, al árabe y al etiópico, cf. Wagner, N. 306-309); qal, «dominar»; hafel, «constituir en señor»; *šilṭōn,* «empleado»; *šolṭān,* «dominio»; *šallīṭ,* «poderoso» (KBL 1131); en hebreo aparecen *šlṭ* qal/hifil, *šilṭōn* y *šallīṭ,* «soberano»; *sallæṭæt,* «poderosa» (KBL 977).

2. El verbo aparece 77 × en qal (excluido Is 28,14) y 3 × en hifil; el participio masculino qal activo aparece 43 × y no es fácil distinguir con seguridad cuándo se trata de un empleo verbal y cuándo debe considerarse como sustantivado (según Lisowsky, 24 × de empleo sustantivado). Los sustantivos aparecen: *mōšæl* 2 × (tardíos: Zac 9,10; Dn 11,4), *mimšāl* 3 × (tardíos: Dn 11,3.5; 1 Cr 26, 3, *mæmšālā* 17 ×.

3. *a)* La raíz *mšl* presenta, a tenor del contexto, los siguientes matices:

1) «dominar» en sentido general, no político, construido con *b^e^,* «sobre»: *a)* el hombre sobre la creación: Sal 8,7 hifil: «le hiciste señor de las obras de tus manos»; *b)* el hombre sobre otros hombres (por ejemplo, el marido sobre la mujer, el hermano sobre su hermana, el señor sobre sus esclavos, un país sobre otros países): Gn 3,16; 37,8 (paralelo a → *mlk);* Ex 21,8; Dt 15,6; Jl 2,17; Hab 1,14 (negativo, pero cf. 1QpHab); Sal 106,41; Prov 12,24; 17,2; 19,10; 22,7; Lam 5,8; *c)* en el sentido de autodominio: Gn 4,7, texto dudoso; Sal 19,14; Prov 16,32 (participio; en adelante los casos de partici-

pio son señalados con *); *d)* en el sentido de «administrar», Gn 24,2*; Sal 105,21*;

2) «dominar» en sentido político: Gn 45,8*.26*; Jos 12,2*.5 (sujeto → *mælæk);* Jue 8,22-23; 9,2; 14,4*; 15,11*; 2 Sm 23,3*; 1 Re 5,1*; Is 3, 4.12; 14,5*; 16,1*; 19,4 (sujeto *mælæk);* 49,7*, texto dudoso (paralelo a *mælæk);* Jr 22,30* (paralelo a «uno que está sentado en el trono de David»); 30,21*; 51,46*; Ez 19,11*; Zac 6,13 (junto a la expresión «sentarse en el trono»); Job 25,2; Prov 23,1*; 29, 2.12*.26*; Ecl 9,17*; 10,4*; Dn 11, 3-5 (paralelo a *mælæk).*39.43; Neh 9, 37*; 2 Cr 7,18* (paralelo a «trono de tu realeza»); 9,26; 23,20*;

3) «dominar» con Yahvé como sujeto o referido de alguna forma a él: Is 40,10; 63,19; Sal 22,29 (paralelo a *melūkā,* «reino»); 59,14*; 66,17*; 89, 10*; 103,19 (sujeto: «su soberanía»); 1 Cr 29,12*; 2 Cr 20,6 («sobre los reinos de las naciones»);

4) referido al señor escatológico: Miq 5,1*.

b) En los tres últimos significados, por tanto, *mšl* coincide frecuentemente con *mlk,* «dominar (como rey)» (y derivados).

Otros términos semejantes son:

1) *rdh,* «pisar (el lagar)» (Jl 4,13) y «dominar» (21 ×; Gn 1,26.28, el hombre sobre los animales; Sal 72,8, dominio universal del rey; sin que aparezca Dios como sujeto; hifil, Is 41,2, texto dudoso);

2) *śrr* qal, «dominar» (Jue 9,22; Is 32,1; Prov 8,16; Est 1,22; 1 Cr 15,22, *srr,* «presidir»; hitpael, «erigirse en señor», Nm 16,13.13; hifil, «erigirse en *śar»,* Os 8,4, paralelo a *mlk* hifil); además, los sustantivos *śar,* «empleado, comandante» (421 ×, de ellas, 56 × en Jr, 51 × en 2 Cr [en Lisowsky, 1386b, debe descartarse 2 Cr 35,25], 47 × en 1 Cr, 25 × en Gn, 1 Re y 2 Re, 18 × en Dn, 17 × en Nm, 1 Sm, Is y Neh, 15 × en 2 Sm y Est, 11 × en Esd, 10 × en Ex, 9 × en Jue y Sal, 8 × en Os, 5 × en Dt, 4 × en Job y Lam, 3 × en Ez, Prov y Ecl, 2 × en Jos, Am y Sof, 1 × en Miq, es decir, preferentemente en los libros narrativos; en Jos 5,14s y Dn 8,25.25; 10,13.20.20.21; 12,1, se refiere a los ángeles), y *śārā,* «princesa» (Jue 5,29; 1 Re 11,3; Is 49,23; Lam 1,1; Est 1,18; cf. los nombres personales *Śāray/Śārā),* cf. el acádico *šarru,* «rey»;

3) *miśrā,* «dominio» (Is 9,5s; raíz *śrh);*

4) *šlṭ,* cf. *sup.,* 1; cf. también → *špṭ*.*

4. *a)* La idea del «dominio» en sentido general presenta en muchos casos un relevante interés teológico. Así, por ejemplo, Sal 8,7 habla del dominio del hombre, creado a imagen de Dios (→ *ṣælæm)* sobre la creación que le está sometida (Gn 1,26.28, *rdh,* «dominar», en v. 28, junto a *kbš,* «someter, sojuzgar»; cf. también Gn 1,18, que se refiere al dominio *[mšl]* de las dos grandes «lumbreras» sobre el día y la noche, también de P). El hecho de que aquí no se emplee la raíz *mlk* carece de importancia, ya que P evita el empleo de esta raíz (→ *mlk* 2), mientras que en el Salterio su aplicación al hombre ha podido inducir a error y hacer pensar que se trata de Yahvé ejerciendo su realeza. De ahí se explica que frecuentemente (especialmente los miembros de la escuela «Myth and Ritual») se ha descrito al primer hombre como rey o portador de prerrogativas reales, siguiendo la descripción del hombre primordial de Ez 28, 12b-16 (cf. vv. 2b-5). Esa interpretación es posible, pero no segura.

En los demás pasajes, el dominio de una persona o de un pueblo sobre otro es considerado con frecuencia como un juicio sobre los pecados de este último —y no únicamente en la teoría deuteronomística de la retribución—: Gn 3, 16; Dt 15,6; Sal 106,41.

b) En el sentido político, *mšl* es empleado a veces —por ejemplo, en Jue 8,22s y 9,2— al parecer intencionadamente en lugar de la raíz *mlk;* esto se debe probablemente a la tesis del deuteronomista, según la cual el Israel premonárquico está regido teocráticamente, y no podía existir un rey designado con el término *mlk* (→ *mælæk 4b);* el deuteronomista podía también pensar que no se debía aplicar a la época primitiva y constituyente del pueblo una raíz que el desarrollo posterior negativo de la monarquía debía desacreditar. De forma semejante aborda Ezequiel el tema del «príncipe» de la restauración, a quien no llama *mǽlæk,* sino *nāśī'*.

c) *mšl* aparece con Yahvé como sujeto o unido de algún modo a su dominio en textos que ideológicamente pertenecen al tema teológico de Yahvé-*mǽlæk* (→ *mǽlæk* 4*a*).

d) Especial importancia reviste el *mōšēl,* «soberano», escatológico suscitado por Yahvé, del que habla Miq 5, 11s (→ *mǽlæk* 3*c*); también aquí, quizá por razones idénticas a las señaladas en 4*b*, se evita la raíz *mlk*.

5. También en los escritos de Qumrán están ampliamente documentados el verbo y la mayoría de los derivados. Entre las diversas traducciones de los LXX, las más importantes son ἄρχειν (ἄρχων) y κυριεύειν (cf. G. Delling, art. ἄρχω: ThW I, 476-488; W. Foerster, art. κυριεύω: ThW III, 1097s). El texto de Miq 5,1ss —al que nos hemos referido en 4*d*— se cita en Mt 2,6 (cf. Jn 7,42) y hace de puente para el empleo de concepto en el NT (cf. F. Büchsel, art. ἡγέομαι: ThW II, 909-911).

J. A. Soggin

מָתַי *mātay* ¿Cuándo?

1. El adverbio interrogativo temporal *mātay,* «¿cuándo?», pertenece al substrato común de las lenguas semíticas (Bergstr., *Einf.*, 182; Moscati, *Introduction,* 121).

Si prescindimos del hebreo y del acádico (AHw 632b; GAG § 113k.119a), el término no ha sido documentado aún en los textos más antiguos (ugarítico; fenicio-púnico; el arameo *'mt,* «cuándo», aparece por primera vez en el óstracon RES 1793 del s. v, cf. A. Dupont-Sommer, REJ 7 [1946-47] 39-51; BMAP 96; P. Grelot, VT 4 [1954] 378, nota 1; DISO 18).

Unido a *'ad,* «hasta», también el adverbio de lugar *'ānā* (o *'ān,* Job 8,2) puede ser empleado en sentido temporal (→ *'ayyē* 2); cf. también *'ad-mā* (Nm 24,22, texto dudoso; Sal 74,9; 79,5; 89,47), *'ad-mǣ* (Sal 4,3) y *kammā* (Sal 35,17; Job 7,19) en el sentido de «¿hasta cuándo?, ¿por cuánto tiempo?».

2. *mātay* aparece 43 × en el AT; es especialmente frecuente en Sal (13 ×), lo mismo que *'ad-'ān(ā)* (5 × del total de 14 ×).

3. Al igual que → *'ayyē,* «¿dónde?» —y aún con más frecuencia—, también *mātay* introduce preguntas cuya finalidad no es el adquirir una información ni obtener una respuesta concreta (esto ocurre sólo en Ex 8,5; Dn 8,13; 12,6; Neh 2,6.6; cf. también Is 6,11; en Jr 23,26 y Sal 101,2 el texto debe ser enmendado). En la mayoría de los casos, *mātay,* «¿cuándo?», o *'ad-mātay,* «¿hasta cuándo? ¿por cuánto tiempo?» —y *'ad-'ān(ā)* siempre— son preguntas retóricas con las que se da expresión a un reproche airado e impaciente. Por eso, esta expresión abre con frecuencia una alocución (cf. Ex 10,3.7; Nm 14,27: «¿hasta cuándo voy a perdonar a esta comunidad perversa?»; 1 Sm 1,14: «¿hasta cuándo va a durar tu embriaguez?»; 16,1: «¿hasta cuándo vas a estar llorando por Saúl?»; 2 Sm 2,26, después de otras dos preguntas retóricas; 1 Re 18,21: «¿hasta cuándo vais a estar cojeando con los dos pies?»; Jr 47,5; Zac 1,12; Sal 41,6; 82,2; Prov 1,22; en Am 8,5; Job 7,4 y Prov 23,35 se da más bien un monólogo; con *'ad-'ān[ā]*: Ex 16, 28; Nm 14,11.11; Jos 18,3; Jr 47,6; Hab 1,2; Sal 13,2.2.3.3; 62,4; Job 8,2; 18,2; 19,2), más raramente aparece como conclusión que cierra y resume el discurso (Gn 30,30; Jr 13,27); en la lamentación y en la exhortación (Jr 4,14.21; 12,4; 31,22; Os 8,5; Hab 2,6; Sal 6,4; 42,3; 74,10; 80,5; 90,13; 94,3.3.8; 119,82.84; Prov 6,9.9) puede aparecer en diversas posiciones. Deben señalarse también las aposiciones (Jr 23,26 texto dudoso; Hab 2,6; Sal

6,4; 90,13) y las repeticiones de la pregunta (Nm 14,11; Jr 47,5s; Sal 13,2s; 74,9s; 94,3; Prov 6,9).

4. A la luz de lo dicho debe entenderse el tema de la pregunta afligida y llena de reproche «¿cuándo? ¿hasta cuándo?» dirigida a Dios en la lamentación del pueblo (*ʿad-mātay,* Sal 74,10; 80,5: «¿hasta cuándo estarás airado contra la plegaria de tu pueblo?»; 90, 13; 94,3.3; cf. *ʿad-mā:* Sal 79,5) y en los cánticos de lamentación individual (*ʿad-mātay:* Sal 6,4; 119,82.84; cf. Jr 12,4; Zac 1,12; quizá también Is 6,11, cf. Wildberger, BK X, 257; *ʿad-ʾānā,* Hab 1,2; Sal 13,2.2.3.3; cf. *ʿad-mā,* Sal 89, 47; *kammā,* Sal 35,17; Job 7,19). Este elemento formal, tratado una y otra vez en los trabajos de investigación histórico-formal de los salmos (cf., entre otros, Gunkel - Begrich, 127.230; E. Baumann, ZAW 61 [1945-1948] 126-131; C. Westermann, *Struktur und Geschichte der Klage im AT:* ZAW 66 [1954] 44-80, especialmente 53s.58s = *Forschung am AT* [1964] 276s. 282), debe colocarse por una parte junto al elemento *lấmmā/lāmā,* «¿por qué?», de las preguntas dirigidas a Yahvé (cf. A. Jepsen, *Warum? Eine lexikalische und theologische Studie,* FS Rost [1967] 106.113, que cataloga los pasajes y distingue entre la pregunta de reproche con *lấmmā* y la pregunta informativa o admirativa con *maddūaʿ,* → *ydʿ* I/3f) y por otra parte debe relacionarse con el estilo babilónico de las oraciones de lamentación y súplica (cf., por ejemplo, un empleo análogo en un canto de lamentación dirigido a Istar que recoge E. Ebeling, *Die akkadische Gebetsserie «Handerhebung»* [1953] 132-135, línea 56.59.93s [= AOT 259s; ANET 384s; aquí recogemos la traducción propuesta por SAHG 331. 333]: «¿hasta cuándo, mi señora, me mirarán mis enemigos con rostro huraño?, ¿por cuánto tiempo, mi señora, me precederán [incluso] el estúpido [y] el cojo?..., ¿hasta cuándo vas a estar enojada, mi señora, y vas a tener apartado tu rostro?, ¿hasta cuándo, mi señora, vas a estar enojada y va a estar tu ánimo enfadado?»).

5. Se ha de considerar también el trasfondo veterotestamentario de la pregunta retórica enojada o de lamentación en la pregunta ἕως πότε, «¿hasta cuándo?», en 1 Mac 6,22; Mt 17,17. 17 y paralelos; Jn 10,24 y Ap 6,10.

E. Jenni

INDICE DE TERMINOS ESPAÑOLES